# DICTIONNAIRE
# DES MOTS CROISÉS

www.quebecloisirs.com

UNE ÉDITION DU CLUB QUÉBEC LOISIRS INC.
© Avec l'autorisation des Éditions Quebecor
© 2000, Les Éditions Quebecor
Dépôt légal — Bibliothèque nationale du Québec, 2001
ISBN 2-89430-478-1
(publié précédemment sous ISBN 2-7640-0478-8)

Imprimé au Canada

# DICTIONNAIRE
# DES MOTS CROISÉS

## LISE BEAUDRY

# A

À BOUT DE FORCES. Anéanti, claqué, crevé, épuisé, éreinté, exténué, las.

AARON (n. p.). Moïse, Nabab.

ABACA. Bananier, chanvre, fibre, musa.

ABAISSE-LANGUE. Palette.

ABAISSEMENT. Avilissement, baisse, chute, décadence, déchéance, déclin, dégénération, dégradation, déraser, descente, diminution, écrasement, fermeture, flexion, gelé, hypothermie, platitude.

ABAISSER. Amoindrir, aplanir, avilir, baisser, déprécier, déraser, descendre, diminuer, écraser, humilier, rabaisser, rabattre, ravaler.

ABANDON. Apostasie, cessation, cession, défection, divorce, don, donation, épave, forfait, fuite, passation, reculade, rejet, trahison.

ABANDONNÉ. Bayou, cédé, délaissé, laissé, quitté, seul, vacant, vide.

ABANDONNER. Abdiquer, céder, confier, délaisser, déserter, évacuer, flancher, fuir, jeter, lâcher, laisser, larguer, livrer, luxure, négliger, oublier, partir, rencart, renier, renoncer, semer, trahir, vider.

ABAQUE. Boulier, corbeille, tailloir.

ABASOURDI. Coi, consterné, ébahi, hébété, stupéfait.

ABASOURDIR. Ahurir, altérer, baba, dérouter, ébahir, éberluer, épater, estomaquer, étonner, méduser, pétrifier, sidérer, stupéfier.

ABÂTARDIR. Altérer, dégénérer, dénaturer, gâter, pourrir, vicier.

ABÂTARDISSEMENT. Abaissement, dégénération, dégénérescence.

ABATTAGE. Allant, brio, dynamisme, havage, saignée, train, vivacité.

ABATTEMENT. Chagrin, coma, dégoût, ennui, fatigue, inertie, lâcheté.

ABATTIS. Abat, layer, machette, volaille.

ABATTOIR. Boucherie, bouvril, échaudoir, fondoir, tueur.

ABATTRE. Anéantir, décourager, démâter, descendre, raser, tuer.

ABATTU. Accablé, anéanti, brisé, coupé, découragé, démoli, détruit, énervé, inerte, las, mou, morne, morose, scié, sombre, tué, vaincu.

ABBAYE. Cloître, couvent, église, monastère, solesme, thélème.

ABBAYE (n. p.). La Trappe, Orval.

ABBÉ. Aumônier, curé, pasteur, pontife, prélat, prêtre, vicaire.

ABBÉ (n. p.). Abbon, Odon.

ABBEVILLIEN. Chelléen.

ABCÈS. Adénite, dépôt, furoncle, plaie, pus, pustule, tumeur, ulcère.

ABDIQUER. Démettre, démissionner, destituer, laisser, renoncer.

ABDOMEN. Aine, bedon, diaphragme, foie, ombilic, poitrine, ventre.

ABDOMINAL. Appendice, intestin, ptôse, queue, uropode, ventral.

ABÉCÉDAIRE. Abc, alphabet, lettre.

ABEILLE. Apicole, apis, bourdon, cire, essaim, guêpe, mélipone, miel, mouche à miel, picorer, reine, ruche, sphécoïde, ventileuse, xylocope.

ABEL (n. p.). Adam, Caïn, Ève, Seth.

ABER. Ria.

ABERRANT. Absurde, anormal, déraisonnable, faux, idiot, insensé.

ABERRATION. Absurdité, bêtise, bévue, démence, divagation, égarement, erreur, extravagance, folie, fourvoiement, maldone, méprise, stupidité.

ABERRER. Tromper.

ABÊTIR. Abrutir, affaiblir, assoter, bêtifier, crétiniser, dégrader.

ABHORRER. Abjurer, haïr, détester, exécrer, maudire, ressentiment.

ABIÉTACÉE. Cône, épicéa, mélèze, pignon, pin, sapin, sapinette.

ABÎME. Abysse, aven, blason, caverne, cœur, gouffre, igue, précipice.

ABÎMER. Amocher, blesser, carier, casser, dégrader, démolir, ébrécher, écorner, endommager, gâcher, gâter, pourrir, rayer, saboter, salir, user.

ABJECT. Avilissant, bassesse, dégoûtant, dernier, grossier, honteux, ignoble, ilote, indigne, infâme, laid, odieux, méprisable, ord, ort, vil.

ABJECTION. Bassesse, crasse, fange, honte, ilotisme, infamie, saleté.

ABJURER. Abandonner, bénir, changer, déserter, renier, renoncer.

ABLATION. Abscision, abscission, amputation, ankylose, appendicectomie, artériectomie, autotomie, castration, chirurgie, cholécystectomie, excision, exérèse, gastrectomie, laryngectomie, lobectomie, néphrectomie, opération, ovariectomie, pneumectomie, prostatectomie, splénectomie, tarsectomie, thyroïdectomie, tomie.

ABLUTION. Bain, douche, lavage, lotion, nettoyage, rinçage, toilette.

ABNÉGATION. Abandon, dévouement, générosité, oubli, sacrifice.

ABOI. Cerf, chien, désespéré, glapissement, hurlement, jappement.

ABOIEMENT. Aboi, cri, jappement, voix.

ABOLIR. Abroger, anéantir, annuler, détruire, extirper, ôter, proscrire.

ABOLITION. Ankylose, antalgie, grâce, pardon, rémission, suppression.

ABOMINABLE. Affreux, atroce, damné, détestable, exécrable, horrible, maudit, mauvais, odieux, satané, yéti.

ABOMINABLE HOMME DES NEIGES (n. p.). Yéti.

ABOMINER. Abhorrer, abjurer, détester, exécrer, haïr, sataner.

ABONDAMMENT. Amplement, bésef, bien, fort, prou, riche, verse.

ABONDANCE. Affluence, amalthée, babil, boisson, chèvre, foisonner, flux, giboyeux, nombre, opulence, plénitude, pléthore, pulluler, riche.

ABONDANT. Ample, commun, considérable, copieux, dense, exubérant, fécond, fertile, fructueux, généreux, nombreux, pullulant, surabondant.

ABONDER. Affluer, couler, combler, foisonner, fourmiller, grouiller, infester, pulluler, regorger, remplir, saturer, soutenir, verser.

ABONNEMENT. Camelot, carte, forfait, postier, souscription.

ABONNER. Désabonner, journal, prime, réabonner, souscrire.

ABONNIR. Accès, accueil, améliorer, approche, bienvenue, préalable.

ABORD. Accès, accueil, alentour, approche, caractère, entour, réception.

ABORDAGE. Assaut, collision, gaffe, grappin, joindre, racolage, sabre.

ABORDER. Abord, accès, cogner, draguer, entrer, gaffe, grappin, joindre.

ABORIGÈNE. Autochtone, indigène, natif, naturel.

ABOUCHEMENT. Accouplement, anastomose, anus, cholécystostomie, chystostomie, jonction, jumelage, raccordement, rapport, urétérostomie, union.

ABOUCHER. Joindre, négocier.

ABOULIE. Aboulique, dysboulie, mou.

ABOUT. Charpente, échiffré.

ABOUTER. Accoupler, ajointer, enter, joindre, jumeler, réunir.

ABOUTIR. Affluer, arriver, but, finir, pu, réussir, tendre, terminer.

ABOUTISSEMENT. But, débouché, issue, résultat, terminaison.

ABOYER. Cerf, chien, crier, désespéré, glapisser, gueuler, hurler, japper.

ABRACADABRANT. Ahurissant, baroque, bizarre, invraisemblable.

ABRAHAM. Sacrifice.

ABRAHAM (n. p.). Esaü, Hagar, Haran, Isaac, Ishmael, Jokshan, Keturah, Lot, Medan, Midian, Nahor, Our, Sarah, Shuah, Terah, Ur, Zimran.

ABRAQUER. Raider, tirer.

ABRASIF. Corindon, diatomite, émeri, grésoir, sablé.

ABRÉGÉ. Amoindri, aperçu, bref, compendium, concis, court, cursif, diminué, épitomé, etc., petit, plan, précis, raccourci, résumé, sténo, topo, trachée.

ABRÉGEMENT. Diminution, récapitulation, troncation.

ABRÉGER. Compendieux, écourter, exposer, épitamer, etc., résumer.

ABREUVER. Abreuvage, abreuvement, arroser, désaltérer.

ABREUVOIR. Auge, baquet, bassin, fontaine.

ABRÉVIATION. Acronyme, aphérèse, apocope, initiale, raccourci, sigle.

ABRÉVIATION COMMERCIALE. Cie, enr., inc., ltée.

ABRÉVIATION MÉDICALE. O.R.L.

ABRÉVIATION RELIGIEUSE. N.D., N.S., R.P., S.S., ST, S.S.T., STE.

ABRI. Aile, antre, asile, auvent, cabane, cagna, casemate, chenil, couvert, dais, égide, gare, gîte, guérite, hangar, havre, kan, khan, niche, parapluie, parasol, port, rade, refuge, retraite, ruche, taud, tente, toit, tutelle.

ABRI (n. p.). Knox.

ABRIBUS. Auvent, édicule, gare, gîte.

ABRICOT. Abricoté, abricotier, alberge, oreillon.

ABRITER. Assurer, cacher, couver, couvrir, défendre, empêcher, encager, garantir, héberger, préserver, protéger, serrer.

ABROGER. Abolir, annuler, effacer, éteindre, rapporter, supprimer.

ABRUPT. Acerbe, brutal, escarpé, inégal, raide, revêche, roide, stupide.

ABRUTI. Bête, borné, con, crétin, hébété, imbécile, sot, stupide, vapes.

ABRUTIR. Abattre, abêtir, assourdir, bêtifier, crétiniser, décerveler, engourdir, étourdir, hébéter.

ABRUTISSEMENT. Abêtissement, hébétement, idiotie.

ABSCONS. Abstrus, cabalistique, énigmatique, ésotérique, hermétique, impénétrable, incompréhensible, indéchiffrable, inintelligible, mystérieux, nébuleux, obscur, sibyllin.

ABSENCE. Aboulie, acéphalie, acholie, agalaxie, agénésie, aisé, anaphrodisie, anodontie, anomie, anurie, apepsie, aplasie, apyrexie, azoospermie, crise, défaillance, défaut, frigidité, froid, hétéronomie, idiotie, inaction, mutisme, objectivisme, omission, petitesse, sans, sécheresse, sécurité, sérénité, zéro.

ABSENT. Alibi, contumace, distrait, intérim, orthopédiste, rêveur.

ABSENTER. Décamper, disparaître, manquer.

ABSIDE. Architecture, conque, église, tréflé.

ABSINTHE. Absin-menu, aluine, armoise, artemisia, herbe aux vers.

ABSOLU. Entier, exclusif, idéal, impérieux, infini, intègre, parfait, très.

ABSOLUMENT. Complètement, littéralement, pleinement, zéro.

ABSOLUTION. Abolution, grâce, pardon, péché, pénitence, rémission.

ABSOLUTISME. Tyrannie.

ABSORBER. Aspirer, avaler, boire, dissolution, engloutir, éponger, humer, ingérer, manger, occuper, pénétrer, pomper, résorption, respirer, sécher, vider.

ABSORPTION. Aérophagie, désorption, délistescence, dissolution, inhalation, percutané, puvathérapie, malabsorption, résorption.

ABSTENIR. Cesser, empêcher, éviter, exempter, jeûner, manquer, modérer, omettre, passer, priver, récuser, retenir, taire, veillir.

ABSTENTION. Abandon, chasteté, continence, diète, frugalité, jeûne, modération, privation, pureté, régime, sobriété, virginité.

ABSTIENT. Abstème.

ABSTINENCE. Ascétisme, chasteté, continence, diète, jeûne, virginité.

ABSTINENT. Chaste, continent, jeûneur, vertueux.

ABSTRACTION. Chimère, concept, écarter, éliminer, exclure, idée, fiction, négliger, notion, omettre.

ABSTRAIRE. Abstracteur, isoler.

ABSTRAIT. Axiomatique, irréel, isolation, paradoxe, profond, subtil.

ABSTRUS. Abscon, cabalistique, énigmatique, ésotérique, hermétique, impénétrable, incompréhensible, indéchiffrable, inintelligible, mystérieux, nébuleux, obscur, sibyllin.

ABSURDE. Aberrant, apagogique, balourd, biscornu, dingue, farfelu, faux, fou, inepte, insensé, niais, ridicule, saugrenu, sot, stupide.

ABSURDITÉ. Aberration, bêtise, folie, idiotie, illogisme, ineptie, sottise.

ABUJA (n. p.). Nigeria.

ABUS. Alcoolisme, arnaque, débordement, dérèglement, désordre, errements, exagération, excès, inconduite, injustice, intempérance, mal, népotisme, outrance, paperasserie, tromperie, vexer, viol, violence.

ABUSER. Duper, exploiter, mystifier, surprendre, tromper, user, violer.

ABUSIF. Envahissant, exagéré, excessif, illégitime, immodéré, impropre, incorrect, indû, infondé, inique, injustifié, usurpatoire.

ABUSIVEMENT. Abîme, psychiatrisé.

ABYSSE. Abîme, fosse, gouffre, précipice.

ABYSSIN. Chat, négus, ras.

ACABIT. Catégorie, espèce, genre, manière, nature, qualité, sorte, type.

ACACIA. Boule, cachou, canéfier, cassier, mimosa, parasol, robinier.

ACADÉMICIEN. Immortel.

ACADÉMIE. Cheval, collège, conservatoire, coupole, cygne, école, palme, institut, institution, lycée, modèle, nu, palais, rectorat, université.

ACADIEN (n. p.). Cajun.

ACAJOU. Anacarde, anarcardier, chippendale.

ACARE. Demodex, gale, phytopte, sarcope, ver.

ACARIÂTRE. Acerbe, bourru, grincheux, hargneux, maussade, mégère.

ACARIEN. Acare, acariose, acarus, aoûtat, argas, démodex, gale, galle, ixode, lepte, matelas, phytopte, sarcopte, tique, trombidion, varroa.

ACARUS. Gales, sarcopte.

ACCABLANT. Brûlant, écrasant, étouffant, fatigant, lourd, orageux.

ACCABLÉ. Abattu, éploré, oppressé.

ACCABLEMENT. Abattement, consternation, découragement, écrasement, ennui, indigestion, rompu, somme, surcharge.

ACCABLER. Abattre, abrutir, affliger, agonir, assommer, atterrer, charger, combler, couvrir, cribler, écraser, engueuler, épuiser, grever, lasser, obérer, opprimer, surcharger, tondre, tuer, vanner.

ACCALMIE. Agité, ataraxie, béat, bonasse, bouillant, calme, coi, déchaîné, détendu, emporté, énervé, excité, flegme, froid, impatient, ire, irrité, modéré, paix, patient, posé, quiet, relax, sage, serein, tranquille.

ACCAPARER. Acheter, approprier, emparer, prendre, truster.

ACCÉDER. Aborder, admettre, approuver, arriver, consentir, entrer.

ACCÉLÉRATEUR. Bétatron, bévatron, champignon, cyclotron, pédale.

ACCÉLÉRATION. Accroissement, activation, rythme, vitesse, sprint.

ACCÉLÉRÉ. Activé, dépêché, excité, grouillé, hâté, pressé, rapide.

ACCÉLÉRER. Courir, démarrer, dépêcher, exciter, magner, presser.

ACCENT. Aigu, atone, circonflexe, emphase, grave, intensité, lettre, marque, prononciation, signe, tilde, ton, tonalité, tonique, voyelle.

ACCENTUÉ. Proparoxyton, taluté.

ACCENTUER. Accuser, appogiature, appuyer, atone, augmenter, exagérer, inaccentué, insister, lunimisme, ponctuer, rehausser.

ACCEPTABLE. Admissible, buvable, correct, honnête, irrecevable, passable, supportable, tolérable, valable.

ACCEPTATION. Accord, approbation, fatalisme, gré, oui, refus.

ACCEPTER. Accueillir, acquérir, admettre, agréer, avaler, consoler, endurer, eu, excuser, prendre, recevoir, refuser, tolérer, vouloir.

ACCÈS. Abord, accueil, arrivée, attaque, crise, entrée, herse, poussée.

ACCESSIBLE. Abordable, accort, affable, compréhensible, facile, ouvert.

ACCESSOIRE. Annexe, auxiliaire, épisodique, essentiel, figurant, fioriture, garniture, inutile, jeu, outil, principal, secondaire, ustensile.

ACCIDENT. Aléa, altéré, affaire, avatar, aventure, bémol, cas, dièse, épisode, esclandre, fraise, incident, malheur, naufrage, panne, pépin, péripétie, toxémie, tuile.

ACCIDENTÉ. Abîmé, amoché, atteint, blessé, esquinté, touché.

ACCIDENTEL. Accessoire, adventice, brutal, casuel, fortuit, imprévu.

ACCIDENTELLEMENT. Fortuitement, hasard, incidemment, inopinément, occasionnellement.

ACCLAMATION. Ban, cri, élection, hourra, joie, ovation, salutation.

ACCLAMER. Applaudir, bisser, ovationner, saluer, vivent.

ACCLIMATATION. Animal, naturalisation, pays.

ACCLIMATER. Acclimatable, naturaliser, réussir.

ACCOLADE. Caresse, chevalerie, embrassade, union.

ACCOLEMENT. Anastomose, jonction, symphyse.

ACCOLER. Adjoindre, amitié, coller, embrasser, joindre, lier, serrer.

ACCOMMODANT. Arrangeant, commode, complaisant, conciliant, coulant, débonnaire, facile, sociable, souple, traitable.

ACCOMMODEMENT. Accord, arbitrage, arrangement, assaisonnement, atermoiement, capitulation, composition, compromis, convention.

ACCOMMODER. Adapter, apprêter, arranger, assaisonner, céder, conformer, cuisiner, fricoter, gratiner, mettre, préparer, résigner.

ACCOMPAGNE. Arrosé, guide, pianiste, sigisbée, suiveur.

ACCOMPAGNÉ. Chaperon, escorte, guide, suivi, surveillant.

ACCOMPAGNEMENT. Conduite, convoi, cortège, escorte, équipage, suite.

ACCOMPAGNER. Assister, conduire, convoyer, escorter, flanquer, guider, joindre, marcher, mener, protéger, quant, reconduire, suivre.

ACCOMPLI. Achevé, complet, délai, fini, mieux, passé, sonné, venir.

ACCOMPLIE. Ménopausée.

ACCOMPLIR. Effectuer, exécuter, faire, finir, opérer, réaliser, sonner.

ACCOMPLISSEMENT. Achèvement, couronnement, performance.

ACCORD. Acceptation, amitié, amour, approuver, arpège, concert, concorde, convenir, convention, discord, do, entente, harmonie, la, marché, musique, oui, pacte, refus, rime, syllepse, traité, unanimité, union, unisson, unité.

ACCORD (n. p.). Gatt.

ACCORDÉON. Accordéoniste, bandonéon, concertina.

ACCORDER. Aimer, aller, allouer, attribuer, avouer, cadre, céder, décerner, dénier, donner, octroyer, opiner, permettre, piano, renter.

ACCOSTER. Aborder, aboutir, arrêter, flirter, gaffe, jeter, rencontrer.

ACCOTER. Accotement, accotoir, adosser, appuyer, endosser, étayer.

ACCOTOIR. Accoudoir, appui, bras.

ACCOUCHEMENT. Avortement, bas, crapaud, enfantement, eutocie, forceps, gésine, Io, Latone, part, parturition, réalisation, terme.

ACCOUCHER. Créer, enfanter, engendrer, produire, réaliser.

ACCOUCHEUR. Gynécologue, obstétricien, sage-femme.

ACCOUDOIR. Accotoir, appuie-bras, bras, repose-bras.

ACCOUPLEMENT. Coït, copulation, liaison, rapports, rut, saillie, sexe.

ACCOUPLER. Cocher, coïter, copuler, couvrir, joindre, lutter, monter.

ACCOUTREMENT. Affiquet, costume, déguisement, fringue, vêtement.

ACCOUTRER. Affubler, attifer, déguiser, fagoter, ficeler, habiller, harnacher, nipper, vêtir.

ACCOUTUMER. Acclimater, acclimatiser, aguerrir, endurcir, façonner, habituer, immuniser, mithridatiser, prémunir, préparer, vacciner.

ACCRÉDITER. Affirmer, autoriser, confirmer, propager, répandre.

ACCROC. Anicroche, contretemps, déchirure, incident, obstacle, tache.

ACCROCHAGE. Accident, collision, escarmouche, incident, heurt.

ACCROCHÉ. Aguiché, attaché, collé, immobile, pendu, retenu, suspendu.

ACCROCHER. Agrafer, aiche, atteler, croc, crocher, èche, esche, gaffe, gaffer, happer, heurter, obtenir, pendre, prendre, suspendre.

ACCROISSEMENT. Accrétion, extension, nouer, surcroît, tropisme.

ACCROÎTRE. Accélérer, aggraver, agrandir, allonger, arrondir, augmenter, croître, diluer, élargir, extentionner, grossir, hypertrophier, monter, proliférer, prolonger, redoubler, relever, stimuler.

ACCROUPIR. Baraquer, blottir, pelotonner, posture, ramasser, tasser.

ACCUEIL. Abord, accès, bienvenue, hospitalité, réception, traitement.

ACCUEILLANT. Abordable, accessible, affable, hospitalier.

ACCUEILLI. Aimé, bienvenir, cordial, fêté, hué, paria, né, vu.

ACCUEILLIR. Conspuer, écouter, exaucer, huer, recevoir, siffler, voir.

ACCUMULATEUR. Accu, batterie, flatulence, machine, sulfatation.

ACCUMULATION. Adiposité, amas, congestion, épanchement, flatuosité, hydarthrose, hydropéricarde, hydropisie, moraine, pigmentation, tas, ventosité.

ACCUMULER. Amasser, amonceler, arrérager, augmenter, avare, butin, butiner, charger, congestionner, entasser, néritique, ramasser.

ACCUSATEUR. Délateur, espion, mouchard, plaignant, sycophante.

ACCUSATION. Attaque, blâme, charge, crime, critique, diatribe, grief, imputation, incrimination, inculpation, plainte, reproche.

ACCUSÉ. Fort, inculpé, marqué, net, prévenu, prononcé, récépissé, reçu.

ACCUSER. Arguer, dénigrer, dénoncer, disculper, excuser, incriminer, inculper, innocenter, justifier, mouler, nier, taxer, trahir, vendre.

ACER. Argenté, blanc, campestre, champêtre, circiné, érable, épis, Floride, ginnala, grosseri, Japon, japonicum, montagne, négondo, négundo, noir, Norvège, palmé, Pennsylvanie, plaine, platane, platanoïde, rouge, saccharinum, saccharum, sucre, sycomore.

ACERBE. Acariâtre, acerbité, acéré, acrimonieux, aigre, amer, désenvenimer, dur, méchant, sarcastique.

ACÉRÉ. Aigre, aigu, dard, dur, incisif, mordant, pointu, tranchant.

ACÉTATE. Acétocellulose, rhodia, vert-de-gris, verdet, vinylite.

ACÉTIQUE. Acétamide, acéteux, acétyle, acide, métaldéhyde, vinaigre.

ACÉTYLÈNE. Allylène, gaz, lampe, oxyacétylénique, vinylique.

ACHALANDAGE. Clientèle, commerce, fonds.

ACHARNEMENT. Ardeur, fureur, obstination, opiniâtreté, pâlir, volonté.

ACHARNÉ. Enragé, fanatique, forcené, opiniâtre, passionné, têtu.

ACHARNER. Animer, enrager, exciter, irriter, opiniâtre, poursuivre.

ACHAT. Acquêt, chaland, commande, course, échange, emplette, rachat.

ACHE. Berle, céleri, sium.

ACHEMINER. Aller, amener, canaliser, diriger, marcher, préparer, vers.

ACHETER. Acquérir, capter, offrir, payer, prendre, racheter, vendre.

ACHETEUR. Acquéreur, adjudicataire, chaland, client, pratique.

ACHEVÉ. Accompli, complet, clos, fini, épuré, fatal, parfait, révolu.

ACHÈVEMENT. Aboutissement, accomplissement, clôture, conclusion, couronnement, dénouement, fin, parachèvement, terme.

ACHEVER. Clos, complet, fatal, fini, parfait, révolu, terminer, tuer.

ACHOPPEMENT. Confusion, difficulté, gêne, hic, peine, péril, subtilité.

ACHOPPER. Arrêter, broncher, buter, contre, échouer, heurter.

ACHILLE (n. p.). Hector, Myrmidons, Paris, Patrocle, Thétis.

ACHROMATIQUE. Achromat, optique.

ACIDE. Âcre, ADN, aigre, alanine, amer, ARN, arsénique, asparagine, borique, bromique, caprylique, chlorique, citrique, eau-forte, glycérique, glycocolle, histidine, hyposulfureux, lactique, leucine, malique, oléum, oxacide, palmitique, phtalique, picrique, piquant, salicylique, sérine, silicique, stéarique, sulfurique, sur, thiosulfurique, tryptophane, tyrosine, urique, valine, vanadique, vitriol.

ACIDE AMINÉ. Alanine, cystéine, glycocolle, histidine, isoleucine, leucine, sérine, thréonine, tryptophane, tyrosine, valine.

ACIDE DÉSOXYRIBONUCLÉIQUE. ADN.

ACIDE OXYGÉNÉ. Azoteux-nitreux, borique, bromique, chlorique, chromique, sélénieux, sélénique, stannique, sulfurique, tellurique.

ACIDE RIBONUCLÉIQUE. ARN.

ACIDE SULFURIQUE. Cébide, oléum, vitriol.

ACIDIFIER. Acidification, aigrir, piquer, ronger, surir, tourner.

ACIDITÉ. Âcreté, acrimonie, aigreur, amertume, causticité.

ACIDULÉ. Aigre, aigrelet, limonade, seltz, suret.

ACIER. Blindage, buse, coin, damas, détremper, elinvar, épée, fer, fonte, inox, inoxydable, invar, lime, œrstite, métal, nitruré, rail, scie, tôle.

ACNÉ. Acnétique, bouton, folliculite, peau, peeling.

ACOLYTE. Aide, associé, cercle, clerc, compagnon, complice, ordre.

ACOMPTE. À-valoir, arrhes, avance, diminuer, provision, règle.

ACONIT. Aconitine, capuce de moine, capuchon, napel, poison.

ACOUSTIQUE. Acousticien, bip, entendre, gravité, oreille, son, sonie.

AQUÉREUR. Acheteur, adjudicataire, chaland, client, pratique, preneur.

ACQUÉRIR. Acheter, avoir, cueillir, gagner, obtenir, payer, spécialiser.

ACQUÊT. Achat, bien, conquêt, mariage, possession.

ACQUIESCEMENT. Approbation, inclination, oui, permission, sanction.

ACQUIESCER. Accéder, adhérer, avouer, céder, consentir, obtempérer, opiner, permettre.

ACQUIS. Conquis, décharge, dévolu, infus, inné, natif, né, quittance.

ACQUISITION. Achat, action, fiducie, obtention, usucapion.

ACQUITTÉ. Absous, amnistié, créance, facture, innocent, non coupable.

ACQUITTEMENT. Condamnation, innocent, juge, libération, libre.

ACQUITTER. Absoudre, accomplir, exercer, libérer, payer, régler, solder.

ÂCRE. Acerbe, acide, âcreté, acrimonieux, aigre, amer, âpre, dulcification, empyreume, fort, grinçant, mordant, rance, sur.

ÂCRETÉ. Acrimonie, aigreur, amertume, âpreté, hargne.

ACRIDIEN. Criquet, grillon, locuste, orthoptère, pèlerin, sauterelle.

ACRIMONIE. Acariâtre, âcreté, amertume, hargne.

ACRIMONIEUX. Acariâtre, acerbe, acide, aigre, amer, atrabilaire, grinçant, hargneux, maussade, mordant.

ACROBATE. Antipodiste, bateleur, batoude, cascadeur, contorsionniste, équilibriste, funambule, gymnaste, matassin, trapéziste, voltigeur.

ACROBATIE. Chandelle, icarien, looping, pont, tonneau, voltige.

ACRONYME. Abrégé, abréviation, emblème, initiale, lettre, logo, monogramme, sigle, trigramme.

ACTE. Amnistie, attentat, bienfait, bill, déclinatoire, droit, écrit, écrou, édit, effort, excès, folie, forfaiture, formalité, fraude, injustice, loi, neuvaine, noèse, offre, ordonnance, prière, protêt, qualité, ratification, réescompte, rire, rite, sceau, seing, sottise, sujet, testament, texte, titre, trahison, union.

ACTÉE. Cimicaire.

ACTEUR. Artiste, bouffon, clown, comédien, comique, doublure, étoile, histrion, mime, pensionnaire, ringard, rôle, star, vedette.

ACTEUR AMÉRICAIN (n. p.). Allen, Armstrong, Astaire, Bacall, Bakula, Baldwin, Belafonte, Belushi, Benedick, Bennet, Bogart, Boone, Brando, Bridges, Brosnan, Brown, Burton, Cage, Chandler, Clooney, Cole, Costner, Crosby, Cruise, Culkin, Curtis, Dafoe, Daniels, Danson, Darin, Day-Lewis, Dean, De Niro, DeVito, Douglas, Dreyfuss, Eastwood, Fonda, Ford, Gable, Gere, Gibson, Goldblum, Granger, Grant, Hackman, Hanks, Hardy, Harrelson, Heston, Hope, Hopkins, Hoskins, Hudson, Jackson, Jordan, Keitel, Kilmer, Kinski, Kline, Lancaster, Laurel, Leblanc, Lewis, Malkovich, Martin, McConaughey, McQueen, Mitchum, Montgomery, Moore, Murphy, Murray, Newman, Nicholson, Nolte, O'Connor, Peck, Penn, Pitt, Presley, Pryor, Quaid, Quinn, Randall, Reagan, Reeves, Ritchie, Rooney, Rourke, Savage, Schwarzenegger, Simmons, Sinatra, Sorbo, Stallone, Stewart, Taylor, Thomas, Travolta, Tyler, Van Damme, Van Dyke, Washington, Wayne, Weissmuller, Williams, Willis, Wyle, Young.

ACTEUR BRITANNIQUE (n. p.). Accolas, Arène, Aymar, Ayoub, Bard, Barry, Blanch, Burbage, Burton, Buza, Calderwood, Chaplin, Foote, Friesen, Garrick, Garrison, Gillett, Klanfer, Konig, Lawrence, Loftus, Martin, Mc Kenna, Murphy, Nardi, Nerman, O'Connor, Parillo, Parson, Pearson, Pennington, Richard, Ross, Snider.

ACTEUR FRANÇAIS (n. p.). Auteuil, Baur, Belmondo, Blier, Boyer, Chevalier, Coquelin, Delon, Depardieu, Fernandel, Funès, Gabin, Guitry, Montand, Noiret, Piccoli, Raimu, Simon, Talman, Vanel, Vilar.

ACTEUR ITALIEN (n. p.). Bertinazzi, Mastroianni, Mezzetin, Toto.

ACTEUR QUÉBÉCOIS (n. p.). Adams, Alarie, Albert, Allaire, Allard, Archambault, Arsenault, Aubert, Auclair, Audet, Auger, Aumont, Barnard, Barrette, Bastarache, Bastien, Beauchamps, Beauchemin, Beaudet, Beaudry, Beaulieu, Beaulne,

Beaupré, Bégin, Béland, Bélanger, Belhumeur, Belisle, Belzile, Benoit, Bergeron, Bernard, Bernier, Bérubé, Berval, Besré, Bessette, Biddle, Bienvenue, Bigras, Bilodeau, Binet, Bisson, Bissonnette, Bizier, Blais, Blanchard, Blanchet, Bluteau, Boie, Boilard, Boisvert, Boivin, Bolduc, Bombardier, Bonneau, Bouchard, Boucher, Boudreau, Bourgeault, Bourgeois, Bourque, Bousquet, Boutin, Bradet, Brassard, Bray, Briand, Brière, Brisson, Brosseau, Brouillet, Brouillette, Brousseau, Brunet, Buissonneau, Cabana, Campeau, Canuel, Cardin, Carez, Caron, Carrère, Carrière, Cartier, Cauchon, Cazelais, Chabot, Chagnon, Chamberlan, Champagne, Champoux, Chapados, Chapleau, Charest, Charette, Charles, Charron, Chartier, Chartrand, Chassé, Chenail, Chénier, Chevalier, Chouinard, Christian, Claveau, Clavet, Cloutier, Coallier, Collin, Comeau, Corbeil, Cormier, Côté, Cousineau, Coutu, Couture, Crête, Curzi, Cyr, D'Amours, D'Astou, Da Silva, Dagenais, Dallaire, Daviau, De Cespedes, Delasoie, Delcourt, Delmas, Demers, Denis, Denoncourt, Derek, Deschamps, Deschênes, Désilets, Desjardins, Desmarteau, Desrochers, Desroches, Desrosiers, Dessureault, Désy, Di Stasio, Dion, Dionne, Dô, Doucet, Doyon, Drainville, Drolet, Dubois, Ducharme, Duchesne, Duchesneau, Dufaux, Dufour, Dumont, Dupuis, Durand, Dussault, Duval, Émond, Éthier, Farmer, Faubert, Faucher, Fauteux, Favreau, Ferland, Filion, Fontaine, Forest, Fortin, Fournier, Francoeur, Fruitier, Gadouas, Gagné, Gagnon, Galipeau, Gamache, Garceau, Gascon, Gaudreau, Gauthier, Gauvin, Gélinas, Gendron, Genest, Germain, Gignac, Giguère, Gingras, Girard, Giroux, Gobeil, Godin, Gougeon, Goyette, Graton, Gravel, Graveline, Grégoire, Grenier, Grimaldi, Grisé, Grondin, Groulx, Guay, Guévremont, Guilda, Guimond, Guy, Hamel, Hamelin, Hébert, Héroux, Hétu, Houde, Houle, Huard, Hurtubise, Imbault, Jacob, Jacques, Jean, Jetté, Jodoin, Jordan, Joubert, L'Écuyer, L'Espérance, L'Heureux, Labbé, Labelle, Labrèche, Labrie, Labrosse, Lachance, Lachapelle, Lacombe, Lacoste, Lacroix, Lafleur, Lafond, Lafontaine, Lafortune, Lajeunesse, Lalancette, Lalande, Laliberté, Lalonde, Lambert, Lamirande, Lamontagne, Lamoureux, Landry, Langelier, Langlois, Lapointe, Laprade, Laroche, Larocque, Larue, Latour, Latreille, Latulippe, Laurin, Lautrec, Lauzon, Lavallée, Lavergne, Lavigne, Lavoie, Leblanc, Leboeuf, Lecavalier, Leclerc, Ledoux, Leduc, Lefebvre, Lefrançois, Légaré, Legault, Legendre, Léger, Legris, Lelièvre, Lemay, Lemay-Thivierge, Lemieux, Lemire, Lepage, Leroux, Lessard, Létourneau, Levasseur, Léveillée, Lévesque, Lirette, Lizotte, Loiselle, Longpré, Lord, Lortie, Lussier, Maher, Maillot, Major, Maltais, Marchal, Marchand, Marcoux, Marsan, Martel, Martin, Massé, Massicotte, Masson, Mathieu, Mayer, Melançon, Mercier, Messier, Meunier, Michaud, Mignault, Millaire, Millette, Miron, Mongrain, Montmorency, Moreau, Morency, Morissette, Myron, Nadeau, Nadon, Nantel, Noël, Olivier, Ouellet, Ouellette, Pagé, Paiement, Pallascio, Paquette, Paquin, Paradis, Paré, Parent, Paris, Pascal, Pasquier, Patenaude, Pellerin, Pelletier, Perron, Pérusse, Petit, Picard, Piché, Pillet, Pilon, Pilote, Plante, Poirier, Poissant, Ponton, Poulain, Pratte, Préfontaine, Proteau, Proulx, Provencher, Provost, Quintal, Rainville, Ranger, Raymond, Renaud, Ricard, Richard, Richer, Rivard, Rivest, Roberge, Robert, Robidoux, Robitaille, Rollin, Ronfard, Rousseau, Roussel, Routhier, Roux, Roy,

Royer, Sabouret, Sabourin, Salvail, Sauvage, Schreiber, Scott, Séguin, Sicotte, Simard, Talbot, Tanguay, Taschereau, Tassé, Tétreault, Thériault, Thibault, Thibodeau, Thiboutot, Thisdale, Toupin, Tremblay, Trudeau, Trudel, Turbide, Turcot, Turcotte, Turgeon, Vaillancourt, Valcour, Valiquette, Vanasse, Varin, Verville, Vézina, Viau, Viens, Villeneuve, Vincent, Zinko, Zouvi.

ACTEUR SOVIÉTIQUE (n. p.). Tairov.

ACTIF. Agissant, allant, ardent, diligent, efficace, énergique, increvable, laborieux, militant, pétulant, remuant, transitif, vif, violent, zélé.

ACTINIE. Anémone, ortie, polype, zoanthère.

ACTINIUM. Ac, actinide, émanation.

ACTION. Abattage, amerrissage, cession, chaînage, contact, coup, crime, cumul, délit, dételage, don, dotation, drame, effet, efficacité, émersion, énergie, erreur, éveil, faute, force, geste, initiative, intervention, jeu, lancer, legs, lestage, levée, quête, rangement, rapport, réaction, résorption, restitution, rétraction, ruade, soudage, suture, timbrer, viser, zèle.

ACTIONNÉ. Cité, justice, mû, plainte.

ACTIONNER. Cliquer, entraîner, intenter, mouvoir, produire, requête.

ACTIVER. Accélérer, agir, animer, aviver, débattre, démener, emporter, évertuer, exciter, hâter, lutter, remuer, souffler, turbiner.

ACTIVITÉ. Action, agitation, ardeur, conduite, énergie, entrain, exercice, force, inertie, jeu, lenteur, marasme, œuvre, service, sève, vie, vigueur, zèle.

ACTRICE. Cantatrice, comédienne, diva, étoile, star.

ACTRICE AMÉRICAINE (n. p.). Abdul, Anderson, Andrews, Bacall, Basinger, Bassett, Baxter, Bingham, Birch, Brenneman, Bullock, Campbell, Cher, Collins, Crawford, Darnell, Davis, Day, Dee, Dickinson, Dors, Dunaway, Evangelista, Fonda, Fox, Gabor, Gardner, Garland, Griffith, Hall, Kelly, Kidman, Lamour, Lane, Lansbury, Leigh, MacLaine, Madonna, Mansfield, Mantovani, Midler, Monroe, Moore, Morgan, Moss, Nolin, Novak, Parker, Paul, Powells, Powers, Rampling, Roberts, Rivers, Russell, Sarandon, Seagrove, Shalom, Shatner, Schell, Sheridan, Shields, Shue, Silverstone, Stafford, Stone, Streep, Streisand, Taylor, Temple, Tilton, Turner, Walsh, West, Wood, Zuniga.

ACTRICE CANADIENNE-ANGLAISE (n. p.). Basaraba, Benson, Clune, Ellwand, Ferney, Gruen, Hall, Hayle, Henry, Jordan, Kee, Lawrence, Mackenzie, Obonsawin, Racicot, Reh, Spiegel, Sprincis, Stankova, Verner, Victor, Zahalan, Zucco.

ACTRICE FRANÇAISE (n. p.). Arletty, Bardot, Darrieux, Deneuve, Dorval.

ACTRICE ITALIENNE (n. p.). Duse, Lisi, Lollobrigida, Loren.

ACTRICE QUÉBÉCOISE (n. p.). Adam, Adams, Aktouf, Alber, Alepin, Allaire, Allard, Allen, Allison, Ally, Andrieu, Angers, Anthony, Aras, Araya, Arbour, Arcand, Armand, Arsenault, Aubé, Aubertin, Aubin, Aubry, Aubut, Auger, Aussant, Azar, Babeu, Baillargeon, Ballard, Banville, Baril, Barrette, Bartolucci, Basilières, Bastien, Beaubien, Beaudreau, Beaudry, Beaule, Beaulieu, Beaulne, Beaupré, Beauregard, Beauvais, Bédard, Bégin, Bélair, Bélanger, Belcourt, Belisle, Belleau, Bellemare, Benezra, Bérard, Berd, Berger, Bergeron, Bériault, Bernard, Bernier,

Berryman, Berthiaume, Bertrand, Bérubé, Bessette, Bibeau, Biron, Bisaillon, Bisson, Blackburn, Blain, Blais, Blier, Bluteau, Bocan, Boislard, Boisjoli, Boisvert, Boivin, Bombardier, Bonneau, Bonneville, Bonnier, Bouchard, Boucher, Boudreau, Bourgeois, Bourque, Boyer, Brassard, Brault, Briand, Brind'amour, Brisson, Brodeur, Brossard, Brouillette, Brouseau, Bussières, Cadieux, Camirand, Cambell, Cantin, Cardinal, Carel, Caron, Castel, Castonguay, Caya, Célestin, Chabot, Chagnon, Chailler, Chalifoux, Champagne, Chapleau, Charbonneau, Charest, Charlebois, Charpentier, Charron, Chartier, Chartrand, Chassé, Chatel, Chenier, Chevalier, Choinière, Choquette, Chouvalidzé, Claude, Clément, Cloutier, Collard, Collin, Comeau, Comtois, Corbeil, Corradi, Cossette, Côté, Cotton, Coupal, Courchesne, Courtois, Cousineau, Coutu, Couture, Croze, Cusson, Cyr, D'Aragon, Da Silva, Dallaire, Dalpé, Dansereau, Daoust, Daudelin, Dauphinais, Daviau, Delage, Delcourt, Delisle, Demers, Déry, Desbiens, Deschamps, Deschâtelets, Desjardins, Deslauriers, Desrochers, Desrosiers, Deyglun, Dion, Dionne, Doré, Dorion, Dorval, Dostie, Drapeau, Drolet, Drouin, Dubé, Dubeau, Ducharme, Dufour, Dufresne, Dugas, Duguay, Dumas, Dumais, Dumont, Dupire, Durand, Durocher, Dutil, Esse, Eykel, Faucher, Filion, Fleury, Fontaine, Forestier, Fortin, Fournier, Francke, Gadouas, Gagné, Gagnon, Gallant, Gamache, Garceau, Garneau, Gascon, Gauthier, Gélinas, Gendron, Germain, Gervais, Godbout, Godin, Gosselin, Goyette, Grégoire, Grenier, Grenon, Guénette, Guérin, Guertin, Hamel, Hébert, Jalbert, Jean, Jodoin, Jolis, Jules, Julien, Labelle, Labonté, Lachance, Lachapelle, Lajeunesse, Lalande, Lalonde, Lamarche, Lambert, Lanctôt, Langlois, Laplante, Lapointe, Laporte, Latraverse, Laurent, Laurier, Lavallée, Laverdière, Lavergne, Lavoie, Lazure, Le Flaguais, Leblanc, Leduc, Lefebvre, Legault, Léger, Lemay, Lemelin, Lemieux, Leroy, Létourneau, Levac, Levasseur, Léveillé, Leyrac, Loiselle, Lomez, Longchamps, Lopez, Lorain, Lussier, Marchand, Marcotte, Marleau, Marois, Marquis, Martin, Matteau, Mauffette, Mercier, Mercure, Michaud, Michel, Millaire, Miller, Mondoux, Monpetit, Morin, Morissette, Mousseau, Nadeau, Néron, Nolin, Normandin, Oddera, Oligny, Olivier, Orsini, Ouellet, Ouellette, Ouimet, Pallascio, Panneton, Paquette, Paquin, Paradis, Parent, Pasquier, Pauzé, Payette, Pelletier, Perreault, Perron, Phaneuf, Picard, Pilon, Pilote, Pimparé, Pinsonnault, Plourde, Poirier, Poitras, Portal, Potvin, Poulin, Poupart, Prégent, Proulx, Provost, Quesnel, Racicot, Ranger, Raymond, Renaud, Reno, Ricard, Richard, Richer, Riddez, Rinfret, Rioux, Robitaille, Rodrigue, Rousseau, Roussin, Rouzier, Roy, Sarrasin, Sauvé, Schmidt, Schneider, Scoffié, Séguin, Simard, Snyder, Sutto, Sylvain, Sylvestre, Taillefer, Thibault, Tifo, Tisdale, Tisseyre, Tougas, Tremblay, Trépanier, Tulasne, Turcot, Turgeon, Vallée, Valous, Venne, Vézina, Villeneuve, Vincent, Watters, Workman, Zacharie, Zouvi.

ACTUEL. Contemporain, courant, désormais, existant, inactuel, maintenant, moderne, nouveau, présent, récent, statu quo, temps.

ACTUELLEMENT. Aujourd'hui, maintenant, présent, séant.

ACUITÉ. Aigu, amblyope, claivoyance, finesse, gravité, intensité, lucidité, pénétration, perspicacité, sagacité, stridence, violence.

ACYCLIQUE. Alcane, alcène, alcyne, aliphatique.

ADAGE. Aphorisme, dicton, maxime, pensée.

ADAM. Bible, éden.

ADAM (n. p.). Abel, Caïn, Ève, Seth.

ADAPTATION. Accord, arrangement, intégrisme, praxie, reconversion.

ADAPTER. Accommoder, accorder, ajuster, aller, approprier, arranger, cadrer, capoter, épouser, inadapté, réadapter, réunir, roder.

ADDITIF. Adjuvant, ajoutage, ajouture, bifidus, rallonge, supplément.

ADDITION. Addenda, adjonction, ajout, annexe, appendice, calcul, facture, net, note, paradoxe, plus, prothèse, pur, somme, total, viner.

ADDITIONNÉ. Caramélisé, glucosé, mauresque, résiné, sacchariné.

ADDITIONNER. Adjoindre, ajouter, allonger, annexer, augmenter, carbonater, compléter, emprésurer, ioder, joindre, opiacer, prolonger, rallonger, rhumer, rhune, surajouter, tartrer, totaliser, viner.

ADEPTE. Adhérent, allié, ami, clientèle, défenseur, disciple, école, initié, militant, partisan, recrue, secte, soutien, sympathisant, tenant.

ADÉQUAT. Approprié, coïncident, concordant, congruent, convenable.

ADHÉRENCE. Accolement, agglutination, assemblage, collage, contact.

ADHÉRENT. Accolé, adepte, adhésif, assemblé, collé, cotisant, membre.

ADHÉRER. Affilier, approuver, coller, croire, rallier, suivre, union.

ADHÉSIF. Agglutinant, collage, collant, jonction, liaison, téflon, union.

ADHÉSION. Accession, approbation, conviction, ratification, sanction.

ADIEU. Au revoir, bonjour, bonsoir, congé, quitter, renoncer, saluer.

ADJECTIF DÉMONSTRATIF. Ce, ces, cet, cette.

ADJECTIF INDÉFINI. Aucun, autre, certain, chaque, nul, maint, même, plusieurs, quel, quelconque, quelque, tel, tous, tout, toute, toutes, un.

ADJECTIF INTERROGATIF. Pourquoi, quel, quelle.

ADJECTIF POSSESSIF. Leur, leurs, nos, notre, ma, mes, mien, mon, nos, notre, sa, ses, sien, son, ta, tes, tien, ton, vos, votre.

ADJOINT. Adjuvant, aide, assesseur, assistant, associé, attaché, auxiliaire, coadjuteur, second, vice.

ADJONCTION. Co, coh, com, con, fluoration, incrémentiel, jonction.

ADJUDICATION. Achat, caution, encan, enchère, rabais, soumission.

ADJUGER. Approprier, attribuer, cautionner, demander, dire, priser.

ADJURATION. Exorcisme, imploration, invocation, obsécration, prière.

ADJURER. Conjurer, exorciser, implorer, invoquer, prier, supplier.

ADMETTONS. Soit.

ADMETTRE. Accepter, accorder, accueillir, adopter, affilier, agréer, avouer, croire, initier, introduire, introniser, nier, présupposer, reconnaître, voir.

ADMINISTRATEUR. Agent, doyen, gérant, pape, préfet, recteur, tuteur.

ADMINISTRATEUR FRANÇAIS (n. p.). Daru.

ADMINISTRATION. Bureau, cogérance, curie, dème, douane, fisc, gérance, gestion, ministère, nome, poste, régie, régime, syndic.

ADMINISTRER. Cogérer, commander, conduire, contrôler, donner, diriger, étatiser, gérer, médicamenter, mener, mourant, régir.

ADMIRABLE. Éblouissant, épatant, excellent, extraordinaire, magnifique, merveilleux, remarquable, splendide, superbe.

ADMIRATEUR. Adorateur, fan, groupie, snob, sot, spectateur.

ADMIRATION. Beau, éblouissement, emballement, engouement, épatant, extase, fanatique, merveille, narcissisme, snobisme.

ADMIRER. Admirateur, aduler, contempler, dédaigner, emballer, engouer, extasier, groupie, mépriser, mirer, piger, regarder.

ADMIS. Moral, plausible, recevable, reconnu, reçu, refusé.

ADMISSIBLE. Légitime, plausible, possible, recevable, valable.

ADMISSION. Adoption, agrément, audience, hospitalisation, réception.

ADMONESTER. Avertir, menacer, morigéner, réprimander, semoncer, sermonner, tancer

ADN. Séquençage, transposon.

ADOLESCENCE. Âge, jeunesse, préadolescent.

ADOLESCENT. Bachelier, béjaune, blanc-bec, chérubin, éphèbe, fan, hymen, jeune, jouvenceau, novice, pédopsychiatrie, scout, teenager.

ADONIS. Éphèbe.

ADONIS (n. p.). Aphrodite, Byblos, Phénicie.

ADONNER. Appliquer, consacrer, donner, habituer, plonger, pratiquer.

ADOPTER. Adhérer, attendre, choisir, consentir, partager, présumer.

ADORATEUR. Adulateur, amoureux, courtisan, dévot, fan, groupie.

ADORATION. Amour, culte, iconolâtrie, idolâtrie, religion, zoolâtrie.

ADORER. Aduler, aimer, honorer, iconolâtrer, idolâtrer, ignocoler, mage, prosterner, vénérer, zoolâtrer.

ADOUCIR. Alléger, amollir, apaiser, attendrir, atténuer, baisser, calmer, édulcorer, euphémisme, lénifier, limer, mitiger, panser, polir, sucrer.

ADOUCISSANT. Correctif, diminutif, lénitif, looch, réglisse.

ADOUCISSEMENT. Accoisement, allégement, amélioration, apaisement, baume, congé, dictame, euphémisme, mitigation, tamisage.

ADRESSE. Agilité, apostrophe, art, coordonnées, doigté, domicile, finesse, habileté, harangue, suscription, tir, tour, tri, truc, vagabond.

ADRESSER. Dédier, échanger, envoyer, haranguer, parler, poster, prier.

ADRET. Ombrée, soulane, ubac.

ADROIT. Agile, escroc, expert, fin, habile, intelligent, preste, rusé, vif.

ADROITEMENT. Astucieusement, diplomatiquement, faufiler, finement, habilement, insinuer, politiquement, savamment, semer.

ADSORPTION. Adsorber, adsorbant, physiorption.

ADULER. Flatter, louanger.

ADULTE. Grand, majeur, mature, mûr, posé, raisonnable, réfléchi.

ADULTÈRE. Adultérin, amant, cocu, cocuage, complice, concubin, cornard, débauche, infidèle, infidélité, liaison, maîtresse, trahison, tromperie.

ADVENIR. Arriver, échoir, passer, produire, survenir.

ADVENTICE. Accessoire, accidentel, marginal, parasite, secondaire.

ADVERBE. Ainsi, alors, ça, ci, déjà, enfin, guère, hors, ici, là, où, moins, ne, ni, oui, pas, plus, près, puis, sus, tant, tôt, très, vite, voici, voilà.

ADVERBE DE LIEU. Ça, ci, en, hors, ici, là, où.

ADVERBE DE NÉGATION. Ne, ni, non, pas.

ADVERBE DE QUANTITÉ. Autant, peu, si, très.

ADVERBE DE TEMPS. Alors, encore, ici.

ADVERSAIRE. Antagoniste, ennemi, jaloux, opposé, protagoniste, rival.

ADVERSE. Contraire, défavorable, hostile, opposé, transfuge.

ADVERSITÉ. Avatars, destin, détresse, difficulté, disgrâce, malheur.

AÉRAGE. Aération, canar, renouvellement, respiration.

AÉRER. Air, alléger, assainir, éclaircir, espacer, évent, façonner, oura, ouvrir, oxygéner, pur, purifier, renouveler, respirer, sain, sortir, ventiler.

AÉRIEN. Céleste, élancé, élevé, éthéré, léger, poétique, pur, svelte.

AÉRODROMÈDES YVELINES (n. p.). Buc.

AÉROLITHE. Météorite.

AÉROMÈTRE. Alcoomètre, glucomètre, uréomètre.

AÉROMOTEUR. Éolienne.

AÉRONAUTIQUE. Aérien, aéronef, aérostat, air, avion, ballon, biplan.

AÉRONEF. Aéroplane, avion, autogire, birotor, cz, dirigeable, giravion, hélicoptère, largeur, zeppelin.

AÉROPLANE. Aéronef, avion, autogire, hydravion, hydroplane, planeur.

AÉROPORT. Aérogare, gare, héligare, héliport.

AÉROPORT ALLEMAGNE (n. p.). Berlin, Kloten, Tempelhof.

AÉROPORT ANGLETERRE (n. p.). Croydon, Londres.

AÉROPORT BELGIQUE (n. p.). Anvers, Bruxelles, Deurne, Haren.

AÉROPORT DAKAR (n. p.). Yof.

AÉROPORT ÉTATS-UNIS (n. p.). Fairbanks, Idlewild, Kennedy, Logan, Ohare.

AÉROPORT FRANCE (n. p.). Blagnac, Bron, Charles-de-Gaulle, Le Bourget, Mérignac, Orly.

AÉROPORT INTERNATIONAL DU CANADA (n. p.). Calgary, Diefenbaker, Dorval, Edmonton, Gander, Halifax, Jean-Lesage, Macdonald-Cartier, Mirabel, Montréal, Ottawa, Pearson, Québec, Toronto, Vancouver, Winnipeg.

AÉROPORT JAPON (n. p.). Itami, Narita.

AÉROPORT LUXEMBOURG (n. p.). Findel.

AÉROPORT NATIONAL DU CANADA (n. p.). Charlottetown, Fredericton, Regina, Saint John, Thunder Bay, Victoria, Whitehorse, Windsor, Yellowknife.

AÉROSOL. Atomisateur, inhalation, spray.

AÉROSTAT. Aérostier, agrès, ballon, montgolfière.

AÉTHUSE. Ciguë, ombellifère.

AFFABILITÉ. Amabilité, aménité, civilité, honnêteté, liant, urbanité.

AFFABLE. Aimable, amène, doux, facile, familier, gentil, poli, sociable.

AFFAIBLI. Abattu, abruti, amorti, anémie, asthénique, attendri, blasé, caduc, cassé, déprimé, faible, fatigué, gâteux, réduit, vieilli, usé.

AFFAIBLIR. Abattre, abrutir, adoucir, alanguir, altérer, amoindrir, amollir, amortir, anémier, aveulir, briser, casser, déprimer, diluer, ébranler, épuiser, étioler, lasser, miner, pâlir, ronger, ruiner, sénilité, user.

AFFAIBLISSEMENT. Abattement, amblyopie, anémie, dégénérescence, démence, effritement, étiolement, exténuation, héméralopie, langueur, neurasthénie, psychasthénie, sénilité.

AFFAIRE. Cause, commerce, gâchis, occupation, transaction, travail, va.

AFFAIRER. Activer, agiter, démener, occuper, spéculer.

AFFAISSEMENT. Abattement, colpocèle, écroulement, effondrement, épirogenèse, faix, fantis, fondis, fontis, posture, subsidence, tassement.

AFFAISSER. Abattre, aréner, effondrer, enfoncer, plier, tomber.

AFFALER. Écouler, tomber, trévirer.

AFFECTATION. Apprêt, assignation, attribution, cant, cérémonie, consécration, désignation, destination, fatuité, pose, préciosité, prétention, pudibonderie, recherche, simagrée, singerie, tralala.

AFFECTÉ. Ému, fade, gêné, guindé, ostensoir, malade, poseur, prude.

AFFECTER. Assigner, bléser, minauder, nantir, obèse, saisir, toucher.

AFFECTIF. Athymhormie, athymie, psychoaffectif.

AFFECTION. Adoration, amiantose, amitié, amour, angine, antipathie, byssinose, désir, érotomanie, froideur, gale, girie, haine, ictus, imago, infirmité, lithiase, lupus, maladie, manie, naturel, ophtalmie, ostentation, piété, préciosité, psoriasis, rhume, sentiment, sida, simplicité, tabès, tendresse, torticolis, valétudinaire, zona.

AFFECTIONNER. Adorer, aimer, amouracher, brûler, chérir, désirer, enflammer, espérer, estimer, favori, goûter, idolâtrer, raffoler.

AFFECTUEUX. Aimant, amoureux, bon, câlin, cordial, gentil, tendre.

AFFERMIR. Ancrer, asseoir, assurer, cimenter, durcir, fermeté, fortifier.

AFFÉTERIE. Affectation, affété, marinisme, marivaudage.

AFFICHAGE. Afficheur, pancarte, télétexte, visuel.

AFFICHE. Avis, écriteau, mural, pancarte, placard, poster, réclame.

AFFICHER. Accentuer, accuser, affecter, affirmer, annoncer, arborer, attester, aviser, déballer, étaler, inscrire, montrer, placarder, publier.

AFFICHISTE. Acteur, artisan, artiste, bohème, ciseleur, colleur, esthète, paysagiste, peintre, vedette.

AFFICHISTE (n. p.). Carlu, Cheret.

AFFIDÉ. Agent, confiance, espion, noyauter, partisan.

AFFILER. Affûter, aiguiser, appointer, appointir, émorfiler, émoudre.

AFFILIÉ. Carbonaro, compagnon, inféodé, partisan.

AFFINAGE. Bloom, calmage, épuration, perchage, sursoufflage.

AFFINER. Fonte, frégater, sole.

AFFINITÉ. Accord, affin, liaison, parenté, rapport, suite, union.

AFFIRMATION. Assertion, caution, certain, dogme, exact, formel, franc, garantie, motal, oc, oil, oui, preuve, serment, si, théorème, thèse, vrai.

AFFIRMER. Articuler, dire, jurer, maintenir, mentir, nier, prétendre.

AFFIXE. Affixal, infixe, préfixe, suffixe.

AFFLICTION. Amertume, chagrin, deuil, honte, mal, misère, peine.

AFFLIGÉ. Déshérité, désolé, gueux, infortuné, miséreux, miteux, triste.

AFFLIGER. Affecter, attrister, blesser, chagriner, contrister, désoler, frapper, mortifier, navrer, peiner, percer, pleurer.

AFFLUENCE. Abondance, multitude, nuée, pullulement, vague.

AFFLUENT. Bord, eau, fleuve, lit, pont, rivière, ruisseau, torrent.

AFFLUENT, AAR (n. p.). Sarine.

AFFLUENT, ADOUR (n. p.). Nive.

AFFLUENT, AISNE (n. p.). Aire.

AFFLUENT, ALLER (n. p.). Leine.

AFFLUENT, ALLIER (n. p.). Dore, Sioule.

AFFLUENT, AMAZONE (n. p.). Javari, Madeire, Negro, Purus, Tapajos, Ucayali, Xingu.

AFFLUENT, AVEYRON (n. p.). Viaur.

AFFLUENT, BUG (n. p.). Narew.

AFFLUENT, CHARI (n. p.). Logone.

AFFLUENT, CONGO (n. p.). Kasai, Lomani, Oubangui, Sangha.

AFFLUENT, DANUBE (n. p.). Abens, Altmuhl, Drave, Enns, Inn, Isar, Isker, Lech, Leitha, Olt, Prout, Prut, Raab, Save, Siret, Tisza, Vah.

AFFLUENT, DORDOGNE (n. p.). Cère, Isle, Saale, Vézère.

AFFLUENT, DOUBS (n. p.). Loue.

AFFLUENT, DURANCE (n. p.). Bléone.

AFFLUENT, ÈBRE (n. p.) Segre.

AFFLUENT, ELBE (n. p.). Havel.

AFFLUENT, ESCAULT (n. p.). Dendre, Lys, Rupel.

AFFLUENT, EURE (n. p.). Iton.

AFFLUENT, GARONNE (n. p.). Ariège, Aveyroi, Baise, Dordogne, Dropt, Gers, Gimone, Hers, Lot, Neste, Salat, Save, Tarn.

AFFLUENT, ISÈRE (n. p.). Arly.

AFFLUENT, LENA (n. p.). Aldan, Vitim.

AFFLUENT, LOIRE (n. p.). Allier, Beuvron, Boulogne, Cher, Erdre, Furens, Indre, Layon, Loiret, Maine, Nièvre, Thouet, Vienne.

AFFLUENT, LOT (n. p.). Célé.

AFFLUENT, MEUSE (n. p.). Lesse.

AFFLUENT, MISSISSIPPI (n. p.). Arkansas, Missouri, Ohio, Wisconsin.

AFFLUENT, OISE (n. p.). Aisne.

AFFLUENT, ORANGE (n. p.). Vaal.

AFFLUENT, OUBANGUI (n. p.). Ouellé, Uélé.

AFFLUENT, PÔ (n. p.). Adda, Doire, Mincio, Oglio, Sésia, Tanaro, Tessin.

AFFLUENT, RHIN (n. p.). Aar, Aare, Lauter, Main, Moder, Moselle, Neckar, Ruhr.

AFFLUENT, RHÔNE (n. p.). Ain, Ardèche, Arve, Cèze, Drôme, Fier, Gard, Gier, Isère, Saône.

AFFLUENT, SAINT-LAURENT (n. p.). Bécancour, Bergeronnes, Betsiamites, Chaudière, Godbout, Jacques-Cartier, Maskinongé, Mille-Isles, Ottawa, Pentecôte,

Richelieu, Rivière-des-Prairies, Rivière-du-Loup, Saguenay, Saint-Charles, Saint-Maurice.

AFFLUENT, SAÔNE (n. p.). Dheune, Doubs, Ognon.

AFFLUENT, SARTHE (n. p.). Huisne, Loir.

AFFLUENT, SEBOU (n. p.). Fes.

AFFLUENT, SEINE (n. p.). Aisne, Andelle, Aube, Epte, Erdre, Essonne, Eure, Indre, Iton, Loing, Marne, Oise, Orge, Rille, Risle, Yonne.

AFFLUENT, SÉNÉGAL (n. p.). Falème.

AFFLUENT, TARN (n. p.). Agout, Dourbie.

AFFLUENT, TIBRE (n. p.). Allia, Anio, Teverone, Zab.

AFFLUENT, VAR (n. p.). Cians.

AFFLUENT, VARDAR (n. p.). Cerna.

AFFLUENT, VILAINE (n. p.). Ille.

AFFLUENT, VISTULE (n. p.). Bug, Narew.

AFFLUENT, VOLGA (n. p.). Oka.

AFFLUER. Abonder, couler, encombrer, grouiller, marée, pulluler.

AFFLUX. Boom, bouchon, débordement, déferlement, flopée, flot, foule.

AFFOLANT. Angoissant, dangereux, dramatique, effrayant, terrible.

AFFOLEMENT. Agitation, angoisse, embarras, peine, scrupule, transe.

AFFOLER. Alarmer, déraisonner, perdre, tournebouler.

AFFRANCHI. Alleu, cave, émancipé, franc, indépendant, libre, serf.

AFFRANCHIR. Dégager, émanciper, exempter, libérer, sauver, timbrer.

AFFRÉTER. Charger, fret, louage, louer, noliser, pourvoir, transport.

AFFREUX. Atroce, crime, effroyable, hideux, laid, terrible, vilain.

AFFRIANDER. Allécher, amorcer, appâter, plaire, séduire, tenter.

AFFRIOLANT. Affolant, aguichant, alléchant, appétissant, attirant, émoustillant, excitant, plaisant, tentant.

AFFRONT. Attaque, atteinte, avanie, blasphème, bravade, camouflet, fuite, gifle, humiliation, injure, insulte, offense, outrage, refus, vanne.

AFFRONTEMENT. Attaque, choc, combat, défi, échange, heurt, lutte.

AFFRONTER. Attaquer, braver, combattre, défier, exposer, heurter, lutter, matcher, mesurer, opposer, risquer.

AFFUBLER. Coller, déguiser, donner, fagoter, gratifier, habiller, vêtir.

AFFÛT. Artillerie, canon, chasse, crosse, flasque, guet, tourillon.

AFFÛTER. Affiler, affûtage, affûteur, agacer, aiguiser, appointer, dégrossir, émoudre, repasser.

AFGHANISTAN. Afghani, dari.

AFRICAIN. Alfa, amome, ben, bled, doum, gnou, griot, kola, naja.

AFRIQUE ÉQUATORIALE. AE.

AFRIQUE ÉQUATORIALE FRANCAISE. AEF.

AGAÇANT. Contrariant, crispant, déplaisant, désagréable, rageant.

AGACEMENT. Contrariété, énervement, exaspération, impatience, irritation.

AGACER. Asticoter, crisper, embêter, énerver, ennuyer, exaspérer, exciter, fâcher, harceler, horripiler, irriter, taquiner, tourmenter.

AGAPES. Banquet, bombance, bombe, festin, fête, gueuleton, ripaille.

AGAR-AGAR. Gélose.

AGARIC. Balliote, champignon de Paris, pratella, psalliote.

AGARICACÉE. Agaric, amanite, collybie, coprin, entolome, golmote, lactaire, lépiote, oronge, phaliote, pleurote, russule, volvaire.

AGATE. Bille, camée, cornaline, jaspe, onyx, sardoine, sardonyx, sisal.

AGAVE. Abécédaire, aloès, ixtle, pite, pitta, pulque, sisal, tampico.

ÂGE. Adolescence, cep, charrue, enfance, ère, labour, maturité, sep.

ÂGE, LUNE. Comput, épacte.

ÂGÉ. Aîné, ancien, ans, avancé, déclassé, démodé, doyen, gâteux, sénile, tard, temps, usé, vétéran, vie, vieillard, vieille, vieux.

AGENCE. Affaire, bureau, cabinet, chantier, commerce, succursale.

AGENCE (n. p.). AFD, CIA, ESA, FBI, NASA, PC, TASS, UPI.

AGENCEMENT. Arrangement, combinaison, composition, contexture, décor, drapé, enchaînement, ordre, organisation, structure, texture.

AGENCER. Aménager, composer, décorer, lier, ordonner, organiser.

AGENDA. Année, calendrier, calepin, mémento, programme, registre, semainier.

AGENOUILLEMENT. Génuflexion.

AGENOUILLER. Abaisser, humilier, incliner, orant, prosterner.

AGENT. Action, affidé, âme, assureur, barbouze, bras, cause, cautère, cogne, commis, courtier, cycliste, émissaire, éon, espion, estafette, ferment, flic, gardien, îlotier, instrument, mouchard, moyen, objet, police, sbire.

AGENT SECRET (n. p.). Éon.

AGERATUM. Agérate, célestine, eupatoire.

AGGLOMÉRATION. Banlieue, bidonville, bloc, bourg, bourgade, camp, campement, capitale, centre, cité, colonie, conurbation, douar, écart, grappe, groupement, noyau, ruche, synderme, tribu, village, ville.

AGGLOMÉRER. Agglutiner, amasser, frittage, joindre, presser.

AGGLUTINER. Agglutination, amasser, cokéfiant, coller, réunir.

AGGRAVER. Accroître, alourdir, amplifier, augmenter, charger, compliquer, détériorer, développer, empirer, exciter, pire, récidiver.

AGHA. Aga, caïd, officier, sultan, turc.

AGILE. Alerte, dispos, fringant, léger, leste, preste, souple, valide, vif.

AGILITÉ. Adresse, aisance, grâce, légèreté, prestesse, vitesse, vivacité.

AGIOTER. Agio, finance, spéculer.

AGIR. Actionner, aller, animer, conduire, contribuer, coopérer, démériter, employer, faire, lambiner, lésiner, mener, militer, œuvrer, opérer, oser, procéder, régner, remuer, ruser, trahir, traiter, user, venir, vivre.

AGISSANT. Actif, efficace, efficient, énergique, lambinant, puissant.

AGISSEMENT. Action, combine, cuisine, intrigue, manège, pratique.

AGITATEUR. Émeutier, entraîneur, factieux, fomenteur, illégal, insurgé, révolté, sectaire, séditieux, troubleur.

AGITATEUR HONGROIS (n. p.). Kun.

AGITATION. Activité, apaisement, barattement, calme, clapotement, coi, délire, émeute, émoi, émotion, flux, houle, inquiétude, ire, mouvement, nervosité, orage, pacification, quiet, reflux, tremblement.

AGITÉ. Actif, affolé, agile, animé, calme, écume, ému, éperdu, excité, fiévreux, gros, nerveux, orageux, trépidant, troublé, vague, vif.

AGITER. Activer, ballotter, baratter, battre, bercer, bouger, brandiller, brasser, brouiller, démener, ébranler, remuer, secouer, spéculer, touiller, trépidant.

AGNEAU. Agnelle, bélier, boucherie, monnaie, mouton, vassiveau.

AGONIE. Coma, extrémité, glas, mort.

AGONIR. Insulte, râler, souffrir.

AGONISANT. Moribond, mourant.

AGONISER. Décliner, éteindre, expirer, péricliter.

AGRAFE. Attache, boucle, broche, clip, crochet, épingle, fermail, fibule.

AGRAFER. Accrocher, boucler, déboucher, fermer, prendre.

AGRAIRE. Agrarien, agricole, aratoire, are, foncier, rural, terre.

AGRANDIR. Allonger, arrondir, croître, dilater, doubler, élargir, élever, étendre, évaser, gonfler, grandir, grossir, hausser, mandriner, pousser.

AGRANDISSEMENT. Allongement, croissance, gonflement, usurpation.

AGRÉABLE. Beau, bon, doux, exquis, friand, gentil, joli, riant, suave.

AGRÉER. Accepter, accueillir, approuver, convenir, plaire, recevoir.

AGRÉGAT. Aggloméré, amas, assemblage, bloc, conglomérat, masse.

AGRÉMENT. Accord, attrait, charme, choix, grâce, oui, plaisir, séduction.

AGRÉMENTER. Décorer, égayer, embellir, enjoliver, garnir, orner, parer.

AGRÈS. Apparaux, appât, armement, gréement, grément, portique.

AGRESSIF. Acerbe, ardent, colérique, combatif, élaps, fou, méchant, provocant, récessivité, revancheur, skin, violent.

AGRESTE. Bucolique, campagnard, champêtre, pastoral, rustique.

AGRICOLE. Agraire, agreste, bucolique, campagnard, champêtre, rural.

AGRICULTEUR. Agrarien, agronome, areur, colon, cultivateur, éleveur, fermier, labour, laboureur, paysan, paysannat.

AGRICULTURE. Agronomie, aratoire, herse, larve, prime, râteau, rayon.

AGRIPAUME. Cardiaire, cardiaque, cheneuse, créneuse, méliasse.

AGRIPPER. Accrocher, attacher, attraper, cramponner, happer, rattraper, retenir, saisir.

AGRIPPINE (n. p.). Claude, Narcisse.

AGRUME. Agrumiculture, bergamote, cédrat, citron, citrus, clémentine, lime, limette, mandarine, orange, pamplemousse.

AGUICHANTE. Mignonne, minette, nymphette.

AGUICHER. Affrioler, agacer, allécher, allumer, appâter, attirer, charmer, exciter, provoquer.

AHANER. Fatiguer, peiner, respirer, souffler, suer.

AHURI. Abruti, absurde, ballot, bête, borné, demeuré, effaré, hébété.

AHURIR. Ébahir, ébaubir, étonner, hébéter, stupéfaire, troubler.

AI. Bradype, unau.

AICHE. Amorce, appât, asticot, devon, èche, esche, leurre, manne.

AIDE. Assistance, aumône, avance, bourse, cadeau, canne, charité, don, engrais, entraide, grâce, prêt, seconder, secours, servir, SOS, subside.

AIDE-DE-CAMP (n. p.). Murat.

AIDER. Agir, appuyer, assister, collaborer, concourir, dépanner, épauler, faciliter, guider, obliger, pousser, prêter, seconder, servir.

AÏE. Ouille.

AÏEUL. Aîné, ancêtre, ascendant, parent, prédécesseur, tué.

AIGLE. Aétite, aire, circaète, doré, étendard, glatir, grégate, gypaète, harpie, pêcheur, pygargue, râle, rapace, royal, trompeter, uraète.

AIGRE. Acerbe, acide, âcre, amer, âpre, criard, rude, sur, suri, vif.

AIGREFIN. Coquin, escroc, filou, fourbe, kleptomane, rusé, voleur.

AIGRELET. Acidulé, alisé, ginglet, ginguet, piquant, piqué, sur, suret.

AIGREMOINE. Eupatoire, francormier, guillaume, soubeirette, thé des bois, thé du nord.

AIGRETTE. Bleue, garzette, neigeuse, panache, plume, roussâtre.

AIGREUR. Acidité, âcreté, amertume, dépit, goût, rancœur, verdeur.

AIGRI. Amer, suri.

AIGRIR. Aigre, altérer, dégoûté, désabusé, désenchanté, puron, surir.

AIGU. Acéré, aigre, criard, cuire, épine, fifre, fin, glapissant, grave, grêle, haut, musique, perce, pique, pointu, scie, strident, tranchant, vif.

AIGUAIL. Matinal, rosée.

AIGUIÈRE. Aquamanille, bassin, fontaine, vase.

AIGUILLE. Acupuncture, carature, carrelet, chas, clocher, dard, nageoire, obélisque, orphie, pin, pinacle, saperde, tarière, telson, tourillon, trotteuse.

AIGUILLER. Animer, encourager, exciter, inciter, stimuler, tricoter.

AIGUILLETTE. Épaule, ferret, lacet, volaille.

AIGUILLON. Arête, bec, bœuf, chas, crochet, dard, dent, épine, fémelot, fibule, incitation, inerme, motivation, œil, piquant, rostre, spicule, stimulant.

AIGUISAGE. Affilage, affûtage, appointage, repassage.

AIGUISÉ. Aigu, émoulu, incisif, pénétrant, perçant, sagace, subtil.

AIGUISER. Acérer, affiler, affûter, agacer, appointer, blanchir, chever, dégrossir, écacher, émorfiler, émoudre, fusil, meuler, queue.

AIL. Allium, aulx, cébillon, cive, moly, oignon, pistou, rocambole.

AILE. Abri, aileron, aliforme, aviateur, élytre, empennage, flanc, pale, penne, plume, régime, spoiler, tache, talonnière, voilure, voler.

AILLEURS. Alibi, autre, déplanter, lune, reporter, rêver, route.

AIMABLE. Accort, affable, agréable, amène, arrogant, avenant, bienveillant, charmant, délicat, doux, facile, gentil, joli, poli, riant.

AIMANT. Calamite, enivré, éperdu, féru, œrstite, tendre, touche.

AIMANTATION. Aclinique, boussole, polarité, rémanence, répulsion.

AIMANTER. Aimantation, attirer, électro-aimant, magnétiser.

AIMER. Adorer, affectionner, amouracher, attacher, brûler, chérir, désirer, espérer, estimer, favori, goûter, idolâtrer, préférer, raffoler.

AÎNÉ. Âge, érythrasma, inguinal, primogéniture.

AINSI. Amen, aussi, comme, conséquent, donc, façon, fiat, ita, manière, pareil, partant, résultat, sic, tel.

AINSI SOIT-IL. Amen.

AIR. Aérophagie, aria, ariette, arioso, aspect, atmosphère, azur, bouffée, brise, ciel, contenance, espace, figure, haleine, manière, mine, musique, prestance, ranz, tyrolienne, vapeur, vent, visage.

AIR, MUSIQUE. Aria, ariette, arioso, cantatrice, chanson, chant, couplet, marche, mélodie, mélomane, ranz, refrain, scie, ton, tube, voix.

AIRE. Biotope, emplacement, espace, nid, superficie, surface, temenos, terrain, zone.

AIRE DE VENT. E.N.E., E.S.E, N.E., N.N.E., N.O., N.N.O., O.N.O., O.S.O., rhumb, rose, S.E., S.O., S.S.E., S.S.O.,

AIRELLE. Atoca, canneberge, myrtille, vaccinier.

AIS. Planchette.

AISANCE. Abondance, agilité, assurance, bien-être, cabinet, confort, facilité, grâce, habileté, légèreté, naturel, opulence.

AISE. Confort, euphorie, félicité, joie, liberté, relaxation, satisfaction.

AISÉ. Chic, délibéré, délicat, déterminé, facile, fragile, libre, lisible, naturel.

AISÉMENT. Couramment, disert, facilement, flexible, sensible.

AISSELLE. Axillaire, entournure, hidrosadénite.

AJONC. Jan, jonc, lande, landier, thuie, ulex.

AJOURNEMENT. Délai, réforme, refus, renvoi, retard, retardement, sursis, temporisation.

AJOURNER. Atermoyer, refuser, remettre, renvoyer, reporter, retarder.

AJOUT. About, addenda, addition, adjonction, ajutage, allonge, annexe, augmentation, boni, complément, gain, hausse, joint, profit, raccord.

AJOUTÉ. Affixe, appoint, archi, boni, épithète, gain, préfixe, talon.

AJOUTER. Allonger, annexer, enchérir, étendre, greffer, inquart, joindre, majorer, profiter, rajouter, suppléer, surfaire, taniser.

AJUGA. Bugle, ivette.

AJUSTÉ. Bandé, collant, comprimé, contracté, corseté, gainé, serré.

AJUSTEMENT. Jonction, montage, parure, raccord, soudure.

AJUSTER. Accorder, adapter, affecter, agencer, appliquer, arranger, coller, combiner, disposer, égaliser, emmancher, mouler, raccorder, serrer, souder.

AKÈNE. Anis, gland, noisette, polyakène, samare.

ALAISE, Alèse, décontracté, paillot, planche.

ALAMBIC. Cucurbite, distillerie, pélican, rectificateur, serpentin.

ALANGUIR. Abattre, affaiblir, amollir, assouplir, nonchalant, paresseux.

ALARME. Alerte, antivol, appel, avertissement, cadran, crainte, cri, effroi, émoi, éveil, frayeur, frousse, inquiet, signal, tocsin, venette.

ALARMER. Affoler, alerter, apeurer, effaroucher, effrayer, épeurer, épouvanter, inquiéter, terrifier, terroriser, tourmenter.

ALBINOS. Blanc, furet.

ALBUM. Cahier, classeur, nuancier, photo, recueil, registre.

ALBUMINE. Éclampsie, fibroïne, lactalbumine, néphrite, œuf, protéine.

ALBUMINURIE. Éclampsie, fibroïne, néphrite.

ALCALI. Ammoniaque, baryte, base, cendre, kali, savon, soude.

ALCALIN. Baryum, bile, calcium, lessine, lithium, rubidium.

ALCALOÏDE. Aconitine, atropine, brucine, caféine, cantharidine, cicutine, cinchonine, cocaïne, codéine, colchicine, ergotine, ésérine, liqueur, mescaline, morphine, myscarine, narcéine, nicotine, papavérine, pilocarpine, pipérine, ptomaine, quassine, quinine, réserpine, scopolamine, strophantine, thébaine, vératrine.

ALCÈNE. Oléfine, ozonide.

ALCHIMIE. Ésotérisme, gnose, hermétisme, illumination, kabbale, magie, mystère, psychomancie, radiesthésie, spiritisme.

ALCHIMISTE (n. p.). Becher, Brand, Brandt, Dippel, Djabir, Geber.

ALCOOL. Allylique, amylique, brandevin, cognac, drink, éthanol, flegme, gin, kirsch, menthe, menthol, mirabelle, niole, rhum, rye, scotch, stérol, vodka, whisky.

ALCOOLIQUE. AA, buveur, débauché, ivrogne, soûlard, soûlon.

ALCOOLTHYLÉNIQUE. Allylique.

ALDÉHYDE. Aldol, aldose, cinnamique, éthanal, imine, furfurol, glucose.

ALE. Anglaise, bière, blonde, malt.

ALÉA. Chance, danger, douteux, hasard, incertitude, pari, péril, risque.

ALÉATOIRE. Chance, douteux, hasardeux, pari, randomiser.

ALENTOUR. Abords, autour, entour, entourage, environs, parages.

ALERTE. Agile, alarme, allègre, ameute, danger, éveillé, fringant, gaillard, léger, leste, péril, pimpant, preste, prompt, rapide, sirène, souple, tocsin, vif.

ALERTER. Ameuter, appeler, attirer, avertir, aviser, donner, éveiller, inquiéter.

ALÈSE. Alaise, alézé.

ALEVIN. Fretin, nourrain, poisson.

ALEVINER. Empoissonner, peupler.

ALGARADE. Altercation, attaque, colère, éclat, incartade, querelle, scène, sortie.

ALGÈBRE. Cours, équation, nombre, puissance, symbole, théorie, traité.

ALGUE. Agar-agar, bleue, caulerpe, chlorelle, chlorophycée, conferve, coralline, cyanophycée, floridée, fucus, goémon, janie, laminaire, macrocyste, macrocystis, navicule, némale, némalion, nostoc, padine, phéophycée, protocoque, rhodophycée, rouge, sargasse, sushi, ulve, varech, vauchérie, zygnéma.

ALIBI. Excuse, justification, prétexte.

ALIBORON. Âne.

ALIBOUFIER. Liquidambar, storax, styrax.

ALIÉNATION. Abandon, cession, démence, folie, fou, legs, monomanie.

ALIÉNÉ. Dément, déséquilibré, détraqué, fol, fou, interné, maniaque.

ALIGNEMENT. Allée, guide, jalon, niveau, rampe, rangée, tabulateur.

ALIGNER. Accorder, ajuster, arranger, disposer, dresser, ranger, tracer.

ALIMENT. Analeptique, bouillie, bouillon, brouet, cétogène, comestible, datte, denrée, édule, fromage, manne, mets, nourriture, pain, pitance, poisson, prétexte, provision, sauté, soupe, subsistance, sucre, vivres.

ALIMENTER. Agrainer, gaver, manger, nourrir, ressourcer, sustenter.

ALINÉA. Attendu, paragraphe.

ALITER. Allonger, coucher, étendre.

ALLAITEMENT. Biberon, mamelle, pis, sein, tétée, tétin, tétine, téton.

ALLAITER. Alimenter, lactation, mamelle, nourrir, sevrer, téter.

ALLÉCHANT. Affriolant, attirant, attrayant, miam, séduisant, tentant.

ALLÉCHER. Affrioler, appâter, attirer, plaire, séduire, tenter.

ALLÉE. Avenue, charmille, chemin, courses, démarches, déplacements, drève, labyrinthe, mail, nacettes, oullière, tortille, visites, voyages.

ALLÉGATION. Affirmation, diffamation, dire, excipation, réfutation.

ALLÉGER. Adoucir, aérer, aider, amincir, calmer, consoler, décharger, délester, déréglementer, diminuer, écrémer, élégir, exonérer, soulager.

ALLÉGORIE. Conte, fable, folie, image, mystique, mythe, parabole.

ALLÉGORIQUE. Emblématique, métaphorique, symbolique.

ALLÈGRE. Actif, agile, alerte, bouillant, dispos, gai, gaillard, léger, vif.

ALLÉGRESSE. Bonheur, exultation, gaieté, joie, jubilation, liesse.

ALLÉGUER. Affirmer, apporter, arguer, avancer, citer, déposer, exciper, fournir, objecter, opposer, poser, prétexter, produire, rapporter.

ALLEMAGNE. Mark, R.D.A., R.F.A.

ALLEMAND. Badois, bavarois, berlinois, boche, chleuh, fridolin, fritz, germain, kaiser, nazi, ottonien, prussien, sarrois, saxon, teuton.

ALLER. Accélérer, acheminer, approcher, avancer, butriner, cheminer, chevaucher, circuler, converger, courir, descendre, errer, filer, ite, mener, monter, naviguer, passer, pédaler, pèleriner, quérir, reculer, rejoindre, seoir, sortir, suivre, trotter, venir, voler, voyager.

ALLERGIE. Allergène, hypoallergique, intolérance, pollinose, urticaire.

ALLEZ. Ite.

ALLIAGE. Acier, airain, almasilium, almélec, alpax, amalgame, antifriction, argentan, brasure, bronze, chrysocal, constantan, cupronickel, duralumin, électrum, étamure, ferrite, ferrocérium, fonte, hastelloy, inconel, invar, laiton, maillechort, manganine, monel, nichrome, pacfung, platinite, potin, régule, ruolz, stellite, tombac.

ALLIAGE D'ALUMINIUM. Almélec, alpax, duralumin.

ALLIAGE DE CUIVRE. Airain, argentan, bronze, chrysocal, chrysochalque, constantan, cupronickel, laiton, maillechort, manganine, monel, pacfung, tombac.

ALLIANCE. Accord, affinité, amitié, anneau, association, axe, bague, coalition, concubinage, contrat, et, ligue, mariage, pacte, traité, union.

ALLIÉ. Ami, apparenté, confédéré, fédéré, parent, partenaire.

ALLIER. Accorder, apparenter, assembler, associer, coaliser, liguer.

ALLIÉS (n. p.). OTAN.

ALLOCATION. Bonification, don, subside.

ALLOCUTION. Adresse, discours, harangue, homélie, laïus, sermon.

ALLONGÉ. Couché, décontracté, effilé, elliptique, étendu, fin, long, mince, nématoïde, oblong, ovalaire, ovale, ovoïde, repos, sieste, tendu.

ALLONGEMENT. Accroissement, augmentation, développement, extension, prolongation, prolongement, prorogation.

ALLONGER. Ajouter, augmenter, bander, déployer, développer, effiler, élonger, étendre, étirer, prolonger, raidir, rallonger, tendre, tirer.

ALLOTROPIQUE. Ferrite, ozone.

ALLOUER. Accorder, attribuer, avancer, bailler, céder, donner, doter.

ALLUMAGE. Amadou, bougie, briquet, cétane, delco, mèche, raté.

ALLUMER. Attiser, brûler, clignoter, découvrir, lanterner, tisonner.

ALLUMETTE. Allumettier, rallumer, soufrage, tison.

ALLURE. Air, amble, arroi, aspect, aubin, chic, dégaine, démarche, désinvolture, erre, façon, galop, gésair, gueule, largue, mésair, mézair, mine, mise, pas, port, prestance, tempo, tenue, ton, tournure, train, trépidante, trot.

ALLUSION. Allégorie, allusif, comparaison, dire, insinuation, pique, prétexte, sous-entendu.

ALLUVION. Dépôt, diluvium, lais, laisse, limon, palud, palude, palus.

ALMANACH. Annuaire, calendrier, chronologie, éphéméride, moderne.

ALOÈS. Arborescens, bainesii, chicotin, ciliaris, éru, ferox, manille, pite, placatilis, pulque, tambac, vaombe, variegata, vera.

ALORS. Adonc, adonque, après, comme, comparaison, donc, lors, quand.

ALOUETTE. Alauda, calandre, calandrette, cochevis, delphinium, football, grisoller, lulu, mauviette, otocoris, passereau, sirli.

ALPAGE. Alpe, armailli, campagne, montagne, nature, pâturage.

ALPHABET. Abc, abécédaire, braille, index, lettre, lire, morse, table.

ALPINISTE. Ascensionniste, escaladeur, grimpeur, rochassier, tricoumi.

ALPISTE. Chiendent, fromenteau, graine, herbier.

ALTÉRATION. Agnosie, atteinte, avarie, bécarre, bémol, corruption, dièse, évent, flétrissure, graisse, maladie, muance, perversion, soif.

ALTERCATION. Chicane, contestation, controverse, débat, discussion, dispute, empoignade, querelle.

ALTÉRÉ. Affamé, assoiffé, avide, éventé, frelaté, impur, tourné.

ALTÉRER. Avarier, blettir, changer, corrompre, décolorer, déformer, dégrader, dénaturer, éventer, gâter, indisposer, relayer, remplacer, rouiller, roulement, souiller, succéder, tarer, tourner, transformer.

ALTERNANCE. Assolement, enchaînement, flux, succession, suite.

ALTERNATEUR. Cryoalternateur, dynamo, génératrice.

ALTERNATIF. Battement, fluctuation, kénotron, marée, rotor, valve.

ALTERNATIVE. Bourse, buridan, choix, dilemme, être, osciller, ou.

ALTERNER. Assoler, balancer, changer, chatoyer, deux, enlier, flotter, plaider, réagir, relayer, remplacer, renvoyer, succéder, tourner.

ALTESSE ROYALE. A.R.

ALTIER. Arrogant, fier, haut, hautain, noble, orgueilleux.

ALTITUDE. Alt, côte, élévation, hauteur, montagne, niveau, plafond.

ALTO. Altiste, basset, cor.

ALTO, CHANTEUSE (n. p.). Berthiaume, Brehmer, Darmont, Dind, Dubois, Harbour, Lalonde, Magnan, Mayer, Pelletier. Picard, Rose.

ALTRUISME. Bonté, charité, égoaltruisme.

ALUMINE. Alun, corindon, lapis, latérite, ocre, rubis, saphir, topaze.

ALUMINIUM. Al, alpax, alun, béryl, cryolite, épidote, métal, zicra.

ALUMINOSILICATE. Almandine, néphéline, rose trémière.

ALUNER. Aluminage, alunage.

ALVÉOLE. Abeille, alvéolite, capsule, cavité, cellule, emphysème, miel.

ALYSSUM. Alpestre, alysse, alysson, argentum, aurinia, maritinum, montagne, saxatile, scardicum, spinosum, thiaspi.

AMABILITÉ. Affabilité, aménité, bonté, brutalité, courtoisie, délicatesse, froideur, galanterie, gentillesse, grâce, minauderie, politesse.

AMADOUER. Adoucir, amollir, apaiser, appâter, attirer, flatter, séduire.

AMAIGRI. Atrophié, creux, défait, efflanqué, émacié, étiré, hâve, tiré.

AMAIGRIR. Amincir, dépérir, diminuer, émacier, fondre, maigrir.

AMAIGRISSEMENT. Athrepsie, atrophie, cachexie, étisie, tabès.

AMALGAME. Alchimie, alliage, alliance, amas, mélange, pâte, tain.

AMALGAMER. Confondre, emmêler, incorporer, mélanger, mêler.

AMANDE. Arachide, brou, cacao, copra, coprah, coque, dragée, monder, noix, nougat, noyau, pignon, pistache, pithiviers, praline.

AMANITE. Agaric, ciguë, citrine, coucoumelle, golmotte, oronge, panthère, phalloïde, phalline, phalloïde, rougissante, verna, volve.

AMANT. Adorateur, ami, amoureux, béguin, bien-aimé, céladon, chéri, copain, couple, favori, galant, gigolo, idole, jules, mec, soupirant.

AMANTE. Amie, amoureuse, belle, chérie, concubine, copine, dame, dulcinée, favorite, fille, maîtresse, mignonne, môme, muse, poule.

AMARANTE. Andrinople, célosie, cinabre, queue-de-renard, rouge.

AMARRAGE. Ancrage, arrimage, étrive, fixation.

AMARRE. Aussière, bitte, cabillot, câble, chaumard, embossure, étrive, garcette, haussière, jarretière, liure, organeau, suspente.

AMARYLLIDACÉE. Agate, agave, narcisse, nivéole, sisal, tampico.

AMARYLLIS. Belladone, brunsvigia, crinum, hippeastrum, nerine, sprekelia, vallota, zephyranthe.

AMAS. Abattis, abcès, adipeux, banquise, bloc, boule, bourre, branchage, cal, chaton, dune, empyème, fatras, fétras, feu, filasse, foule, jar, jard, liasse, lithiase, lot, masse, meule, mitraille, monceau, mousse, névé, noyau, nuage, ossuaire, pannicule, paquet, pierraille, pierre, pile, plexus, ruée, salage, sécas, sérac, sore, tas, tout, trésor.

AMASSER. Butiner, cumuler, empiler, entasser, gerber, masser, réunir.

AMATEUR. Bédéphile, bouquineur, bouquiniste, cinéphile, connaisseur, cruciverbiste, curieux, fanatique, friand, joueur, mélomane, mots-croisiste, partisan, véliplanchiste, vélivole.

AMBASSADE. Attaché, légation, mission, théorie.

AMBASSADEUR. Attaché, député, envoyé, légat, missionnaire, nonce.

AMBIANCE. Air, ambiophonie, atmosphère, aura, cadre, climat, condition, décor, entourage, gaieté, lieu, milieu, sfumato, sphère.

AMBIGU. Douteux, équivoque, indécis, louche, net, obscur, repas.

AMBITION. Appétit, convoitise, cupidité, orgueil, passion, prétention.

AMBITIONNER. Aspirer, briguer, convoiter, désirer, prétendre, viser.

AMBRÉ. Ambrin, blond, carabe, doré, jais, jaune, phosphore, succin.

AMBULANCIER. Sauveteur, secouriste.

AMBULANT. Cabot, cabotin, fléau, griot, itinérant, nomade, robineux.

ÂME. Bouche, canon, cœur, conscience, ego, esprit, habitant, joie, lémure, mânes, obit, paix, psychopompe, revenant, sein, spirituel.

AMÉLIORATION. Guérison, ornement, progrès, réforme, révision.

AMÉLIORER. Abonnir, amender, bonifier, changer, doper, éduquer, épurer, gagner, gâter, guérir, monter, orner, perfectionner, refaire.

AMÉNAGER. Agencer, arranger, composer, décorer, enchaîner, installer, réaménager, tisser.

AMENDE. Dédommagement, délit, excuse, indemnité, pergée, punition.

AMENDEMENT. Chaulage, correction, marnage, réparation, terreau.

AMENDER. Changer, châtier, corriger, dompter, épurer, erbue, faluner, fumer, gâter, guérir, limer, marner, policer, polir, punir, réparer.

AMÈNE. Abordable, accort, adorable, aimable, bénin, doux, étier, si.

AMENER. Apporter, ariser, arriver, fondre, hâler, tirer, traîner, unifier.

AMER. Âcre, aigre, âpre, bière, cruel, dur, douleur, fiel, onde, pénible.

AMÉRICAIN. Amerlo, banjo, bingo, coton, ranch, rodéo, saloon, yankee.

AMÉRICIUM. Am.

AMÉRINDIEN. Autochtone, indien, indigène, manitou, yoga, yogi.

AMÉRINDIEN (n. p.). Ahuntsic, Tekakwitha.

AMÉRINDIEN DU CANADA (n. p.). Abénaquis, Agnier, Algonquin, Apache, Cri, Etchemin, Goyogouin, Haidas, Huron, Iroquois, Malécite, Micmac, Mohawk, Onneyout, Onnontagué, Outagami, Outaouais, Sioux, Souriquois, Tsonnontouan.

AMÉRINDIEN DES ÉTATS-UNIS (n. p.). Acolaopissas, Apache, Atakapas, Catawbas, Cherokee, Cheyenne, Chinook, Chitimachas, Choctaw, Comanche, Creek, Hidatsas, Illinois, Mandan, Mohawk, Navabo, Nez Percé, Paiute, Pawnee, Pieds-Noirs, Pomo, Séminole, Seneca, Shoshone, Sioux, Tête-Plate.

AMÉRINDIEN DU NOUVEAU-MEXIQUE (n. p.). Chickasaw, Choctaw, Hopis, Mimbre, Mohave, Natchez, Pueblos, Yumas.

AMÉRINDIEN DU PÉROU (n. p.). Incas.

AMERLOQUE. Américain.

AMERTUME. Âcreté, affliction, aigreur, âpreté, bile, chagrin, douloureux, dulcifier, empoisonner, fiel, peine, rancœur, tristesse.

AMEUBLEMENT. Armoire, bahut, banc, buffet, bureau, cabinet, chaise, classeur, coffre, commode, console, crédence, discothèque, divan, étagère, fauteuil, lit, mobilier, prie-dieu, pupitre, sétailier, siège, table.

AMEUBLIR. Amender, bêcher, biner, charrue, gratter, houe, pioche.

AMEUTER. Attrouper, coaliser, exciter, grouper, inviter, soulever.

AMI. Accoint, agape, allié, amant, camarade, collègue, confrère, copain, familier, fidèle, intime, lié, mec, œnophile, partisan, pote, proche, uni.

AMIABLE. Accommodement, amiablement, arrangement.

AMIANTE. Amiantifère, asbeste, asbestose, fibre, manchon.

AMIDE. Acétamide, acétanilide, anilide, benzamide, diamide, formanide, lactame, polyamide, urée.

AMIDON. Amyle, colle, empois, fécule, igname, jaque, maïs, pois, sagou.

AMIDONNER. Apprêter, coller, empeser, féculer, poudrer.

AMIE. Amante, blonde, compagne, copine, égérie, intime, mie, vieille.

AMINCIR. Alléger, amaigrir, amenuiser, dégrossir, diminuer, élimer.

AMINE. Alanine, aminogène, aniline, arylamine, cystine, cystéine, diamine, histamine, histidine, monoamine, tyrosine, valine, xylidine.

AMINOACIDE. Aminé, polyamide.

AMIRAL. Commandant, galons, grade, officier.

AMIRAL ALLEMAND (n. p.). Canaris, Dönitz, Raeder, Tirpitz.

AMIRAL AMÉRICAIN (n. p.). Dewey, Farragut, Leahy, Nimitz, Porter, Stirling.

AMIRAL ANGLAIS (n. p.). Beaufort, Blake, Hawkins, Hawkyns, Nelson, Rupert, Russell.

AMIRAL BRITANNIQUE (n. p.). Beatty, Blake, Byng, Cochrane, Jellicoe, Mountbatten, Murray, Nelson, Rupert, Russell, Sturdee, Wolf.

AMIRAL ESPAGNOL (n. p.). Gravina.

AMIRAL FORCES ALLIÉES (n. p.). Mountbatten.

AMIRAL FRANÇAIS (n. p.). Argenlieu, Beaufort, Bruat, Chabot, Coligny, Courbet, Darlan, Duperré, Estaing, Forbin, Joyeuse, Mouchez, Noailles, Penthièvre, Roussin, Strozzi, Suffren, Toulouse, Tourville, Vienne, Villeneuve.

AMIRAL GÉNOIS (n. p.). Doria.

AMIRAL GREC (n. p.). Canaris, Kanaris.

AMIRAL HOLLANDAIS (n. p.). Tromp.

AMIRAL JAPONAIS (n. p.). Nagano, Yamamoto.

AMIRAL NÉERLANDAIS (n. p.). Ruyter.

AMIRAL RÉPUBLIQUE PARTHÉNOPÉENNE (n. p.). Caraccioli.

AMIRAL RUSSE (n. p.). Koltchak, Menchikov.

AMITIÉ. Accord, affection, allié, amant, amour, attachement, camarade, chaîne, copain, entente, fidèle, francophilie, inclinaison, intime, œnophile, paix, partisan, pote, sympathie, tendresse, union, visite.

AMMOBIUM. Alatum, immortelle.

AMMONIAC. Amide, amine, azote, éthylamine, imide, imine.

AMMONIAQUE. Alcali, alcalescence, amide, ammoniacée, nitrification.

AMMONITE. Scaphite.

AMNISTIE. Absoudre, condamner, excuser, expier, gracier, oublier, remettre, reprendre, réprimander, réprouver, souffrir, stigmatiser.

AMOCHER. Abîmer, blesser, carier, casser, dégrader, démolir, ébrécher, endommager, gâcher, gâter, pourrir, rayer, saboter, salir, user.

AMOINDRIR. Atténuer, diminuer, minimiser, rabaisser, réduire, user.

AMOINDRISSEMENT. Abaissement, affaiblissement, altérabilité, amenuisement, diminution, hypothropie, réduction, restriction, usure.

AMOLLIR. Affaiblir, attendrir, aveulir, bruir, dissoudre, ramollir.

AMOLLISSEMENT. Fanaison, fléchissement, lénifiance, relâchement.

AMONCELER. Accumuler, agglomérer, chafauder, entasser.

AMONCELLEMENT. Accumulation, amas, crassier, embâcle, entassement, monceau, montagne, pile, sérac, tas.

AMORAL. Immoral, indifférent, laxiste, libertaire, libre, nature.

AMORCE. Appât, brûlure, commencement, évent, leurre, percuteur.

AMORCER. Appâter, attirer, écher, entamer, escher, pointer.

AMORPHE. Atone, énergique, forme, indécis, informe, mou, zombi.

AMORTIR. Annuler, diminuer, étouffer, modérer, payer.

AMORTISSEUR. Damper, suspension.

AMOU-DARIA (n. p.). Afghanistan, Ouzbékistan, Oxus, Tadjikistan, Turkménistan.

AMOUR. Adoration, altruisme, amant, amitié, amor, amourette, ardeur, baise, béguin, charité, cœur, cour, dilection, égoïsme, épris, érotisme, estime, extase, feu, flamme, fleuve, flirt, foudre, gastromanie, gastronomie, herbe, idolâtrie, idylle, narcissisme, passade, passion, piété.

AMOUR (n. p.). Éros, Vénus.

AMOURACHER. Affectionner, aimer, coiffer, embéguiner, énamourer, enticher, friand, passionner, préférer, raffoler, toquer.

AMOUREUSEMENT. Câlinement, tendrement.

AMOUREUX. Amant, cavaleur, céladon, épris, fiancé, galatin, pris.

AMOVIBLE. Clavette, clayette, coquille, détachable, mobile, praticable.

AMPÉLIDACÉE. Ampélopsis, hautain, lambruche, lambrusque, vigne.

AMPÈRE. AH, AM, lumière, volt.

AMPHIBIEN. Alyte, anabas, anoure, batracien, castor, crapaud, grenouille, ichtyostéga, ichytoïde, paludarium, protée, stégocéphale, triton, urodèle.

AMPHIBOLE. Actinote, amphibolite, jade, syénite, trémolite.

AMPHIGOURIQUE. Alambiqué, confus, embrouillé, entortillé, fumeux, galimatias, nébuleux, obscur.

AMPHITHÉÂTRE. Aréna, arène, aula, cirque, colisée, forum, podium.

AMPHITRYON. Hôte, maître.

AMPLE. Grand, gros, houppelande, kimono, large, mante, pèlerine, toge.

AMPLEUR. Amplitude, atténuateur, dimension, envergure, gabarit, grandeur, grosseur, juponner, largesse, largeur, maigreur, volume.

AMPLIFICATEUR. Ampli, exagérer, grossir, laser, mégaphone, répéteur, tuner.

AMPLIFIER. Assisté, broder, dilater, élargir, étendre, exagérer, ouvrir.

AMPLITUDE. Amortissement, clonique, extension, résonance.

AMPOULE. Argon, bube, cloche, cloque, culot, lampe, phlyctène, voyant.

AMPUTATION. Ablation, glossotomie, opération, retrait, sectionnement.

AMPUTER. Abscisser, couper, enlever, exciser, mutiler, ôter, transfixer.

AMULETTE. Anneau, bague, charme, effigie, fétiche, gris-gris, idole, médaille, or, phylactère, psellion, sachet, scapulaire, talisman.

AMUSANT. Comique, drôle, jeu, joli, marrant, plaisant, rigolo, tordant.

AMUSEMENT. Agrément, délassement, distraction, divertissement, entrain, gaieté, jeu, joie, passe-temps, plaisir, récréation, réjouissance.

AMUSER. Divertir, drôle, égayer, jeu, jouer, récréer, réjouir, rire.

AN. Annal, année, calendrier, chronologie, jour, pige, saison, semestre.

ANA. Anectodes, anthologie, recueil, pensées.

ANACARDIACÉE. Acajou, fustet, laque, pistachier, sumac, térébinthe.

ANACHORÈTE. Ascète, ermite, solitaire.

ANACONDA. Boa, eunecte, serpent.

ANALGÉSIQUE. Aspirine, morphine, opium, narcéine, salicoside, tylénol.

ANALOGIE. Affinité, conformité, exégène, parenté, rapport, similitude.

ANALOGIQUE. Additionneur, corrélateur, digital, soustracteur.

ANALOGUE. Contigu, homologue, isologue, semblable, série, similaire.

ANALPHABÈTE. Aïeul, ignare, ignorant, illettré, inculte.

ANALYSE. Abrégé, attribut, dialyse, disséquer, épithète, essai, étude, examen, exposé, lisage, objet, prise, proposition, sommaire, sujet.

ANALYSER. Critiquer, décomposer, décortiquer, disséquer, dissoudre, éplucher, étudier, examiner, prélever, résumer, séparer.

ANALYSTE. Psychanalyste, vidicon.

ANARCHISTE. Anar, libertaire.

ANASARQUE. Gonflement, œdème.

ANASTOMOSE. Abouchement, incongruence, palmaire, réticulum.

ANATHÈME. Aggrave, excommunication, interdit, malédiction.

ANATIDE. Bièvre, canard, colvert, milouin, morillon, mulard, souchet.

ANATIFE. Barnache, bernache, bernacle, crustacé.

ANATOMIE. Derme, nécrologie, ostéologie, paroi, sinus, tissu, zootomie.

ANATOMISTE (n. p.). Fabrice, Galien.

ANCÊTRE. Aïeul, aîné, ancestral, anthropopithèque, ascendant, généalogie, mère, parent, père, prédécesseurs, race, totem.

ANCIEN. Âgé, ancestral, antique, archaïque, autrefois, bible, démodé, désuet, doyen, ex, lyre, mythe, nome, obsolète, ode, périmé, préhistoire, usé, vétéran, vétuste, vieil, vieilli, vieillot, vieux.

ANCIENNEMENT. Antan, autrefois, jadis, naguère.

ANCOLIE. Aiglantine, aquilegia, clochette, cornette, gantelée, ganteline.

ANCRE. Bouée, capon, collet, gatte, grappin, jas, orin, tige, trappe, verge.

ANDALOU. Espagnol, flamenco, séguidilla, solea.

ANDIN. Américain, lama, péon, puna, transandin, ulluco.

ANDOUILLE. Bête, épais, imbécile, lent, niais, nigaud, saucisse.

ANDOUILLER. Cerf, corne, paumier, paumure, renne, trochure.

ANDROPAUSE. Climatère, ménopause.

ANDROSÈME. Souveraine, toute-bonne, toure-saine.

ÂNE. Bardot, baudet, bourrique, bourriquet, buridan, cadichon, cancre, cheval, grison, hémione, ignorant, mule, mulet, onagre, sommier.

ANÉANTIR. Abattre, détruire, écraser, écrouler, effacer, exterminer, massacrer, néantiser, nirvana, réduire, ruiner, sidérer, user, vaincre.

ANÉANTISSEMENT. Abattement, écroulement, extinction, nirvana.

ANECDOTE. Conte, écho, échofacétie, écriture, facétie, histoire, historiette, nouvelle.

ANÉMIE. Ankylostomiase, biermer, chlorose, faiblesse, langueur.

ANÉMIER. Affaiblir, déprimer, épuiser, étioler, fatiguer, languir, lasser.

ANÉMONE. Actinie, adonis, astérie, coquelourde, coquerette, échiniderme, étoile, hépatique, ortie, pâquerette, passefleur, pulsatille, sagartie, sylvie.

ÂNERIE. Bêtise, crétinerie, ignorance, ineptie, injure, niaiserie, sottise.

ANESTHÉSIE. Cocaïnisation, éther, péridural, rachianesthésie, stovaïne.

ANESTHÉSIER. Endormir, éthériser, insensibiliser.

ANETH. Anet, anis, cumin, écarlade, fenouil.

ANÉVRISME. Artère, baloune, cœur, dilatation.

ANFRACTUOSITÉ. Cavité, creux, excavation, trou.

ANGE. Archange, Ariel, byzantin, chérubin, démon, docteur, monnaie, oiseau, poisson, ravi, satan, séraphin, Uriel, vertu.

ANGE (n. p.). Achaiah, Aladiah, Anauel, Aniel, Ariel, Asaliah, Cahétel, Caliel, Chavakhiah, Damabiah, Daniel, Elémiah, Eyael, Fah-Hel, Haaiah, Haamiah, Habuhiah, Hahahel, Hahaiah, Hahasiah, Haheuiah, Haiaiel, Hariel, Haziel, Hékamiah, Imamiah, Jabamiah, Jéliel, Karahel, Lauviah, Lécabel, Léhahiah, Léiazel, Lélahel, Leuviah, Mahasiah, Manakel, Mébahel, Mébahiah, Mehiel, Melahel, Ménadel, Mihael, Mikhael, Mitzrael, Mumiah, Nanael, Nelchael, Nith-Haiah, Nithael, Omael, Pahaliah, Poyel, Réhael, Reiyiel, Rochel, Séaliah, Séhéiah, Séraphin, Sitael, Vasariah, Véhuel, Véhuiah, Veuliah, Umabel, Yéhuiah, Yeiadel, Yéialel, Yéiayel, Yélahiah, Yérathel, Yézalel.

ANGÉLIQUE. Séraphique, valérique, vespétro.

ANGELOT. Ange, putto.

ANGINE. Amygdalite, angineux, angor, poitrine, trinitrine.

ANGLAIS. Ale, argot, cuivre, héritier, prince, queue, titre.

ANGLAISE. Ale, blonde, brune, coiffure, end, gin, stout, thé.

ANGLE. Aberration, aisselle, arête, azimut, biais, cap, carne, coin, corne, côté, coude, droit, empoiture, gèze, harpe, joint, larmier, rapporteur, rentrant, sauterelle.

ANGLICAN. Protestant, puseyisme, révérend.

ANGLOPHONE. Anglais, britannique.

ANGOISSE. Affres, anxiété, claustrophobie, crainte, détresse, infortune, inquiétude, insomnie, peur, serre, stress, tourment, trac, transe.

ANGUILLE. Congre, lampresse, lycoris, matelote, pibale, sargasse.

ANGULAIRE. Angle, déclinaison, élongation, latitude, sextant.

ANHÉLER. Respirer, souffler.

ANHYDRIDE. Carbonique, manganique, mofette, sélénique, titanique.

ANICROCHE. Accroc, aventure, cas, complication, incident, obstacle.

ANILINE. Fuschine, induline, mauvéine, phénylamine, toluidine.

**ANIMAL.** Acare, actinie, affronté, agneau, alcyon, amibe, amphioxus, âne, animalcule, anoure, araignée, ascidie, avorton, bétail, bête, bipède, bisexué, bouc, brachiopode, brute, cabochard, catoblépas, cavernicole, ceste, chat, cheval, chien, ciron, cochon, cœlenstérés, colleté, commensal, coq, corail, cordé, couveuse, daman, dindon, diurne, enkysté, éponge, étoile de mer, faon, faucheur, faune, fauve, femelle, gallicole, gibier, girafe, gorgone, gorgonie, grégaire, griffon, hermaphrodite, hibernant, hippopotame, holothurie, homéotherme, hostie, hybride, hydre, insecte, iule, invertébré, lapin, larve, licorne, linguatule, lion, maçon, microcosme, millépore, mouton, mulet, musc, narval, nécrophage, oiseau, onguligrade, ophiure, otarie, oursin, ovovivipare, pachyderme, pédimane, phytophage, porc, poule, poulet, protozoaire, pterygote, pulmoné, quadrupède, raceur, rainette, saprophage, sarcopte, scorpion, singe, sonnailler, spermophile, tamandua, tamanoir, tardigrade, térébratule, tigre, tigron, totem, trombidion, truie, urticant, vache, veau, ver, vérétille, vivipare, volatile, physalie, vison, vivipare, zoophyte.

**ANIMALCULE.** Ciron, microscopique.

**ANIMATEUR.** Amuseur, meneur, moniteur, organisateur, protagoniste.

**ANIMATEUR RADIO ET TÉLÉVISION** (n. p.). Allard, Arcand, Arpin, Arsenault, Arson, Aubry, Auger, Bacon, Baril, Barrette, Baulu, Beaudry, Beaulieu, Bélair, Béland, Béliveau, Benoît, Bergeron, Bertrand, Berval, Bisaillon, Blanchard, Blouin, Boivin, Bossy, Bouchard, Boucher, Boulanger, Boulard, Bourbeau, Bourgeault, Brassard, Brathwaite, Bruneau, Bureau, Caron, Cartier, Cazelais, Chagnon, Charland, Charron, Chartrand, Chevalier, Christian, Coallier, Corbeil, Cournoyer, Cousineau, Crevier, Dee, Delcourt, Delorme, Demers, Denis, Dereck, Désautels, Désilets, Desmarais, Dion, Doré, Drolet, Drouin, Dubé, Dubois, Duguay, Dupuis, Duval, Fauteux, Ferland, Ferron, Fortier, Fournier, Frégault, Fruitier, Gagnon, Garneau, Gauthier, Gay, Gélinas, Genest, Giguère, Girouard, Godin, Gougeon, Graton, Grenier, Guimond, Hains, Hamel, Homier-Roy, Houde, Jarraud, Jasmin, Johnson, Kiefer, Knight, Lafortune, Lalonde, Lambert, Lamontagne, Languirand, Lapointe, Laprade, Laurendeau, Le Bigot, Lebrun, Lecavalier, Leclerc, Leduc, Léger, Lejeune, Lemay, Lemieux, Lepage, L'Heureux, Lirette, Louvain, Lussier, Mailhot, Maisonneuve, Maltais, Marcotte, Marleau, McQuade, Mercier, Michaud, Mondoux, Mongrain, Moreau, Morency, Nadeau, Nolin, Normand, Pagé, Payer, Payette, Pilon, Pilote, Pinard, Plante, Poirier, Poulin, Pratte, Préfontaine, Proulx, Provost, Quenneville, Rafa, Rajotte, Reddy, Rémy, Richer, Rioux, Rivard, Roussier, Roy, Sabourin, Salvail, Sarrasin, Schraenen, Séguin, Senay, Simard, Sirois, Talbot, Taschereau, Thériault, Thisdale, Trahan, Tremblay, Trudel, Vallée, Varin, Vézina, Viau, Viens, Whelan.

**ANIMATION.** Activité, élan, houle, impétuosité, mouvement.

**ANIMATRICE RADIO ET TÉLÉVISION** (n. p.). Anthony, Arbour, Arnoldi, Arsenault, Aubry, Baillargeon, Bardier, Beaudoin, Beauregard, Bédard, Béland, Bélanger, Belcourt, Benezra, Bernier, Bertrand, Bibeau, Bisaillon, Bissonnette, Blais, Blanchette, Blondin, Bombardier, Bouchard, Boucher, Bourassa, Cahay, Campeau, Carel, Caron, Casabonne, Caya, Cazin, Ceuppens, Chalifoux,

Champagne, Champoux, Charbonneau, Charette, Chasle, Choquette, Cliche, Cloutier, Colello, Collin, Côté, Cousineau, Daoust, D'Aragon, Desjardins, Despins, Dibello, Dubé, Dubreuil, Dufour, Dugas, Dussault, Faure, Fournier, Gagnon, Gauthier, Ghalem, Godin, Gratton, Gravel, Grimaldi, Harpin, Jalbert, Jolis, Lacroix, Lafond, Lafrance, Lajeunesse, Lamarche, Lapointe, Laurendeau, Lauzon, Lavoie, Le Bel, Lefebvre, Lemelin, Lemieux, Lépine, Lessard, Letarte, Letendre, Lévesque, L'Heureux, Malo, Marithé, Marois, Massicotte, Matteau, McQuade, Miller, Mondoux, Morand, Murray, Nadeau, Normand, Ouimet, Pâquet, Paquin, Paradis, Parent, Payette, Pimparé, Plourde, Poirier, Poliquin, Potvin, Poulin, Provencher, Raymond, Rinfret, Rioux, Rouillé, Rouzier, Roy, Sarrazin, Simard, Snyder, Taillefer, Talbot, Tisseyre, Tougas, Trhan, Turcot, Vachon, Valois, Verdon, Vézina, Watier.

ANIMÉ. Acharné, agité, amusant, ardent, bouillant, brûlant, chaud, coloré, excité, expressif, mû, organisé, vie, vif, vivace, vivant.

ANIMER. Aviver, chauffer, inspirer, mouvoir, stimuler, vivifier.

ANIMOSITÉ. Aigreur, aversion, colère, haine, rancune, ressentiment.

ANION. Anionique, ion.

ANIS. Badiane, boucage, carvi, faux-aneth, ouzo, vespétro.

ANKYLOSÉ. Perclus, otospongiose, raide, rouillé.

ANNALES. Archives, chronique, éphéméride, fastes, histoire, mémoires.

ANNEAU. Alliance, anel, bague, beigne, boucle, cercle, chaînon, cricoïde, cucurbitin, écusson, embrayage, erse, erseau, esse, étalingure, étrier, jonc, maille, maillon, manille, mésothorax, organeau, piton, proglottis, prothorax, telson, ténia.

ANNÉE. Âgé, agneau, an, annuel, cerf, date, lustre, millésime, noces, têt.

ANNÉE LUMIÈRE. AL.

ANNELÉ. Anneau, bagué, ver.

ANNELET. Armille, filet, maille.

ANNÉLIDES. Chizogamie, hirudinée, oligochète, parapode, tubifex.

ANNEXE. Accessoire, additionnel, appendice, auxiliaire, complément, complémentaire, contingent, dépendance, incident, marginal, mineur, secondaire, subsidiaire, supplément, supplémentaire.

ANNEXER. Aboucher, abouter, accoler, accoupler, adjacent, agglutiner, ajointer, ajouter, annexer, assembler, coudre, enlier, joindre, latéral, lier, marier, mastiquer, mêler, nouer, relier, réunir, souder, unir.

ANNEXION. Dépendance, incorporation, rattachement.

ANNIHILER. Abattre, abîmer, abolir, abroger, anéantir, annuler, aviner, bousiller, briser, broyer, brûler, casser, chat, défaire, défleurir, dératiser, désinfecter, détruire, exterminer, gâter, massacrer, moissonner, neutraliser, ôter, raser, rayer, renverser, révoquer, ruiner, saper, supprimer, triturer, tuer, user.

ANNIVERSAIRE. Centenaire, commémoration, fête, nativité, obit, souvenir.

ANNIVERSAIRES ANCIENS, NOCES. Papier (1 an), coton (2 ans), cuir (3 ans), fleurs (4 ans), bois (5 ans), sucre ou fer (6 ans), laine ou cuivre (7 ans), bronze ou faïence (8 ans), faïence ou osier (9 ans), fer ou aluminium, (10 ans), acier (11 ans), soie ou lin (12 ans), dentelle (13 ans), ivoire (14 ans), cristal (15 ans), porcelaine

(20 ans), argent (25 ans), perle (30 ans), corail (35 ans), rubis (40 ans), saphir (45 ans), or (50 ans), émeraude (55 ans), diamant (60 ans), platine (70 ans), diamant (75 ans), chêne (80 ans).

**ANNIVERSAIRES MODERNES, NOCES.** Horloge (1 an), porcelaine (2 ans), cristal ou verre (3 ans), appareils électriques (4 ans), argenterie (5 ans), bois (6 ans), ensemble de bureau (7 ans), dentelle (8 ans), cuir (9 ans), bijoux en diamant (10 ans), bijoux à la mode (11 ans), perle (12 ans), fourrure ou tissu (13 ans), bijoux en or (14 ans), montre (15 ans), platine (20 ans), argent (25 ans), perle (30 ans), jade (35 ans), rubis (40 ans), saphir (45 ans), or (50 ans), émeraude (55 ans), diamant (60 ans), chêne (70 ans).

**ANNONCE.** Avis, bluff, boniment, ceci, claironner, glas, hallali, indicatif, nouvelle, présage, pronostic, révéler, signal, signe, sirène, tinter.

**ANNONCER.** Augurer, avertir, citer, déceler, déclarer, dénoncer, exhaler, exposer, lire, prêcher, prédire, révéler, signaler, sonner.

**ANNONCEUR.** Afficheur, aviseur, journaliste, speaker, speakerine.

**ANNONCEUR FÉMININ, RADIO ET TÉLÉVISION (n.p.).** Bélanger, Bertrand, Bisaillon, Blais, Bouchard, Charbonneau, Chartrand, Cliche, Cyr, Dauphin, Fenske, Ferron, Fournier, Gagnon, Gariépy, Harvey, Jolis, Labelle, Lachapelle, Lacoste, Lafrance, Lang, Lavoie, Leblanc, Lemieux, Mac Rae, Malo, Marithé, Messadié, Pelletier, Provencher, Régimbald, Ross, Rouillé, Roy, St-Pierre, Schneider, Tardif, Therrien, Tremblay, Verdon, Viens, Watier, Yale.

**ANNONCEUR MASCULIN, RADIO ET TÉLÉVISION (n. p.).** Allard, Arcand, Archambault, Arson, Bacon, Beaudry, Bélair, Benoît, Bergeron, Bernard, Bertrand, Blais, Bouchard, Boulard, Brisebois, Bureau, Caron, Chailler, Champagne, Charette, Chartrand, Cloutier, Collin, Comeau, Dee, Desrochers, Doré, Doucet, Dubé, Dubois, Dufault, Duguay, Duval, Fauteux, Frégault, Gagnon, Garneau, Girard, Grondin, Hardy, Houde, Lacroix, Lauzon, Le Bigot, Ledoux, Marcotte, Marcoux, McQuade, Montreuil, Moreau, Morency, Nolet, Pagé, Plaisance, Pothier, Proulx, Quenneville, Rajotte, Raymond, St-Amand, Sénécal, Simard, Tétreault, Therrien, Turgeon, Vermette, Vinet, Whelan.

**ANNOTATION.** Apostille, écriture, massore, note, notule, scoliaste.

**ANNOTER.** Adorer, aimer, commenter, coter, estimer, évaluer, gloser, goûter, idéaliser, juger, louer, marginer, noter, prix, sentir.

**ANNUAIRE.** Almanach, agenda, bottin, calendrier, gotha.

**ANNUEL.** Année, anuité, feuillaison, lupercales, recrû, rente, taux.

**ANNULAIRE.** Auriculaire, bague, bijou, castagnette, dé, digital, digitopuncture, doigt, doigté, doigtier, douze, empan, index, majeur, montrer, ongle, orteil, palmé, phalange, phalangette, pouce, shiatsu, su.

**ANNULATION.** Abolition, abrogation, caducité, cassation, casse, casser, dirimer, dispense, divorce, éteindre, invalidation, irritant, lésion, nullité, oblitération, rature, réforme, rescision, résoudre, rupture.

**ANNULER.** Abolir, abroger, amortir, anéantir, barrer, biffer, casser, cesser, clore, dédire, éluder, néant, ôter, raser, rayer, rompre.

**ANODIN.** Bénin, calme, désarmé, doux, innocent, inoffensif, véniel.

ANODONTE. Dent, mollusque, moule.

ANOMALIE. Achylie, albinisme, amétropie, anormal, astigmatisme, daltonisme, dysplasie, ectopie, hémophilie, hypermétropie, irrégularité, nanisme, nyctalopie, prolifération, rareté, singularité, trisomie, trouble.

ÂNON. Âne, bourriquet.

ÂNONNER. Âne, articuler, babiller, balbutier, bégayer, bredouiller, dire, lire, parler, réciter.

ANONYME. Caché, état, nomination, on, secret, signature, société.

ANORMAL. Anaplasie, bizarre, excitation, impulsion, mérycisme.

ANOURE. Alyte, crapaud, grenouille, pipa, raine, rainette, ranidé.

ANSE. Abri, baie, broc, buire, godet, manne, portant, tasse.

ANSÉRIFORME. Anatidé, bernache, bernacle, cygne, kamichi, oie.

ANTAGONISME. Combat, conflit, désaccord, lutte, opposition, rivalité.

ANTAGONISTE. Adversaire, combattant, concurrent, ennemi, glucagon, jaloux, opposé, oppositionnel, rival.

ANTAN. Ancien, anciennement, autrefois, avant, conjonction, désuet, ex, hier, jadis, longtemps, naguère, ost, passé, vieux.

ANTARCTIQUE. Austral, chionis, méridional, midi, sud.

ANTE. Am.

ANTENNE. Acéré, aérien, écoute, gabie, penne, poste, radome, vigie.

ANTÉRIEUR. Antécédent, antéposé, antidaté, avant, devant, écart, front, passé, postérieur, précédent, préexistant, régression, tête, ultérieur.

ANTHÉMIS. Anacyclus, camomille, chrysanthème, cladanthus, œil-de-bœuf.

ANTHÈRE. Connectif, extorse, filet, fleur, introrse.

ANTHOFLE. Clou de girofle.

ANTHOLOGIE. Analecta, chrestomanthie, collection, florilèges, spicilège.

ANTHOZOAIRE. Actinie, anémone, corail, madrépore, méandrine.

ANTHROPOÏDE. Australopithèque.

ANTHROPOLOGISTE (n. p.). Firth, Leach, Mead.

ANTHROPOLOGUE ALLEMAND (n. p.). Blumenbach.

ANTHROPOLOGUE AMÉRICAIN (n. p.). Bateson, Boas, Devereux, Mead, Morgan.

ANTHROPOLOGUE ANGLAIS (n. p.). Leach.

ANTHROPOLOGUE BRITANNIQUE (n. p.). Leach, Malinowski, Radcliffe-Brown.

ANTHROPOLOGUE FRANÇAIS (n. p.). Bertillon, Girard, Hamy, Rivet.

ANTHROPOLOGUE HONGROIS (n. p.). Roheim.

ANTHROPOPHAGIE. Cannibaliste, croquemitaine, géant, goule, lamie, ogre, vampire.

ANTHYLLIS. Anthyllide, trèfle, triolet, vulnéraire.

ANTI. Ant.

ANTIARIS. Ipo, pohoh, upas.

ANTIBIOTIQUE. Auréomycine, chloramphénicol, colistine, gramicidine, néomycine, pénicilline, streptomycine, terrafungine, tyrothricine.

ANTIBLOCAGE. ABS.

**ANTICIPER.** Annoncer, augurer, découvrir, devancer, dévoiler, espérer, prédire, préjuger, présager, présumer, prévoir, sonder, usurper.

**ANTICORPS.** Antigène, antitoxine, hybridome, monoclonal, opsonine.

**ANTICOSTI.** Île.

**ANTIDOTE.** Contrepoison, protamine, thériaque.

**ANTILOPE.** Addax, algazelle, bubale, cob, damalisque, éland, gazelle, gnou, impala, kif, kob, nilgaut, okapi, oryx, ourebi, saïga, springbok.

**ANTIMOINE.** Sb.

**ANTIPARTICULE.** Anticorpuscule, antimatière, antineutron, antiproton.

**ANTIPATHIE.** Acrimonie, amertume, androphobie, animosité, aversion, baver, fiel, grippe, haine, horreur, inimitié, rancune, xénophobie.

**ANTIQUE.** Actuel, âgé, ancien, cérame, contemporain, Égypte, grec, massaliote, neuf, nouveau, passé, Rome, serrate, vieux.

**ANTISEPTIQUE.** Benjoin, collargol, créosote, eugénol, germicide, hexamidine, iode, mercurochrome, naphtol, salicylique.

**ANTITHÈSE.** Antonymie, chiasme, contraire, contraste, opposition.

**ANTRE.** Abri, caverne, cavité, gîte, grotte, réduit, repaire, tanière, trou.

**ANXIÉTÉ.** Angoisse, chagrin, crainte, inquiétude, peur, transe.

**ANXIEUX.** Affolé, agité, alarmé, bileux, inquiet, peureux, tourmenté.

**AORTE.** Artère, coarctation, cœur, sang, sigmaoïde.

**AOUTÉ.** Mûri.

**APACHE.** Bandit, kleptomane, malfaiteur, nervi.

**APAISANT.** Calmant, sédatif, tranquillisant.

**APAISEMENT.** Adoucissement, baume, calme, paix, soulagement.

**APAISER.** Adoucir, amadouer, amortir, assouvir, bercer, calmer, consoler, désaltérer, dormir, étouffer, graver, guérir, lénifier, pacifier, radoucir, ralentir, rassurer, rendormir, réprimer, soulager, tasser.

**APATHIE.** Atonie, inertie, langueur, marasme, paresse, veulerie.

**APERCEVOIR.** Aviser, entrevoir, idée, juger, visible, voir, vu, vue.

**APERÇU.** Chimère, concept, dada, dyade, ébauche, ectopie, fantaisie, fiction, idée, illusion, image, lubie, manie, mode, notion, opinion, pensée, phonétiquement, projet, rêve, songe, ton, tour, vu, vue.

**APÉRITIF.** Apéro, colombo, kir, quassia, simaruba, tomate.

**APESANTI.** Alourdi.

**APEURER.** Affoler, alerter, effaroucher, effrayer, épeurer, terrifier.

**APHORISME.** Apophtegme, maxime, pensée, sentence.

**APHRODISIAQUE.** Excitant, stimulant, Viagra.

**APHTE.** Ulcération.

**À-PIC.** Abrupt, escarpement, falaise, paroi.

**APITOYER.** Attendrir, attrister, compatir, émouvoir, plaindre, toucher.

**APLANIR.** Araser, battre, dégauchir, doler, dresser, écraser, égaliser, épaner, gratter, mater, matir, nettoyer, niveler, polir, raboter, râcler, régaler, repasser, unir, xyste.

**APLATI.** Camard, camus, écrasé, épaté, galet, pince, plat, rame, tapé.

**APLATIR.** Dépression, écraser, palmer, presser, rabattre, river.

APLATISSEMENT. Collapsus, dépression, érosion, fasciation, forge.

APLOMB. Audace, assis, assurance, boiteux, cale, culot, droit, durable, effronterie, équilibre, estomac, ferme, fermeté, fixe, habituel, hardiesse, image, larve, leste, solide, stabilité, stable, toupet, vertical.

APOASTRE. Apside.

APODICTIQUE. Certain, sûr.

APOGÉE. Acmé, aphélie, apoastre, apothéose, apside, comble, culminant, faîte, gloire, point, sommet, summum, triomphe, zénith.

APOLLON. Apollinien, musagète, niobé, soleil.

APOLLON (n. p.). Aristée, Délos, Hyade, Hymen, Ion, Nome, Pythie.

APOLOGIE. Défense, discours, éloge, louange, plaidoirie, plaidoyer.

APOLOGUE. Allégorie, conte, fable, parabole.

APOPHYSE. Acromion, apoplectique, bosse, cheville, coracoïde, crête, épicondyle, malléole, olécrane, ptérgyoïde, styloïde, tibia, zygomatique.

APOPLEXIE. Attaque, cérébrale, congestion, hémorragie, ictus.

APOSTASIER. Hérétique, infidèle, renégat, renier, schismatique.

APOSTROPHER. Appeler, élision, interpeller, invectiver, scène.

APOTHICAIRE. Alchimiste, pharmacien, potard.

APOTHICAIRE (n. p.). Hébert, Lemery.

APÔTRE. Défenseur, disciple, missionnaire, prédicateur, prosélyte.

APÔTRE (n. p.). André, Barthélemy, Jacques, Jean, Judas, Jude, Mathias, Matthieu, Pierre, Philippe, Saint Paul, Simon, Thaddée, Thomas.

APPARAÎTRE. Avérer, éclore, éditer, émerger, exposer, lever, montrer, percer, poindre, pousser, révéler, sortir, surgir, trahir, venir.

APPARAT. Caftan, cérémonial, faste, gala, luxe, pompe.

APPAREIL. Agrès, alambic, altimètre, ampèremètre, anneau, asdic, autogire, avion, bathyscaphe, ber, bouclier, calorifère, caméra, CB, chadouf, couveuse, cuisinière, démarreur, distillation, électroscope, élévateur, équipage, ergographe, étuve, étuveur, four, fourneau, frein, gabarit, gibet, hélice, hélicoptère, herse, instrument, lampe, laryngoscope, loch, manomètre, osmomètre, palan, photocomposeuse, pile, pilori, pipe, plafonnier, pompe, radar, râtelier, ridoir, robot, scaphandre, serrure, sirène, sondeur, téléphone, télévision, train, trapèze, tungar, vanne, vélocipède, vérin.

APPAREIL DE DÉTECTION. Asdic, radar, sonar.

APPARENCE. Air, décor, forme, frime, idée, mine, mirage, ostensible, perceptible, semblant, simulacre, vernis, visible, vraisemblance.

APPARENT. Clair, criant, évident, ostensible, perceptible, visible.

APPARENTÉ. Acaule, allié, parapublic, parent, proche, surpique.

APPARITEUR. Accense, bedeau, chaouch, dirigeant, huissier, massier.

APPARITION. Arrivée, avènement, éclosion, émergence, entrée, épiage, éruption, exposition, fantôme, intrusion, irruption, lueur, mutagenèse, naissance, parution, phénomène, simulacre, spectre, venue, vision, vue.

APPARTEMENT. Bauge, calla, duplex, flat, gynécée, harem, hypne, logis, niche, pièce, salle, salon, studio, suite, taudis, vestibule, zénana.

APPARTENIR. Convenir, échoir, être, incomber, retourner, revenir.

APPARTIENT. Est, fondamentaliste, thymique, vitaliste.

APPARU. Air, éclos, fondu, lueur, né, paru, revenu, semblé.

APPÂT. Abet, aiche, allécher, amorce, attirer, boëtte, devon, èche, esche, filet, grappe, leurre, manne, mouche, piège, pêche, rogue, ver.

APPAUVRIR. Épuiser, paupériser, ruiner.

APPAUVRISSEMENT. Affaiblissement, anémie, dégénérescence, dépérissement, détérioration, épuisement, étiolement, paupérisation.

APPEAU. Coucaillet.

APPEL. Clamer, cri, écho, ici, ohé, SOS, sonner, viens, vocation.

APPELÉ. Bleu, conscrit, intitulé, ladite, ledit, recrue, soldat, titre.

APPELER. Attirer, baptiser, bénir, caser, citer, crier, élever, élire, enrôler, épeler, héler, intimer, maudire, rappeler, recruter, SOS.

APPELLATION. Attribut, connu, contrôlée, dénomination, désignation, feu, marque, nom, prénom, prête-nom, qualificatif, surnom, titre.

APPENDICE. Aile, barbe, bras, chélicère, cire, cirre, cirrhe, didactyle, doigt, griffe, luette, membre, nageoire, nez, palpe, patte, pédipalpe, queue, stipule, tentacule, typhlite, uropode, uvule, xiphoïde.

APPESANTIR. Alourdir, attarder, embarrasser, étendre, insister.

APPÉTENCE. Alléchant, appétit, envie, goût.

APPÉTISSANT. Alléchant, attrayant, envie, pica, plaisant, ragoûtant.

APPÉTIT. Anorexie, besoin, désir, faim, herbe, malacie, ogre, pica.

APPLAUDIR. Acclamer, admirer, approuver, ban, battre, bénir, bisser, bravo, célébrer, claque, encourager, louer, saluer, soutenir, trépigner.

APPLAUDISSEMENT. Acclamation, ban, bravo, ovation, vivat.

APPLICATION. Adaptation, apposer, appuyer, art, attention, empresser, étude, infliger, mettre, minutie, onction, prosodie, soin, zélé.

APPLIQUÉ. Assidu, attentif, consciencieux, diligent, négligent, posé, sérieux, soigneux, studieux, travailleur, zélé.

APPLIQUER. Adapter, adonner, apposer, appuyer, atteler, baiser, donner, enduire, ficher, panser, plaquer, sceller, vaquer, vouer.

APPOINTER. Ajuster, arriver, braquer, contrôler, diriger, épointer, marquer, mirer, noter, orienter, paraître, régler, tendre, tirer, venir, vérifier, viser.

APPORTER. Amener, importer, pallier, porter, quérir, remédier, venir.

APPOSER. Appliquer, émarger, marquer, parapher, sceller, signer.

APPRÉCIATION. Avis, blâme, calcul, commentaire, credo, dépriser, dogme, école, erreur, estimation, estimé, évaluation, examen, expertise, goût, hérésie, idée, imagination, jugement, juste, méconnu, note, observations, opinion, paradoxe, prisée, rang, sens, sentiment, thèse.

APPRÉCIER. Adorer, aimer, coter, estimer, évaluer, goûter, idéaliser, jauger, jouir, juger, louer, mesurer, noter, palper, peser, prix, sentir.

APPRÉHENDER. Arrêter, craindre, épingler, redouter, saisir, trembler.

APPRÉHENSION. Angoisse, anxiété, crainte, intimidation, peur, transe.

APPRENANT. Élève, débutant, étudiant, néophyte, novice, stagiaire.

APPRENDRE. Découvrir, enseigner, étudier, initier, instruire, mémoriser, montrer, préparer, professer, renseigner, savoir.

APPRENTI. Arpète, arpette, débutant, élève, galibot, initié, marmiton, mitron, néophyte, novice, pilotin, rapin, stagiaire, varlet.

APPRENTISSAGE. Dyscalculie, dysgraphie, exercice, formation, initiation, instruction, noviciat, préparation, stage.

APPRÊT. Cati, décati, dressage, glaçage, habillage, négligé, vaporisage.

APPRÊTER. Aménager, empeser, former, parer, préparer, relever.

APPRIS. Acquis, alphabétisé, annonce, averti, instruit, sinisant, su.

APPRIVOISER. Adoucir, affaiter, amadouer, charmer, civiliser, domestiquer, dompter, dresser, familier, humaniser, priver.

APPROBATION. Accord, adhésion, agrément, amen, applaudir, approuver, aval, aveu, ban, bien, bon, bravo, concession, consentement, convenir, entendu, mais, oui, permission, sanction, soit, suffrage, visa.

APPROCHE. Abord, accès, accessif, avoisiner, parage, rapprocher.

APPROCHER. Aborder, accès, accoster, arriver, attiser, côtoyer, entrée.

APPROFONDIR. Caver, creuser, étudier, explorer, fouiller, fouir, mûrir.

APPROPRIÉ. Adapté, adéquat, congru, congruent, convenable, idoine, juste, pertinent, propre.

APPROPRIER. Apte, curer, écurer, idoine, nettoyer, propre, récurer.

APPROUVER. Abonder, accepter, accorder, acquiescer, adhérer, adopter, agréer, approbation, avaliser, cautionner, céder, convenir, entendu, entériner, goûter, opiner, oui, prêt, ratifier, signer.

APPROVISIONNEMENT. Achat, aiguade, alimentation, annone, distribution, fourniture, munition, provision, réserve, stock.

APPROVISIONNER. Alimenter, ensiler, fournir, nourrir, ravitailler.

APPROXIMATIF. Environ, exact, précis, rigoureux, strict.

APPUI. Défenseur, égide, éperon, pilier, protecteur, soutien, soutinet.

APPUYER. Accoter, accouder, adosser, baiser, baser, buter, coller, épauler, étayer, fonder, insister, peser, poser, sonner, soutenir, tenir.

ÂPRE. Aigu, amer, avare, cuisant, dur, rêche, rigoureux, rude, vif.

APRÈS. Avenir, cadet, délai, dès, ensuite, etc., futur, midi, mûrement, passé, post, posthume, postiche, puîné, puis, succéder, suite, suivant, tard.

APRÈS JÉSUS-CHRIST. AD.

ÂPRETÉ. Amertume, avarice, raucité, rigueur, verdeur, virulence.

APTE. Art, capable, don, doué, facilité, habilité, oreille, talent, viable.

APTITUDE. Don, bosse, digestibilité, esprit, facilité, faculté, fécondité, finesse, génie, infus, inné, natif, né, qualité, réceptivité, talent, test.

AQUARELLE. Aquarelliste, aquatintiste, peinture, torchon.

ARABE. Caïd, calife, cheik, cheval, coran, dar, dinar, douar, émir, fakir, harem, islam, méchoui, mosquée, pacha, perse, pilaf, scheik, terre.

ARABE (n. p.). Asie, Bédouin, Berbère, Édomite, Gétule, Kabyle, Moabite, Musulman, Sarrasin.

ARABETTE. Corbeille d'argent.

ARACÉE. Aroïdée, arum, colcase, gouet, monstera, philodendron, taro.

ARACHIDE. Arachis, beurre, cacahuète, huile, mafé, noisette, pistache.

ARACHNIDÉ. Acarien, aranéide, ciron, faucheur, faucheux, opilion.

ARAIGNÉE. Arachné, arachnide, aragne, araigne, aranéide, arantèle, argyronète, épeire, faucheur, faucheux, galéode, halabé, hydromètre, latrodecte, lycose, maïa, malmignate, mygale, orbitèle, ségestrie, tarentule, tégénaire, théridion, thomise, tubitèle, vélie.

ARALIACÉE. Ginseng, hédéracée, lierre, panace, panax.

ARAXE (n. p.). Araks, Aras, Koura.

ARBALÈTE. Arbalétrier, arc, cric, jalet, levier, matras, moufle, sextant.

ARBITRAIRE. Caprice, despotique, équitable, illégal, injuste, pige.

ARBITRE. Conciliateur, expert, juge, libre, médiateur, molinisme.

ARBITRER. Amiable, compromis, conciliation, convention, entremise, expertiser, juger, intervenir, liberté, médiation, priser, sentence.

ARBORER. Afficher, élever, étaler, exhiber, hisser, montrer, planter, porter.

ARBORISATION. Arborisé, dentrite.

ARBRE (2 lettres). If.

ARBRE (3 lettres). Axe, fau, mai, pin, sal, tek.

ARBRE (4 lettres). Arec, aune, bois, cime, cola, doum, écot, enté, kaki, kava, kawa, kola, maté, néré, nipa, orme, séné, sipo, teck, upas.

ARBRE (5 lettres). Abaca, anona, anone, aulne, caïac, carya, casse, cèdre, chêne, cycas, étêté, forêt, frêne, gaïac, gélif, hêtre, hévéa, ilang, lilas, mélia, noyer, osier, pérot, sapin, saule, sumac, surin, thuya, yeuse.

ARBRE (6 lettres). Acacia, acajou, aubier, baobab, bonsaï, brésil, broche, cassie, charme, chicot, croton, cyprès, doucin, épicéa, érable, fayard, févier, futaie, ginkgo, karité, letchi, mélèze, mûrier, myrica, monbin, okoumé, pêcher, plante, sappan, ventis, ypréau, zamier.

ARBRE (7 lettres). Ailante, alisier, alizier, arbuste, avodiré, baumier, borasse, bouleau, bouture, branche, camélia, cassier, catalpa, cedrela, copalme, copayer, cormier, ébénier, encroué, figuier, gainier, hickory, jaquier, laurier, néflier, négondo, négundo, olivier, oranger, palmier, papayer, platane, poirier, pommier, prunier, sophora, tilleul, végétal.

ARBRE (8 lettres). Aleurite, amandier, amentale, aubépine, baliveau, calamite, cacaoyer, cerisier, dendrite, espalier, fastigié, fromager, goyavier, hibiscus, houppier, jacquier, jujubier, kapokier, kolatier, manglier, manguier, merisier, peuplier, pleureur, ravenala, robinier, sapotier, simaruba, spondias, sycomore, tchitola, topiaire, tulipier.

ARBRE (9 lettres). Albergier, alloucher, araucaria, artocarpe, avocatier, brésillet, cacaotier, cannelier, caroubier, courbaril, dichopsis, érythrine, giroflier, grenadier, jacaranda, magnolier, muscadier, myroxylon, noisetier, paulownia, quebracho, quinquina, sigilaire, strychnos, virgilier.

ARBRE (10 lettres). Abricotier, anacardier, bancoulier, cognassier, eucalyptus, flamboyant, généalogie, ilang-ilang, marronnier, pistachier, plantation, prunellier, quenouille, quercitron, rhizophage, sigillaire, souchetage, tamarinier, térébinthe, vomiquier.

ARBRE (11 lettres). Arborescent, bergamotier, bignoniacée, châtaignier, micocoulier, mirabellier, phytéléphas, sapotillier, sidéroxylon.

ARBRE (12 lettres). Mancenillier, plaqueminier, wellingtonia.

ARBRE (13 lettres). Arboriculture, lépidodendron, mangoustanier, plaquemantier.

ARBRE (14 lettres). Pamplemoussier.

ARBRISSEAU (3 lettres). Qat.

ARBRISSEAU (4 lettres). Aune, buis, cade, coca, houx, khat, ulex.

ARBRISSEAU (5 lettres). Ajonc, anone, arbre, aulne, butée, ciste, épine, garou, genêt, henné, ipéca, lilas, obier, osier, saule, vigne, yèble.

ARBRISSEAU (6 lettres). Aralia, aucuba, azalée, cassis, daphné, fragon, fusain, fustet, hysope, redoul, rosage, rosier, styrax, théier, viorne.

ARBRISSEAU (7 lettres). Airelle, arbuste, badiane, bignone, caféier, câprier, fuchsia, mahonia, néflier, niaouli, romarin, seringa, tamaris.

ARBRISSEAU (8 lettres). Alaterne, ambrette, arbustif, aubépine, icaquier, lauréole, myrtille, oléandre, quassier, rocouyer, sainbois.

ARBRISSEAU (9 lettres). Angusture, arbousier, bourdaine, busserole, cinnamome, coronille, corroyère, cotonnier, églantier, fauchette, forsythia, gattilier, genévrier, hamamélis, hippophaé, hortensia, lantanier, lentisque, noisetier, rauwolfia, santoline.

ARBRISSEAU (10 lettres). Ampélopsis, citronnier, gaulthérie, ipécacuana, symphorine.

ARBRISSEAU (11 lettres). Framboisier, groseillier, mandarinier.

ARBRISSEAU (12 lettres). Baguenaudier, clémentinier, rhododendron.

ARBUSTE. Angusture, arbrisseau, azalée, badiane, bourdaine, câprier, cassis, cirier, coca, cotonnier, croton, cubède, cytise, frangipanier, genévrier, hamamélis, henné, houx, jasmin, kerria, lantanier, lilas, néflier, nerprun, pittosporum, plante, rocouyer, qat, quassia, quassier, ronce, santal, seringa, seringat, sesbanie, staphylier, sureau, troène, ulex, végétal.

ARC. Anse, arcade, arceau, arche, arçon, arme, arqué, cercle, côte, courbe, degré, grade, halo, iris, minot, ogive, sinus, spire, verse, voûte.

ARC-EN-CIEL. Archer, couleurs, courbe, iris, irisation, spectre.

ARCADE. Arc, imposte, loge, piédroit, pleurant, vousseau, voûte.

ARCADIE. Âne, arcadien.

ARCEAU. Arcade, cercle, étrier, gabarit, wishbone.

ARCHAÏQUE. Âgé, amorti, anachronique, ancien, antique, arriéré, autrefois, baderne, caduc, cassé, couros, décrépit, déjà, démodé, désuet, féodal, nouveau, périmé, primitif, vétéran, usé, vétuste, vieil, vieux.

ARCHE. Arcade, arceau, arqué, bateau, cambrure, coffre, croissant, culée, porte, propitiatoire, tabernacle, voûte.

ARCHÉOLOGUE. Curieux, explorateur, fouineur, orpailleur, scientiste.

ARCHÉOLOGUE ALLEMAND (n. p.). Schliemann, Winckelmann.

ARCHÉOLOGUE ANGLAIS (n. p.). Evans.

ARCHÉOLOGUE FRANÇAIS (n. p.). Bouard, Caumont, Gsell, Lenoir, Mortillet, Parrot, Picard, Waddington.

ARCHÉOLOGUE ITALIEN (n. p.). Rossi.

ARCHER. Arc, arcanson, aster, Éros, flèche, rebec, Sagittaire, Tell.

ARCHEVÊQUE. Abbé, aumônier, bonze, célébrant, chamoine, curé, druide, évêque, lama, missionnaire, monseigneur, pape, vicaire.

ARCHEVÊQUE (n. p.). Affre, Becket, Beckett, Ebbon, Ildefonse, Isidore, Laud, Leu, Rémi.

ARCHEVÊQUE QUÉBÉCOIS (n. p.). Blanchet, Ébacher, Grégoire, Panet, Taschereau.

ARCHIPEL. Île, seul.

ARCHIPEL, AÇORES (n. p.). Égée, Fayal, Flores, Jorge, Pico, Sao, Terceira.

ARCHIPEL, ALÉOUTIENNES (n. p.). Adak, Agattu, Amchitka, Atka, Attu, Kiska, Randall, Shemya, Shumagin, Tanaga, Umnak, Unalaska, Unimak.

ARCHIPEL, ANTILLES (n. p.). Antigua, Anguilla, Barbade, Cuba, Dominique, Grenade, Grenanide, Guadeloupe, Haïti, Jamaïque, Martinique, Montserrat, Nevis, Porto Rico, République Dominicaine, Saint-Martin, Sainte-Croix, Sainte-Lucie, Tobago, Trinidad, Trinité.

ARCHIPEL, ARCTIQUE (n. p.). Lofoten.

ARCHIPEL, ASIE (n. p.). Philippines.

ARCHIPEL, BAHAMAS (n. p.). Acklin, Andros, Caicos, Cat, Éleuthère, Grand-Abaco, Grand-Bahama, Grand-Inague, Long, Mayaguana, San Salvador, Turks, Turquoise.

ARCHIPEL, BALÉARES (n. p.). Cabrera, Conejera, Ibiza, Ivica, Majorque, Minorque.

ARCHIPEL, CANARIES (n. p.). Fuerteventura, Gomera, Hierro, Lanzarote, Palma, Ténériffe.

ARCHIPEL, CAP VERT (n. p.). Boa-Vista, Feu, Fogo, Maio, Sal, Santo-Antao, Sao-Nicolao, Sao-Thiago.

ARCHIPEL, CAROLINES (n. p.). Eauripik, Greenwich, Hall, Kusaie, Mokil, Namoluk, Namonuitp, Nomoi, Oroluk, Pikelot, Pingelap, Ponape, Pulusuk, Truk.

ARCHIPEL, CYCLADES (n. p.). Amorgos, Andros, Astipalaia, Délos, Ios, Kythnos, Makronisos, Milos, Paros, Santorin, Siros, Syra, Théra, Tinos.

ARCHIPEL, DANOIS (n. p.). Féroé.

ARCHIPEL, ESPAGNOL (n. p.). Baléares.

ARCHIPEL, FIDJI (n. p.). Kandavu, Lau, Levu, Rotuma, Suva, Vanua, Viti.

ARCHIPEL, GALAPAGOS (n. p.). Cristobal, Isabela.

ARCHIPEL, GILBERT (n. p.). Abaiang, Abemama, Kuria, Maiana, Makin, Nukunau, Onotoa, Tabiteuea, Tamana, Tarawa.

ARCHIPEL, GUINÉE (n. p.). Loos, Los.

ARCHIPEL, HAWAÏ (n. p.). Hawaï, Honolulu, Kauai, Maui, Necker, Oahu.

ARCHIPEL, IONIENNES (n. p.). Céphalonie, Corfou, Ithaque, Leucade, Sphactérie, Theaki, Thiaki, Zante.

ARCHIPEL, DE LA MADELEINE (n. p.). Allright, Amherst, Brion, Coffin, Grosse-Île, Meules.

ARCHIPEL, MARSHALLS (n. p.). Bikar, Majuro, Maloelap, Mejit, Mili, Taka.

ARCHIPEL, MÉDITERRANÉE (n. p.). Baléares.

ARCHIPEL, OCÉAN ARCTIQUE (n. p.). Aléoutiennes, François-Joseph, Liakhov, Lucayes, Reine-Elizabeth, Sverdrup.

ARCHIPEL, OCÉAN ATLANTIQUE (n. p.). Açores, Antilles, Britanniques, Calco, Canaries, Cayman, Hébrides, Orcades, Shetland, Turks.

ARCHIPEL, OCÉAN INDIEN (n. p.). Amirantes, Comores, Crozet, Kerguélen, Laquedives, Maldives, Mascareignes, Rodrigues, Seychelles, Tchagos.

ARCHIPEL, OCÉAN PACIFIQUE (n. p.). Aléoutiennes, Amirauté, Antipodes, Arou, Bismak, Chatham, Chesterfield, Chiloé, Chonos, Cook, Fidji, Futuna, Galapagos, Gambier, Gilbert, Hawaï, Indonésie, Loyalty, Macquarie, Mariannes, Marquises, Marshall, Mendana, Midway, Moluques, Nouvelles-Hébrides, Ouvéa, Palaos, Pescadores, Philippines, Phoenix, Pomotou, Reine-Charlotte, Samoa, Sandwich, San Félix, Tokelau, Tonga, Touamotou, Wallis.

ARCHIPEL, OCÉANIE (n. p.). Samoa.

ARCHIPEL, PHILIPPINES (n. p.). Luçon, Luzon, Palaouan, Mindanao, Mindoro, Sulu.

ARCHIPEL, POLYNÉSIE (n. p.). Tonga, Tuamotu.

ARCHIPEL, SAINT-LAURENT. Mingan.

ARCHIPEL, VIERGES (n. p.). Leeward, Saint-Thomas, Sainte-Croix.

ARCHIPRÊTRE. Curé, prêtre.

ARCHITECTE. Compas, équerre, ornement, règle, style, té, traçoir.

ARCHITECTE ALLEMAND (n. p.). Behrens, Cuvilliés, Fischer, Gropius, Hildebrandt, Klenze, Knobelsdorff, Knoll, Langhans, Neumann, Speer, Zimmermann.

ARCHITECTE ALSACIEN (n. p.). Erwin.

ARCHITECTE AMÉRICAIN (n. p.). Adler, Breuer, Dankmar, Eames, Espérandieu, Fuller, Gehry, Gropius, Jenney, Kahn, Meier, Neutra, Pei, Rogers, Saarinen, Sullivan, Wright.

ARCHITECTE ANGLAIS (n. p.). Barry, Foster, Gibbs, Jones, Nash, Paxton, Wren.

ARCHITECTE AUTRICHIEN (n. p.). Fischer, Hildebrandt, Hiltorff, Hoffmann, Loos, Prandtauer, Wagner.

ARCHITECTE BELGE (n. p.). Horta.

ARCHITECTE BRÉSILIEN (n. p.). Aleijadinho, Costa, Niemeyer.

ARCHITECTE BRITANNIQUE (n. p.). Barry, Chambers, Giggs, Jones, Kent, Nash, Paxton, Ventris, Wren.

ARCHITECTE CANADIEN (n. p.). Lambert, Ott, Rose, Samuel.

ARCHITECTE DANOIS (n. p.). Jacobsen, Utzon.

ARCHITECTE ÉCOSSAIS (n. p.). Adam, Mackintosh, Stirling.

ARCHITECTE ÉGYPTIEN (n. p.). Fathi, Fathy, Imhotep.

ARCHITECTE ESPAGNOL (n. p.). Berruguète, Bofill, Cano, Churriguera, Covarrubias, Égas, Gaudi, Ribera, Sert.

ARCHITECTE FINLANDAIS (n. p.). Aalto, Alvar.

ARCHITECTE FLAMAND (n. p.). Faydherbe, Giambologna, Huyssens.

ARCHITECTE FLORENTIN (n. p.). Brunelleschi, Buontalenti.

ARCHITECTE FRANÇAIS (n. p.). Abadie, Aillaud, Antoine, Aubert, Bachelier, Ballu, Baltard, Baudot, Bélanger, Biart, Blondel, Boffrand, Boullée, Brongniart, Brosse, Bruant, Bullant, Bullet, Camelot, Candilis, Carlu, Chalgrin, Chambiges, Chemetov, Chevotet, Cotte, Courtonne, Davioud, Delorme, Dorbay, Duban, Dutert, Eiffel, Fontaine, Gabriel, Garnier, Goujon, Gropius, Here, Horeau, Jourdain, Labrouste, Laprade, LeBas, Le Corbusier, Ledoux, Lefuel, Lemercier, Le Nôtre, Lescot, Levau, Lods, Mailly, Mansart, Métezeau, Mique, Nouvel, Oppenordt, Orbay, Parent, Percier, Perrault, Perret, Peyre, Portzamparc, Prouvé, Puget, Renaudie, Rondelet, Soufflot, Starck, Taillibert, Vaudoyer, Wailly, Wogenscky, Zehrfuss.

ARCHITECTE GREC (n. p.). Anthémios, Callicratès, Dédale, Ictinos, Mnésiclès, Polyclète.

ARCHITECTE HOLLANDAIS (n. p.). Doesburg.

ARCHITECTE ITALIEN (n. p.). Abbate, Alberti, Alessi, Amadei, Bernin, Boccador, Borromini, Bramante, Brunelleschi, Cronaca, Filarete, Fontana, Ghiberti, Guarini, Ictinos, Longhena, Maderno, Michel-Ange, Michelozzo, Nervi, Orcagna, Palladio, Peruzzi, Piano, Piranèse, Ponti, Primatice, Raphaël, Romain, Rossellino, Servandoni, Terragni, Vasari, Vignola.

ARCHITECTE JAPONAIS (n. p.). Isozaki, Kikutake, Tange.

ARCHITECTE LOUVRES (n. p.). Pei.

ARCHITECTE NÉERLANDAIS (n. p.). Bakema, Berlage, Klerk.

ARCHITECTE POLONAIS (n. p.). Kowalski.

ARCHITECTE PORTUGAIS (n. p.). Fernandes.

ARCHITECTE QUÉBÉCOIS (n. p.). Baillairgé, Beaulieu, Belzile, Blouin, Bourgeau, Brassard, Cayouette, Gallienne, Gauthier, Guité, Lambert, Longpré, Marchand, Perrault, Saia, Samuel, Roy, Taché.

ARCHITECTE ROMAIN (n. p.). Vitruve.

ARCHITECTE RUSSE (n. p.). Rastrelli.

ARCHITECTE SOVIÉTIQUE (n. p.). Lissitzky.

ARCHITECTE SUÉDOIS (n. p.). Asplund, Gunnar, Tessin.

ARCHITECTE SUISSE (n. p.). Bill, Botta, Meyer.

ARCHITECTE TURC (n. p.). Sinan.

ARCHITECTURER. Agencer, bâtir, construire, structurer.

ARCHIVE. Annales, document, histoire, livre, microfiche, tabularium.

ARCTIQUE. Boréal, hyperboréen, macareux, morse, morue, polaire.

ARDEMMENT. Activement, avidement, chaudement, furieusement, passionnément, soupirer, vivement.

ARDENT. Élan, fervent, feu, fièvre, flamme, fougue, furie, rapace, zélé.

ARDEUR. Amour, avidité, chaleur, courage, feu, frénésie, soin, zèle.

ARDILLON. Broquette, clou, déboucler, poinçon, pointe, rivet, semence.

ARDOISE. Bardeau, biset, délit, dette, dû, ive, levier, pic, schiste, touche.

ARDU. Escarpé, difficile, laborieux, pénible, raide, trapu, travail.

AREC. Aréquier, cachou, chou-palmiste.

ARÈNE. Amphithéâtre, calcul, carrière, castine, cirque, gravier, lice, Lutèce, Nîmes, pierre, podium, ring, sable, sablon, théâtre, toril.

ARÉNICOLE. Ver.

ARÉQUIER. Arec, areca, noyer, palmier.

ARÊTE. Angle, ariste, couteau, crêt, délarder, grésoir, os, vif, voûte.

ARGENT. Ag, aloi, arrhes, avoir, blé, bourse, cash, collargol, douille, écu, espèce, fonds, fric, galette, lingot, magot, métal, mise, oseille, pécune, pèze, pognon, radis, rond, saignée, sous, statère, taper, vermeil.

ARGENTÉ. Électrum, gris, grisonné, riche.

ARGILE. Banc, bauge, bentonite, bol, bille, brique, calamite, chamotte, erbue, gault, glaise, groie, kaolin, marne, ocre, pisé, sep, sil, terre, tuile.

ARGON. A, AR.

ARGONAUTE. Céphalopode, mollusque, nacelle, octopode.

ARGONAUTE (n. p.). Castor, Héraclès, Jason, Lyncée, Oilée, Orphée, Pélée, Pollux, Télamont.

ARGOT. Calo, charabia, cockney, éperon, fric, jar, jargon, jobelin, joual, langue, marollien, moco, môme, patois, pidgin, sabir, slang, verlan.

ARGUMENT. Abrégé, axiome, conclusion, dilemme, enthymème, épichérème, exemple, induction, logique, matière, objection, prémisse, preuve, raison, raisonnement, rhétorique, sophisme, sorite, syllogisme.

ARGUMENTER. Arguer, conclure, discuter, ergoter, prouver, réfuter.

ARIA. Air, difficulté, embarras, mélodie, obstacle, souci.

ARIDE. Aréique, inculte, infécond, ingrat, piloselle, sec, stérile, ulex.

ARIDITÉ. Austérité, improductivité, infertilité, sécheresse, stérilité.

ARILLE. Macis.

ARISTOCRATE. Chevalier, élite, hidalgo, lord, magnat, noble, seigneur.

ARMADA. Armée, bataillon, escadron, essaim, flotte, régiment, troupe.

ARMATEUR. Affréteur, baraterie, charter, prêteur, répartiteur, subrécargue.

ARMATEUR (n. p.). Ango, Noé.

ARMATURE. Amure, antenne, arçon, armée, armure, base, carcasse, cerce, châlit, charpente, cordage, drisse, échafaudage, gui, ossature, mât, muselet, ogive, raban, soutien, squelette, support, tringle.

ARME. Angon, arbalète, arc, arquebuse, baïonnette, bâton, calibre, colt, dague, dard, engin, épée, escopette, estoc, faux, fer, fronde, fusil, griffu, guisarme, hache, hast, lance, légère, masse, missile, mitrailleuse, mousqueton, ogive, pistolet, raté, sabre, trait.

ARMÉE. Air, appel, brigade, camp, corps, galon, grade, légion, marine, milice, militaire, muet, ost, peloton, salut, stratégie, terre, troupe.

ARMÉE ANGLAISE (n. p.). RAF.

ARMÉE IRLANDAISE (n. p.). IRA.

ARMER. Adouber, désarmer, équiper, fortifier, fourbir, gréer, réarmer.

ARMILLE. Annelet.

ARMOIRE. Bahut, buffet, cabinet, casier, crédence, coffre, commode, fichier, garde-robe, glace, meuble, montre, placard, tour, vitrine.

ARMOISE. Citronnelle, génépi.

ARMURE. Adouber, bouclier, cu, faucre, poulaine, soleret, tassette.

ARNAQUEUR. Aigrefin, bandit, estampeur, filou, fripon, truand, voleur.

ARNICA. Arnique, bétoine, doronic, plantain, souci, tabac.

AROMATE. Absinthe, ail, aneth, angélique, anis, arôme, badiane, basilic, cannelle, cardamome, cari, carvi, cayenne, céleri, cerfeuil, ciboulette, coriandre, cumin, curcuma, échalote, épice, estragon, fenouil, genièvre, gingembre, girofle, herbe, hysope, laurier, livèche, macis, maniguette, marjolaine, mélisse, menthe, moutarde, muscade, oignon, origan, paprika, parfum, persil, piment, poivre, poivron, romarin, safran, sarriette, sauge, sel, serpolet, sésame, thym, vinaigre.

AROMATISER. Aniser, bouqueter, fragrance, framboiser, safraner.

ARÔME. Bouquet, essence, fumet, goût, odeur, parfum, saveur, senteur.

ARONDE. Hirondelle.

ARPENTAGE. Alidade, hirizon, mire, niveau, pantomètre, plan.

ARQUER. Busquer, cintrer, fléchir, plier, pont, recourber, voûter.

ARRACHAGE. Arrachis, avulsion, délainage, déracinement, divulsion, éradication, extirpation, extraction, sarclage, sarclure.

ARRACHÉ. Acharnement, avulsion, haltère.

ARRACHEMENT. Avulsion, déchirement, divulsion, extraction, sarclure.

ARRACHER. Déclouer, délainer, démarier, déplanter, déraciner, détacher, déterrer, échardonner, écobuer, édenter, effeuiller, emporter, enlever, épiler, essarter, essoucher, extirper, extorquer, extraire, ôter, plumer, priver, raciner, rompre, sarcler, soutirer, soustraire, tirer.

ARRANGEMENT. Accommodement, accord, adaptation, agencement, aménagement, charpente, coiffure, compromis, conciliation, conduite, configuration, disposition, distribution, économie, entente, formule, installation, ordonnancement, organisation, projet, répartition, texture.

ARRANGER. Accorder, adapter, aménager, coiffer, draper, entente, faire, manipuler, monter, organiser, orner, parer, poser, ranger, tresser.

ARRESTATION. Élargissement, empoigner, libération, rafle, relaxe.

ARRÊT. Anurie, apnée, assez, butée, caravane, cessez, cran, délai, escale, étape, frein, gel, halte, infantilisme, ischémie, panne, parade, pause, rémission, repos, souffrance, stase, station, stop, syncope, trêve.

ARRÊTÉ. Apuré, décision, décret, délibération, jugement, prononcé, vu.

ARRÊTE-BŒUF. Agaloussès, bougrate, bouverance, bugrane, ononis.

ARRÊTER. Ancrer, arraisonner, borner, buter, caler, camper, cesser, clore, couper, épingler, étancher, fixer, freiner, interrompre, juguler, limiter, maintenir, pincer, rayer, régler, reposer, réprimer, retenir, stagner, stopper, suspendre, tarir, tenir.

ARRHES. Acompte, à-valoir, avance, caution, clause, dédit, provision.

ARRIÉRATION. Débilité, oligophrénie.

ARRIÈRE. Cul, dos, envers, fesse, nuque, passé, poupe, queue, verso.

ARRIÈRE-FAUX. Délivre.

ARRIÈRE-GORGE. Abaisse-langue, pharynx.
ARRIÈRE-GOÛT. Impression, souvenir.
ARRIÈRE-GRANDS-PARENTS. Bisaïeuls.
ARRIÈRE-PENSÉE. Réserve, réticence.
ARRIÈRE-PLAN. Fond, lointain.
ARRIÈRE-SAISON. Automne.
ARRIÈRE-TRAIN. Culard, derrière, fesses, postérieur.
ARRIMAGE. Amarrage, fixation.
ARRIMER. Accorer, accrocher, affermir, amarrer, ancrer, charger, vrac.
ARRIVÉ. Arrivage, échu, installé, reconnu, survenu, venue.
ARRIVÉE. Accession, afflux, anode, apparition, avènement, bienvenue,
   commencement, début, entrée, gare, naissance, subit, venue.
ARRIVER. Aboutir, accéder, affluer, arrivage, avenue, but, coïncider, dû, due, échoir,
   fatal, finir, mener, mûrir, naître, parvenir, pickpocket, pointer, rendre, sonner, sortir,
   survenir, tomber, venir, voler.
ARRIVISTE. Ambitieux, carriériste, intrigant.
ARROCHE. Atriplex, belle-dame, chénopodiacée, épinard, follette, prudefemme,
   vulvaire.
ARROGANCE. Audace, dédain, désinvolture, fierté, impertinence, insolence, ironie,
   mépris, morguer, orgueil, outrecuidance, suffisance.
ARROGANT. Affable, aimable, courtois, déférent, fier, haut, hautain, insolent,
   modeste, outrecuidant, respectueux, rogne, rogue, rugue.
ARRONDI. Bombé, bosse, creux, fesse, gorge, grenu, lobe, obtus, rond.
ARRONDIR. Arquer, cintrer, courber, fléchir, plier, recourber, voûter.
ARRONDISSEMENT. Bourdonnière, chefferie, maire.
ARROSAGE. Aspersion, injection, irrigation, ondoiement, serinage.
ARROSE AARAU (n. p.). Aar, Aare.
ARROSE AIRE (n. p.). Lys.
ARROSE ALBI (n. p.). Tarn.
ARROSE ALOST (n. p.). Dendre.
ARROSE ARMENTIÈRES (n. p.). Lys.
ARROSE ASSOUAN (n. p.). Nil.
ARROSE ATH (n. p.). Dendre.
ARROSE AUBUSSON (n. p.). Creuse.
ARROSE AUCH (n. p.). Gers.
ARROSE AUDINCOURT (n. p.). Doubs.
ARROSE AUTUN (n. p.). Arroux.
ARROSE AUXERRE (n. p.). Yonne.
ARROSE AVALLON (n. p.). Cousin.
ARROSE BÂLE (n. p.). Rhin.
ARROSE BAMAKO (n. p.). Niger.
ARROSE BANGKOK (n. p.). Ménam.
ARROSE BAYREUTH (n. p.). Main.
ARROSE BELGRADE (n. p.). Danube, Save.

ARROSE BÉNARÈS (n. p.). Gange.
ARROSE BERGERAC (n. p.). Dordogne.
ARROSE BERLIN (n. p.). Sprée.
ARROSE BERNE. (n. p.). Aar, Aare.
ARROSE BESANÇON (n. p.). Doubs.
ARROSE BÉZIERS (n. p.). Orb.
ARROSE BIENDECQUES (n. p.). Aa.
ARROSE BLOIS (n. p.). Loire.
ARROSE BONN (n. p.). Rhin.
ARROSE BOURGES (n. p.). Yèvre.
ARROSE BRIANÇON (n. p.). Durance.
ARROSE BRIVE-LA-GAILLARDE (n. p.). Corrèze.
ARROSE BRUXELLES (n. p.). Senne.
ARROSE BUZANÇAIS (n. p.). Indre.
ARROSE CAHORS (n. p.). Lot.
ARROSE CAMBRAI (n. p.). Escaut.
ARROSE CAVAILLON (n. p.). Durance.
ARROSE CERNAY (n. p.). Thur.
ARROSE CHABLIS (n. p.). Serein.
ARROSE CHALONS-EN-CHAMPAGNE (n. p.). Marne.
ARROSE CHAMBLY (n. p.). Richelieu.
ARROSE CHAMPAGNOLE (n. p.). Ain.
ARROSE CHARLEROI (n. p.). Sambre.
ARROSE CHARTRES (n. p.). Eure.
ARROSE CHATELLERAULT (n. p.). Vienne.
ARROSE CHÂTEAUDUN (n. p.). Loir.
ARROSE CHÂTEAU-GONTHIER (n. p.). Mayenne.
ARROSE CHÂTEAUROUX (n. p.). Indre.
ARROSE CHÂTEAU-THIERRY (n. p.). Marne.
ARROSE CHEVREUSE (n. p.). Yvette.
ARROSE CHINON (n. p.). Vienne.
ARROSE CINCINNATI (n. p.). Ohio.
ARROSE CLAMECY (n. p.). Yonne.
ARROSE COLOGNE (n. p.). Rhin.
ARROSE COMPIÈGNE (n. p.). Oise.
ARROSE COURTRAIS (n. p.). Lys.
ARROSE CRAIOVA (n. p.). Jiu.
ARROSE CREIL (n. p.). Oise.
ARROSE CREST (n. p.). Drôme.
ARROSE DIE (n. p.). Drôme.
ARROSE DIXMUDE (n. p.). Yser.
ARROSE DOUAI (n. p.). Scarpe.
ARROSE DRESDE (n. p.). Elbe.
ARROSE ÉGYPTE (n. p.). Nil.

ARROSE EMBRUN (n. p.). Durance.
ARROSE EMMENTAL (n. p.). Emme.
ARROSE ÉPERNAY (n. p.). Marne.
ARROSE ÉPINAL (n. p.). Moselle.
ARROSE ERSTEIN (n. p.). Ill.
ARROSE ESPALION (n. p.). Lot.
ARROSE ESSEN (n. p.). Ruhr.
ARROSE EVANSVILLE (n. p.). Ohio.
ARROSE ÉVREUX (n. p.). Iton.
ARROSE FAUQUEMBERGUES (n. p.). Aa.
ARROSE FERRARE (n. p.). Pô.
ARROSE FLORENCE (n. p.). Arno.
ARROSE FONTENAY-LE-COMTE (n. p.). Vendée.
ARROSE FORGES-LES-EAUX (n. p.). Epte.
ARROSE FRANCFORT (n. p.). Main.
ARROSE FRIBOURG (n. p.). Satine.
ARROSE GAND (n. p.). Escault, Lys.
ARROSE GAO (n. p.). Niger.
ARROSE GAROUA (n. p.). Bénoué.
ARROSE GISORS (n. p.). Epte.
ARROSE GOURNAY-EN-BRAY (n. p.). Epte.
ARROSE GRAVELINES (n. p.). Aa.
ARROSE GRENOBLE (n. p.). Isère.
ARROSE GUÎTRES (n. p.). Isle.
ARROSE HAGUENEAU (n. p.). Moder.
ARROSE HALLE (n. p.). Saale.
ARROSE HEIDELBERG (n. p.). Neckar.
ARROSE INNSBRUCK (n. p.). Inn.
ARROSE JOIGNY (n. p.). Yonne.
ARROSE KANSAS CITY (n. p.). Missouri.
ARROSE LA FLÈCHE (n. p.). Loir.
ARROSE LANDSHUT (n. p.). Isar.
ARROSE LAVAL (n. p.). Mayenne.
ARROSE LENINGRAD (n. p.). Neva.
ARROSE LÉRIDA (n. p.). Sègre.
ARROSE LIÈGE (n. p.). Meuse, Ourthe.
ARROSE LILLE (n. p.). Deûle.
ARROSE LIMOGES (n. p.). Vienne.
ARROSE LISBONNE (n. p.). Tage.
ARROSE LISIEUX (n. p.). Touques.
ARROSE LOCHES (n. p.). Indre.
ARROSE LONGWY (n. p.). Chiers.
ARROSE LOUGANSK (n. p.). Donets, Donetz.
ARROSE LOUISVILLE (n. p.). Ohio.

ARROSE LOURDES (n. p.). Pau.
ARROSE LOUVAIN (n. p.). Dyle.
ARROSE LOUVIERS (n. p.). Eure.
ARROSE LYON (n. p.). Rhône, Saône.
ARROSE MALINES (n. p.). Dyle.
ARROSE MAUBEUGE (n. p.). Sambre.
ARROSE MAYENCE (n. p.). Rhin.
ARROSE MEAUX (n. p.). Marne.
ARROSE MENDE (n. p.). Lot.
ARROSE METZ (n. p.). Mosellle.
ARROSE MONTARGIS (n. p.). Loing.
ARROSE MONTLUÇON (n. p.). Cher.
ARROSE MONTMÉDY (n. p.). Chiers.
ARROSE MONTMORILLON (n. p.). Gartempe.
ARROSE MOPTI (n. p.). Niger.
ARROSE MORET (n. p.). Loing.
ARROSE MORTEAU (n. p.). Doubs.
ARROSE MULHOUSE (n. p.). Ill.
ARROSE MUNICH (n. p.). Isar.
ARROSE MURAT (n. p.). Alagnan.
ARROSE NEMOURS (n. p.). Loing.
ARROSE NEWCASTLE (n. p.). Tyne.
ARROSE NIAMEY (n. p.). Niger.
ARROSE OLTEN (n. p.). Aar, Aare.
ARROSE OMAHA (n. p.). Missouri.
ARROSE OREL (n. p.). Oka.
ARROSE ORLÉANS (n. p.). Loire.
ARROSE PARIS (n. p.). Seine.
ARROSE PENDJAB (n. p.). Chenab.
ARROSE PÉRIGUEUX (n. p.). Isle.
ARROSE PERPIGNAN (n. p.). Têt.
ARROSE PITHIVIERS (n. p.). Essonne.
ARROSE PITTSBURGH (n. p.). Ohio.
ARROSE POITIERS (n. p.). Clain.
ARROSE PONT-AUDEMER (n. p.). Rille, Risle.
ARROSE PONT-L'ÉVÊQUE (n. p.). Touques.
ARROSE PONTARLIER (n. p.). Doubs.
ARROSE PONTOISE (n. p.). Oise.
ARROSE PRADES (n. p.). Têt.
ARROSE REIMS (n. p.). Vesle.
ARROSE REMOULINS (n. p.). Gard.
ARROSE RHEINE (n. p.). Ems.
ARROSE RODEZ (n. p.). Aveyron.
ARROSE ROUEN (n. p.). Seine.

ARROSE SAINT-DIÉ (n. p.). Meurthe.

ARROSE SAINT-OMER (n. p.). Aa.

ARROSE SARAGOSSE (n. p.). Èbre.

ARROSE SÉLESTAT (n. p.). Ill.

ARROSE SENS (n. p.). Yonne.

ARROSE SÉPOU (n. p.). Niger.

ARROSE SIOUX CITY (n. p.). Missouri.

ARROSE SISTERON (n. p.). Durance.

ARROSE SOLEURE (n. p.). Aar, Aare.

ARROSE SOREL (n. p.). Richelieu, Saint-Laurent.

ARROSE STRASBOURG (n. p.). Ill, Rhin.

ARROSE STUTTGART (n. p.). Neckar.

ARROSE THANN (n. p.). Thur.

ARROSE TOUL (n. p.). Moselle.

ARROSE TOULOUSE (n. p.). Garonne.

ARROSE TOURS (n. p.). Cher, Loire

ARROSE TRÈVES (n. p.). Moselle.

ARROSE TÜBINGEN (n. p.). Necktar.

ARROSE TULLE (n. p.). Corrèze.

ARROSE TURIN (n. p.). Pô.

ARROSE VALENCIENNES (n. p.). Escaut.

ARROSE VARSOVIE (n. p.). Vistule.

ARROSE VENDÔME (n. p.). Loir.

ARROSE VÉRONE (n. p.). Adige.

ARROSE VILLEFRANCHE-DE-ROUERGUE (n. p.). Aveyron.

ARROSE VILLENEUVE-SUR-LOT (n. p.). Lot.

ARROSE VIENNE (n. p.). Danube, Rhône.

ARROSE VIERZON (n. p.). Cher.

ARROSEMENT. Affusion, injection, irrigation, irroration.

ARROSER. Asperger, baigner, baptiser, bassiner, couler, dériver, doucher, éclabousser, humecter, imbiber, incendie, inonder, irriguer, mouiller, ondoyer, soudoyer, submerger, traverser, tremper, verser.

ARSENAL. Affaire, équipage, magasin, panoplie, réserve, stock.

ARSENIC. As.

ART. Aéronautique, alchimie, alevinage, aquiculture, architecture, cabale, cartomancie, chevaucher, cinéma, culinaire, cynégétique, diagnose, dosologie, écriture, escrime, fauconnerie, gastronomie, glyptique, hippiatrie, hippiatrique, horticulture, imprimerie, lecture, lithographie, magie, manœuvre, martial, mégie, natation, nécromancie, obstétrique, origami, photographie, pisciculture, plaidoirie, poliorcétique, reliure, scène, sculpture, sidérographie, stratégie, tauromachie, taxidermie, tir, vénerie, zootechnie, zymotechnie.

ARTÉMISIA. Abrotone, absin-menu, absinthe, alliène, alvive, armoise, artémise, aurone, barbotine, cistain, citronnelle, garde-robe, génépi, ivrogne, pontic.

ARTÈRE. Aorte, artériosclérose, avenue, boulevard, carotide, diastole, pédicule, pontage, pouls, rue, sang, systole, tronc cœliaque, voie.

ARTÉRIOSCLÉROSE. Athérome.

ARTHRITE. Athérome, coxalgie, herpétisme.

ARTHROPODE. Articulé, crabe, exuvie, limule, ommatidie, péripate, pyconogonodie, sternite, trilobite.

ARTHROSE. Discarthrose, lombarthrose.

ARTICHAUT. Acanthe, cardon, cardonnette, chardon, chardonnette, cynars, écheveria, foin, joubarbe, pied, strobile, talon, topinambour.

ARTICLE. Au, aux, de, défini, des, du, indéfini, la, le, les, un, une.

ARTICLE ARABLE. El.

ARTICLE ESPAGNOL. El.

ARTICULATION. Amphiarthrose, cardan, cheville, condyle, cotyle, coude, déboîté, diarthrose, engrenure, épaule, genou, genouillère, gomphose, hanche, joint, jointure, ménisque, nœud, poignet, prononciation, rotule, suture, symphyse, synarthrose, synovie, tophus.

ARTICULER. Anarthrie, balbutier, bégayer, communiquer, débiter, dire, déclamer, énoncer, joindre, mâchonner, parler, proférer, prononcer.

ARTIFICE. Artificier, astuce, embrasement, étoupille, fusée, lance, leurre, pétard, piège, pyrotechnie, ralenti, ruse, truc, trucage.

ARTIFICIEL. Canal, conte, devon, duit, factice, rade, serre, sonde.

ARTIFICIEUX. Captieux, fourbe, hypocrite, retors, roublard, rusé.

ARTISAN. Artiste, cause, charron, ciseleur, compagnon, façon, ivoirier, layetier, marbreur, orfèvre, ouvrier, peignier, serrurier, tôlier.

ARTISTE. Acteur, artisan, bohème, chanteur, ciseleur, comédien, dessinateur, esthète, étoile, fantaisiste, imitateur, imprésario, interprète, palme, paysagiste, peintre, raté, sculpteur, solo, vedette.

ARTISTE COMÉDIEN AMÉRICAIN (n. p.). Allen, Armstrong, Astaire, Bacall, Bakula, Baldwin, Belafonte, Belushi, Benedick, Bennet, Bogart, Boone, Brando, Bridges, Brosnan, Brown, Burton, Cage, Chandler, Clooney, Cole, Costner, Crosby, Cruise, Culkin, Curtis, Dafoe, Daniels, Danson, Darin, Day-Lewis, Dean, De Niro, DeVito, Douglas, Dreyfuss, Eastwood, Ford, Gable, Gere, Gibson, Goldblum, Granger, Grant, Hackman, Hanks, Hardy, Harrelson, Heston, Hope, Hopkins, Hoskins, Hudson, Jackson, Jordan, Keitel, Kilmer, Kinski, Kline, Lancaster, Laurel, Leblanc, Lewis, O'Connor, Malkovich, Martin, McConaughey, McQueen, Mitchum, Montgomery, Moore, Murphy, Murray, Newman, Nicholson, Nolte, Peck, Penn, Pitt, Presley, Pryor, Quaid, Quinn, Randall, Reagan, Reeves, Ritchie, Rooney, Rourke, Savage, Schwarzenegger, Simmons, Sinatra, Sorbo, Stallone, Stewart, Taylor, Thomas, Travolta, Tyler, Van Damme, Van Dyke, Washington, Wayne, Weissmuller, Williams, Willis, Wyle, Young.

ARTISTE COMÉDIEN ANGLAIS (n. p.). Accolas, Arène, Aymar, Ayoub, Bard, Barry, Blanch, Burbage, Buza, Calderwood, Chaplin, Foote, Friesen, Garrick, Garrison, Gillett, Klanfer, Konig, Lawrence, Loftus, Martin, McKenna, Murphy,

Nardi, Nerman, O'Connor, Parillo, Parson, Pearson, Pennington, Richard, Ross, Snider.

**ARTISTE COMÉDIEN BELGE** (n. p.). Brel, Folon.

**ARTISTE COMÉDIEN FRANÇAIS** (n. p.). Arman, Auteuil, Belmondo, Boyer, Buren, Chevalier, Coquelin, Devos, Fernandel, Gabin, Got, Guitry, Montand.

**ARTISTE COMÉDIEN ITALIEN** (n. p.). Bertinazzi, Mastroianni, Mezzetin.

**ARTISTE COMÉDIEN QUÉBÉCOIS**. (n. p.). Adams, Alarie, Albert, Allaire, Allard, Archambault, Arsenault, Aubert, Auclair, Audet, Auger, Aumont, Barnard, Barrette, Bastarache, Bastien, Beauchamps, Beauchemin, Beaudet, Beaudry, Beaulieu, Beaulne, Beaupré, Bégin, Béland, Bélanger, Belhumeur, Belisle, Belzile, Benoît, Bergeron, Bernard, Bernier, Bérubé, Berval, Besré, Bessette, Biddle, Bienvenue, Bigras, Bilodeau, Binet, Bisson, Bissonnette, Bizier, Blais, Blanchard, Blanchet, Bluteau, Boie, Boilard, Boisvert, Boivin, Bolduc, Bombardier, Bonneau, Bouchard, Boucher, Boudreau, Bourgeault, Bourgeois, Bourque, Bousquet, Boutin, Bradet, Brassard, Bray, Briand, Brière, Brisson, Brosseau, Brouillet, Brouillette, Brousseau, Brunet, Buissonneau, Cabana, Campeau, Canuel, Cardin, Carez, Caron, Carrère, Carrière, Cartier, Cauchon, Cazelais, Chabot, Chagnon, Chamberlan, Champagne, Champoux, Chapados, Chapleau, Charest, Charette, Charles, Charron, Chartier, Chartrand, Chassé, Chenail, Chénier, Chevalier, Chouinard, Christian, Claveau, Clavet, Cloutier, Coallier, Collin, Comeau, Corbeil, Coemier, Côté, Cousineau, Coutu, Couture, Crête, Curzi, Cyr, D'Amours, D'Astou, Da Silva, Dagenais, Dallaire, Daviau, De Cespedes, Delasoie, Delcourt, Delmas, Demers, Denis, Denoncourt, Derek, Deschamps, Deschênes, Désilets, Desjardins, Desmarteau, Desrochers, Desroches, Desrosiers, Dessureault, Désy, Di Stasio, Dion, Dionne, Dô, Doucet, Doyon, Drainville, Drolet, Dubois, Ducharme, Duchesne, Duchesneau, Dufaux, Dufour, Dumont, Dupuis, Durand, Dussault, Duval, Émond, Éthier, Farmer, Faubert, Faucher, Fauteux, Favreau, Ferland, Filion, Fontaine, Forest, Fortin, Fournier, Francœur, Fruitier, Gadouas, Gagné, Gagnon, Galipeau, Gamache, Garceau, Gascon, Gaudreau, Gauthier, Gauvin, Gélinas, Gendron, Genest, Germain, Gignac, Giguère, Gingras, Girard, Giroux, Gobeil, Godin, Gougeon, Goyette, Graton, Gravel, Graveline, Grégoire, Grenier, Grimaldi, Grisé, Grondin, Groulx, Guay, Guévremont, Guilda, Guimond, Guy, Hamel, Hamelin, Hébert, Héroux, Hétu, Houde, Houle, Huard, Hurtubise, Imbault, Jacob, Jacques, Jean, Jetté, Jodoin, Jordan, Joubert, L'Écuyer, L'Espérance, L'Heureux, Labbé, Labelle, Labrèche, Labrie, Labrosse, Lachance, Lachapelle, Lacombe, Lacoste, Lacroix, Lafleur, Lafond, Lafontaine, Lafortune, Lajeunesse, Lalancette, Lalande, Laliberté, Lalonde, Lambert, Lamirande, Lamontagne, Lamoureux, Landry, Langelier, Langlois, Lapointe, Laprade, Laroche, Larocque, Larue, Latour, Latreille, Latulippe, Laurin, Lautrec, Lauzon, Lavallée, Lavergne, Lavigne, Lavoie, Leblanc, Leboeuf, Lecavalier, Leclerc, Ledoux, Leduc, Lefebvre, Lefrançois, Légaré, Legault, Legendre, Léger, Legris, Lelièvre, Lemay, Lemay-Thivierge, Lemieux, Lemire, Lepage, Leroux, Lessard, Létourneau, Levasseur, Léveillée, Lévesque, Lirette, Lizotte, Loiselle, Longpré, Lord, Lortie, Lussier, Maher, Maillot, Major, Maltais, Marchal, Marchand, Marcoux, Marsan, Martel,

Martin, Massé, Massicotte, Masson, Mathieu, Mayer, Melançon, Mercier, Messier, Meunier, Michaud, Mignault, Millaire, Millette, Miron, Mongrain, Montmorency, Moreau, Morency, Morissette, Myron, Nadeau, Nadon, Nantel, Noël, Olivier, Ouellet, Ouellette, Pagé, Paiement, Pallascio, Paquette, Paquin, Paradis, Paré, Parent, Paris, Pascal, Pasquier, Patenaude, Pellerin, Pelletier, Perron, Pérusse, Petit, Picard, Piché, Pillet, Pilon, Pilote, Plante, Poirier, Poissant, Ponton, Poulain, Pratte, Préfontaine, Proteau, Proulx, Provencher, Provost, Quintal, Rainville, Ranger, Raymond, Renaud, Ricard, Richard, Richer, Rivard, Rivest, Roberge, Robert, Robidoux, Robitaille, Rollin, Ronfard, Rousseau, Roussel, Routhier, Roux, Roy, Royer, Sabouret, Sabourin, Salvail, Sauvage, Schreiber, Scott, Séguin, Sicotte, Simard, Talbot, Tanguay, Taschereau, Tassé, Tétreault, Thériault, Thibault, Thibodeau, Thiboutot, Thisdale, Toupin, Tremblay, Trudeau, Trudel, Turbide, Turcot, Turcotte, Turgeon, Vaillancourt, Valcour, Valiquette, Vanasse, Varin, Verville, Vézina, Viau, Viens, Villeneuve, Vincent, Zinko, Zouvi.

ARTISTE PEINTRE. Animalier, aquarelliste, artiste, badigeonneur, barbouilleur, figuratif, fresquiste, imagier, pastelliste, portraitiste, paysagiste, rapin.

ARTISTE PEINTRE ALLEMAND (n. p.). Altdorfer, Baldung, Beckmann, Beuys, Burgkmair, Cranach, Dix, Dürer, Ernst, Friedrich, Grünewald, Heckel, Holbein, Klee, Leibl, Liss, Macke, Marc, Mengs, Nolde, Richter, Schwitters, Winterhalter, Wols.

ARTISTE PEINTRE ALSACIEN (n. p.). Schongauer.

ARTISTE PEINTRE AMÉRICAIN (n. p.). Albers, Allston, Bolton, Calder, Cassatt, Chase, Cole, Davis, Drake, Eakins, Feininger, Francis, Freeman, Fuller, Gorky, Grosz, Hart, Heaffy, Healy, Hopper, Hunt, Johns, Kline, Kosuth, Lichtenstein, Muller, Morse, Moses, Motherwell, Newman, Nicoll, Oldenburg, Overbeck, Page, Pascin, Patchen, Peale, Pollock, Rauschenberg, Ray, Rosenquist, Sargent, Shahn, Steele, Stella, Sully, Tanguy, Tobey, Volk, Warhol, Weir, Wesselmann, West, Whistler, Wood.

ARTISTE PEINTRE ANGLAIS (n. p.). Beachey, Beardsley, Blake, Bonington, Brown, Constable, Cooper, Etty, Fenton, Foster, Gainsborough, Gibson, Henry, Hockney, Hogarth, Holbein, Hoppner, Hunt, Kokoschka, Lawrence, Lely, Lewis, Millais, Morris, Murray, Nicholson, Pettie, Raeburn, Reynolds, Romney, Rossetti, Sisley, Turner.

ARTISTE PEINTRE ARMÉNIEN (n. p.). Carzou.

ARTISTE PEINTRE AUTRICHIEN (n. p.). Hundertwasser, Klimt, Schiele.

ARTISTE PEINTRE BELGE (n. p.). Alechinsky, Delvaux, Ensor, Khnopff, Magritte, Meunier, Navez, Permeke, Rops, Wiertz.

ARTISTE PEINTRE BRITANNIQUE (n. p.). Bacon, Greenaway, Hunt, Turner.

ARTISTE PEINTRE CANADIEN (n. p.). Bolduc, Bonet, Borduas, Eaton, Gagnon, Leduc, Lemieux, Krieghoff, Fortin, Massicotte, Morrice, Pellan, Riopelle, Russell, Villeneuve.

ARTISTE PEINTRE CHILIEN (n. p.). Matta.

ARTISTE PEINTRE CHINOIS (n. p.). Che-T'ao, Lü Ji, Liu Ki, Ma Yuan, Mi Fei, Mi Fu, Muqi, Ni Tsan, Ni Zan, Shitao.

ARTISTE PEINTRE COLOMBIEN (n. p.). Botero.
ARTISTE PEINTRE CUBAIN (n. p.). Lam.
ARTISTE PEINTRE DANOIS (n. p.). Jorn.
ARTISTE PEINTRE ESPAGNOL (n. p.). Alvarez, Arroyo, Berruguete, Borrassa,
Cano, Dali, Goya, Greco, Gris, Herrera, Miro, Moralès, Murillo, Pacheco, Pareja,
Picasso, Ribalta, Ribera, Sanchez, Tapies, Vélasquez, Zurbaran.
ARTISTE PEINTRE FLAMAND (n. p.). Bellegambe, Broederlam, Brouwer,
Bruegel, Campin, Christus, David, Flémalle, Gossaert, Gossart, Jordaens, Mabuse,
Matsys, Memling, Moro, Patinir, Rubens, Vaenius, Van Dyck, Van Eyck, Vos.
ARTISTE PEINTRE FLORENTIN (n. p.). Buontalenti, Gaddi.
ARTISTE PEINTRE FRANÇAIS (n. p.). Aillaud, Arp, Atlan, Bailly, Balthus, Barye,
Bauchant, Bazaine, Bazille, Beauneveu, Bellechose, Bellmer, Bérard, Bernard,
Bissière, Bombois, Bonheur, Bonnard, Bonnat, Boucher, Boudin, Bouguereau,
Boullongne, Bourdichon, Bourdon, Bracquemond, Braque, Brauner, Buffet, Buren,
Cabanel, Caillebotte, Carmontelle, Caron, Carpeaux, Carrière, Cassandre,
Cézanne, Chagall, Champaigne, Chardin, Chassériau, Cheret, Colin, Corot,
Courbet, Cousin, Coypel, Cueco, Daubigny, Daumier, David, Debré, Debucourt,
Decamps, Degas, Degottex, Delacroix, Delaunay, Denis, Derain, Desportes,
Dévéria, Deyrolle, Domergue, Doré, Dubuffet, Duchamp, Dufy, Dutuit, Eisen,
Ernst, Erté, Estève, Étex, Faivre, Fautrier, Flandrin, Forain, Foujita, Fouquet,
Fragonard, Friesz, Froment, Fromentin, Garouste, Gauguin, Gavarni, Gérard,
Géricault, Gleizes, Goerg, Granet, Greuze, Gromaire, Gros, Guérin, Guide,
Guillaumin, Guys, Hantaï, Harpignies, Hartung, Hélion, Herbin, Huet, Ingres,
Isabey, Jacob, Jacquemart, Johannot, Jourdain, Jouvenet, Julian, Klein, Labisse,
Latour, Kisling, Klingsor, Lancret, Lanskoy, Largillière, Larionov, Laurencin,
Laurens, Léger, Legros, Le Nain, Lhote, Limbourg, Limosin, Lorjou, Lorrain,
Lurçat, Maillot, Malaval, Manessier, Manet, Manguin, Marcoussis, Marquet,
Masson, Mathieu, Matisse, Meissonier, Messagier, Metzinger, Michaux, Mignard,
Millet, Monet, Monnoyer, Monory, Moreau, Morisot, Natoire, Nattier, Oudry,
Ozenfant, Perronneau, Pevsner, Picabia, Pignon, Pissarro, Poliakoff, Poussin,
Prud'hon, Quarton, Raffet, Ranson, Raysse, Rebeyrolle, Redon, Renoir, Réquichot,
Rigaud, Robert, Rouault, Rousseau, Sérusier, Seurat, Signac, Sima, Soulages,
Soutine, Staël, Steinlen, Subleyras, Tal-Coat, Toulouse-Lautrec, Trouille, Utrillo,
Valadon, Vasarely, Vien, Vignon, Villon, Vivin, Vlaminck, Vouet, Vuillard,
Waroquier, Watteau.
ARTISTE PEINTRE GREC (n. p.). Antiphile, Apelle, Greco, Polygnote, Protogénès,
Timanthe, Zeuxis.
ARTISTE PEINTRE HOLLANDAIS (n. p.). Avercamp, Backhuysen, Bol, Bosch,
Bouts, Brauwer, Claesz, Cuyp, Doesburg, Hals, Hobbema, Hooghe, Jongkind,
Maas, Mondrian, Potter, Rembrandt, Ruisdael, Ruysdael, Saenredam, Steen,
Terborch, Terbrugghen, Weenix.
ARTISTE PEINTRE ISRAÉLIEN (n. p.). Agam.
ARTISTE PEINTRE ITALIEN (n. p.). Abbate, Adami, Angelico, Arcimboldo,
Baciccio, Baldovinetti, Balla, Baroccio, Bartolomeo, Bassano, Beccafumi, Bellini,

Boccioni, Boldini, Botticelli, Bramante, Bronzino, Canaletto, Caranche, Caravage, Caravaggio, Carpaccio, Carra, Carrache, Cavallini, Cimabue, Corrège, Cremonini, Crivelli, Dominiquin, Fini, Francia, Garofalo, Ghirlandaio, Giordano, Giorgione, Gozzoli, Guardi, Guerchin, Lippi, Longhi, Lorenzetti, Lotto, Luini, Magnasco, Magnelli, Mantegna, Martini, Masaccio, Michel-Ange, Modigliani, Morandi, Moretto, Music, Orcagna, Palma, Parmesan, Pérugin, Peruzzi, Pinturicchio, Pisanello, Pontormo, Pordenone, Primatice, Raphaël, Reni, Romain, Rosa, Rosselli, Rosso, Sarto, Sassetta, Savinio, Severini, Signorelli, Sodama, Solimena, Spada, Tiepolo, Tintoret, Tisi, Titien, Tura, Uccello, Vasari, Véronèse, Verrocchio, Vinci, Vivarini, Zuccaro, Zucchi.

ARTISTE PEINTRE JAPONAIS (n. p.). Basho, Harunobu, Hiroshige, Hokusai, Kiyonaga, Kiyonobu, Moronobu, Okyo, Sharaku, Sotatsus, Tessais, Utamaro.

ARTISTE PEINTRE MEXICAIN (n. p.). Orozco, Rivera, Siqueiros, Tamayo.

ARTISTE PEINTRE NÉERLANDAIS (n. p.). Appel, Corneille, Cornelisz, Dou, Steen, Van Gogh, Vermeer.

ARTISTE PEINTRE NORVÉGIEN (n. p.). Munch.

ARTISTE PEINTRE POLONAIS (n. p.). Kantor, Witkiewicz.

ARTISTE PEINTRE PORTUGAIS (n. p.). Gonçalves.

ARTISTE PEINTRE QUÉBÉCOIS (n. p.). Bolduc, Bonet, Borduas, Gagnon, Leduc, Lemieux, Krieghoff, Fortin, Massicotte, Morrice, Pellan, Riopelle, Villeneuve.

ARTISTE PEINTRE RUSSE (n. p.). Bakst, Gherassimov, Gontcharova, Kandinsky, Levitane, Lissitzky, Malevitch, Répine, Rodtchenko, Rothko, Roublev, Tatline.

ARTISTE PEINTRE SIENNOIS (n. p.). Lorenzetti.

ARTISTE PEINTRE SOUABE (n. p.). Witz.

ARTISTE PEINTRE SUD-AFRICAIN (n. p.). Breytenbach.

ARTISTE PEINTRE SUÉDOIS (n. p.). Zorn.

ARTISTE PEINTRE SUISSE (n. p.). Ben, Bill, Böcklin, Füssli, Gessner, Giacometti, Holdler, Kirchner, Klee, Liotard, Robert.

ARTISTE PEINTRE TCHÈQUE (n. p.). Kupka, Mucha.

ARTISTE PEINTRE VÉNÉZUÉLIEN (n. p.). Soto.

ARTISTE PEINTRE VÉNITIEN (n. p.). Tintoret, Vivarini.

ARTISTE DE VARIÉTÉS FÉMININE (n. p.). Adam, Adams, Aktouf, Alber, Alepin, Allaire, Allard, Allen, Allison, Ally, Andrieu, Angers, Anthony, Aras, Araya, Arbour, Arcand, Armand, Arsenault, Aubé, Aubertin, Aubin, Aubry, Aubut, Auger, Aussant, Azar, Babeu, Baillargeon, Ballard, Banville, Baril, Barrette, Bartolucci, Basilières, Bastien, Beaubien, Beaudreau, Beaudry, Beaule, Beaulieu, Beaulne, Beaupré, Beauregard, Beauvais, Bédard, Bégin, Bélair, Bélanger, Belcourt, Belisle, Belleau, Bellemare, Benezra, Bérard, Berd, Berger, Bergeron, Bériault, Bernard, Bernier, Berryman, Berthiaume, Bertrand, Bérubé, Bessette, Bibeau, Biron, Bisaillon, Bisson, Blackburn, Blain, Blais, Blier, Bluteau, Bocan, Boislard, Boisjoli, Boisvert, Boivin, Bombardier, Bonneau, Bonneville, Bonnier, Bouchard, Boucher, Boudreau, Bourgeois, Bourque, Boyer, Brassard, Brault, Briand, Brind'amour, Brisson, Brodeur, Brossard, Brouillette, Brousseau, Bussières, Cadieux, Cambell, Camirand, Cantin, Cardinal, Carel, Caron, Castel, Castonguay,

Caya, Célestin, Chabot, Chagnon, Chailler, Chalifoux, Champagne, Chapleau, Charbonneau, Charest, Charlebois, Charpentier, Charron, Chartier, Chartrand, Chassé, Chatel, Chenier, Chevalier, Choinière, Choquette, Chouvalidzé, Claude, Clément, Cloutier, Collard, Collin, Comeau, Comtois, Corbeil, Corradi, Cossette, Côté, Cotton, Coupal, Courchesne, Courtois, Cousineau, Coutu, Couture, Croze, Cusson, Cyr, D'Aragon, Da Silva, Dallaire, Dalpé, Dansereau, Daoust, Daudelin, Dauphinais, Daviau, Delage, Delcourt, Delisle, Demers, Déry, Desbiens, Deschamps, Deschâtelets, Desjardins, Deslauriers, Desrochers, Desrosiers, Deyglun, Dion, Dionne, Doré, Dorion, Dorval, Dostie, Drapeau, Drolet, Drouin, Dubé, Dubeau, Ducharme, Dufour, Dufresne, Dugas, Duguay, Dumas, Dumais, Dumont, Dupire, Durand, Durocher, Dutil, Esse, Eykel, Faucher, Filion, Fleury, Fontaine, Forestier, Fortin, Fournier, Francke, Gadouas, Gagné, Gagnon, Gallant, Gamache, Garceau, Garneau, Gascon, Gauthier, Gélinas, Gendron, Germain, Gervais, Godbout, Godin, Gosselin, Goyette, Grégoire, Grenier, Grenon, Guénette, Guérin, Guertin, Hamel, Hébert, Jalbert, Jean, Jodoin, Jolis, Jules, Julien, Labelle, Labonté, Lachance, Lachapelle, Lajeunesse, Lalande, Lalonde, Lamarche, Lambert, Lanctôt, Langlois, Laplante, Lapointe, Laporte, Latraverse, Laurent, Laurier, Lavallée, Laverdière, Lavergne, Lavoie, Lazure, Le Flaguais, Leblanc, Leduc, Lefebvre, Legault, Léger, Lemay, Lemelin, Lemieux, Leroy, Létourneau, Levac, Levasseur, Léveillé, Leyrac, Loiselle, Lomez, Longchamps, Lopez, Lorain, Lussier, Marchand, Marcotte, Marleau, Marois, Marquis, Martin, Matteau, Mauffette, Mercier, Mercure, Michaud, Michel, Millaire, Miller, Mondoux, Monpetit, Morin, Morissette, Mousseau, Nadeau, Néron, Nolin, Normandin, Oddera, Oligny, Olivier, Orsini, Ouellet, Ouellette, Ouimet, Pallascio, Panneton, Paquette, Paquin, Paradis, Parent, Pasquier, Pauzé, Payette, Pelletier, Perreault, Perron, Phaneuf, Picard, Pilon, Pilote, Pimparé, Pinsonnault, Plourde, Poirier, Poitras, Portal, Potvin, Poulin, Poupart, Prégent, Proulx, Provost, Quesnel, Racicot, Ranger, Raymond, Renaud, Reno, Ricard, Richard, Richer, Riddez, Rinfret, Rioux, Robitaille, Rodrigue, Rousseau, Roussin, Rouzier, Roy, Sarrasin, Sauvé, Schmidt, Schneider, Scoffié, Séguin, Simard, Snyder, Sutto, Sylvain, Sylvestre, Taillefer, Thibault, Tifo, Tisdale, Tisseyre, Tougas, Tremblay, Trépanier, Tulasne, Turcot, Turgeon, Vallée, Valous, Venne, Vézina, Villeneuve, Vincent, Watters, Workman, Zacharie, Zouvi.

ARTISTE COMÉDIENNE CANADIENNE-ANGLAISE (n. p.). Basaraba, Benson, Clune, Ellwand, Ferney, Gruen, Hall, Hayle, Henry, Jordan, Kee, Lawrence, Mackenzie, Obonsawin, Racicot, Reh, Spiegel, Sprincis, Stankova, Verner, Victor, Zahalan, Zucco.

ARTISTE FÉMININE AMÉRICAINE (n. p.). Abdul, Anderson, Andrews, Bacall, Basinger, Bassett, Baxter, Bingham, Birch, Brenneman, Bullock, Campbell, Cher, Collins, Crawford, Darnell, Davis, Day, Dee, Dickinson, Dors, Dunaway, Evangelista, Fonda, Fox, Gabor, Garland, Garner, Griffith, Hall, Kelly, Kidman, Lamour, Lane, Lansbury, Leigh, Maclaine, Madonna, Mansfield, Mantovani, Midler, Monroe, Moore, Morgan, Moss, Nolin, Novak, Parker, Paul, Powells, Powers, Rampling, Roberts, Rivers, Russell, Sarandon, Seagrove, Shalom, Shatner,

Schell, Sheridan, Shields, Shue, Silverstone, Stafford, Stone, Streep, Streisand, Taylor, Temple, Tilton, Turner, Walsh, West, Wood, Zuniga.

ARTISTE FÉMININE FRANÇAISE (n. p.). Darrieux, Dorval, Bardot.

ARTISTE FÉMININE ITALIENNE (n. p.). Lollobrigida, Loren.

ARTISTE DE VARIÉTÉS FÉMININE CANADIENNE-ANGLAISE (n. p.). Basaraba, Benson, Clune, Ellwand, Ferney, Gruen, Hall, Hayle, Henry, Jordan, Kee, Lawrence, Mackenzie, Obonsawin, Racicot, Reh, Spiegel, Sprincis, Stankova, Verner, Victor, Zahalan, Zucco.

ARTISTE DE VARIÉTÉS FÉMININE AMÉRICAINE. Abdul, Anderson, Bacall, Basinger, Bassett, Bingham, Birch, Brenneman, Bullock, Campbell, Cher, Collins, Dickinson, Dunaway, Evangelista, Fox, Griffith, Hall, Kidman, Houston, Keaton, Lansbury, Maclaine, Madonna, Mantovani, Midler, Moore, Moss, Nolin, Novak, Paul, Powers, Rampling, Roberts, Rivers, Sarandon, Seagrove, Shalom, Shatner, Sheridan, Shields, Shue, Silverstone, Stafford, Stone, Streep, Streisand, Taylor, Tilton, Turner, Walsh, Zuniga.

ARTISTE DE VARIÉTÉS ANGLAIS, HOMME. Accolas, Arène, Aymar, Ayoub, Bard, Barry, Blanch, Buza, Calderwood, Friesen, Garrison, Gillett, Klanfer, Konig, Lawrence, Loftus, Martin, Mc Kenna, Murphy, Nardi, Nerman, O'Connor, Parillo, Parson, Pearson, Pennington, Richard, Ross, Snider.

ARTISTIQUE. Flou, futurisme, navet, pastiche, romantisme, unité.

ARUM. Calla, chandelle, cornet, gouet, pied-de-veau, richardie.

AS. Aigle, beset, brème, champion, crack, maître, phénix, virtuose.

ASARUM. Asaret, cabaret, gingemgre, oreillette, rondelle, roussin.

ASCAGNE (n. p.). Creüse, Énée, Iule.

ASCENDANCE. Consanguinité, naissance, origine, race, unilinéaire.

ASCENDANT. Aïeul, aïeux, autorité, emprise, influence, pouvoir, titre.

ASCENSION. Gravir, inalpage, montée, progrès, rogations.

ASCÈTE. Anachorète, ermite, fakir, mahatma, santon, soufi, yogi.

ASEPTISER. Assainir, désinfecter, stériliser.

ASHKÉNAZE. Ashkénazim, juif.

ASIATIQUE. Afghan, arménien, asiate, birman, cambodgien, coréen, chinois, eurasien, indien, irakien, iranien, japonais, jordanien, laotien, libanais, malais, mongol, népalais, persan, philippin, singapourien, syrien, tibétain.

ASILE. Abri, enfermer, fou, havre, interner, refuge, salle, zaouïa.

ASPE. Asple.

ASPECT. Abord, air, allure, angle, cachet, côté, couleur, décor, épair, face, faciès, figure, forme, gueule, jour, luisant, mine, morphologie, œil, paraître, phase, port, style, touche, tour, tournure, train, vue, yeux.

ASPERGER. Arroser, baigner, baptiser, bassiner, doucher, éclabousser, humecter, imbiber, inonder, irriguer, mouiller, répandre, soudoyer, submerger, sulfater, traverser, tremper, verser.

ASPÉRITÉ. Aléser, énouer, gazer, grain, inégalité, irrégularité, prise, raboteux, rudesse, rugosité, saillie, uni.

ASPERSION. Affusion, arrosage, aspergès, goupillon.

ASPHALTE. Bitume, goudron, macadam.

ASPHALTER. Bétuminer, goudronner, macadam, paver, revêtement.

ASPHYXIER. Absorber, cuanoser, étouffer, gazer, humer, inhaler, noyer.

ASPIC. Spic, lavande, vipère.

ASPIRANT. Ambitieux, aspi, candidat, clerc, postulant, soupirant.

ASPIRATION. Ambition, appel, attrait, besoin, désir, espérance, espoir, inhalation, inspiration, penchant, rêve, souhait, tendance, vœu, vote.

ASPIRER. Absorber, ambitionner, asphyxier, briguer, fumer, happer, humer, idéaliser, inhaler, inspirer, noyer, pomper, prétendre, priser, renâcler, renifler, souhaiter, soupirer, sucer, téter, vouloir.

ASPLE. Aspe.

ASSAILLIR. Agresser, attaquer, insulter, miter, mordre, ruer, salir.

ASSAINIR. Aseptiser, assécher, désinfecter, drainer, équilibrer, nettoyer, purifier, rétablir, stabiliser, stériliser.

ASSAINISSEMENT. Aseptie, antiseptie, assèchement, chloration, désinfection, drainage, épuration, purification, stérilisation.

ASSAISONNEMENT. Apprêt, aromate, câpre, condiment, épice, moutarde, oille, poivre, safran, sarriette, sauce, sel, vinaigre.

ASSAISONNER. Accommoder, agrémenter, apprêter, émailler, épicer, pimenter, poivrer, rehausser, relever, resaler, saler, vinaigrer.

ASSASSIN. Chanvre, criminel, escarpe, éventreur, fratricide, homicide, meurtrier, mouche, œillade, provocant, régicide, séide, sicaire, tueur.

ASSASSINAT. Assises, atrocité, attentat, brigandage, complot, cour, crime, délit, faute, forfait, justice, méfait, meurtre, piraterie, procès.

ASSASSINER. Buter, exécuter, occire, supprimer, trucider, tuer.

ASSAUT. Abordage, attaque, combat, concours, ruade, rush, tournoi.

ASSEAU. Assette.

ASSÉCHER. Assainir, assèchement, drainer, égoutter, épuiser, essorer, étancher, sec, sécher, tarir, vider.

ASSEMBLAGE. Adent, amas, appareil, armature, bouquet, bruit, caillebotis, corde, empatture, ennéade, enture, esse, gerbe, grappe, grille, jonction, mosaïque, natis, noulet, panache, phrase, phraséologie, pilée, radeau, toron, tortis, touffe, trémie, triade, troche, vers, ville.

ASSEMBLÉE. Arène, aréopage, bal, club, comice, comité, concile, conclave, congrès, consistoire, convention, cortès, diète, douma, ecclésia, diète, fête, législature, meeting, parlement, plaid, quorum, regroupement, réunion, séance, sénat, synode.

ASSEMBLÉE (n. p.). Concile, Douma, Sénat, Synode.

ASSEMBLER. Adent, ameuter, attacher, bâtir, brêler, carreler, clouer, coller, coudre, enter, épisser, esse, grouper, joindre, lier, lire, monter, nouer, rabouter, rallier, relier, réunir, river, sertir, souder, unir, voisin.

ASSENTIMENT. Accord, approbation, aveu, oui, ratification, sanction.

ASSEOIR. Affermir, appuyer, assurer, attabler, consolider, établir, fonder, installer, mettre, placer, planter, poser, pouce, reposer, siège.

ASSERVIR. Enchaîner, entraver, lier, maîtriser, opprimer, tyranniser.

ASSERVISSEMENT. Assuétude, captif, esclavage, joug, sujet, sujétion.

ASSETTE. Asseau.

ASSEZ. Adéquat, basta, congru, convenable, marre, passable, suffisant.

ASSIDUITÉ. Absentéisme, assidûment, concordance, congruence, convenance, cour, exactitude, fréquentation, importunité, présence.

ASSIETTE. Budget, écuelle, équilibre, hypothèque, imposition, marli, plat, position, soucoupe, suage, tenue, terrain, vaisselle.

ASSIGNATION. Ajournement, appel, attribution, citation, convocation, doter, indiction, invitation, justice, réassignation, semonce, situer.

ASSIGNER. Attraire, citer, destiner, doter, douer, interner, sommer.

ASSIMILATION. Allégorie, anabolisme, athrepsie, comparaison.

ASSIMILÉ. Appareillé, approché, comparé, digéré, élaboré, rapparier.

ASSIMILER. Adapter, amalgamer, comprendre, confondre, digérer, identifier, incorporer, insérer, intégrer, piger, rapprocher, saisir.

ASSISE. Base, fondement, hérisson, jambage, margelle, strate, tambour.

ASSISTANCE. Aide, appui, assesseur, charité, foule, gratitude, hospice, nourrice, office, orthèse, protection, secourir, secours, service, servir.

ASSISTANT. Acolyte, adjoint, aide, associé, compère, complice, second.

ASSISTER. Aider, entendre, épauler, inviter, seconder, secourir, suivre.

ASSOCIATION. Blastodème, cercle, club, comité, corporation, covenant, fédération, fusion, guilde, hanse, jumelage, ligue, macle, mafia, ordre, pacte, parti, regroupement, société, syndicalisation, triumvirat, union.

ASSOCIÉ. Acolyte, adjoint, affilié, agrégé, camarade, collègue, compère, complice, confrère, covendeur, membre, mutuelle, sundiqué, uni.

ASSOCIER. Adhérer, adjoindre, allier, fusionner, regrouper, réunir, unir.

ASSOIFFÉ. Affamé, altéré, avide.

ASSOIFFER. Affamer, altérer, besoin, boire, désaltérer, désir, envie, or.

ASSOMBRIR. Attrister, embrumer, enténébrer, obscurcir, ternir.

ASSOMMANT. Contrariant, désagréable, ennuyant, ennuyeux, tuant.

ASSOMMER. Abattre, barber, battre, boxer, ennuyer, estourbir, étourdir, fesser, fouetter, gauler, K.-O., rosser, rouer, sonner, tuer.

ASSONANCE. Allitération, concordance, consonance, écho, rime.

ASSORTI. Appareillement, approprié, décision, désassorti, échelle.

ASSORTIMENT. Beaucoup, bigarrure, classification, dialecte, différence, disparité, diversité, espèce, lot, mélange, multiplicité, race, riche, uni.

ASSORTIR. Accorder, accoupler, apparier, faire, marier, nuancer, nuer.

ASSOUPISSEMENT. Coma, dormir, endormir, hypnose, sommeil, sopor.

ASSOUPLIR. Freiner, désarticuler, ralentir, réserver, retenir, tempérer.

ASSOUPLISSEMENT. Apathie, coma, dépression, diminuer, dormir, engourdissement, léthargie, narcose, sommeil, somnolence, torpeur.

ASSOURDIR. Couvrir, enrayer, éteindre, étouffer, noyer, refréner.

ASSOUVIR. Apaiser, étancher, manger, rassasier, remplir, satisfaire.

ASSUJETTIR. Asservir, caler, conquérir, opprimer, plier, régler, river.

ASSUMER. Endosser, entreprendre, occuper, prendre, revendiquer.

ASSURANCE. Confiance, courage, culot, foi, hardiesse, gage, garant, garantie, police, prime, promesse, protection, sûr, sûreté, toupet.

ASSURÉ. Certain, confiant, convaincu, crâne, décidé, délibéré, ferme, garanti, hésitant, hoc, précaire, rassuré, résolu, stable, sûr, timide.

ASSURÉMENT. Certainement, certes, évidemment, sûrement.

ASSURER. Affirmer, attester, endosser, garantir, fixer, renter, saurer.

ASTATE. At.

ASTER. Acris, alpellus, alpinus, amellus, dumosus, pâquerette, sibiricus.

ASTÉRIE. Astéride, échinoderme.

ASTÉRISQUE. Étoile, gaulois, renvoi.

ASTÉROÏDE. Comète, étoile, météorite, planétoïde, quasar, télescope.

ASTÉROÏDE (n. p.) Cérès, Euphrosyne, Hygéa, Intermamnia, Pallas, Vesta.

ASTICOT. Appât, ver.

ASTICOTER. Acculer, appâter, embêter, ennuyer, exciter, harceler, huer, obséder, suivre, taquiner, tourmenter.

ASTILBE. Hoteia.

ASTIQUAGE. Briquage, frottage, patience.

ASTIQUER. Briller, briquer, cirer, frotter, laver, patience, polir, reluire.

ASTRAGALE. Cheville, corbeille, os, réglisse, sainfoin.

ASTRAL. Céleste, sidéral, stellaire.

ASTRE. Anneau, auréole, bord, ciel, comète, disque, étoile, feu, galaxie, limbe, lune, météore, planète, quasar, soleil, univers, zodiaque.

ASTREIGNANT. Exact, étroit, littéral, mitigé, sévère, strict, vrai.

ASTREINDRE. Assujettir, atteler, brusquer, condamner, contraindre, enchaîner, engager, exiger, forcer, habituer, lier, obliger, servir.

ASTRINGENT. Alun, butée, orpin, renouée, styptique, tanin.

ASTROBIOLOGIE. Exobiologie, vie.

ASTROLOGIE. Décan, devin, divination, généthliologie, géomancie, hermétisme, horoscope, médium, sidéromancie, voyant, zodiaque.

ASTROLOGIE, SIGNE AZTÈQUE. Aigle, âne, chevreuil, chien, crocodile, eau, fleur, jaguar, lapin, lézard, maison, mort, pluie, roseau, serpent, silex, singe, tremblement de terre, vautour, vent.

ASTROLOGIE, SIGNE CHINOIS. Buffle, Chat, Cheval, Chèvre, Chien, Cochon, Coq, Dragon, Poule, Rat, Serpent, Singe, Tigre.

ASTROLOGIE, SIGNE ÉGYPTIEN. Amon-Ra, Anubis, Bastet, Geb, Horus, Isis, Nil, Mout, Osiris, Sekhmett, Seth, Thöt.

ASTROLOGIE, SIGNE OCCIDENDAL. Balance, Bélier, Cancer, Capricorne, Gémeaux, Lion, Poissons, Sagittaire, Scorpion, Taureau, Verseau, Vierge.

ASTROLOGUE. Chaldée, devin, mage.

ASTROLOGUE (n. p.). Aubry, Chalifoux, Charland, Charpentier, D'Amour, Nostradamus, Savard.

ASTRONAUTE. Cosmonaute, spationaute.

ASTRONAUTE (n. p.). Aldrin, Armstrong, Carpenter, Cooper, Gagarine, Garneau, Glenn, Grissom, Leonov, Manarov, Shepard, Terechkova, Titov.

ASTRONOME. Abréviation, astre, muses, observateur.

ASTRONOME (n. p.). Eubage, Méton, Philolaos, Schwabe, Sosigêne, Théon.

ASTRONOME ALLEMAND (n. p.). Ambronn, Apianus, Arnold, Arrest, Auwers, Bayer, Beer, Bessel, Biela, Bode, Brendel, Bruhns, Brunnow, Encke, Fabricius, Foerster, Galle, Gauss, Graff, Guthnick, Hansen, Hartmann, Harzer, Herschell, Ideler, Kempf, Kepler, Knopf, Lambert, Lamont, Lindenau, Madler, Marius, Mayer, Mercator, Möbius, Muller, Olbers, Palitzsch, Peters, Regiomontanus, Rhaticus, Rumker, Scheiner, Schoner, Schonfeld, Schwabe, Sporer, Struye, Tempel, Titius, Winnecke, Wolf, Zach, Zöllner.

ASTRONOME AMÉRICAIN (n. p.). Abell, Adams, Baade, Bailey, Bauer, Bethe, Bok, Bond, Boss, Bowen, Campbell, Cannon, Chandrasekhar, Chase, Draper, Elkin, Frost, Hale, Hall, Hill, Holden, Hough, Hubble, Hynek, Hussey, Jacoby, Joti, Jotisi, Keeler, Kuiper, Leavitt, Loomis, Lowell, Maury, Pease, Peirce, Penzias, Peters, Porter, Renize, Rogers, Russell, Sagan, Sandage, Schwarzschild, Seares, See, Shapley, Struve, Swift, Todd, Tombaugh, Van Allen, Very, Walker, Watson, Wilson, Young.

ASTRONOME ANGLAIS (n. p.). Adams, Airy, Baily, Bradley, Brisbane, Carrington, Challis, Claxton, Clerke, Copeland, Darwin, Delarue, Dixon, Dyson, Eddinton, Eddington, Flamsteed, Gellibrand, Glaisher, Gompertz, Gregory, Groombridge, Halley, Herschell, Hind, Horrocks, Huggins, Innes, Jeans, Jones, Lockyer, Lovell, Lubbock, Maskelyne, Mason, Michell, Milne, Muris, Parsons, Penrose, Pond, Pritchard, Proctor, Ryle, Sheepshanks, Todd, Wales, Ward.

ASTRONOME ARABE (n. p.). Biruni, Hazin, Zarqali.

ASTRONOME ATHÉNIEN (n. p.). Méton.

ASTRONOME AUTRICHIEN (n. p.). Falb, Hagen, Littrow, Purbach.

ASTRONOME BELGE (n. p.). Quetelet.

ASTRONOME BRITANNIQUE (n. p.). Adams, Airy, Bradley, Eddington, Halley, Herschel, Hooke, Hoyle, Jeans, Lockyer, Newton.

ASTRONOME CANADIEN (n. p.). Klotz, Plaskett, Reeves.

ASTRONOME DANOIS (n. p.). Brahe, Dreyer, Hansen, Hertzsprung, Longomontanus, Römer, Schumacher.

ASTRONOME ÉCOSSAIS (n. p.). Anderson, Ferguson, Gill, Gregory, Henderson, Nichol, Wilson.

ASTRONOME ÉGYPTIEN (n. p.). Ptolémée.

ASTRONOME ESPAGNOL (n. p.). Méchain.

ASTRONOME FINLANDAIS (n. p.). Stone.

ASTRONOME FRANÇAIS (n. p.). Arago, Bailly, Bigourdan, Biot, Borelly, Bouvard, Burckhart, Cassini, Chacornac, Danjon, Delambre, Delaunay, Delisle, Esclangon, Faye, Fernel, Flammarion, Flamsteed, Gassendi, Henry, Janssen, LaCaille, LaGrange, LaHire, Lalande, Lallemand, Laplace, Laussedat, Lemonnier, LeVerrier, Loewy, Lyot, Maraldi, Maupertuis, Messier, Moreux, Mouchez, Nostradamus, Picard, Pons, Puiseux, Rayet, Schatzman, Tisserand, Vallot, Wolf.

ASTRONOME GÉORGIEN (n. p.). Ambartsoumian.

ASTRONOME GREC (n. p.). Aristarque, Aristote, Cléomène, Ératosthène, Eudoxe, Hipparque, Ptolémée.

ASTRONOME HOLLANDAIS (n. p.). Snelvanroyen.

ASTRONOME INDIEN (n. p.). Aryabhata, Brahmagupta.

ASTRONOME IRLANDAIS (n. p.). Ball, Hamilton, Molyneux, Parsons.

ASTRONOME ITALIEN (n. p.). Amici, Bianchini, Borelli, Boscovich, Donati, Fracastoro, Frisi, Galilée, Oriani, Piazzi, Riccioli, Schiaparelli, Secchi, Tacchini.

ASTRONOME MUSULMAN (n. p.). Khwarizmi.

ASTRONOME NÉERLANDAIS (n. p.). Blaeu, Huygens, Huyghens, Kapteyn, Oort, Sitter.

ASTRONOME NORVÉGIEN (n. p.). Hansteen.

ASTRONOME POLONAIS (n. p.). Copernic, Hevelius.

ASTRONOME PORTUGAIS (n. p.). Nonius.

ASTRONOME QUÉBÉCOIS (n. p.). Reeves.

ASTRONOME RUSSE (n. p.). Bredichin, Shklovsky.

ASTRONOME SUÉDOIS (n. p.). Angström, Backlund, Bohlin, Branting, Celsius, Duner, Gylden, Lindblad, Stromgren.

ASTRONOME SUISSE (n. p.). Zwicky.

ASTRONOME TCHÈQUE (n. p.). Kohoutek.

ASTRONOMIQUE. Azimut, équatorial, sidérostat, télescope.

ASTROPHYSICIEN (n. p.). Hubble, Sagan.

ASTUCE. Combine, escamotage, escroquerie, habileté, ruse, tour, truc.

ASTUCIEUX. Fallacieux, filou, fin, fortiche, fouine, fourbe, génial, gimmick, grec, insidieux, malin, matois, retors, roué, rusé, trompeur.

ATAVISME. Ancestral, génération, génotype, hérédité, ressemblance.

ATAXIE. Désordre, dysarthrie, tabès.

ATELIER. Couture, forge, garage, laverie, lavoir, ouvroir, studio, usine.

ATÉMI. Coup, japonais.

ATHÉE. Agnostique, impie, incrédule, incroyant, indévot, irreligieux.

ATHLÈTE. Boxeur, champion, coureur, discobole, gymnaste, lanceur, lutteur, nageur, recordman, sauteur, soigneur, sportif, supporter.

ATHLÈTE AMATEUR AMÉRICAIN (n. p.). Lewis, Owens, Weissmuller.

ATHLÈTE AMATEUR CANADIEN (n. p.). Harvey, Johnson, Surin.

ATHLÈTE AMATEURE CANADIENNE (n. p.). Fréchette.

ATHLÈTE AMATEUR FINLANDAIS (n. p.). Nurmi.

ATHLÈTE AMATEUR FRANÇAIS (n. p.). Bouin, Ladoumèque, Mimoun.

ATHLÈTE AMATEUR TCHÈQUE (n. p.). Zatopek.

ATLANTE (n. p.). Télamon.

ATLAS. Carte, recueil, vertèbre.

ATMOSPHÈRE. Air, ambiance, aura, baromètre, climat, milieu, temps.

ATOCA. Airelle, atocatière, canneberge.

ATOLL. Corail, île, lagon, nauru.

ATOME. Anion, aryle, atomique, chélate, corpuscule, deuton, électron, ion, matière, neutron, noyau, particule, petit, proton, redox, unité.

ATOMISER. Disperser, fractionner, pulvériser, vaporiser, vitrifier.

ATOMISEUR. Brumisateur, pulvérisateur, spray, vaporisateur.

ATONIE. Abattement, apathie, engourdi, faiblesse, paralysie, paresse.

ATOURS. Arranger, bijou, ornement, parure, tissu, vêtement.

ATRABILAIRE. Acariâtre, bile, coléreux, irritable, mélancolie.

ÂTRE. Cheminée, foyer, manteau, trémie.

ATROCE. Abominable, affreux, barbare, cruel, effrayant, effroyable, épouvantable, hideux, horrible, ignoble, infâme, inhumain, insupportable, intolérable, monstrueux, odieux.

ATROCITÉ. Aversion, barbarie, brutalité, cauchemar, dégoût, effroi, émotion, épouvantable, exécrer, frisson, haine, horreur, hydrophobie, monstruosité, peur, photophobie, sadisme, stupeur, terreur, vide.

ATROPHIE. Amyotrophie, étiole, faiblesse, maigreur, paralysie.

ATTACHE. Accointance, adné, amitié, ancré, ars, articulation, attèle, boucle, calé, chaîne, collé, contact, corde, épris, et, fixation, fixé, hart, jointure, lacé, laisse, lie, lien, ligament, noué, rapport, rivé, vissé.

ATTACHEMENT. Affection, amitié, amour, avarice, dévotion, enticher, fidélité, goût, inclinaison, intérêt, liaison, lié, moi, nœud, piété, rigorisme, sensualité, sentiment, sympathie, ténacité, véracité.

ATTACHER. Accouder, accouer, accrocher, agrafer, amarrer, ancrer, atteler, botteler, brêler, caler, cheviller, clouer, coller, coudre, coupler, cramponner, dévoter, enchaîner, engager, enjuguer, ficeler, fixer, lacer, lier, ligoter, nouer, palisser, pendre, plaire, river, souder, visser.

ATTAQUABLE. Bénin, bon, chétif, controversable, débile, discutable, énervé, épuisé, étiolé, faible, fatigué, grêle, léger, menu, mou, pâle, petit, fluet, précaire, réfutable, usé, veule, vil, vulnérable.

ATTAQUANT. Agresseur, assaillant, avant.

ATTAQUE. Accusation, agression, assaut, attentat, braquage, chant, charge, combat, congestion, crise, critique, ictus, interception, mord, nerf, paralysie, raid, ruade, rescousse, saignée, sangsue, scène, sus.

ATTAQUER. Aborder, agresser, assaillir, combattre, défier, exécuter, insulter, livrer, miter, mordre, pourfendre, quereller, ruer, salir.

ATTARDÉ. Arriéré, débile, déficient, demeuré, idiot, retardé, simple.

ATTEINDRE. Aborder, accéder, affecter, arriver, blesser, but, calomnier, contacter, culminer, décrocher, égaler, gagner, heurter, intact, joindre, léser, obtenir, parvenir, piquer, rater, rejoindre, toucher, venir, viser.

ATTEINTE. Contrainte, coup, crise, entorse, épidémie, offense, outrage.

ATTELLE. Attache, brancard, éclisse, lacs, mancelle, timon.

ATTENANT. Adjacent, avoisinant, contigu, joignant, jouxtant, prochain.

ATTENDRE. Bayer, durer, épier, espérer, guetter, languir, poser, traîner.

ATTENDRIR. Amollir, apitoyer, émeuter, émouvoir, fléchir, toucher.

ATTENDRISSEMENT. Apitoiement, commisération, compassion, compatissant, déplorant, fumeste, généreux, mal, médiocre, méprisable, minable, misérable, moche, navrant, pitié, triste.

ATTENDU. Considérant, efficace, espère, inattendu, parce que, vu.

ATTENTAT. Agression, assassinat, assises, atrocité, attaque, atteinte, attentat, brigandage, complot, coup, cour, délit, faute, forfait, justice, lèse-majesté, méfait, meurtre, outrage, piraterie, préjudice, procès.

ATTENTAT (n. p.). Orsini.

ATTENTE. Affût, calme, délai, désir, espérance, expectance, expectation, expectative, lapin, orme, pause, présomption, remise, sursis, suspense.

ATTENTIF. Appliqué, complaisant, curieux, prévenant, vigilant.

ATTENTION. Amabilité, application, concentration, délicatesse, dissipation, distraction, égard, empressement, esprit, étourderie, étude, garde, gare, inattention, intérêt, obligeance, œil, soin, vigilance, zèle.

ATTENTIONNÉ. Affable, agréable, aimable, appliqué, attentif, avenant, curieux, délicat, doux, facile, gentil, poli, prévenant, vigilant.

ATTÉNUATION. Adoucissement, affaiblissement, allégement, antalgie, assoupissement, désinfalition, diminution, rémission, rémittence.

ATTÉNUER. Adoucir, calmer, diluer, édulcorer, émousser, tempérer.

ATTERRIR. Aboutir, arriver, atterrissage, poser.

ATTERRISSAGE. Altiport, arrivée, crash, stol, train.

ATTESTATION. Certificat, quittance, référence, satisfaction, témoin.

ATTESTER. Affirmer, avérer, contresigner, jurer, signer, témoigner.

ATTIÉDI. Adouci, affaibli, refroidi, tempéré, tiède.

ATTIÉDIR. Adoucir, diminuer, modérer, rafraîchir, refroidir, tiédir.

ATTIFER. Arranger, bizarre, orner, parer.

ATTIGER. Exagérer.

ATTIRAIL. Appareil, bagage, bataclan, bazar, fourbi, outil, train.

ATTIRANCE. Appât, attrait, élan, faible, intérêt, penchant, séduction.

ATTIRANT. Affriolant, alléchant, appât, attachant, attirable, attrait, attrayant, captivant, engageant, piquant, ravissant, séduisant, sexy.

ATTIRER. Affriander, affrioler, aguicher, allécher, amener, appâter, aspirer, attraction, attraire, capter, causer, charmer, conduire, drainer, enrôler, entraîner, humer, leurrer, occasionner, piéger, plaire, polariser, ravir, recruter, séduire, sucer, tenter, tirer, valoir, venir.

ATTISER. Accroître, activer, allumer, attisoir, augmenter, aviver, déchaîner, exciter, ringardage, stimuler, tisonner, tisonnier.

ATTITUDE. Action, air, allure, carrure, conduite, contenance, contorsion, décubitus, dogmatisme, éclectisme, effet, geste, hanchement, ligne, maintien, morgue, négativisme, port, pose, position, positivisme, posture, prestance, procédé, sexisme, tenue, ton, tournure, utopisme.

ATTOUCHEMENT. Caresse, chatouillement, contact, coup, pression, tact.

ATTRACTION. Aimant, allèchement, attirance, attrait, bal, charme, clou, gravité, manège, or, pesanteur, séduction, spectacle, tendance, tir.

ATTRAIT. Appât, charme, goût, grâce, prestige, séduction, tentation.

ATTRAPE. Blague, canular, farce, niche, plaisanterie, reçu, tour.

ATTRAPE-MOUCHES. Dionée.

ATTRAPE-NIGAUD. Leurre, miroir, piège, ruse.

ATTRAPER. Agrafer, agripper, appâter, atteindre, blâmer, contracter, gober, gripper, happer, injurier, obtenir, piéger, piger, pogner, prendre, rattraper, rejoindre, réprimander, saisir, toucher, tromper.

ATTRIBUÉ. Adjugé, affecté, alloué, choisi, dévolu, imparti, réservé.

ATTRIBUER. Accorder, accuser, adjuger, allouer, appeler, assigner, dater, décerner, dédier, déférer, donner, ériger, impartir, imputer, jeter, lancer, livrer, nommer, porter, prêter, rendre, taxer, vouer.

ATTRIBUTION. Affectation, appel, dévolution, distribution, don, emploi, imputation, octroi, plagiat, subvention.

ATTRISTÉ. Affligé, désolé, endeuillé, ému, éploré, navré, peiné.

ATTRISTER. Affecter, affliger, assommer, chagriner, consterner, contrister, désoler, émouvoir, éplorer, fâcher, frapper, navrer, peiner.

ATTRIBUT. Copule, emblème, guivré, pedum, qualité, symbole.

ATTROUPEMENT. Assemblée, bande, foule, groupe, masse, meute.

ATTROUPER. Ameuter, assembler, rassembler, réunir, troupe.

AUBAINE. Bonheur, chance, escompte, hasard, occasion, profit, solde.

AUBE. Ailette, aubois, aurore, chasuble, commencement, crépuscule, début, lueur, matin, pâle, palette, roue, sacerdotal, surplis.

AUBÉPINE. Azérolier, cenelle, cenellier, cratægus, épine, ergot, mespilus, pyracantha, rosacée, rhynchite.

AUBERGE. Ajiste, aubergiste, cambuse, caravansérail, crèche, hall, hôtel, logis, lupanar, maison, motel, palace, pension, posada, Rambouillet, relais, restaurant, taule, taverne.

AUBERGINE. Albergine, contractuelle, courge, mélongène, mélongine, morelle, moussaka, solanum, viédase.

AUBERGISTE. Cabaretier, hôtelier, patron, tavernier, tenancier.

AUCUBA. Chinensis, himalaica, japonica, panaché.

AUCUN. Nul, personne, plusieurs, repic, rien, sans, zéro.

AUCUNEMENT. Nullement, point, rien.

AUDACE. Aplomb, assurance, bravoure, cœur, courage, cran, culot, encourager, fierté, hardiesse, oser, témérité, timidité, toupet.

AUDACIEUX. Brave, courageux, fier, hardi, intrépide, osé, téméraire.

AU-DELÀ. Ample, après, coyau, excès, hors, par, para, passé, tric.

AUDIENCE. Auditoire, entrevue, plaid, prétoire, salle, séance.

AUDIOMÈTRE. Acoumètre, acuité, audimat, auditif.

AUDITEUR. Audit, auditorat, public, rote, vérificateur.

AUDITION. Acoustique, auditorium, bruit, concert, corti, entendre, épreuve, essai, oreille, ouïe, phonétique, présentation, récital, test.

AUDITOIRE. Assistance, audience, galerie, public, salle, spectateur.

AUGE. Abreuvoir, augée, auget, bac, bassin, binée, bouloir, crèche, fiord, fjord, laye, mangeoire, maye, oiseau, ripe, trémie, vaisseau.

AUGMENTATION. Accélération, accrue, aggravation, anaphylaxie, cétose, croissance, crue, dilatation, échauffement, élongation, enchère, goitre, hausse, hépatomégalie, hydrémie, hypertonie, leucocytose, poussée, progrès, recrudescence, surcroît, tumeur, urémie.

AUGMENTER. Accélérer, accroître, agrandir, ajouter, aviver, croître, dilater, doubler, élever, enfler, enrichir, étendre, extra, forcer, gâter, germer, gonfler, graduer, grandir, lever, monter, sprinter, valoriser.

AUGURER. Aruspice, prédire, présager, présenter, présumer, supposer.

AUJOURD'HUI. Actuellement, anhui, hui, présentement.

AULNE. Alnus, aulnaie, aunaie, aune, bergne, cordata, glutonosa, incana, vergne, viridis.

AULX. Ail, glane.

AUMÔNE. Aide, charité, don, mendiant, obole, quête, secours, tronc.

AUMÔNIER (n. p.). Balue.

AUNE. Aulne, verne, vergne.

AUPARAVANT. Ancien, avant, déjà, préalablement, précédemment.

AUPRÈS. Comparaison, entourage, par, para, près, proche, raser.

AUQUEL. Où.

AURA. Aura, auréole, cerne, couronne, diadème, gloire, halo, nuage.

AURANTIACÉE. Rutacée.

AURÉOLE. Aura, cercle, couronne, gloire, halo, louange, nimbe.

AURICULAIRE. Annulaire, bague, bijou, castagnette, dé, digital, digitopuncture, doigt, doigté, doigtier, douze, empan, index, majeur, montrer, ongle, orteil, palmé, phalange, phalangette, pouce, shiatsu, su.

AURICULE. Lobe.

AUROCHS. Ure, urus.

AURORE. Aube, commencement, crépuscule, Éos, est, matin, rose.

AUSCULTER. Analyser, apprécier, approfondir, arraisonner, critiquer, débattre, étudier, examiner, inspecter, langueyer, observer, peser, regarder, réviser, revoir, scruter, sonder, stéthoscope, tâter, vérifier, visiter, voir.

AUSSI. Alors, également, itou, même, pareillement, si, sitôt, tant.

AUSSITÔT. Dès, illico, immédiatement, instantanément, sitôt, soudain.

AUSTÈRE. Abrupt, âpre, ascète, chaste, décent, dur, frugal, grave, prude, pur, raide, rance, rigide, rude, sage, sévère, simple, stoïque.

AUSTÉRITÉ. Gravité, mortifier, puritanisme, rigidité, sévérité, vertu.

AUTANT. Aussi, centuple, octuple, quadruple, sextuple, tant.

AUTEUR. Compositeur, conteur, créateur, écrivain, dramaturge, essayiste, glossateur, historien, narrateur, nouvelliste, parolier, poète, préfacier, prosateur, romancier, satiriste, scénariste, scripteur.

AUTEUR ALGÉRIEN (n. p.). Dib, Kateb.

AUTEUR ALLEMAND (n. p.). Arnim, Benn, Bettelheim, Böll, Dürrenmatt, Goethe, Grass, Grimm, Hamsun, Hegel, Hein, Heine, Hermlin, Hesse, Jung, Jünger, Laube, Mann, Marx, Nietzsche, Raabe, Singer, Storm, Süskind, Zweig.

AUTEUR AMÉRICAIN (n. p.). Asimov, Auden, Auster, Brunner, Capote, Carnegie, Clancy, Clarke, Clavell, Cook, Coonts, Crichton, Cussler, Daley, DeMille, Dick, Dreiser, Fitzgerald, Follett, Forsyth, Gray, Greene, Hailey, Hemingway, Higgins, Himes, Hitchcock, King, Lawrence, Ludlum, Mailer, Michener, Miller, Poe, Puzo, Roth, Segal, Steinbeck, Twain, Updike, Wells, West, Wilde.

AUTEUR AUSTRALIEN (n. p.). West, White.

AUTEUR AUTRICHIEN (n. p.). Musil.

AUTEUR BELGE (n. p.). Claus, Daisne, Simenon, Thiry.

AUTEUR BRÉSILIEN (n. p.). Amado, Soâres.

AUTEUR BRITANNIQUE (n. p.). Chase, Chesterton, Doyle, Defoe, Fry, Gay, Gray, Greene, Kipling, Lamb, Lawrence, Naipaul, Pater, Reade, Reid, Richardson, Rushdie, Scott, Stevenson, Wells.

AUTEUR CHILIEN (n. p.). Bello.

AUTEUR COLOMBIEN (n. p.). Garcia Marquez.

AUTEUR CUBAIN (n. p.). Marti.

AUTEUR DANOIS (n. p.). Abell, Branner, Drachmann, Jensen, Nexo.

AUTEUR ESPAGNOL (n. p.). Aleman, Cervantès, Ganivet, Iriarte, Larra, Ors, Pla.

AUTEUR FINLANDAIS (n. p.). Aho, Kivi.

AUTEUR FRANÇAIS (n. p.). About, Alain-Fournier, Apollinaire, Aristote, Aron, Attali, Aymé, Balzac, Baudelaire, Bazin, Beaumarchais, Berger, Bernanos, Bodard, Borel, Bosco, Brion, Butor, Camus, Carco, Céline, Chateaubriand, Clavel, Cocteau, Corneille, Dabit, Daninos, Daudet, Déon, Descartes, Diderot, Dorgeles, Druon, Ducis, Dumas, Exbrayat, Faret, Féval, Feydeau, Flaubert, Frossard, Gallo, Gary, Genet, Gide, Giono, Giraudoux, Green, Hémon, Hugo, Jacquard, Janin, Jouve, Kessel, Laborit, La Fontaine, Leblanc, Leroux, Lévy, Loti, Macé, Malot, Maupassant, Mauriac, Maurois, Mérimée, Molière, Montaigne, Monteilhet, Montesquieu, Montherland, Musset, Nourissier, Péguy, Pérec, Piron, Platon, Prévost, Proust, Rabelais, Racine, Radiguet, Renan, Renard, Rolland, Romains, Rostand, Rousseau, Sade, Sartre, Stendhal, Sue, Sulitzer, Troyat, Urfé, Vercors, Verlaine, Verne, Vian, Villon, Voltaire, Zola.

AUTEUR GREC (n. p.). Athénée.

AUTEUR GUINÉEN (n. p.). Laye.

AUTEUR HOLLANDAIS (n. p.). Hooft.

AUTEUR HONGROIS (n. p.). Dery, Füst, Illyes.

AUTEUR INDIEN (n. p.). Bana.

AUTEUR IRLANDAIS (n. p.). Steele, Yeats.

AUTEUR ISRAÉLIEN. (n. p.). Agnon.

AUTEUR ITALIEN (n. p.). Aretin, Dante, Eco, Gadda, Luzi, Pasolini, Pavese, Svevo, Verga.

AUTEUR JAPONAIS (n. p.). Abe, Kobo, Mori, Ogai.

AUTEUR MEXICAIN (n. p.). Paz, Reyes.

AUTEUR NORVÉGIEN (n. p.). Duun, Ibsen, Lie.

AUTEUR PÉRUVIEN (n. p.). Alegria, Llosa, Palma, Vargas.

AUTEUR POLONAIS (n. p.). Prus, Rej.

AUTEUR PORTUGAIS (n. p.). Herculano.

AUTEUR QUÉBÉCOIS (n. p.). Acquelin, Aktouf, Alain, Anderson, Andrès, Angers, Antoine, Archambault, Arnau, Assiniwi, Aubin, Audet, Babineau, Baillargeon, Baillie, Barcelo, Beauchamp, Beauchemin, Beaudet, Beaudoin, Beaudry, Beaulieu, Beausoleil, Bédard, Bégin, Béguin, Bélanger, Bélec, Bergeron, Bernier, Berthiaume, Bertrand, Bérubé, Bessette, Bigras, Blackburn, Blais, Boissay, Boisvert, Boivin, Bonenfant, Boulerice, Boulizon, Bourdon, Brassard, Brière, Brillant, Brochu, Brodeur, Brossard, Brouillard, Brouillette, Bruens, Bujold, Bureau, Bussières, Cadet, Caron, Chabot, Chamberland, Champagne, Champetier, Charbonneau, Charland, Charron, Chatillon, Choquette, Chrétien, Claveau, Clavet, Comeau, Coppens, Corriveau, Cossette, Côté, Cyr, Daignault, Dansereau, Day, De Lorimier, De Vernal, Delisle, Delorme, Des Rosiers, Des Ruisseaux, Descheneaux, Désy, Dion, Dionne, Dor, Doré, Drache, Dubois, Ducharme, Duguay, Duhaime, Dumont, Dupont, Dupuis, Dussault, Duval, Fasciano, Favreau, Ferland, Filion, Findley, Folch-Ribas, Fournier, Francoeur, Gaboury, Gagnon, Garneau, Garon, Gaudet, Gauthier, Gay, Gélinas, Gemme, Gendreau, Gendron, Genest, Gérin, Germain, Gervais, Gobeil, Godbout, Godin, Gosselin, Gratton, Gravel, Graveline, Grignon, Guillemet, Haeck, Hazelton, Hébert, Hénault, Hétu, Homel, Horic, Hus, Isabelle, Jacob, Jacques, Jasmin, Julien, Kattam, Kemp, Laberge, Labrie, Lacasse, Laferrière, Lalonde, Languirand, Laplante, Lavoie, Leblond, Leclerc, Lemelin, Lemieux, Lemoine, Léveillé, Lévesque, Mainville, Major, Malenfant, Marchand, Martin-Laval, Mathieu, Matteau, Meunier, Miron, Monette, Mongrain, Montmorency, Morissette, Noël, Ohl, Olivier, Ollivier, Ouellet, Ouellette, Paradis, Paré, Pelchat, Piché, Plante, Poissant, Poliquin, Poulin, Poupart, Pratte, Prieur, Proulx, Roy, Saïa, Savard, Simard, Smith, Soucy, Soulières, Stanké, Thériault, Tremblay, Turgeon, Vadeboncoeur, Vaillancourt, Vallières, Vanasse, Vastel, Vigneault, Zumthor.

AUTEUR ROUMAIN (n. p.). Ionesco, Istrati.

AUTEUR RUSSE (n. p.). Babel, Boulgakov, Dostoïevski, Gogol, Gorki, Leonov, Soljenitsyne, Tchekhov, Tolstoï.

AUTEUR SUÉDOIS (n. p.). Ahlin.

AUTEUR SUISSE (n. p.). Amiel, Chappaz, Chessex, Cohen, Jaccottet, Hesse, Rod.

AUTEUR TCHÈQUE (n. p.). Kundera, Macha.

AUTEURE AMÉRICAINE (n. p.). Brontë, Chase-Riboud, French, Higgins-Clark, Jong, Kubler-Ross, Lessing, MacLaine, McCullough, Nin, Oates, Rendell, Steel, Susann, Taylor-Bradford.

AUTEURE ANGLAISE (n. p.). Cartland, Christie, Cornwell, Highsmith, James, Westmacott, Woolf.

AUTEURE ESPAGNOLE (n. p.). Allende.

AUTEURE FRANÇAISE (n. p.). Arnothy, Avril, Boissard, Bourin, Cardinal, Chapsal, Charles-Roux, Colette, Collange, Deforges, Dolto, Dorin, Frain, Groult, Lacamp, Laclos, Le Varlet, Mallet-Joris, Monsigny, Pisier, Rivoyre, Sagan, Sand.

AUTEURE ITALIENNE (n. p.). Belgioso.

AUTEURE QUÉBÉCOISE (n. p.). Allard, Alonzo, Anctil, Aubry, Baillargeon, Bazin, Beaudry, Bersianik, Bissonnette, Blais, Blouin, Boisjoli, Boisvert, Bombardier, Bouchard, Boucher, Brault, Brière, Brossard, Bussières, Cadieux, Cardinal, Champagne, Cholette, Claudais, Cloutier, Corbeil, Côté, Cousture, Cyr, Daveluy, De Gramont, De Lamirande, Demers, Déry, Desrochers, Doyon, Dubé, Dumont, Ferretti, Ferron, Gagnon, Gauvin, Ghalem, Grisé, Harvey, Hébert, Jacob, Juteau, Laberge, Lacasse, Lanctôt, Larouche, Larue, Lasnier, Lavigne, Lemieux, Lévesque, Loranger, Maillet, Major, Mallet, Marchessault, Marineau, Martin, Michel, Miville-Deschênes, Monette, Noël, Ouellette, Ouellette-Michalska, Ouvrard, Paquette, Paris, Payette, Pelland, Plamondon, Poisson, Proulx, Rainville, Renaud, Robert, Roy, Ruel, Saint-Denis, Sarfati, Sauriol, Simard, Thériault, Tremblay, Villemaire, Villeneuve.

AUTHENTICITÉ. Bien-fondé, certitude, contresigner, estampille, faux, greffier, ita, légaliser, seing, sic, sincérité, véracité, vérité, visa, vrai.

AUTHENTIQUE. Certain, évident, officiel, réel, sceau, sincère, visa, vrai.

AUTISTIQUE. Autisme, autiste, déréel.

AUTO. Automobile, bazou, char, limousine, taxi, voiture.

AUTOBUS. Autocar, bus, car, gyrobus, impériale, patache, plate-forme.

AUTOCAR. Autobus, bus, car, gyrobus, impériale, minicar.

AUTOCHTONE. Aborigène, habitant, indigène, local, natif, naturel, supplétif.

AUTOCHTONE DU CANADA (n. p.). Abénaquis, Agnier, Algonquin, Apache, Cri, Etchemin, Goyogouin, Huron, Iroquois, Malécite, Micmac, Mohawk, Onneyout, Onnontagué, Outagami, Outaouais, Sioux, Souriquois, Tsonnontouan.

AUTOCHTONE DES ÉTATS-UNIS (n. p.). Acolaopissas, Apache, Atakapas, Catawbas, Cherokee, Cheyenne, Chinook, Chitimachas, Choctaw, Comanche, Creek, Hidatsas, Illinois, Mandan, Mohawk, Navabo, Nez Percé, Paiute, Pawnee, Pieds-Noirs, Pomo, Séminole, Seneca, Shoshone, Sioux, Tête-Plate.

AUTOCHTONE DU NOUVEAU-MEXIQUE (n. p.). Chickasaw, Choctaw, Hopis, Mimbre, Mohave, Natchez, Pueblos, Yumas.

AUTOCHTONE DU PÉROU (n. p.). Incas.

AUTOCLAVE. Chaudière, étuve, étuveur, étuveuse, pression.

AUTOCRATE. Despote, dictateur, potentat, tyran.

AUTOCRATIE. Absolutisme, autoritarisme, césarisme, despotisme, dictature, monarchie, tyrannie.

AUTOMATE. Androïde, fantoche, guignol, machine, pantin, robot.

AUTOMOBILE. Bagnole, bazou, berline, char, jeep, tacot, taxi, voiture.

AUTOMOBILE, IMMATRICULATION INTERNATIONALE. A (Autriche), ADN (Yémen), AL (Albanie), AND (Andorre), AUS (Australie), B (Belgique), BDS (Barbade), BG (Bulgarie), BH (Honduras), BR (Brésil), BRN (Bahrein), BRU (Brunei), BS (Bahamas), BUR (Birmanie), C (Cuba), CDN (Canada), CH (Suisse),

CI (Côte-d'Ivoire), CL (Sri Lanka), CO (Colombie), CR (Costa Rica),
CS (Tchécoslovaquie), CY (Chypre), D (Allemagne), DK (Danemark),
DOM (République dominicaine), DY (Bénin), DZ (Algérie), E (Espagne),
EAK (Kenya), EAT (Tanzanie), EAU (Ouganda), EC (Équateur), ET (Égypte),
ES (El Salvador), F (France), FJI (Fidji), FL (Liechtenstein), GB (Grande-
Bretagne), GBZ (Gibraltar), GCA (Guatemala), GH (Ghana), GR (Grèce),
GUY (Guyane), H( Hongrie), HK (Hong-Kong), HKJ (Jordanie), I (Italie),
IL (Israël), IND (Inde), IRL (Irlande), IS (Islande), J (Japon), JA (Jamaïque),
K (Kamputchea ou Cambodge), KWT (Koweit), L (Luxembourg), LAO (Laos),
LAR (Libye), LB (Libéria), LS (Lesotho), M (Malte), MA (Maroc),
MAL (Malaysia), MC (Monaco), MEX (Mexique), MS (Île Maurice),
N (Norvège), NA (Antilles néerlandaises), NIC (Nicaragua), NL (Pays-Bas),
NR (Niger), NZ (Nouvelle-Zélande), P (Portugal), PA (Panama), PAK (Pakistan),
PE (Pérou), PI (Philippines), PL (Pologne), PY (Paraguay), R (Roumanie),
RA (Argentine), RC (Chine), RCA (République centrafricaine), RCH (Chili),
RH (Haïti), RI (Indonésie), RL (Liban), RMM (Mali), ROK (Corée du Sud),
RSM (Saint-Martin), RSD (Zimbabwe), RU (Burundi), RWA (Rwanda), S (Suède),
SF (Finlande), SGP (Singapour), SN (Sénégal), SY (Seychelles), SYR (Syrie),
T (Thaïlande), TG (Togo), TN (Tunisie), TR (Turquie), TT (Trinité et Tobago),
U (Uruguay), USA (États-Unis), V (Vatican), VN (Vietnam), Wag (Gambie),
WAN (Nigeria), WG (Grenade), WL (Sainte-Lucie), WV (Saint-Vincent),
YU (Yougoslavie), YV (Venezuela), Z (Zambie), ZA (Afrique du Sud),
ZRE (Zaïre).

AUTONOMIE. Assujettissement, choix, dépendance, droit, faculté, indépendance,
liberté, subordination, succursale, tutelle, vassalité.

AUTOPSIE. Analyse, anatomie, dissection, docimasie, nécropsie.

AUTORISATION. Licence, obédience, ouverture, permis, permission.

AUTORISÉ. Accrédité, fondé, mandaté, officiel.

AUTORISER. Accepter, accréditer, admettre, approuver, consacrer, consentir,
désavouer, dispenser, homologuer, investir, permettre, pouvoir, prévaloir, prohiber,
tolérer.

AUTORITAIRE. Absolu, cassant, coupant, impérieux, sec, sévère, strict.

AUTORITÉ. Appel, ascendant, chef, col, dépendre, empire, fermeté, férule, for, force,
loi, ordre, otage, main, maîtrise, pouvoir, règne, royal, souveraineté, sujet, taxe,
tyran.

AUTOUR. Alentour, circonscrire, enrouler, entourer, environ, graviter, péri, rimer,
rôder, ronde, rotation, tournailler, vautour.

AUTRE. Autrement, autrui, couple, différent, émule, étranger, eux, identique, lui,
même, opposé, pareil, rival, semblable, soi, un.

AUTREFOIS. Adverbe, ancien, anciennement, antan, avant, conjonction, désuet, ex,
hier, jadis, longtemps, naguère, olim, ost, passé, vieux.

AUTREMENT. Alias, autre, différemment, mal, ou, sinon.

AUTRUCHE. Aptéryx, casoar, échassier, émeu, kiwi, nandou, ratite.

AUTRUI. Altruisme, autre, écornifler, empathie, envie, prochain.

AUVENT. Abri, avant-toit, marquise, toit.

AUXILIAIRE. Aide, assistant, avocat, avoir, complice, être, secondaire.

AVACHI. Accablé, assommé, déformé, fatigué, flasque, ramolli, ramollo, usé, vautré, veule.

AVACHIR. Briser, crever, déformer, déprimer, échiner, écraser, user.

AVALÉ. Bu.

AVALER. Absorber, aspirer, boire, croire, déglutir, engamer, engloutir, gober, humer, ingérer, manger, ravaler, sec, sucer, user, vide.

AVANCE. Acompte, arrhes, à-valoir, concluant, distant, dit, fromage, go, marche, préformer, prêt, progression, semer, tâter, thèse, va.

AVANCER. Affirmer, aller, dire, émettre, évoluer, flâner, glisser, nager, pénétrer, pousser, prêter, ramer, sautiller, tendre, touer, virer, voile.

AVANT. Ancien, antan, av, bec, cap, front, joue, nez, oser, pré, préfixe, premier, préséance, recto, rétro, science, tenter, tête, total, un, vêpres.

AVANT-DERNIER. Antépénultième, paraxyton, pénultième.

AVANT-MIDI. AM.

AVANT-PROPOS. Introduction, préambule, préface.

AVANT-TOIT. Abri, auvent, marquise, toit.

AVANT-TRAIN. Armon, timon.

AVANTAGE. Atout, attribut, aubaine, bien, dessus, don, droit, faveur, fruit, gain, intérêt, plus, prééminence, prérogative, profit, succès.

AVANTAGÉ. Exceptionnel, idéal, parfait, privilégié, unique.

AVANTAGER. Bonifier, doter, douer, favoriser, flatter, primer, ressortir.

AVANTAGEUX. Bel, chic, commode, intéressant, mieux, profitant, utile.

AVARE. Chiche, dépensier, dissipateur, économe, gaspilleur, gredin, grigou, grimelin, grippe-sou, harpagon, ladre, lésineur, liard, liardeur, Molière, pingre, pouacre, prodigue, radin, rapiat, rat, Séraphin, serré, vautour, vil, vilain.

AVARICE. Ladrerie, lésine, mesquinerie, péché, pingrerie, radinerie.

AVARIÉ. Désemparé, dommage, mouille, panne, sapiteur, tare, vilenie.

AVARIER. Altérer, endommager, gâté, meurtrir, pourrir, tarer, vicier.

AVEC. De, par, parmi, partager.

AVELINE. Noisette.

AVEN. Abîme, abysse, bétoire, cloup, emposieu, fosse, gouffre, igue.

AVENANT. Accort, adjonction, affable, aimable, codicille, engageant.

AVÈNEMENT. Accession, apparition, arrivée, élévation, parousie, venue.

AVENIR. Astrologie, astrologue, aventure, chaman, débouché, demain, désormais, destin, devin, éternité, fakir, futur, hasard, horizon, lendemain, lot, météorologie, oracle, prophète, semer, sort, vocation.

AVENTURE. Affaire, conte, errer, héros, mésaventure, revers, roman.

AVENTURER. Compromettre, exposer, hasarder, jouer, risquer.

AVENTURIER. Aventureux, boucanier, corsaire, errant, hasardeux, imprévoyant, intrigant, mandrin, osé, picaresque, risqueur, téméraire.

AVENTURIER (n. p.). Cagliostro, Éon, Latude, Oates, Raspoutine, Vidocq.

AVENUE. Allée, boulevard, chemin, drève, paver, pontage, rue, voie.

AVÉRER. Attester, confirmer, notoire, prouver, vérifier, vrai.

AVERS. Face, obvers, obverse.

AVERSE. Abat, arc-en-ciel, drache, grain, nuée, ondée, orage, pluie. rincée, saucée.

AVERSION. Animosité, antipathie, dégoût, haine, inimitié, répulsion.

AVERTIR. Admonester, alarmer, alerter, aviser, dire, diriger, enjoindre, expliquer, gronder, informer, insinuer, instruire, menacer, notifier, prévenir, rappeler, remonter, semoncer, signaler, sommer.

AVERTISSEMENT. Admonestation, admonition, alerte, avis, blâme, conseil, gare, klaxon, leçon, lettre, marque, menace, observation, préambule, préavis, prologue, recommandation, remontrance, réprimande, semonce, sifflet, signe, suggestion, tocsin, trompe, voix.

AVERTISSEUR. Clignotant, junon, klaxon, prophète, signal, sirène, sonnerie, trompe.

AVESTIQUE. Zend.

AVETTE. Abeille, apidé, apis, hyménoptère.

AVEU. Candeur, confession, gêne, mea-culpa, naïveté, oui, remords.

AVEUGLANT. Éblouissant, évident, flagrant, incontestable, indéniable, indiscutable, manifeste, patent.

AVEUGLE. Braille, cataracte, chauvin, clos, ébloui, non-voyant, nuit.

AVEUGLER. Bander, boucher, crever, éblouir, priver, tromper, voiler.

AVIATEUR. Aile, as, Icare, navigant, navigateur, pilote, raid, vol.

AVIATEUR AMÉRICAIN (n. p.). Ellsworh, Lindbergh, Wright.

AVIATEUR BRÉSILIEN (n. p.). Santos-Dumont.

AVIATEUR FRANÇAIS (n. p.). Bellonte, Blériot, Coli, Costes, Farman, Fonck, Garros, Guynemer, Mermoz, Nieuport, Nungesser, Saint-Exupéry, Védrines, Voisin.

AVIATEUR ITALIEN (n. p.). Nobile.

AVIATRICE FRANÇAISE (n. p.). Bastié, Boucher, Hilsz.

AVICULTEUR. Abeille, avicole, éleveur.

AVIDE. Affamé, altéré, anxieux, âpre, assoiffé, avare, concupiscent, cupide, curieux, désireux, friand, glouton, goulu, impatient, insatiable, intéressé, mercenaire, passionné, pressé, rapace, rapiat, vorace.

AVIDITÉ. Convoitise, cupidité, désir, rapacité, vampirisme, voracité.

AVILIR. Abaisser, abâtardir, bas, dégrader, déprécier, ennoblir, galvauder, honte, humilier, infamie, profaner, ravaler, souiller.

AVINER. Dipsomane, éméché, ivre, gris, noir, paf, rond, saoul, soûl.

AVION. Adac, adav, aérobus, aéroplane, airbus, appareil, bimoteur, biplace, biplan, coucou, drone, hydravion, jet, mirage, nez, piper, piqué, raid, ressource, stol, trimoteur, triplan, U.L.M., zinc.

AVION (n. p.). Bwia, Elal, Delta, Klm, Iberia, Lufthansa, Sabena, Sas, TWA, Usair.

AVIRON. Canot, dame, erseau, godille, pagaie, pale, rame, scull, tolet.

AVIS. Annonce, avertissement, conseil, dénonciation, éveil, idée, note, notification, opinion, préavis, préface, proclamation, sens, urne, vote.

AVISÉ. Averti, circonspect, compétent, éclairé, dégourdi, fin, gascon, habile, inspiré, prudent, réfléchi, sagace, sage.

AVISER. Annoncer, avertir, conseiller, déclarer, estimer, éveiller, inculquer, informer, notifier, opiner, oser, pourvoir, trouver, voir.

AVITAMINOSE. Béribéri, gerçure, scorbut.

AVIVER. Accélérer, aiguiser, attiser, augmenter, déchaîner, embraser, enflammer, exalter, exciter, fanatiser, irriter, ouvrir, plâtrer, vivifier.

AVOCAT. Barreau, défenseur, fruit, maître, orateur, robe, robin, toge.

AVOCAT (n. p.). Manin, Patru.

AVOCATE. (n. p.). Ruffo.

AVOINE. Céréale, fromental, grumel, houque, picotin, poche, volée.

AVOIR. Accéder, actif, bien, compte, crédit, demander, détenir, doit, eu, jouir, marre, obtenir, ovuler, partager, prévaloir, propriété, tenir, tirer.

AVOISINANT. Alentours, environnant, près, proche, voisin.

AVOISINER. Approcher, circonvoisin, friser, jouxter.

AVORTÉ. Échoué, loupé, manqué, raté.

AVORTEMENT. Brucellose, échec, faillite, fiasco, insuccès, millerandage.

AVORTER. Abortif, chuter, échouer, foirer, louper, manquer, rater.

AVORTON. Faible, embryon, fœtus, germe, homoncule, homuncule, nabot, nain.

AVOUER. Accuser, admettre, avocat, concéder, constater, confesser, confier, convenir, dire, nier, parler, reconnaître, trahir, vider.

AVRIL. Blé, poisson.

AYANT DROIT. Allocataire, attributaire, autorisé, bénéficiaire.

AXE. Arbre, axial, axile, columelle, cyme, essieu, gond, hampe, ligne, mèche, pivot, pôle, rachis, selle, stipe, tige, tore, tronc, vanne, vecteur.

AXER. Aiguiller, centrer, diriger, orienter, piloter, pivoter, tourner, traverser.

AXIOME. Argument, certitude, évidence, pensée, prémisse, vérité.

AZALÉE. Amaena, arendsii, canadensis, crouxii, kaempferi, kurume, malvatica, macrantha, macrostemon, maxwellii, mollis, mucronatum, pontique, rhododendron, viscosa, vuykiana.

AZIMUT. Directions, sens.

AZOTATE. Nitrate, roburite.

AZOTE. Az, chitine, N, nitre, nitrogène, nylon, soja, urée, urique.

AZUR. Air, bleu, céleste, ciel, éther, firmament, lapis, outremer, voûte.

AZURÉ. Bleu, bleuté, céruléen, voûte.

AZURITE. Alchimie.

AZYME. Pain.

# B

BABA. Abasourdi, ahuri, bée, bol, croupe, cul, derrière, dos, ébahi, étonné, fessier, gâteau, marquise, savarin, sidéré, stupéfait, surpris.

B-ABA. Abc, bases, rudiments.

BABEL. Nemrod, tour, Ziggourat.

BABIL. Babillard, bruit, caquet, jaserie, murmure, placotage, ramage.

BABILLARD. Bavard, causeur, commère, éloquent, jaseur, phraseur.

BABILLER. Bavarder, cailleter, caqueter, gazouiller, jaser, parler.

BABINE. Balèvre, bord, joue, labre, lèvre, lippe, masque, moue.

BABIOLE. Affichet, breloque, bricole, broutille, colifichet, flirt, rien.

BAC. Auget, baccalauréat, bachot, caisse, cuve, passeur, pile, toue.

BACCALAURÉAT. Bac, bachot, diplôme, premier, terminale.

BACCARA. Banco, carte, floche, ponte, pot.

BACCHANTE. Bassaride, éleide, éviade, ménade, mimalonide, thiyade.

BACCHUS. Louange, sommelier, vin.

BACCHUS (n. p.). Dionynos, Dithyrambe, Évohé, Ménades, Thyades, Thyrse.

BÂCHE. Abri, banne, châssis, couverture, prélart, réservoir, toile.

BACHIQUE. Bacchante, chahut, débauche, mégère, thyiade.

BACILLE. Bacillose, botulique, coliforme, diphtérie, éberth, hansen, koch, lèpre,
   microbe, tuberculose, typhique, virgule, yersin.

BÂCLER. Expédier, fermer, finir, gâcher, gâter, inattention, saboter.

BACTÉRIE. Azotobacter, bacille, champignon, colibacille, coque, diplocoque, germe,
   microbe, nitreux, nitrique, pneumocoque, rhizobium, sarcine, spirille, streptocoque,
   tréponème.

BADAUD. Barguineur, crédule, curieux, flâneur, oisif, promeneur.

BADGE. Cocarde, emblème, étole, insigne, macaron, rosette, sceptre.

BADIANE. Anis.

BADIGEONNER. Barbouiller, enduire, farder, oindre, peindre, recouvrir.

BADIN. Bouffon, espiègle, fol, folâtre, folichon, fou, gai, léger, pétulant.

BADINER. Amuser, folâtrer, jouer, plaisanter, railler, rigoler, rire.

BAFFE. Enceinte, gifle, haut-parleur, tape.

BAFOUER. Abaisser, cocu, conspuer, huer, mépriser, moquer, railler.

BAGAGE. Affaires, arroi, attirail, bâche, bagot, barda, effets, équipage, fourbi,
   frusque, malle, nippe, pacotille, train, trousseau, valise.

BAGARRE. Aiflette, altercation, baroufle, baston, bataille, combat, dispute,
   échauffourée, grabuge, lutte, mêlée, rif, riffe, rififi, rixe.

BAGATELLE. Amusette, babiole, baliverne, bêtise, bibelot, bricole, brimborion,
   colifichet, fadaise, foutaise, frivolité, futilité, minutie, misère, niaiserie,
   plaisanterie, prune, ragot, rien, sornette, vétille.

BAGNARD. Détenu, forçat, galérien, interné, pénitencier, prisonnier.

BAGOU. Baratin, bavardage, boniment, éloquence, jactance, tchatche.

BAGUE. Alliance, anneau, baguier, châton, chevalière, cigare, collier, cricoïde,
   grenadière, jonc, manchon, marquise, triboulet, virole.

BAGUENAUDER. Balader, errer, flâner, musarder, muser, promener.

BAGUETTE. Aine, antebois, archet, badine, bâton, caducée, canne, chicote, fla,
   gong, listeau, listel, liston, liteau, membron, ra, verge.

BAGUETTISANT. Enchantement, radiesthésiste, sourcier.

BAGUIER. Écrin.

BAHUT. Appui, armoire, buffet, camion, chaperon, coffre, collège, dressoir, école,
   huche, lycée, maie, semainier, vaisselier.

BAIE. Airelle, akène, anse, atoca, bleuet, calanque, cap, cenelle, conche, crique, drupe, fenêtre, fraise, framboise, fronteau, golfe, graine, havre, lucarne, mûre, myrtille, pamplemousse, sorbe, table, verrière.

BAIE D'AFRIQUE (n. p.). Biafra, Delagoa, Sainte-Hélène, Walvis.

BAIE D'ANGLETERRE (n. p.). Lyme.

BAIE D'ATLANTIQUE (n. p.). Aiguillon, Fundy.

BAIE D'AUSTRALIE (n. p.). Albatros, Halifax.

BAIE DU BRÉSIL (n. p.). Marajo, Rio, Turiacu.

BAIE DU CANADA (n. p.). Baffin, Burlington, Caraquet, Cardigan, Chedabouctou, Cobequid, Cumberland, Des Chaleurs, Egmont, Frobisher, Fundy, Georgienne, Green, Hudson, James, Quinté, Saginaw, Shepody, Trinity, Ungava.

BAIE DE CHINE (n. p.). Kiao-Tchéou, Yinglo.

BAIE DES ÉTATS-UNIS (n. p.). Chesapeake, Galveston, San Francisco.

BAIE D'ISRAËL (n. p.). Ako, Haïfa.

BAIE DU JAPON (n. p.). Ise.

BAIE DU LABRADOR (n. p.). Ungava.

BAIE DU LAC CHAMPLAIN (n. p.). Missisquoi.

BAIE DES MARITIMES (n. p.). Fundy.

BAIE DU QUÉBEC (n. p.). Cascapédia, Des Chaleurs, Gaspé, Ha Ha, James, Missisquoi, Trinité, Ungava.

BAIE DU VIETNAM (n. p.). Along.

BAIE VITRÉE. Fenêtre, vitre.

BAIGNADE. Baigner, bain, douche, étuve, mégis, sauna, pataugeoire.

BAIGNER. Arroser, asperger, auréoler, baigner, baignoire, bain, baptiser, bassiner, doucher, étuver, guéer, humecter, imbiber, inonder, irriguer, laver, macérer, mariner, mouiller, nager, nettoyer, nimber, œillère, plonger, submerger, traverser, tremper, tuber, verser.

BAIGNOIRE. Bain, loge, mezzanine, piscine, sabot, salle.

BAIL. Amodiation, contrat, convention, emphytéotique, fermage, loyer.

BAILLEUR. Commanditaire, concessionnaire, créancier, loueur, preneur, prêteur, propriétaire, sponsor.

BÂILLONNER. Empêcher, étouffer, fermer, museler, réduire.

BAIN. Douche, étuve, hamman, immersion, lavage, mégis, nymphée, piscine, râbler, sauna, siège, strigile, therme, trhermes, trempette, tub.

BAISER. Baise-main, bec, bécot, bécoter, bise, bisou, bizou, embrasser.

BAISSER. Abaisser, abattre, affaisser, baissement, bas, bémoliser, caler, céder, chuter, courber, décliner, décroître, déflation, descendre, faiblir, fléchir, incliner, pencher, rabaisser, rabattre, rebaisser, surbaisser.

BALADIN. Acteur, bateleur, bouffon, cabotin, histrion, saltimbanque.

BALAFRE. Blessure, cicatrice, coupure, entaille, estafilade, taillade.

BALAI. Aspirateur, brosse, coco, épuration, faubert, goret, guipon, houssoir, plumard, plumeau, ramon, sorcière, torchon, vadrouille.

BALANCE. Ajustoir, bascule, berce, caudrette, crochet, filet, fléau, pèse-personne, peson, romaine, seste, solde, trébuchet, truble, verge.

BALANCEMENT, Bercement, dandinement, mutation, roulis, tangage.

BALANCER. Battre, bercer, berner, branler, compenser, dandiner, dodeliner, frémir, hésiter, jeter, osciller, peser, rouler, sauter, vaciller.

BALANCIER. Ancre, bascule, contrepoids, foliot, pendule, prao.

BALANÇOIRE. Balancelle, bascule, escarpolette, baliverne, sornette.

BALAYER. Brosser, essuyer, frotter, housser, laver, nettoyer, ramoner.

BALBUTIEMENT. Ânonnement, aube, aurore, bafouillage, baragouinage, bégaiement, bredouillement, commencement, début, enfance.

BALBUTIER. Bafouiller, baragouiner, bégayer, bredouiller, merdoyer.

BALCON. Balustrade, corbeille, galerie, loggia, oriel, saillie, véranda.

BALDAQUIN. Ciborium, ciel, dais, lit.

BALEINE. Baleineau, baleinier, busc, cétacé, crinoline, épaulard, fanon, huile, jubarte, léviathan, mégaptère, orque, rorqual, rorque, verge.

BALÉNOPTÈRE. Rorqual.

BALISE. Amer, bouée, clignotant, délinéateur, émetteur, feu, vigie.

BALISIER. Canna.

BALISTE. Bricole, catapulte, espringale, machine, onagre, scorpion.

BALIVEAU. Laie, lais, pérot.

BALIVERNE. Bagatelle, coquecigrue, facétie, faribole, sornette.

BALLE. Ace, amortie, auget, ballon, baseball, bastos, boule, but, cible, colis, croquet, éteuf, farde, golf, jeu, let, marbre, polo, projectile, pruneau, smash, volée.

BALLET. Chorégraphie, coryphée, danse, figurant, spectacle.

BALLON. Aéronaute, ancre, bombe, délester, essai, filet, gaz, gonfler, lest, nacelle, passe, rumeur, saucisse, saut, sommet, sonde, zeppelin.

BALLONNEMENT. Aérophagie, crampe, emphysème, flatulence, gonflement, météorisation, météorisme, pet, tympanite.

BALLONNER. Aérophagie, arrondir, augmenter, bomber, emphysème, enfler, flatulence, gonfler, grouiller, météoriste, tendre, tympanite.

BALLOT. Attirail, baluchon, balluchon, colis, équipement, paquet, remballer.

BALLOTTER. Agiter, balancer, baller, cahoter, remuer, secouer, tirailler.

BALLOTTINE. Dodine, galantine.

BALOURD. Balustre, bête, cruche, lourdaud, niais, rustaud, sot, stupide.

BALOURDISE. Énormité, gaffe, gaucherie, grossièreté, lourdeur, sottise.

BALSAMINE. Dicotylédone, impatiens, impatiente, noli-me-tangere.

BALUSTRADE. Balcon, épi, grille, limon, rampe, ridelle, socle, travée.

BALZAC, PERSONNAGE (n. p.). Chanbert, Grandet, Gaudissart, Mirouet, Nucingen, Peau de chagrin.

BAMBIN. Bébé, chérubin, enfant, gamin, gosse, marmot, petiot, petit.

BAMBOCHARD. Bambocheur, fêtard, noceur, viveur.

BAMBOCHE. Bamboula, bombe, bringue, débauche, fête, java, noce, noube.

BAMBOU. Auréa, bambusa, fastuosa, henonis, japonica, mitis, murielae, nigra, nitida, sasa, simonii.

BANAL. Commun, courant, médiocre, ordinaire, plat, stéréotypé, usé.

BANALISER. Démystifier, dépersonnaliser, uniformiser.

BANALITÉ. Cliché, évidence, généralité, insignifiance, insipidité, lapalissade, platitude, poncif, relief, stéréotype, truisme.

BANANIER. Abaca, bananeraie, musa, régime.

BANC. Chaise, congère, corail, dressoir, escabeau, établi, exèdre, huîtrier, gradin, montoir, neige, poissons, sable, selle, siège, tréteau.

BANCAL. Approximatif, bancroche, bâtard, boiteux, branlant, claudicant, fragile, imparfait, instable, précaire.

BANDAGE. Attelle, bande, écharpe, glisse, plâtre, pneu, spica, toile.

BANDE. Aine, bandeau, bandelette, banderole, bataillon, brayer, bride, ceinture, courroie, équipe, épaulette, épitoge, escouade, étole, film, galon, gang, gîte, isthme, lé, lien, loup, marmaille, meute, penture, rail, rivage, rive, sangle, séton, sous-pied, surdos, trépointe, volée, zone.

BANDEAU. Archivolte, baîllon, diadème, fronteau, serre-tête, verseau.

BANDELETTE. Bande, bandeau, infule, momie, queue, sérum, séton.

BANDER. Érection, étirer, gîter, lier, panser, raidir, rouler, tendre.

BANDEROLE. Calicot, drapeau, étendard, gonfalon, gonfanon, marque.

BANDIT. Apache, escarpe, escroc, filou, forban, gangster, larron, nervi, pillard, pirate, scélérat, séide, sicaire, truand, vaurien, voleur.

BANDITISME. Brigandage, escroquerie, gangstérisme, piratage.

BANDOULIÈRE. Assurage, baudrier, ceinture, écharpe.

BANLIEUE. Agglomération, alentours, ceinture, environs, faubourg.

BANNIÈRE. Banderole, couleurs, drapeau, enseigne, étendard, fanion, flamme, gonfalon, gonfanon, marque, oriflamme, pavillon, sigle.

BANNIR. Abandonner, annoncer, ban, chasser, déporter, écarter, éloigner, émigrer, exclure, exiler, expatrier, expulser, interdir, ostraciser, ostracisme, proscrire, proscrit, refouler, reléguer, renvoyer.

BANQUE NATIONALE. BN.

BANQUET. Agapes, épulon, festin, fête, lectisterne, partie, repas.

BANQUETTE. Banc, chaise, congère, corail, dressoir, escabeau, établi, exèdre, huîtrier, gradin, montoir, neige, poissons, sable, selle, siège, tréteau.

BANQUIER. Argentier, financier, mécène, remettant, sponsor.

BANQUIER (n. p.). Fould.

BAPTÊME. Chrémeau, chrétien, fonts, marraine, ondoiement, parrain.

BAPTISER. Appeler, arroser, bénir, conférer, diluer, exorciser, ondoyer.

BAQUET. Bac, baille, corpulent, cuve, gros, jale, sapine, seillon, tonneau.

BAR. Alcool, bistrot, brasserie, buvette, cabaret, café, discothèque, loubine, loup, loup de mer, lubin, saloon, taverne, troquet, zinc.

BARAQUE. Bicoque, cabane, cassine, guérite, habitation, loge, masure.

BARATIN. Abattage, bagou, blablabla, boniment, brio, charme, jactance.

BARBADINE. Passiflore.

BARBARE. Avare, barbaresque, barbe, brute, clan, cruel, dur, germain, grossier, horde, inhumain, maure, mongol, sarrasin, sauvage, tribu.

BARBARIE. Atrocité, bestialité, férocité, oponce, raquette, sauvagerie.

BARBE. Arête, barbiche, barbichette, barbillon, barbu, blaireau, bouc, collier, favoris, imberbe, moustache, penne, plume, poils, royale.

BARBE-BLEUE. Capucin, glabre, impériale, mouche, royale.

BARBEAU. Barbillon, barbue, bleuet, insecte, proxénète.

BARBIFIER. Raser, tondre.

BARBICHE. Bouc, chèvre, barbichette, barbillons, barbu, blaireau.

BARBIER. Coiffeur, figaro, merlan, perruquier.

BARBOUILLER. Écrire, gâter, gribouiller, gribouillis, griffonnage, grimoire, grisailler, mâchurer, maculer, peinturer, salir.

BARBOUZE. Agent, espion, policier.

BARBU. Capucin, glabre, grison, imberbe, poilu, rasé, sapeur, velu.

BARDA. Affaires, attirail, bagage, équipement, fourbi, paquetage.

BARDANE. Arctium, glouteron, gratteron, peignerolle.

BARDEAU. Aisseau, shingle, tuile.

BARDOT. Âne, bardeau, cabot, cheval, métis, mulet.

BARGE. Péniche.

BARIL. Barillet, barrique, barrot, boucault, caque, feuillette, foudre, fût, futaille, hareng, lité, quartaut, tine, tinette, tonne, tonneau, tonnelet.

BARIOLER. Bigarrer, chamarrer, jasper, marbrer, panacher, veiner.

BARON. Baronnet, baronnie, boucherie, lady, tortil.

BAROQUE. Abracadabrant, bizarre, bouffob, choquant, kitsch, rococo.

BARQUE. Arche, bac, bachot, barcasse, barge, bateau, bélandre, boom, brick, caïque, cange, canot, caron, chaloupe, drakkar, esquif, galère, nocher, périssoire, pirogue, ponton, rafiot, steamer, trimaran, vedette.

BARRAGE. Barrière, centrale, clôture, déversoir, écluse, écran, embâcle, épi, évacuateur, jetée, obstacle, réservoir, ressaut, serrement, truyère.

BARRAGE D'ALLEMAGNE (n. p.). Ottmachau.

BARRAGE D'AUSTRALIE (n. p.). Murrumbidgee.

BARRAGE DE BELGIQUE (n. p.). Eupen.

BARRAGE D'ÉGYPTE (n. p.). Assouan, Camarasa.

BARRAGE D'ESPAGNE (n. p.). Canelles, Esla, Jandula, Pallaresa.

BARRAGE DES ÉTATS-UNIS (n. p.). Alder, Arrowrock, Ashokan, Boulder, Buffalo Bill, Conowingo, Coolidge, Détroit, Diablo, Fontana, Fort Peck, Grand Coulee, Harrodsburg, Hoover, Hungry Horse, Kensico, Martin, Norris, Osage, Owyhee, Pardee, Pathfinder, Pine Flat, Roosevelt, Ross, Saluda, Schoharie, Shasta, Shoshone, Wilson.

BARRAGE DE FRANCE (n. p.). Chambon, Génissiat, Sautet, Tigues.

BARRAGE DU QUÉBEC (n. p.). Baie-de-James, Beauharnois, Des-Joachims, Johnson, LG 1, LG 2, Radisson, Robert-Bourassa, Shipshaw.

BARRAGE DE RUSSIE (n. p.). Dnieper, Inguri, Kuibyshev.

BARRAGE DE SUISSE (n. p.). Barberine, Grimsel, Mauvoisin, Zeuzier.

BARRE. Ancre, bâcle, baton, chenet, chien, cintre, épar, épart, fêle, gouge, gouvernail, huit, jas, levier, mors, obel, péri, témoin, tige.

BARREAU. Aimant, balustre, échelon, orgue, pilastre, sommier.

BARRER. Biffer, boucher, fermer, effacer, obstruer, radier, rayer.

BARRIÈRE. Barrage, barricade, claie, clôture, digue, douve, grille, haie, herse, ligne, obstacle, palissade, rampe, ridelle, seuil, treillis.

BARRIQUE. Baril, benne, botte, boucaut, caque, charge, cuve, flotte, foudre, fût, futaille, mèche, muid, pièce, pipe, récipient, seau, tonneau, tine, tune, vase.

BARROT. Bau, caque, baril, épontille.

BARYSPHÈRE. Fer, nickel, nife, noyau.

BARYTON, CHANTEUR (n. p.). Allard, Arres, Beauchemin, Belleau, Biron, Bisson, Boie, Boivin, Boucher, Cambell, Chiosa, Claude, Côté, Couturier, Cyr, Duguay, Erkoreka, Ferland, Fournier, Funicelli, Gaudet, Gobeil, Gosselin, Grosser, Julien, Kulish, Labbé, Lagrenade, Langlois, Laperrière, Larouche, Latour, Lecky, Leclerc, Lefebvre, Lepage, Létourneau, Levasseur, Levert, Lortie, Major, McAuley, McMillan, Miron, Mollet, Montpetit, Oland, Patenaude, Poirier, Richard, Robie, Sasseville, Savoie, Sever, Trempe, Viau, Wolny, Zinko.

BARYUM. Ba, barytine, lithopone.

BAS. Abject, accoucher, avili, cave, dessous, élevé, feuille, fond, grivois, grossier, haut, honteux, ignoble, impur, infâme, inférieur, jarretelle, lâche, laid, noble, pays, pédale, pied, petit, taré, trivial, vêtement, vil.

BAS-CÔTÉ. Accotement, bord, collatéral.

BAS-RELIEF. Anaglyphe, estampage, diptyque, médaillon, rude.

BASANÉ. Bronzé, escafignon, foncé, grillé, kroumir, noir, tanné.

BASCULER. Balancer, benne, capoter, chavirer, culbuter, renverser.

BASE. Abc, appui, assiette, assise, clé, clef, centre, dessous, empattement, ergot, fond, fondement, froid, hydroxylamine, patin, pied, pivot, plan, point, principe, socle, sol, soubassement, support.

BASEBALL CLUB (n. p.). Angels, Astros, Athletics, Bluejays, Brave, Brewers, Cardinals, Cardinaux, Cubs, Dodgers, Expos, Giants, Indians, Mariners, Marlins, Mets, Orioles, Padres, Phillies, Pirates, Rangers, Reds, Redsox, Rockies, Royals, Tigers, Twins, Whitesox, Yankees.

BASEBALL JOUEUR (n. p.). Aaron, Alou, Banks, Bench, Berra, Bottomley, Brock, Campanella, Carew, Carlton, Carter, Clemente, Cobb, Dean, Dimaggio, Drysdale, Dykstra, Evers, Feller, Ford, Gehrig, Goslin, Hornby, Jackson, Johnson, Keeler, Killebrew, Koufax, Lyons, Mantle, Mays, McGuire, Musial, Paige, Reese, Robinson, Rose, Ruth, Ryan, Seaver, Spahn, Stargell, Strawberry, Williams, Yannigan, Yastrzemski, Young.

BASIDIOMYCÈTE. Clavaire, inocybe, polypore, souchette, urédinale.

BASILIQUE. Église, jubé, tribunal.

BASIQUE. Alcalin, amine, ampholyte, anionique, basiphile, métal.

BASSE, CHANTEUR (n. p.). Beauchemin, Béland, Belleau, Benoît, Bisson, Callender, Corbeil, De Forge, Deschamps, Desjardins, Dionne, Funicelli, Germain, Gosselin, Gramescu, Grenier, Guérette, Harbour, Hébert, Julien, Kulish, Lareau, Lefebvre, Légaré, Martin, McNamara, McRae, Pratt, Rouleau, Saint-Amant, Saucier, Scott, Sigmen, Trudeau, Victor.

BASSESSE. Abjection, petitesse, platitude, saloperie, servilité, vilenie.

BASSIN. Auge, bac, bassine, ber, claire, cuvette, darce, darse, dépression, dock, étang, étier, évier, fonts, gare, pelvien, pelvis, piscine, port, purgeoir, rade, réservoir, retenue, rond, sacrum, sas, tin, tub.

BASSIN-D'OR. Herbacée, populage, renonculacée.

BASTE. As.

BASTRINGUE. Bal, boîte, guinche, guinguette, musette, soirée, surboum.

BATACLAN. Appareil, attirail, bagage, bazar, fourbi, outil, train.

BATAILLE. Accrochage, affrontement, bagarre, bandière, combat, coursier, destrier, dispute, lutte, grabuge, guerre, rixe, turbulence.

BATAILLER. Bagarrer, batailleur, battre, combattre, défoncer, démener, escrimer, ferrailler, guerroyer, lutter.

BATAILLON. Brigade, cohorte, quartier, régiment, soldat, troupe.

BATÂRD. Baguenaudier, boulanger, champi, corniot, métis, séné, roi.

BATARDEAU. Digue, palplanche.

BATEAU. Arche, bac, bâche, barge, barque, bâtiment, berge, blague, caboteur, canoë, canot, canular, cargo, chaloupe, chalutier, chebec, corvette, doris, drakkar, embarcation, flotte, frégate, galère, gondole, jonque, kayac, langoustier, margota, monitor, morutier, navire, nef, péniche, pinasse, pirogue, polacre, ponton, prao, radeau, rafiot, skiff, sous-marin, steamer, terre-neuvas, vaisseau, vedette, yacht.

BATELEUR. Baladin, bouffon, cabotin, clown, dompteur, histrion, pitre.

BATELIER. Barcarolle, gondolier, marin, marinier, matelot, passeur.

BÂTI. Armature, balèze, baraqué, châssis, proportionné, robuste.

BATIFOLER. Badiner, couniller, folâtrer, lutiner, marivauder, niaiser.

BÂTIMENT. Abattoir, abbaye, bâtisse, caboteur, cargo, caserne, chebec, colombarium, corvette, dôme, édifice, écurie, étable, ferme, frégate, gare, grange, hourque, logis, navire, poulailler, sous-marin, yacht.

BÂTIR. Construire, échafauder, édifier, élever, ériger, établir, fonder.

BÂTISSE. Construction, dôme, édifice, hôtel, odéon, musée, temple.

BÂTISSEUR Architecte, constructeur, créateur, faiseur, maçon, ornement, promoteur, règle, style, té, traçoir.

BATISTE. Lin, linon, toile.

BÂTON. Archet, baguette, barre, batte, bois, brigadier, bêche, canne, craie, crosse, digon, épieu, férule, gaule, gorge, gourdin, hampe, houlette, jalon, jauge, jonc, lance, latte, lituus, masse, massue, palis, pédum, pieu, règle, sceptre, scion, théâtre, thyrse, tige, trique, verge.

BÂTONNET. Coton-tige, craie, crayon, frite, jonchet, surimi, témoin.

BATRACIEN. Agua, alyte, amphibien, amphiume, anoure, apode, axolotl, cécilie, coasser, crapaud, frai, grenouille, larve, pipa, protée, raine, rainette, ranidé, salamandre, têtard, triton, urodèle, uroplate.

BATTAGE. Bactrioles, bruit, publicité.

BATTANT. Battement, bélière, bluff, brayer, bruit, éventail, réclame.

BATTE. Hutinet, maillet, mailloche, marteau, raquette, sabre.

BATTEMENT. Batillage, barillon, ictus, palpiter, pouls, pulsation.

BATTERIE. Accus, appel, babord, canon, casseroles, chamade, charge, diane, drums, ensemble, général, marmites, percussions, pile, plats, pont, rappel, réveil, sabord, série, tambour, train, tribord, ustensile.

BATTEUR. Drummer, fouette, moussoir, percussionniste, tambourineur.

BATTRE. Arranger, boxer, brutaliser, casser, castagner, cligner, cogner, corriger, damer, errer, étriller, fesser, fouetter, frapper, fustiger, gauler, léser, mêler, piler, punir, rosser, rouer, tabac, taper, vanner.

BATTU. Fouetté, foulé, maltraité, martyr, perdant, tassé, vaincu.

BAU. Barrot.

BAUDET. Aliboron, âne, bardot, bourrique, grison, roussin, sot, tréteau.

BAUDRIER. Assurage, bandoulière, ceinturon, écharpe.

BAUDROIE. Lotte.

BAUME. Dictame, gomme, onguent, résine, styrax, teinture, tolu.

BAVARD. Ara, avocat, babillard, causant, causeur, commère, crécelle, discoureur, discret, disert, indiscret, jacasseur, jaseur, long, loquace, margot, orateur, pie, prolixe, silencieux, taciturne, verbeux, volubile.

BAVARDAGE. Babil, babillage, bagou, baratin, blabla, cancan, caquetage, jacassement, jactance, japotage, jaspinage, margotage, papotage, parlotes, patata, patati, potin, racontar, ragot, verbiage.

BAVARDER. Babiller, bagouler, bavasser, caqueter, causer, commérer, jaboter, jacasser, jacter, jaser, jaspiner, palabrer, papoter, parler.

BAVE. Bavette, baveux, écume, mucus, salive, spumosité, venin.

BAVER. Bavocher, couler, débiner, écumer, juter, postillonner, saliver.

BAVETTE. Bavoir, boucher, boucherie, serviette.

BAYARD. Pierre, terraille.

BAYER. Bader, bâiller, béer, rêvasser, rêver.

BAZAR. Attirail, barda, bastringue, boutique, bric-à-brac, capharnaüm, désordre, fourbi, magasin, marché, souk.

BAZARDER. Balancer, brader, débarrasser, jeter, liquider, vendre.

BÉANT. Bée, béance, grand, large, ouvert.

BÉAT. Bienheureux, bigot, canonisé, content, élu, heureux, ravi, saint.

BÉATIFIÉ. Béat, béatifié, bienheureux, canonisé, élu, saint.

BÉATITUDE. Bien-être, bienheureux, bonheur, contentement, élu, euphorie, extase, félicité, gloire, ravissement, satisfaction.

BEATNIK. Baba, beat, hippie.

BEAU. Affreux, bel, coquet, divin, élégant, épouvantable, esthète, gai, gentil, hideux, horrible, ignoble, joli, laid, mignon, monstrueux, vilain.

BEAUCOUP. Abondamment, amplement, bien, énormément, fort, foule, joliment, légion, maint, moult, multitude, nombre, nuée, plein, plusieurs, profusion, prou, quantité, sec, tant, tas, tout, très, trop.

BEAU-FILS. Gendre.

BEAUJOLAIS (n. p.). Chiroubles, Brouilly, Juliénas, Morgon, Régnié.

BEAUPRÉ. Balancelle, mât, sous-barbe.

BEAUTÉ. Apollon, astre, charme, chic, élégance, fraîcheur, glamour, grâce, féerie, idéal, jolie, joliesse, ornement, séduction, toilette.

BÉBÉ. Enfant, flô, lardon, mioche, môme, nouveau-né, poupon, têtard.

BEC. Ambès, auer, baiser, becqueter, brûleur, cap, cire, clapet, coque, goule, goulot, gueule, oncirostre, onglet, papillon, plume, rostre.

BEC-DE-PERROQUET. Ostéophyte.

BÉCANE. Bicycle, bicyclette, clou, cycle, tandem, triporteur, vélo.

BÉCARD. Brochet.

BÉCASSE. Barge, bécassine, bécasseau, canard, croule, crouler.

BÉCASSEAU. Aléoutienne, baird, chevalier, cocorli, cendré, échasse, maritime, maubèche, minuscule, ressac, roussâtre, roux, sanderling, semi-palmé, variable, violet.

BÉCASSINE. Aiguille, marais, orphie.

BÉCHAMEL. Sauce, talmouse.

BÊCHE. Fourche, houlette, louchet, palot, pelle, tallandier, trident.

BÊCHEUR. Arrogant, chochotte, fier, frimeur, hautain, méprisant, mijaurée, pimbêche, prétentieux, snob, vaniteux.

BÉCOT. Ambès, auer, baiser, becqueter, brûleur, cap, clapet, coque, goule, goulot, gueule, oncirostre, onglet, papillon, plume, rostre.

BÉCOTER. Baiser, biser, choisir, embrasser, enlacer, étreindre, serrer.

BECQUETER. Baiser, bécoter, becquetage, embrasser, mordiller, picorer.

BEDAINE. Bedon, bide, brioche, panse, ventre.

BEDONNANT. Adipeux, baquet, grassouillet, gros, obèse, pansu, ventre.

BÉDOUIN. Arabe, keffieh.

BÉER. Admirer, bayer, ébahir, rêvasser, rêver, stupéfaction, stupeur.

BEFFROI. Campanile, clocher, tour.

BÉGONIA. Bertinii, discolor, gracilis, masoniana, tubéreux.

BÈGUE. Blèse.

BEIGNET. Beigne, birk, muffin, pet-de-nonne, pet-de-sœur, pomme.

BÉLIER. Animelles, blatérer, brebis, demoiselle, mouton.

BELLADONE. Atropine, belle-dame.

BELLE-DAME. Atropine, belladone, créature.

BELLE-DE-NUIT. Mirabilis, prostituée.

BELLE-FILLE. Bru.

BELLIQUEUX. Agressif, batailleur, guerrier, martial, mordant, pacifique.

BELLUAIRE. Gladiateur.

BÉLOUGA. Dauphin, marsouin.

BELVÉDÈRE. Kiosque, mirador, pavillon, terrasse.

BELZÉBUTH. Belzébul, diable.

BÉMOL. Adoucissement, bémoliser, enharmonique, nuance.

BÉNÉFICE. Agio, amortissement, avantage, bénef, boni, casuel, commission, dividende, émolument, excédent, faveur, gain, intérêt, martingale, obédience, privilège, profit, reste, revenu, ristourne.

BÉNÉFICIAIRE. Adjudicataire, gagnant, légataire, nominataire.

BÉNÉFICIER. Avoir, fructifier, gagner, jouir, profiter, rapporter.

BENÊT. Andouille, bébête, bêta, bobet, éveillé, futé, godiche, jocrisse, malin, naïf, niais, nigaud, sot.

BÉNÉVOLAT. Bénévole, complaisant, gracieux, volontaire, volontariat.

BÉNIN. Anodin, bon, calme, doux, inoffensif, larvé, sarcoïde, stéatome.

BÉNIR. Amict, applaudir, baptiser, bénédiction, consacrer, corporal, encenser, exalter, exorciser, glorifier, louanger, louer, patafioler, sacrer.

BÉNITIER. Tridacne.

BENJAMIN. Cadet, dernier-né, petit dernier, puîné.

BENNE. Berline, caisse, chariot, hotte, mine, panier, récipient, wagonnet.

BENOÎT. Bénin, bienveillant, benoîtement, bon, doucereux, doucereux, doux, hypocrite, indulgent, mielleux, patelin.

BENZOATE. Benzonaphtol.

BÉQUILLE. Bâton, cale, canne, étai, étançon, soutien, support, tin.

BÉQUILLER. Étayer.

BERBÈRE. Arabe, kabyle, maure, targui, touareg.

BERCEAU. Ber, berce, chariot, cité, couffin, crèche, lit, moïse, nacelle, origine, panier, naissance, nef, nid, tin, tonnelle, treille, voûte.

BERCER. Agiter, balancer, branler, cadence, calmer, charmer, consoler, dodeliner, endormir, espérer, ondoyer, onduler, remuer, soulager.

BÉRET. Calot, calote, coiffure, faluche, galette, galons, toque.

BERGE. An, année, batillage, berme, bord, levée, port, rivage, rive, talus.

BERGER. Bouvier, chevrier, gardeur, houlette, lapri, malinois, marcaire, muletier, pasteur, pastoral, pastoureau, pâtre, porcher, vacher, vénus.

BERGER (n. p.). Acis, Attis, Endymion.

BERGERONNETTE. Bergerette, hochequeue, lavandière, passereau.

BERKÉLIUM. Bk.

BERLINE. Automobile, benne, chariot, decauville, hotte, récipient.

BERMUDA. Culotte, short.

BERNACHE. Oie, outarde.

BERNARD-L'HERMITE. Pagure.

BERNER. Abuser, duper, jobarder, leurrer, moquer, tricher, tromper.

BERNIQUE. Bernicle, patelle.

BÉRYLLIUM. Bé, béryl, chrysobéryl, émeraude, glucinium.

BESACE. Besacier, bissac, sac.

BESOGNE. Affaire, boulot, corvée, labeur, pensum, pièce, tâche, travail.

BESOGNER. Agir, besogner, bosser, bricoler, bûcher, chiner, cultiver, œuvrer, piocher, rendre, produire, suer, tracer, travailler, trimer.

BESOGNEUX. Dénué, exigible, idigent, miséreux, pressant, utile.

BESOIN. Appétit, désir, envie, exigence, faim, jeûne, laver, manque, misère, narcolepsie, nécessité, prier, privation, soif, sommeil, urgence.

BESSON. Double, jumeau, menechme, pareil, siamois, sosie, univitellin.

BESTIAL. Animal, âpre, barbare, bas, bourru, brusque, brute, cru, cruel, direct, dur, féroce, franc, groin, grossier, mufle, rude, sauvage, truculent, violent, vulgaire.

BÊTA. Ballot, bébête, benêt, bêtasse, bétathérapie, bête, cruche, sot.

BÊTE. Animal, attelage, bestiole, bétail, cambrai, charogne, dromadaire, fauve, horde, ignorance, monture, morné, obtus, sauvagine, sot, train.

BÊTEMENT. Absurdement, idiotement, naïvement, niaisement, sottement, stupidement.

BÊTISE. Ânerie, bourde, connerie, énormité, esprit, fadaise, finesse, ingéniosité, intelligence, niaiserie, sornette, sottise, stupidité, subtilité.

BÊTISIER. Sottisier.

BÉTON. Banchage, bétonnière, ciment, coffrage, colcrete, faïence, fluatation, gunite, mortier, pervibrage, pervibration, vibrateur.

BETTE À CARDE. Poirée.

BETTERAVE. Bette, blète, carde, cardon, cossette, saccharose, sucre.

BEUGLER. Appeler, brailler, brâmer, crier, hurler, meugler, mugir.

BEURRÉE. Tartine.

BEURRER. Baratter, enrichir, prospérer, tartiner.

BEUVERIE. Bacchanale, bombance, bringue, festin, guindaille, orgie, soûlerie.

BÉVUE. Ânerie, bourde, brioche, connerie, erreur, étourderie, gaffe.

BIAIS. Aspect, biseau, détour, escaloper, frisant, indirect, oblique.

BIAISER. Fausser, louvoyer, obliquer, ruser, tergiverser, tournoyer.

BIBELOT. Babiole, bagatelle, bricole, chinoiserie.

BIBERONNER. Boire.

BIBI. Chapeau, moi.

BIBLE. Bréviaire, exégèse, massore, phylactère, psautier, shéol, verset.

BIBLE (n. p.). Gemara, Genèse, Mishna, Moïse, Pentateuque, Talmud, Torah.

BIBLIOTHÈQUE. Bibliobus, enfer, iconothèque, musée, rayon.

BIBLIQUE. Aaron, Aba, Abel, Abner, Adam, Agag, Agar, Ammon, Asa, Aser, Booz, Cain, Cham, Dan, Éla, Élie, Éliezer, Énoch, Ésaü, Ève, Giad, Isaac, Jacob, Japhet, Job, Judas, Laban, Lia, Loth, Moïse, Noé, Onan, Ruth, Sarah, Sem, Seth, Sulamite, Tobie, Urie, Zabulon.

BICHONNER. Chouchouter, choyer, dorloter, fignoler, gâter, traiter.

BICOQUE. Baraque, cabane, cassine, chalet, maison, pavillon, taudis.

BICYCLETTE. Bécane, bi, bicycle, cadre, clou, cycle, cyclotourisme, dérailleur, fourche, tandem, triplette, triporteur, vélo.

BIDE. Bedaine, bedon, flop, gâcher, louper, omettre, patiner, rater.

BIDET. Bourrin, cob, cuvette, mule, mulet, postier, toilette.

BIDOCHE. Barbaque, cuir, semelle, viande.

BIDON. Bluff, boille, cuve, fabriqué, factice, faux, fût, gourde, insuccès, inventé, jerrycan, mensonger, moque, nourrice, réservoir, sein, simulé.

BIDONNANT. Drôle.

BIDULE. Amulette, but, chef, chose, gadget, ivoire, onde, outil, machin, maroquinerie, objet, stérilet, talisman, trésor, truc, ulve, ustensile.

BIEN. Assez, avoir, ben, bonté, bravo, désir, digne, domaine, dot, droit, héritage, légal, joli, mal, net, patrimoine, revenu, séparation, très, zest.

BIEN-AIMÉ. Amant, amoureux, chéri, chouchou, dulciné, élu, fiancé.

BIENFAISANT. Généreux, humain, maléfique, malfaisant, pernicieux.

BIENFAIT. Aide, appui, aumône, bénéfice, bien, bonté, charité, don, faveur, grâce, largesse, obole, patronnage, pitié, politesse, service.

BIENFAITEUR. Dispensateur, donateur, mécène, patron, protecteur.

BIENHEUREUX. Béat, bonheur, ciel, content, élu, heureux, paradis, saint.

BIENNAL. Bisannuel.

BIENS. Argent, avoir, fortune, fric, patrimoine, possessions, propriétés, richesses.

BIENSÉANT. Bel, beau, décent, laid, poli, propre, respectueux, séant.

BIENTÔT. Futur, incessamment, prochainement, rapidement, tantôt.

BIENVEILLANCE. Amitié, amour, bonté, cordialité, générosité, grâce.

BIENVEILLANT. Aimable, bénin, bon, clément, complaisant, compréhensif, cordial, fléchissable, généreux, indulgent, paterne.

BIENVENUE. Abord, accès, accueil, hospitalité, réception, traitement.

BIÈRE. Ale, amidon, blonde, bock, boisson, cannette, cercueil, cervoise, chope, demi, faro, feu, gueuse, houblon, lambic, malt, mort, orge, pale, pare-ale, porter, stout, zython, zythum.

BIFFER. Annuler, barrer, effacer, enlever, raturer, rayer, sabrer.

BIGARREAU. Burlat, cerise.

BIGARRER. Barioler, jasper, chamarrer, disparate, diversifier, marbrer, mélanger, mêler, rayer, tacher, taveler, tigrer, varier, veiner, zébrer.

BIGLER. Bigleux, ciller, cligner, loucher, mater, mirer, regarder, zieuter.

BIGORNEAU. Coquillage, écouteur, littorine, téléphone, vigneau, vignot.

BIGOT. Béat, cafard, cagot, calotin, croyant, dévot, mômier, tartufe, tartuffe.

BIGOUDI. Cylindre, rouleau.

BIGREMENT. Amplement, beaucoup, copieusement, fort, très.

BIJOU. Alliance, anneau, bague, barrette, boucle, breloque, broche, chaîne, colifichet, collier, diadème, épingle, jonc, médaillon, pendentif.

BIJOUTERIE. Chaînetier, chaîniste, jaspe, joaillerie, marcasite, nacre, orfèvre, parurerie, pierreries, triboulet.

BILE. Acholie, aigreur, amer, atrabile, biliaire, canalicule, chagrin, cholédoque, cholémie, cholurie, colère, fiel, foie, glaire, humeur, mécontentement, mélancolie, venin, urobiline.

BILLARD. Bande, bille, boule, coulé, massé, queue, rétro, série, truc.

BILLE. Auge, bic, boule, calot, carambole, effet, gobille, plot, queue.

BILLET. Bon, carte, coupon, devise, lettre, ordre, tessère, ticket, traite.

BILLOT. Bitte, casseau, décapité, hache, montoir, trochet, tronchet.

BIOCHIMISTE ALLEMAND (n. p.). Buchner, Domagk, Kossel.

BIOCHIMISTE AMÉRICAIN (n. p.). Asimov, Berg, Cori, Delbrück, Doisy, Holley, Kendall, Lipmann, Moore, Northrop, Stanley, Stein, Sumner, Temin.

BIOCHIMISTE ANGLAIS (n. p.). Chain.

BIOCHIMISTE BRITANNIQUE (n. p.). Chain, Haworth, Krebs, Martin, Nirenberg, Sanger.

BIOCHIMISTE DANOIS (n. p.). Dam.

BIOCHIMISTE FRANÇAIS (n. p.). Bertrand, Monod.

BIOCHIMISTE ITALIEN (n. p.). Bovet.

BIOCHIMISTE SUISSE (n. p.). Miescher, Reichstein.

BIOGRAPHIE. Biobibliographie, histoire, journal, mémoires, notice, vie.

BIOLOGISTE. Bioéthique, endocrinologue, généticien, sidologue.

BIOLOGISTE ALLEMAND (n. p.). Haeckel, Henning, Koch, Nicolaier, Spemann, Spemann, Weismann.

BIOLOGISTE AMÉRICAIN (n. p.). Calvin, Cori, Dubos, Dulbecco, Hershey, Kinsey, Morgan, Pincus, Sabin, Salk, Temin, Wald, Watson.

BIOLOGISTE BELGE (n. p.). Bordet.

BIOLOGISTE BRITANNIQUE (n. p.). Chain, Crick, Fleming, Huxley, Klug, Medawar, Wilkins.

BIOLOGISTE FRANÇAIS (n. p.). Carrel, Cuénot, Dausset, Dutrochet, Ephrussi, Jacob, Giard, Laborit, Lwoff, Monod, Montagnier, Pasteur, Ramon, Rostand, Ruffié, Wolff, Yersin.

BIOLOGISTE NÉERLANDAIS (n. p.). Eijkman.

BIOLOGISTE RUSSE (n. p.). Bogomolets, Bogomoletz.

BIOME. Océan.

BIOXYDE. Étain, dioxyde, oxyde, oxygène, oxylithe, pyrolusite.

BIS. Acclamation, beige, bravo, deux, encore, gris, hourra.

BISANNUEL. Biennal, carvi, colza.

BISCUIT. Biscotin, boudoir, craquelin, croquet, galette, gâteau, gaufrette, macaron, massepain, porcelaine, sablé, soda, spéculos, toast.

BISE. Baiser, bec, bécot, bisette, bisou, blizzard, poutou, retient, vent.

BISEAU. Burin, écoté, entaillé, hoyau, oblique, pied-de-biche, sifflet.

BISEXUÉ. Ambisexué.

BISMUTH. Bi, bismuthine, germanium.

BISON. Bœuf, ure, urus.

BISOU. Baiser, bec, bécot, bise, bisette, retient.

BISQUE. Potage, bouillie, bouillon, cille, consommé, crème, coulis, julienne, lavasse, lavure, louche, minestrone, oille, philtre, soupe.

BISQUER. Asticoter, ennuyer, enrager, rager, râler, taquiner, vexer.

BISSEL. Balai, essieu, vadrouille.

BISSER. Acclamer, applaudir, ovation, rappeler, réclamer, répéter.

BISTOURI. Couteau, lame, scalpel.

BISTROT. Brasserie, cabaret, café, taverne.

BISULFURE. Marcasite, marcassite.

BIT. Multiplet.

BITUME. Asphalte, élatérite, enrobé, goudron, lave, macadam.

BITUMER. Asphalter, enrober, goudronner, macadamiser, revêtir.

BIVOUAC. Abrivent, bivouaquer, camp, campement, halte, tente.

BIVOUAQUER. Camper, halte.

BIZARRE. Anormal, baroque, bigarré, cocasse, comique, curieux, drôle, étrange, farfelu, hétéroclite, inouï, insolite, lunatique, saugrenu, spécial.

BIZARRERIE. Anomalie, curiosité, dada, étrangeté, excentricité, fantaisie, folie, lubie, manie, originalité, paradoxe, rêve, singularité.

BIZUT. Apprenti, bizuth, bleu, néophyte, nouveau, novice.

BIZUTAGE. Brimade.

BLABLA. Boniment, délayage, verbiage.

BLACKBOULER. Battre, coller, contester, décliner, dénier, dominer, éconduire, étendre, évincer, nier, priver, rebeller, rebiffer, recaler, récuser, refuser, régimber, renier, résister, retaper, vaincre, virer.

BLAFARD. Blanc, blême, élavé, hâve, livide, pâle, terne, terreux.

BLAGUE. Attrape, bêtise, bobard, canular, craque, erreur, exagération, farce, gag, galéjade, hâblerie, mensonge, plaisanterie, sornette, tabac.

BLAGUEUR. Bouffon, farceur, joueur, mystificateur, plaisantin, rieur.

BLAIREAU. Brosse, carcajou, pinceau, rate, vermillonner.

BLAIRER. Éprouver, piffer, ressentir, sentir, souffrir, supporter, voir.

BLÂMABLE. Condamnable, coupable, critiquable, damnable, errements, incriminable, répréhensible, réprouvable.

BLÂME. Critique, désaveu, huée, satire, savon, sermon, tirade, tollé.

BLÂMER. Abîmer, dauber, désapprouver, honnir, huer, incriminer, flétrir, larder, nuire, reprendre, saler, salir, stigmatiser, vitupérer.

BLANC. Albâtre, albumen, api, aube, blême, candidat, candide, canitie, céruse, chenu, clair, craie, cygne, écru, glaire, innocent, laiteux, mégi, neige, net, opium, pâle, pavot, pie, spermacéti, zinc.

BLANC-BEC. Arrogant, béjaune, insolent, niais, morveux, prétentieux.

BLANCHE. Armeline, immaculée, innocente, laiteuse, vierge.

BLANCHEUR. Albâtre, canitie, ivoire, leucome, lymphatisme, pâleur.

BLANCHI. Chénu, lavé, recyclé.

BLANCHIR. Défendre, disculper, excuser, innocenter, justifier, résigner.

BLANCHISSERIE. Buanderie, laverie, pressing, teinturerie.

BLANCHISSEUR. Buandier, lavendier, laveur, nettoyeur, teinturier.

BLANC-SEING. Approbation, autorisation, aval.

BLASÉ. Brisé, claqué, crevé, dégoûté, désabusé, ennuyé, épuisé, excédé, fatigué, fourbu, indifférent, las, lassé, repu.

BLASER. Dégoûter, désabuser, émousser, fatiguer, lasser, rassasier, soûler.

BLASON. Abîme, armes, azur, écu, épi, orle, parti, sinople, tau, timbre.

BLASPHÈME. Grossièreté, impiété, imprécation, injure, insulte, juron.

BLASPHÉMER. Jurer, malédiction, maudire, outrager, sacrer.

BLATTE. Cafard, cancrelat.

BLÉ. Amidonnier, céréale, froment, gerbe, grain, gruau, foin, ivraie, maïs, minot, moucheté, orge, pain, sarrasin, son, touselle, triticum.

BLED. Affût, arrêt, asile, cédraie, cinéma, clairière, creuset, emplacement, endroit, entrée, envers, flottaison, germoir, glaisière, gué, héronnière, ici, là, légumier, lieu, mangeure, melonnière, noiseraie, parage, patelin, paysage, place, pondoir, précipice, recto, resserre, rouissoir, rûcher, séjour, silo, site, soudure, source, tabagie, tir, vasière.

BLÊME. Blafard, décoloré, exsangue, faible, hâve, livide, pâle, terne.

BLÈSEMENT. Zézaiement, zozotement.

BLESSANT. Âcre, agressif, amer, aigre, âpre, bière, choquant, cruel, cuisant, déplaisant, dur, douleur, fiel, offensant, onde, pénible.

BLESSÉ. Amputé, atteint, éclopé, invalide, mutilé, sauf, ulcéré, vexé.

BLESSER. Abîmer, amocher, contusionner, écharper, écorcher, égratigner, encorner, entaille, esquinter, estropier, étriper, froisser, geler, léser, luxer, mordre, mutiler, navrer, offenser, ulcérer, vexer.

BLESSURE. Bleu, bosse, boutonnière, chagrin, coup, coupure, décousure, douleur, écorchure, égratignure, enclouure, entaille, fêlure, lésion, meurtrissure, morsure, piqûre, plaie, trauma, traumatisme.

BLET. Avancé, mûr, passé.

BLEU. Azur, béryl, bleuet, bolet, cobée, conservateur, cyan, iode, induline, iris, lapis, lilas, marine, pâle, pers, safre, sauge, vert, zinc.

BLEU COUPIER. Induline.

BLEU-MAUVE. Pervenche.

BLEUET. Bleueterie, bleuetière, bluet, barbeau, centaurée, myrtille.

BLEUSAILLE. Conscrits.

BLINDAGE. Automouvant, bouclier, cuirasse, écran, protection.

BLINDÉ. Abri, char, chenillette, cuirassé, diascope, tank.

BLINDER. Amer, ardu, brutal, calleux, coriace, dur, épais, impitoyable, implacable, inexorable, métallique, rassis, roc, rude, sec, sévère.

BLIZZARD. Neige, nord, vent.

BLOC. Amas, bille, cube, culasse, délit, enclume, ensemble, iceberg, igloo, masse, monolithe, ouvrage, pavé, roche, sérac, tablette, tout.

BLOC-NOTES. Agenda, cahier, calepin, carnet, livret, mémorandum.

BLOCAGE. Arrêt, barrage, bloc, frein, gel, remplage, stabilisation.

BLOND. Blondasse, blondinet, doré, galant, jaune, lin, platine.

BLONDASSE. Filasse, jaunâtre, platiné.

BLONDE. Amie, bière, dentelle, fille, parque, platine.

BLONDIR. Jaunir.

BLOQUER. Amasser, caler, cerner, coincer, condamner, entasser, fermer, geler, grouper, investir, masser, obstruer, réunir, serrer, suspendre.

BLOUSE. Camisole, chemisier, corsage, jabot, marinière, sarrau, vareuse.

BLOUSER. Abuser, avoir, baiser, berner, bluffer, bouffer, circonvenir, couillonner, duper, embobiner, empaumer, flouer, gonfler, leurrer, mener, mystifier, pigeonner, posséder, refaire, repasser, rouler, tromper.

BLUES. Bourbon, cafard, mélancolie, rhythm, speen.

BLUFF. Appât, char, charre, frime, imposteur, leurre, tromperie.

BLUTOIR. Crible, filtre, passoire, sas, sasser, tamis, vanne.

BOBARD. Attrape, bêtise, bobard, canular, craque, erreur, exagération, farce, gag, galéjade, hâblerie, mensonge, plaisanterie, sornette, tabac.

BOBINAGE. Boboner, cryoalternateur, dévidoir, enroulement.

**BOBINE.** Broche, diabolo, espolin, fusée, fuseau, marionnette, moue, moulinet, navette, nille, noyau, rochet, roquetin, rouleau.

**BOBO.** Blessure, mal, plaie.

**BOËT.** Appât, boëtte, boitte.

**BŒUF.** Api, aurochs, bison, bourguignon, bouvier, bouvillon, bovin, bovril, buffle, butor, gaur, génisse, goulasch, ladre, mufle, ovibos, ovin, rosbif, sacrifice, taureau, ure, urus, vache, veau, yack, yak, zébu.

**BOHÈME.** Artiste, fantaisiste, gitan, insouciant, original, romani.

**BOHÉMIEN.** Gipsy, gitan, rom, romanichel, tsigane, tzigane, vagabond.

**BOIRE.** Absorber, avaler, buvoter, déguster, gobelotter, goûter, humer, ingurgiter, lamper, laper, licher, lipper, picoler, pinter, prendre, régalade, sabler, savourer, siroter, toast, trait, trinquer, vider.

**BOIS.** Acajou, arsin, balsa, bocage, boqueteau, bosquet, bourdillon, braise, brasil, calambac, campêche, chablis, châlit, châtaigneraie, chêne, cœur, cor, dague, douvain, ébène, forêt, gibet, noyer, palissandre, perchis, pernambouc, pin, pinède, pinière, pineraie, ramure, ronceux, rondin, sappan, sarment, sidéroxylon, sipo, taillis, teck, tin, vermoulu.

**BOISSON.** Alcool, alcoolisme, ale, apéro, ay, bichof, bière, bischof, breuvage, café, cerisette, cidre, citronnade, coco, consommation, eau, genévrette, gin, grog, halbi, hydromel, hypocras, kava, kawa, kéfir, kvas, kwas, lait, limonade, liqueur, nectar, orangeade, piquette, poiré, poison, porto, pulque, remontant, rhum, rafraîchissement, râpé, rye, saké, saki, sangria, scotch, sirop, soda, sorbet, thé, tisane, vin, vodka.

**BOÎTE.** Bonbonnière, boîtier, cagnotte, caisse, caque, carton, case, casier, cassette, coffre, crâne, custode, écrin, emballage, étui, justice, lanterne, pandore, pochette, poubelle, serinette, tiroir, tronc, urne, voûte.

**BOITER.** Boitiller, claudiquer, clocher, cloper, clopiner, feindre, marcher.

**BOITEUX.** Bancal, bancroche, claudicant, éclopé, instable, précaire.

**BOÎTIER.** Boîte, écrin, étui, palâtre.

**BOITILLANT.** Irrégulier, saccadé, sautillant, syncopé.

**BOITILLER.** Clopiner.

**BOL.** Bolée, chance, coupe, jatte, pot, récipient, rince-doigts, tasse, vase, veine.

**BOLCHEVISME.** Bolchevisation, bolcheviser, bolcheviste, collectiviste.

**BOLCHEVIK.** Léniniste.

**BOLÉRO.** Blouson, cardigan, coiffure, danse, dolman, hoqueton, veste.

**BOLÉRO** (n. p.). Ravel.

**BOLET.** Blafard, bronzé, cèpe, champignon, fiel, nonette, satan.

**BOMBANCE.** Bombe, boustifaille, bringue, festin, nocer, ribote, ripaille.

**BOMBARDE.** Canon, flageolet, hautbois, mortier, musique, turlurette.

**BOMBARDER.** Accabler, assaillir, assiéger, attaquer, canonner, écraser, harceler, lancer, marmiter, matraquer, mitrailler, pilonner, tirer.

**BOMBAX.** Fromager, kapokier.

**BOMBE.** Aérosol, atomiseur, bahut, bamboula, bombardement, bringue, creux, culot, fête, grenade, noce, nouba, obus, œil, spray, torpille.

BOMBÉ. Arqué, arrondi, busqué, cintré, convexe, courbe, curviligne, godé, gondolé, gonflé, renflé, voûte, ventru.

BOMBEMENT. Arrondi, bosse, convexité, courbure, enflure, gonflement, renflement, rift.

BOMBER. Arquer, arrondir, bourrer, cambrer, cintrer, courber, enfler, foncer, goder, gondoler, gonfler, redresser, renfler, taguer.

BÔME. Aurique, gui, triangulaire.

BON. Correct, exquis, juste, parfait, propre, rigoureux, soigneux, talent.

BON À RIEN. Gougnafier, incapable, incompétent, médiocre, nul, nullité, zéro.

BON VIVANT. Joyeux, luron.

BONACE. Calme, plat, tranquille.

BONASSE. Bénin, bon, faible, modeste, mou, niais, simple, timoré.

BONBON. Berlingot, bouchée, caramel, crotte, douceur, fondant, pastille, nanan, papillotte, pastille, praline, sucette, suçon, sucrerie, tamar.

BOND. Assaut, boom, furet, gambade, rebond, ricochet, saltation, saut.

BONDÉ. Archiplein, bondon, bourré, comble, débondé, plein.

BONDIEUSERIE. Amulette, bigoterie, fétiche, grigri, piété, talisman.

BONDIR. Bondissement, cabrioler, cahoter, cascader, courir, élancer, gambader, jaillir, marcher, précipiter, sauter, sursauter.

BONHEUR. Adversité, aise, amulette, aubaine, calamité, chance, confort, contentement, délice, désastre, douceur, douleur, échec, extase, félicité, heur, infortune, joie, jouissance, malchance, misère, peine, plaisir, prospérité, rayonner, revers, satisfaction, souffrance, succès, veine.

BONHOMIE. Affabilité, amabilité, bienveillance, familiarité, gentillesse, simplicité.

BONHOMME. Affable, aimable, bienveillant, bon, brave, carnaval, débonnaire, gentil, homme, mec, modeste, papa, simple, type.

BONI. Bénéfice, bonifier, excédent, gain.

BONIFICATION. Commission, guelte, primage, remise, ristourne, salaire.

BONIFIER. Améliorer, avantager, fertiliser, gratifier, primer, valoriser.

BONIMENT. Baratin, blague, bruit, blablabla, parde, publicité, réclame.

BONITE. Pectoral, pélamide, pélamyde, thon.

BONJOUR. Bonsoir, ciao, courbette, hommage, révérence, salamec, salut.

BONNE. Affable, aide, bonniche, douce, gouvernante, infirmière, nurse.

BONNE ACTION. B.A.

BONNET. Attifet, béret, calot, calotte, capuchon, chrémeau, éteignoir, hennin, képi, pisse-droit, pisse-vinaigre, tarbouch, toque, tuque.

BONSOIR. Adieu, bonjour, ciao, courbette, hommage, révérence, salamec, salut.

BONTÉ. Altruisme, bienfaisance, bienfait, charité, douceur, estime, générosité, humanité, philanthropie, pitié, qualité, valeur, vertu.

BONUS. Gratification, prime, récompense.

BONZERIE. Bonze, bonzesse, monastère.

BOOM. Accroissement, augmentation, croissance, expansion, explosion, flambée, hausse.

BOQUETEAU. Bois, bosquet.

BORASSUS. Borasse, lontar, palmier, palmyre, rondier, ronier.

BORATE. Borax, borosilicate, tincal.

BORAX. Borate, borosilicate, tincal.

BORBORYGME. Gargouillement, gargouillis.

BORD. Alèse, amure, arête, bande, berge, biseau, bordure, cercle, cordon, côte, extrémité, flanc, grève, haie, lèvre, limbe, limite, lisière, marge, marli, orée, ourlet, paroi, plage, rebord, rive, virer, zone.

BORDAGE. Congère, dame, fargues, portemanteau, vaigre, virure.

BORDEL. Boucan, claque, désordre, fouillis, foutoir, lupanar, pagaille, raffut, ramdam, tapage.

BORDER. Encadrer, entourer, limiter, longer, marger, ourler, rogner.

BORDURE. Berme, berge, bord, borne, cadre, contour, encadrement, hiloire, lé, lice, limite, lisière, marge, orée, orle, quai, rain, rive, trottoir.

BORDURER. Cadrer, crépiner, enrubanner, galonner, garnir, mouler.

BORE. B.

BORÉAL. Aurore, austral, ÉLAN, magnétique, nordique, polaire, pôle.

BORGNE. Éborgner, interlope, lope, louche, malfamé.

BORNE. Barrière, bordure, court, douane, étroit, excès, fin, frein, frontière, limite, lisière, mesuré, obtus, orée, pôle, rétréci, terme.

BORNÉ. Barrière, bouché, con, court, étroit, excès, fini, finitude, intolérant, limité, mesquin, mesuré, obtus, orée, pôle, rétréci, sot.

BORNER. Cadastrer, cantonner, délimiter, limiter, localiser, restreindre, terminer.

BOSQUET. Bois, boqueteau, bouquet, massif, tonnelle.

BOSS. Chef, patron.

BOSSE. Apostume, beigne, bigne, cabosse, don, enflure, tumeur, zébu.

BOSSELÉ. Accidenté, bossé, bossué, cabossé, irrégulier, montueux.

BOSSER. Boulonner, bûcher, travailler, trimer, turbiner.

BOTANISER. Cultiver, herboriser.

BOTANISTE. Arboculteur, horticulteur, mycologue, naturaliste.

BOTANISTE ANGLAIS (n. p.). Ray, Wray.

BOTANISTE CANADIEN (n. p.). Marie-Victorin.

BOTANISTE DANOIS (n. p.). Lundegardh.

BOTANISTE ÉCOSSAIS (n. p.). Brown.

BOTANISTE FRANÇAIS (n. p.). Brogniart, Dutrochet, Guignard, Jacquemont, Jussieu, La Brosse, Lécluse, Lescluse, Millardet, Naudin, Thuret, Tournefort.

BOTANISTE HOLLANDAIS (n. p.). De Vries.

BOTANISTE SUÉDOIS (n. p.). Linné.

BOTANISTE SUISSE (n. p.). Candolle.

BOTTE. Bottillon, bottine, bouquet, carotte, chaussure, claque, escrime, gerbe, heuse, italie, lieur, ligot, meule, soulier, tabac, talon, tas, tige.

BOTTER. Aller, convenir, frapper, lancer, plaire, shooter, tirer.

BOTTIN. Annuaire.

BOUC. Barbe, barbiche, barbichette, bélier, bouquin, chèvre, émissaire, hircin, menon, musc, outre, ovin, peau.

BOUCAN. Bruit, chahut, chambard, charivari, fracas, pétard, raffut, ramdam, tapage, tintamarre, tumulte, vacarme.

BOUCANÉ. Conservé, desséché, fumé, fumée, saur, sauré, séché.

BOUCANIER. Aventurier, bandit, brigand, contrebandier, corsaire, écumeur, escroc, filou, flibustier, forban, requin, voleur.

BOUCHAGE. Colmatage, fermeture, obturation.

BOUCHE. Âme, aphte, bave, bec, canon, gueule, margoulette, mors, muguet, obusier, oral, ouverture, palais, reverche, rot, ulite, voix.

BOUCHE À FEU. Bombarde, couleuvrine, épaulement, pierrier.

BOUCHÉE. Béatilles, entrée, goulée, lippée, petit-four, salpicon.

BOUCHER. Aveugler, caboche, calfeutrer, clore, colmater, étouper, fermer, luter, mastiquer, murer, obstruer, obturer, occulter, sceller.

BOUCHERIE. Abattoir, échaudoir, étal, fusil, hansart, toilette, tuerie.

BOUCHE-TROU. Figurant, utilité.

BOUCHON. Bonde, bondon, capsule, capuchon, muselet, tampon, tape.

BOUCHONNER. Chiffonner, frictionner, froisser, frotter, panser, tordre.

BOUCLAGE. Encerclement, fermeture, investissement, verrouillage.

BOUCLE. Agrafe, anneau, ardillon, chape, crolle, éfrison, erse, fermoir, fibule, frison, girandole, glène, lobe, maille, nœud, œil, spirale.

BOUCLER. Accomplir, achever, attacher, cerner, clore, coffrer, écrouer, embastiller, encercler, fermer, friser, investir, terminer, verrouiller.

BOUCLETTE. Accroche-cœur, éfrison, frisette, frisottis.

BOUCLIER. Ancile, arme, boucle, broquel, carapace, champ, cuirasse, défense, écu, égide, guige, ombon, orle, parme, pavois, pelte, protection, rempart, rondache, rondelle, sauvegarde, scutum, targe, tortue.

BOUDDHA (n. p.). Fô, Jataka, Zen.

BOUDDHISME. Bonze, charma, lama, mantra, satori, stoupa, stupa.

BOUDER. Grogner, ignorer, maussade, moue, rechigner, refuser.

BOUDERIE. Brouille, fâcherie, humeur, tracassin.

BOUDEUR. Grognon, maussade, morose, renfrogné.

BOUDIN. Cageot, laideron, mocheté, tore.

BOUDINÉ. Bridé, comprimé, dodu, saucissonné, serré.

BOUDINER. Comprimer, entortiller, étouffer, étriquer, serrer, tordre.

BOUDOIR. Bureau, cabinet, salon, vivoir.

BOUE. Argile, bourbe, crotte, currure, dépôt, fange, frange, gadoue, illuter, immondice, lie, limon, lut, merde, rebut, tourbe, salse, vase.

BOUÉE. Balise, clignotant, délinéateur, émetteur, feu, flotte, orin, vigie.

BOUFFANT. Ample, ballonnant, blousant, bouillon, crinoline, gonflant, gonflé, tournure, vertugadin, tutu.

BOUFFÉE. Crise, émanation, exhalaison, haleine, pouf, respiration, taffe.

BOUFFER. Absorber, avaler, becter, brouter, consommer, croquer, déguster, dévorer, dîner, gaver, goûter, grignoter, happer, ingérer, mâcher, manger, paître, pignocher, ronger, sustenter, vider.

BOUFFEUR. Avaleur, dévoreur, mangeur, rongeur.

**BOUFFI.** Adipeux, boursouflé, enflé, gonflé, gros, joufflu, mafflé, mafflu.

**BOUFFISSURE.** Boursouflure, empâtement, emphase, enflure, gonflement, grandiloquence, pompe.

**BOUFFON.** Amuseur, arlequin, baladin, bas, bête, bizarre, bouffe, clown, comédie, comique, drôle, farceur, fol, fou, gai, gracioso, joyeux, loustic, opérette, paillasse, pantin, pitre, ridicule, triboulet, vil, zani, zanni.

**BOUFFONNERIE.** Arlequinade, drôlerie, facétie, farce, parodie, sottise.

**BOUGER.** Agir, agiter, aller, avancer, broncher, changer, ciller, déplacer, déranger, gesticuler, mouvoir, partir, réagir, remuer, venir, voyager.

**BOUGON.** Acariâtre, boudeur, bourru, grincheux, grognard, grogneur, grognon, maussade, mécontent, morose, râleur, renfrogné, ronchon.

**BOUGONNER.** Geindre, grogner, grommeler, gronder, marmonner, maronner, maugréer, murmurer, râler, rognonner, ronchonner.

**BOUGREMENT.** Drôlement, fichtrement, rudement, très, vachement.

**BOUILLE.** Berthe, bille, binette, figure, hotte, récipient, pot, tête, vase.

**BOUILLIE.** Cataplasme, chyme, compote, consommé, coulis, couscous, crème, emplâtre, gadou, magma, millas, polenta, porridge, purée.

**BOUILLOIRE.** Bouillotte, canard, coquemar, marabout, samovar.

**BOUILLON.** Aisy, brouet, chabrol, chabrot, chaudeau, chaudrée, concentré, consommé, court-bouillon, décoction, échouer, fond, gargotte, godiveau, lavure, molène, potage, ramrequin, soupe.

**BOULE.** Balle, bille, boulet, boulette, bulle, croquette, globe, godiveau, hâtereau, mail, mie, obier, pelote, perle, pois, quenelle, sphère, tête.

**BOULEAU.** Betula, blanc, bleu, jaune, fontimal, gris, noir, papier, yukon.

**BOULEDOGUE.** Bulldog, dogue.

**BOULETTE.** Acra, bévue, croquette, erreur, faute, fricadelle, gobe, godiveau, hâtereau, pellet, quenelle, sushi, vitoulet.

**BOULEVERSÉ.** Abattu, confondu, ému, touché, tourneboulé, troublé.

**BOULEVERSEMENT.** Cataclysme, chambardement, émotion, séisme.

**BOULEVERSER.** Abattre, agiter, affoler, brouiller, casser, chambarder, chambouler, changer, chavirer, contester, dérégler, émouvoir, ravager, renverser, révolutionner, saccager, toucher, troubler.

**BOULE-DE-NEIGE.** Obier, viorne.

**BOULON.** Attache, écrou, lien, moise, pas, rivet, tareau, vis, visse.

**BOULOT.** Court, gros, emploi, fonction, job, métier, poste, travail.

**BOULOTTE.** Gras, grassouillet, rond, rondelet, rondouillard.

**BOUQUET.** Aigrette, apogée, apothéose, arôme, bois, botte, bouquin, brassée, clou, comble, couronnement, écrevisse, crevette, faisceau, fleur, fumet, gale, gerbe, groupe, lapin, lièvre, mèche, palémom, parfum, queue, réunion, rose, senteur, touffe, trochet.

**BOUQUETIN.** Chèvre, ovine.

**BOUQUIN.** Bouc, bouquet, grimoire, lapin, lièvre, livre, ouvrage.

**BOUQUINER.** Accoupler, bouquineur, lire, magasiner.

**BOUQUINISTE.** Libraire, soldeur.

BOURDE. Ânerie, bêtise, bévue, connerie, erreur, faribole, mensonge.

BOURDONNEMENT. Bruissement, cornement, murmure, ronflement.

BOURDONNER. Corner, fredonner, murmurer, résonner, retentir, ronfler, ronronner, sonner, susurrer, tinter, travailler, vrombir.

BOURG. Bourgade, dème, écart, hameau, localité, trou, village, ville.

BOURGEOIS. Cadre, monsieur, nanti, pékin, philistin, rentier, supérieur.

BOURGEON. Acné, agassin, axillaire, bouton, bulbille, caïeu, cayeu, chaton, choupalmiste, drageon, embryon, gemme, gemmule, greffe, greffon, maille, œil, pousse, rejeton, scion, stolon, tendron, turion.

BOURGEONNER. Croître, épanouir, fleurir, grandir, prospérer, réussir.

BOURLINGUER. Circuler, naviguer, rouler, tanguer, voyager.

BOURRAGE. Bourre, embourrure, garnissage, garniture, intoxication, matraquage, ouatage, propagande, rembourrage, remplissage.

BOURRASQUE. Cyclone, orage, ouragan, rafale, trombe, typhon, vent.

BOURRE. Capiton, coco, balle, étoupe, fagot, feutre, fibre, laine, lassis, maton, ouate, paille, plein, ploc, soie, strasse.

BOURREAU. Assassin, capeluche, cruel, exécuteur, guillotine, meurtrier, sadique, sanguinaire, supplice, tortionnaire, tourmenteur, tueur, valet.

BOURRELET. Circonvolution, graisse, pli, tortil, tortillon, vertugadin.

BOURRELIER. Carrelet, manicle, manique, sellier, tire-pied, trépointe.

BOURRER. Emplir, farcir, garnir, gaver, rembourrer, remplir, truffer.

BOURRIQUE. Âne, ânesse, bête, butor, cruche, idiot, policier, sot.

BOURRIQUET. Ânon, bourricot.

BOURRU. Abrupt, acariâtre, bougon, brusque, brut, cru, dégrossi, grossier, hargneux, hirsute, lait, mal, maussade, renfrogné, rude.

BOURSE. Agiot, aide, argent, aumônière, avance, don, escarcelle, eunuque, parquet, poche, prêt, prime, réticule, sac, secours, subside.

BOURSOUFLER. Ballonner, bouffir, dilater, enfler, gonfler, grossir, ru.

BOURSOUFLURE. Ampoule, apostème, ballonner, cloche, cloque, enflure, gonflement, œdème, phlyctène, tension, tumeur, vésicule.

BOUSCULADE. Accrochage, agitation, bagarre, corrida, désordre, échauffourrée, heurt, mêlée, ruée, tourbillon.

BOUSCULER. Battre, brutaliser, lapider, malmener, molester, sabouler.

BOUSE. Excrément, fiente, ruminant.

BOUSILLER. Abîmer, amocher, bâcler, bâtir, blesser, carier, casser, cochonner, dégrader, démolir, détériorer, ébrécher, endommager, gâcher, gâter, massacrer, pourrir, saboter, saloper, tuer, user.

BOUSSOLE. Aimant, azimut, compas, déclinatoire, lest, pivot, pôle, rose.

BOUT. Auricule, bord, borne, cordon, extrémité, fin, lobe, mèche, mégot, moucheron, naine, ongle, pointe, raban, tenon, terme, tétine, tette.

BOUTEILLE. Balthazar, bidon, bocal, bordelaise, cannette, carafe, col, cul, demie, dive, fiole, flacon, fond, gourde, if, jéroboam, litre, magnum, mathusalem, nabuchodonosor, panse, pichet, quart, thermos, verre.

BOUTIQUE. Agence, animalerie, bazar, commerce, débit, épicerie, essencerie, étal, galerie, herboristerie, librairie, magasin, papeterie.

BOUTON. Acné, agrafe, boucle, bourgeon, bulbe, câpre, déboutonner, fermail, fermoir, galon, girofle, mouche, œil, œillet, populage, rivet.

BOUTURE. Greffe, greffon, mailleton, marcotte, oïdie, plantard, rejeton.

BOUVERIE. Abri, bercail, bergerie, écurie, étable, porcherie, soue, tect.

BOVIDÉ. Bison, bœuf, bovin, brucellose, buffle, caprin, cavicorne, élan, ovin, taureau, vache, veau.

BOX. Calf, compartiment, loge, stalle.

BOXE. Coq, crochet, direct, jab, léger, lourd, mouche, moyen, plume.

BOXER. Battre, cogner, frapper, puncher, taper.

BOXEUR. Pugiliste.

BOXEUR POIDS LOURD (n. p.). Ali, Baer, Braddock, Burns, Carnera, Clay, Corbett, Dempsey, Ezzard, Fitzsimmons, Foreman, Frasier, Holmes, Jeffries, Johansson, Johnson, Hart, Liston, Louis, Marciano, Patterson, Schmeling, Sharkey, Sullivan, Tunney, Tyson, Walcott, Willard.

BOXEUR POIDS MOYEN (n. p.). Antuofermo, Apostoli, Basilio, Benvenuti, Brouillard, Cerdan, Chip, Corro, Dempsey, Downes, Dundee, Fitzsimmons, Flowers, Fullmer, Garcia, Giardello, Graziano, Greb, Griffith, Hagler, Hostak, Jeby, Jones, Ketchell, Klaus, Krieger, La Motta, Leonard, McCoy, Minter, Monzon, O'Dowd, Olson, Overlin, Papke, Pender, Risco, Robinson, Ryan, Soose, Steele, Thil, Thompson, Tiger, Turpin, Valdès, Walker, Wilson, Yarosz, Zale.

BOYAU. Andouille, baudruche, boudin, canal, catgut, conduit, entrailles, fraise, intestin, noué, rognon, saucisse, trac, tripe, tuyau, viscères.

BRACELET. Armille, breloque, chaîne, gourmette, psellion, puntarelle.

BRACHIOPODE. Rhynchonelle, spirifer, térébratule.

BRACONNAGE. Absidiole, affût, bannir, battue, chasse, cimicaire, cor, chien, drag, épervier, fouée, gibier, louveterie, muette, panneautage, piégeage, piper, poursuite, safari, to, traque, vénerie, volerie.

BRACTÉE. Bractéole, calicule, glume, glumelle, involucre, spathe.

BRADYPE. Ai, singe.

BRAILLER. Braire, chialer, chigner, crier, gémir, lamenter, larmoyer, miauler, plaindre, pleurnicher, pleurer, sangloter, vagir, zerver.

BRAISE. Argent, brandon, charbon, chaufferette, rouable, tison.

BRAISIÈRE. Cocotte, daube, daubière, faitout, huguenote, marmite.

BRAME. Rée.

BRAMER. Appeler, chanter, crier, dorat, plaindre, raire, raller, réer.

BRAN. Excrément, sciure, son.

BRANCARD. Civière, dossière, limon, limonière, longeron, palanquin.

BRANCHAGE. Branche, broutille, fagot, haie, houssoir, ramée, ramure.

BRANCHE. Bois, brindille, chiffonne, corne, courson, crossette, écotée, ergot, éperon, ès, feuillage, feuillard, gluau, greffe, marcotte, plançon, plantard, rameau, ramée, rejeton, rotin, scion, tronc, uélé, vinée.

BRANCHÉ. Câblé, connecté, couplé, cri, in, mode, vinée, vogue.

BRANLER. Battre, bercer, berner, compenser, dandiner, dodeliner, frémir, glander, hésiter, jeter, osciller, peser, rouler, sauter, vaciller.

BRAQUE. Bizarre, brindezingue, chien, écervelé, étourdi, lunatique.

BRAQUEMART. Épée.

BRAS. Affluent, aiselle, bayou, biceps, brassée, coude, crawl, crête, cubitus, détroit, fanon, humérus, jelinde, membre, patte, pompe.

BRAS DE MER. Canal, détroit, fleuve, manche, mer.

BRAS DE MER (n. p.). Bristol, Cattegat, Déroute, East-River, Irlande, Lombok, Magellan, Manche, Palk, Yssel, Waal.

BRASIER. Ardeur, âtre, brûler, bûcher, cendres, chaleur, feu, flamme, fournaise, foyer, funéraire, fuser, igné, incendie, passion, poêle.

BRASSE. Arondelle, encâblure, nage, toué.

BRASSER. Agiter, amalgamer, baratter, battre, manier, mélanger, mêler, orienter, ourdir, pétrir, remuer, secouer, touiller, tourner.

BRASURE. Soudure.

BRAVACHE. Bravade, brave, bravo, capitan, défi, fanfaron, fendant, hâbleur, olibrius, mâchefer, matamore, olibrius, sabre, vantard.

BRAVADE. Défi, éclat, fanfaronnade, mépris, provocation, rodomontade.

BRAVE. Couard, courageux, fanfaron, hardi, héros, lâche, malhonnête, mauvais, poltron, preux, pusillanime, rodomont, tartarin, vaillant.

BRAVER. Affronter, attaquer, crâner, menacer, moquer, narguer, oser.

BRAVO. Bis, bravissimo, cri, encore, félicitations, hourra, vivat.

BRAVOURE. Ardeur, audace, chaleur, cœur, courage, cran, crânerie, exploit, fougue, front, furie, intrépidité, nerf, vaillance, valeur.

BREBIS. Agneau, chrétiens, feta, mouton, niolo, ouailles, ovin, vacive.

BRÈCHE. Col, entaille, ouverture, passage, percée, trou, trouée.

BREDOUILLER. Ânonner, balbutier, bégayer, cafouiller, déconner.

BREF. Abrégé, brutal, concis, court, enfin, résumé, sommaire, succinct.

BRETELLE. Balancines, bandoulière, bifurcation, brassière, bricole, courroie, échangeur, embranchement, lanière, raccord, trèfle.

BRETTE. Bretteler, duel, épée, estafe.

BRETTEUR. Duelliste, estafier, ferrailleur, spadassin.

BREUVAGE. Bichof, bière, bischof, boisson, buvée, café, cerisette, cidre, citronnade, coco, eau, genévrette, gin, grog, halbi, hydromel, hypocras, kava, kawa, kéfir, kvas, kwas, lait, limonade, liqueur, médicament, nectar, orangeade, oxymel, philtre, piquette, poiré, poison, pulque, râpé, rye, saké, saki, scotch, sorbet, thé, tisane, vin, vodka.

BRIBE. Citation, extrait, fragment, miette, morceau, partie, zéro.

BRIC-À-BRAC. Bazar, capharnaüm, désordre, hétéroclite, méli-mélo.

BRIDER. Attacher, atteler, ficeler, hybrider, nettoyer, seller, serrer.

BRIGADE. Équipe, escouade, formation, groupe, peloton, quart, troupe.

BRIGADIER. Aide, caporal, chef, général, surveillant, théâtre.

BRIGAND. Bandit, coquin, kleptomane, maraudeur, pilleur, voleur.

BRIGAND (n. p.). Cacus.

BRIGUER. Ambitionner, aspirer, convoiter, prétendre, rechercher, viser.

BRILLANT. Ara, brio, ciré, éclatant, étoile, fard, faste, gloire, luisant, lustre, or, radieux, relief, rutilant, splendeur, toc, ver, vermeil, vif.

BRILLE. Coruscant, éclat, luit, lumineux, phosphorescent, rutile.

BRILLER. Chatoyer, cirer, dorer, étinceler, farder, flamboyer, fulgurer, glacer, luire, parer, reluire, resplendir, rupiner, rutiler, scintiller.

BRIMER. Berner, bizuter, flouer, offenser, opprimer, priver, railler, taquiner, tourmenter, vexer.

BRIN. Atome, fétu, fil, miette, natte, peu, pleyon, quillette, tortis.

BRIO. Aisance, alacrité, allant, brillant, entrain, fougue, maestria, panache, verve, verveux, virtuosité, vivacité.

BRIQUE. Adobe, aggloméré, briquette, chantignole, livre, roman.

BRIQUET. Allumette, fusil, sabre.

BRIS. Casse, débris, éclat, fin, morceaux, ostéoclasie, rupture, viol.

BRISANT. Écueil, récif, rocher.

BRISE-GLACE. Bâche, barge, barque, bâtiment, caboteur, cargo, corvette, flotte, frégate, galère, navire, rafiot, steamer, terre-neuvas.

BRISE-GLACE (n. p.). Camsell, Howe, Ernest-Lapointe, Iberville, Macdonald, Labrador, Montcalm, Saurel, Simon-Fraser, Tupper, Wolfe.

BRISER. Broyer, casser, éclater, écraser, édenter, effondre, éreinter, fracasser, fractionner, gruger, mouler, péter, pulvériser, rompre, stèle.

BRISTOL. Carte, carton.

BRISURE. Bout, brèche, cassure, classe, éclat, entaille, faille, fêlure, fente, fragment, lambel, miette, morceau, parcelle, pépite.

BRITISH PETROLEUM. BP.

BROC. Bidon, chaume, channe, pichet, vase.

BROCANTER. Acheter, brocante, chiner, négocier, vendre.

BROCANTEUR. Antiquaire, bouquiniste, camelot, casseur, chiffonnier, chineur, ferrailleur, fripier, regrattier.

BROCHET. Bécard, brocheton, ésociculture, ésocidé, esox, lanceron, lucius, maskinongé, muskellunge, niger, pickerel, vermiculatus.

BROCHETTE. Barbecue, chiche-kebah, hâtelet, lardoise, souvlaki.

BROCHEUSE. Agrafeuse, brocheur, couseuse.

BRODEQUIN. Bottillon, bottine, chaussure, godillot, napolitain, soulier.

BROCHURE. Catalogue, livre, opuscule, pamphlet, prospectus, tract.

BRODERIE. Fanfreluche, filet, oripeau, point, tapisserie, verdurette.

BROME. Br.

BRONCHE. Bronchite, duspnée, expectorer, pneumonie, toux.

BRONZÉ. Basané, brun, cuivré, doré, étain, grillé, hâlé, noir, talé.

BROSSE. Balai, blaireau, carde, coco, écouvillon, étrille, goret, goupillon, hérisson, pinceau, porc, saie, saye, tapis, veinette, vergette.

BROSSER. Balayer, cirer, épousseter, étriller, frotter, peindre, vaincre.

BROUHAHA. Bruit, chahut, charivari, cohue, foire, tapage, tumulte.

BROUILLARD. Brume, fog, frimas, givre, halo, nuage, nuée, smog.

BROUILLE. Confus, désaccord, froideur, haine, inimitié, nuage, querelle.

BROUILLÉ. Confus, désuni, disparate, ennemi, fâché, incertain, œuf.

BROUILLER. Confondre, désunir, emmêler, fâcher, mêler, troubler.

BROUILLON. Agité, canevas, dissipé, ébauche, esquisse, manuscrit.

BROUISSAILLE. Ardent, bois, bosquet, buisson, fourré, haie, taillis.

BROUSSE. Bled, broussard, bush, forêt, savane, scrub.

BROUTARD. Veau.

BROUTER. Gagner, manger, paître, pâturer.

BROUTILLE. Bagatelle, bricole, fadaise, niaiserie, rien, vétille.

BROYER. Aplatir, briser, casser, concasser, écanguer, écraser, émietter, mâcher, mastiquer, moudre, piler, râper, réduire, renverser, triturer.

BRUANT. Azuré, blanc, bréant, indigo, lapon, lazuli, nonpareil, oiseau, ortolan, proyer, smith, zizi.

BRUIT. Borborygme, boucan, brouhaha, bourdonnement, bruissement, cancan, chahut, clapotis, clappement, cornage, coup, crépitation, crépitement, cri, déclic, détonation, drelin, écho, éclat, esclandre, fracas, friture, galop, gargouillement, gazouillement, grabuge, grincement, huée, hurlement, murmure, pet, pétard, potin, râle, ronflement, ronron, rot, rumeur, son, stridulation, tac, tapage, tic, tintamarre, toc, tocsin, tonnerre, tumulte, vacarme.

BRÛLANT. Ardent, bouillant, caustique, chaud, fiévreux, risqué, torride.

BRÛLÉ. Découvert, démasqué, fatigué, grillé, imbrûlé, roussi.

BRÛLER. Ambitionner, arder, bronzer, calciner, carboniser, cautériser, chauffer, combustion, consommer, consumer, convoiter, cramer, crématoire, cuire, détruire, distiller, ébouillanter, échauder, embraser, enflammer, flamber, fondre, fumer, fusion, griller, hâler, havir, incendier, incinérer, phlogistiquer, rôtir, roussir, torréfier.

BRUME. Buée, gris, mélancolie, nébuleux, spleen, tristesse, vapeur.

BRUMISATEUR. Atomisateur, fixateur, pulvérisateur, sublimateur.

BRUN. Auburn, bai, beige, bis, bistre, bronzé, châtain, drabe, ocre.

BRUNE. Bière, brunissure, crépuscule, italienne, parque.

BRUNIR. Boësse, bronzer, griller, hâler, matir, polir, poncer, tanner.

BRUSQUE. Abrupt, bourru, bref, brut, crise, cru, dur, éclat, irruption, prompt, rapide, ressac, rude, ruade, saut, sec, soudain, subit, toux, vif.

BRUSQUEMENT. Brutalement, court, inopinément, pile, sèchement, soudain, soudainement, subitement.

BRUSQUERIE. Brutalité, colère, raideur, rapidité, rudesse, soudaineté.

BRUT. Barbare, bestial, écru, fort, frais, fruste, grège, grossier, ort, naturel, net, neutre, nu, rude, sauvage, terne, vierge, violent, vulgaire.

BRUTAL. Âpre, barbare, bas, bestial, bourru, brusque, cru, cruel, direct, dur, féroce, franc, grossier, mufle, rude, truculent, violent, vulgaire.

BRUTALEMENT. Agressivement, brusquement, crûment, durement, inopinément, rudement, soudainement, subitement, violemment.

BRUTALISER. Battre, brusquer, déflagrer, frapper, malmener, maltraiter, molester, rosser, rudoyer, secouer, tabac, tabasser.

BRUYAMMENT. Lourdement, tapageusement, valdinguer.

BRUYANT. Borborygme, boucan, brouhaha, bourdonnement, bruissement, cancan, chahut, clapotis, clappement, cornage, coup, crépitation, crépitement, cri, déclic, détonation, drelin, écho, éclat, esclandre, fracas, friture, galop, gargouillement, gazouillement, grabuge, grincement, huée, hurlement, murmure, pet, pétard, potin, râle, ronflement, ronron, rot, rumeur, son, stridulation, tac, tapage, tic, tintamarre, toc, tocsin, tonnerre, tumulte, vacarme.

BU. Absorber, avaler, boire, buvoter, déguster, gobelotter, goûter, humer, lamper, laper, licher, lipper, ingurgiter, picoler, régalade, sabler, savourer, siroter, toast, trait, trinquer, vider.

BUANDERIE. Blanchisserie, laverie, lavoir, nettoyeur, souillarde.

BUCCAL. Aphte, bouche, mâchoire, mandibule, oral, stomatite, trompe.

BUCCIN. Buccinateur, bulot, trompette.

BÛCHER. Appentis, battre, bosser, buriner, cave, étudier, œta, resserre.

BUDGET. Assiette, balance, compte, comptabilité, crédit, dépense, gain, plan, prévision, recette, rentrée, répartition, revenu, salaire.

BUFFET. Armoire, bahut, buvette, cabinet, café, cantine, commode, crédence, danser, desserte, dressoir, organiste, placard, vaisselier.

BUFFLE. Bœuf, gaur, gayal, karabau, karbau, kérabeau, yac, yack.

BUGLE. Alto, baryton, ive, ivette.

BUISSON. Ardent, bois, bosquet, broussaille, écrevisse, églantier, fourré, hallier, scrub, taillis, théridion.

BULBE. Caïeu, cayeu, cervelet, coupole, oignon, olive, tunique.

BULGARE. Bogomile, dialecte, monnaie, slavon.

BULLE. Boule, bref, décrétale, mandement, pemphigus, rescrit, sceau.

BULLETIN. Annonce, avis, billet, carnet, communiqué, rapport, reçu.

BUNGALOW. Chartreuse, coloniale, habitation, maison, véranda, villa.

BUNKER. Abri, aile, antre, asile, auvent, cabane, cagna, casemate, chenil, couvert, dais, égide, gare, gîte, guérite, hangar, havre, niche, parapluie, parasol, port, rade, refuge, retraite, ruche, taud, tente, toit, tutelle.

BUREAU. Cabinet, étude, local, meuble, pupitre, régie, secrétariat, table.

BURETTE. Crédence, fiole, flacon, vinaigrier.

BURGAUDINE. Burgau, burgo, nacre.

BURIN. Bédane, charnière, ciseau, drille, échoppe, gravettien, guilloche, onglette, pointe.

BURINER. Chiffrer, écrire, entailler, graver, imprimer, inscrire, orfèvre.

BURLESQUE. Baroque, bouffon, comique, farce, parodie, ridicule, risible.

BURNOUT. Dépression, épuisement, fatigue.

BUSE. Bondrée, busaigle, busard, crabière, grise, harpaye, harpie, multiraie, noire, obscure, pattue, prairie, rapace, rouilleuse, Swainson.

BUSSEROLE. Uva-ursi.

BUSTE. Busc, corsage, piédestal, poitrine, sein, socle, sphinge, torse.

BUT. Afin, cause, cible, en, fin, final, goal, idée, intention, mire, objectif, objet, ou, pinta, pour, prétention, rêve, terme, tir, vers, visée, vue.

BUTÉ. Arrêté, braqué, bloqué, entêté, étroit, fermé, obstiné, têtu.

BUTÉE. Arrêt, arrêtoir, butoir, contrefort, culée, massif, taquet.

BUTER. Achopper, broncher, chopper, cogner, heurter, trébucher.

BUTIN. Capture, confiscation, conquête, dépouille, prise, proie, rançon.

BUTOIR. Arrêtoir, banane, butée, cale-pied, culée, heurtoir, limite.

BUTOR. Âne, balourd, bête, grossier, impoli, maladroit, mufle, rustre.

BUTTE. Colline, côte, dune, erg, mont, monticule, motte, talus, tertre.

BUVABLE. Acceptable, passable, possible, potable, sain, tolérable.

BUVETTE. Bar, brasserie, cabaret, café, cantine, taverne.

BUVEUR. Amateur, consommateur, ivrogne, trinqueur.

BYE-BYE. Adieu.

BYSANCE. Ange, cygne.

BYZANTIN. Chinois, compliqué, entortillé, farfelu, futile, oiseux, pédant.

BYTE. Octet.

# C

C. Camargue, Comtat, Crau, trois.

CA. Calcium.

CABALE. Complot, élection, ésotérisme, kabbale, intrigue, talisman.

CABANE. Baraque, buron, cabanon, cahute, carbet, case, chaume, chaumière, clapier, couveuse, hutte, isba, loge, maison, niche.

CABARET. Boîte, bistrot, buvette, café, cave, club, taverne, tripot.

CABARETIER. Tavernier.

CABAS. Couffe, couffin, panier, sac, sachet, sacoche, scouffin.

CABESTAN. Amolette, arbre, câble, carlingue, mèche, palan, treuil.

CABILLAUD. Morue.

CABINE. Abri, cabinet, cagibi, confessionnal, cockpit, isoloir, réduit.

CABINET. Agence, bahut, buffet, bureau, cabine, chiotte, étude, fourre-tout, gloriette, kiosque, latrines, pièce, studio, toilette, tonnelle.

CÂBLE. Amarre, bleu, boué, câbler, chaîne, clavette, cordage, corde, crin, dépêche, écoute, élingue, exprès, filin, fune, funiculaire, hauban, liure, in, orin, pneu, remorque, ronce, téléphérique, torsade, touée.

CÂBLER. Télégraphier.

CABOCHARD. Buté, entêté, opiniâtre, têtu.

CABOCHE. Cap, cerveau, chef, chevet, cîme, cou, crâne, début, épi, esprit, file, froc, guillotine, hauteur, hure, mental, mine, occiput, premier, roi, sinciput, sommet, supérieur, test, têt, tête, turc.

CABOT. Caporal, chabot, chien, clebs, cotte, muge, mulet, poisson.

CABOTAGE. Circumpolaire, éclaireur, galiote, haut-fond, hauturière, lougre, marine, nautique, navigation, périple, sloop, yachting.

CABOTIN. Acteur, bigot, bouffon, cabot, charlatan, comédien, histrion.

CABRI. Biquet, chevreau.

CABRIOLE. Caracoler, culbute, galipette, gambade, pirouette, saut.

CABRIOLET. Automobile, boghei, cab, tandem, tilbury, tonneau.

CACAHUÈTE. Arachide, beurre, peanut.

CACATOÈS. Rosalbin, rosalbine.

CACHE. Abri, arcane, asile, cachette, cave, celé, coin, enfoui, fond, hermétique, huis clos, incognito, insu, latent, mussé, niche, planque, privé, recoin, refuge, repli, retraite, secret, taire, tapi, tu.

CACHE-SEXE. Culotte, slip, sous-vêtement, string.

CACHER. Abriter, afficher, camoufler, céler, couvrir, déceler, découvrir, déguiser, dévoiler, dissimuler, éclipser, enterrer, étaler, exposer, feindre, garder, masquer, mentir, montrer, muser, nu, occulter, omettre, planquer, soustraire, taire, tapir, terrer, tramer, voiler.

CACHET. Lettre, marque, paye, pilule, salaire, sceau, scel, tampon, visa.

CACHETER. Clore, coller, estampiller, fermer, marquer, sceller, timbrer.

CACHETTE. Abri, antre, cache, cape, catimini, dérobée, recoin, tapinois.

CACHEXIE. Abattement, amaigrissement, carence, langueur, pourriture.

CACHOT. Casemate, cellule, coin, fosse, geôle, mitard, oubliette, prison, tullianum.

CACHOU. Arec, aréquier.

CACOCHYME. Débile, maladif, malingre, souffreteux, valétudinaire.

CACOPHONIE. Chahut, charivari, sérénade, tapage, tintamarre, tumulte.

CACTÉE. Cactacée, cactus, figuier, mamillaire, nopal, oponce.

CADAVRE. Carcasse, charnier, charogne, corps, dépouille, goule, hyène, macchabée, momie, mort, noyé, ossements, pendu, restes, sujet.

CADEAU. Anet, avantage, don, dot, envoi, étrenne, fleur, offre, largesse, offrande, pot-de-vin, présent, prime, prix, souvenir, surprise.

CADENCE. Accord, danse, harmonie, mouvement, poésie, rythme.

CADET. Benjamin, caddie, jeune, junior, puîné, sororat.

CADENETTE. Baderne, cordon, couette, macaron, natte, soutache, tresse.

CADMIUN. Cd.

CADRAN. Aiguille, boussole, gnomon, heure, horloge, plan, rosette.

CADRE. Bordure, châssis, coffrage, décor, encadreur, patron, sommier.

CADUC. Âgé, annulé, cassé, démodé, dépassé, nul, obsolète, passager.

CAESIUM. Cs.

CAFARD. Aria, avanie, avaro, avatar, cagot, contrariété, déboire, dégoût, désagrément, difficulté, embarras, embêtement, enquiquinement, épine, épreuve, hic, hypocrite, lassitude, os, panne, pépin, souci, sournois, spleen, tartufe, tracas, tuile.

CAFÉ. Arabica, arôme, bar, brasserie, buvette, cabaret, cafétéria, caoua, champoreau, colombien, comptoir, déca, express, farde, java, jus, gloria, mazagran, moka, orge, pub, restaurant, taverne, terrasse, troquet.

CAFETIÈRE. Tête, verseuse.

CAFOUILLER. Déroger, gâcher, louper, manquer, omettre, patiner, rater.

CAGE. Ascenseur, épinette, juchoir, mue, nichoir, vara, varus, volière.

CAGEOT. Cagette, caisse, carton, cave, coffre, colis, paquet, tambour.

CAGNEUX. Bancal, bancroche, inégal, noueux, tordu, tors, vara, varus.

CAGNOTTE. Boîte, bourse, caisse, coffret, corbeille, somme, tirelire.

CAHIER. Agenda, album, calepin, carnet, écart, livre, livret, registre.

CAHUTE. Bicoque, cabane, hutte.

CAÏEU. Gousse.

CAILLE. Brouisse, calorifère, caséine, coagule, margauder, margot, pituiter, puron, tirasse, tome, yaourt, yogourt.

CAILLE-LAIT. Gaillet.

CAILLER. Brousse, coaguler, condenser, durcir, prendre, présurer, surir.

CAILLOT. Embolie, flocon, grumeau, phlébite, thrombose, thrombus.

CAILLOU. Aspre, galet, gravier, palet, pierre, rocaille, roche, silex.

CAISSE. Benne, boîte, cadre, cagnotte, caissette, caisson, carrosserie, carton, cave, coffre, colis, koto, maie, paquet, tambour, tare, tiroir.

CAISSIER. Argentier, avare, chevalier, comptable, payeur, trésorier.

CAISSON. Benne, billot, boîte, boîtier, cadre, colis, emballage, harasse.

CAJOLER. Amadouer, attirer, câliner, capter, caresser, choyer, conter, dorloter, endormir, enjôler, flatter, gagner, gâter, peloter, séduire.

CAL. Calleux, callosité, calus, cor, durillon, ostéosynthèse.

CALABRAISE. Italien.

CALAISON. Tirant.

CALAMITÉ. Catastrophe, fléau, mal, malheur, maux, misère, peste.

CALANDRE. Golfe, lisse, moire.

CALANQUE. Crique, golfe, ria.

CALCAIRE. Chaux, cipolin, craie, dolomie, groie, liais, marbre, marne, merl, molasse, oolithe, sardoine, spicule, stalactite, stalagmite, test.

CALCÉDOINE. Agate, cornaline, héliotrope, jaspe, saphirine, silex.

CALCINER. Brûler, carboniser, chaux, cuire, décrépiter, dessécher.

CALCIUM. Ca.

CALCUL. Arithmétique, compte, mathématique, pierre, preuve, somme.

CALCULER. Chiffrer, compter, dénombrer, estimer, évaluer, supputer.

CALCULOT. Macareux.

CALE. Dock, écoutille, radoub, soute, tringle, vé.

CALÉ. Bon, débile, déficient, faible, ferme, grand, haut, malingre, nerveux, plein, puissant, redoutable, résistant, solide, vé, vigoureux.

CALEÇON. Bobette, calcif, chausse, culotte, pantalon, slip, tutu.

CALENDRIER. Agenda, almanach, annuaire, chronologie, comput, éphéméride, jour, ménologe, mois, ordo, programme, table, tableau.

CALEPIN. Agenda, cahier, carnet, chéquier, livret, mémorandum.

CALER. Aplomber, appuyer, assujettir, baisser, bloquer, caner, céder, filer, fixer, immobiliser, rabattre, recaler, reculer, stabiliser, verser.

CALFAT. Bouchon, coin, délot, étoupe, goudron, patarasse, poix, résine.

CALIBRER. Aléser, cercer, classer, dilater, mesurer, proportionner.

CALICE. Bilabié, coupe, dialysépale, fleur, pale, patène, tube, vase.

CALIFE. Bagdad, émir, kalife, omar, Mahomet, umar.

CALIFORNIUM. Cf.

CÂLINERIE. Accolade, attentions, becquetage, caresse, chatterie, soin.

CALLISIA. Éphémère, misère.

CALLOSITÉ. Cal, calus, cor, corne, durillon, œil-de-perdrix, oignon.

CALMANT. Analgésique, apaisant, baume, diacode, dictame, laudanum, lénitif, mauve, morphine, opium, populéum, sédatif, thridace.

CALMAR. Belemnite, encornet, seiche, supion.

CALME. Accalmie, agité, ataraxie, béat, bonace, bouillant, coi, cool, déchaîné, détendu, emporté, énervé, excité, flegme, froid, impatient, ire, irrité, modéré, paix, patient, placidité, posé, quiet, réfléchi, relax, sage, serein, sérénité, silence, tranquille, tranquillité, turbulent, violent.

CALMER. Adoucir, alléger, amortir, apaiser, assagir, bercer, cesser, dompter, endormir, guérir, modérer, pallier, reposer, retenir.

CALOMNIER. Baver, blâmer, cracher, critiquer, déchirer, décrier, dénigrer, diffamer, discréditer, insinuer, mépriser, noircir, raconter.

CALONNETTE. Balustre.

CALORIE. Acalorique, cal, hypocalorique, joule, microtermie.

CALOTTE. Baffe, bonnet, casquette, claque, cornée, fez, tape, tuque.

CALOT. Bille, coiffure, œil.

CALUMET. Bouffarde, cachotte, chibouque, kalioun, narguilé, pipe.

CALVITIE. Alopécie, chauve, tonsure.

CAMAÏEU. Camée, clair-obscur, grisaille, racinage.

CAMARADE. Allié, ami, compagnon, copain, copine, labades, pote.

CAMARADERIE. Amitié, entente, entraide, liaison, union, solidarité.

CAMBODGIEN (n. p.). Khmer.

CAMBOUIS. Graisse, huile.

CAMBRAI. Bêtise, cambrésien, cygne.

CAMBRER. Arc-bouter, arquer, arrondir, bomber, busquer, cintrer, couder, courber, creuser, infléchir, plier, ployer, recourber, voûter.

CAMBRIOLER. Attraper, brigander, démunir, dérober, dévaliser, voler.

CAMBRIOLEUR. Aigrefin, bandit, brigand, canaille, casseur, voleur.

CAMBRIOLEUR (n. p.). Arsène, Lupin.

CAMBUSE. Baraque, cabanon, chaume, clapier, couveuse, hutte, niche.

CAME. Acide, cocaïne, drogue, goure, haschich, héroïne, LSD, lève, marijuana, morphine, neige, onguent, orviétan, remède, seng, speed.

CAMÉLÉON. Caméléonesque, girouette, lézard, protée.

CAMELOT. Bonimenteur, charlatan, livreur, motorisé, vêtement.

CAMELOTE. Imitation, marchandise, pacotille, saleté, toc.

CAMION. Autopompe, bahut, benne, bétaillère, cadre, chariot, citerne, fardier, fourgon, routier, seau, tombereau, van, véhicule, voiture.

CAMIONNEUR. Déménageur, routier, transporteur, voiturier.

CAMOMILLE. Allemande, anthémide, anthémis, marouette, maroute, matricaire, puante, pyrèthre, romaine, sauvage, tisane.

CAMOUFLER. Abriter, afficher, celer, couvrir, déceler, découvrir, déguiser, dévoiler, dissimuler, éclipser, enterrer, étaler, exposer, feindre, garder, masquer, mentir, montrer, muser, nu, occulter, omettre, planquer, soustraire, taire, tapir, terrer, tramer, voiler.

CAMOUFLET. Affront, avanie, calotte, nasarde, offense, vexation.

CAMP. Armée, bivouac, chalet, ennemi, oflag, ost, quartier, stalag.

CAMP DE CONCENTRATION (n. p.). Mauthausen, Oflag.

CAMPAGNARD. Habitant, paysan, rural.

CAMPAGNE. Agreste, bled, brousse, cabale, champ, clôture, croisade, forestier, guerre, nature, pays, plaine, pré, publicité, rural, sillon.

CAMPANULACÉE. Cloche, cobéa, cobée, lobélie, raiponce, spéculaire.

CANADIEN NATIONAL. CN.

CANAILLE. Arsouille, crapule, fripouille, racaille, vaurien, vermine.

CANAL. Abée, aqueduc, arroyo, artère, berme, bief, canalicule, chenal, cholédoque, conduite, cordon, cours, dalot, drain, eau, écluse, égout, étier, évent, évier, fistule, fossé, lé, lit, naville, passe, rachidien, rigole, sillon, trachée, tube, tuyau, uretère, urètre, vagin, veine, voie.

CANAL D'AMÉRIQUE CENTRALE (n. p.). Panama.

CANAL DE BELGIQUE (n. p.). Albert.

CANAL DU CANADA (n. p.). Carillon, Cornwall, Galops, Greenville, Murray, Pointe-Farran, Rapides-Plats, Rideau, Sault-Ste-Marie, Trent, Welland.

CANAL DE CHINE (n. p.). Impérial.

CANAL D'ÉGYPTE (n. p.). Suez.

CANAL DES ÉTATS-UNIS (n. p.). Cape Cod, Érié, Houston.

CANAL DE FRANCE (n. p.). Berry, Bourgogne, Briare, Carhaix, Centre, Garonne, Lunel, Midi, Nantes, Nivernais, Roanne, Robine, Saint-Martin.

CANAL DU QUÉBEC (n. p.). Beauharnois, Chambly, Lachine, Saint-Laurent, Soulanges.

CANAPÉ. Causeuse, crapaud, divan, fauteuil, ottomane, sofa.

CANARD. Arlequin, bec-scie, blé, brancheur, branchu, brun, cacaoui, cancan, carolin, chipeau, colvert, duvet, eider, fauve, fuligule, garrot, halbran, harle, huppé, journal, kakawi, macreux, malard, mare, marin, mexicain, milouin, morillon, mulard, noir, pilet, plongeur, pommelé, routoutou, roux, sarcelle, siffleur, souchet, surface, tadorne, vaucanson.

CANARI. Serin.

CANCAN. Calomnie, canard, commérage, médisance, on, potin, racontar, ragot.

CANCER. Cancérigène, carcinoïde, carcinome, épithéliome, fongus, leucémie, malin, métastase, néoplasme, sarcome, squirrrhe, tumeur.

CANCÉREUX. Leucémique.

CANCÉROLOGIE. Carcinilogie, oncologie.

CANCRE. Âne, élève, ignorant, nullité, paresseux.

CANCRELAT. Blatte, coquerelle.

CANDELA. CD.

CANDELABRE. Chandelier, girandole, torchère.

CANDEUR. Candide, crédulité, ingénuité, innocence, naïveté, niaiserie, oie, pureté, simplesse, simplicité, sincérité, virginité.

CANDIDAT. Aspirant, impétrant, postulant, prétendant, stagiaire.

CANDIDE. Blanc, crédule, franc, ingénu, naïf, puéril, pur, simple.

CANETTE. Balthazar, bidon, bocal, bouteille, cane, carafe, fiole, flacon, gourde, if, jéroboam, magnum, nabuchodonosor, pichet, thermos.

CANEVAS. Croquis, ébauche, modèle, scénario, schéma, tableau, toile.

CANICULE. Caniculaire, chaleur, été, étuve, fournaise, torride.

CANIF. Amassette, arme, bistouri, couteau, eustache, grattoir, lame, machette, mollusque, navaja, onglet, poignard, soie, solen, surin.

CANIDÉ. Chien, cyon, coyote, dingo, dogue, fennec, hyène, loup, renard.

CANINE. Croc, défense, dent, lanière, prémolaire.

CANNE. Badine, bambou, bâton, béquille, béquillon, club, fêle, gaule, jonc, makila, mayotte, moulinet, piolet, rhum, roseau, rotin.

CANNEBERGE. Ataca, atoca, baie, confiture.

CANNELURE. Canal, creux, gorge, goujure, moulure, raie, rainure, strie.

CANON. Airain, âme, bistrot, bombarde, bouche, boulet, cheval, chœur, crosse, culasse, droit, église, fauconneau, gorge, gueule, liturgie, loi, modèle, obus, obusier, pétoire, pièce, poudre, veuglaire, volée.

CANONISER. Béatifié, encenser, louer, saint, sanctifier, vénérable.

CANONNADE. Bombardement.

CANONNER. Arroser, bombarder, pilonner.

CANONNIER. Artilleur.

CANONNIÈRE. Canon, navire, ouverture, pétoire.

CANOPE. Urne, vase.

CANOT. Barque, batelet, berthon, bombard, canadienne, canoë, chaloupe, esquif, kayak, racer, runabout, tapecul, yole, zodiac.

CANOTER. Avironner, godiller, nager, pagayer, ramer.

CANTALOUP. Brodé, cucurbitacée, d'eau, miel, melon, pastèque.

CANTATRICE. Chanteuse, cigale, diva, mezzo, rainette, soprano.

CANTATRICE (n. p.). Alarie, Albani, Baket, Berganza, Caballé, Callas, Crespin, Forrester, Freni, Hendricks, Lubin, Melba, Mitchel, Nilsson, Norman, Patti, Price, Rhodes, Robin, Schwarzkopf, Sutherland, Tebaldi, Watts.

CANTINE. Auberge, bistrot, brasserie, brassette, buffet, buvette, cabaret, cafétéria, carte, mess, mobile, pizzéria, popote, taverne.

CANTIQUE. Chant, hymne, messe, motet, Noël, psaume, te deum.

CANTON. Blason, cercle, coin, de l'est, dème, lieu, saint, suisse, ville.

CANTON SUISSE (n. p.). Appenzell, Argovie, Bâle, Bâle-campagne, Bâle-ville, Berne, Ensor, Fribourg, Genève, Glaris, Grisons, Jura, Lucerne, Neuchâtel, Nidwald, Obwald, Rhodes-Extérieures, Rhodes-Intérieures, Saint Gall, Schaffhouse, Schwyz, Soleure, Tessin, Thurgovie, Unterwald, Uri, Valais, Vaud, Zoug, Zurich.

CANTONNER. Camper, établir, fortifier, isoler, renfermer, retirer.

CANTONS DE L'EST. Estrie.

CANULAR. Blague, farce, mystification.

CANYON. Défilé, gorge.

CAOUANNE. Caret, tortue.

CAOUTCHOUC. Buna, crêpe, ébonite, élastique, ficus, gomme, hévéa, latex, néoprène.

CAP. Ail, béar, bon, nez, pointe, promontoire, raz, sicié, tête, vert.

CAP D'AFRIQUE (n. p.). Aiguilles, Blan, Bojador, Delgado, Gardafui, Guardafui, Vert.

CAP D'AMÉRIQUE DU SUD (n. p.). Horn, San-Antonio, San-Diego, Sao-Roque, Sao-Tomé.

CAP D'ANGLETERRE (n. p.). Lizard, Raz.

CAP DE L'ATTIQUE (n. p.). Colonne, Sounion.

CAP D'AUSTRALIE (n. p.). Grand, Howe, Melville, Talbot, York, Zeeuwin.

CAP DU CANADA (n. p.). Bathurst, Breton, Canso, Chidley, De Sable, Race, Ray, Sambro, Tourmentin.

CAP DE LA CORSE (n. p.). Pertusato.

CAP D'ESPAGNE (n. p.). Creus, Nao, Palos, Trafalgar.

CAP DES ÉTATS-UNIS (n. p.). Blanco, Charles, Cod, Flattery, May, Mendocino, Prince de Galles, Sable.

CAP DE FRANCE (n. p.). Antifer, Croisette, Ferrat, Fréhel, Grave, Hève, Jobourg, Raz, Sicié.

CAP DU GRŒNLAND (n. p.). Alexandre, Atholl, Barclay, Bismark, Discorde, Farewell, Lowenorn, Melville, Mosting, Seddon, York.

CAP DE L'INDE (n. p.). Comorin.

CAP D'ITALIE (n. p.). Misène.

CAP DU JAPON (n. p.). Benten, Irozaki, Osezaki.

CAP DE LA MAURITANIE (n. p.). Blanc.

CAP DE NORVÈGE (n. p.). Nord.

CAP DE PÉLOPONNÈSE (n. p.). Matapan, Ténare.

CAP DU PORTUGAL (n. p.). Roca.

CAP DU QUÉBEC (n. p.). Chat, Diamant, Gaspé, Madeleine, Rouge, Tourmente, Trinité.

CAP DU SAGUENAY (n. p.). Trinité.

CAP DE LA SICILE (n. p.). Passero.

CAP TERRE DE FEU (n. p.). Horn.

CAP TUNISIE (n. p.). Blanc, Bon.

CAPABLE. Adroit, apte, averti, bon, compétent, doué, expert, habile, impropre, inapte, incapable, incompétent, inhabile, intelligent, qualifié.

CAPACITÉ. Aptitude, attitude, cubage, efficience, faculté, force, grosseur, litre, mesure, portée, pouvoir, pu, saâ, savoir, talent, yu.

CAPE. Cachette, cigare, épée, mante, manteau, mantelet, voile.

CAP-HORNIER. Voilier.

CAPILLAIRE. Adiante, cheveux, circulation, cosmétique, diapédèse, lotion, télangiectasie.

CAPITAINE. Capiston, capitainerie, chef, corsaire, patron, pirate.

CAPITAINE (n. p.). Dubuisson, Kirk.

CAPITAL. Argent, bien, central, clé, clef, essentiel, fonds, important, intérêt, ire, péché, placement, primordial, principal, revenu, terre, tête.

CAPITALE. Centre, chef-lieu, majuscule, métropole, ville.

CAPITALE (n. p.). Pays (capitale). Afghanistan (Kaboul), Afrique du Sud (Pretoria), Albanie (Tirana), Algérie (Alger), Allemagne (Berlin), Andorre (Andorre), Angola (Luanda), Arabie Saoudite (Riyadh), Argentine (Buenos Aires), Australie (Canberra), Autriche (Vienne), Bahamas (Nassau), Bahrein (Manamah), Bangladesh (Dacca), Barbade (Bridgetown), Belgique (Bruxelles), Bélize (Belmopan), Bénin (Porto Novo), Bhoutan (Thimbu), Birmanie (Rangoon), Bolivie (La Paz), Bosnie-Herzégovine (Sarajevo), Botswana (Gaborone), Brésil (Brasilia), Brunei (Bandar Seri Begawan), Bulgarie (Sofia), Burkina Faso (Ouagadougou), Burundi (Bujumbura), Cameroun (Yaoundé), Canada (Ottawa), Cap Vert (Praia), Chili (Santiago), Chine (Beijing), Chypre (Nicosie), Colombie (Bogota), Comores (Moroni), Congo (Brazzaville), Corée du Nord (Pyongyang), Corée du Sud (Séoul), Costa Rica (San José), Côte d'Ivoire (Yamoussoukro), Croatie (Zagreb), Cuba (La Havane), Danemark (Copenhague), Djibouti (Djibouti), Dominique (Roseau), Égypte (Le Caire), El Salvador (San Salvador), Émirats arabes (Abu Dhabi), Équateur (Quito), Espagne (Madrid), Estonie (Tallin), États-Unis (Washington), Éthiopie (Addis Abeba), Finlande (Helsinki), France (Paris), Gabon (Libreville), Gambie (Banjul), Géorgie (Tbilissi), Ghana (Accra), Grèce (Athènes), Grenade (Saint-Georges), Guatemala (Guatemala), Guinée (Conakry), Guinée Bissau (Bissau), Guinée équatoriale (Malabo), Guyana (Georgetown), Haïti (Port-au-Prince), Honduras (Tégucigalpa), Hongrie (Budapest), Inde (New Delhi), Indonésie (Djakarta), Iran (Téhéran), Irak (Bagdad), Irlande (Dublin), Islande (Reykjavik), Israël (Jérusalem), Italie (Rome), Jamaïque (Kingston), Japon (Tokyo), Jordanie (Amman), Kenya (Nairobi), Koweït (Koweït), Laos (Vientiane), Lesotho (Maseru), Lettonie (Riga), Liban (Beyrouth), Libéria (Monrovia), Libye (Tripoli), Liechtenstein (Vaduz), Lituanie (Vilnius), Luxembourg (Luxembourg), Madagascar (Antananarivo), Malawi (Lilongwé), Malaisie (Kuala Lumpur), Maldives (Male), Mali (Bamako), Malte (La Valette), Maroc (Rabat), Maurice (Port Louis), Mauritanie (Nouakchott), Mexique (Mexico), Monaco (Monaco), Mongolie (Oulan-Bator), Mozambique (Maputo), Namibie (Windhoek), Népal (Katmandou), Nicaragua (Managua), Niger (Niamey), Nigéria (Lagos), Norvège (Oslo), Nouvelle-Zélande (Wellington), Oman (Mascate), Ouganda (Kampala), Pakistan (Islamabad), Panama (Panama), Papouasie Nouvelle-Guinée (Port Moresby), Paraguay (Asuncion), Pays-Bas (Amsterdam), Pérou (Lima), Philippines (Manille), Pologne (Varsovie), Portugal (Lisbonne), Puerto Rico (San Juan), Qatar (Doha), République centrafricaine (Bangui), République dominicaine (Santo Domingo), République populaire de Kampuchéa (PhnomPenh), Réunion (Saint-Denis), Roumanie (Bucarest), Rwanda (Kigali), Royaume-Uni (Londres), Sainte-Lucie (Castries), Saint Kitts (Basseterre), Saint-Marin (Saint-Marin), Saint-Vincent (Apia), Samoa (Kingstown), Sao Tome (Sao Tome), Sénégal (Dakar), Seychelles (Victoria), Sierra Leone (Freetown), Singapour (Singapour), Slovénie (Ljubljana), Somalie (Mogadiscio), Soudan (Khartoum), Sri Lanka (Colombo),

Suède (Stockholm), Suisse (Berne), Surinam (Paramaribo), Swaziland (Mbabane), Syrie Damas), Taiwan (Taipeh), Tanzanie (Dodoma), Tchad (N'djamena), Tchécoslovaquie (Prague), Thaïlande (Bangkok), Togo (Lomé), Trinadad et Tobago (Port of Spain), Tunisie (Tunis), Turquie (Ankara), Uruguay (Montevideo), Vatican (Vatican), Venezuela (Caracas), Vietnam (Hanoi), Yémen (Sanaa), Yougoslavie (Belgrade), Zaïre (Kinshasa), Zambie (Lusaka), Zimbabwe (Harare).

CAPITALISER. Butiner, cumuler, empiler, entasser, masser, réunir.

CAPITULER. Abandonner, accommoder, baisser, céder, chamade, déposer, incliner, lâcher, paix, reddition, rendre, renoncer, soumettre.

CAPORAL. Brigadier, cabot, crabe, escouade, gauloise, gradé, tabac.

CAPOTER. Ahurir, culbuter, étonner, renverser, stupéfait, troubler.

CAPRICE. Accès, arbitraire, boutade, chimère, dada, fantaisie, folie, frasque, gré, idée, lubie, lune, marotte, mode, na, plaisir, rat, tocade.

CAPRICORNE. Aegosome, ascendant, astrologie, coléoptère, longicorne.

CAPSELLE. Bourse-à-pasteur.

CAPSULE. Bouchon, cachet, couronne, enveloppe, gélule, macis, sachet.

CAPTEUR. Intercepteur, récepteur, senseur.

CAPTIVER. Attacher, charmer, ensorceler, fasciner, intéresser, séduire.

CAPTURE. Butin, clé, clef, ciseau, conquête, dispute, emprise, enlèvement, levée, moyen, proie, querelle, rafle, saisie, scène, unité.

CAPTURER. Arrêter, attraper, emparer, emprisonner, prendre, saisir.

CAPUCHON. Béguin, bonnet, caban, cagoule, camail, capot, chapeau, chaperon, coiffe, coltin, couvercle, cuculle, tapador, tarbouche.

CAPUCIN. Franciscain, lièvre, moine, nonain, saï, sajou, singe.

CAQUE. Baril, barrique, barrot, foudre, fût, futaille, hareng, muid.

CAQUETER. Causer, commérer, jacasser, jacter, jaser, papoter, parler.

CARABE. Cicindèle, jardinière, vinaigrier.

CARABIN. Étudiant, médecin.

CARABINE. Arme, arquebuse, artillerie, busc, chassepot, chien, crosse, escopette, espingole, flingue, fusil, hammerless, infanterie, lebel, mitraillette, mousquet, mousqueton, pétoire, rifle, tromblon.

CARABOSSE. Fée.

CARACTÈRE. Acabit, air, aphteux, aréisme, banalité, beauté, bestialité, brutalité, coin, corps, critère, critérium, dimorphisme, empreinte, épidémicité, féminité, ferme, fluidité, gravité, indépendance, inflammabilité, inscription, lettre, modération, mou, nasalité, nature, nervosité, note, nuisance, originalité, pudicité, putrescibilité, placidité, rénitence, runes, sampi, sceau, ton, toxicité, type, unicité, vinosité.

CARAFE. Balthazar, bidon, bocal, bouteille, cannette, fiole, flacon, gourde, if, jéroboam, magnum, nabuchodonosor, pichet, thermos.

CARAMBOLAGE. Accrochage, collision, série, télescopage.

CARAMBOLE. Bille.

CARAMEL. Caramélé, caramélisé, roudoudou.

CARAPACE. Coquille, cuirasse, dossière, écaille, protection, test.

CARAVANE. Caravaning, charroi, convoi, enterrement, file, obsèques, rame, roulotte, train, troupe.

CARAVELLE. Avion, navire.

CARAVELLE de COLOMB (n. p.). Nina, Pinta, Santa Maria.

CARBONATE. Aragonite, azurite, calcite, céruse, cérusite, craie, dolomie, dolomite, hydrocarbonate, malachite, natron, natrum, sidérite, sidérose, smithsonite, soude, zinc.

CARBONE. C, carbure, charbon, fonte, graphite, jais, plombagine.

CARBONISER. Ambitionner, arder, bronzer, bruler, calciner, cautériser, consommer, convoiter, crématoire, cuire, détruire, distiller, ébouillanter, échauder, embraser, enflammer, griller, fondre, fusion, hâler, havir, incinérer, phlogistiquer, rôtir, roussir, torréfier, ustion.

CARBURANT. Benzol, cétane, essence, éthane, gaz, huile, tétraline.

CARBURE. Anthracène, austénite, bicarbure, carborundum, cémentite, cétane, citrène, éthane, limonène, paraffine.

CARCAJOU. Blaireau, furet.

CARCAN. Cangue, chaîne, cheval, colier, harnais, joug, pilori, servitude.

CARCASSE. Ber, charpente, châssis, coque, corps, os, ossature, squelette.

CARDAGE. Boudineuse, peignage.

CARDAMINE. Cressonnette, dentaire.

CARDIGAN. Anorak, blazer, blouson, boléro, caban, cabi, canadienne, carmagnole, défaite, dolman, doudoune, échec, gilet, hoqueton, jaquette, pourpoint, saharienne, tunique, vareuse, veste, vêtement.

CARDINAL. Baseball, conclave, éminence, est, oiseau, ouest, nord, sud.

CARDINAL ANGLAIS (n. p.). Beaufort, Fisher, Manning, Newman, Wolsey.

CARDINAL BELGE (n. p.). Mercier.

CARDINAL FRANÇAIS (n. p.). Amboise, Bausset, Bellay, Courcon, Lemoine, Maury, Polignac, Richelieu, Rohan.

CARDINAL QUÉBÉCOIS (n. p.). Grégoire, Léger, Turcotte, Villeneuve.

CARENCE. Absence, acabit, aloi, anomalie, anoxémie, asialie, aspect, athrepsie, atrophie, bêtise, contumace, crapaud, défaut, défectuosité, déficience, devers, dureté, étroitesse, faible, gendarme, illégitimité, imperfection, inadaptation, inadvertance, incurie, inexistence, insensibilité, instabilité, lunure, manque, mésentente, mort, nasillement, paille, paresse, pénurie, préfixe, prosaïsme, raideur, retassure, ridicule, sottise, tare, verbosité, verdeur, vice, zézaiement.

CARESSANT. Accolade, câlin, embrassade, enlacement, étreinte.

CARESSER. Cajoler, câliner, enlacer, flatter, frôler, nourrir, peloter.

CARGAISON. Apige, bagage, charge, fret, lège, nolage, nolis, réserve.

CARGO. Argo, bac, bateau, brick, brûlot, butanier, câblier, caravelle, cargo, corsaire, croiseur, drague, dromon, galère, galion, galiote, liner, nef, paquebot, patrouilleur, rafiot, ravitailleur, sacoléva, sacolève, sloop, tanker, torpilleur, tramp, traversier, trière, vaisseau, vedette, yacht.

CARGUER. Accoler, appuyer, comprimer, étrangloir, plier, serrer.

CARIBOU. Alcool, boisson, renne, ti-blanc.

CARICATURISTE. Dessinateur, humoriste, portraitiste.

CARIE. Bruine.

CARIER. Abîmer, altérer, avarier, bruiner, gâter, infecter, nécroser.

CARILLONNER. Appeler, résonner, retentir, sonner, tinter, vibrer.

CARNAGE. Boucherie, chair, hécatombe, holocauste, massacre, tuerie.

CARNASSIER. Aï, belette, blaireau, caracal, carnivore, chacal, chat, chaus, chien, civette, coati, colocolo, coyote, créodonte, dhole, édenté, ermine, euphère, félidé, fennec, fossa, fossane, fourmillier, furet, galago, kodlkod, léopard, linsang, lion, loup, loutre, lycaon, lynx, mangouste, manul, martre, mouffette, mouffette, ocelot, ours, panda, pangolin, panthère, paresseux, pichi, protèle, puma, putois, ratel, raton, renard, serval, suricate, tamanoir, tatou, tayra, tigre, tupinambisunau, vison, xenarthre, zibeline, zorille.

CARNASSIÈRE. Gibecière, sac.

CARNATION. Couleur, teint, teinte.

CARNET. Agenda, cahier, calepin, chéquier, livret, mémorandum.

CARNIVORE. Belette, blaireau, canidé, carcajou, caracal, carnassier, cervier, chacal, chat, chat sauvage, chat-tigre, civette, coati, couguar, coyote, dhole, fauve, félidéfélin, genette, guépard, hermine, hyène, hyénidé, jaguar, léopard, lion, loup, loutre, lycaon, lynx, ours, mangue, mangouste, martre, mouffette, musaraigne, mustélidé, ocelot, ours, panda, panthère, pékan, procyonidé, puma, putois, ratel, raton, renard, suricate, tigre, ursidé, vison, viverridé.

CARPE. Arête, barbeau, brème, carpillon, cyprin, gardon, herbivore, loche, pisiforme, scaphoïde, sésamoïde, tanche, trapézoïde.

CARPETTE. Carpettier, jeu, mise, moquette, natte, paillasson, tapis.

CARPOCAPSE. Papillon, pyrale.

CARRÉ. Carreau, case, coin, corbeille, dossard, échiquier, foulard, lange, massif, morceau, mouchoir, parterre, pièce, quadrilatère, quadrillé, ravioli, rectangle.

CARREAU. Azulejo, carrelage, dalle, malade, matras, tuile, vitre.

CARREFOUR. Bifurcation, colloque, croisée, croisement, embranchement, étoile, forum, intersection, rencontre, réunion, symposium.

CARRELER. Briqueter, couvrir, daller, damer, macadam, paver.

CARRELET. Ableret, ablier, araignée, colichemarde, filet, plie.

CARRIÈRE. Ardoisière, arène, ambassade, cours, état, falunière, filon, fonction, glaisière, latomie, liberté, lice, métier, mine, profession, stade.

CARRIOLE. Charrette.

CARROSSABLE. Drève, praticable, viable.

CARROUSSEL. Manège, parade, quadrille, reprise, ronde, tournoi.

CARTE. As, atout, banque, battre, brelan, brisque, cagnotte, capot, carré, contrat, couleur, coup, coupe, couper, coupeur, couverte, dame, défausse, donne, donneur, écart, écarter, enjeu, entame, entamer, étaler, fiche, figure, forcer, fou, fournir, jeton, levée, main, maldonne, manche, mappemonde, marqueur, mise, mort, paire, parole, partie, passe, passe-partout, paquet, pile, pli, poule, quinte, relance, relancer, renonce, retourne, roi, rubicon, séquence, suivre, talon, taroté, tierce, tour, trio, valet, valeur.

CARTE (SORTE DE JEU). Bataille, beigne, bésigue, black-jack, boodle, bridge, canasta, chicago, chouette, cinq-cents, cochon, cœurs, concentration, concierge, cribbage, cuillère, dime, dix, dominos, école, fan-tan, gin, gin-rami, golf, huit, knock-rami, mémoire, michigan, neuf, newmarket, paquet-voleur, parlement, pêche, piquet, pisseuse, poker, rami, romain, rumoli, salade, samba, saratoga, sept, slapjack, soixante-cinq, sorcière, tête-et-queue, trente et un, trifouille, trio, trou-du-cul, valets, vieille, vingt-et-un, whist.

CARTILAGE. Aryténoïde, chondrocostal, cricoïde, disque, os, tendron.

CARTON. Boîte, bristol, carte, encart, maifair, pâle, pancarte, pochoir.

CARTOUCHE. Balle, bande, barillet, chargeur, culot, fusil, munition.

CARYATIDE. Télamon.

CARYOPSE. Fruit, grain.

CARYOPHYLLACÉE. Gerceau, grenadin, lychnis, nielle, œillet, tagètes.

CAS. Alors, circonstance, événement, occasion, occurrence, récidive.

CASANIER. Bannir, bourru, ours, pantouflard, sédentaire, solitaire.

CASAQUE. Corsage, cotte, hoqueton, jaquette, manteau, sayon.

CASCADE, Abondance, chute, eau, fontaine, jet, nappe, saut, tomber.

CASCADEUR. Acrobate, acteur, casse-cou, culbuteur, hardi.

CASE. Alvéole, cabane, compartiment, hutte, paillotte, subdivision.

CASÉINE. Caillé, caséum, galalithe.

CASEMATE. Abri, blockhaus, bunker, fortification, fortin.

CASER. Aligner, établir, fixer, fourrer, installer, loger, marier, mettre, placer, ranger, recaser, serrer.

CASIER. Boîte, classeur, fichier, nasse, rayons, réservation, tiroir.

CASQUE. Apex, armet, bombe, cabasset, calotte, cimier, coiffure, crête, heaume, képi, morion, salade, morion, timbre, toque, ventaille.

CASQUETTE. Gapette, heaume, képi, toque, visière.

CASSANT. Absolu, aigre, cassable, chétif, délicat, faible, fragile, frêle, friable, grêle, menu, mince, ostéoporose, périssable, précaire, vain.

CASSATION. Annulation, dégradation, infirmation, rupture.

CASSÉ. Bris, caduc, dommage, erre, faible, fraction, nase, pauvre, séné.

CASSE-PIEDS. Accablant, agaçant, geurre, importun, pesant, raseur.

CASSE-PIERRE. Pariétaire.

CASSER. Abolir, annuler, briser, broyer, craquer, crever, désunir, épointer, étêter, fêler, fendre, péter, rescinder, rompre, sauter.

CASSEROLE. Chaudron, chevrette, marguerite, poêle, poêlon, sauteuse.

CASSE-TÊTE. Matraque, problème, puzzle, tomahawk, trique.

CASSEUR. Briseur, cambrioleur.

CASSIER. Canéficier, casse, héron, séné.

CASSOLETTE. Brûle-parfum, encensoir.

CASSONADE. Sucre.

CASSURE. Brèche, brisure, coupe, coupure, crevasse, division, ébréchure, faille, fêlure, fente, fissure, fracture, joint, pliure, rupture.

CASSOULET. Blanquette, bourguignon, civet, fricassée, gibelotte, mets, navarin, pot-pourri, rata, ratatouille, salmis, salpicon.

CASTE. Classe, condition, degré, échelon, étage, file, haie, lieu, rang.

CASTOR. Barrage, bièvre, branche, fiber, hutte, monticule, ondatra.

CASTRATION. Chaponnage, émasculation.

CASTRER. Chaponner, châtrer, couper, démascler, émasculer, mutiler.

CATACLYSME. Calamité, catastrophe, crise, déluge, dénouement, désastre, fléau, inondation, lèpre, malheur, peste, plaie, séisme.

CATAIRE. Herbe-aux-chats, népéta.

CATALOGUE. État, index, liste, pamphlet, répertoire, rôle, rubrique.

CATALOGUER. Classer, dénombrer, étiqueter, évaluer, inventorier, juger, recenser, répertorier.

CATAPLASME. Bandage, crêpe, compresse, gaze, ouate, sparadrap.

CATAPULTE. Baliste, espringale, mangonneau, onagre, scorpion.

CATARRHE. Influenza, grippe, monfondure, refroidissement, rhume.

CATASTROPHE. Apocalypse, calamité, cataclysme, consternation, dénouement, désastre, drame, fléau, malheur, ruine, tragédie.

CATCHEUR. Catcher, lutteur.

CATÉGORIE. Classe, couche, espèce, genre, ordre, rang, série, variété.

CATÉGORIQUE. Clair, classe, entier, espèce, étage, évident, explicite, formel, genre, groupe, net, ordre, positif, précis, race, rang, série.

CATHARE. Albigeois, bogomile, patarin.

CATHARTIQUE. Dépuratif, laxatif, libératoire, purgatif, purificateur.

CATHÉDRALE. Église, temple.

CATHÉTER. Canule, sonde.

CATHODE. Bêta, électrode, photocathode, rayon.

CATHOLIQUE. Abbé, amen, archevêque, archidiocèse, auréole, bedeau, bible, bulle, canon, canoniser, cardinal, chrétien, clergé, couvent, curé, diocèse, encyclique, évangéliste, évêque, hérésie, indulgence, I.N.R.I., latin, maronite, moine, nonne, pape, pasteur, pontife, relique, révérend, romain, vicaire.

CATION. Cationique, ion.

CAUCHEMAR. Apparaître, crainte, délire, peur, rêve, songe, tourment.

CAUSE. Germe, idée, mobile, motif, parle, procès, raison, source, sujet.

CAUSER. Alarmer, charmer, donner, ennuyer, influer, jaser, parler.

CAUSERIE. Allocution, boniment, discours, dissertation, dit, éloge, énigme, exorde, exposé, harangue, homélie, laïus, mensonge, oraison, parole, péroraison, plaidoyer, prêche, sermon, sornette, topo.

CAUSTICITÉ. Acidité, mordant.

CAUSTIQUE. Acéré, corrosif, créosote, décapant, mordant, sublimé.

CAUTELEUX. Adroit, défiant, flatteur, hypocrite, méfiant, rusé.

CAUTÈRE. Thermocautère.

CAUTÉRISATION. Adustion, brûlant, escarre, ignipuncture, moxa.

CAUTION. Arrhes, assurance, aval, consigne, gage, garantie, sûreté.

CAUTIONNER. Avaliser, couvrir, garantir, garder, répondre, sûreté.

CAVALE. Cheval, course, évasion, fuite, haquenée, jument, pouliche.

CAVALIER. Amazone, arrogant, camisard, carabin, cheval, crampillon, désinvolte, échec, écuyer, étrier, format, hardi, hautain, impertinent, inconsidéré, jockey, picador, reître, selle, sinapisé, spahi, vaisseaux.

CAVE. Caveau, caviste, cellier, chai, craie, creux, cuverie, cuvier, enjeu, mise, niais, nigaud, rat, rentré, silo, sous-sol, tin, trappe, vinée.

CAVERNE. Abîme, abri, antre, grotte, repaire, spélonque, tanière.

CAVITÉ. Acétabule, aisselle, alvéole, anfractuosité, barillet, bouche, brèche, conceptacle, cotyle, cotyloïde, crâne, diverticule, excavation, fossette, géode, glénoïdal, glénoïde, loge, méat, nombril, orbite, oreillette, pallale, palléale, sac, saccule, sigmoïde, sinus, terrier, thorax, trou, utricule, vacuole, ventricule.

CÉANS. Dedans, ici.

CÉBIDÉ. Alouate, atèle, capucin, hurleur, platyrrhinien, sajou, singe.

CECI. Ce.

CÉCIDIE. Galle.

CÉCITÉ. Amaurose, aveuglement, cataracte, goutte, obscurcissement.

CÉDER. Abandonner, caner, capituler, condescendre, échanger, faiblir, flancher, incliner, obéir, plier, prêter, résigner, soumettre, vendre.

CÉGEP. Cégépien, collège, institut, lycée.

CEINDRE. Attacher, auréoler, boucler, embrasser, entourer, serrer.

CEINTURE. Bande, banlieue, ceinturon, ceste, cordon, corset, dan, écharpe, gaine, obi, pelvienne, ruban, sangle, soutien, taille, zone.

CELA. Ça, ad hoc, pour.

CÉLADON. Adorateur, amant, ami, amoureux, astrée, soupirant, vert.

CÉLÉBRATION. Cérémonie, épousailles, fête, mariage, noce, service, têt.

CÉLÈBRE. Célébrité, dynastie, éclat, fameux, glorieux, illustre, laudatif, notoire, renom, renommé, réputation, réputé, star, superstar.

CÉLÉBRER. Amuser, chanter, chômer, concélébrer, dire, entonner, fêter, fiancer, inaugurer, louer, nocer, officier, pavoiser, prêcher, vanter.

CÉLÉBRITÉ. Célèbre, éclat, faveur, gloire, lancé, marque, notoriété, personnalité, popularité, renom, sommité, star, succès, vedette, vogue.

CELER. Arrêter, bâcler, barrer, barricader, boucher, boucler, cadenasser, cicatriser, ciller, claquer, cligner, clore, coudre, lacer.

CÉLERI. Ache.

CÉLÉRITÉ. Activité, agilité, promptitude, rapidité, vélocité, vitesse.

CÉLESTE. Angélique, année, astral, chine, ciel, divin, li, nova, parsec.

CELLE. Celui, ci, là.

CELLIER. Caveau, chai, creux, hangar, nigaud, rentre, silo, sous-sol, tin.

CELLULE. Acinus, adamantin, alvéole, anthéridie, asque, baside, blastomère, bloc, cachot, chondroblaste, comité, crib, érythroblaste, fibre, gamète, globule, œuf, ovule, mégacaryocyte, neurone, noyau, oogone, ostéoblaste, ovule, phagocyte, plasmode, polynucléaire, prison, section, spore, thèque, violon, zoospore, zygote.

CELLULOSE. Cal, cellophane, pellicule, rhodia, soie, viscose.

CÉLOSIE. Amarante, crête de coq, passe-velours.

CELTE. Barde, breton, celtique, gallois, galate, gaulois, sylphe, vouge.

CELTIUM. Ct, hafnium.

CELUI-LÀ. Icelui.

CÉMENTATION. Calorisation, chromisation, shérardisation, sulfinisation.

CÉNACLE. Cercle, chapelle, club, école, groupe, pléiade, réunion.

CENDRE. Charrée, gravelée, fraisil, lave, mâchefer, poussière, résidu.

CENELLIER. Aubépine.

CENSURE. Blâme, contrôle, critique, filtre, index, punition, suspension.

CENT. C, centaine, centi, centième, centuple, hect, hecto, siècle.

CENT MÈTRES CARRÉS. Are.

CENTAURE. Bucentaure, taureau.

CENTAURE (n. p.). Nessos, Nessus.

CENTAURÉE. Ambrette, barbeau, bleuet, bluet, jacée.

CENTENAIRE. Âge, ans, cycle, durée, époque, ère, étape, moment, siècle.

CENTIÈME. Cent, centenaire, centiare, centilitre, centille, centimètre.

CENTILITRE. CL, pinte.

CENTIMÈTRE. CM, gauss, klystron.

CENTRAL. Âme, axe, cité, cœur, focal, intérieur, noyau, ombilic, ronde.

CENTRALE. Aciérie, atelier, entreprise, fabrique, fonderie, forge, industrie, maïserie, manufacture, raffinerie, scierie, usine, verrerie.

CENTRALE SYNDICALE. C.E.Q., C.S.D., C.S.N., F.T.Q.

CENTRE. Ame, axe, base, cerveau, cheville, cœur, fort, foyer, giron, lieu, milieu, mitan, nife, nœud, nombril, noyau, ombilic, pôle, sein, siège.

CEP. Orne, ouillère, oullière, treille, vigne.

CÉPAGE. Aligoté, aragon, cabernet, carignan, chardonnay, chenin, cinsault, gamay, gewurztraminer, grenache, malbec, merlot, muscat, nebbiolo, picardan, pinot, riesling, sangiovese, sarment, sauvignon, sémillon, syrah, tempranillo, vigne, vin, zinfandel.

CEPENDANT. Alors, malgré, néanmoins, nonobstant, pourtant, toutefois.

CÉPHALOPODE. Calmar, mollusque, nautile, pieuvre, poulpe, seiche.

CÉRAMBYCIDÉ. Aegosome, capricorne, coléoptère, longicorne.

CÉRAMIQUE. Azulejo, biscuit, émail, faïence, ferrite, grès, terre.

CERBÈRE. Concierge, garde, gardien, geôlier, molosse, portier, sentinelle.

CERCLE. Abside, almicantarat, anneau, arc, arcade, aréole, auréole, boucle, cerceau, cerne, cirque, disque, équidistant, halo, jante, listel, lobe, lune, nimbe, orbe, orbiculaire, pi, rayon, rond, rouet, sinus, tour.

CERCOPITHÉCIDE. Babouin, colobe, guenon, macaque, papion.

CERCUEIL. Bière, capule, cisse, coffin, mort, sarcophage, tombe.

CÉRÉALE. Avoine, blé, farine, fonio, froment, graminée, gruau, ivraie, maïs, mil, millet, orge, piétin, riz, sarrazin, seigle, sorgho, zizanie.

CÉRÉBRAL. Cerveau, intellectuel, mental, psychique, stéréotaxie.

CÉRÉMONIAL. Apparat, étiquette, ite, pompe, protocole, règle, rite.

CÉRÉMONIE. Anniversaire, apparat, cortège, culte, défilé, derviches, étiquette, fête, formalité, gala, inauguration, ite, liturgie, office, onction, ordre, messe, parade, pompe, prescrit, règles, rite, sacre, taffetas.

CERF. Axis, biche, bois, brocard, chevreuil, cor, daguet, daim, élan, époi, faon, fauve, hallali, harde, hère, muntjac, orignal, renne, sica, wapiti.

CERF-VOLANT. Coléoptère, lucane.

CERFEUIL. Anthriscus, musqué, tubéreux.

CERISE. Azerole, bigarreau, cerisette, coulard, gobet, griotte, guigne, guignon, mahaleb, marasque, merise, montmorency, reverchon.

CERISIER. Amer, bigarreautier, catalina, clafoutis, griottier, guignier, mahaleb, merisier, Mississippi, pennsylvanie, prunus, tardif, virginie.

CÉRIUM. Ce, cérite, ferrocérium, monazite.

CERNER. Assiéger, bloquer, contourner, encercler, entourer, investir.

CERTAIN. Absolu, admis, assuré, avéré, certitude, constant, contestable, dogme, douteux, évident, historique, illusoire, incertain, indubitable, infaillible, manifeste, positif, quelque, réel, sûr, tel, un, vrai.

CERTAINEMENT. Absolument, confirmation, évidemment, formellement, manifestement, oui, sûrement, vraiment.

CERTIFICAT. Acte, attestation, brevet, capacitaire, certifié, diplôme, licence, parère, passeport, preuve, titre, verdict.

CERTIFIER. Abriter, admettre, affirmer, assurer, attester, authentifier, confirmer, couvrir, donner, protéger, prouver, soutenir, vidimer.

CERTITUDE. Absolu, axiome, doctrine, dogme, évidence, oracle, vérité.

CÉRUMEN. Cire, cérumineux, oreille.

CERVEAU. Aqueduc, cérébral, cervelle, crâne, encéphale, siège, tête.

CERVIDÉ. Axis, caribou, cerf, chevreuil, daim, élan, faon, orignal, renne.

CERVOISE. Bière.

CÉSAR (n. p.). Brutus, Cassius, Cléopâtre, Crassus, Iule, Pompée, Sénat.

CÉSARISME. Absolutisme, autocratie, despotisme, dictature, tyrannie.

CÉSIUM. Cs.

CESSATION. Arrêt, fin, mort, relâche, repos, silence, suspension, trêve.

CESSER. Abandonner, arrêter, briser, classer, débrayer, dételer, finir, lever, mourir, négliger, ôter, perdre, renoncer, retirer, sevrer, tarir.

C'EST-À-DIRE. I.E.

CÉTACÉ. Baleine, béluga, cachalot, dauphin, épaulard, évent, lamantin, marsouin, narval, orque, requin, rorqual, souffleur, squale.

CÉTONE. Cétose, dicétose, imine, ionone, irone.

CHACAL. Anubis, carnassier, coyote, crabier.

CHAFOUIN. Cauteleux, dissimulateur, faux, hypocrite, rusé, sournois.

CHAGRIN. Abattu, affecté, affligé, aigre, bourru, consterné, cuir, dégoût, dépit, déplaisir, ennui, éploré, mal, marri, peau, peine, spleen, tristesse.

CHAGRINER. Affecter, affliger, désoler, éplorer, fâcher, navrer, peiner.

CHAH. Cadeau, chef, empereur, justice, lion, mage, monarque, pair, pharaon, prince, reine, royal, royaume, shah, sire, souverain, triboulet, tsar.

CHAH (n. p.). Abas, Ismail.

CHAHUT. Bacchanale, bruit, chambsard, tapage, tumulte, vacarme.

CHAÎNE. Acatème, anneau, châtelaine, clavier, collier, cordage, fer, giletière, léontine, lien, montagnes, montre, récif, sautoir, trame.

CHAÎNE DE MONTAGNES (n. p.). Adam, Adirondacks, Albères, Alpes, Andes, Appalaches, Aravis, Atlas, Balkans, Causase, Cordilières, Estrela, Himalaya, Ida, Jura, Laurentides, Léontine, Lure, Nevada, Oural, Rif, Rocheuses, Sierra, Stanovoï, Vosges.

CHAIR. Carne, cerneau, charnel, charnu, charogne, dodu, fraise, gras, hérissement, horripilation, libido, luxure, maigre, muscle, peau, plie, pulpe, rebondi, sens, sexuel, tissu, venaison, viande, vif, zoophage.

CHAIRE. Ambon, cathère, estrade, homilétique, pupitre, siège, tribune.

CHAISE. Banc, filanzane, litière, palanquin, siège, trorote, vinaigrette.

CHALAND. Acon, accon, acheteur, bette, client, coche, flette, halé, haler, lé, mahonne, navée, péniche, poussage, pratique.

CHALDÉE. Astrologie, our, ur.

CHÂLE. Cachemire, fichu, pointe, taled, taleth, tartan.

CHALET. Buron, cabane, pavillon, villa.

CHALEUR. Ardeur, canicule, chaud, feu, fièvre, joule, rut, vie, zèle.

CHALEUREUX. Animé, ardent, chaud, enthousiaste, fervent, passionné.

CHALLENGE. Compétion, championnat, concours, concurrence, défi.

CHALOUPE. Barque, batelet, berthon, bombard, canadienne, canoë, canot, esquif, kayak, racer, runabout, sardinière, tapecul, yole, zodiac.

CHALUMEAU. Flûte, flûteau, galoubet, paille, pipe, pipeau, roseau.

CHALUT. Bateau, chalutage, chalutier, filet, traille.

CHAMARRER. Barioler, bigarrer, dorer, orner, veiner, zébrer.

CHAMBARDER. Changer, déplacer, gêner, nuire, importuner, perturber.

CHAMBRE. Assemblée, cellule, cubiculaire, étuve, galetas, harem, loi, mansarde, odalisque, piaule, pièce, pneu, sénat, taule, tribunal, turne.

CHAMEAU. Blatérer, camélidé, chamelier, dromadaire, méhari.

CHAMOIS. Bouquetin, isard, mouflon.

CHAMP. Campagne, chènevière, clos, duel, friche, hippodrome, lopin, luzernière, plantation, prairie, pré, rizière, tréflière, turf, verger.

CHAMPAGNE. Aï, ay, bouteille, dry, flûte, soyer, tocane, vintage.

CHAMPAGNE (n. p.). Ay.

CHAMPÊTRE. Agreste, bucolique, campagnard, faune, rural, rustique.

CHAMPIGNON. Acrosperme, agaric, agaricacée, amadouvier, amanite, amanitopsis, armillaire, ascomycètes, basidiomycètes, bolet, bolétin, botrytis, chanterelle, clavaire, clitocybe, collybie, coprin, cortinaire, coucoumelle, craterelle, entolome, eumycètes, fistuline, gastéromycète, géaster, géastre, girolle, gomphide, gyromitre, hébélome, helvelle, hydne, hygrophore, hyménomycète, hypholome, lactaire, lentine, lépiote, levure, lycoperdon, marasme, mérule, moisissure, morille, mousseron, mycène, mycorhize, myxomycètes, oidium, omphalie, oreille, pane, panéole, paxille, pézize, phallus, pholiote, phycomycètes, phytophthora, plasmopara, pleurote, plutée, polypore, psalliote, puccinie, pyrénomycète, rhizoctone, russule, scléroderme, souchette, strophaire, trémelle, tricholome, trompette, truffe, vesse-de-loup, volvaire, zygomycète.

CHAMPIGNON ÉTRANGLEUR. Asclepias, cephalotus, darlingtonia, dionaea, nepenthes, papaye.

CHAMPION. As, défenseur, leader, maître, tenant, vainqueur, vedette.

CHANCE. Aléa, atout, aubaine, avantage, baraka, bol, coup, filon, guigne, hasard, heur, occasion, opportunité, pot, raté, sort, veine, verni.

CHANCELANT. Branlant, croulant, défaillant, fragile, incertain, instable, flageolant, hésitant, oscillant, pécloter, précaire, titubant, vacillant.

CHANCELER. Balancer, branler, chavirer, tituber, trembler, vaciller.

CHANCEUX. Aléatoire, chançard, favorisé, hasardeux, heureux, incertain, malchanceux, opportun, risqué, veinard, verni.

CHANDAIL. Aiguille, gilet, lainage, macramé, maillot, tricot, veste.

CHANDELIER. Bobèche, candélabre, cierge, girandole, lustre, menora.

CHANDELLE. Binet, bougie, candélabre, chandelier, cierge, flambeau, fusée, lampillon, lumignon, luminaire, mèche, oribus, rat, sabot.

CHANGEANT. Arlequin, bizarre, caméléon, capricieux, divers, flottant, inégal, instable, io, léger, mobile, protée, us, variable, versatile, volage.

CHANGÉ. Différent, méconnaissable, mué, permuté, transformé.

CHANGEMENT. Abandon, amélioration, avatar, détour, évolution, oscillation, magnétostriction, métagramme, métamorphose, métastase, modification, mue, mutation, nuance, phase, réforme, revirement, saute, subit, tel, transmutation, variation, virage.

CHANGER. Aérer, altérer, amender, commuer, décaler, dégénérer, déliter, dévier, émigrer, évoluer, falsifier, fluctuer, innover, inverser, lignifier, métamorphoser, momifier, muer, muter, ossifier, permuter, pétrifier, raviser, remanier, remplacer, remuer, revenir, saccharifier, tourner, varier, virer, zapper.

CHANSON. Bacarolle, berceuse, chant, clip, complainte, comptine, couplet, fado, jota, lied, parolier, pot-pourri, refrain, rengaine, romance, ronde, tube.

CHANSONNIER. Auteur, chanteur, compositeur, humoriste, mélodiste.

CHANSONNIER (n. p.). Ferland, Leclerc, Léveillé, Rivard.

CHANT. Air, cantatrice, cantilène, capella, chœur, choral, gospel, hymne, introït, lied, mélopée, monodie, motet, musique, nénies, Noël, ode, oiseau, orphéon, péan, pluriel, poème, prose, psaume, ramage, rhapsodie, rive, sanctus, solea, voceri, vocero.

CHANTAGE. Alerte, danger, fureur, injure, nuage, outrage, ultimatum.

CHANTEPLEURE. Robinet.

CHANTER. Attaquer, brailler, bramer, capella, chantonner, coqueriquer, détonner, fredonner, grisoller, hurler, injurier, iodler, iouler, jodler, ramager, roucouler, solfier, swinguer, ténoriser, vocaliser.

CHANTEUR. Aède, alto, artiste, barde, basse, castrat, chantre, chœur, choriste, idole, lutrin, ménestrel, rhapsode, rocker, soprano, ténor, tyrolien.

CHANTEUR AMÉRICAIN (n. p.). Cole, Crosby, Dylan, Presley, Sinatra, Zappa.

CHANTEUR BARYTON (n. p.). Allard, Arres, Beauchemin, Belleau, Biron, Bisson, Boie, Boivin, Boucher, Cambell, Chiosa, Claude, Côté, Couturier, Cyr, Duguay, Erkoreka, Ferland, Fournier, Funicelli, Gaudet, Gobeil, Gosselin, Grosser, Julien, Kulish, Labbé, Lagrenade, Langlois, Laperrière, Larouche, Latour, Lecky, Leclerc, Lefebvre, Lepage, Létourneau, Levasseur, Levert, Lortie, Major, McAuley, McMillan, Miron, Mollet, Montpetit, Oland, Patenaude, Poirier, Richard, Robie, Sasseville, Savoie, Sever, Trempe, Viau, Wolny, Zinko.

CHANTEUR BASSE (n. p.). Beauchemin, Béland, Belleau, Benoît, Bisson, Callender, Corbeil, De Forge, Deschamps, Desjardins, Dionne, Funicelli, Germain, Gosselin, Gramescu, Grenier, Guérette, Harbour, Hébert, Julien, Kulish, Lareau, Lefebvre, Légaré, Martin, McNamara, McRae, Pratt, Rouleau, Saint-Amant, Saucier, Scott, Sigmen, Trudeau, Victor.

CHANTEUR BELGE (n. p.). Brel.

CHANTEUR CONTRE-TÉNOR (n. p.). Lagranade, McLean.

CHANTEUR FOLKLORISTE HOMME (n. p.). Beaudoin, Collard, Cormier, Daignault, Gosselin, Grenier, Labrecque, Mignault.

CHANTEUR FRANÇAIS (n. p.). Aznavour, Bertrand, Bourvil, Brassens, Chevalier, Fernandel, Ferrat, Ferré, Gainsbourg, Hallyday, Montand, Rossi, Trenet.

CHANTEUR ITALIEN (n. p.). Caruso, Pavarotti.

CHANTEUR JAMAÏCAIN (n. p.). Marley.

CHANTEUR QUÉBÉCOIS POP (n. p.). Adams, Bédard, Berthiaume, Campeau, Chale, Charlebois, Comeau, Cousineau, Couture, Essiambre, Éthier, Fasano, Ferland, Fugère, Galtier, Gatignol, Gauthier, Hua, Javelin, Knight, Ladouceur, Lapointe, Lebel, Legendre, Lemay-Thivierge, Louvain, Martin, Mignault, Pagé, Price, Pringle, Ravel, St-Clair, Sauro, Scott, Soutière, Stanké, Williams.

CHANTEUR QUÉBÉCOIS DE VARIÉTÉS (n. p.). Allard, Aubé, Barbe, Beaulne, Béland, Bélanger, Béliveau, Bigras, Boivcin, Brouillet, Cagelet, Campagne, Carse, Catellier, Charles, Chouinard, Corcoran, De Cespedes, Demontigny, Desjardins, Donovan, Dorion, Duguay, Dulac, Faber, Farago, Ferland, Fortin, Francœur, Gagnon, Gauthier, Germain, Gérome, Gignac, Gilbert, Gingras, Girouard, Groulx, Guay, Guindon, Hachey, Hovington, Huet, Jacques, Jean, Jordan, Labbé, Labrecque, Lalonde, Lapierre, Lapointe, Laroche, Leloup, Major, Mandanici, Mervil, Nolin, Normand, Oland, Olivier, Pelchat, Peters, Poulin, Prévost, Roger, Roy, Scott, Sénécal, Simard, Stax, Sylvain, Tessier, Tremblay, Trudeau, Vigneault, Voisine, Zabé.

CHANTEUR COMPOSITEUR QUÉBÉCOIS (n. p.). Antonin, Baillargeon, Barbe, Bélanger, Bernier, Bertrand, Biddle, Bouchard, Bourgeois, Brault, Brousseau, Brown, Calvé, Canuel, Carse, Charlebois, Chenart, Cousineau, Cyr, De Larochellière, Dhavernas, Dionne, Dompierre, Duguay, Éthier, Faulkner, Flynn, Fournier, Gabriel, Gauthier, Gélinas, Guy, Huard, Joanness, Labbé, Lalonde, Lavoie, Le Bœuf, Lefrançois, Lelièvre, Lemay, Lessard, Létourneau, Le Tourneux, Léveillé, Lever, Mandeville, Manseau, Martin, Massé, Mc Kenzie, Medile, Minville, Miron, Mondor, Norman, Olivier, Pagliaro, Paquette, Pelchat, Pelletier,

Piché, Pringle, Rivard, Roche, Roy, Sarrasin, Séguin, Tadros, Torr, Trudel, Valente, Valiquette, Vigneault, Voisine.

CHANTEUR TÉNOR (n. p.). Aubry, Barrette, Bélanger, Bernier, Bilodeau, Bisson, Bizier, Blanchette, Blouin, Boisvert, Boutet, Cantin, Champoux, Charette, Comeau, Corbeil, Côté, Coulombe, De Hêtre, Denys, Desbiens, Desmeules, Dionne, Doane, Dubord, Duguay, Duval, Fortin, Fournier, Gagnon, Gauvin, Glogowski, Gosselin, Gray, Guérin, Guillemette, Guinard, Guindon, Hargreaves, Joanness, Jodry, Lacourse, Laflamme, Landry, Langelier, Lanouette, Laperrière, Latour, Leclerc, Legault, Léonard, Lessard, Lortie, McAuley, McLean, Morin, Nolet, Ouellette, Pavarotti, Panneton, Pellerin, Pelletier, Perras, Perreault, Perron, Peters, Philipp, Piché, Pilon, Robitaille, Rompré, Saint-Gelais, Schrey, Simard, Smith, Tardif, Tremblay, Trépanier, Turcotte, Vallée, Verreau, Webber.

CHANTEUSE. Cantatrice, diva, geisha, goualeuse, prima donna, rockeuse.

CHANTEUSE ALTO (n. p.). Berthiaume, Brehmer, Darmont, Dind, Dubois, Harbour, Lalonde, Magnan, Mayer, Pelletier. Picard, Rose.

CHANTEUSE COLORATURE (n. p.). Arpin, Bilodeau, Choquette, Côté, Fortin, Hurley, Leclerc, Lespérance.

CHANTEUSE COMPOSITEURE QUÉBÉCOISE (n. p.). Agostinucci, Béland, Biddle, Boucher, Brousseau, Butler, Chevrier, Cloutier, Cousineau, Des Rochers, Desrosiers, Dufresne, Dugas, Dyson, Forestier, Gallant, Grenier, Jacob, Jalbert, Jasmin, Joli, Labelle, Lapointe, Lemay, Maufettem, Mercure, Miville-Deschênes, Morin, Paquette, Paradis, Paris, Pelletier, Philippe, Raymond, Richards, St-Clair, Ste-Croix, Saintonge, Séguin, Tell, Thério, Théroux, Tremblay, Young, Zacharie.

CHANTEUSE CONTRALTO (n. p.). Beaulieu, Catudal, Champagne, Couture, Dumontet, Ferland, Gignac, Jalbert, Lambert, Lanouette, Paquet, Parent, Puiu, Rioux.

CHANTEUSE FOLKLORISTE (n. p.). Baillargeon, Breton, Cadrin, Chailler, Charlebois, Guannel, Lemay, Pascal, Tremblay.

CHANTEUSE FRANÇAISE (n. p.). Crespin, Damia, Falcon, Gréco, Guilbert, Lubin, Mireille, Mistinguett, Piaf, Sykvertre.

CHANTEUSE MEZZO-SOPRANO (n. p.). Amos, Aubé, Beaudry, Beaulieu, Beaupré, Bédard, Bergeron, Boucher, Bovet, Brehmer, Brodeur, Cartier, Chaput, Chartier, Chiocchio, Choinière, Clavet, Comtois, Corbeil, Couture-Joachim, Dansereau, Dind, Dion, Dufour, Duguay, Dumont, Dumontet, Duval, Fay, Ferland, Fillion-Biro, Fleury, Flibotte, Gaudreau, Girard, Girouard, Guyot, Harbour, Keklikian, Laferrière, Lamarche, Lambert, Lapointe, Lavigne, Leblanc, Lemelin, Lessard, Levac, Marchand, Martin, Martineau, Matteau, Mayer, Mizera, Murray, Nelson, Novembre, Ouellet-Gagnon, Paltiel, Paquet, Pavelka, Pelletier, Poulain, Poulin Parizeau, Racine, Rioux, Robert, Rose, Roy, St-Jean, Samson, Sanders, Senécal, Sevadjian, Tardif, Vachon, Vaillancourt, Verschelden.

CHANTEUSE QUÉBÉCOISE POP (n. p.). Agostinucci, Andrieu, Aubut, Beauchamp, Béliveau, Bergeron, Blanchet, Blouin, Breton, Brossoit, Brunet, Butler, Chaskin Love, Choquette, Clément, Cloutier, Corradi, Dagenais, Duguay, Faure, Gauthier, Gélinas, Gendron, Guérin, Jasmin, Karnas, Labelle, Lambert, Leblanc, Lemire,

Lomez, Mailho, Martel, Martinez, Massicotte, Morel, Olivier, Pallascio, Perini, Piché, Raymond, Sabaz, Sage, Sergerie, Thouin, Vermeil, Vermont.

CHANTEUSE QUÉBÉCOISE DE VARIÉTÉS (n. p.).Alber, Aras, Araya, Armand, Arsenault, Aubry, Ball, Baril, Bédard, Bellégo, Bergeron, Bisson, Bocan, Boeki, Bouchard, Boucher, Boulay, Brault, Burla, Campagne, Carle, Caron, Carrier, Castel, Chartrand, Chatelaine, Claude, Cotton, Coulombe, Coupal, Couture, D'Amour, Daraîche, Dassylva, Déry, Desjardins, Désy, Dion, Dorice, Dorion, Dostie, Dubeau, Dubois, Dufault, Dufresne, Dugal, Émond, Esse, Fabian, Gagnon, Gingras, Gray, Grenier, Guérin, Harvey, Hébert, Joli, Jourdan, Julien, Juster, Kathleen, Labelle, Labonté, Labreck, Lachance, Lachapelle, Lange, Lapierre, Lapointe, Laure, Lavigne, Lavoie, Léa, Leblanc, Lee, Lefebvre, Legault, Lenormand, Lessard, Levac, Leyrac, Lockwell, Lomez, Magdalena, Mai, Major, Marchand, Marquis, Martel, Martin, Martineau, Martinez, Masse, Millard, Montour, Montpetit, Myriam, Oddera, Oxley, Paquin, Paradis, Parent, Paris, Pary, Pauzé, Pelletier, Perron, Pilon, Poitras, Portal, Reno, Richard, Rigaud, Robi, Rock, Rousseau, Roy, Royer, Sabaz, St-Clair, Sainte-Marie, Salvador, Sanscartier, Sergerie, Simard, Taillon, Tremblay, Trudeau, Vachon, Valade, Viger, Vincent, Young.

CHANTEUSE SOPRANO (n. p.). Allison, Amos, Arpin, Arsenault, Baillargeon, Banini-Giroux, Barrette, Bastien, Beauchamp, Beaumier, Bédard, Bélanger, Bellavance, Bellégo, Bernard, Berthiaume, Bilodeau, Blier, Boky, Boucher, Burla, Cadbury, Camirand, Caron, Carrier, Chalfoun, Charbonneau, Cimon, Claude, Côté, Cousineau, Couture, Crépeau, Dansereau, Daviault, D'Éon, De Repentigny, Desmarais, Desrosiers, Dion, Drolet, Duchemin, Dugal, Duguay, Dulude, Dumontier, Dussault, Duval, Edwards, Fabien, Figiel, Findlay, Forget, Fortin, Frenette, Gagné, Gagnier, Gates, Gauthier, Gendron, Gingras, Grenier, Guay, Guérard, Guérin, Hurley, Husaruk, Jolin-Laurencelle, Karam, Katazian, Kinslow, Kutz, Laberge, Lachance, Lafontaine, Lalonde, Lambert, Lamoureux, Lapointe, Laterreur, Lebœuf, Lebrun, Legault, Lemay, Lemieux, Le Myre, Lespérance, Lessard, Longpré, Lord, Marchand, Marcotte, Marquette, Martel, Martin, Masella, McGuire, Mercier, Murray, Nadeau, Ohlmann, Pagé, Parent, Paulin, Pelletier, Phaneuf, Picard, Pilon, Plante, Postill, Poulin-Parizeau, Poulyo, Robert, Robert, Saint-Denis, Savoie, Séguin, Selkirk, Simard, Sperano, Tiernan, Tremblay, Trudeau, Vachon, Vaillancourt, Vallée-Jalbert, Van Der Hoeven, Verret.

CHANTIER. Arsenal, atelier, dépôt, fabrique, magasin, ouvrier, tas.

CHANTONNER. Bourdonner, chanter, détonner, fredonner, moduler.

CHANTRE. Barde, chansonnier, chanteur, scalde, sisymbre, velar.

CHANVRE. Abaca, bananier, bidens, canebière, cannabis, chènevière, chènevis, corde, étoupe, filasse, filin, haschisch, kif, maque, marijuana, rouet, rouir, textile, tissu, toile, treillis.

CHAPARDEUR. Chipeur, dérobeur, piqueur, voleur.

CHAPEAU. Béret, bob, bibi, bicorne, bitos, bolivar, cap, cape, capuchon, charlotte, cinglé, claque, coiffure, feutre, galure, galurin, gibus, képi, manille, melon, mître, modiste, panama, pétase, sombrero, suroît, tricorne, tube.

CHAPEAUTER. Accompagner, acheminer, animer, axer, conduire, gêner, gouverner, guider, mener, orienter, router, senestrer, tenir, viser.

CHAPELAIN. Aumônier, chapellenie, prêtre.

CHAPELET. Ave, cascade, clane, dizaine, glane, grain, kyrielle, neuvaine, pater, prières, psautier, rosaire, série, succession, suite.

CHAPELLE. Absidiole, baptistère, crypte, église, oratoire, pagode.

CHAPITEAU. Cippe, cirque, corbeille, échine, fût, orle, ove, tente.

CHAPITRE. Article, assemblée, chanoine, conseil, division, doyen, épigraphe, exergue, livre, matière, objet, partie, poste, primicier, question, réunion, section, sujet, surate, titre.

CHAPON. Blanc, coq, poule, poulet.

CHAQUE. Chacun, élément, exemplaire, respectif, tous, tout, unité.

CHAR. Auto, automobile, bazou, bige, corbillard, engin, panzer, tank.

CHARABIA. Argot, baragouinage, bizarre, galimatias, jargon, obscur, sabir.

CHARADE. Devinette, énigme, jeu, question, rébus.

CHARANÇON. Anthonome, apion, calandre, rhynchite.

CHARBON. Anthracite, boghead, boulet, briquette, coke, diamant, fusain, gailleterie, gril, houille, lignite, maladie, noisette, tourbe.

CHARCUTER. Défigurer, opérer, tripatouiller.

CHARCUTERIE. Andouille, boudin, cochonaille, confis, pâtisserie, porc.

CHARDON. Acanthe, bosse, carde, cardère, carline, cirse, difficulté, kentrophylle, oiseau, panicaut, pédane, piquant.

CHARGE. Ânée, dette, devoir, édilité, encrer, emploi, étude, excès, faix, fardeau, franco, humide, imager, impôt, lester, mine, peser, poids, port.

CHARGEMENT. Augée, bolée, ci-inclus, cuvée, dedans, inclus, teneur.

CHARGER. Déléguer, engager, facturer, imposer, recharger, transborder.

CHARGEUR. Bataterie, fusil, magasin, subrecargue.

CHARGEUSE. Loader, pépine.

CHARIOT. Binard, boggie, briska, callisto, camion, charrette, diable, éfourceau, fardier, jumbo, trolley, téléférique, transpalette, wagon.

CHARITABLE. Bon, compatissant, généreux, humain, obligeant, sensible.

CHARITÉ. Aumône, bonté, clémence, don, générosité, quête, tolérance.

CHARIVARI. Bastringue, bazar, bruit, chahut, sérénade, tapage.

CHARLATAN. Camelot, forain, imposteur, menteur, parleur, trompeur.

CHARLES (n. p.). Carol.

CHARMANT. Adorable, attrayant, beau, bel, coquet, divin, enchanteur, ensorcelant, exquis, fascinant, gai, joli, ravissant, séducteur, séduisant.

CHARME. Appas, appât, arbre, attrait, beauté, délice, élégance, goût, grâce, magie, pouvoir, serpent, sirène, sort, sortilège, tournure.

CHARMER. Attirer, captiver, conjurer, délecter, éblouir, émerveiller, enchanter, ensorceler, envoûter, épater, fasciner, plaire, séduire.

CHARMEUR. Attractif, charmant, enjôleur, ensorceleur, flatteur, psylle, séducteur, séduisant, troublant.

CHARNEL. Corporel, intime, luxure, physique, sensible, sensuel, sexuel, tangible, temporel.

CHARNIÈRE. Articulation, axe, combe, gond, paumelle, penture.

CHARNU. Corpulant, dodu, épais, gras, grassouillet, potelé, replet, rond.

CHAROGNARD. Corneille, goéland, hyène, urubu, vautour.

CHAROGNE. Barbaque, bidoche, cadavre, carne, carogne, chair, mort.

CHARPENTE. Arêtier, armature, bâti, ber, cadre, carcasse, composition, if, os, ossature, pan, pilier, poteau, poutre, sapin, squelette, tin.

CHARPENTIER. Abeille, équerre, menuisier, ossu, rénette, tarière, vrille.

CHARRETTE. Atteloire, carriole, char, chariot, chartil, diable, gerbière, haussière, hayon, haquet, liure, ridelle, tombereau, voiture, wagon.

CHARRIER. Abuser, attiger, charroyer, emporter, entraîner, exagérer, dramatiser, forcer, grossir, moquer, outrer, traîner, transporter.

CHARRUE. Araire, binet, brabant, buttoir, cep, coutre, cultivateur, dombasle, houe, labour, pelle, rets, ritte, sep, soc, trisoc.

CHARTE. Cartulaire, convention, loi, protocole, règlement.

CHASSE. Absidiole, affût, bannir, battue, cimicaire, cor, chien, drag, épervier, fauconnerie, fouée, gibier, louveterie, muette, panneautage, piégeage, piper, poursuite, safari, to, traque, vénerie, volerie.

CHASSER. Bannir, écarter, exclure, déloger, exiler, rejeter, vider, voler.

CHASSEUR. Boucanier, braconnier, corvette, fauconnier, nemrod, piégeur, piqueur, pisteur, portier, pourboire, trappeur, veneur.

CHASSEUR (n. p.). Orion.

CHÂSSIS. Bâti, cadre, encadrement, fenêtre, moustiquaire, structure.

CHASTE. Abstinent, ascétique, décent, continent, prude, puceau, pucelle, pudique, pur, rosière, sage, vertueux, vestale, vierge, virginal.

CHASTETÉ. Décence, pudeur, honneur, retenue, sagesse, vertu, vœu.

CHAT. Angora, chartreux, couguar, félin, haret, lion, lynx, margay, matou, mimi, minet, ocelot, once, persan, rodilard, serval, tigre.

CHÂTAIGNE. Aulne, bogue, cheval, hérisson, marron, oursin, porc, tan.

CHÂTEAU. Castel, eu, if, citadelle, donjon, manoir, navire, palais, usse.

CHÂTEAU DE LA LOIRE (n. p.). Amboise, Anet, Angers, Azay-le-Rideau, Blois, Chambord, Chaumont, Chenonceaux, Cheverny, Chinon, Langeais, Loches, Ussé, Valençay, Villandry.

CHÂTEAU DE MONTREAL (n. p.). Ramezay.

CHÂTEAU D'ORLÉANS (n. p.). Eu.

CHÂTEAU DES PRINCES DE GUISE (n. p.). Eu.

CHÂTEAU DE QUÉBEC (n. p.). Frontenac.

CHÂTEAU DES ROIS DE FRANCE (n. p.). Louvre, Tuileries, Versailles.

CHÂTEAU DE ROME (n. p.). Saint-Ange.

CHAT-HUANT. Hulotte.

CHÂTIER. Corriger, fouetter, fustiger, parfaire, polir, punir, venger.

CHÂTIMENT. Dam, exemple, peine, pénitence, prix, punition, sanction.

CHATOUILLEMENT. Agacerie, caresse, papouille, prurit, titillation.

CHATOUILLER. Démanger, exciter, gratter, picoter, susceptible, titiller.

CHATOYER. Briller, colorer, étinceler, imager, jeter, luire, miroiter, moire, pétiller, rutiler, scintiller.

CHÂTRER. Amputer, castrat, castrer, chaponner, couper, démascler, émasculer, eunuque, hongrer, mutiler, tronquer.

CHATTERIE. Câlinerie, caresse, douceur, friandise, gâterie, sucrerie.

CHAUD. Ardent, bouillant, brûlant, canicule, thermos, tiède, torride.

CHAUFFAGE. Biénergie, bûche, chaudière, foyer, feu, poêle, surchauffe.

CHAUFFER. Bouillir, cuire, échauffer, griller, réchauffer, rôtir, souder.

CHAUFFEUR. Aurige, autémédon, chauffard, chef, cocher, cornac, fil, isolant, mécanicien, métal, musagète, pilote, postillon, routier.

CHAUME. Cabane, chaumière, éteule, étrape, glui, paille, tige.

CHAUSSÉE. Asphalte, digue, duit, jetée, pavée, route, rue, voie.

CHAUSSON. Babouche, bas, gosette, kroumir, mule, pantoufle, savate.

CHAUSSURE. Bas, botte, bottine, derby, espadrille, galoche, grole, grolle, mocassin, mule, pantoufle, patin, sabot, sandale, savate, socque, soulier.

CHAUVE. Calvitie, dégarni, déplumé, genou, lisse, pelade, pelé, xérasie.

CHAUVE-SOURIS. Céphalote, chiroptère, harpie, myoptère, noctule, oreillard, pipistrelle, rhinolophe, roussette, vampire, verspertillon.

CHAUX. Calcaire, ciment, craie, gypse, lapis, plâtre, stuc.

CHAVIRÉ. Ému.

CHAVIRER. Abîmer, basculer, cabaner, capoter, couler, culbuter, dessaler, émouvoir, renverser, sombrer, tanguer, tituber, vaciller.

CHEF. Aga, agha, amman, as, caïd, calife, chancelier, cheik, curion, despote, dey, duc, duce, émir, hérésiarque, iman, leader, maire, maître, ovate, pacha, pape, parrain, père, prote, rais, rapin, ras, sachem, satan, shah, shérif, roi, tête, vizir.

CHEF-LIEU, FRANCE (n. p.). Ajaccio, Amiens, Angers, Angoulême, Avignon, Bastia, Besançon, Béziers, Bordeaux, Boulongne, Bourges, Brest, Brive, Caen, Châteauroux, Clermont-Ferrand, Calais, Colmar, Dijon, Dunkerque, Grenoble, La Rochelle, Le Havre, Le Mans, Lille, Limoges, Lyon, Marseille, Metz, Montluçon, Montpellier, Mulhouse, Nancy, Nantes, Nevers, Nices, Nîmes, Orléans, Paris, Pau, Périgueux, Perpignan, Poitiers, Reims, Rennes, Rouen, St-Étienne, Strasbourg, Toulon, Toulouse, Tours, Troyes, Valence, Vichy.

CHEF-LIEU D'ARRONDISSEMENT, FRANCE (Ch.-l. d'arr.) (n. p.). Abbeville, Aix-en-Provence, Albertville, Alès, Altkirc, Ambert, Ancenis, Andelys, Antony, Apt, Argelès-Gazost, Argentan, Argenteuil, Arles, Aubusson, Autun, Avallon, Avesnes-sur-Helpe, Avranches, Bagnères-de-Bigorre, Barcelonnette, Bar-sur-Aube, Bayeux, Bayonne, Beaune, Bellac, Belley, Bergerac, Bernay, Béthune, Béziers, Le Blanc, Blaye, Bonneville, Boulay-Moselle, Boulogne-Billancourt, Boulogne-sur-Mer, Bressure, Brest, Briançon, Briey, Brignoles, Brioude, Brive-la-Gaillarde, Calais, Calvi, Cambrai, Carpentras, Castellane, Castelsarrasin, Castres, Céret, Chalon-sur-Saône, Charolles, Châteaubriand, Château-Chinon, Châteaudun, Château-Gontier, Châteaulin, Château-Salins, Château-Thierry, Châtellerault, Châtre, Cherbourg, Chinon, Cholet, Clamecy, Clermont, Cognac, Commercy,

Compiègne, Condom, Confolens, Corte, Cosne-Cours-sur-Loire, Coutances, Dax, Die, Dieppe, Dinan, Dole, Douai, Draguignan, Dreux, Dunkerque, Épernay, Étampes, Figeac, Flèche (La), Florac, Fontainebleau, Fontenay-le-Comte, Forbach, Forcalquier, Fougères, Gex, Gourdon, Grasse, Guebwiller, Guingamp, Haguenau, Havre (Le), Haÿ-les-Roses (L'), Issoire, Issoudun, Istres, Jonzac, Langon, Langres, Lannion, Langentière, Lens, Lesparre-Médoc, Libourne, Limoux, Lisieux, Loches, Lodève, Lorient, Louhans, Lunéville, Mamers, Mantes-la-Jolie, Marin (Le), Marmande, Mauriac, Mayenne (ville), Meaux, Millau, Mirande, Molsheim, Montargis, Montbard, Montbéliard, Montbrison, Montdidier, Montluçon, Montmorency (ville), Montmorillon, Montreuil-sur-Mer, Morlaix, Mortagne-au-Perche, Mulhouse, Muret, Nantua, Narbonne, Nérac, Neufchâteau, Nogent-le-Rotrou, Nogent-sur-Marne, Nogent-sur-Seine, Nontron, Nyons, Oloron-Sainte-Marie, Palaiseau, Pamiers, Parthenay, Péronne, Pithiviers, Pointe-à-Pitre, Pantarlier, Pontivy, Prades, Provins, Raincy (Le), Rambouillet, Redon, Reims, Rethel, Ribeauvillé, Riom, Roanne, Rochechouart, Rochefort, Romorantin-Lanthenay, Sables-d'Olonne, Saint-Amand-Montrond, Saint-Benoit, Saint-Claude, Saint-Denis, Saint-Dié, Saint-Dizier, Sainte-Menehould, Saintes, Saint-Flour, Saint-Gaudens, Saint-Germain-en-Laye, Saint-Girons, Saint-Jean-d'Angély, Saint-Jean-de-Maurienne, Saint-Julien-en-Genevois, Saint-Laurent-du-Maroni, Saint-Malo, Saint-Nazaire, Saint-Omer, Saint-Paul (Réunion), Saint-Pierre (Réunion), Saint-Quentin, Sarlat-la-Canéda, Sarrebourg, Sarreguemines, Sartènes, Saumur, Saverne, Sedan, Segré, Sélestat, Senlis, Sens (ville), Soissons, Thann, Thiers, Thionville, Thonon-les-Bains, Toul, Tour-du-Pin (La), Tournon-sur-Rhône, Trinité (La), Ussel, Valenciennes, Vendôme, Verdun, Vervins, Vichy, Vienne (Isère), Vierzon, Vilan (Le), Villefranche-de-Rouergue, Villefranche-sur-Saône, Villeneuve-sur-Lot, Vire, Vitry-le-François, Vouziers, Wissembourg, Yssingeaux.

CHEF-LIEU, SUISSE (n. p.). Aarau, Altdorf, Appenzell, Bâle, Bellinzona, Berne, Coire, Delémont, Frauenfeld, Fribourg, Genève, Glaris, Herisau, Lausanne, Liestal, Lucerne, Neuchâtel, Saint-Gall, Sarnen, Schaffhouse, Schwyz, Sion, Soleure, Stans, Zoug, Zurich.

CHEF RELIGIEUX (n. p.). Abraham, Bab, Booth, Bouddha, Calvin, Confucius, Hus, Imam, Jésus-Christ, Knox, Lao, Luther, Mahâvira, Mahomet, Nânak, Smith, Wesley, Wyclif, Young, Zarathoustra, Zoroastre, Zwingli.

CHELLÉEN. Abbevillien, étage.

CHEMIN. Accès, allée, artère, avenue, cavée, chenal, course, descente, détour, direction, distance, fer, funiculaire, guide, itinéraire, jeu, laie, layon, lé, parcours, passage, périple, piste, rail, rampe, rang, ravin, route, rue, sente, sentier, trajet, traverse, trimard, trotte, via, vie, voie.

CHEMIN DE FER. Cheminot, gare, métro, rail, rampe, truc, wagon.

CHEMINÉE. Âtre, conduit, feu, foyer, fumée, hotte, puits, suie, trou.

CHEMISE. Brassière, camisard, camisole, chèvre, crin, cylindre, dossier, farde, gilet, haire, jabot, jaquette, obus, parure, plastron, polo, puce.

CHEMISIER. Blouse, camisole, corsage, jabot, marinière, sarrau, vareuse.

CHENAL. Abée, aqueduc, arroyo, artère, berme, bief, canal, chemin, cholédoque, conduite, cours, dalot, drain, eau, écluse, égout, étier, évent, évier, fistule, fossé, grau, lé, lit, naville, passe, rachidien, rigole, sillon, trachée, tube, tuyau, uretère, urètre, vagin, veine, voie.

CHENAL (n. p.). Euripe, Rideau.

CHENAPAN. Bandit, brigand, canaille, polisson, vaurien, vicieux, voyou.

CHÊNE. Amérique, bicolore, blanc, bleu, bourgogne, brosse, buis, californie, chapman, chênaie, chevelu, chinquapin, commun, douglas, eau, écarlate, émory, engelman, femelle, gambel, gris, gui, imbriqué, kellogg, kermès, liège, marais, marécages, nuttall, pédonculé, prin, quercitron, quercus, rouge, rouvre, saule, shumard, tauzin, teinturier, vélani, vert, yeuse.

CHENET. Hâtier, landier, marmouset.

CHENILLE. Arpenteuse, bombyx, chenillette, cocon, coque, épite, larve, magnan, mue, nymphe, papillon, patin, processionnaire, tordeuse, ver.

CHÉNOPODE. Ansérine, vulvaire.

CHÉNOPODIACÉE. Ansérine, bette, blète, kali, quinoa, salicor, vulvaire.

CHEPTEL. Animaux, bergerie, bétail, capital, écurie, étable, troupeau.

CHER. Adoré, adulé, affectionné, agréable, aimé, chéri, coûteux, dispendieux, estimable, onéreux, précieux, prix, rare, salé, surpayer.

CHERCHER. Autopsier, courtiser, étudier, fouiller, fureter, picorer, quérir, quêter, rechercher, scruter, tâtonner, tenter, troller, viser.

CHERCHEUR. Explorateur, curieux, fouineur, orpailleur, scientiste.

CHÈRE. Adorée, amie, bombance, chérie, festoyer, lie, menu, ripaille.

CHÈREMENT. Amoureusement, cher, onéreusement, pieusement, tendrement.

CHÉRIR. Aimer, adorer, affectionner, amouracher, attacher, brûler, choyer, désirer, espérer, estimer, favori, goûter, idolâtrer, raffoler.

CHÉRUBIN. Amour, ange, angelot, bara, bébé, champi, démon, diablotin, doux, enfant, gamin, fille, fils, môme, moutard, négrillon, nouveau-né, oblat, orphelin, part, peste, polisson, poupon, têtard.

CHERVIS. Sium.

CHÉTIF. Débile, déficient, faible, fluet, fort, fragile, frêle, gringalet, maigre, malingre, mauviette, misérable, souffreteux, vermisseau.

CHEVAL. Alezan, amble, anglo-arabe, anglo-normand, arzel, aubère, bai, baillet, balzan, barbe, bas-jointé, bégu, bouleté, bourrin, brassicourt, cagneux, cavale, cavecé, cob, courbattu, coursier, court-jointé, crinière, dada, demi-sang, encastré, ensellé, étalon, genet, goussaut, haridelle, hippocampe, hongre, isabelle, limonier, mésair, mézair, mors, mule, mustang, outsider, panard, pégase, percheron, piaffeur, pinçard, polo, poney, pur-sang, racer, ramingue, relais, rosse, rouan, roussin, rubican, ruer, sommier, stepper, steppeur, trotteur, turf, yearling, zain.

CHEVAL-VAPEUR. CH., CV., HP., joule.

CHEVALEMENT. Étai, mine, molette.

CHEVALET. Banc, baudet, étai, râtelier, sourdine, support, tréteau.

CHEVALIER. Adouber, asas, bachelier, bière, cavalier, éon, honneur, industrie, légion, noble, oiseau, omble, palatin, preux, templier, vassal.

CHEVALIER (n. p.). Arthur, Éon, Don Quichotte, Templiers.

CHEVELURE. Alopécie, cheveux, coiffure, crêpé, crinière, frisure, guiche, laine, natte, perruque, postiche, scalp, tif, tignasse, toison.

CHEVESNE. Able, cabot, meunier.

CHEVEUX. Afro, albinos, alopécie, canitie, chignon, coiffure, crolle, épi, frange, natte, perruque, pou, scalpe, sixtus, tif, tiffe, tignasse, xérasie.

CHEVILLE. Atteloire, axe, cabillot, chevron, clavette, clou, épite, esse, fiche, goujon, goupille, malléole, ouvrière, pléonasme, tee, trenail.

CHÈVRE. Bique, biquette, bouc, bouquetin, cabri, camelot, caprin, chevreau, chevrette, grue, haire, haricot, laine, menon, ovin, treuil.

CHEVREAU. Bicot, biquette, cabri, chevrette, chevrotin, faon.

CHEVRETTE. Bicot, biquette, capri, chevreau, chevrotin, faon.

CHEVREUIL. Brocard, cerf, chevrette, chevrillard, chevrotin, cuisse.

CHEVRON. Ais, brisque, cheville, colombage, coyau, faîtage, poutre, tige.

CHEVRONNÉ. Ancien, capable, doyen, émérite, expert.

CHEVROTER. Bégeuter, bêler, trembler, trembloter.

CHIC. Aimable, chouette, classe, élégant, habilité, huppé, sélect.

CHICANE. Argument, argutie, artifice, bagarre, bataille, bisbille, chicanerie, chinoiserie, complication, conflit, contestation, détour, dispute, ergotage, ergote, équivoque, incident, noise, scène, tracasserie.

CHICANER. Arguer, argumenter, contredire, critiquer, disputer, ergoter.

CHICANIER. Argutieux, chipoteur, disputailleur, ergoteur, procédurier.

CHICHE. Dépensier, dissipateur, économe, gaspilleur, gredin, grigou, grimelin, grippe-sou, harpagon, ladre, lésineur, liard, liardeur, molière, pingre, prodigue, radin, rapiat, rat, séraphin, serré, vautour, vil, vilain.

CHICORÉE. Endive, escarole, frisée, mignonette, scarole, trévise, witloof.

CHICOT. Ars, billot, branche, chott, colonne, corps, croc, débris, dent, écot, fragment, fût, lignée, morceau, stipe, tige, tirelire, torse, tronc.

CHICOTIN. Aloès, amer.

CHIEN. Aboyeur, aiguillat, barbet, basset, bâtard, beagle, berger, bouvier, boxer, braque, briard, briquet, bull-terrier, cabot, cabéru, caniche, chenil, chiot, chin, chow-chow, clabaud, clébard, clebs, cocker, colley, corneau, corniaud, danois, dingo, dogue, épagneul, fox-hound, griffon, groenendael, havanais, houret, husky, klebs, king-charles, labri, lévrier, limier, loulou, malinois, mastiff, meute, molosse, niche, pataud, pékinois, pointer, ratier, retriever, roquet, roussette, saint-bernard, scottish-terrier, setter, teckel, terre-neuve, toutou, tsin, turquet, zain.

CHIENDENT. Alpiste, arrenatherum, panaché, ruban.

CHIFFON. Drapeau, drille, guenille, haillon, lambeau, peille, torchon.

CHIFFONNER. Friper, froisser, manier, plisser, remuer, tourmenter.

CHIFFONNIER. Biffin, chineur, commode, crochet, frippier, hotte.

CHIFFRE. Arabe, calcul, marque, nombre, note, numéro, romain, tomer.

CHIFFRE ROMAIN. I, II, III, IV, V, VI, VII, VIII, IX, X, XI, XII, XIII, XIV, XV, XVI, XVII, XVIII, XIX, XX, D, C, M.

CHIFFRE ROMAIN, 2 LETTRES. CC (200), CD (400), CI (101), CL (150), CM (900), CV (105), CX (110), DC (600), DI (501), DL(550), DV (505), DX (510), II (2), IV (4), IX (9), LI (51), LV (55), LX (60), MC (1100), MD (1500), MI (1001), ML (1050), MM (2000), MV (1005), MX (1010), VI (6), XC (90), XI (11), XL (40), XV (15), XX (20).

CHIFFRER. Calculer, coder, compter, crypter, encoder, escompter, espérer, estimer, évaluer, mesurer, nombrer, numéroter, quantifier.

CHIITE. Ayatollah, duodécimain, hodjatileslam.

CHIMÈRE. Fantastique, idée, illusion, monstre, rêve, roman, utopie.

CHIMÉRIQUE. Allégorique, coquecigrus, fabuleux, fantaisiste, fantasmatique, fou, illusoire, imaginaire, irréel, utopique, vain.

CHIMISTE ALLEMAND (n. p.). Alder, Baeyer, Becher, Bergius, Bosch, Brand, Brandt, Bunsen, Butenandt, Dippel, Eigen, Fehling, Fischer, Glauber, Haber, Hahn, Klaproth, Kunckel, Liebig, Loewi, Marggraf, Meyer, Mitscherlich, Nernst, Stahl, Staudinger, Wallach, Wöhler, Ziegler.

CHIMISTE AMÉRICAIN (n. p.). Baekeland, Boyle, Brown, Carothers, Dalton, Debye, Ficher, Giauque, Gibbs, Hoffmann, Hopkins, Kendall, Langmuir, Lewis, Libby, Lipscomb, Mulliken, Ostwald, Pauling, Richards, Robinsom, Rumford, Seaborg, Taube, Urey, Woodward.

CHIMISTE ANGLAIS (n. p.). Aston, Cavendish, Crookes, Dalton, Davy, Faraday, Frankland, Hales, Haworth, Henry, Hinshelwood, Marsh, Moseley, Nicholson, Perkin, Priestley, Prout, Ramsay, Robinson, Swan, Synge, Wollaston.

CHIMISTE AUTRICHIEN (n. p.). Auer, Zsigmondy.

CHIMISTE BELGE (n. p.). Prigogine, Stas.

CHIMISTE BRITANNIQUE (n. p.). Hodgkin, Wilkinson.

CHIMISTE CANADIEN (n. p.). Barzen, Black, Douglas, Dow, Graham, Heaffy, Herzberg, Polanyi, Reily, Smith.

CHIMISTE DANOIS (n. p.) Bransted, Oersted, Sorensen.

CHIMISTE ÉCOSSAIS (n. p.). Dewar, Graham, Hope.

CHIMISTE FRANÇAIS (n. p.). Arcet, Balard, Bayen, Baumé, Bel, Berthelot. Berthollet, Caventou, Chaptal, Chardonnet, Chevreul, Claude, Conte, Courtois, Curie, Darcet, Debray, Duclaux, Dulong, Dumas, Fourcroy, Friedel, Gautier, Gay-Lussac, Gerhardt, Grignard, Joliot-Curie, Kuhlmann, Laurent, Lavoisier, Leblanc, Lebon, Lumière, Moissan, Niepce, Orfila, Osmond, Pasteur, Payen, Pelletier, Pelouze, Proust, Raspail, Rey, Robiquet, Sabatier, Thenard, Turpin, Vauquelin, Wurtz.

CHIMISTE IRLANDAIS (n. p.). Boyle.

CHIMISTE ISRAÉLIEN (n. p.). Weizmann.

CHIMISTE ITALIEN (n. p.). Avogadro, Bovet, Farina.

CHIMISTE JAPONAIS (n. p.). Fukui.

CHIMISTE NORVÉGIEN (n. p.). Guldberg, Hassel.

CHIMISTE RUSSE (n. p.). Mendeleïev, Semenov, Semionov.

CHIMISTE SUÉDOIS (n. p.). Arrhenius, Bergman, Berzelius, Nobel, Scheele, Svedberg.

CHIMISTE SUISSE (n. p.). Karrer, Müller, Prelog, Ruzicka, Werner.

CHIMISTE TCHÈQUE. (n. p.). Heyrovsky.

CHINER. Acheter, barioler, brocanter, chercher, chinure, critiquer, railler, taquiner.

CHINOIS. Asiate, asiatique, Asie, bonze, céleste, chinetoque, compliqué, coolie, dao, encre, gan, gong, jade, jaune, li, mandarin, min, mongol, nettoyeur, opium, original, sino, soie, taël, taïchi, tamis, tao, thé, wu.

CHINOIS (n. p.). Mao.

CHINOISE, MESURE. Fen, hao, hou, pou, li, yu.

CHIP. Croustille, puce.

CHIPER. Cambrioler, chaparder, démunir, déposséder, dérober, voler.

CHIPIE. Commère, cotillon, fébosse, furie, garce, maquerelle, mégère.

CHIQUENAUDE. Croquignole, nasarde, pichenette.

CHIQUER. Carotte, chique, chiqueur, mâcher.

CHIROMANCIEN. Annonciateur, aruspice, astrologue, augure, auspice, cartomancien, cassandre, clarvoyant, devin, diseur, mage, médium.

CHIRURGICAL. Anaplastie, césarienne, circoncision, colostomie, diérèse, occlusion, opération, ponction, stripping, trachéotomie.

CHIRURGIE. Érine, médecin, neurochirurgie, praticien, rugine, sonde.

CHIRURGIEN (n. p.). Barnard, Nélaton, Péan, Ricord, Tarnier.

CHITON. Amphineure, oscabrion.

CHLORE. Cl.

CHLOROPHYLLE. Euglène, carothène, lacuneux, porphyrine, spirogyre.

CHLOROVANADATE. Vanadinite.

CHLORURE. Ammoniac, calomel, gemme, halite, javel, muriate, perchlorure, potasse, sel, soude, sylvinite, vinylite.

CHOC. Abordage, accident, assaut, attaque, cahot, charge, collision, contrecoup, coup, émotion, heurt, ictus, impact, lutte, percussion.

CHOIR. Abattre, débouler, dévaler, ébouler, effondrer, étendre, tomber.

CHOISI. Béat, châtié, distingué, élégant, élu, opportun, précieux, raffiné.

CHOISIR. Adopter, arbitre, élire, nommer, opter, sélectionner, trier.

CHOIX. Alternative, anthologie, appareillement, décision, échelle, élection, élimination, éventail, gratin, option, ou, recueil, sélection, tri.

CHOLÉRA. Bacille, cholérine, méchant, morbus, nostras, peste, virgule.

CHÔMAGE. Demandeur, inemploi.

CHÔMER. Arrêter, cesser, férié, fêter, oisif, suspendre.

CHONDRIOSOME. Chondriome, mitochondrie.

CHOPE. Cornet, quart, rince-bouche, sol, tasse, timbale, verre.

CHOQUANT. Cru, fâcheux, fort, indécent, offensant, nu, osé, révoltant.

CHOQUER. Agacer, briser, cotir, déplaire, ennuyer, fêler, fouetter, heurter, offusquer, rebuter, scandaliser, secouer, taper, ulcérer, vexer.

CHORAL. Air, cantatrice, capella, chœur, introït, lied, mélopée, monodie, motet, musique, nénies, Noël, ode, oiseau, orphéon, péan, pluriel, poème, prose, psaume, ramage, rhapsodie, solea, voceri, vocero.

CHORÉGRAPHE, FEMME (n. p.). Auger, Bergeron, Bisson, Boudot, Boutin, Cadrin, Chiriaeff, Cloutier, Dauphinais, Del Rio, DesRuisseaux, Dionne, Dorice, Gagnon, Gélinas, Giraldeau, Giroux, Graff, Horowitz, Hotte, Lachance, Lamarche, Lamontagne, Lamoureux, Lapierre, Laurin, Leclair, Lussier, Martineau, Moretti, Morin, Nolet, Pélissier, Poulin, Rénélique, Riopelle, Ross, Roy, Saario, St-Arnaud, Sturk, Tardif, Teekman, Tremblay, Vincent.

CHORÉGRAPHE, HOMME (n. p.). Bain, Bastarache, Bélanger, Bertrand, Boudot, Bourgault, Charpentier, Déom, Drolet, Émard, Fortier, Gorski, Guay, Guillemette, Meyer, Mondor, Pilon, Sauvé, Soulières, Tremblay, Zanetti.

CHORISTE POP, FEMME (n. p.). Barrette, Bélanger, Benoy, Bédard, Bernard, Boucher, Boudreau, Brémault, Cadbury, Carbonneau, Carle, Chaput, Chartier, Choquette, Corradi, Dassylva, Daviau, De Pontbriand, Deschamps, Dufresne, Duguay, Dyson, Faure, Fauteux, Gauthier, Gendron, Goulet, Grenier, Hughes, Jacques, Labelle, Lambert, Landry, Lapointe, Leblanc, L'écuyer, Lefebvre, Lemire, Levasseur, Léveillé, Lomez, Mailho, Marchand, Méthot, Michaud, Morin, Paiement, Paradis, Paré, Perini, Poudrier, Primeau, Raby, Raymond, Richards, Richardson, Ringuette, Robert, Robitaille, Ryan, Ste-Croix, St-Jean, Sanscartier, Sohier, Soucy, Vallée.

CHORISTE POP, HOMME (n. p.). Baillargeon, Bédard, Béliveau, Berthiaume, Bouchard, Campeau, Carbonneau, Chale, Chapados, Chartrand, Comeau, Couture, Cyr, Dozier, Émond, Ferland, Forcier, Fraser, Gagné, Gilbert, Groulx, Habib, Lacourse, Ladouceur, Landry, Lapointe, Larouche, Lebel, Leclerc, Leduc, Lefrançois, Legault, Lemay, Lepage, Mervil, Messier, Minville, Morel, Ouellette, Paradis, Péloquin, Piché, Potel, Scott, Tremblay, Vaillancourt, Vigneault, Vyvial.

CHOSE. Amer, amulette, but, chef, dinanderie, épave, objet, onde, outil, machin, stérilet, talisman, trésor, truc, ulve, ustensile, vétille.

CHOSIFIER. Chosification, dépersonnaliser, déshumaniser, réifier.

CHOU. Brassica, Bruxelles, cabus, chou-fleur, chou-navet, chou-rave, chou-vert, fourrager, marin, palmiste, profiterole, rouge, rutabaga.

CHOU-FLEUR. Brocoli.

CHOU-NAVET. Rutabaga.

CHOU POMMÉ. Cabus.

CHOU-RAVE. Rutabaga.

CHOUCAS. Corbeau, freux, grole.

CHOUCHOU. Chéri, choisi, élu, favori, gagnant, mignon, préféré.

CHOUCHOUTAGE. Dorlotement, favoritisme.

CHOUCHOUTER. Choyer, dorloter, fignoler, gâter, panser, traiter.

CHOUETTE. Beau, brune, cendrée, chevêche, effraie, épervière, harfang, hulotte, lapone, limard, naine, ravins, rayée, rousse, saguaros, tachetée, Tengmalm, terriers.

CHOYER. Aduler, aimer, cajoler, caresser, gâter, materner, soigner.

CHRÉTIEN. Agape, baptisé, brebis, catholique, copte, croix, ébionite, fidèle, galinéen, homme, infidèle, lapsi, logos, mathurin, orthodoxe, ouaille, païn, paroissien, protestant, roumi, schismatique, uniate.

CHRIST. Calvaire, chrétien, croix, église, Jésus, ouailles, messie, Noël.

CHROMATISME. Coloration, pycnose.

CHROME. Cr.

CHROMOSOME. Autosome, bâtonnet, hétérochromosome, x, y.

CHRONOLOGIE. Ab, âge, agenda, almanach, an, annales, calendes, calendrier, condita, date, épacte, ère, hégires, histoire, ides, indiction, jour, nones, ordo, parachronisme, urbe.

CHRONOMÉTRER. Minuter.

CHRYSALIDE. Cocon, coque, papillon.

CHRYSANTHÈME. Alpinum, arcticum, carinatum, catananche, coronarium, frutescens, indicum, morifolium, pyrèthre, rubellum, segetum.

CHRYSOMÉLIDE. Coléoptère, criocère, donacie, doryphore.

CHUCHOTER. Bourdonner, fredonner, marmonner, murmurer, susurrer.

CHUTE. Alopécie, cabriole, cascade, culbute, défaite, défeuillaison, défloraison, défoliation, dégringolade, descente, desquamation, éboulement, écroulement, effeuillaison, effeuillement, effondrement, exfoliation, gadin, glissade, plongeon, pluie, ptôse, saut, tombé.

CHUTER. Baisser, culbuter, glisser, sauter, tomber.

CIBLE. But, carton, mire, mouche, noir, papegai, papegeai, quintaine.

CIBOULE. Ail, allium, ciboulette, cive, civette, oignon, tête.

CIBOULETTE. Allium, ciboule, cive, civette, fausse échalote, oignon.

CIBOULOT. Tête.

CICATRICE. Balafre, brèche, cal, couture, entaille, hile, lézarde, marisque, marque, nombril, ombilic, signe, souvenir, stigmate, tracé.

CICATRISATION. Adoucissement, apaisement, consolation, fermeture, guérison, soulagement.

CICÉRO. Douze, espace, œil.

CICÉRONE. Accompagnateur, conducteur, cornac, gouverneur, guide, introducteur, mène, mentor, péon, phare, pilote, rêne, sherpa.

CIEL. Air, arc, astre, azur, calotte, céleste, cieux, climat, coupole, éther, exil, firmament, frise, lit, mythologie, olympe, paradis, séjour, voûte.

CIERGE. Cactus, candélabre, chandelle, chapiteau, chevecier, ciergier, cire, fiche, flambeau, if, luminaire, molène, pic, pointe, rouloir, souche.

CIGARE. Cape, havane, londrès, manille, panatela, robe, senorita, tripe.

CIGARETTE. Blonde, cape, cartouche, clope, mégot, pof, robe, sèche.

CIGARILLO. Ninas.

CIL. Centrosome, ciliaire, cirre, ensille, mascara, protozoaire, rimmel.

CILLER. Broncher, cligner, clignoter, émouvoir, papilloter, réagir.

CIME. Crête, dôme, faîte, hauteur, pinacle, sommet, tête, volis.

CIMENT. Béton, chaux, crépi, dalle, joint, liant, lien, lut, mastic, stuc.

CIMENTER. Affermir, bétonner, cimentation, crépir, dispersal, joindre, lier, luter, maçonner, piser, plaquer, raffermir, sceller.

CIMER. Écrêter, étêter.

CIMETERRE. Alfange, épée, porpfan, sabre.

CIMETIÈRE. Catacombe, charnier, columbarium, nécropole, ossuaire.

CINÉASTE. Dialoguiste, opérateur, producteur, réalisateur, scénariste.

CINÉASTE ALLEMAND (n. p.). Fassbinder, Herzog, Murnau, Pabst, Riefenstahl, Schlöndorff, Wenders.

CINÉASTE AMÉRICAIN (n. p.). Aldrich, Allen, Altman, Beatty, Borzage, Brooks, Capra, Cassavetes, Coppola, Corman, Cukor, Curtiz, Dassin, Disney, Dmytryk, Donen, Eastwood, Flaherty, Fleming, Ford, Fosse, Fuller, Griffith, Hathaway, Hawks, Hecht, Hitchcock, Hughes, Huston, Ince, Jarmusch, Kazan, Keaton, Kelly, King, Kubrick, Levinson, Lewis, Losey, Lubitsch, Lucas, Lumet, Lynch, McCarey, Mankiewicz, Mann, Maté, Newman, Nichols, Nicholson, Penn, Pollack, Preminger, Ray, Redford, Scorsese, Selznick, Sennett, Shamroy, Sirk, Spielberg, Sterngerg, Stroheim, Sturges, Thorpe, Vidor, Walsh, Warhol, Welles, Wellman, Wilder, Wise, Wyler, Zinnemann.

CINÉASTE ARGENTIN (n. p.). Solanas.

CINÉASTE AUSTRALIEN (n. p.). Weir.

CINÉASTE AUTRICHIEN (n. p.). Handke, Lang, Minnelli.

CINÉASTE BELGE (n. p.). Akerman.

CINÉASTE BRÉSILIEN (n. p.). Cavalcanti, Rocha.

CINÉASTE BRITANNIQUE (n. p.). Anderson, Asquith, Boorman, Chaplin, Frears, Greenaway, Korda, Laughton, Lean, Powell, Reisz, Richardson, Ustinov.

CINÉASTE CANADIEN (n. p.). McLaren.

CINÉASTE DANOIS (n. p.). Dreyer.

CINÉASTE ÉGYPTIEN (n. p.). Chahine.

CINÉASTE ESPAGNOL (n. p.). Almodovar, Arrabal, Bardem, Berlanga, Bunuel, Saura, Semprun.

CINÉASTE FRANÇAIS (n. p.). Allégret, Allio, Annaud, Aurenche, Becker, Berri, Besson, Blier, Bresson, Carné, Cayatte, Chabrol, Chéreau, Clair, Clément, Clouzot, Cocteau, Cohl, Costa-Gavra, Coutard, Delannoy, Delluc, Demy, Doillon, Dulac, Duras, Duvivier, Epstein, Eustache, Feuillade, Feyder, Franju, Gainsbourg, Gance, Gasnier, Godard, Grémillon, Guitry, Lelouch, Linder, Malle, Méliès, Mocky, Ophuls, Oury, Pagnol, Pialat, Polanski, Renoir, Renais, Rivette, Robert, Rohmer, Rouch, Tati, Téchiné, Tourneur, Truffaut, Varda, Verneuil, Vigo.

CINÉASTE GÉORGIEN (n. p.). Iasseliani.

CINÉASTE GREC (n. p.). Angelopoulos.

CINÉASTE HONGROIS (n. p.). Jancso.

CINÉASTE INDIEN (n. p.). Ray.

CINÉASTE ITALIEN (n. p.). Antonioni, Bertolucci, Cissé, Comencini, Fellini, Ferreri, Leone, Malaparte, Olmi, Pasolini, Risi, Rosi, Rossellini, Scola, Soldati, Taviani, Visconti.

CINÉASTE JAPONAIS (n. p.). Kon, Imamura, Kinugasa, Kurosawa, Mizoguchi, Oshima, Ozu, Petri.

CINÉASTE NÉERLANDAIS (n. p.). Ivens.

CINÉASTE POLONAIS (n. p.). Ford, Kieslowski, Polanski, Wajda, Zulawski.

CINÉASTE PORTUGAIS (n. p.). Oliveira.

CINÉASTE QUÉBÉCOIS (n. p.). Brault, Carle, Dansereau, Demers, Godbout, Lauzon, Perrault.

CINÉASTE RUSSE (n. p.). Donskoï, Dovjenko, Eisenstein, Guerman, Koulechov, Mikhalkov, Panfilov, Paradjanov, Poudovkine, Tarkovski, Vertov.

CINÉASTE SÉNÉGALAIS (n. p.). Ousmane.

CINÉASTE SUISSE (n. p.). Tanner.

CINÉASTE SUÉDOIS (n. p.). Bergman, Sjöström, Stiller.

CINÉASTE TCHÉCOSLOVAQUE (n. p.). Forman, Trnka, Zeman.

CINÉASTE TURC (n. p.). Güney.

CINÉMA. Art, caméra, ciné, ciné-parc, cirque, comédie, copie, décor, écran, figurant, salle.

CINÉMATOGRAPHE (n. p.). Lumière.

CINGLANT. Acerbe, dur, incisif, mordant, sec, sévère, vif.

CINGLÉ. Aliéné, cinoque, dingo, fada, fêlé, fou, maboul, timbré, toqué.

CINGLER. Attiser, battre, blesser, chapeau, couper, cravacher, flageller, fouailler, fouetter, frapper, fustiger, naviguer, sangler, sévère, vexer.

CINQ. Ans, cinquième, lustre, pent, penta, pentacle, pentagone, penthode, quinaire, quine, quintette, quintuple, quintupler, sens, sec, v.

CINQ (n. p.). Dionne.

CINQUANTE. Cinquantaine, danaïdes, L, néréides, pentecôte, États-Unis.

CINQUIÈME. Cinq, han, jeudi, nine, quintidi, spondaïque.

CINTRER. Arquer, bomber, cambrer, courber.

CINZANO. Apéro.

CIPPE. Stèle.

CIRCAÈTE. Aigle, falconiforme, jean-le-blanc.

CIRCONFÉRENCE. Aube, auge, cercle, orbiculaire, pi, rayon, rond, tour.

CIRCONSCRIPTION. Arrondissement, canton, cité, comté, dème, division, district, doyenné, finage, igamie, pagus, préfecture, secteur, zone.

CIRCONSCRIPTION, ASSEMBLÉE NATIONALE. Abitibi-Est, Abitibi-Ouest, Anjou, Argenteuil, Arthabaska, Beauce-Nord, Beauce-Sud, Beauharnois-Huntingdon, Bellechasse, Berthier, Bertrand, Blainville, Bonaventure, Borduas, Bourassa, Bourget, Brome-Missisquoi, Chambly, Champlain, Chapleau, Charlesbourg, Charlevoix, Châteauguay, Chauveau, Chicoutimi, Chomedey, Chutes-de-la-Chaudière, Crémazie, D'Arcy-McGee, Deux-Montagnes, Drummond, Dubuc, Duplessis, Fabre, Frontenac, Gaspé, Gatineau, Gouin, Groulx, Hochelaga-Maisonneuve, Hull, Iberville, Îles-de-la-Madeleine, Jacques-Cartier, Jeanne-Mance, Jean-Talon, Johnson, Joliette, Jonquière, Kamouraska-Témiscouata, Labelle, L'Acadie, Lac-Saint-Jean, Lafontaine, La Peltrie, La Pinière, Laporte, Laprairie, L'Assomption, Laurier-Dorion, Laval-des-Rapides, Laviolette, Lévis, Limoilou, Lotbinière, Louis-Hébert, Marguerite-Bourgeoys, Marguerite-d'Youville, Marquette, Marie-Victorin, Maskinongé, Masson, Matane, Matapédia, Mégantic-Compton, Mercier, Mille-Îles, Montmagny-L'Islet, Mont-Royal, Montmorency, Nelligan, Nicolet-Yamaska, Notre-Dame-de-Grâce, Orford, Outremont, Papineau, Pointe-aux-Trembles, Pontiac, Portneuf, Prévost, Richelieu,

Richmond, Rimouski, Rivière-du-Loup, Robert-Baldwin, Roberval, Rosemont, Rousseau, Rouyn-Noranda-Témiscamingue, Saguenay, Saint-François, Saint-Henri—Sainte-Anne, Saint-Hyacinthe, Saint-Jean, Saint-Laurent, Sainte-Marie—Saint-Jacques, Saint-Maurice, Salaberry-Soulanges, Sauvé, Shefford, Sherbrooke, Taillon, Taschereau, Terrebonne, Trois-Rivières, Ungava, Vachon, Vanier, Vaudreuil, Verchères, Verdun, Viau, Viger, Vimont, Westmount—Saint-Louis.

CIRCONSCRIPTION DU QUÉBEC, CHAMBRE DES COMMUNES. Abitibi, Ahuntsic, Anjou—Rivière-des-Prairies, Argenteuil-Papineau, Beauce, Beauharnois-Salaberry, Beauport-Montmorency-Orléans, Bellechasse, Blainville—Deux-Montagnes, Bonaventure—Îles-de-la-Madeleine, Bourassa, Brome-Missisquoi, Chambly, Champlain, Charlesbourg, Charlevoix, Châteauguay, Chicoutimi, Drummond, Frontenac, Gaspé, Gatineau—Le-Lièvre, Hochelaga-Maisonneuve, Hull—Aylmer, Lachine—Lac-Saint-Louis, Lac-Saint-Jean, Laprairie, LaSalle-Émard, Laurentides, Laurier—Sainte-Marie, Laval-Est, Laval-Centre, Laval-Ouest, Lévis, Longueuil, Lotbinière, Louis-Hébert, Manicouagan, Matapédia-Matane, Mégantic-Compton-Stanstead, Mercier, Mont-Royal, Notre-Dame-de-Grâce, Outremont, Papineau—Saint-Michel, Pierrefonds-Dollard, Pontiac-Gatineau-Labelle, Portneuf, Québec, Québec-Est, Richelieu, Richmond-Wolfe, Rimouski-Témiscouata, Roberval, Rosemont, Saint-Denis, Saint-Henri—Westmount, Saint-Hubert, Saint-Hyacinthe—Bagot, Saint-Jean, Saint-Laurent—Cartierville, Saint-Léonard, Saint-Maurice, Shefford, Sherbrooke, Témiscamingue, Terrebonne, Trois-Rivières, Vaudreuil, Verchères, Verdun—Saint-Paul.

CIRCONSCRIRE. Borner, délimiter, limiter, localiser, mesurer, paroi.

CIRCONSPECT. Avisé, mesuré, pesé, prudent, réservé, réticent, sage.

CIRCONSPECTION. Diplomatie, discrétion, égard, maîtrise, ménagement, mesure, précaution, prude, prudence, retenue, sagesse, sobre.

CIRCONSTANCE. Cas, condition, conjoncture, détail, donnée, face, impondérable, lieu, modalité, moment, occurrence, rencontre.

CIRCUIT. Aérodrome, bouclage, boucle, castellet, chelem, circonférence, contour, course, détour, enceinte, homerun, itinéraire, microprocesseur, piste, pourtour, randonnée, réseau, révolution, tour, trajet, voyage.

CIRCUIT ÉLECTRONIQUE. Microcircuit.

CIRCULAIRE. Couronne, jante, rond, rose, roue, tour, tuyau, venet.

CIRCULATION. Apoplexie, émission, mouvement, pontage, rue, trafic.

CIRCULE. Météore, sang, sève.

CIRCULER. Artère, courir, émettre, marcher, passer, tourner, veine.

CIRE. Ambre, batik, fart, ozocérite, paraffine, polir, rayon, ruche.

CIRER. Encaustiquer, farter, polir.

CIRQUE. Acrobate, arène, chahut, chapiteau, gave, gavarnie, gradin, magicien, piste, podium, scène, soleil, stade, tauromachie, voltige.

CIRRHE. Cirre, vrille.

CIRROSTRATUS. Halo, lune, nuage, soleil.

CISAILLE. Bourriquet, ciseau, cisoires, cueilloir, tailloir.

CISEAU. Bédane, berceau, biseau, bouchard, burin, cisaille, ciselet, cisoir, gouge, matoir, molette, onglet, orfèvre, poinçon, sculpteur.

CISELAGE. Burinage, ciselure, parfaire, sculpture, toreutique.

CISELER. Fignoler, lécher, parfaire, polir, sculpter, soigner, tailler.

CISSUS. Rhoicissus, vigne, vigne-vierge, vitis.

CITADELLE. Acropole, bastion, casbah, centre, château, fort, forteresse.

CITADIN. Urbain.

CITATION. Allégation, assignation, cédule, épigraphe, exergue, expression, extrait, guillemet, passage, référence, sic, vagulation, vers.

CITÉ. Agglomération, bourg, bourgade, centre, cité, hameau, justice, lieu-dit, localité, our, ur, village, ville.

CITÉ, AFGHANISTAN (n. p.). Bamiyan, Harat, Herat, Kaboul.

CITÉ, AFRIQUE DU SUD (n. p.). Benoni, Bloemfontein.

CITÉ, ALASKA (n. p.). Anchorage.

CITÉ, ALBANIE (n. p.). Tirana.

CITÉ, ALGÉRIE (n. p.). Alger, Arris, Arziw, Batna, Bejaia, Beskra, Bône, Boufarik, Boujie, Collo, Dellys, Frenda, Kerrata, Marnia, Mila, Msila, Oran, Saida, Sétif, Stif, Tablat, Tbessa, Ténès, Tipasa, Vialar.

CITÉ, ALLEMAGNE (n. p.). Aachen, Aalan, Aschaffenburg, Augsbourg, Baden-Baden, Bamberg, Bautzen, Bayreuth, Berchtesgaden, Berlin, Bielefeld, Bochum, Bonn, Brême, Celle, Cologne, Dachau, Duren, Dusseldorf, Ems, Erfurt, Essen, Frankort, Freiberg, Fulda, Gera, Giessen, Gutersloh, Hagen, Halle, Hambour, Hanau, Hanovre, Herne, Hildesheim, Hof, Iena, Lindau, Lunen, Lutzen, Marl, Munich, Munster, Neuss, Nordhausen, Nuremberg, Oranienburg, Ratisbonne, Siegen, Spire, Stuttgart, Ulm, Wiesbaden, Witten, Worms, Zeitz.

CITÉ, ANGLETERRE (n. p.). Bath, Bedford, Bolton, Bristol, Bury, Cambridge, Carlisle, Chatham, Chelsea, Chester, Deal, Derby, Durham, Eton, Gloucester, Greenwich, Hove, Lancaster, Liverpool, London, Londres, Manchester, Norwich, Nottingham, Oxford, Preston, Richmond, Salford, Salisbury, Sheffield, Stafford, Taunton, Wakefield, Wells, Wimbledon, Winchester, Worcester, York.

CITÉ, ANGOLA (n. p.). Benguela, Luanda.

CITÉ ANTIQUE (n. p.). Our, Ur.

CITÉ, ARABIE SAOUDITE (n. p.). Médine.

CITÉ, ARGENTINE (n. p.). Salta, Ushuaia, Viedma.

CITÉ, AUSTRALIE (n. p.). Adelaide, Perth.

CITÉ, AUTRICHE (n. p.). Badgastein, Enns, Graz, Linz, Salsbourg, Vienne, Wels.

CITÉ, BANGLADESH (n. p.). Bapisal.

CITÉ, BELGIQUE (n. p.). Aalst, Aarschot, Alost, Andenne, Anvers, Arlon, Ath, Bastogne, Binche, Bruges, Bruxelles, Charleroi, Diest, Dinan, Dison, Eeklo, Gand, Geel, Huy, Ieper, Léau, Lessines, Liège, Louvain, Menen, Mons, Namur, Nieuport, Ninove, Olen, Roeselare, Spa, Thuin, Tielt, Ypres, Wavre.

CITÉ, BIÉLORUSSIE (n. p.). Bobrouisk, Brest, Grodno, Minsk.

CITÉ, BOLIVIE (n. p.). Oruro, Sucre, La Paz.

CITÉ, BRÉSIL (n. p.). Belem, Blumenau, Brasilia, Campos, Goiania, Natal, Niteroi, Olinda, Pelotas, Recife, Rio, Santos, Teresina.

CITÉ BRETONNE (n. p.). Ys.

CITÉ, BULGARIE (n. p.). Ruse, Sofia, Sliven, Sumen, Vraca.

CITÉ, CAMEROUN (n. p.). Bafoussam, Bamenda, Edéa.

CITÉ, CANADA (n. p.). Anjou, Brandon, Calgary, Chatham, Cornwall, Dathmouth, Edmonton, Edmunston, Fredericton, Guelph, Halifax, Hamilton, Kingston, Kitchener, London, Moncton, Oshawa, Régina, Sarnia, Saskatoon, St-Jean, Stratford, Sudbury, Timmins, Toronto, Trenton, Vancouver, Victoria, Welland, Winnipeg, Windsor.

CITÉ, CHILI (n. p.). Arica, Osorno, Santiago, Serena, Talca.

CITÉ, CHINE (n. p.). Anshan, Anyang, Baoding, Baotou, Beijing, Bengbu, Benqi, Benxi, Benzi, Caton, Hefei, Pékin, Shanghai, Tsi-Nan, Yarkand, Xian.

CITÉ, CHYPRE (n. p.). Larnaka.

CITÉ, CISJORDANIE (n. p.). Bethléem.

CITÉ, COLOMBIE (n. p.). Armenia, Barrancabermeja, Barranquilla, Bogota, Cali, Eger, Ibagué, Medellin, Neiva.

CITÉ, CORÉE DU SUD (n. p.). Anyang, Pousan, Seoul, Taegu.

CITÉ, DANEMARK (n. p.). Copenhague, Elseneur.

CITÉ, ÉCOSSE (n. p.). Ayr, Glasgow, Nairn, Perth.

CITÉ, ÉGYPTE (n. p.). Alexandrie, Assiout, Assouan, Asyut, Edfou, Esneh, Isna, Le Caire, Louqsor, Louxor, Tanis, Tantah.

CITÉ, ÉQUATEUR (n. p.). Ambato, Quito.

CITÉ, ESPAGNE (n. p.). Albacete, Alcantara, Alcoy, Almaden, Antequera, Aranjuez, Astorga, Avila, Badajoz, Badalona, Bailen, Baracaldo, Barcelone, Bilbao, Cadix, Cuenca, Elche, Grenade, Irun, Jaca, Jaen, Len, Lérida, Linares, Lorca, Lugo, Madrid, Mieres, Orense, Oviedo, Palencia, Reus, Séville, Soria, Teruel, Tolèdes, Valence, Vich, Vigo.

CITÉ, ÉTATS-UNIS (n. p.). Akron, Albany, Albuquerque, Allentown, Amarillo, Anaheim, Arlington, Atlanta, Austin, Baltimore, Beaumont, Bellingham, Berkeley, Bethlehem, Birmingham, Boston, Buffalo, Cambridge, Cheyenne, Chicago, Cincinnati, Cleveland, Concord, Dallas, Denver, Détroit, Erie, Fresno, Hartford, Houston, Manchester, Memphis, Miami, Mobile, Montpelier, New York, Oakland, Omaha, Pasadena, Peoria, Phœnix, Pittsburgh, Portland, Providence, Reno, Sacramento, Salem, Seattle, Tampa, Toledo, Troy, Tucson, Tulsa, Washington, Wichita.

CITÉ, ÉTHIOPIE (n. p.). Aksoum, Asmara, Axoum, Harar.

CITÉ ÉTRUSQUE (n. p.). Veies.

CITÉ, FINLANDE (n. p.). Esbo, Espoo, Helsinki, Lahti, Vantaa.

CITÉ, FRANCE (n. p.) Albertville, Allos, Arcachon, Barcelonnette, Barrême, Bordeaux, Boulogne, Brest, Briançon, Caen, Cannes, Carcassonne, Castellane, Chamonix, Châtel, Clermont, Cluse, Colmar, Courchevel, Coutances, Dax, Dieppe, Dijon, Dinan, Draguignan, Elne, Épinal, Evreux, Fréjus, Gap, Guillestre, Guingamp, Isola, La Rochelle, Lacanau, Laragne, Le Mans, Lille, Lyon, Malijai,

Marseille, Mimizan, Modane, Montpellier, Morlaix, Nancy, Nantes, Nice, Nimes, Oraison, Paris, Perpignan, Reims, Renne, Rouen, Royan, St Étienne, St Malo, St Nazaire, St Tropez, Sisteron, Termignon, Tignes, Toulon, Toulouse, Tour, Val d'Isère, Valence, Valmorel.

CITÉ, GHANA (n. p.). Accra, Tamale.

CITÉ, GAULE (n. p.). Avaricum, Bibracte, Lutèce, Tolbiac.

CITÉ, GRANDE-BRETAGNE (n. p.). Basildon, Bath, Bedford, Birkenhead, Birmingham, Blackpool, Bolton, Ely, Epsom, Eton, Leeds, Londres, Luton, Stirling, Wells

CITÉ, GRÈCE (n. p.). Argos, Arta, Athènes, Corinthe, Drama, Lamia, Larissa, Lépante, Patras, Thebes, Tripolis, Volo, Xante, Xanthi.

CITÉ, HOLLANDE (n. p.). Amsterdam.

CITÉ, HONDURAS (n. p.). Copan.

CITÉ, HONGRIE (n. p.). Baja, Budapest, Debrecen, Eger, Gyor, Pecs, Sopron, Szeged, Vac.

CITÉ, INDE (n. p.). Agra, Ahmadabac, Ahmadnagar, Ahmedabad, Ajmer, Akola, Aligarh, Allahabad, Amravati, Amritsar, Asansol, Aurangabad, Bangalore, Barddhaman, Bareilly, Belgaum, Bellary, Benares, Bhadravati, Bhagalpur, Bhatpara, Bhavnagar, Bhilainagar, Bhopal, Bhubaneswar, Bijapur, Bikaner, Bilaspur, Calcutta, Delhi, Ellore, Eluru, Gaya, Ilahabad, Indore, Mahé, Madras, Meerut, Patna, Pune, Salem, Simla, Srinagar, Varanasi.

CITÉ, INDONÉSIE (n. p.). Balikpapan, Bandoeng, Bandung, Banjermassin, Bogor.

CITÉ, IRAK (n. p.). Amara, Arbil, Bagdad, Erbil, Hilla.

CITÉ, IRAN (n. p.). Ahvaz, Arak, Arbil, Ardabil, Bagdad, Bassora, Basra, Erbil, Ispahan, Kum, Ourmia, Qom, Qum, Téhéran.

CITÉ, IRLANDE (n. p.). Armagh, Belfast, Tipperary.

CITÉ, ISRAËL (n. p.). Beersheba, Lod, Jaffa, Jérusalem, Tel-Aviv.

CITÉ, ITALIE (n. p.). Andria, Agrigente, Alexandrie, Anagni, Andria, Aoste, Aquila, Aquilee, Arezzo, Ascoli, Assise, Asti, Avellino, Bardonneche, Bari, Barletta, Benevent, Bergame, Biella, Bobbio, Bologne, Cagliari, Cesena, Côme, Cosenza, Ele, Enna, Este, Faenza, Florence, Foligno, Forli, Gela, Gênes, Gorizia, Imola, Ivrée, Lecco, Lodi, Milan, Monza, Naples, Otrante, Padoue, Paestum, Palerme, Parme, Pesaro, Pise, Ravenne, Rome, Salerne, Sienne, Sorrente, Suse, Tivoli, Torre, Turin, Udine, Urbino, Varese, Venise, Vérone.

CITÉ, JAPON (n. p.). Akashi, Akita, Amagasaki, Asahigawa, Asahikaga, Asahikawa, Beppu, Fugi, Gifu, Hiroshima, Ise, Itami, Kobe, Kofu, Kure, Kyoto, Maebashi, Mito, Nagano, Nagasaki, Nagoya, Nara, Oita, Omiya, Omuta, Osaka, Otaru, Otsu, Saga, Sakai, Sapporo, Suita, Tokyo, Toyama, Tsu, Ube, Uji, Yao.

CITÉ, KENYA (n. p.). Nairobi.

CITÉ, LETTONIE (n. p.). Iegava.

CITÉ, LIBAN (n. p.). Baalbeck, Balbek, Beyrouth, Saida, Tyr.

CITÉ, LIBYE (n. p.). Benghazi, El-Beida.

CITÉ, LUXEMBOURG (n. p.). Bettembourg, Petange, Sanem.

CITÉ, MACÉDOINE (n. p.). Amphypolis, Bitola, Bitolj, Monastir, Ohrid.

CITÉ, MADAGASCAR (n. p.). Antsirabe, Fianarantsoa.

CITÉ, MALI (n. p.). Bamako, Gao, Mopti, Ségou, Sikasso.

CITÉ, MAROC (n. p.). Berkane, Fès, Nador, Taza.

CITÉ MAYA (n. p.). Copan.

CITÉ, MEXIQUE (n. p.). Acapulco, Len, Leon, Mérida, Mexico, Oaxaca, Puebla, Queretaro, Tepic, Tijuana, Toluca, Veracruz.

CITÉ, NIGERIA (n. p.). Aba, Abeokuta, Ede, Enugu, Ibadan, Ife, Ila, Ilesha, Ilorin, Kaduna, Kano, Os, Zaria.

CITÉ, NORVÈGE (n. p.). Bergen, Mo, Oslo.

CITÉ, PALESTINE (n. p.). Endor, Gaza, Jérusalem, Silo.

CITÉ, PAYS-BAS (n. p.). Alkmaar, Amersfoort, Amsterdam, Apeldoorn, Arnhem, Assen, Bergen, Breda, Delf, Edam, Ede, Emmen, Gouda, Haarlem, La Haye, Leyde, Nimegue, Utrecht, Velsen, Venlo, Zeist.

CITÉ, PÉROU (n. p.). Arequipa, Ayacucho, Cuzco, Ica, Iquitos, Lima, Nisibis, Piura, Sidon, Tacna.

CITÉ, PHILIPPINES (n. p.). Angeles, Baquio, Batangas.

CITÉ, POLOGNE (n. p.). Auschwitz, Belxec, Bialystok, Bytom, Cracovie, Gdansk, Lodz, Opole, Plock, Pila, Prague, Radom, Sopot, Torun, Varsovie.

CITÉ, PORTUGAL (n. p.). Aveiro, Barreiro, Batalha, Béja, Braga, Evora, Faro, Fatima, Lisbonne, Porto, Tomar.

CITÉ, QUÉBEC (n. p.). Acton Vale, Alma, Amos, Ancienne-Lorette, Anjou, Arthabaska, Arvida, Asbestos, Amqui, Ascot, Aylmer, Bagotville, Baie-Comeau, Batiscan, Beaconsfield, Beauceville, Beauharnois, Beauport, Bécancour, Bellefeuille, Belœil, Bernières, Berthierville, Blainville, Boisbriand, Bois-des-Filion, Boucherville, Brossard, Buckingham, Candiac, Cap-de-la-Madeleine, Cap-Rouge, Carignan, Cartierville, Causapscal, Chambly, Charlemagne, Charlesbourg, Charny, Châteauguay, Chelsea, Chibougamou, Chicoutimi, Coaticook, Contrecœur, Côte-Saint-Luc, Cowansville, Daveluyville, Delson, Deux-Montagnes, Dolbeau, Dollard-des-Ormeaux, Donnacona, Dorion, Dorval, Drummondville, East-Angus, Farnham, Fleurimont, Gaspé, Gatineau, Granby, Grand-Mère, Greenfield Park, Hampstead, Hemmingford, Hull, Huntingdon, Iberville, Île-Perrot, Joliette, Jonquière, Kahnawake, Kénogami, Kirkland, La Baie, L'Acadie, Lachenaie, Lachine, Lachute, Lac-Mégantic, Lac-Noir, Lac-Saint-Charles, Lafontaine, La Pêche, La Plaine, La Prairie, La Sarre, LaSalle, L'Assomption, La Tuque, Lauzon, Laval-des-Rapides, Laval, Le Gardeur, LeMoyne, Lennoxville, Lévis, L'Islet, Longueuil, Loretteville, Lorraine, Louiseville, Macamic, Magog, Marieville, Mascouche, Masson-Angers, Matane, Mégantic, Mercier, Mirabel, Mistassini, Montebello, Mont-Joli, Mont-Laurier, Montmagny, Mont-Royal, Mont-Saint-Hilaire, Montréal, Montréal-Nord, Neuville, New-Carlisle, Nicolet, Noranda, Notre-Dame-de-l'Île-Perrot, Notre-Dame-des-Prairies, Otterburn Park, Outremont, Papineauville, Pierreville, Pincourt, Pintendre, Plessisville, Pointe-Claire, Pointe-aux-Trembles, Pointe-du-Lac, Port-Alfred, Port-Cartier, Portneuf, Prévost, Princeville, Québec, Rawdon, Repentigny, Richmond, Rigaud, Rimouski, Rivière-du-Loup, Roberval,

Rock-Forest, Roquemaure, Rosemère, Rouyn, Roxboro, Saint-Amable, Saint-Antoine, Saint-Athanase, Saint-Augustin-Desmaures, Saint-Basile-le-Grand, Saint-Césaire, Saint-Charles-Borromée, Saint-Bruno-de-Montarville, Saint-Chrysostôme, Saint-Constant, Saint-Émile, Saint-Étienne-de-Lauzon, Saint-Eustache, Saint-Félicien, Saint-François-du-Lac, Saint-Georges, Saint-Hubert, Saint-Hyacinthe, Saint-Jean-sur-Richelieu, Saint-Jean-Deschaillons, Saint-Jérôme, Saint-Joseph-d'Alma, Saint-Joseph, Saint-Joseph-de-Sorel, Saint-Jovite, Saint-Lambert, Saint-Lazare, Saint-Léonard, Saint-Lin, Saint-Louis-de-France, Saint-Luc, Saint-Nicéphore, Saint-Nicolas, Saint-Ours, Saint-Pierre-aux-Liens, Saint-Raphaël-de-l'Île-Bizard, Saint-Rédempteur, Saint-Rémi, Saint-Romuald, Saint-Timothée, Saint-Tite, Saint-Vincent-de-Paul, Sainte-Agathe-des-Monts, Sainte-Anne-de-Beaupré, Sainte-Anne-de-Bellevue, Sainte-Anne-de-la-Pérade, Sainte-Anne-de-la-Pocatière, Sainte-Anne-des-Monts, Sainte-Catherine, Sainte-Anne-des-Plaines, Sainte-Julie, Sainte-Julienne, Sainte-Foy, Sainte-Marie, Sainte-Marthe-sur-le-Lac, Sainte-Marthe-du-Cap, Sainte-Rose, Sainte-Sophie, Sainte-Thérèse, Salaberry-de-Valleyfield, Senneterre, Sept-Îles, Shawinigan, Sherbrooke, Sillery, Sorel, Stanstead, Sweetsburg, Témiscamingue, Terrebonne, Thetford-Mines, Tracy, Trois-Pistoles, Trois-Rivières, Val-Bélair, Val-des-Monts, Val-d'Or, Valleyfield, Vanier, Varennes, Vaudreuil, Verchères, Verdun, Victoriaville, Waterloo, Westmount, Windsor.

CITÉ, ROUMANIE (n. p.). Alba, Arad, Bacau, Braila, Brashov, Bucarest, Cluj, Craiova, Galati, Iasi, Iassy, Jassi, Orades, Resita, Sibiu, Turda.

CITÉ, RUSSIE (n. p.). Abakan, Angarsk, Arademgodorok, Armavir, Atchinsk, Balakovo, Barnaoul, Belgorod, Belovo, Berezniki, Bielgorod, Bielovo, Biisk, Birobidjan, Blagovechtchensk, Moscou, Orel, Oufa, Oulan-Oude, Oussourisk, Penza, Stalingrad, Toula, Vladivostok, Vyborg.

CITÉ, SAHARA (n. p.). Bechard, El Aiun.

CITÉ, SLOVAQUIE (n. p.). Nitra, Tioumen.

CITÉ, SUÈDE (n. p.). Boras, Calmar, Eskilsiuna, Falun, Goteborg, Lund, Motala, Orebro, Stockholm, Upsal.

CITÉ, SUISSE (n. p.). Aarau, Aigle, Altdorf, Arbon, Arosa, Bale, Baden, Bâle, Bellinzona, Berne, Bienne, Einsiedeln, Fribourg, Genève, Kloten, Lausanne, Lucerne, Lugano, Montreux, Mora, Morges, Olten, Orbe, Renens, Sion, Wil, Zoug, Zurich.

CITÉ, SYRIE (n. p.). Alep, Ebla, Emese, Hama, homs.

CITÉ, TCHÉCOSLOVAQUIE (n. p.). Brno, Most, Opara, Prague, Usti.

CITÉ, THAÏLANDE (n. p.). Ayuthia, Bangkok.

CITÉ, TUNISIE (n. p.). Béja, Bizerte, Gabes, Gafsa, Kef, Nabeul, Sousse, Stax, Tunis.

CITÉ, TURQUIE (n. p.). Adana, Adapazari, Ankara, Antioche, Balikesir, Edirne, Kars, Istanbul, Izmir, Nicée, Sivas, Urfa, Van.

CITÉ, UKRAINE (n. p.). Ialta, Kherson, Kiev, Nikopol, Rovno, Torez, Yalta.

CITÉ, URUGUAY (n. p.). Montevideo, Paysandu, Salto.

CITÉ, VENEZUELA (n. p.). Barquisimeto, Caracas, Maracay, Valencia.

CITÉ, VIETNAM (n. p.). Dalat, Hanoï, Hue, Saïgon.

CITÉ, YOUGOSLAVIE (n. p.). Bor, Belgrade, Ohrid, Maribor, Mostar, Nis, Pula, Raguse, Sarajevo, Senta, Split, Zadar, Zagreb.

CITÉ, ZAÏRE (n. p.). Bandudu.

CITER. Alléguer, intimer, indiquer, nommer, rapporter, signaler, viser.

CITERNE. Cuve, pinardier, réservoir, tank.

CITHARE. Citharède, lyre, pandore, vina.

CITOYEN. Habitant, pauvre, paysan, plébéien, prolétaire, prolo, salarié.

CITRON. Agrume, bergamote, cédrat, citrine, citronnier, citrus, lime, limette, limon, limonade, pamplemousse, poncire, punch, tête, zeste.

CITRONNELLE. Andropogon, artémisia, cymbopogon, mélisse, verveine.

CITRONNIER. Cédratier, citrus, limonier.

CITROUILLE. Carabaça, courge, cuje, potiron.

CITRUS. Agrume, bergamotier, bigaradier, cédratier, citronnier, fortunella, limettier, mandarinier, oranger, pamplemoussier, poncirus.

CIVE. Ciboule, ciboulette, civette.

CIVIÈRE. Bar, bard, bast, bayart, brancard, litière, oiseau.

CIVIL. Convenable, correct, état, gentil, laïque, liste, mariage, militaire.

CIVILISER. Adoucir, affiner, corriger, dégrossir, éduquer, former, humaniser, incivilisé, organiser, policer, polir, raffiner, réglementer.

CLAIE. Auvel, barrière, clayonnage, clisse, douve, éclisse, écrille, grillage, grille, frisage, hane, jonc, lattis, natte, osier, parc, sas, trolle.

CLAIR. Aigu, apparent, bien, blanc, calme, confus, connu, cristallin, déchiffré, diaphane, éclairé, embrouillé, épais, évident, fluide, foncé, frais, limpide, lumineux, manifeste, net, obscur, opaque, perçant, précis, pur, serein, sombre, sûr, translucide, transparent, trouble.

CLAIRE-VOIE. Bard, claie, clayette, filet, gril, râtelier, triforium.

CLAIREMENT. Crûment, distinctement, net, nettement, précisément.

CLAIRON. Clique, diane, fanfare, mademoiselle, trompette, troupe.

CLAIRSEMÉ. Dispersé, disséminé, éparpillé, épars, espacé, rare.

CLAIRVOYANT. Acuité, argus, astrologue, astucieux, cassandre, divinateur, éclairé, flair, intelligent, lucide, numérologue, pénétrant.

CLAMER. Acclamer, appeler, avertir, crier, dire, gueuler, proclamer.

CLAMEUR. Ahan, aïe, barrir, beuglement, bis, braillement, bramer, cri, croassement, dia, évoé, évohé, exclamation, glapissement, gloussement, haïe, han, haro, hue, huée, hurlement, jargon, réclame, roucoulement, rugissement, taïaut, tollé, vacarme, vagissement, vocifération.

CLAMSER. Clamecer, crever, mourir.

CLAN. Classe, coterie, famille, groupe, horde, parti, partisan, race, tribu.

CLANDESTIN. Anonyme, cacher, contrebande, noir, pègre, secret.

CLAQUE. Acteur, applaudir, battre, botte, cède, chapeau, gifle, tape.

CLAQUEMURER. Barricader, calfeutrer, cantonner, claustrer, cloîtrer, confiner, emprisonner, enfermer, isoler, murer, terrer.

CLAQUER. Dépenser, éreinter, fatiguer, frapper, mourir, rompre.

CLAQUETTE. Clap, claquoir.

CLARIFICATION. Éclaircissement, élucidation, épuration, purification.

CLARIFIER. Déchiffrer, éclaircir, élucider, épurer, expliquer, purifier.

CLARIFICATION. Défécation, éclaircir, embrouiller, obscurcir.

CLARTÉ. Brouillon, clair, foué, jour, limpidité, lueur, lumière, luminosité, nébulosité, netteté, obscurité, précision, troublé.

CLASSE. Amide, caste, catégorie, clan, degré, division, espèce, étude, famille, groupe, niveau, ordre, ptéropode, rang, salle, seconde, section.

CLASSEMENT. Classification, criblage, hiérarchie, méjanage, méthode, ordre, place, rang, rangement, systématique, taxinomie, tri, typologie.

CLASSER. Archiver, calibrer, numéroter, ranger, séparer, sérier, trier.

CLASSEUR. Album, cahier, carton, dossier, filière, recueil, registre.

CLASSIFICATION. Choix, hiérarchie, nosologie, ordre, posologie, rang.

CLAUDICATION. Boitement, boiterie, claudicant, claudiquer.

CLAUSE. Condition, convention, or, réméré, réserve, stipulation.

CLAVAIRE. Clavaria, clavulina, champignon, ramaria, sparassis.

CLAVEAU. Arc, claver, contreclef, douelle, pierre, voussoir, voûte.

CLAVETTE. Cheville, goupille.

CLAVIER. Étendue, orgue, palette, panio, pupitre, récit, registre.

CLÉ. Clef, mystère, passe-partout, rossignol, sûreté, trousseau.

CLEF. Dièse, do, fa sol.

CLÉMATITE. Alpina, armandii, atragène, chrysocoma, comète, flammula, florida, herbe-aux-gueux, jackmannil, kermesina, lanuginosa, montana, orientalis, patens, rubens, tangutica, tetrarose, viorne, viticella, wilsonii.

CLÉMENCE. Bienveillance, douceur, humanité, indulgence, magnanimité, mansuétude, miséricorde.

CLÉMENT. Bienveillant, doux, humain, indulgent, magnanime, miséricordieux.

CLÉOME. Araignée, arborea, gigantea, lutea, speciosissima.

CLERC. Acolyte, diacre, gaffe, lai, portier, sacerdotal, thuriféraire.

CLERGÉ. Clérical, dîme, église, patarin, prêtraille, séculier, tiers.

CLICHÉ. Banalité, épreuve, image, négatif, pellicule, poncif, simili.

CLIENT. Acheteur, consommateur, étude, habitué, pratique, prospect.

CLIGNEMENT. Battement, clignotement, clin, nictation, œillade.

CLIGNER. Bornoyer, ciller, clignoter, papilloter, vaciller.

CLIGNOTANT. Danger, feu, nictation, nictitant, nictitation, urgence.

CLIMAT. Atmosphère, ciel, météo, régime, température, temps.

CLIN D'ŒIL. Accord, battement, clignement, œillade.

CLINIQUE. Hôpital, hospice, polyclinique, préventorium, refuge.

CLIP. Actualité, bande, film, métrage, pellicule, projection, vidéoclip.

CLIQUET. Arrêtoir, décliqueter, dentée, doigt, levier.

CLOCHARD. Chemineau, cloche, clodo, mendiant, robineux, vagabond.

CLOCHE. Abri, airain, bourdon, campane, campanulacée, chapeau, clarine, clochette, glas, gong, grelot, sonnerie, sonnette, timbre, tocsin.

CLOCHER. Beffroi, boiter, bulbe, campanile, clocheton, flèche, tour.

CLOCHETTE. Ancolie, campane, campanule, clarine, cloche, drelin, grelot, muguet, perce-neige, sonnaille, sonnette, timbre.

CLOISON. Ais, bardis, brise-vent, charpente, clos, clôture, diaphragme, émail, épi, judas, mur, muret, paroi, séparation, voile, voûte, zeste.

CLOÎTRE. Couvent, église, monastère, préau, solesme, thélème, trappe.

CLOPORTE. Aselle, cloqué, isopode, ligie.

CLOQUE. Ampoule, apostème, boursouflure, bulle, enflure, œdème.

CLORE. Boucher, cadenasser, celer, classer, déboucher, entourer, fermer, finir, lever, limiter, ouvrir, percer, terminer, verrouiller.

CLOS. Champ, cour, enceinte, enclos, fermé, geôle, huis, vigne.

CLÔTURE. Balustrade, barricade, barrière, chaîne, claie, clos, échalier, enceinte, haie, mur, palissade, rampe, saut-de-loup, trêve, vitrage.

CLÔTURER. Achever, arrêter, barrer, barricader, borner, clore, échalier, enclore, entourer, fermer, finir, lever, limiter, murer, terminer.

CLOU. Abcès, attraction, bec, bouquet, broquette, cavalier, crampon, furoncle, goujon, piton, pointe, rivet, semence, tricouni, tumeur, vis.

CLOU DE GIROFLE. Anthofle.

CLOUER. Araser, enfoncer, ficher, fixer, rabattre, reclouer, river, visser.

CLOWN. Auguste, bouffon, charlot, gugusse, guignol, mariole, paillasse, pitre, singe, zouave.

CLUPÉIDE. Allache, alose, hareng, menuise, sardine, sprat.

COAGULER. Cailler, congeler, cristalliser, cruor, figer, grumeler, liguer.

COAGULUM. Caillot, caséum, masse.

COALISER. Allier, grève, grouper, liguer, rassembler, réunir, unir.

COALITION. Association, bloc, complot, fédération, front, ligue, union.

COBALT. Co, mita.

COBRA. Naja, serpent, uraueus.

COCAÏNE. Came, coca, coke, coco, crack, neige.

COCCYX. Os, sacrum, vertèbre.

COCHE. Berline, carosse, chaise, courrier, cran, diligence, entaille, malle.

COCHENILLE. Kermès, nopal, pou de San Jose.

COCHER. Aurige, automédon, collignon, conducteur, patachier, phaéton.

COCHLÉE. Limaçon, oreille.

COCHON. Cobaye, cochonnet, croustillant, débauché, goret, groin, nourrain, obscène, ord, orictérope, ort, pécari, porc, truie, verrat.

COCHONNER. Abîmer, altérer, avarier, bâcler, corrompre, endommager, gâcher, gâter, polluer, saloper, souiller, tacher, tarer, ternir, vicier.

COCKNEY. Accent, londonien.

COCON. Aspe, asple, coque, chrysalide, enveloppe, grège.

COCO. Arecastrum, butia, cocotier, macassar, rhyticocos, syagrus.

COCOTIER. Cocoteraie, noix, palmier.

COCOTTE. Autocuiseur, crémaillère, cuiseur, marmite, mijoteuse, poule.

COCTION. Assation, cuisson, décoction, jus.

COCUFIER. Abuser, berner, décevoir, dol, duper, égarer, enjôler, errer, flouer, frauder, gourer, gruger, induire, léser, leurrer, mentir, méprendre, piper, posséder, refaire, rouler, trahir, tricher, truc.

CODAGE. Adressage, chiffrement, codification, cryptage, encodage.

CODE. Code-barres, cryptage, décalogue, deuteronome, loi, règle, titre.

COEFFICIENT. Cz, facteur, masse, module, pourcentage, ratio.

COELENTÉRÉ. Acalèche, alcyon, anthozoaire, cnidaire, corail, gorgone, hydre, hydroméduse, hydrozoaire, madrépore, méduse, mollusque.

CŒUR. Abîme, âme, amour, aorte, arythmie, auricule, cardiologue, carte, centre, chagrin, courage, digitaline, duramen, énergie, fressure, milieu, oreillette, ouabaïne, sang, sein, spartéine, trognon, ventricule.

COEXISTENCE. Bilinguisme, concomitance, dualité, pluralisme.

COFFIN. Étui.

COFFRE. Bahut, bière, boîte, boîtier, caisse, carton, case, layette, malle.

COFFRET. Boîte, cage, cassette, coffre, écrin, écriture, épi, fût, ménagère.

COGITER. Aviser, comprendre, conscience, contempler, croire, délibérer, espérer, imaginer, juger, méditer, penser, peser, rêver, songer.

COGNAC. Alexandra, eau-de-vie.

COGNER. Asséner, assommer, battre, boxer, châtier, cingler, corriger, ébahir, étonner, férir, fesser, frapper, geler, heurter, infliger, marteler, matraquer, plaquer, poignarder, sonner, taper, tapoter, trépigner.

COHABITATION. Promiscuité, voisin.

COHÉRENT. Adhérence, cohésion, homogène, liaison, marchéage, unité.

COHÉSION. Cohérence, harmonie, homogénéité, unité.

COHUE. Affluence, amas, armée, essaim, foule, masse, mêlée, meute, monde, multitude, nuée, peuple, populace, presse, tale, tas.

COI. Abasourdi, baba, muet, pantois, sidéré, silencieux, stupéfait.

COIFFE. Bigouden, béguin, bonnet, cale, colinette, cornette, têtière.

COIFFEUR. Barbier, capilliculteur.

COIFFURE. Afro, bavolet, béret, bibi, bombe, bonnet, calot, cape, capeline, casque, cloche, cornette, épi, fez, figaro, képi, melon, mitre, pouf, pschent, tarbouch, tarbouche, tiare, toque, truffe, turban.

COIN. Amure, angle, angrois, biseau, cachet, caractère, corne, encoignure, empreinte, estampille, marque, poinçon, recoin, sceau.

COINCER. Acculer, appréhender, attraper, bloquer, caler, choper, coller, cueillir, fixer, immobiliser, piéger, pincer, prendre, squeezer.

COÏNCIDENCE. Aléa, aventure, bonheur, chance, dé, destin, déveine, errant, fortune, hasard, imprévu, jeu, occasion, pile, sort, veine.

COÏNCIDER. Accorder, adonner, concorder, correspondre, recouper.

COÏT. Accouplement, copulation, liaison, rapports, rut, saillie, sexe.

COL. Bocal, collet, colposcopie, cou, défilé, encollure, entonnoir, gorge, goulot, mousse, pas, passage, port, tende, tibi, utérus, vagin.

COL (n. p.). Balme, Heckman, Sinclair, Stelvio, Susten, Vars.

COL des ALPES (n. p.). Argentière, Bayard, Fréjus, Galabier, Iseran, Izouard, Larche, Lautaret, Montgenèvre.

COL des ALPES AUTRICHIENNES (n. p.). Arlberg.

COL des ALPES OCCIDENTALES (n. p.). Cenis.

COL des ALPES ORIENTALES (n. p.). Brenner.

COL des ALPES SUISSES (n. p.). Furka, Simplon.

COL du JURA ORIENTAL (n. p.). Faucille.

COL des PYRÉNÉES (n. p.). Aubisque, Envalira, Perche, Perthus, Peyresourde, Port, Pourtalet, Puymorens, Somport, Tourmalet.

COL des VOSGES (n. p.). Bonhomme, Saales, Schlucht.

COLCHIQUE. Safran, tue-vaches, veilleuse, veillotte, vératre.

COLÉOPTÈRE. Adéphage, agriote, altise, apion, archostemate, artison, ateuchus, blap, bombardier, bousier, carabe, capricorne, cérambycidé, cétoine, charançon, cicindèle, ciron, cléride, coccinelle, coque, doryphore, élater, escarbot, eumolpe, hanneton, hister, histéride, insecte, ips, longicorne, lucane, lucanidé, luciole, myxophage, polyphage, scarabée, scolyte, taret, taupin, vrillette.

COLÈRE. Agitation, agressivité, aigri, atrabile, avertin, bile, dépit, ému, foudres, fureur, furie, hargne, ire, irritation, rage, rogne, ruade, tollé.

COLÉREUX. Agité, agressif, emporté, irascible, rageur, susceptible.

COLIBRI. Allen, anna, californie, calliope, costa, lucifère, oiseau-mouche, magnifique, rivoli, roux, sasin, trochile, trochilidé, vieillot.

COLIFICHET. Amusette, babiole, bagatelle, breloque, bricole, vétille.

COLIMAÇON. Escalier, escargot, gastéropode, hélix, limace, limaçon.

COLIN. Caille, galliforme, lieu, merlu.

COLIS. Bagage, balle, ballot, ballotin, balluchon, baluchon, boîte, paquet.

COLLABORATION. Association, contribution, coopération, participation.

COLLANT. Agglutinant, adhésif, ajusté, bas, crampon, étroit, gluant, gommé, importun, moulant, pantalon, poisseux, serré, visqueux.

COLLATION. En-cas, goûter, lunch, mâchon, réfection, régal, repas, thé.

COLLATIONNER. Attribuer, comparer, confronter, différencier, distribuer, gabarier, peser, rapprocher, relire, remettre, vidimer.

COLLE. Adhésif, charade, empois, épreuve, glu, gomme, goudron, ichtyocolle, mastic, poix, question, résine, retenue, supplice, torture.

COLLECTE. Aumône, cueillette, levée, quête, ramassage, récolte.

COLLECTER. Chercher, demander, lever, mendier, quêter, ramasser, rassembler, rechercher, recueillir, réunir, solliciter.

COLLECTIF. Collégial, commun, général, public, standard, usuel.

COLLECTION. Assortiment, bibliothèque, ensemble, fichier, galerie, ménagerie, musée, panoplie, philatéliste, pièce, recueil, suite, varia.

COLLECTIONNEUR. Amateur, chercheur, fouineur, numismate, philatéliste.

COLLECTIONNEUR (type). Bibliophiliste, buticolaricrophiliste, cartophiliste, cervalobélophiliste, clavophiliste, conchyophiliste, copocléphiliste, dolophiliste, erinnophiliste, éthylabélophiliste, ferroviphiliste, fibulanomiste, glacophiliste, glycophiliste, jénonophiliste, marcophiliste, mérellophiliste, minéralophiliste, nicophiliste, numismate, œnosémiophiliste, plombophiliste, philatéliste, philuméniste, scrinophiliste, tabacophiliste, tyrosémiophiliste, véxillophiliste, vitolphiliste.

COLLÈGE. Bahut, cégep, corporation, école, institut, lycée, polyvalente.

COLLÈGE ANGLAIS (n. p.). Eton.

COLLÉGIEN. Bleu, écolier, élève, enfant, étudiant.

COLLÈGUE. Acolyte, adjoint, affilié, agrégé, associé, camarade, compère, complice, confrère, covendeur, membre, mutuelle, syndiqué, uni.

COLLER. Adhérer, agglutiner, attacher, encoller, gommer, recoller, tenir.

COLLERETTE. Bride, fraise, gorgerette, pèlerine.

COLLET. Affecté, apprêté, guinté, lacet, maniéré, palatine, piège.

COLLIER. Barbe, boa, carcan, chaîne, fraise, misère, rivière, torque.

COLLINE. Aspre, butte, capitolin, côte, coteau, croupe, dune, éminence, haut, hauteur, mont, montagne, tell, tertre.

COLLINE DE ROME (n. p.). Aventin, Caelius, Capitole, Esquilin, Palatin, Quirinal, Viminal.

COLLISION. Abordage, accident, choc, heurt, impact, tamponnage.

COLLOÏDAL. Aérosol, gel, empois, floculation, humus, hydrogel, sol.

COLLOQUE. Causerie, conférence, conversation, débat, échange, forum.

COLLUSION. Accord, association, complicité, connivence, entente.

COLMATER. Boucher, calfeutrer, clore, combler, étouper, fermer, luter, mastiquer, murer, obstruer, obturer, occulter, sceller.

COLOMB, CARAVELLE (n. p.). Nina, Pinta, Santa Maria.

COLOMBE. Colombier, colombophile, fuie, gémir, pigeon.

COLOMBIER. Format, fuie, pigeon, pigeonnier.

COLOMBIN. Biset, boudin, étron, fiente, palombe, pigeon, ramier.

COLOMBIUM. Cb, niobium.

COLON. Pionnier.

COLON D'AFRIQUE (n. p.). Boers.

COLONEL CANADIEN (n. p.). Sévigny.

COLONIE. Concession, fourmi, planteur, possession, protectorat, ruche.

COLONIE BRITANNIQUE (n. p.). Aden, Bahamas, Barbades, Bermudes, Chypre, Falkland, Fidji, Gibraltar, Gilbert, Guyane, Honduras, Hong-Kong, Jamaïque, Maurice, Rhodésie, Seychelles, Singapour, Trinité.

COLONIE FRANÇAISE (n. p.). Algérie, Guyanne, Maroc, Nouvelle-France, Sénégal, Somalie.

COLONISER. Peupler.

COLONNE. Aiguille, base, calcaire, ciel, cippe, coccyx, columelle, échine, épine, escouade, fût, invertébré, montant, pilier, poteau, pylone, rachis, rostrale, section, soutien, stèle, style, support, torse, trompe, vertébré.

COLOPHANE. Arcanson, résine.

COLOQUINTE. Barbarine, chicotin, coloquinelle, courge, courgoudette, orangine, patisson, tête.

COLORANT. Coloris, couleur, éosine, gaude, indigo, ocre, rocou, smalt.

COLORATURE, CHANTEUSE (n. p.). Arpin, Bilodeau, Choquette, Côté, Fortin, Hurley, Leclerc, Lespérance.

COLORER. Barbouiller, barioler, colorier, empourprer, enluminer, farder, injecter, iriser, orner, panacher, peindre, pigmenter, rehausser, relever, rosir, safraner, teindre, teinter.

COLORIAGE. Colorier, coloriste, couleur, lavis, laqué, teindre.

COLORIS. Colorant, couleur, guide, teint, teinte.

COLOSSAL. Babylonien, démesuré, énorme, géant, gigantesque, gros, herculéen, immense, monstre, monumental, titanesque, titanique.

COLOSSE. Énorme, géant, grand, mastodonte, monstre, ogre, titanique.

COLPORTER. Bavarder, cancan, commérer, médiser, potiner, ragot.

COLUMBIUM. Niobium.

COLZA. Chou, colzatier, crucifère, érucique, huile, navette.

COMBAT. Assaut, bataille, boxe, choc, duel, engagement, guerre, joute, lutte, match, mêlée, opération, pugilat, querelle, rif, riffe, salve.

COMBATTANT. Bretteur, gladiateur, guerrier, soldat, vétéran.

COMBATTRE. Assaillir, battre, enrôler, lutter, militer, réfuter, toréer.

COMBINAISON. Calcul, carbure, chlorure, coffre-fort, cotte, coup, hydrate, hydrocarbure, hydroxyde, hydrure, nitrure, mélange, oxydation, phosgène, poule, projet, réussite, spéculation, sulfure.

COMBINER. Agencer, allier, amalgamer, arranger, assembler, calculer, composer, fusionner, hydrater, hydrogéner, joindre, oxyder, marier, mélanger, mêler, mettre, mixer, ourdir, oxider, sulfurer, unir, varier.

COMBLE. Apogée, attique, bourré, empli, excès, extrême, faîte, ferme, limite, plein, pinacle, ravi, sommet, summum, surplus, toit, zénith.

COMBLER. Bourrer, emplir, entourer, gâter, gorger, remblayer, remplir.

COMBUSTIBLE. Aliment, boulet, carburant, charbon, coke, fuel, houille, inflammable, mazout, méta, semi-coke, tourbe.

COMÉDIE. Bouffonnerie, drame, farce, mime, muse, pièce, plaisanterie, rire, saynète, scène, sketch, sotie, spectacle, théâtre, vaudeville.

COMÉDIEN. Acteur, artiste, cabotin, comique, doublure, figurant.

COMÉDIEN CANADIEN-ANGLAIS (n. p.). Accolas, Arène, Aymar, Ayoub, Bard, Barry, Blanch, Buza, Calderwood, Friesen, Garrison, Gillett, Klanfer, Konig, Lawrence, Loftus, Martin, Mc Kenna, Murphy, Nardi, Nerman, O'Connor, Parillo, Parson, Pearson, Pennington, Richard, Ross, Snider.

COMÉDIEN AMÉRICAIN (n. p.). Allen, Armstrong, Astaire, Bacall, Bakula, Baldwin, Belafonte, Belushi, Benedick, Bennet, Bogart, Boone, Brando, Bridges, Brosnan, Brown, Burton, Cage, Chandler, Clooney, Cole, Costner, Crosby, Cruise, Culkin, Curtis, Dafoe, Daniels, Danson, Darin, Day-Lewis, Dean, De Niro, DeVito, Douglas, Dreyfuss, Eastwood, Ford, Gable, Gere, Gibson, Goldblum, Granger, Grant, Hackman, Hanks, Hardy, Harrelson, Heston, Hope, Hopkins, Hoskins, Hudson, Jackson, Jordan, Keitel, Kilmer, Kinski, Kline, Lancaster, Laurel, Leblanc, Lewis, O'Connor, Malkovich, Martin, McConaughey, McQueen, Mitchum, Montgomery, Moore, Murphy, Murray, Newman, Nicholson, Nolte,

Peck, Penn, Pitt, Presley, Pryor, Quaid, Quinn, Randall, Reagan, Reeves, Ritchie, Rooney, Rourke, Savage, Schwarzenegger, Simmons, Sinatra, Sorbo, Stallone, Stewart, Taylor, Thomas, Travolta, Tyler, Van Damme, Van Dyke, Washington, Wayne, Weissmuller, Williams, Willis, Wyle, Young.

COMÉDIEN ANGLAIS (n. p.). Accolas, Arène, Aymar, Ayoub, Bard, Barry, Blanch, Burbage, Buza, Calderwood, Chaplin, Foote, Friesen, Garrick, Garrison, Gillett, Klanfer, Konig, Lawrence, Loftus, Martin, Mc Kenna, Murphy, Nardi, Nerman, O'Connor, Parillo, Parson, Pearson, Pennington, Richard, Ross, Snider.

COMÉDIEN FRANÇAIS (n. p.). Auteuil, Belmondo, Boyer, Chevalier, Coquelin, Fernandel, Gabin, Guitry, Montand.

COMÉDIEN ITALIEN (n. p.). Bertinazzi, Mastroanni, Mezzetin.

COMÉDIEN QUÉBÉCOIS (n. p.). Adams, Alarie, Albert, Allaire, Allard, Archambault, Arsenault, Aubert, Auclair, Audet, Auger, Aumont, Barnard, Barrette, Bastarache, Bastien, Beauchamps, Beauchemin, Beaudet, Beaudry, Bealieu, Beaulne, Beaupré, Bégin, Béland, Bélanger, Belhumeur, Belisle, Belzile, Benoit, Bergeron, Bernard, Bernier, Bérubé, Berval, Besré, Bessette, Biddle, Bienvenue, Bigras, Bilodeau, Binet, Bisson, Bissonnette, Bizier, Blais, Blanchard, Blanchet, Bluteau, Boie, Boilard, Boisvert, Boivin, Bolduc, Bombardier, Bonneau, Bouchard, Boucher, Boudreau, Bourgeault, Bourgeois, Bourque, Bousquet, Boutin, Bradet, Brassard, Bray, Briand, Brière, Brisson, Brosseau, Brouillet, Brouillette, Brousseau, Brunet, Buissonneau, Cabana, Campeau, Canuel, Cardin, Carez, Caron, Carrère, Carrière, Cartier, Cauchon, Cazelais, Chabot, Chagnon, Chamberlan, Champagne, Champoux, Chapados, Chapleau, Charest, Charette, Charles, Charron, Chartier, Chartrand, Chassé, Chenail, Chénier, Chevalier, Chouinard, Christian, Claveau, Clavet, Cloutier, Coallier, Collin, Comeau, Corbeil, Cormier, Côté, Cousineau, Coutu, Couture, Crête, Curzi, Cyr, D'Amours, D'Astou, Da Silva, Dagenais, Dallaire, Daviau, De Cespedes, Delasoie, Delcourt, Delmas, Demers, Denis, Denoncourt, Derek, Deschamps, Deschênes, Désilets, Desjardins, Desmarteau, Desrochers, Desroches, Desrosiers, Dessureault, Désy, Di Stasio, Dion, Dionne, Dô, Doucet, Doyon, Drainville, Drolet, Dubois, Ducharme, Duchesne, Duchesneau, Dufaux, Dufour, Dumont, Dupuis, Durand, Dussault, Duval, Émond, Éthier, Farmer, Faubert, Faucher, Fauteux, Favreau, Ferland, Filion, Fontaine, Forest, Fortin, Fournier, Francœur, Fruitier, Gadouas, Gagné, Gagnon, Galipeau, Gamache, Garceau, Gascon, Gaudreau, Gauthier, Gauvin, Gélinas, Gendron, Genest, Germain, Gignac, Giguère, Gingras, Girard, Giroux, Gobeil, Godin, Gougeon, Goyette, Graton, Gravel, Graveline, Grégoire, Grenier, Grimaldi, Grisé, Grondin, Groulx, Guay, Guévremont, Guilda, Guimond, Guy, Hamel, Hamelin, Hébert, Héroux, Hétu, Houde, Houle, Huard, Hurtubise, Imbault, Jacob, Jacques, Jean, Jetté, Jodoin, Jordan, Joubert, L'Écuyer, L'Espérance, L'Heureux, Labbé, Labelle, Labrèche, Labrie, Labrosse, Lachance, Lachapelle, Lacombe, Lacoste, Lacroix, Lafleur, Lafond, Lafontaine, Lafortune, Lajeunesse, Lalancette, Lalande, Laliberté, Lalonde, Lambert, Lamirande, Lamontagne, Lamoureux, Landry, Langelier, Langlois, Lapointe, Laprade, Laroche, Larocque, Larue, Latour, Latreille, Latulippe, Laurin, Lautrec, Lauzon, Lavallée, Lavergne,

Lavigne, Lavoie, Leblanc, Lebœuf, Lecavalier, Leclerc, Ledoux, Leduc, Lefebvre, Lefrançois, Légaré, Legault, Legendre, Léger, Legris, Lelièvre, Lemay, Lemay-Thivierge, Lemieux, Lemire, Lepage, Leroux, Lessard, Létourneau, Levasseur, Léveillée, Lévesque, Lirette, Lizotte, Loiselle, Longpré, Lord, Lortie, Lussier, Maher, Maillot, Major, Maltais, Marchal, Marchand, Marcoux, Marsan, Martel, Martin, Massé, Massicotte, Masson, Mathieu, Mayer, Melançon, Mercier, Messier, Meunier, Michaud, Mignault, Millaire, Millette, Miron, Mongrain, Montmorency, Moreau, Morency, Morissette, Myron, Nadeau, Nadon, Nantel, Noël, Olivier, Ouellet, Ouellette, Pagé, Paiement, Pallascio, Paquette, Paquin, Paradis, Paré, Parent, Paris, Pascal, Pasquier, Patenaude, Pellerin, Pelletier, Perron, Pérusse, Petit, Picard, Piché, Pillet, Pilon, Pilote, Plante, Poirier, Poissant, Ponton, Poulain, Pratte, Préfontaine, Proteau, Proulx, Provencher, Provost, Quintal, Rainville, Ranger, Raymond, Renaud, Ricard, Richard, Richer, Rivard, Rivest, Roberge, Robert, Robidoux, Robitaille, Rollin, Ronfard, Rousseau, Roussel, Routhier, Roux, Roy, Royer, Sabouret, Sabourin, Salvail, Sauvage, Schreiber, Scott, Séguin, Sicotte, Simard, Talbot, Tanguay, Taschereau, Tassé, Tétreault, Thériault, Thibault, Thibodeau, Thiboutot, Thisdale, Toupin, Tremblay, Trudeau, Trudel, Turbide, Turcot, Turcotte, Turgeon, Vaillancourt, Valcour, Valiquette, Vanasse, Varin, Verville, Vézina, Viau, Viens, Villeneuve, Vincent, Zinko, Zouvi.

COMÉDIENNE ALLEMANDE (n. p.). Kinski.

COMÉDIENNE AMÉRICAINE (n. p.). Abdul, Anderson, Andrews, Bacall, Basinger, Bassett, Baxter, Bingham, Birch, Brooks, Brenneman, Bullock, Campbell, Cher, Collins, Crawford, Darnell, Davis, Day, Dee, Dickinson, Dietrich, Dors, Dunaway, Evangelista, Fonda, Fox, Garbo, Gabor, Gardner, Garland, Griffith, Hall, Hayworth, Hepburn, Kelly, Kidman, Lamour, Lane, Lansbury, Leigh, Maclaine, Madona, Mansfield, Mantovani, Midler, Minnelli, Monroe, Moore, Morgan, Moss, Nolin, Novak, Parker, Paul, Pickford, Powers, Powells, Rampling, Roberts, Rivers, Russell, Sarandon, Seagrove, Shalom, Shatner, Schell, Sheridan, Shields, Shue, Silverstone, Stafford, Stone, Streep, Streisand, Swanson, Taylor, Temple, Tierney, Tilton, Turner, Walsh, West, Wood, Zuniga.

COMÉDIENNE ANGLAISE (n. p.). Leigh.

COMMÉDIENNE FRANÇAISE (n. p.). Adjani, Arletty, Bardot, Carol, Darrieux, Deneuve, Dorval, Gréco, Mistinguett, Moreau, Morgan, Renaud, Seyrig, Signoret.

COMÉDIENNE ITALIENNE (n. p.). Cardinale, Lollobrigida, Loren, Magnani.

COMÉDIENNE QUÉBÉCOISE (n. p.). Adam, Adams, Aktouf, Alber, Alepin, Allaire, Allard, Allen, Allison, Ally, Andrieu, Angers, Anthony, Aras, Araya, Arbour, Arcand, Armand, Arsenault, Aubé, Aubertin, Aubin, Aubry, Aubut, Auger, Aussant, Azar, Babeu, Baillargeon, Ballard, Banville, Baril, Barrette, Bartolucci, Basilières, Bastien, Beaubien, Beaudreau, Beaudry, Beaule, Beaulieu, Beaulne, Beaupré, Beauregard, Beauvais, Bédard, Bégin, Bélair, Bélanger, Belcourt, Belisle, Belleau, Bellemare, Benezra, Bérard, Berd, Berger, Bergeron, Bériault, Bernard, Bernier, Berryman, Berthiaume, Bertrand, Bérubé, Bessette, Bibeau, Biron, Bisaillon, Bisson, Blackburn, Blain, Blais, Blier, Bluteau, Bocan, Boislard, Boisjoli, Boisvert, Boivin, Bombardier, Bonneau, Bonneville, Bonnier, Bouchard, Boucher,

Boudreau, Bourgeois, Bourque, Boyer, Brassard, Brault, Briand, Brind'Amour, Brisson, Brodeur, Brossard, Brouillette, Brouseau, Bussières, Cadieux, Camirand, Cambell, Cantin, Cardinal, Carel, Caron, Castel, Castonguay, Caya, Célestin, Chabot, Chagnon, Chailler, Chalifoux, Champagne, Chapleau, Charbonneau, Charest, Charlebois, Charpentier, Charron, Chartier, Chartrand, Chassé, Chatel, Chenier, Chevalier, Choinière, Choquette, Chouvalidzé, Claude, Clément, Cloutier, Collard, Collin, Comeau, Comtois, Corbeil, Corradi, Cossette, Côté, Cotton, Coupal, Courchesne, Courtois, Cousineau, Coutu, Couture, Croze, Cusson, Cyr, D'Aragon, Da Silva, Dallaire, Dalpé, Dansereau, Daoust, Daudelin, Dauphinais, Daviau, Delage, Delcourt, Delisle, Demers, Déry, Desbiens, Deschamps, Deschâtelets, Desjardins, Deslauriers, Desrochers, Desrosiers, Deyglun, Dion, Dionne, Doré, Dorion, Dorval, Dostie, Drapeau, Drolet, Drouin, Dubé, Dubeau, Ducharme, Dufour, Dufresne, Dugas, Duguay, Dumas, Dumais, Dumont, Dupire, Durand, Durocher, Dutil, Esse, Eykel, Faucher, Filion, Fleury, Fontaine, Forestier, Fortin, Fournier, Francke, Gadouas, Gagné, Gagnon, Gallant, Gamache, Garceau, Garneau, Gascon, Gauthier, Gélinas, Gendron, Germain, Gervais, Godbout, Godin, Gosselin, Goyette, Grégoire, Grenier, Grenon, Guénette, Guérin, Guertin, Hamel, Hébert, Jalbert, Jean, Jodoin, Jolis, Jules, Julien, Labelle, Labonté, Lachance, Lachapelle, Lajeunesse, Lalande, Lalonde, Lamarche, Lambert, Lanctôt, Langlois, Laplante, Lapointe, Laporte, Latraverse, Laurent, Laurier, Lavallée, Laverdière, Lavergne, Lavoie, Lazure, Le Flaguais, Leblanc, Leduc, Lefebvre, Legault, Léger, Lemay, Lemelin, Lemieux, Leroy, Létourneau, Levac, Levasseur, Léveillé, Leyrac, Loiselle, Lomez, Longchamps, Lopez, Lorain, Lussier, Marchand, Marcotte, Marleau, Marois, Marquis, Martin, Matteau, Mauffette, Mercier, Mercure, Michaud, Michel, Millaire, Miller, Mondoux, Monpetit, Morin, Morissette, Mousseau, Nadeau, Néron, Nolin, Normandin, Oddera, Oligny, Olivier, Orsini, Ouellet, Ouellette, Ouimet, Pallascio, Panneton, Paquette, Paquin, Paradis, Parent, Pasquier, Pauzé, Payette, Pelletier, Perreault, Perron, Phaneuf, Picard, Pilon, Pilote, Pimparé, Pinsonnault, Plourde, Poirier, Poitras, Portal, Potvin, Poulin, Poupart, Prégent, Proultx, Provost, Quesnel, Racicot, Ranger, Raymond, Renaud, Reno, Ricard, Richard, Richer, Riddez, Rinfret, Rioux, Robitaille, Rodrigue, Rousseau, Roussin, Rouzier, Roy, Sarrasin, Sauvé, Schmidt, Schneider, Scoffié, Séguin, Simard, Snyder, Sutto, Sylvain, Sylvestre, Taillefer, Thibault, Tifo, Tisdale, Tisseyre, Tougas, Tremblay, Trépanier, Tulasne, Turcot, Turgeon, Vallée, Valous, Venne, Vézina, Villeneuve, vincent, Watters, Workman, Zacharie, Zouvi.

COMÉDIENNE CANADIENNE-ANGLAISE (n. p.). Basaraba, Benson, Clune, Ellwand, Ferney, Gruen, Hall, Hayle, Henry, Jordan, Kee, Lawrence, Mackenzie, Obonsawin, Racicot, Reh, Spiegel, Sprincis, Stankova, Verner, Victor, Zahalan, Zucco.

COMÉDIENNE SUÉDOISE (n. p.). Bergman.

COMESTIBLE. Analeptique, bouillie, bouillon, brouet, cétogène, datte, denrée, édule, fromage, manne, mets, nourriture, pain, pitance, poison, provision, prétexte, sauté, soupe, subsistance, sucre, vivre.

COMÈTE. Astéroïde, astre, étoile filante, météorite, quasar, téléscope.

COMÈTE (n. p.). Encke, Balais, Halley, Kohoutek.

COMIQUE. Absurde, amusant, bizarre, bouffe, bouffon, burlesque, cocasse, drôle, falot, farceur, gag, gai, guignol, hilarant, hilare, lazzi, loufoque, marrant, opéra, plaisant, poilant, rigolo, risible, tordant.

COMMANDANT. Architecte, berger, chef, despote, directeur, dirigeant, dominateur, entraîneur, gradé, guide, maître, meneur, patron, tête.

COMMANDANT (n. p.). Lévis, Montcalm, Wolfe.

COMMANDANT, OFFICIER. Adjudant, amiral, brigadier, capitaine, caporal, colonel, général, lieutenant, maître, major, maréchal, sergent.

COMMANDE. Achat, autorité, demande, exige, manette, ordonne, ordre.

COMMANDEMENT. Amirauté, arrêté, autant, autorité, consigne, décret, direction, empire, état-major, loi, ordre, sommation, va, ultimatum.

COMMANDER. Acheter, contraindre, décréter, dicter, diriger, dominer, exiger, forcer, intimer, mener, ordonner, politer, prier, régir, sommer.

COMMANDITER. Sponsoriser.

COMME. Ainsi, autant, instar, même, pareillement, pour, quand, tel.

COMMÉMORER. Célébrer, chômer, festoyer, fêter, pavoiser, sanctifier.

COMMENCEMENT. Alpha, amorce, arrivée, aube, aurore, avènement, blet, bout, de, début, déclenchement, départ, embryon, entrée, germe, lever, matin, natif, novice, orée, origine, ouverture, seuil, tête.

COMMENCER. Agir, amorcer, apercevoir, créer, dater, débuter, devenir, éclore, effleurir, engager, entamer, entonner, entreprendre, entrer, exorde, faire, gazouiller, germer, incipit, initial, liminaire, naître, origine, partir, poindre, premier, recommencer, seuil, vermouler.

COMMENTAIRE. Annotation, critique, exégèse, explication, glose, herméneutique, interprétation, massorah, note, paraphrase, scolie.

COMMENTER. Annoter, énoncer, expliquer, gloser, interpréter, noter.

COMMÉRAGE. Bavardage, cancan, médisance, potin, ragot.

COMMERÇANT. Ferrailleur, grainetier, marchand, mercanti, négociant.

COMMERCE. Affaires, boulangerie, bourse, buanderie, dentellerie, ébénisterie, échange, édition, essencerie, firme, gros, oisellerie, librairie, lingerie, maroquinerie, mercerie, meunerie, négoce, orfèvrerie, parfumerie, relation, trafic, traite, tribunaux, troc, vente.

COMMERCER. Accorder, arranger, convenir, discuter, négocier, parlementer, régler, trafiquer, traiter, transmettre, vendre.

COMMETTRE. Attenter, faire, faillir, frauder, gaffer, pécher, perpétrer.

COMMIS. Agent, calicot, employé, placier, représentant, vendeur.

COMMISSAIRE. Ablégat, condé, handicapeur, légat, nonce, zétète.

COMMISSION. Achat, boni, bonus, comité, course, courtage, gratification, jury, message, mission, remise, rogatoire, salaire.

COMMISSIONNAIRE. Courrier, courtier, émissaire, envoyé, estafette.

COMMODAT. Prêt.

COMMODE. Aisé, bien, chic, coffre, doux, facile, meuble, sûr, utile.

COMMODÉMENT. Aisément, bien-être, convenu, utilement.

COMMODITÉ. Aisance, aise, confort, convenance, selle, toilette, utilité.

COMMUN. Abondant, banal, cliché, connu, courant, général, grossier, habituel, naturel, nom, pauvre, public, standard, usé, usuel, vulgaire.

COMMUNAUTÉ. Église, jésuite, moine, nation, oblat, ordre, religieuse.

COMMUNE. Bourg, bourgade, centre, conseil, paroisse, ville, village.

COMMUNE, ALGÉRIE (n. p.). Sig.

COMMUNE, BELGIQUE (n. p.). Aalter, Alost, Ans, Anvers, Asse, Anvers, Balen, Beerse, Brabant, Bruges, Dison, Dour, Eisden, Eupen, Evere, Gand, Geel, Hainaut, Hornu, Lede, Liège, Limbourg, Manage, Meise, Mol, Mons, Namur, Neerpelt, Niel, Olen, Seneffe, Spa, Temse, Uccle, Ypres, Zemst.

COMMUNE, CORSE (n. p.). Aléria.

COMMUNE, FRANCE (n. p.). Alet, Anglet, Anor, Arès, Ars, Auris, Avon, Aydat, Boué, Buc, Cléon, Déois, Elne, Etrétat, Eze, Hem, Ifs, Igny, Isle, Leers, Loos, Miramas, Murol, Nieppe, Oiron, Oissel, Olivet, Rézé, Riec, Somain, Tell, Trélazé, Vais, Uriage.

COMMUNE, SUISSE (n. p.). Bex, Ems, Nyon, Onex, Riehen, Sierre, Uster, Vernier, Wil.

COMMUNICATION. Anastomose, confidence, dépêche, lettre, note.

COMMUNION. Calice, cène, ciboire, hostène, pale, pâques, patène, rite.

COMMUNIQUÉ. Annonce, avertissement, avis, conseil, déclaration, dénonciation, éveil, idée, info, message, note, notification, opinion, préface, préavis, proclamation, révélé.

COMMUNIQUER. Aimanter, annoncer, commander, correspondre, dire, écrire, imprimer, infuser, inoculer, magnétiser, publier, relier, révéler.

COMMUNISME. Bolchevisme, collectivité, marxisme, spartakiste.

COMPACT. Concret, dense, dru, épais, ferme, lourd, mat, pesant, plein.

COMPACT DISC. CD, DC.

COMPACTER. Damer, entasser, pilonner, prendre, presser, tasser.

COMPAGNE. Amie, épouse, collègue, consœur, copine, femme.

COMPAGNIE. Amie, assemblée, avec, appui, biribi, cie, collège, comité, conseil, entourage, gavot, mie, moitié, réunion, société, troupe.

COMPAGNON. Acolyte, ami, associé, camarade, coéquipier, collègue, commensal, compère, complice, condisciple, copain, mari, mouton.

COMPAGNONNAGE. Accompagnement, labadens, syndicat, truste.

COMPARAISON. Aussi, comme, entre, mieux, moins, parabole, parallèle.

COMPARAÎTRE. Citer, comparoir, contumace, présenter, venir.

COMPARER. Assimiler, collationner, conférer, confronter, degré, différencier, échantillonner, gabarier, peser, rapprocher, vidimer.

COMPARTIMENT. Alvéole, bulge, case, casier, casse, cellule, classeur, coffre, division, horst, loge, réduit, rumen, stalle, subdivision, tiroir.

COMPAS. Balustre, boussole, carte, gyropilote, rose, rouane, tête.

COMPASSION. Cœur, déplorable, intéresser, pitié, sensibilité, tendresse.

COMPATISSANT. Accommodant, apaisant, conciliant, humain, sensible.

COMPATISSER. Accorder, allier, déplorer, intéresser, plaindre, réunir.

COMPENDIUM. Abrégé, aide-mémoire, épitomé, guide, mémento, résumé, synopsis, vade-mecum.

COMPENSER. Contrebalancer, corriger, couvrir, dédommager, égaler, expier, neutraliser, niveler, pondérer, racheter, rattraper, réparer.

COMPÈRE. Compagnon, complice, loriot, luron, orgelet, parrain.

COMPÈRE-LORIOT. Furoncle, orgelet, paupière.

COMPÉTENT. As, capable, expérimenté, habile, priseur, sapiteur.

COMPÉTITEUR. Adversaire, candidat, challenger, concurrent, émule, ennemi, joueur, participant, prétendant, rival.

COMPÉTITION. Challenge, championnat, concours, concurrence, conflit, coupe, course, duel, épreuve, match, omnium, open, rivalité, tournoi.

COMPLAINTE. Chant, doléances, gémissement, lamentation, thrène.

COMPLÉMENT. Addenda, additif, ajout, appoint, quoi, supplément.

COMPLET. Absolu, accompli, adéquat, consommé, entier, exhaustif, fini, intégral, mûr, parfait, plein, ras, rempli, terminé, total, tout, unanime.

COMPLÈTEMENT. Absolument, intégralement, entièrement, totalement.

COMPLICATION. Chinoiserie, complexité, confusion, difficulté, nœud.

COMPLICE. Acolyte, affidé, auxiliaire, comparse, compère, mèche.

COMPLICITÉ. Accord, collusion, connivence, intelligence, recel, union.

COMPLIMENT. Congratulation, éloge, félicitation, louange, politesse.

COMPLIMENTER. Adresser, congratuler, féliciter, louanger, louer.

COMPLIQUÉ. Ardu, chinois, complexe, confus, difficile, embrouillé.

COMPLIQUER. Brouiller, caler, confus, embrouiller, mêler, tarabiscoter.

COMPLOT. Attentat, cabale, conspiration, intrigue, ligue, machination.

COMPLOTER. Briguer, cabaler, coaliser, concerter, conjurer, conspirer, intriguer, liguer, machiner, mijoter, ourdir, projeter, terminer, tramer.

COMPORTEMENT. Action, agissement, comporter, procédé, réaction.

COMPORTER. Agir, composer, contenir, constituer, produire, rédiger.

COMPOSACÉE (5 lettres). Aster, aunée, cirse, inule, jacée, souci.

COMPOSACÉE (6 lettres). Arnica, aulnée, bleuet, cardon, dahlia, endive, laitue, safran, soleil, tagète, zinnia.

COMPOSACÉE (7 lettres). Armoise, barbeau, chardon, œillet, romaine, scarole, witloof.

COMPOSACÉE (8 lettres). Absinthe, achillée, ageratum, anthémis, centaure, chicorée, escarole, salsifis, sarrette, tanaisie.

COMPOSACÉE (9 lettres). Artichaut, camomille, centaurée, citrouille, edelweis, épervière, gaillarde, hélianthe, rudbeckia, rudbeckie, tournesol.

COMPOSACÉE (10 lettres). Marguerite, matricaire, pâquerette.

COMPOSACÉE (11 lettres). Citronnelle, mignonnette, synanthérée.

COMPOSACÉE (12 lettres). Chrysanthème, millefeuille.

COMPOSÉ. Étudié, compliqué, composant, mélange, mixté.

COMPOSÉ BASIQUE. Amine.

COMPOSÉ CHIMIQUE. Acétylénique, cétone, électrolyte, imine, oxime.

**COMPOSER.** Céder, compiler, constituer, créer, écrire, élucubrer, faire, imaginer, imprimer, inventer, lever, mélanger, produire, rédiger.

**COMPOSITEUR ALLEMAND** (n. p.). Agricola, Bach, Beethoven, Brahms, Cousser, Flotow, Froberger, Fux, Gluck, Haendel, Hasse, Hassler, Henze, Hoffmann, Hummel, Humperdinck, Henze, Keiser, Klempere, Kusser, Mendelssohn, Meyerbeer, Offenbach, Orff, Oachelbel, Pfitzner, Praetorius, Quantz, Reger, Scherchen, Schumann, Schütz, Stockhausen, Strauss, Telemann, Wagner, Weber.

**COMPOSITEUR AMÉRICAIN** (n. p.). Barber, Basie, Berlin, Bernstein, Cage, Carter, Casadesus, Copland, Dylan, Ellington, Gershwin, Getz, Glass, Goodman, Gould, Hampton, Herrmann, Hindemith, Ives, Krenek, Maazel, Mitropoulos, Monk, Nikolais, Oliver, Parker, Porter, Reich, Riley, Shepp, Stokowski, Stravinski, Zappa.

**COMPOSITEUR ANGLAIS** (n. p.). Arne, Blow, Boyce, Britten, Bull, Byrd, Dowland, Elgar, Ferneyhough, Morley, Purcell, Tippett.

**COMPOSITEUR ARGENTIN** (n. p.). Gardel, Ginastera.

**COMPOSITEUR AUTRICHIEN** (n. p.). Albrechtberger, Berg, Biber, Böhm, Bruckner, Czerny, Fux, Harnoncourt, Haydn, Lehar, Ligeti, Mahler, Mozart, Muffat, Pleyel, Schoenberg, Schubert, Strauss, Webern, Weill, Wolf, Zemlinski.

**COMPOSITEUR BELGE** (n. p.). Absil, Brel, Degeyter, Gevaert, Jongen, Lassus, Lekeu, Monte, Pousseur, Willaert, Ysaye.

**COMPOSITEUR BRITANNIQUE** (n. p.). Elgar, Purcell.

**COMPOSITEUR CORÉEN** (n. p.). Yun.

**COMPOSITEUR DANOIS** (n. p.). Buxtehude.

**COMPOSITEUR ESPAGNOL** (n. p.). Albéniz, Pedrell, Cabezon, Encina, Espinel, Falla, Granados, Iriarte, Pablo, Pedrell, Sarasate, Turina.

**COMPOSITEUR FINLANDAIS** (n. p.). Sibelius.

**COMPOSITEUR FRANÇAIS** (n. p.). Adam, Alkan, Amy, Andrieu, Anglebert, Auber, Auric, Aznavour, Bach, Bacilly, Baillot, Balbastre, Barraqué, Barraud, Berlioz, Bernier, Bizet, Blavet, Boëly, Boieldieu, Boismortier, Bordes, Boucourechliev, Boulez, Brassens, Brossard, Bruneau, Cambert, Campra, Caplet, Chabrier, Chambonnières, Charpentier, Chausson, Christiné, Clément, Clérambault, Colasse, Constant, Costeley, Couperin, Dalayrac, David, Debussy, Delalande, Delerue, Delibes, Delvincourt, Désaugiers, Desmarets, Dufay, Dukas, Duparc, Dupré, Durand, Duruflé, Dutilleux, Eloy, Emmanuel, Fauré, Ferrari, Ferrat, Ferré, Franck, Gainsbourg, Gaubert, Gilles, Gossec, Gaudimel, Gounod, Grétry, Grigny, Guignon, Hahn, Halévy, Henry, Hérold, Hervé, Ibert, Indy, Janequin, Jarre, Jaubert, Jolas, Jolivet, Koechlin, Kosma, Kreutzer, Lalo, Lambert, Landowski, Lebègue, Leclair, Lecocq, Legrand, Leibowitz, Lesueur, Lully, Magnard, Malec, Marais, Marchand, Massé, Massenet, Méhul, Messager, Messiaen, Milhaud, Monsigny, Montéclair, Monteux, Mouret, Murail, Nat, Niedermeyer, Offenbach, Ohana, Pérotin, Philidor, Pierné, Planquette, Portal, Poulenc, Rabaud, Rameau, Ravel, Rebel, Reicha, Reinhardt, Renaud, Rivier, Saint-Saëns, Satie, Sauguet, Schaeffer, Schmitt, Scotto, Taillefer. Titelouze, Tournemire, Trenet, Vierne, Widor, Xenakis.

**COMPOSITEUR GREC** (n. p.). Aperghis, Theodorakis.

**COMPOSITEUR HONGROIS** (n. p.). Bartok, Kodaly, Kurtag, Lajtha, Ligeti, Liszt.

COMPOSITEUR IRLANDAIS (n. p.). Field.

COMPOSITEUR ITALIEN (n. p.). Albinoni, Allegri, Amati, Animuccia, Arrigo, Bellini, Berio, Boccherini, Boito, Busoni, Bussotti, Caccini, Carissimi, Cavalieri, Cavalli, Cesti, Cherubini, Clementi, Cimarosa, Clémenti, Corelli, Dallapiccola, Donatoni, Donixetti, Duni, Frescobaldi, Gabrieli, Galuppi, Gasparini, Geminiani, Ingegneri, Jommelli, Legrenzi, Leoncavallo, Locatelli, Lulli, Maderna, Malipiero, Marcello, Marenzio, Markevitch, Martini, Mascagni, Menotti, Mercadante, Monteverdi, Nono, Paer, Paesiello, Paganini, Palestrina, Pasquini, Pergolèse, Piccinni, Porpora, Puccini, Respighi, Rossi, Rossini, Rota, Salieri, Scarlatti, Scelsi, Spontini, Stradella, Tartini, Toscanini, Verdi, Viotti, Vivaldi.

COMPOSITEUR JAPONAIS (n. p.). Takemitsu.

COMPOSITEUR MEXICAIN (n. p.). Mingus.

COMPOSITEUR NÉERLANDAIS (n. p.). Leonhardt, Sweelinck.

COMPOSITEUR NORVÉGIEN (n. p.). Grieg.

COMPOSITEUR POLONAIS (n. p.). Chopin, Lutoslawski, Paderewski, Penderecki, Szymanowski.

COMPOSITEUR QUÉBÉCOIS (n. p.). Vigneault.

COMPOSITEUR ROUMAIN (n. p.). Enesco, Enescu.

COMPOSITEUR RUSSE (n. p.). Balakirev, Borodine, Chostakovich, Cui, Denisov, Glazounov, Glière, Glinka, Gretchaninov, Khatchatourian, Moussorgski, Prokofiev, Rachmaninov, Rimski-Korsakov, Rubinstein, Schnittke, Scriabine, Skriabine, Stravinski, Tchaïkovski.

COMPOSITEUR SUISSE (n. p.). Honegger, Martin.

COMPOSITEUR TCHÈQUE (n. p.). Dussek, Dvorak, Janacek, Martinu, Reicha, Smetana, Stamitz.

COMPOSITEUR VIETNAMIEN (n. p.). Dao.

COMPOSITEUR WALLON (n. p.). Du Mont.

COMPOSITEUR-CHANTEUR QUÉBÉCOIS (n. p.). Antonin, Baillargeon, Barbe, Bélanger, Bernier, Bertrand, Biddle, Bouchard, Bourgeois, Brault, Brousseau, Brown, Calvé, Canuel, Carse, Charlebois, Chenart, Cousineau, Cyr, De Larochellière, Dhavernas, Dionne, Dompierre, Duguay, Éthier, Faulkner, Flynn, Fournier, Gabriel, Gauthier, Gélinas, Guy, Huard, Joanness, Labbé, Lalonde, Lavoie, Le Bœuf, Lefrançois, Lelièvre, Lemay, Lessard, Létourneau, Le Tourneux, Léveillé, Lever, Mandeville, Manseau, Martin, Massé, Mc Kenzie, Medile, Minville, Miron, Mondor, Norman, Olivier, Pagliaro, Paquette, Pelchat, Pelletier, Piché, Pringle, Rivard, Roche, Roy, Sarrasin, Séguin, Tadros, Torr, Trudel, Valente, Valiquette, Vigneault, Voisine.

COMPOSITION. Ballet, cantate, chant, cire, concerto, construction, fard, galée, image, madrigal, motif, octuor, opéra, oratorio, pan, pièce, plan, potée, quatuor, ré, rhapsodie, sonate, stras, strass, stratus, texte.

COMPOSITRICE-CHANTEUSE QUÉBÉCOISE (n. p.). Agostinucci, Béland, Biddle, Boucher, Brousseau, Butler, Chevrier, Cloutier, Cousineau, Des Rochers, Desrosiers, Dufresne, Dugas, Dyson, Forestier, Gallant, Grenier, Jacob, Jalbert, Jasmin, Joli, Labelle, Lapointe, Lemay, Maufette, Mercure, Miville-Deschênes,

Morin, Paquette, Paradis, Paris, Pelletier, Philippe, Raymond, Richards, St-Clair, Ste-Croix, Saintonge, Séguin, Tell, Thério, Théroux, Tremblay, Young, Zacharie.

COMPOST. Amendement, apport, cyanamide, engrais, fertilisant, fumier, gadoue, guano, humus, nourrain, poudrette, purin, urée.

COMPRÉHENSION. Connaissance, entendement, entente, tolérance.

COMPRENDRE. Concevoir, démêler, lire, pénétrer, piger, réaliser, saisir.

COMPRESSER. Compacter, damer, entasser, pilonner, prendre, presser.

COMPRIMÉ. Cachet, linguette, pastille, pellet, pilule, sucrette.

COMPRIMER. Appuyer, écraser, entasser, épais, masser, presser, pressurer, pétrir, réduire, resserrer, restreindre, serrer, tasser.

COMPRIS. Admis, assimilé, enregistré, inclus, interprété, reçu, saisi, vu.

COMPTABILITÉ. Chiffrier, dû, écriture, garant, reçu, tenue, trésorier.

COMPTABLE. CA, CGA, CMA, ci, commercial, crédit, débit, dû, économe, garant, gestionnaire, impôt, redû, responsable, ventilation.

COMPTANT. Argent, blé, cash, espèces, fric, liquide, roque, sonnant.

COMPTE. Actif, analyse, avare, avoir, bilan, calcul, crédit, débit, état, facture, lésé, note, passif, quantité, rat, talon, taux, taxe, total, zéro.

COMPTE-GOUTTES. Chichement, parcimonieusement, pipette, stiligoutte.

COMPTER. Attendre, calculer, chiffrer, dénombrer, dépouiller, escompter, espérer, estimer, évaluer, inventorier, nombrer, recenser.

COMPTEUR. Péritéléphonie, tachymètre, taximètre.

COMPTOIR. Bar, caisse, établissement, guichet, loge, magasin, zinc.

COMPULSÉ. Consulté, examiné, feuilleté, lu.

COMTÉ, ANGLETERRE (n. p.). Avon, Bedfordshire, Berkshire, Buckinghamshire, Cambridgeshire, Chester, Cleveland, Cornouailles, Cumbria, Derbyshire, Devon, Durham, Essex, Hampshire, Hertfordshire, Humberside, Kent, Lancashire, Leicestershire, Lincolnshire, Merseyside, Midlands, Norfolk, Northumberland, Shropshire, Somerset, Suffolk, Surrey, Sussex, Warwickshire, Wight, Wiltshire, Worcester, Yorkshire.

COMTÉ, ASSEMBLÉE NATIONALE (n. p.). Abitibi-Est, Abitibi-Ouest, Anjou, Argenteuil, Arthabaska, Beauce-Nord, Beauce-Sud, Beauharnois-Huntingdon, Bellechasse, Berthier, Bertrand, Blainville, Bonaventure, Borduas, Bourassa, Bourget, Brome-Missisquoi, Chambly, Champlain, Chapleau, Charlesbourg, Charlevoix, Châteauguay, Chauveau, Chicoutimi, Chomedey, Chutes-de-la-Chaudière, Crémazie, D'Arcy-McGee, Deux-Montagnes, Drummond, Dubuc, Duplessis, Fabre, Frontenac, Gaspé, Gatineau, Gouin, Groulx, Hochelaga-Maisonneuve, Hull, Iberville, Îles-de-la-Madeleine, Jacques-Cartier, Jeanne-Mance, Jean-Talon, Johnson, Joliette, Jonquière, Kamouraska-Témiscouata, Labelle, L'Acadie, Lac-Saint-Jean, Lafontaine, La Peltrie, La Pinière, Laporte, Laprairie, L'Assomption, Laurier-Dorion, Laval-des-Rapides, Laviolette, Lévis, Limoilou, Lotbinière, Louis-Hébert, Marguerite-Bourgeoys, Marguerite-d'Youville, Marquette, Marie-Victorin, Maskinongé, Masson, Matane, Matapédia, Mégantic-Compton, Mercier, Mille-Îles, Montmagny-L'Islet, Mont-Royal, Montmorency, Nelligan, Nicolet-Yamaska, Notre-Dame-de-Grâce, Orford,

Outremont, Papineau, Pointe-aux-Trembles, Pontiac, Portneuf, Prévost, Richelieu, Richmond, Rimouski, Rivière-du-Loup, Robert-Baldwin, Roberval, Rosemont, Rousseau, Rouyn-Noranda-Témiscamingue, Saguenay, Saint-François, Saint-Henri—Sainte-Anne, Saint-Hyacinthe, Saint-Jean, Saint-Laurent, Sainte-Marie—Saint-Jacques, Saint-Maurice, Salaberry-Soulanges, Sauvé, Shefford, Sherbrooke, Taillon, Taschereau, Terrebonne, Trois-Rivières, Ungava, Vachon, Vanier, Vaudreuil, Verchères, Verdun, Viau, Viger, Vimont, Westmount—Saint-Louis.

COMTÉ DU QUÉBEC, CHAMBRE DES COMMUNES. Abitibi, Ahuntsic, Anjou—Rivière-des-Prairies, Argenteuil-Papineau, Beauce, Beauharnois-Salaberry, Beauport-Montmorency-Orléans, Bellechasse, Blainville—Deux-Montagnes, Bonaventure—Îles-de-la Madeleine, Bourassa, Brome-Missisquoi, Chambly, Champlain, Charlesbourg, Charlevoix, Châteauguay, Chicoutimi, Drummond, Frontenac, Gaspé, Gatineau—Le-Lièvre, Hochelaga-Maisonneuve, Hull—Aylmer, Lachine—Lac-Saint-Louis, Lac-Saint-Jean, Laprairie, LaSalle-Émard, Laurentides, Laurier—Sainte-Marie, Laval-Est, Laval-Centre, Laval-Ouest, Lévis, Longueuil, Lotbinière, Louis-Hébert, Manicouagan, Matapédia-Matane, Mégantic-Compton-Stanstead, Mercier, Mont-Royal, Notre-Dame-de-Grâce, Outremont, Papineau—Saint-Michel, Pierrefonds-Dollard, Pontiac-Gatineau-Labelle, Portneuf, Québec, Québec-Est, Richelieu, Richmond-Wolfe, Rimouski-Témiscouata, Roberval, Rosemont, Saint-Denis, Saint-Henri—Westmount, Saint-Hubert, Saint-Hyacinthe—Bagot, Saint-Jean, Saint-Laurent—Cartierville, Saint-Léonard, Saint-Maurice, Shefford, Sherbrooke, Témiscamingue, Terrebonne, Trois-Rivières, Vaudreuil, Verchères, Verdun-Saint—Paul.

CON. Abruti, bête, borné, conard, crétin, débile, idiot, imbécile, sot.

CONCAVE. Cavet, creux, gorge, palanche, talon.

CONCÉDER. Accorder, avouer, attribuer, céder, octroyer, permettre.

CONCENTRATION. Amas, cartel, contemplation, cuite, densité, effort.

CONCENTRER. Assembler, focaliser, polariser, rallier, ramasser, réunir.

CONCEPT. Air, aperçu, catégorie, chimère, dada, dyade, ébauche, ectopie, fantaisie, fiction, idée, illusion, image, implication, lubie, manie, mode, notion, opinion, pensée, projet, rêve, songe, ton, tour, vue.

CONCEPTEUR. Affichiste, connaisseur, ingénieur, théoricien.

CONCEPTION. Art, désir, idée, prévision, savoir, sens, théorie, utopie.

CONCERNER. Appliquer, azonal, correspondre, dépendre, intéresser, propre, rapport, rapporter, référer, regarder, relever, toucher, viser.

CONCERT. Accord, aubade, audition, chant, ensemble, sérénade, union.

CONCERTER. Coaliser, comploter, entendre, machiner, préparer.

CONCESSION. Boutique, claim, commerce, entreprendre, octroi, quoique.

CONCEVOIR. Architecte, comprendre, compter, créer, croire, désirer, échafauder, former, idéer, imaginer, penser, prévoir, réaliser, sentir.

CONCIERGE. Cerbère, gardien, geôlier, loge, pipelet, portier, prison.

CONCILIANT. Arrangement, comprendre, facile, indulgent, souple.

CONCILIATEUR. Arbitre, médiateur.

CONCILIATION. Accommodement, accord, amiable, arbitrage, arrangement, entente, entremise, intervention, médiation, voie.

CONCILIATOIRE. Amiable, compatible.

CONCILIER. Accommoder, accorder, allier, arrangement, harmoniser.

CONCIS. Bref, condensé, court, dense, précis, serré, sommaire, succinct.

CONCISION. Brièveté, interjection, laconisme, sobriété, sommaire.

CONCLURE. Achever, clore, déduire, finir, inférer, terminer, transiger.

CONCLUSION. Analyse, argument, conséquence, dénouement, donc, enfin, enseignement, épilogue, finir, issue, leçon, morale, péroraison.

CONCOMBRE. Aubergine, coloquinte, cornichon, courge, cucurbitacée, ecballium, élatérion, holothurie, melon, zucchette, zuchette.

CONCORDER. Accorder, cadrer, correspondre, répondre, rimer.

CONCORDANCE. Accord, avenant, cadence, chœur, concert, équilibré, fanfare, harmonie, mélodie, musique, orchestre, rythme, symétrie.

CONCOURS. Aide, as, compétition, conjoncture, examen, loge, quiz.

CONCRET. Abstrait, chosifier, épais, manifeste, manne, positif, réel.

CONCRÉTION. Aégagropile, bézoard, calcul, nodule, otolithe, tophus.

CONCRÉTISER. Calculer, congeler, cristalliser, pétrifier, réaliser.

CONCUPISCENCE. Convoitise, désir, duopole, sensualité.

CONCURRENCE. Compétition, concours, émulation, lutte, rivalité.

CONCURRENT. Adversaire, candidat, compétiteur, émule, favori, rival.

CONDAMNATION. Blâme, censure, convict, damnation, déportation, exil, forçat, internement, peine, pénitencier, prison, proscription, vergobret.

CONDAMNER. Bannir, blâmer, damner, maudire, punir, réprouver.

CONDENSÉ. Abrégé, compact, concentré, concis, dense, digest, figé, ramassé, résumé, schématique, succinnt.

CONDENSER. Abréger, compact, concentrer, concret, figer, résumer.

CONDESCENDANCE. Charité, complaisance, dédain, indulgence.

CONDIMENT. Achard, ail, aromate, assaisonnement, câpre, ciboule, ciboulette, échalote, épice, gingembre, ketchup, moutarde, muscade, nacl, poivre, sel, tapenade.

CONDITION. Clause, contrat, sceau, disposition, état, exigence, fange, loi, marasme, modalité, négritude, noble, qualité, rang, si, sort, sorte, vie.

CONDOM. Capote, contraceptif, diaphragme, préservatif, stérilet.

CONDUCTEUR. Aurige, chauffard, chauffeur, chef, cocher, cornac, fil, isolant, mécanicien, métal, musagète, pilote, postillon, routier.

CONDUIRE. Aboutir, administrer, agir, aller, amener, conduite, diriger, emmener, entraîner, gouverner, guider, mener, piloter, surveiller.

CONDUIT. Allée, ânier, boyau, bronche, canal, chemin, cheminée, collecteur, drain, égout, évent, fil, goullotte, guide, oura, ouverture, oviducte, méat, mène, métal, mû, pierrée, pipe, tube, tuyau, va, wagon.

CONDUITE. Action, autopunition, agissement, buse, canal, décente, direction, égout, manège, ouverture, procédé, reillère, ton, tuyau.

CÔNE. Adventif, bouclier, conifère, conirostre, coquillage, dé, if, strobile.

CONFECTIONNER. Broder, coudre, faire, ourler, ouvrer, piquer, tailler.

CONFÉDÉRATION. Alliance, allié, centrale, fédération, ligue, union.

CONFÉRENCE. Colloque, congrès, dire, entretien, expliquer, exposé, orateur, palabre, parler, pourparler, séance, séminaire, sermon.

CONFÉRENCIER. Avocat, baratineur, causeur, cicéron, débateur, diseur, foudre, harangueur, orateur, prêcheur, prédicateur, rhéteur, tribun.

CONFÉRER. Anoblir, baptiser, comparer, déférer, dire, fonction, parler.

CONFESSER. Attrition, avouer, dire, pénitent, remords, repentir.

CONFESSION. Accusation, aveu, expiation, foi, pénitence, religion.

CONFIANCE. Aplomb, assurance, créance, crédit, croire, foi, sécurité.

CONFIANT. Assuré, communicatif, féal, hardi, liant, naïf, ouvert, sûr.

CONFIDENT. Affidé, ami, confesseur, dépositaire, intime.

CONFIDENT DE LOUIS XI (n. p.). Ledain.

CONFIDENTIEL. Abscons, anonyme, caché, clandestin, discret, secret.

CONFIER. Acheter, assurer, avouer, communiquer, confidence, croire, déléguer, épancher, laisser, livrer, ouvrir, prêter, transmettre.

CONFINER. Assigner, bannir, cantonner, cloîtrer, déporter, écarter, enfermer, exiler, isoler, jeter, limiter, reléguer, retraiter, toucher.

CONFIRMATION. Appui, certitude, ratification, renfort, théorie, visa.

CONFIRMER. Affermir, affirmer, attester, avérer, appuyer, assurer, cimenter, officialiser, plaider, prouver, ratifier, sceller, valider, viser.

CONFISCATION. Annexion, embargo, gel, mainmise, prise, saisie.

CONFISERIE. Cédrat, lisse, loukoum, nougat, pâté, pistache, praline.

CONFISQUER. Accaparer, arracher, écumer, ôter, prendre, saisir, tenir.

CONFITEOR. Mea-culpa, prière.

CONFITURE. Compote, conserve, cotignac, gelée, marmelade, orangeat, pâte, poire, pomme, prune, prunelée, raisiné, roquille, tournures.

CONFLIT. Choc, crise, désaccord, dispute, guerre, lutte, mêlée, querelle.

CONFONDRE. Assimiler, démasquer, identifier, mélanger, percer, unir.

CONFORMATION. Anatomie, configuration, contour, forme, tracé.

CONFORME. Accord, convenable, exact, juste, légal, moral, précis, vrai.

CONFORMÉMENT. Fidèlement, forme, légitimement, même, selon, vrai.

CONFORMER. Adapter, complaire, modeler, observer, régler, soumettre.

CORFORMITÉ. Accord, affinité, analogie, harmonie, légalité, unité.

CONFORTABLE. Aisance, bourgeois, commode, cossu, doucet, douillet.

CONFRÈRE. Acolyte, adjoint, affilié, agrégé, associé, camarade, collègue, compère, complice, covendeur, membre, mutuelle, syndiqué, uni.

CONFRONTER. Comparer, différencier, gabarier, peser, rapprocher.

CONFUS. Ambigu, brouillamini, chaotique, compliqué, contrit, déconfit, désolé, embarrassé, ennuyé, galimatias, gêné, honteux, incohérent, indistinctif, mêlé, nuageux, obscur, pathos, penaud, piteux, sot, trouble.

CONFUSÉMENT. Indistinctement, obscurément, pêle-mêle, vaguement.

CONFUSION. Chaos, désordre, erreur, honte, imbroglio, pêle-mêle.

CONGÉ. Absence, amen, approuvé, campos, détente, été, exeat, ite, permission, pont, relâche, renvoi, repos, vacances, vacant, week-end.

CONGÉDIER. Balancer, chasser, débarquer, destituer, éloigner, envoyer, expédier, licencier, pousser, remercier, renvoyer, sacquer, virer.

CONGELER. Coaguler, décongeler, figer, frapper, frigorifier, geler, glacer, incongelable, prendre, regeler, surgeler.

CONGÉNÈRE. Espèce, homologue, jumeau, même, parent, semblable.

CONGÉNITAL. Atavique, foncier, gêne, génétique, héréditaire, inconscient, infus, inné, instinctif, naissance, natif, naturel, spontané.

CONGÈRE. Banc de neige.

CONGESTION. Afflux, apoplexie, attaque, bouchon, erythème, fourbure.

CONGRATULATION. Adresses, applaudir, compliment, félicitations.

CONGRÉGATION. Communauté, compagnie, corps, frère, ordre, missionnaire, père, prêtre, religion, réunion, société, sœur.

CONGRÉGATION RELIGIEUSE, HOMME (n. p.). Assomptionniste, Bénédictin, Capucin, Carme, Clerc de Saint-Viateur, Dominicain, Eudiste, Franciscain, Frère de l'Instruction chrétienne, Frère de la Charité, Frère du Sacré-Cœur, Frère des Écoles chrétiennes, Frère Mariste, Jésuite, Oblat, Missionnaire d'Afrique, Père Blanc d'Afrique, Père du Saint-Sacrement, Père Mariste, Prêtre de Saint-Sulpice, Rédemptoriste, Trappiste.

CONGRÉGATION RELIGIEUSE, FEMME (n. p.). Augustine, Bénédictine, Carmélite, Clarisse, Fille du Calvaire, Fille de la Charité, Fille Réparatrice du Divin-Cœur, Petite fille de Saint-Joseph, Petite Franciscaine de Marie, Petite Sœur des Pauvres, Religieuse du Sacré-Cœur, Sœur adoratrice du Précieux-Sang, Sœur de la Divine Providence, Sœur de la Providence, Sœur de l'Assomption de la Sainte-Vierge, Sœur de la Miséricorde, Sœur de Notre-Dame de Charité du Bon-Pasteur, Sœur de Notre-Dame-du-Bon-Conseil, Sœur de Notre-Dame-du-Perpétuel-Secours, Sœur Grise, Sœur missionnaire de l'Immaculée Conception, Sœur de Notre-Dame des Anges, Sœur missionnaire du Christ-Roi, Sœur Oblate, Ursuline.

CONGRÈS. Assemblée, assise, convention, réunion, symposium.

CONIFÈRE. Cèdre, cycadacée, cyprès, cupressacée, douglas, éphedra, épicéa, épinette, genévrier, gingko, gymnosperme, if, mélèze, pesse, pin, pinacée, pruche, résineux, sapin, séquoi, séquoia, taxacée, taxode, taxodiacée, taxus, thuya, torreya, tsuga, wellingtonia.

CONJECTURE. Attente, augure, hypothèse, maxime, opinion, préjugé, présage, présomption, prévision, prophétie, soupçon, supposition.

CONJOINT. Compagnon, consort, époux, futur, légitime, mari, moitié.

CONJOINTEMENT. Bloc, concert, concurremment, ensemble, total, tout.

CONJONCTION. Adonc, adoncques, ainsi, aussi, car, cependant, comme, donc, et, lorsque, mais, ne, néanmoins, ni, or, ou, pourquoi, pourtant, puisque, quand, que, quoique, si, sinon, soit, suit, toutefois, union.

CONJONCTIVITE. Collagène, collyre, flegmon, phlegmon, trachome.

CONJONCTURE. Cas, circonstance, concours, occasion, préjuger, situation.

CONJUGAISON. Aoriste, er, grammaire, ir, latine, oir, passé, re, verbe.

CONJURATION. Complot, déprécation, incantation, magie, prière.

CONJURER. Adjurer, adorer, charmer, chasser, comploter, exorcisme, exorciste, implorer, insister, invoquer, parer, prier, supplier.

CONNAISSANCE. Abc, ami, connu, conscience, éducation, érudition, évidence, expérience, gnose, idée, ignorance, instruction, lumière, notion, ontologie, savoir, science, sens, su, teinture, théorie, vu.

CONNAISSEUR. Amateur, expert, instruit, savant, spécialiste.

CONNAÎTRE. Apprendre, cognitif, compétent, lire, loi, posséder, savoir.

CONNECTER. Brancher, joindre, lier, relier, unir.

CONNERIE. Ânerie, bêtise, bourde, énormité, esprit, fadaise, finesse, ingéniosité, intelligence, niaiserie, sornette, sottise, stupidité, subtilité.

CONNÉTABLE (n. p.). Luna.

CONNIVENCE. Accord, association, collusion, complicité, entente.

CONNU. Attesté, célèbre, commun, découvert, donné, escient, évident, incognito, insu, lu, notoire, personnalité, reconnu, réputé, su, sujet, vu.

CONQUÉRANT HONGROIS (n. p.). Arpad.

CONQUÉRIR. Charmer, emparer, envahir, gagner, occuper, soumettre.

CONQUÊTE. Butin, capture, clé, clef, ciseau, courailler, dispute, emprise, enlèvement, levée, moyen, proie, querelle, rafle, saisie, scène, unité.

CONQUISTADOR. Aventurier, encomienda, navigateur.

CONQUISTADOR ESPAGNOL (n. p.). Soto.

CONSACRÉ. Béni, conventionnel, dédié, habituel, officiel, reconnu, rituel, traditionnel, usuel.

CONSACRER. Bénir, dédier, donner, entériner, oindre, sacrer, vouer.

CONSCIENCE. Âme, attention, cognition, conation, connaissance, for, impression, intuition, lucidité, morale, notion, sentiment, soin.

CONSCIENCE (n. p.). Abel, Caïn.

CONSCIENT. Délibéré, intentionnel, lucide, volontaire, voulu.

CONSCRIT. Adepte, appelé, engagé, novice, recrue, soldat, vétéran.

CONSEIL. Assemblée, avertissement, avis, divan, leçon, motion, opinion.

CONSEILLER. Aulique, avertir, déconseiller, défendre, détourner, diriger, dissuader, interdire, mentor, orienteur, recommander, sage.

CONSENTEMENT. Accord, acquiescement, adhésion, agrément, approbation, aveu, consensus, gré, opposition, permission, refus.

CONSENTIR. Accepter, adhérer, céder, permettre, prêter, toper, vouloir.

CONSÉQUENCE. Cause, contrecoup, éclaboussure, effet, fruit, impact, incidence, inconvénient, logique, répercussion, résultat, séquelle, suite.

CONSERVATEUR. Anglais, gardien, modéré, progressif, tan, tory.

CONSERVATION. Froid, garde, maintien, mémorisation, tutelle, vital.

CONSERVE. Boucan, choucroute, confit, corned-beef, ensemble, lunette, paneterie, pec, pemmican, salé, saur, séché, secours, singe, sor.

CONSERVER. Détenir, entretenir, enveloppe, garantir, garder, maintenir, ménager, préserver, protéger, réserver, retenir, sauvegarder, soigner.

CONSIDÉRABLE. Abondant, ample, beaucoup, colossal, démesuré, grand, éléphantesque, énorme, géant, grand, gros, immense, monumental.

CONSIDÉRATION. But, déférence, développement, égard, estime, faveur, hère, honneur, intention, mince, pensée, pour, respect, sire, vue.

CONSIDÉRÉ. Accueilli, admissible, apprécié, classique, coté, estimé, honorable, isolé, jugé, regardé, réputé, respecté, vu.

CONSIDÉRER. Admirer, contempler, envisager, espérer, estimer, examiner, isoler, observer, présumer, regarder, tolérer, trouver, voir.

CONSIGNATION. Caution, dépôt, gage, garantie, provision, transit.

CONSIGNE. Avertissement, écrit, instruction, note, ordre, punition.

CONSIGNER. Assigner, citer, constater, dépôt, enregistrer, noter.

CONSISTANT. Dense, dur, épais, gelé, gluant, massif, régulier, solide.

CONSOLANT. Apaisant, calmant, diversion, lénitif, réconfortant.

CONSOLATION. Allégement, baume, compensation, joie, prix, réconfort.

CONSOLER. Apaiser, calmer, dérider, diminuer, distraire, là, na, va.

CONSOLIDER. Affermir, assurer, cimenter, fortifier, renforcer, soutenir.

COMSOMMATEUR. Acheteur, client, habitué, pratique, prospect.

CONSOMMATION. Accomplissement, boisson, emploi, godet, perpétration, rafraîchissement, réalisation, usage, utilisation, verre.

CONSOMMÉ. Achevé, bouillon, bu, commettre, détruire, dévoré, épuisé, fini, mangé, parfait, perpétré, potage, sec, tari, vidé, usé.

CONSOMMER. Absorber, accomplir, acheter, boire, commettre, dépenser, employer, épuiser, finir, manger, perpétrer, prendre, user.

CONSONANCE. Assonance, concordance, écho, harmonie, rime, unisson.

CONSONNE. Bilabiale, géminée, implosif, lettre, médial, tenue.

CONSORTIUM. Blastodème, cercle, club, comité, corporation, covenant, fédération, fusion, guilde, hanse, jumelage, ligue, macle, mafia, ordre, pacte, parti, regroupement, société, syndicalisation, triumvirat, union.

CONSPIRATION. Attentat, cabale, complot, intrigue, ligue, machination.

CONSPUER. Abaisser, attaquer, honnir, huer, mépriser, salir, vilipender.

CONSTAMMENT. Assidûment, cesse, continuellement, relâche, toujours.

CONSTANCE. Continuation, habitude, fermeté, même, persévérance.

CONSTANT. Assidu, durable, ferme, fidèle, fixe, genre, immuable, vertu.

CONSTANTINE (n. p.) Cirta.

CONSTATATION. Absolution, acte, procès-verbal, rapport, vérification.

CONSTATER. Apparoir, enregistrer, noter, remarquer, trouver, voir.

CONSTELLATION. Astéroïde, étoile, groupe, planète, pléiade, zodiaque.

CONSTELLATION (ABRÉVIATION INTERNATIONALE), (n. p.). Aigle (Aql), Andromède (And), Autel (Ara), Balance (Lib), Baleine (Cet), Bélier (Ari), Boussole (Pyx), Bouvier (Boo), Burin (Cae), Caméléon (Cha), Cancer (Cnc), Capricorne (Cap), Carène (Car), Cassiopée (Cas), Centaure (Cen), Céphée (Cep), Chevelure de Bérénice (Com), Chiens de chasse (Cvn), Cocher (Aur), Colombe (Col), Compas (Cir), Corbeau (Crv), Coupe (Crt), Couronne australe (Cra), Couronne boréale (Crb), Croix du Sud (cru), Cygne (Cyg), Dauphin (Del), Dorade

(Dor), Dragon (Dra), Écu (Sct), Eridan (Eri), Flèche (Sge), Fourneau (For), Gémeaux (Gem), Girage (Cam), Grand Chien (Cma), Grande Ourse (Uma), Grue (Gru), Hercule (Her), Horloge (Hor), Hydre femelle (Hya), Hydre mâle (Hyi), Indien (Ind), Le Sextant (Sex), Lézard (Lac), Licorne (Mon), Lièvre (Lep), Lion Leo), Loup (Lup), Lynx (Lyn), Lyre (Lyr), Machine pneumatique (Ant), Microscope( Mic), Mouche (Mus), Octant (Oct), Oiseau du paradis (Aps), Orion (Ori), Paon (Pav), Pégase (Peg), Peintre (Pic), Persée (Per), Petit Cheval (Equ), Petit Chien (Cmi), Petit Lion (Lmi), Petit Renard (Vul), Petite Ourse (Umi), Phénix (Phe), Poisson austral (Psa), Poisson volant (Vol), Poissons (Psc), Poupe (Pup), Règle (Nor), Réticule (Ret), Sagittaire (Sgr), Scorpion( Sco), Sculpteur (Scl), Serpent (Ser), Serpentaire (Oph), Table (men), Taureau( Tau), Télescope (Tel), Toucan (Tuc), Triangle austral (Tra), Triangle boréal (Tri), Verseau (Aqr), Vierge (Vir), Voiles (Vel).

CONSTERNANT. Bouleversant, changeant, chavirant, dérégler, émouvant, navrant, ravageant, renversant, saccageant, troublant.

CONSTERNER. Abattre, accabler, atterrer, attrister, bouleverser, désoler, émouvoir, épouvanter, navrer, renverser, stupéfier, terrasser, troubler.

CONSTITUANT. Composant, durain, élément, ingrédient, mucine.

CONSTITUER. Bâtir, créer, édifier, faire, fixer, fonder, former, monter.

CONSTITUTION. Composition, élu, loi, nature, règlement, rescrit, roi.

CONSTRICTION. Contraction, convulsion, crampe, ligature, striction.

CONSTRUCTEUR. Architecte, avionneur, bâtisseur, entrepreneur, fabricant, faiseur, ingénieur, maître d'œuvre, promoteur, tabulé.

CONSTRUCTION. Bâtisse, ciste, composition, dôme, encorbellement, érection, expression, imagination, hypogée, maison, nid, phraséologie, pont, rhétorique, rouf, serre, structure, termitière, tour, trullo.

CONSTRUIRE. Bâtir, charpenter, claver, dresser, édifier, élever, enlier, ériger, maçonner, nidifier, réaliser, rebâtir, staffer, taluter, tisser.

CONSUL. Afer, ambassadeur, chancellier, cheval, symphonie, tribunaux.

CONSULTANT. Audit, aulique, conseiller, mentor, orienteur, sage.

CONSULTER. Avis, interroger, pouls, demander, référendum, voir.

CONSUMER. Absorber, brûler, détruire, dévorer, épuiser, miner, ronger.

CONTACTER. Atteindre, injoignable, joindre, rejoindre, toucher.

CONTAGION. Choléra, gale, peste, rubéole, transmission, variole, virus.

CONTAMINATION. Infection, pédiculose, transmission.

CONTAMINER. Contagion, gâter, infecter, maculer, mélanger, salir.

CONTE. Bobard, fable, flirt, histoire, légende, nouvelle, récit, roman.

CONTEMPLATION. Attention, conception, entendement, extase, pensée.

CONTEMPLER. Admirer, examiner, méditer, mépriser, penser, regarder.

CONTEMPORAIN. Actuel, moderne, présent, réalité.

CONTENANCE. Air, allure, are, attitude, capacité, contenu, étendue, maintien, mesure, mine, port, posture, quantité, récipient, ton, volume.

CONTENANT. Boîte, bouteille, canon, emballage, enceinte, enveloppe, figure, pot, récipient, sac, têt, vase.

CONTENIR. Avoir, inclure, mesurer, receler, renfermer, retenir, tenir.

CONTENT. Aisé, béat, enchanté, gai, heureux, joyeux, ravi, satisfait.

CONTENTEMENT. Aisé, bonheur, fierté, joie, plaisir, satisfaction, veine.

CONTENTER. Accommoder, assouvir, nier, résigner, satisfaire, suffire.

CONTENU. Assiettée, augée, boîte, bolée, casserolée, ci-inclus, cuvée, dedans, hottée, inclus, panerée, pochée, retenu, sérum, teneur.

CONTER. Fleureter, flirter, narrer, peindre, raconter, relater, retracer.

CONTESTABLE. Critiquable, discutable, douteux, litigieux, niable.

CONTESTATION. Chicane, conflit, débat, démêlé, discussion, litige.

CONTESTER. Chicaner, controverser, manifester, nier, plaider, renier.

CONTIGU. Attenant, direct, fréquent, joint, proche, proximité, voisin.

CONTINENT. Chaste, ferme, innocent, monde, puceau, pur, vierge.

CONTINENT (n. p.). Afrique, Amérique, Asie, Atlantide, Eurasie, Europe, Océanie.

CONTINGENT. Accidentel, casuel, forfuit, part, quota, relatif, répartition.

CONTINGENTÉ. Limité, rationné, régulé, réparti, restreint, sélectionné.

CONTINU. Assidu, constant, continuel, durable, hectique, incessant, ininterrompu, lié, ligne, permanent, persistant, régulier, soutenu, suivi.

CONTINUATION. Incessant, permanent, perpétuel, stabilité, série, suite.

CONTINUEL. Constant, durable, éphémère, éternel, immémorial, indéfectible, infinité, même, passager, perpétuel, sempiternel.

CONTINUER. Durer, ininterrompre, perpétuer, poursuivre, rester, suite.

CONTINUITÉ. Continuation, égalité, permanence, poursuite, reprise.

CONTORSION. Bistournage, courbure, distorsion, grimace, torsion.

CONTOUR. Bord, cerne, côté, forme, galbe, limite, lisière, tour, trace.

CONTOURNER. Border, déborder, détour, éviter, friser, gauchir, tourner.

CONTRACTER. Attraper, choper, clore, crisper, emprunter, enrhumer, gagner, lier, pincer, piquer, plisser, prendre, raidir, resserrer, rigide.

CONTRACTION. Angoisse, antipéristaltique, clonique, convulsion, crampe, crispation, éternuement, extra-systole, fibrillation, hoquet, rétraction, rictus, ride, sanglot, spasme, tétanos, tic, tonus, vaginisme.

CONTRADICTION. Antinomie, démenti, discordance, incompatibilité.

CONTRADICTOIRE. Absurde, codicille, contraire, opposé, rebours.

CONTRAIGNANT. Aliénant, assujettissant, astreignant, pénible.

CONTRAINDRE. Asservir, exiger, forcer, gêner, lier, obliger, sommer.

CONTRAINTE. Carcan, coercition, gêne, joug, obligation, ordre, nécessité.

CONTRAIRE. Antithèse, antonyme, concurrent, contradictoire, divergent, envers, illégal, incompatible, inverse, opposé, paradoxe.

CONTRALTO. Alto, chanteuse, mezzo-soprano, voix.

CONTRALTO, CHANTEUSE (n. p.). Beaulieu, Catudal, Champagne, Couture, Dumontet, Ferland, Gignac, Jalbert, Lambert, Lanouette, Paquet, Parent, Puiu, Rioux.

CONTRARIÉ. Agacé, chagriné, chiffonné, combattu, contrecarré, déjoué, embêté, ennuyé, entravé, fâché, freiné, irrité, tracassé, vexé.

**CONTRARIER.** Attrister, barrer, chagriner, contrecarrer, contrer, ennuyer, empêcher, fâcher, indisposer, mécontenter, opposer, vexer.

**CONTRARIÉTÉ.** Chagrin, dépit, ennui, mécontentement, tracas, tristesse.

**CONTRASTE.** Antithèse, combat, conflit, contraire, disparité, opposition.

**CONTRAT.** Accord, acte, agréation, bail, consensuel, convention, donation, forfait, gage, métayage, pari, police, prêt, résolution.

**CONTRAVENTION.** Amende, contredanse, entorse, infraction, peine, p.v., papillon, procès-verbal, ticket, violation.

**CONTRE.** Anti, malgré, opposé, par, pour, protester, sur, tort, vice, voix.

**CONTRE-ATTAQUER.** Riposter.

**CONTRE-TORPILLEUR.** Destroyer.

**CONTREBALANCER.** Compenser, équilibrer, neutraliser, rééquilibrer.

**CONTRECARRER.** Attrister, barrer, chagriner, contrer, déjouer, ennuyer, empêcher, fâcher, indisposer, mécontenter, neutraliser, opposer, vexer.

**CONTRECOUP.** Rebondissement, répercussion, retour, ricochet, suite.

**CONTREDIRE.** Contester, dédire, démentir, désavouer, nier, réfuter.

**CONTREDIT.** Assurément, certainement, évidemment, incontestablement, indubitablement, manifestement.

**CONTRÉE.** Défiée, endémie, patrie, pays, région, tribu, verte.

**CONTRE-ÉPREUVE.** Vérification.

**CONTREFAÇON.** Caricature, copie, faux, fraude, parodie, plagiat, trucage.

**CONTREFACTEUR.** Faussaire, travesti.

**CONTREFAIRE.** Affecter, caricaturer, faire, falsifier, feindre, imiter, mimer, moquer, parodier, pasticher, plagier, singer, travestir, truquer.

**CONTREFAIT.** Avorton, boiteux, bot, difforme, faux, imitation, malfait.

**CONTREMAÎTRE.** Chef, maîtrise, porion, prote.

**CONTREMANDER.** Annuler, arrêter, décommander, revenir, révoquer.

**CONTREPOISON.** Alexipharmaque, antidote, mithridatisation, remède.

**CONTRE-REMBOURSEMENT.** Cr.

**CONTRE-TÉNOR, CHANTEUR** (n. p.). Lagranade, McLean.

**CONTREVENIR.** Déroger, désobéir, pécher, transgresser, violer.

**CONTREVENT.** Déflecteur, extrados, intrados, jalousie, persienne, volet.

**CONTRIBUER.** Adhérer, apporter, coopérer, cotiser, participer, soutenir.

**CONTRIBUTION.** Appoint, apport, écot, gabelou, imposition, impôt, matrice, part, prestataire, quota, quote-part, rat-de-cave, taxe, tribut.

**CONTRIT.** Confus, honteux, marri, penaud, repentant.

**CONTRITION.** Attrition, regret, remords, repentir.

**CONTRÔLE.** Arbitre, émoi, ire, orthogénie, souverain, suivi, vérification.

**CONTRÔLER.** Dominer, dompter, église, pouvoir, tester, vaincre, volonté.

**CONTROVERSE.** Avéré, contestation, discussion, éristique, polémique.

**CONTUSION.** Arnica, bigne, blessure, bleu, bosse, contus, coquard, coup, ecchymose, escarre, hématome, lésion, meurtrissure, pinçon, plaie.

**CONTUSIONNER.** Blesser, meurtrir.

**CONVAINCRE.** Amener, décider, démontrer, dissuader, persuader.

CONVAINCANT. Concis, concluant, démonstratif, dissuadeur, éloquent.

CONVAINCRE. Amener, démontrer, entraîner, expliquer, persuader.

CONVAINCU. Assuré, certain, crédule, éloquent, entreprenant, sûr.

CONVALESCENCE. Analepsie, guérison, postcure, rétablissement.

CONVENABLE. Adéquat, allé, approprié, bon, conforme, congru, correct, décent, duire, idoine, net, opportun, plaire, séant, seoir, sied, va, vrai.

CONVENABLEMENT. Approbation, aptitude, congrûment, dignement.

CONVENANCE. Accord, adaptation, affinité, gré, mode, tact, utilité.

CONVENIR. Accord, adapter, agréer, aller, appliquer, avouer, décider, dire, entendre, faire, nier, noter, plaire, reconnaître, seoir, stipuler.

CONVENTION. Abonnement, accord, alliance, armistice, bail, cartel, clause, compromis, contrat, entente, forfait, marché, pacte, règle, traité.

CONVENU. Admis, confession, déclaration, dit, entendu, reconnu.

CONVERSATION. Aparté, badinage, bribe, cancan, causerie, causette, colloque, commérage, conférence, débat, devis, dialogue, discours, discussion, échange, entretien, exèdre, fiel, fil, muet, palabre, parlote, sel, verbiage.

CONVERSATIONNEL. Dialogue, interactif.

CONVERSER. Bavarder, causer, conférer, deviser, jaser, nouer, parler.

CONVERSION. Abjuration, adhésion, apostasie, changement, mutation, ossification, panification, reniement, transformation, virement.

CONVERTIR. Assimiler, carrer, changer, gagner, métamorphoser, monnayer, rallier, seoir, transformer, transmuter, tréfiler.

CONVERTISSEUR. Bessemer, mutateur, ondulateur.

CONVEXE. Bombé, busqué, creux, dos, galbé, quart-de-rond, talon.

CONVEXITÉ. Arrondi, bombement, busqué, cambrure, courbure, gonflement, renflement.

CONVICTION. Certitude, croyance, évidence, foi, persuasion, religion.

CONVIENT. Habillé, hominem, messeoir, rêvé, va.

CONVIER. Appeler, demander, inviter, mander, réunir, prier, traiter.

CONVIVE. Commensal, écornifleur, hôte, invité, parasite, pique-assiette.

CONVIVIALITÉ. Commensal, convivial, facilité, invitation.

CONVOCATION. Appel, assignation, ban, indication, invitation, levée.

CONVOI. Caravane, charroi, enterrement, file, obsèques, rame, train.

CONVOITER. Briguer, désirer, envier, guigner, mirer, viser, vouloir.

CONVOITISE. Appétit, avidité, concupiscence, cupidité, désir, envie.

CONVOLER. Contracter, épouser, établir, marier, unir.

CONVOQUER. Appeler, attirer, citer, convier, inviter, mander, solliciter.

CONVOLVULACÉE. Cuscute, jalap, liseron, patate, pomme de terre.

CONVOYER. Charrier, déplacer, escorter, mener, porter, véhiculer.

CONVOYEUR. Escorteur, stéréodic.

CONVULSION. Agitation, clonique, colère, contraction, craquètement, crise, geste, muscle, remous, secousse, soubresaut, spasme, tic, toux.

COOPÉRER. Aider, collaborer, concourir, contribuer, participer.

COORDINATION. Combinaison, conjonction, copulative, et, ni, ou, praxie.

COPAIN. Acolyte, amant, ami, camarade, coéquipier, compagnon, pote.

COPEAU. Brin, chips, contre-fer, morceau, paille de fer, râpe.

COPIE. Ampliatif, calque, clone, double, duplicata, écrire, épreuve, exemplaire, extrait, fac-similé, feuille, grosse, imitation, imprimerie, même, minute, pille, placet, plagiat, pseudo, photocopie, sosie, texte.

COPIER. Écrire, feuille, imiter, plagier, pseudo, singer, transcrire.

COPIEUR. Épigone, imitateur, suiveur, télécopieur.

COPISTE. Bureaucrate, écrivain, gratteur, greffier, logographe, scribe.

COPULATIF. Accoupler, coït, et, liaison, rapports, rut, saillie, sexe.

COQ. Boxe, camail, chapon, cochelet, cocorico, coq-à-l'âne, coqueriquer, cuisiner, ergot, grouse, perle, poule, poulet, rupicole, tétras.

COQUE. Bateau, cale, cap, coquille, écorce, navire, oothèque, tréhala.

COQUELICOT. Danebrogii, gravesolle, hookeri, papavéracée, pavot, ponceau, rouge, umbrosum.

COQUELUCHE. Beauté, célèbre, chloramphénicol, gloire, idole, star.

COQUERET. Alkékenge, physalis.

COQUET. Élégant, galant, important, joli, mignon, pimpant.

COQUILLAGE. Bigorneau, carapace, cauris, clam, cône, coque, conque, couteau, crustacé, huître, mollusque, moule, pagure, perle, troche.

COQUILLAGE (n. p.). Clovisse, Shell, Vénus.

COQUILLARD. Œil.

COQUILLE. Burgau, burgo, carapace, cauris, conche, conque, écaille, erreur, format, imprimerie, ostracisme, pèlerin, perle, test, valve.

COQUIN. Bélître, drôle, espiègle, faquin, fripon, gredin, gueux, vaurien.

COR. Andouiller, bois, branche, cerf, cri, cuivre, épois, perche, œil-de-perdrix, oignon, olofant, pavillon, rameau, ramure, trochure, trompe.

CORAIL. Atoll, banc, purpurine, puntarelle, salabre, serpent, toraille.

CORBEAU. Choucan, corbillat, corbin, corneille, crave, freux, grole.

CORBEILLE. Ciste, dot, faisselle, flein, ibéris, moïse, osier, panier.

CORDAGE. Agrès, amarre, amure, aussière, bastin, bitord, câble, câblot, caret, corde, cravate, drisse, écoute, élingue, erse, estrope, étai, filin, gesseau, glène, grelin, guinderesse, haussière, laguis, lien, lisse, liure, lisin, lusin, luzin, merlin, palan, pantoire, ralingue, ride, saisine, sciasse, tresse, trévire.

CORDE. Arc, brin, câble, catgut, cordeau, cordon, danseur, étendoir, guitare, guzzla, hart, lacet, laisse, lasso, licou, lien, liure, longe, marguerite, musique, nœud, potence, ring, stère, théâtre, toue, violon.

CORDEAU. Bickfort, corde, gaine, ligne, mèche, simbleau.

CORDELIÈRE. Ceinture, ceste, corde, écharpe, fourragère, tresse, zone.

CORDER. Accumuler, amasser, classer, empiler, entasser, stère.

CORDIAL. Amical, bon, clair, cru, direct, entier, fortifiant, franc, loyal, naturel, net, oc, ouvert, parfait, pur, roi, rond, sincère, vif, vrai.

CORDIALITÉ. Amabilité, bienveillance, chaleur, gentillesse, sympathie.

CORDON. Corde, crénelage, embrasse, enguichure, fil, funicule, ganse, insigne, lacet, lido, lien, pédoncule, rang, tirant, tirette, tors, tresse.

CORDON-BLEU. Cuisinière.

CORDONNET. Câble, ganse, nerf.

CORDONNIER. Alène, astic, bottier, bouif, buis, chausseur, chaussure, gnaf, pignouf, point, rivetier, savetier, soulier, tire-pied, tranchet.

CORIACE. Dur, entêté, intrépide, persévérant, résistant, tenace, têtu.

CORINDON. Émeri, saphir.

CORNE. Abondance, acère, bois, cerf, coin, cor, défense, io, mât, sirène.

CORNEILLE. Bec, choucan, corbillat, corbin, corbeau, freux, grole, taie.

CORNEILLE (n. p.). Agésilas, Attila, Cid, Cinna, Horace, Polyeucte.

CORNEMUSE. Biniou, bombarde, cabrette, chabrette, chevrie, musette.

CORNET. Bégu, bugle, convoluté, corne, crème, éperon, huchet.

CORNICHE. Atalante, cymaise, frise, larmier, ove, statue, télamon.

CORNICHON. Bête, épais, con, connard, concombre.

CORNOUILLER. Benthamia, sanguinelle, svida, thelycrania.

COROLLE. Biladiée, buglosse, calice, campanule, circée, enveloppe, labiée, ligulée, muflier, papilionacée, pentapétale, pétale, plantain.

COROZO. Albumen, ivoire, palmier, phytéléphas, ronier.

CORPORATION. Collège, confrérie, corps, fédération, gilde, ordre.

CORPS. Aine, aisselle, allure, aqueduc, cadavre, caisse, carcasse, chair, cube, échine, momie, nœud, objet, organe, substance, torse, tronc.

CORPULENT. Adipeux, bouffi, charnu, fort, gros, large, obèse, pesant.

CORPUSCULE. Aleurone, atome, chloroplaste, chondriome, électron, ion, molécule, particule, poudre, poussière, proton, spicule, spore.

CORRECT. Bien, chaste, convenable, décent, exact, honnête, juste, loyal, moral, moyen, poli, potable, propre, pur, régulier, scrupuleux, spicule.

CORRECTION. Biffure, châtiment, erratum, erreur, faute, fessée, fouet, guide, raclée, rature, refonte, repentir, retouche, révision, surcharge.

CORRECTEUR. Réviseur.

CORRESPONDANCE. Dépêche, échange, lettre, missive, pneu, poste.

CORRESPONDRE. Adresser, écrire, envoyer, rédiger, rimer, signifier.

CORRIDOR. Allée, artère, avenue, couloir, galerie, passage, vestibule.

CORRIGER. Amender, dresser, punir, rectifier, réformer, réviser, revoir.

CORROBORER. Affermir, confirmer, fortifier, prouver, vérifier.

CORRODER. Altérer, consumer, dégrader, détruire, éroder, ronger.

CORROMPRE. Acheter, croupir, débaucher, dépraver, flatter, gâter, graisser, pervertir, pourrir, putrifier, rancir, séduire, soudoyer, vicier.

CORROMPU. Aigre, éventé, immoral, mangé, piqué, putrifié, rance, taré.

CORROSIF. Acide, âcre, caustique, mordant, potasse, sublimé, usable.

CORROYER. Boutoir, cingler, cuir, écru, marguerite, vache.

CORRUPTIBLE. Biodégradable, destructible, fongible, vénal.

CORRUPTION. Débauche, dégradation, perversion, pourriture, vice.

CORSAGE. Blouse, buste, bustier, chemise, chemisier, corset, jaquette.

CORSAIRE. Boucanier, brigand, écumeur, flibustier, pirate, surcouf.

CORSELET. Hanche, prothorax, thorax.

CORSET. Busc, bustier, cadre, ceinture, corsage, gaine, lacet, lombostat.

CORTÈGE. Convoi, cour, défilé, deuil, escorte, ribambelle, suite.

CORTICALE. Cortex, cortisone, écorce, gruau.

CORVÉE. Devoir, ergomanie, étude, fonte, impôt, journée, maçonnerie, mal, œuvre, ouvrage, peine, pige, sueur, travail, tri, trime.

CORYZA. Catarrhe, écoulement, grippe, inflammation, rhinite, rhume.

COS. Kos.

COSINUS. Algèbre, angle, géométrie.

COSMIQUE. Cosmobiologie, méson, rayon, spatial, universel.

COSMONAUTE. Astronaute, spationaute.

COSMONAUTE (n. p.). Aldrin, Amstrong, Carpenter, Cooper, Gagarine, Glen, Grissom, Leonov, Manarov, Shepard, Terechkova, Titov.

COSMOS. Ciel, dao, étoile, infini, macrocosme, monde, tout, univers.

COSSU. Abondant, aisé, cossu, crésus, fortuné, grenu, huppé, milliardaire, millionnaire, multimillionnaire, nanti, nourri, opulent, parvenu, possédant, pourvu, or, pactole, pauvre, pérou, rentier, riche.

COSTAUD. Fort, hercule, puissant, résistant, robuste, solide, vigoureux.

COSTUME. Complet, costard, domino, effets, ensemble, ganse, habit, Halloween, pièce, sari, smoking, tenue, toilette, tutu, vêtement.

COSTUMER. Accoutrer, couvrir, déguiser, enfiler, habiller, revêtir, vêtir.

CÔTE. Bord, carde, côtelette, hauteur, impôt, montée, rivage, taxe.

CÔTÉ. Aile, angle, bord, contribuable, égarer, flanc, lieu, près, versant.

COTERIE. Cabale, camarilla, chapelle, clan, clique, gang, mafia, secte.

COTON. Arcon, denim, duvet, laine, ouate, noces, piqué, tissu, toile.

COTONNEUX. Calocot, duvet, edelweiss, flanelle, gilet, laine, madapolam, ouate, percaline, perse, pilou, satin, tissu, toile, tomenteux, voile.

CÔTOYER. Border, connaître, côtoiement, longer, raser.

COTRE. Dandy, ketch, sloop.

COTTE. Arme, bleu, combinaison, haubert, jaseran, jupe, salopette.

COTYLEDON. Aracée, aromischus, blé, cacaloïde, crassulacée, écheveria, épigé, hypogé, macrantha, orbiculata, teretifolia, undulata.

COU. Bouteille, col, collet, crin, encolure, fanon, fichu, foulard, goître, gorge, hyoïde, jabot, kiki, licol, licou, minerve, nuque, tête, torticolis.

COUARD. Capon, craintif, dégonflé, lâche, peureux, pleutre, poltron.

COUARDISE. Lâcheté, pleutrerie, poltronnerie, pusillanimité.

COUCHANT. Brune, crépuscule, océan, occident, ouest, ponant.

COUCHE. Assise, banc, cerne, crépi, croûte, derme, écorce, ectoderme, enduit, étage, feuillet, gîte, givre, hyménium, lamelle, lange, lit, meule, moie, moye, nappe, repos, sauce, sieste, sphère, strate, thalamus, uvée.

COUCHER. Aliter, allonger, consigner, courber, couver, dormir, étaler, étendre, gésir, incliner, inscrire, noter, pencher, tapir, vautrer, verser.

COUCHETTE. Alèse, ber, chevet, ciel, coite, couchis, couette, divan, dodo, drap, épi, grabat, hamac, jar, jard, justice, lire, lit, litière, mariage, pageot, pieu, procuste, pucier, ravin, ru, ruelle, ruisseau, sofa, sultane.

COUCHIS. Lattes, lit, tunage, tune.

COUCOU. Avion, primevère.

COUDE. Accouder, angle, busc, courbe, cubital, détour, genou, olécrane.

COUDER. Arquer, arrondir, cambrer, courber, incurver, plier.

COUDOYER. Approcher, côtoyer, coudoiement, fréquenter, rencontrer.

COUDRE. Bâtir, brocher, découdre, faufiler, fil, linger, machine, monter, nerf, noisetier, ourler, piquer, raccommoder, rapiécer, suturer, tailler.

COUDRIER. Baguette, coudraie, noisetier.

COUENNE. Peau.

COUETTE. Mèche, natte, peau, tresse.

COUGUAR. Carnassier, cougouar, puma.

COUINER. Gémir, piailler.

COULANT. Aisé, caloporteur, clair, courant, diffusion, eau, effluent, émersion, éther, fluide, flux, fréon, gaz, humeur, liquide, phlogistique.

COULE EN AFGHANISTAN. (n. p.). Hilmand.

COULE EN AFRIQUE (n. p.). Casamance, Chari, Congo, Djouba, Dra, Draa, Gambie, Gabon, Limpopo, Medjerda, Niger, Nil, Ogoué, Orange, Sénégal, Zambèze.

COULE EN ALASKA (n. p.). Yukon.

COULE EN ALBANIE (n. p.). Drin.

COULE EN ALGÉRIE (n. p.). Chelif, Macta, Rummel, Seybouse, Tafna.

COULE EN ALLEMAGNE (n. p.). Danube, Eider, Elbe, Ems, Peene, Rhin, Trave, Weser.

COULE EN AMÉRIQUE DU NORD (n. p.). Columbia.

COULE EN AMÉRIQUE DU SUD (n. p.). Amazone, Parana, Uruguay.

COULE EN ANGLETERRE (n. p.). Eden, Mersey, Ouse, Severn, Tamise, Tees, Tyne.

COULE EN ARGENTINE (n. p.). Colorado, Negro, Salado.

COULE EN ASIE (n. p.). Brahmapoutre, Salouen, Yalu.

COULE EN AUSTRALIE (n. p.). Murray.

COULE AU BANGLADESH (n. p.). Gange.

COULE EN BELGIQUE (n. p.). Escaut, Meuse, Yser.

COULE EN BIÉLORUSSIE (n. p.). Niemen

COULE EN BIRMANIE (n. p.). Irraouaddi, Irrawaddy.

COULE AU BRÉSIL. (n. p.). Amazone, Araguaya, Parana, Tocantins.

COULE EN BULGARIE (n. p.). Danube, Maritza, Strymon.

COULE AU CAMEROUN (n. p.). Sanaga.

COULE AU CANADA (n. p.). Churchill, Fraser, Hamilton, Mackenzie, Nelson, Rupert, Saint-Laurent.

COULE EN CHINE (n. p.). Houai, Huai, Huanghe, Tarim, Xijiang, Yalu, Yang-Tsê Kiang

COULE EN COLOMBIE (n. p.). Atrato, Magdalena.

COULE EN CORÉE DU SUD (n. p.). Naktong.

COULE EN CORSE (n. p.). Golo.

COULE EN ÉCOSSE (n. p.). Clyde, Forth, Spey, Tay.

COULE EN ENFER (n. p.). Achéron, Cocyte, Léthé, Styx.

COULE EN ESPAGNE (n. p.). Douro, Ebre, Ebro, Genil, Guadiana, Jucar, Minho, Rio, Tage, Tinto.

COULE AUX ÉTATS-UNIS (n. p.). Arkansas, Canadian, Colorado, Connecticut, Delaware, Hudson, Merrimack, Mississippi, Missouri, Mobile, Oregon, Potomac.

COULE EN EUROPE (n. p.). Danube, Dniepr, Dniestr, Dvina, Elbe, Escaut, Rhin.

COULE EN EXTRÊME-ORIENT (n. p.). Amour, Jourdain.

COULE EN FRANCE (n. p.). Aa, Adour, Agly, Arc, Argens, Aude, Aulne, Authie, Belon, Bidassoa, Blavet, Bresle, Canche, Charente, Couesnon, Dives, Douve, Élorn, Escaut, Garonne, Hérault, Lay, Leyre, Loire, Meuse, Orb, Orne, Rance, Rhin, Rhône, Seine, Seudre, Somme, Tech, Têt, Touques, Var, Vidourie, Vilaine, Vire, Yser.

COULE AU GHANA (n. p.). Volta.

COULE EN GRANDE-BRETAGNE (n. p.). Tamise.

COULE EN GUINÉE (n. p.). Konkouré, Mbini.

COULE EN GUYANE (n. p.). Essequibo, Maroni, Oyapoc, Oyapock, Sinnamary.

COULE EN INDE (n. p.). Brahmapoutre, Gange, Godavéri, Indus, Kistna, Mahanadi, Narbada, Sind.

COULE EN INDOCHINE (n. p.). Lancangjiang, Mékong, Salouen.

COULE EN IRLANDE (n. p.). Erne, Shannon.

COULE EN ITALIE (n. p.). Adige, Arno, Brenta, Garigliano, Isonzo, Métaure, Ofanto, Piave, Pô, Tagliamento, Tibre, Volturno.

COULE AU KAZAKHSTAN (n. p.). Emba.

COULE AU LANGUEDOC (n. p.). Orb.

COULE EN LAPONIE (n. p.). Torne.

COULE AU MAROC (n. p.). Sebou, Sous.

COULE EN MONGOLIE (n. p.). Ienissei.

COULE EN NORVÈGE (n. p.). Glama, Glommen.

COULE AU PÉROU (n. p.). Amazone.

COULE EN POLOGNE (n. p.). Oder, Odra, Vistule.

COULE AU PORTUGAL (n. p.). Guadiana, Minho, Mondego.

COULE AU PROCHE-ORIENT (n. p.). Euphrate, Oronte.

COULE DANS LES PYRÉNÉES (n. p.). Tech.

COULE EN RUSSIE (n. p.). Alma, Don, Dniéper, Kama, Kouban, Lena, Neva, Niémen, Ob, Obi, Onéga, Oural, Petchora, Volga.

COULE EN SCANDINAVIE (n. p.). Tana.

COULE AU SÉNÉGAL (n. p.). Casamance, Saloum.

COULE EN SIBÉRIE (n. p.). Anadyr, Ienisseï, Indighirka, Kolyma, Léna, Lenissei, Ob.

COULE EN SLOVÉNIE (n. p.). Isonzo.

COULE EN SUÈDE (n. p.). Angerman, Göta, Lule, Pité, Rhone, Torné, Ume.

COULE EN SUISSE (n. p.). Rhône.

COULE EN THAÏLANDE (n. p.). Ménam.

COULE EN TCHÉCOSLOVAQUIE (n. p.). Odra.

COULE EN TURQUIE (n. p.). Menderes, Sakarya, Tigre.

COULE EN UKRAINE (n. p.). Boug, Bug, Prout, Prut.

COULE AU VENEZUELA (n. p.). Orénoque.

COULE AU VIETNAM (n. p.). Rouge.

COULE EN YOUGOSLAVIE (n. p.). Isondo, Vardar.

COULÉE. Arcot, calmage, chaire, fausset, lave, mésa, ruisseau, sucre.

COULER. Affluer, arroser, baigner, courir, découler, écouler, filer, filtrer, fleuve, fluer, introduire, jaillir, rivière, ruisseler, sombrer, verser.

COULEUR. Abricot, ambre, aurore, atout, azur, azuré, bai, beige, bleu, bitume, brun, café, carné, céladon, citron, cœur, coloris, drapeau, ébène, écarlate, étendard, fauve, glacis, grège, grigne, gris, inde, indigo, jais, jaune, kaki, lilas, louvet, mauve, noir, noisette, nuance, ocre, ombre, or, pâleur, pavillon, pers, pigment, poil, ponceau, robe, rose, rouan, rouge, roux, sable, sinople, teinte, teinture, ton, verdure, vert.

COULEUVRE. Anguille, bisse, coronelle, élaphis, serpent, vipérin.

COULIS. Ailloli, aïoli, framboise.

COULISSE. Cantonade, dessous, plan, rideau, secret, théâtre, vanne.

COULISSIER. Courtier, remisier.

COULOIR. Corridor, galerie, passage, rameau, seuil, soufflet, vestibule.

COUP. Appel, atémi, atout, besas, beset, blessure, botte, charge, choc, claque, coquard, dentée, estocade, événement, feinte, fessée, gifle, gnon, heurt, horion, lob, œillade, paf, piccolo, putsch, ra, rafale, raté, soudain, soufflet, talmousse, taloche, tape, tarte, tornade, volée.

COUPABLE. Concussionnaire, criminel, délinquant, fautif, responsable.

COUPAGE. Couper, fendre, refendre, séparer, sciage, zigouiller.

COUPANT. Acéré, aigu, criard, fin, glapissant, grêle, tranchant, vif.

COUPE. As, atout, censure, chute, cratère, émonde, fend, gerbe, godet, grume, hache, hémistiche, jatte, pérot, picot, point, ras, rogne, scinde, section, séparation, talon, tête, tranche, trophée, vase, vasque, vin.

COUPE-CIRCUIT. Fusible, plomb.

COUPE-FAIM. Anorexigène.

COUPE-FEU. Pare-feu.

COUPE-JARRET. Assassin, meurtrier.

COUPELLE. Inquartation, rochage, test, têt.

COUPER. Amputer, cisailler, croiser, diviser, ébarber, ébouqueter, ébouter, écimage, écouter, émarger, émincer, émonder, entamer, essoriller, étêter, étraper, expurgation, hacher, inciser, mâcher, raser, rénetter, ronger, scier, sectionner, segmenter, tailler, trancher.

COUPEUR. Scieur.

COUPLE. Appariement, duo, dyade, élément, paire, pariade, tandem.

COUPLER. Accoupler, apparier, jumeler, relier.

COUPLET. Chant, épode, poème, stance, strophe, tirade.

COUPOLE. Académie, bulbe, dôme, pendentif, tambour, tholos, voûte.

COUPURE. Blessure, billet, cicatrice, cluse, coupe, enlevé, entaille, estafilade, havage, incision, plaie, scarification, scission, section.

COUR. Assises, atrium, aulique, cloître, côté, crime, droit, instance, jardin, justice, pair, patio, préau, prétoire, témoin, théâtre, tribunal.

COURAGE. Ardeur, audace, bravoure, cœur, confiance, constance, cran, décision, énergie, force, hardiesse, intrépidité, oser, va, vaillance.

COURAGEUSEMENT. Bravement, crânement, énergiquement, fièrement, hardiment, intrépidement, résolument, vaillamment, valeureusement.

COURAGEUX. Ardent, audacieux, brave, couard, craintif, hardi, héroïque, intrépide, lâche, peureux, poltron, téméraire, timoré, vaillant.

COURAMMENT. Aisément, communément, facilement, fréquemment, habituellement, ordinairement, parfaitement, souvent, usuellement.

COURANT. Aération, commun, connaître, électrique, fil, fleuve, jus, marée, mer, normal, ordinaire, présent, raz, rivière, vent, usité, usuel.

COURANTE. Eau, fluide, main.

COURBATURE. Ankylose, arc, fatigue, flexion, moulure, torsion.

COURBE. Anse, aquilin, arc, arqué, arrondi, auduigramme, axe, busqué, cambré, cassé, cercle, concave, détour, ellipse, géométrie, lemniscate, myogramme, orbe, orbite, ovale, ove, pôle, plie, spirale, tordu, voûte.

COURBER. Fléchir, incliner, incurver, infléchir, lordose, ployer, voûter.

COURBETTE. Obséquiosité, platitude, révérence, salamec, salut.

COURBURE. Arcure, bosse, cambrure, cassure, ensellure, galbe, humilation, lordose, méplat, pliure, renflure, ressaut, voûte.

COURCAILLET. Cri.

COUREUR. Autruche, chameau, cycliste, débauché, dératé, désert, dinornis, ératé, grimpeur, marathonien, pistard, relais, sprinter.

COUREUR (n. p.). Bambuck, Jazy, Johnson, Ladoumègue, Lewis, Mimoun, Owens, Zatopek.

COUREUR AUTOMOBILE (n. p.). Clark, Fangio, Lauda, Prost, Senna, Stewart, Villeneuve.

COUREUR CYCLISTE (n. p.). Anquetil, Bobet, Coppi, Hinault, Indurain, Lemond, Longo, Merckx, Pisiard.

COURGE. Coloquinte, courgette, citrouille, cucurbitacée, giraumon.

COURIR. Accourir, bondir, bruit, cavaler, circuler, colique, court, détaler, dévorer, dribbler, dropper, filer, galoper, pédaler, trotter.

COURONNE. Abysse, abysson, auréole, bandeau, caramel, carret, diadème, format, goura, guirlande, pape, roi, tiare, timbre, tortil.

COURRIER. Correspondance, envoi, estafette, lettre, messager, poste.

COURROIE. Bande, bretelle, bride, brin, enguichure, étrier, étrivière, fouet, laisse, lanière, licol, licou, lien, longe, rêne, sangle, sanglon.

COURROUX. Atrabilaire, bilieux, chagrin, colère, exaspéré, fureux, ire.

COURS. Classe, cote, déroulement, enseignement, fil, leçon, taux, union.

COURS D'EAU. Affluent, alluvion, amont, aval, canal, confluer, crue, défluent, épi, fleuve, flottage, oued, quai, rivière, ru, ruisseau, torrent.

COURSE. Achat, cheval, corrida, cross, derby, drag, épreuve, galopade, haie, incursion, jogging, lad, longueur, marathon, marche, omnium, prix, promenade, racer, régate, rodéo, ruée, sprint, stade, stand, steeple, sulky, stud, tauromachie, tour, trajet, transat, trial, turf.

COURT. Abrégé, bref, concis, courir, direct, étroit, limité, mince, petit, près, ragot, raidillon, ras, rétréci, sagum, succinct, tassé, tennis, trapu.

COURTIER. Agent, assureur, entremetteur, intermédiaire, représentant.

COURTILIÈRE. Taupe-grillon.

COURTISAN. Cajoleur, caudataire, enjôleur, flatteur, hétaïre, prostitué.

COURTISANE. Hétaïre, prostituée, putain.

COURTISER. Badiner, coqueter, draguer, flatter, galantiser, mugueter.

COURTOIS. Affable, aimable, amène, arrogant, bien élevé, civil, correct, discourtois, galant, poli.

COURTOISIE. Affabilité, amabilité, civilisé, galanterie, joute, politesse.

COUSIN. Culex, germain, maringouin, moustique, proche.

COUSSIN. Boudin, crin, duvet, édredon, laine, oreiller, plume, pouf, sac.

COÛT. Charge, cotation, cours, estimation, prix, revient, tarif, taux.

COUTEAU. Amassette, arme, bistouri, canif, couperet, écussonnoir, entoir, eustache, machette, mollusque, navaja, opinel, plume, poignard, saignoir, scramasaxe, soie, solen, surin.

COUTELAS. Arme, couperet, épée, eustache, machette, manche, mollusque, najava, plume, poignard, rasoir, sabre, saccagne.

COÛTER. Atteindre, égaler, équivaloir, faire, mériter, peser, valoir.

COÛTEUX. Cher, dispendieux, inabordable, onéreux, ruineux, salé.

COUTUME. Errement, habitude, habituel, manie, mode, mœurs, ordre, penchant, pratique, règle, rite, routine, sati, souloir, tradition, us, usage.

COUTUMIER. Accoutumé, apprivoisé, habitué, ordinaire, routinier.

COUTURE. Agrafe, aiguille, ajouré, baguer, bâti, biais, bobinage, bobine, border, bouillon, bouillonner, bourdon, boutonnière, bride, broder, broderie, brodeur, cafetan, camion, canette, canevas, chas, cintrer, confectionner, cordonnet, coude, coudre, coulisse, coupon, cousu, craie, crochet, croix, dé, doublure, draper, écheveau, éfaufiler, enfiler, épingle, faufil, faufiler, feston, fil, frange, fuseau, galon, ganse, godet, jour, lacet, laine, liseré, lisière, macramé, maille, main, mannequin, matelassé, mètre, mousse, navette, nid, œil, œillet, ourler, ourlet, pelote, pince, piqûre, quenouille, raccommoder, rapiécer, remmaillage, rentraiture, rucher, smocks, soutache, surfil, suture, Tambour, tisser.

COUTURIER. Cousette, jupier, modéliste, tailleur, théâtre, trottin.

COUTURIER (n. p.). Cardin, Cardinal, Chanel, Dior, Doucet, Garneau, Gauthier, Grès, Lanvin, Patou, Poiret, St-Laurent, Worth.

COUVENT. Abbaye, cène, chartreuse, cloître, couventine, lai, laie, lamaserie, mère, monastère, moutier, prieur, ribat, tourier.

COUVER. Bichonner, cajoler, câliner, chouchouter, choyer, concocter, dorloter, entretenir, fomenter, gâter, incuber, incuver, mignoter, mijoter, mûrir, nourrir, préparer, soigner.

COUVERCLE. Ciste, cloche, couvre-plat, couvrir, moraillon, opercule.

COUVERT. Abri, buissonneux, chargé, enterré, épineux, erbue, farineux, gris, ioduré, lanugineux, nacré, ombre, ridé, salpêtreux, table, tomenteux, ulcéreux, vaisselle, vaseux, vêtement, vêtu, voilé.

COUVERTURE. Abri, aile, bâche, capote, courtepointe, couverte, dôme, housse, libre, mante, pavage, plaid, prétexte, reliure, toit, toiture.

COUVEUSE. Accouvage, couvoir, incubateur, poule.

COUVRE-CHAUSSURE. Claque.

COUVRE-CHEF. Chapeau, coiffure, képi.

COUVRE-LIT. Couverture, couvre-pied, édredon.

COUVRE-LIVRE. Liseuse.

COUVRE-PIEDS. Édredon.

COUVREUR. Asseau, assette, football, hockey, tire-clou.

COUVRIR. Argenter, barder, beurrer, cacher, cocher, combler, complanter, dissimuler, enchausser, enduire, enfaîter, envelopper, garantir, habiller, housser, immuniser, inonder, iodurer, métalliser, moisir, ombrager, peindre, placarder, plâtrer, prémunir, préserver, recouvrir, revêtir, rocher, salpêtrer, semer, terrer, vêtir, voiler.

CRABE. Appelant, cancre, chinois, crustacé, dormeur, enragé, étrille, fantôme, fouisseur, limule, nageur, pinnothère, portune, poupart, sacculine, tourteau, vert.

CRACHAT. Expuition, glaviot, graillon, hémoptyse, salivation, sputation.

CRACHER. Crachailler, crachoter, donner, expectorer, payer, vomir.

CRACHIN. Brouillard, brouillasse, bruine, goutte d'eau, nuée, pluie.

CRACK. Aigle, as, champion, phénix, poulin, virtuose.

CRAIE. Agaric, chaux, crayon, marne, silicate, stuc, talc, tufeau, tuffeau.

CRAINDRE. Appréhender, éprouver, épouvanter, redouter, trembler.

CRAINTE. Alarme, angoisse, anxiété, appréhension, claustrophobie, défiance, effroi, émoi, éreuthophobie, peur, phobie, trac, zoophobie.

CRAINTIF. Apeuré, embarrassé, inquiet, peureux, poltron, timoré.

CRAMOISI. Amarante, bordeaux, écarlate, grenat, pourpre, rouge.

CRAMPE. Colique, contraction, crispation, spasme, spasmophilie.

CRAMPON. Agrafe, attache, clou, croc, crochet, grappin, griffe, happe.

CRAN. Ardeur, audace, bravoure, cœur, confiance, constance, courage, décision, énergie, force, hardiesse, intrépidité, oser, va, vaillance.

CRÂNE. Brachycéphale, cran, crête, fier, front, oser, tesson, têt, tête.

CRANTER. Entailler, onduler, roue.

CRAPAUD. Accoucheur, agua, alyte, américain, anoure, atélope, batracien, bave, bœuf, calamite, cornu, criquet, doré, frai, géant, grenouille, houston, loche, pélobate, pélodyte, piano, tannant, têtard.

CRAPULE. Débauché, fripouille, kleptomane, vaurien, vil, voyou.

CRAQUELER. Casser, craquer, crisser, crouler, fendiller, rompre.

CRAQUER. Bruit, casser, craqueler, crisser, crouler, fendiller, rompre.

CRASSE. Bassesse, chiche, épais, malpropre, ordure, rouille, saleté.

CRASSEUX. Dégoûtant, dégueulasse, immonde, malpropre, noir, sale.

CRATÈRE. Coupe, cratérisé, égueule, trou, vase, volcan.

CRATÈRE DE LA LUNE (n. p.). Alphonse, Copernic, Juliot-Curie, Lomonossov, Tziolkoski.

CRATÈRE SUR TERRE (n. p.). Araguainhai, Carswell, Charlevoix, Kara, Manicouagan, Popigai, Puchezh-Katunki, Siljan, Sudbury, Vredefort.

CRAVACHE. Aile, fouet, garcette, knout, martinet, nerf, sangle, verge.

CRAVATE. Commandeur, lavallière, régate.

CRAWL. Nage.

CRAYON. Ardoise, dessin, ébauche, fusain, gomme, pastel, stylo, trait.

CRÉANCE. Dette, gage, garantie, hypothèque, nantissement, traite.

CRÉATEUR. Artiste, auteur, bâtisseur, cause, dieu, fondateur, père.

CRÉATION. Apparition, élaboration, fondation, gémination, genèse, invention, monde, naissance, nature, œuvre, origine, univers.

CRÉATURE. Ange, être, personne, poulain, protégé.

CRÉCERELLE. Émouchet.

CRÉDENCE. Armoire, buffet, camion, chaperon, coffre, collège, desserte, dressoir, école, huche, lycée, maie, semainier, vaisselier.

CRÉDIT. Cr, créance, débit, dette, estime, faveur, prêt, solde, vogue.

CRÉDULE. Amulette, bon, confiant, fou, innocent, jobard, naïf, simplet.

CRÉER. Accoucher, causer, composer, concevoir, donner, enfanter, engendrer, ériger, établir, faire, former, imaginer, lancer, naître.

CRÈME. Alexandra, cassate, choix, élite, flan, fleur, frangipane, glace, mousse, onguent, pâtissière, pommade, sabayon, tarte.

CRÉMERIE. Barratage, beurrerie, cabaret, chantilly, laiterie.

CRÉOLE. Acra, béké, métis, tafia.

CRÊPE. Blini, brassard, crépon, galette, matefaim, ruban.

CRÊPER. Boucler, crêpeler, friser, gonfler, peigner.

CRÊPIÈRE. Poêle.

CRÉPINETTE. Atriau.

CRÉPITEMENT. Craquement, grésillement, pétillement.

CRÉPU. Annelé, aplati, bichonné, bouclé, cannelé, frisé, frisotté, laine, lissé, moutonné, ondulé, permanente, rasé.

CRÉPUSCULE. Aube, brunante, brune, déclin, noir, ombre, soir, tombée.

CRESSON. Alénois, cardamine, nasiller, nasitort, véronique.

CRÊTE. Bréchet, col, contre-pente, serre, saillie, sommet, touffe.

CRÊTE-DE-COQ. Passe-velours, rhinanthe, sainfoin.

CRÉTIN. Andouille, bête, con, connard, idiot, imbécile, niais, sot, stupide.

CREUSER. Bêcher, caver, chever, évider, excaver, fileter, forer, fouiller, fouir, labourer, miner, percer, tarauder, térébrer, trou, vider, vriller.

CREUSET. Brasque, coupelle, cubilot, culot, têt, varme, verre.

CREUX. Abîme, angle, anse, antre, arrondi, baie, bombé, cave, cavité, convexe, évidure, gour, gousset, miné, obus, paume, pli, proéminent, ravin, rayé, rebondi, rentre, ridé, saillant, sapé, silo, trou, val, vide.

CREVANT. Agaçant, claquant, ennuyant, éreintant, soûlant, tuant.

CREVASSE. Cassure, coupure, craque, déchirure, faille, fêlure, fente, fissure, gerce, gerçure, lézarde, mourusse, perâsse, rape, rimaye.

CREVER. Ampoule, éreinter, fatiguer, mourir, percer, rompre.

CREVETTE. Bouc, bouquet, chevrette, gammare, grise, matane, nettoyeuse, palémon, pistolet, rose, salicoque, scampi, zébrée.

CRI. Ahan, aïe, appel, barrir, beuglement, bis, braillement, bramer, clameur, croassement, dia, évoé, évohé, exclamation, glapissement, gloussement, haïe, han, hue, huée, hurlement, jargon, réclame, roucoulement, rugissement, taïaut, tollé, vagissement, vocifération.

CRI D'ANIMAL. Aigle (glatit, trompette), alouette (grisolle), âne (brait), bécasse (croule), bélier (blatère), bœuf (beugle, meugle, mugit), brebis (bêle), buffle (beugle, souffle), caille (carcaille, margotte), canard (cancane, nasille), cerf (brame), chacal (jappe), chameau (blatère), chat (miaule), cheval (hennit), chèvre (bêle), chien (aboie, hurle, jappe), chouette (chuinte, hulule), cigale (craquette, stridule), cigogne (craquette, glottale), cochon (grogne), colombe (roucoule), coq (chante), corbeau (croasse), corneille (craille), crocodile (lamente, vagit), cygne (siffle, trompette), dindon (glouglote, glougloute), éléphant (barète, barrit), faisan (criaille), faon (râle), geai (cajole), gélinotte (glousse), grenouille (coasse), grue (glapit, trompette), hibou (hue), hirondelle (gazouille), hyène (hurle), jars (jargonne), lagopède (cacabe), lapin (clapit), lièvre (vagit), lion (rugit), loup (hurle), marcassin (grogne), merle (siffle), moineau (pépie), mouche (bourdonne), mouton (bêle), oie (criaille, siffle), orignal (brame), ours (grogne), paon (braille, criaille), perdrix (cacabe), perroquet (parle), pie (jacasse, jase), pigeon (roucoule), pinson (ramage), pintade (criaille), poule (caquette, glousse), poulet (piaule), poussin (pépie), ramier (roucoule), renard (glapit), rhinocéros (barrit), rossignol (chante), sanglier (grogne), serpent (siffle), souris (chicote), taureau (mugit), tigre (feule, miaule, rate, rauque), tourterelle (gémit, roucoule), vache (beugle, meugle, mugit), veau (beugle, meugle, mugit), yack (beugle, meugle, mugit), zèbre (hennit), zébu (beugle, meugle, mugit).

CRIANT. Aveuglant, choquant, constant, drôle, éclatant, évident, flagrant, honteux, hurlant, manifeste, patent, révoltant, scandaleux.

CRIARD. Aigu, braillard, clinquant, gueulard, perçant, tapageur, voyant.

CRIBLE. Bâtée, claie, grille, sas, secoueur, tamis, tarare, trémis, trier.

CRIC. Cabestan, caliorne, levier, palan, treuil, vérin, vindas.

CRIER. Acclamer, appeler, avertir, brailler, bramer, clabauder, clamer, coasser, dire, glatir, gueuler, hululer, hurler, meugler, piailler, trisser.

CRIEUR. Camelot.

CRIME. Assises, assassinat, atrocité, attentat, brigandage, complot, cour, délit, faute, faux, forfait, justice, méfait, meurtre, piraterie, procès.

CRIMINALITÉ. Antigang, banditisme, délinquance.

CRIMINEL. Assassin, bandit, brigand, forban, forçat, pirate, scélérat.

CRIMINOLOGUE. Barreau, défenseur, fruit, maître, orateur, robin.

CRIMINOLOGUE (n. p.). Beccaria, Bertillon, Ferri, Lombroso.

CRIN. Cheveux, crinière, empile, florence, haire, poil, souci, tampico.

CRINCRIN. Violon.

CRINOLINE. Cotillon, cotte, écossaise, jupette, jupon, paréo, robe, tutu.

CRIQUET. Acridien, locuste, pèlerin, sauterelle, stridulation.

CRIS. Chahut, huées, sifflets, tollé.

CRISE. Attaque, atteinte, aura, bouffée, colère, colique, danger, embarras, krach, manque, passion, pouffée, récession, syncope, tension.

CRISPER. Convulser, énerver, resserrer, spasme, tendu, tension.

CRISSEMENT. Bourdonnement, bruit, grincement, hiement, stridulation.

CRISSER. Crier, grincer, striduler.

CRISTAL. Baccarat, base, druse, face, géode, lame, macle, nicol, noces, noyau, quartz, raphide, rhomboèdre, strass, trémie, uniaxe, verre.

CRISTALLIN. Aragonite, cataracte, presbytie, transparent, trigéminé.

CRISTAUX. Épitaxine, cristallogenèse, pendeloque, raphide.

CRITÈRE. Classification, exemple, idée, modèle, norme, pragmatisme.

CRITIQUE. Analyse, censeur, commentateur, crucial, décisif, diatribe, difficile, étude, grave, juge, observateur, sérieux, soupçonneux, zoïle.

CRITIQUE (n. p.). Auger, Bauer, Eco, Martel, Nisard, Suard, Vinet, Zoïle.

CRITIQUER. Analyser, blâmer, calomnier, censurer, décrier, dénigrer, dire, éreinter, étriller, étudier, examiner, gloser, jaser, récriminer, redire, réfuter, réprimander, reprocher, stigmatiser, vétiller.

CRITIQUEUR. Analyste, détracteur, juge, négateur, réquisiteur.

CROASSER. Crier.

CROC. Abcès, appétit, bouche, bridge, canine, carie, chaîne, couronne, défense, dent, dentelure, dentition, édenté, émail, gomphose, incisive, mâchoire, molaire, morfil, odontologie, or, osanore, pince, quenotte. CROCHET. Allonge, araignée, bec, crampon, croc, dent, détour, esse, harpon, inerme, parasite, pélican, rossignol, unciforme, unciné.

CROCHU. Aquilin, arqué, busqué, recourbé.

CROCODILE. Alligator, caïman, croco, gavial, lamenter, morelet, orénoque, saurien, siam, sténéosaure, téléosaure, vagir.

CROCUS. Ancyrensis, asturicus, aureus, balansae, biflorus, byzantinus, chrysanthus, corsicus, dalmaticus, etruscus, hyemalis, iridacée, kotschyanus, longiflorus, medius, niveus, nudiflorus, ochroleucus, safran, sativus, speciosus, susianus, vernus, versicolor.

CROIRE. Admettre, avaler, confiance, foi, gober, juger, penser, supposer.

CROISEMENT. Asine, bardot, carrefour, chiasma, chiasme, hybridation, hybride, métis, métissage, mulâtre, mulet, nœud, quarteron.

CROISER. Décroiser, entrecroiser, entrelacer, couper, hybrider, mâtiner, mélanger, mêler, métisser, montrer, naviguer, rencontrer, traverser.

CROISÉS. Cruciverbiste, fer, grille, potence.

CROISEUR. Destroyer.

CROISSANCE. Augmentation, développement, géotropisme, poussée.

CROISSANT. Corne, crescendo, gui, lune, luth, ménisque, pain, vouge.

CROÎTRE. Augmenter, baisser, décliner, décroître, diminuer, gagner, grandir, invaginer, naître, pousser, rabougrir, renaître, repousser.

CROIX. Blason, crucifix, décoration, gammée, gibet, potence, signe.

CROIX DE SAINT-ANTOINE. Tau.

CROIX-ROUGE (n. p.). Dunant, Suisse.

CROQUE-MORT. Embaumeur, entrepreneur, faussoyeur.

CROQUER. Attendre, broyer, concasser, croustiller, dépenser, dessiner, ébaucher, écrabouiller, écraser, gruger, manger, mastiquer, mordre.

CROQUIS. But, canevas, dessin, ébauche, esquisse, étude, projet, topo.

CROTON. Euphorbiacée, maurelle.

CROTTE. Bourre, caca, chiure, crasse, débris, déchets, détritus, étron, excrément, fange, fiente, fumier, gadoue, merde, poussière, rebut.

CROTTÉ. Cochon, malpropre, négligé, ordure, porc, sale, taché, vilain.

CROTTIN. Crotte, déjection, excrément, fange, fiente, gadoue, saleté.

CROULANT. Âgé, bécasse, dépassé, gâteux, sénile, vétéran.

CROULER. Craquer, débouler, défoncer, ébouler, effondrer, ruiner.

CROUPE. Avant, croupion, cul, derrière, fesse, fessier, fond, sommet.

CROUPIR. Chancir, gâter, moisir, pourrir, rancir, séjourner, stagner.

CROÛTE. Bousin, calcin, croustade, escarre, morceau, peau, tarte.

CROÛTON. Aillade, meurette, morceau, pain, tableau, talon.

CROYANCE. Certitude, conviction, déisme, défiance, dogme, doute, foi, incroyance, objectivisme, superstition, totémisme, vampirisme.

CROYANT. Déiste, dévot, mystique, père, pieux, religieux.

CRU. Crudité, cuit, écouté, leste, libre, osé, raide, salé, selle, vert, vin.

CRUAUTÉ. Atrocité, barbarie, bestialité, brutalité, carnage, douleur, excès, férocité, furie, humanité, mansuétude, sadisme, tyran.

CRUCHE. Bouteille, buire, imbécile, jacqueline, niais, pot, sol, stupide.

CRUCIFÈRE. Alysse, cameline, dentaire, drave, rouquette, sénévol.

CRUEL. Atroce, barbare, brute, dur, féroce, rude, sadique, sanguinaire.

CRUSTACÉ. Amphipode, anatife, anostracé, aselle, balane, brachiopode, branchioure, céphalocaridé, cloporte, copépode, crabe, crevette, cyclope, daphnie, écrevisse, entomostracée, étrille, galathée, gammare, homard, isopope, langouste, langoustine, ligie, malacostracé, mystacocarida, ostracodepagure, pagure, portune, pouce-pied, remipédia, sacculine, squille, talitre, tantulocarida.

CRYPTE. Abri, antre, baume, calcaire, caveau, caverne, cavité, tanière.

CRYPTER. Chiffrer, coder.

CRYPTOGAME. Champignon, cistule, entomostracé, équisétinée, filicinée, fougère, lycopode, lycopodinée, mildiou, rouille, soie, sore, spore, stipe, urne.

CUBAIN (n. p.). Castro, Guevara, Marti.

CUBE. Dé, litre, mosaïque, peintre, stère.

CUCURBITACÉE. Aubergine, citrouille, coloquinte, concombre, courge, courgette, éponge, gourde, luffa, melon, pastèque, pâtisson, potiron.

CUEILLIR. Arrêter, collecter, grappiller, mûr, ramasser, récolter.

CUILLER. Cuillère, cuilleron, écrémoir, écumoir, louche, poche, truelle.

CUIR. Affalter, agneau, bâche, basane, box, chagrin, corroyer, daim, lapsus, leurre, liaison, peau, saladero, suède, tan, vachette.

CUIRASSE. Arme, armure, blindage, carapace, cotte, plastron, réduit.

CUIRASSER. Aguerrir, armer, blinder, endurcir, fortifier.

CUIRE. Brûler, cuisiner, étuver, frire, mijoter, mitonner, rôtir, sauter.

CUISINE. Ail, bouffe, coquerie, culinaire, évier, fourneau, gastronomie, gril, marmite, mets, office, poêle, popote, repas, sel, soupe, table.

CUISINIER. Chef, coq, cordon-bleu, cuire, cuistot, fricasseur, gargotier, maître, marmiton, mitron, queux, rotisseur, saucier, traiteur.

CUISSE. Aine, bacul, cuisseau, cuissot, gigot, gigue, jambon, pilon.

CUISSE (n. p.). Jupiter.

CUISTOT. Cuisinier, marmiton.

CUIVRE. Cor, cu, dinanderie, filigrane, laiton, musique, oripeau, théâtre.

CUL. Anus, avant, caecum, croupe, derrière, fesse, fessier, fond.

CUL-DE-SAC. Accul, courée, danger, difficulté, impasse, rue, venelle.

CULBUTE. Cabriole, capotage, cumulet, galipette, pirouette, tonneau.

CULBUTER. Abattre, bouleverser, bousculer, renverser, rompre.

CULOT. Audace, bravoure, confiance, courage, fougue, hardiesse, obus.

CULOTTE. Barboteuse, bobette, boucherie, caleçon, collant, défaite, échec, froc, pantalon, robe, salopette, short, slip, trousses, veste.

CULTE. Adoration, dieu, dulie, égotisme, fétiche, hommage, honorer, hyperdulie, idole, idolâtrie, latrie, liturgie, messe, mythologie, office, ophiolâtrie, piété, prêtre, religion, respect, rite, service, vaudou.

CULTIVATEUR. Agriculteur, agronome, colzatier, exploitant, fermier, laboureur, paysan, pomiculteur, riziculteur.

CULTIVER. Arboriser, assoler, bêcher, biner, éduquer, entretenir, exercer, exploiter, former, jardiner, planter, soigner, travailler.

CULTIVÉ. Érudit, instruit, lettré.

CULTURE. Agriculture, âne, aquiculture, arboculture, assoler, bagage, béotien, biner, connaissances, exploitation, formation, grossier, herse, ignare, instruction, monoculture, oléiculture, osiériculture, ray, riziculture, rural, savoir, sec, sot, spongiculture, travail, vaccin.

CUMULUS. Altocumulus, altostratus, brouillard, brume, cirrocumulus, cirrostratus, cirrus, ennui, nébulosité, nimbostratus, nimbus, nuage, nue, nuée, obnubiler, panne, stratus, vapeurs, voile.

CUPIDE. Avare, avide, chiche, intéressé, mesquin, rapace, rapiat, vénal.

CUPIDITÉ. Âpreté, avarice, avidité, mercantilisme, rapacité.

CUPIDON. Amour, Éros.

CUPULIFÉRACÉE. Avelanède, cululifère, fagacée.

CUPULIFÈRE. Coupe, cupuliféracée, fagale.

CURE. Analysé, guérison, médication, paroisse, presbytère, prêtre, recteur, sérothérapie, soins, thérapie, traitement, uvale.

CURER. Abraser, astiquer, cure-dent, draguer, écurer, nettoyer, ruer.

CURIE. Ci, dicastère.

CURIEUX. Bizarre, étrange, furet, indiscret, particulier, singulier, rare.

CURIOSITÉ. Attention, avidité, examen, incuriosité, indiscrétion, intérêt, intriguer, japonerie, rareté, recherche, reluquer.

CURIUM. Cm.

CURRICULUM VITAE. Es, CV.

CUVE. Abîme, bac, baquet, évier, hotte, papier, pétrin, tub, vendage.

CUVETTE. Baquet, bassine, bassinet, bassinette, bidet, doline, évier, lavabo, nô, plomb, sotch, vavette, tub, vasque, verrière, vidoir.

CYANURE. Prussiate.

CYCLADE (n. p.). Céos, cyladique, Délos, Ios, Nio, Paros, Sériphos, Zéa.

CYCLAMEN. Coum, elegans, primulacée, rose, vernale.

CYCLAMEN (n. p.). Afrique, Europe, Liban, Naples, Perse.

CYCLE. Célérifère, draisienne, époque, ère, poème, rond, tandem, vélo.

CYCLIQUE. Acyclique, lactame, lactone, périodique, récurrent.

CYCLISME. Grimpeur, pistard, piste, poursuite, rouleur, routier.

CYCLISTE. Coureur, cyclotouriste, grimpeur, pédaleur, pistard, routier.

CYCLISTE (n. p.). Egg, Maertens, Merckx, Moser.

CYCLOMOTEUR, Boguet, mobylette, solex, vélomoteur.

CYCLONE. Bourrasque, orage, ouragan, tempête, tornade, typhon.

CYCLOPE (n. p.). Acis, Gaia, Galatée, Ouranos, Ulysse.

CYCLOPÉEN. Colossal, géant, copépode, crustacé, polyphème, titanesque.

CYGNE. Anatidé, ansériforme, caystre, cucnus, cycnoïde, olor.

CYGNE (n. p.). Fénelon, Virgile.

CYLINDRAXE. Axone.

CYLINDRE. Aléser, bobine, culasse, pompe, rouleau, tambour, treuil.

CYMBALUM. Czimbalum, tympanon.

CYNIQUE. Chien, diogène, éhonté, immoral, impudent, indifférent, philosophe, satyre.

CYNIQUE (n. p.). Antisthène, Diogène, Ménippe.

CYNODON. Chiendent, pied-de-poule, herbe des Bermudes.

CYPÉRUS. Amande de terre, laiche, papyrus, scirpe, scirpel, souchet.

CYPRÈS. Cèdre, cipre.

CYRILLIQUE. Alphabet.

CYSTIQUE. Angiocholite.

CYTISE. Aracée, aubour, ébénier, faux ébénier, grappe.

CYTOLOGIE. Fuchsine.

CYTOPLASME. Chondriome, dentrite, ectoplasme, endoplasme, hyaloplasme, protoplasme, sarcoplasme, synctium, vacuole.

CZAR. Tsar.

# D

DAB. Papa, parent, paternel, père, vieux.

DACRON. Polyester.

DACTYLO. Doigt, secrétaire, taper, tapuscrit, télex.

DADA. Caprice, délire, démence, égarement, fantaisie, folie, frénésie, goût, habituel, hobby, manie, marotte, passion, tâte, tic, tocade.

DADAIS. Benêt, niais, nigaud, sot.

DAGOBERT (n. p.). Éloi, Ouen.

DAGUE. Couteau, poignard.

DAHLIA. Arvor, aumônier, bacchanal, chandelon, dahl, furka, lilliputs, pompons.

DAIS. Abat-voix, baldaquin, ciborium, pavillon, voûte.

DALLE. Carreau, céramique, foyer, gouttière, patio, pavé, pierre, radier.

DALILA (n. p.). Samson.

DAME. Demoiselle, douairière, épouse, femme, hie, lady, marraine, matrone, menine, mie, milady, ovale, quatre, reine, senora, touret.

DAMNATION. Châtiment, dam, enfer, peine, perte, punition, réprouvé.

DAMNÉ. Déchu, frappé, interdit, maudit, paria, rejeté, repoussé, satané.

DANDINEMENT. Balancement, déhanchement.

DANGER. Détresse, gravité, menace, perdition, péril, piège, risque.

DANGEREUX. Aléatoire, hasardeux, imprudent, mauvais, scabreux.

DANS. Avertissement, chez, dedans, en, entre, intérieur, intra, milieu.

DANSE. Bal, ballet, boléro, boston, bourrée, cha-cha-cha, chorégraphie, classique, cracovienne, csardas, czardas, figures, forlane, galop, gigue, gopak, hopak, java, jerk, jota, lambada, mambo, mazurka, menuet, mouvements, one-step, polka, polonaise, pop, rigaudon, rock, ronde, rumba, samba, sarabande, tango, tarentelle, twist, valse, zorongo.

DANSER. Compas, coryphée, dansotter, évoluer, exécuter, valser.

DANSEUR. Baladin, boy, cavalier, équilibriste, étoile, funambule, gigoteux, gigueux, matassin, mime, partenaire, pétauriste, valseur.

DANSEUR ALLEMAND (n. p.). Kreutzberg.

DANSEUR AMÉRICAIN (n. p.). Ailey, Astaire, Barychnikov, Cunningham, Fosse, Kelly, Limon, Massine, Taylor.

DANSEUR ARGENTIN (n. p.). Donn, Noureïev.

DANSEUR AUTRICHIEN (n. p.). Hilferding, Hilverding.

DANSEUR BRITANNIQUE (n. p.). Ashton.

DANSEUR FRANÇAIS (n. p.). Beauchamp, Béjart, Dauberval, Didelot, Dupont, Gardel, Lifar, Merante, Petipa, Petit, Vestris.

DANSEUR ITALIEN (n. p.). Blasis.

DANSEUR RUSSE (n. p.). Balanchine, Fokine, Ivanov, Moïsseïev. Nijinski.

DANSEUSE. Aimée, almée, ballerine, étoile, girl, partenaire, rat, tutu.

DANSEUSE AMÉRICAINE (n. p.). Carlson, Fuller, Graham.

DANSEUSE ANGLAISE (n. p.). Markova.

DANSEUSE AUTRICHIENNE (n. p.). Elssler.

DANSEUSE FRANÇAISE (n. p.). Camargo, Charrat, Duncan, Goulue.

DANSEUSE ITALIENNE (n. p.). Grisi.

DANSEUSE QUÉBÉCOISE (n. p.). Taillon, Noureïev.

DANSEUSE RUSSE (n. p.). Pavlova, Plissetskaïa, Rubinstein.

DANUBLE, AFFLUENT (n. p.). Ems, Enns, Inn, Isar, Nab, Vah.

DAPHNÉ. Garou, lauréole, malherbe, sainbois.

DARD. Abeille, aiguille, aiguillon, angon, flèche, harpon, javeline, pointe.

DARDER. Aiguillonner, harponner, lancer, piquer, pointer.

DARIUS (n. p.). Alexandre, Codoman, Darios, Issos, Okhos, Perse.

DATE. An, année, chronologie, époque, en, événement, hier, jour, millésime, moment, période, postdaté, quantième, rubrique, temps.

DATTE. Lithodome.

DAUPHIN. Bélouge, béluga, cétacé, continuateur, delphinologie, épaulard, globicéphale, héritier, inia, marsouin, menin, monseigneur, orque, prince, souffleur, successeur.

DAUPHINELLE. Pied-d'alouette, staphisaigre.

DAVANTAGE. Beaucoup, bis, encore, excès, item, maximum, mieux, outre, plus, prime, rab, supérieur, surplus, surtout, sus, trop.

DAVID (n. p.). Goliath, Grande Ourse, Urie.

DÉ. As, besas, cochonnet, cornet, cube, doublet, hasard, jeu, main, palamède, poker, quine, rafle, six, terne, tope, toton, trictrac, zanzi.

DÉAMBULER. Aller, arpenter, arquer, avancer, balader, cheminer, clopiner, courir, enjamber, errer, flâner, fouler, longer, marcher, mener, passer, pavaner, piéter, rôder, suivre, trotter, trottiner.

DÉBÂCLE. Bouscueil, chute, débandade, défaite, dégel, déroute, krach.

DÉBALLER. Avouer, confier, emballer, étaler, montrer, ouvrir, parler.

DÉBANDADE. Chute, débâcle, défaite, dégel, déroute, dispersion, krach.

DÉBARBOUILLER. Laver, nettoyer.

DÉBARBOUILLETTE. Linge, serviette.

DÉBARCADÈRE. Appontement, cale, dock, embarcadère, gare, quai.

DÉBARDEUR. Déchargeur, docker, laptot, maillot.

DÉBARQUEMENT. Débardage, déchargement.

DÉBARQUER. Abandonner, décharger, embarquer, sortir, venir.

DÉBARRASSER. Alléger, arracher, balayer, déblayer, décaféiner, décharger, déchlorurer, dégager, délivrer, dénicotiser, dératiser, désencombrer, désulfiter, écaler, écurer, égoutter, énouer, éravillonner, émonder, énouer, épouiller, épucer, essorer, évacuer, extirper, guérir, jeter, nettoyer, purger, sarcler, sécher, soulager, stériliser, vider.

DÉBAT. Contestation, démêlé, discussion, huis clos, procès, querelle.

DÉBATTRE. Agiter, contester, délibérer, démener, discuter, disputer, examiner, lutter, marchander, négocier, parlementer, procès, traiter.

DÉBAUCHE. Bamboche, libertinage, orgie, noce, ribaud, ripaille, vice.

DÉBAUCHER. Attirer, dépraver, courailler, enivrer, séduire, soûler.

DÉBILE. Bête, délicat, faible, fragile, chétif, con, délicat, grave.

DÉBIT. Bar, bistrot, buvette, crédit, doit, étiage, magasin, ru, vente.

DÉBITABLE. Découpage, dépeçage, fendable, partage, sciable.

DÉBITER. Déclamer, écouler, fendre, psalmodier, réciter, scier, vendre.

DÉBITEUR. Acheteur, astreinte, cofidéjusseur, coobligé, dette, emprunteur, escompte, paye, quérable, saisi, terme, vendre.

DÉBLAIEMENT. Débarrasser, décharger, déneigement, préparation.

DÉBLAYER. Débarrasser, débroussailler, dégager, déneiger, désencombrer, dragline, évacuer, nettoyer, préparer, terri, vider.

DÉBLATÉRER. Accuser, attaquer, bavarder, calomnier, cancan, clabaudage, commérage, discréditer, invectiver, médire.

DÉBOIRE. Déception, désappointement, désillusion, dessillé, tristesse.

DÉBOÎTER. Déclinquer, démancher, détraquer, disloquer, fausser, luxer.

DÉBORDANT. Abondant, actif, animé, coulant, exubérant, gonflé.

DÉBORDEMENT. Crue, débord, déluge, dépassement, embarras, excès, flot, flux, inondation, ire, irruption, pléonasme, sortie, trop-plein.

DÉBORDER. Déchaîner, déferler, dépasser, exulter, regorger, saillir.

DÉBOUCHANT. Aboutissant, ouverture, prospection, sortie.

DÉBOUCHER. Canaliser, éclore, entrouvrir, éventrer, ouvrir, soutirer.

DÉBOURSÉ. Coût, défrayé, dépense, frais, payé, remboursement.

DEBOUT. Allure, dressé, droit, érigé, levé, métatarse, redresser, stèle.

DÉBRAYAGE. Embrayage, grève.

DÉBRIS. Avalanche, calcin, calein, chute, décombres, épave, gaize, guano, gratture, moraine, poussière, rebut, rognure, ruines, tesson.

DÉBROUILLER. Défricher, dégager, démêler, distinguer, éclaircir.

DÉBROUSSAILLER. Démêler, élucider, essarter, expliquer, tailler.

DÉBROUSSER. Défricher, essarder.

DÉBUT. Abc, âge, alpha, aura, commencement, départ, entête, entrée, ère, exorde, fondu, gong, idée, initiale, matin, nouaison, novice, origine, our, ouverture, préambule, premier, puberté, ré, seuil, tête, un, ur.

DÉBUTANT. Apprenti, arpète, aspirant, débutant, élève, initié, marmiton, mitron, neuf, novice, nouveau, pilotin, recrue, stagiaire. DEÇA. Antérieur, au-delà, cis, da, delà, en.

DÉCADENCE. Abaissement, crise, déchéance, déclin, dépérissement.

DÉCALER. Arrêter, canon, différer, ralentir, reculer, retenir, tarder.

DÉCALITRE. Dal.

DÉCAMÈTRE. Dam.

DÉCAMPER. Abandonner, défiler, détaler, fuir, large, partir, plier, sortir.

DÉCANTER. Abaisser, décuver, épurer, soutirer, transvaser, verser.

DÉCAPAGE. Découverture, ponçage, sablage.

DÉCAPER. Abraser, astiquer, blanchir, brosser, nettoyer, poncer, sabler.

DÉCAPEUR. Chlorhydrique, nettoyeur, ponceur, sableur.

DÉCAPITER. Couper, décoller, écimer, étêter, guillotiner, trancher, tuer.

DÉCÉDÉ. Défunt, disparu, feu, macchabée, mort, mourir, trépassé.

DÉCELER. Découvrir, détecter, galvanomètre, montrer, trouver, voir.

DÉCENCE. Bienséance, chasteté, congruité, convenance, dignité, vertu.

DÉCENT. Bien, convenable, correction, digne, séant, sentiment, tenue.

DÉCEPTION. Déboire, désappointement, désillusion, dessillé, tristesse.

DÉCERNER. Accorder, adjuger, affecter, allouer, attribuer, conférer, couronner, diplômer, donner, louanger, louer, octroyer, remettre.

DÉCÈS. Faire-part, fin, mort, mortalité, perte, posthume, trépas.

DÉCEVOIR. Attrister, dégoûter, frustrer, manquer, peiner, tromper.

DÉCHAÎNÉ. Démonté, enragé, exalté, excité, frénétique, furieux, impétueux, outré, surchauffé, surecxité, violent.

DÉCHAÎNER. Colère, exciter, fureur, furie, ire, soulever, violence.

DÉCHARGE. Arc, bordée, coup, éclair, feu, foudre, reçu, salve, tir, volée.

DÉCHARGER. Alléger, dégrever, éjaculer, libérer, licencier, renvoyer.

DÉCHARNÉ. Efflanqué, émacié, étique, gras, maigre, nu, pauvre, sec, squelettique.

DÉCHÉANCE. Abaissement, avilissement, chute, décadence, dèche, déclassement, décrépitude, déposition, destitution, honte, ruine.

DÉCHET. Bourrettte, chute, copeau, débris, déperdition, détritus, freinte, immondice, perte, raclure, reliquat, résidu, riblon, rognure, urée.

DÉCHIFFRABLE. Décodage, décryptage, lecture, lisible, traduisable.

DÉCHIFFRER. Analyser, apprendre, décrypter, lire, lu, traduire.

DÉCHIRANT. Bouleversant, douloureux, dramatique, navrant, pathétique, poignant, tragique.

DÉCHIRER. Casser, chagrin, couper, égratigner, érailler, lacérer, souffrir.

DÉCHIRURE. Accroc, crevasse, éraflure, fente, fragment, morsure, plaie.

DÉCIBEL. Db.

DÉCIDÉ. Assuré, audacieux, brave, fixé, indécis, prêt, résolu, tergiversé.

DÉCIDER. Choisir, décréter, déterminer, juger, régler, résoudre, voter.

DÉCILITRE. Dl.

DÉCIMÈTRE. Dm.

DÉCISIF. Capital, concis, concluant, critique, crucial, probant, trachant.

DÉCISION. Acte, arrêt, arrêté, bien-jugé, caprice, choix, fiat, jugement, oracle, psychologie, relate, relaxe, sentence, sort, ultimatum, vote.

DÉCLAMATEUR. Diseur, orateur, phraseur, réciteur, rhéteur.

DÉCLAMATOIRE. Académique, affecté, bouffi, emphatique, ronflant.

DÉCLAMER. Chanter, débiter, dire, invectiver, prononcer, réciter.

DÉCLARATION. Acte, affidavit, affirmation, annonce, attestation, aveu, ban, dire, discours, énonciation, législation, nuncupation, verdict.

DÉCLARER. Affirmer, annoncer, annuler, apprendre, assurer, attester, celé, insu, intimer, invalider, né, proclamer, renier, révoquer, tu.

DÉCLASSÉ. Déchu, déplacé, dérangé, obsolescent, rétrogradé.

DÉCLENCHER. Engager, entraîner, initier, lancer, provoquer, soulever.

DÉCLIN. Âge, agonie, automne, crépuscule, décours, diminution, soir.

DÉCLINAISON. Boussole, déclivité, grammaire, pente, solstice.

DÉCLINER. Abaisser, abréger, agoniser, aléser, alléger, altérer, amaigrir, amoindrir, amputer, ariser, atrophier, atténuer, attiédir, baisser, céder, écourter, décarburer, décroître, détendre, diluer, éligir, faiblir, rapetisser, réduire, restreindre, rétrécir, rogner, ronger, user.

DÉCLIVITÉ. Déclinaison, descente, dévers, oblique, penchant, pente.

DÉCOCTION. Apozème, bouillon, hydrolé, racinage, remède, tisane.

DÉCOIFFER. Dépeigner, ébouriffer, écheveler, hérisser.

DÉCOLLAGE. Commencer, choisir, début, démarrage, départ, do, envol, exode, fuite, go, la, méhul, origine, partance, partir, premier, ré, ur.

DÉCOLLER. Envoler, démarrer, envoler, partir, pemphigus, phlyctène.

DÉCOLORANT. Délavé, embu, émoi, enfumé, éteint, fade, flétri, terne.

DÉCOLORATION. Altération, étiolement, oxygénation, tache, terne.

DÉCOMBRES. Ciguë, déblais, débris, gravats, restes, ruines, vestiges.

DÉCOMPOSER. Analyser, anatomiser, corrompre, débloquer, déflagrer, désagréger, désintégrer, dissocier, dissoudre, diviser, électrolyser, épeler, fuser, ion, iriser, pourrir, résoudre, saponifier, spectre.

DÉCOMPOSITION. Analyse, cracking, dénitrification, désagrégation, désintégration, division, humus, putréfaction, pyrolyse, séparation.

DÉCONCERTER. Abattement, dérouter, embarras, étonnement, sidérer.

DÉCONFIT. Confus, contrit, déconcerté, embarrassé, gêné, penaud.

DÉCONSEILLER. Admonester, décourager, dissuader, renoncer.

DÉCONTRACTÉ. Cool, désinvolte, détendu, relax.

DÉCONTRACTION. Dégagement, détente, diastole, relaxation, souple.

DÉCOR. Arrière-plan, atmosphère, cadre, fond, milieu, praticable.

DÉCORATION. Croix, écusson, enluminure, ornement, rosette, ruban.

DÉCORER. Aster, garnir, médailler, orner, parer, récompenser, styliser.

DÉCORTIQUER. Analyser, ausculter, critiquer, désosser, écaler, écorcer, écosser, éplucher, étudier, examiner, gratter, lire, nettoyer, peler.

DÉCOUDRE. Battre, épée, gagner, obtenir, remporter, vaincre.

DÉCOULER. Argument, couler, dépendre, effet, émaner, résulter, tenir.

DÉCOUPER. Ciseler, couper, débiter, dépecer, équarrir, hacher, tailler.

DÉCOUPEUSE. Dépeceuse.

DÉCOUPURE. Barbille, dentelure, hachure, incisure, redan, redent.

DÉCOURAGEANT. Accablant, affligeant, démoralisant, désespérance.

DÉCOURAGER. Abattre, accabler, affaiblir, briser, céder, dégoûter, démoraliser, déprimer, désespérer, écœurer, lasser, perdre, rebuter.

DÉCOURONNER. Écimer, étêter.

DÉCOUVERT. Brûlé, connu, décolleté, dégagé, dette, nu, repère, révélé.

DÉCOUVERTE. Astuce, eurêka, invention, nue, science, trouvaille.

DÉCOUVREUR. Chercheur, dépisteur, trouveur.

DÉCOUVREUR ANGLAIS (n. p.). Cook, Frobisher, Hudson, Vancouver.

DÉCOUVREUR ESPAGNOL (n. p.). Colomb, Ojeta, Nunez, Torrès.

DÉCOUVREUR FLORENTIN (n. p.). Vespucci.

DÉCOUVREUR FRANÇAIS (n. p.). Cartier, Champlain, LaSalle, LaVérendry, Maisonneuve.

DÉCOUVREUR ITALIEN (n. p.). Cabot.

DÉCOUVREUR PORTUGAIS (n. p.). Dias, Gama, Magellan.

DÉCOUVRIR. Apercevoir, chercher, déceler, décoiffer, dédager, dégotter, démasquer, dénicher, dénuder, dépister, deviner, dévoiler, enlever, épier, inventer, laisser, ôter, percer, repérer, révéler, trouver, voir.

DÉCRASSER. Dégrossir, dérocher, écurer, laver, nettoyer.

DÉCRÉPITUDE. Décadence, déchéance, déclin, décomposition, dégénérescence, délabrement, déliquescence, gatisme, ruine.

DÉCRET. Amnistie, attentat, bienfait, bill, dahir, déclinatoire, droit, écrit, écrou, effort, forfaiture, formalité, fraude, injustice, loi, offre, ordonnance, protêt, qualité, ratification, réescompte, rescrit, rite, sceau, seing, sujet, testament, texte, titre, trahison, union.

DÉCRÉTER. Classer, commander, consigner, décerner, dire, disposer, harmoniser, imposer, mander, obliger, organiser, prescrire, sommer.

DÉCRIER. Blâmer, critiquer, dénigrer, discréditer, mépriser, raconter.

DÉCRIRE. Analyser, blason, dire, expliquer, peindre, raconter, sinuer.

DÉCROCHER. Abdiquer, céder, confier, délaisser, déserter, évacuer, flancher, fuir, jeter, lâcher, laisser, larguer, livrer, luxure, négliger, oublier, partir, rencart, renier, renoncer, semer, trahir, vider.

DÉCROISSANCE. Abaissement, agranulocytose, amenuisement, amortissement, anhépatie, amnésie, anémie, anosmie, collapsus, décours, détente, détumescence, encroûtement, frai, hypochlorhydrie, hypoglycémie, hypotonie, leucopénie, oligurie, paralysie, presbytie, réduction, retrait, soulagement, surdité, xérophtalmie.

DÉCROÎTRE. Affaiblir, amoindrir, baisser, décliner, décours, diminuer, estomper, éteindre, tomber.

DÉCROTTER. Décrasser, dégourdir, dégrossir, déniaiser, nettoyer.

DÉÇU. DégoÛté, désabusé, difficile, écœuré, fatigué, ignoble, las, nausée.

DÉDAIGNER. Cracher, mépriser, récuser, refuser, repousser, snober.

DÉDAIN. Arrogance, condescendance, crânerie, cynisme, dérision, discrédit, fi, injure, litière, mépris, misérable, moue, vilipender.

DEDANS. Céans, centre, cœur, corps, dans, fond, ici, inclus, inséré, intérieur, intimité, intrinsèque, intro, milieu, parmi, sein, tuf.

DÉDICACER. Consécration, consacrer, dédier, invocation, signer.

DÉDIER. Consacrer, dédicacer, don, envoi, offrir, présenter, vouer.

DÉDOMMAGEMENT. Compensation, dédit, indemnité, réparation.

DÉDOMMAGER. Compenser, désintéresser, indemnité, payer, réparer.

DÉDOUBLEMENT. Deux, hydrolyse, jumeau, personnalité.

DÉDUCTION. Abattement, défalcation, mathématique, réflexion.

DÉDUIRE. Abattement, arguer, conclure, défalquer, enlever, énoncer, extrapoler, inférer, ôter, retenir, retrancher, soustraire, suite.

DÉESSE (n. p.). Aphrodite, Apsaras, Astaroth, Astarté, Astrée, Artémis, Athéna, Beauté, Cérès, Cybèle, Déjanire, Diane, Dryade, Eir, Flore, Gé, Gorgones, Hébé, Héra, Io, Isis, Kali, Léda, Minerve, Muse, Némésis, Nymphes, Ondine, Ops, Pallas, Proserpine, Psyché, Tanit, Thémis, Vénus, Vesta.

DÉESSE DE L'AGRICULTURE (n. p.). Cérès, Ploutos, Plutus, Proserpine.

DÉESSE DE L'AMOUR (n. p.). Aphrodite, Vénus.

DÉESSE DE LA BEAUTÉ (n. p.). Vénus.

DÉESSE DE LA CHASSE (n. p.). Artémis, Diane.

DÉESSE ÉGYPTIENNE (n. p.). Hathor, Isis.

DÉESSE DE LA FÉCONDITÉ (n. p.). Cybèle.

DÉESSE DE LA FERTILITÉ (n. p.). Tanit.

DÉESSE DU FEU (n. p.). Vesta.

DÉESSE DES FLEURS (n. p.). Flore.

DÉESSE DES FORÊTS (n. p.). Dryade.

DÉESSE DU FOYER (n. p.). Vesta.

DÉESSE DES FRUITS (n. p.). Pomone.

DÉESSE GRECQUE (n. p.). Amphitrite, Aphrodite, Artémis, Astrée, Athéna, Chloris, Déméter, Éos, Hébé, Héra, Hestia, Hygie, Iris, Mnémosyne, Naïades, Némésis, Nymphes, Perséphone, Proserpine, Sémélé, Thémis, Téthys.

DÉESSE DE LA GUERRE (n. p.). Bellone.

DÉESSE HINDOUE (n. p.). Apsara, Apsaras, Douga, Kali.

DÉESSE ITALIQUE (n. p.). Minerve.

DÉESSE DES JARDINS (n. p.). Pomone.

DÉESSE DE LA JEUNESSE (n. p.). Hébé.

DÉESSE DE LA JUSTICE (n. p.). Thémis.

DÉESSE DE LA LUNE (n. p.). Hécate, Phébé, Trivia.

DÉESSE DU MARIAGE (n. p.). Héra, Isis.

DÉESSE DE LA MATERNITÉ (n. p.). Héra.

DÉESSE DE LA MÉMOIRE (n. p.). Mnémosyne.

DÉESSE DE LA MER (n. p.). Amphitrite, Diane, Ino, Tethys.

DÉESSE DE LA MORT (n. p.). Kali.

DÉESSE DES MOISSONS (n. p.). Cérès.

DÉESSE DE LA MUSIQUE (n. p.). Euterpe.

DÉESSE NORDIQUE (n. p.). Walkyrie.

DÉESSE ROMAINE (n. p.). Bellone, Céres, Diane, Flore, Furies, Iéna, Junon, Lucine, Minerve, Pallas, Pomone, Proserpine, Vénus, Vesta.

DÉESSE DE LA SAGESSE (n. p.). Athéna, Minerve.

DÉESSE DE LA SANTÉ (n. p.). Hygie.

DÉESSE SCANDINAVE (n. p.). Walkyrie.

DÉESSE DE LA TERRE (n. p.). Antée, Déméter, Gaia, Gê.

DÉESSE DE LA VÉGÉTATION (n. p.). Flore.

DÉESSE DE LA VENGEANCE (n. p.). Érinyes, Némésis.

DÉESSE DE LA VOLUPTÉ (n. p.). Rati.

DÉFAILLANCE. Absence, défaut, évanouissement, faiblesse, fiasco.

DÉFAILLIR. Affaiblir, évanouir, fiabilité, pâmer, tomber, trébucher.

DÉFAIRE. Briser, déballer, débâtir, déboucler, déclouer, découdre, défalquer, déficeler, détruire, effiler, ennemi, ôter, ouvrir, vaincre.

DÉFAITE. Débâcle, débandade, déconfiture, déculottée, dégelée, déroute, dessous, échec, écrasement, fiasco, fuite, insuccès, raclée, retraite, réussite, revers, vaincu, veste, waterloo.

DÉFALQUER. Déduire, ôter, rabattre, retrancher, soustraire, tarer.

DÉFAUT. Absence, acabit, aloi, anomalie, anoxémie, asialie, aspect, athrepsie, atrophie, bêtise, contumace, crapaud, défectuosité, déficience, devers, dureté, étroitesse, faible, gendarme, illégitimité, imperfection, inadaptation, inadvertance, incurie, inexistence, insensibilité, instabilité, lunure, manque, mésentente, mort, nasillement, paille, paresse, préfixe, prosaïsme, raideur, retassure, ridicule, sottise, tare, verbosité, verdeur, vice, zézaiement.

DÉFECTION. Abandon, capitulation, dérobade, désertion, reculade.

DÉFECTUOSITÉ. Asialie, aspect, bêtise, contumace, défectuosité, déficience, devers, dureté, étroitesse, faible, illégitimité, imperfection, inadaptation, inadvertance, incurie, inexistence, insensibilité, instabilité, lunure, manque, mésentente, paresse, prosaïsme, raideur, retassure, ridicule, sottise, tare, verbosité, verdeur, vice, zézaiement.

DÉFENDRE. Excuser, interdir, plaider, protéger, secourir, soutenir.

DÉFENDU. Illégal, illicite, interdit, irrégulier, permettre, prohibé.

DÉFENSE. Aide, apologie, broche, corne, dague, DCA, dent, fortification, interdiction, ivoire, mire, nier, parade, plaidoirie, plaidoyer, prohibition, protection, remparts, retranchement, secours, soutien.

DÉFENSEUR. Allié, apôtre, avocat, avoué, bloqueur, conseillé, défense, gardien, libéro, partisan, procureur, protecteur, soutien, tenant, tuteur.

DÉFÉQUER. Chier, clarifier, épurer, faire, purifier.

DÉFÉRENCE. Cérémonie, égard, estime, respect, supplétoire.

DÉFÉRENT. Attentif, poli, respectueux.

DÉFÉRER. Accuser, céder, conférer, dénoncer, inculper, respecter.

DÉFI. Appel, bravade, crânerie, chiche, gageure, menace, provocation.

DÉFIANT. Craintif, dissimulé, jaloux, louche, méfiant, ombrageux, prévenu, prudent, soupçonneux, sournois, suspect, timoré, véreux.

DÉFICIENCE. Agrammatisme, faiblesse, insuffisance, manque.

DÉFICIT. Aliénation, amnésie, analgésie, anorexie, apraxie, coma, décès, deuil, échec, hémorragie, ire, mal, manque, mue, naufrage, ruine.

DÉFIER. Affronter, attaquer, braver, contrer, narguer, provoquer.

DÉFIGURER. Amocher, changer, déformer, enlaidir, mutiler, vitrioler.

DÉFILÉ. Canon, cluse, col, couloir, faille, gorge, pas, passage, port, porte.

DÉFINIR. Caractériser, délimiter, exposer, préciser, qualifier, spécifier.

DÉFINITIF. Déterminé, ferme, irrémédiable, irrévocable, radical.

DÉFONCER. Briser, détériorer, droguer, enfoncer, éventrer, rompre.

DÉFORMATION. Cortorsion, cypho-scoliose, équin, fluage, mongolisme.

DÉFORMÉ. Anormal, avachi, bancal, bossu, bot, contrefait, crochu, difforme, éculé, estropié, fané, infirme, laid, tordu, tors, trapu, usé.

DÉFORMER. Altérer, bosser, cabosser, caricaturer, défigurer, dénaturer, détériorer, dévier, distordre, écorcher, éculer, endommager, estropier, falsifier, massacrer, modifier, mutiler, tordre, transformer, travestir.

DÉFRAÎCHI. Décoloré, déformé, fatigué, rossognol, terni, usé, vieilli.

DÉFRAÎCHIR. Déformer, éculer, fatiguer, ternir, usager, user.

DÉFRICHER. Arracher, cultiver, débroussailler, dégrossir, démêler, éclaircir, essarter, essoucher, fertiliser, jachère, ratisser, sarcler.

DÉFRICHEUR. Débroussailleur, découvreur, pionnier.

DÉFROISSER. Déchiffonner, défriper.

DÉFUNT. Avertissement, décédé, feu, litre, mort, nécrologie, obit, tué.

DÉGAGER. Avancer, débarrasser, délivrer, émaner, exhaler, extraire, fumer, isoler, libérer, obligation, ôter, retirer, rétracter, spiritualiser.

DÉGAINE. Allure, port, touche.

DÉGARNIR. Absence, débarrasser, découvrir, déménager, démeubler, démunir, dépailler, dépaver, élaguer, émonder, ôter, tailler, vider.

DÉGÂT. Abîmer, avarie, détériorer, dommage, méfait, pillage, ravage.

DÉGAUCHIR. Aplanir, raboter, redresser.

DÉGEL. Apaisement, débâcle, fonte, raspoutitsa, regel, solifluxion.

DÉGÉNÉRER. Abâtardir, biser, changer, détériorer, espèce, tomber.

DÉGÉNÉRESCENCE. Alzheimer, athétose, cancérisation, môle, stéatose.

DÉGLACER. Dégivrer.

DÉGLUTIR. Avaler, dysphagie.

DÉGLUTITION. Avaler, épiglotte.

DÉGOBILLER. Chasser, cracher, dégorger, dégueuler, détester, évacuer, expectorer, expulser, régurgiter, rejeter, rendre, restituer, vomir.

DÉGONFLÉ. Abattu, bas, capon, cerf, couard, craintif, détendu, faible, froussard, fuyard, lâche, mou, peureux, pleutre, poltron, vague, vil.

DÉGOULINANT. Coulant, dégouttant, ruisselant, trempé.

DÉGOURDI. Actif, conscient, délié, espiègle, éveillé, lutin, mutin, vif.

DÉGOURDIR. Aérer, dégaucher, dégrossir, délurer, déniaiser, dérouiller, dessaler, détendre, éveiller.

DÉGOÛT. Antipathie, aversion, chagrin, écœurement, éloignement, ennui, haut-le-cœur, horreur, lassitude, nausée, répugnance, répulsion.

DÉGOÛTANT. Abject, crasseux, dégueulasse, écœurant, fade, honteux, ignoble, immonde, infect, innommable, odieux, malpropre, nauséabond, puant, rebutant, repoussant, répugnant, révoltant, sale, sordide.

DÉGOÛTÉ. Dépravé, difficile, écœuré, fatigué, ignoble, las, nausée.

DÉGOÛTER. Blaser, choquer, décourager, écœurer, répugner, soûler.

DÉGOÛTTANT. Coulant, mouillé, ruisselant, saignant, trempé.

DÉGRADATION. Abrutissement, bris, dégât, délabrement, dommage, effritement, éraflure, érosion, fermentation, ruine, tache, usure.

DÉGRADER. Abaisser, abîmer, avilir, détériorer, égratigner, pervertir.

DEGRÉ. Angle, catégorie, cote, dan, échelon, escalier, étage, étape, grade, gradation, gradin, graduation, hiérarchie, lissé, marche, marchepied, niveau, nuance, perron, rang, rangée, stade, superlatif, teinte, ton.

DÉGRÈVEMENT. Abattement, diminution, exonération, réduction, remise.

DÉGRINGOLER. Basculer, choir, chuter, culbuter, débouler, ébouler, écrouler, glisser, périr, pleuvoir, succomber, tomber, valdinguer.

DÉGROSSISSAGE. Affinage, amaigrir, diminuer, limage, smillage.

**DÉGUERPIR.** Abandonner, aller, cavaler, décamper, défiler, déloger, départ, détaler, émigrer, exiler, filer, fuir, quitter, rogner, sortir.

**DÉGUISEMENT.** Accoutrement, artifice, costume, fard, fraude, travesti.

**DÉGUISER.** Arranger, camoufler, contrefaire, costumer, dénaturer, dissimuler, farder, maquiller, masquer, mentir, modifier, transformer, travestir, voiler.

**DÉGUSTER.** Boire, gourmand, goûter, manger, savourer, siroter, tâter.

**DEHORS.** Apparence, aspect, dessus, éjection, extérieur, extra, hors.

**DÉJÀ.** Auparavant, avant, ores.

**DÉJEUNER.** Céréale, manger, menu, mets, plat, premier, repas, soleil.

**DÉJOUER.** Abuser, berner, décevoir, dol, duper, égarer, enjôler, errer, flouer, frauder, gourer, gruger, induire, léser, leurrer, mentir, méprendre, piper, posséder, refaire, rouler, trahir, tricher, truc.

**DELÀ.** Au, deçà, en, postérieur, trans.

**DÉLABREMENT.** Affaiblissement, décrépitude, dépérissement, ruine.

**DÉLAI.** Atermoiement, crédit, dilatoire, échéance, limite, prolongation, relâche, remise, répit, retard, retardement, sursis, temps, terme.

**DÉLAISSER.** Abandonner, lâcher, laisser, négliger, partir, sacrifier, seul.

**DÉLASSEMENT.** Amusement, détente, distraction, divertissement, hobby, loisir, passe-temps, pause, récréation, répit, repos.

**DÉLASSER.** Amuser, distraire, divertir, récréer, reposer.

**DÉLATEUR.** Accusateur, dénonciateur, espion, indic, indicateur, traître.

**DÉLATION.** Accusation, dénonciation, imputation, mensonge, rumeur.

**DÉLAVER.** Affadir, décolorer, éclaircir, faner, javeliser, laver.

**DÉLAYER.** Ajouter, couler, détremper, diluer, étendre, gâcher, laver.

**DÉLECTER.** Déguster, festoyer, plaire, régaler, réjouir, savourer.

**DÉLÉGUÉ.** Agent, député, envoyé, légat, nonce, représentant, sénateur.

**DÉLÉGUER.** Attribution, détacher, envoyer, mandater, remplacer.

**DÉLESTER.** Alléger, calmer, délester, écrémer, élégir, soulager.

**DÉLIBÉRATION.** Avis, conseil, débat, discussion, lecture, pensée, vote.

**DÉLICAT.** Bon, difficulté, doux, faible, fin, finesse, fluet, friand, galant, gentil, grossier, mignon, petit, pur, robuste, scabreux, vigoureux.

**DÉLICATESSE.** Discrétion, finesse, goût, pudeur, sensibilité, tact.

**DÉLICE.** Bon, charme, épicurisme, euphorie, hédonisme, plaisir, régal.

**DÉLICE (n. p.).** Éden, Eldorado, Élysée, Oasis, Titus.

**DÉLICIEUX.** Agréable, bon, charmant, délice, exquis, joie, suave.

**DÉLIÉ.** Dégagé, effilé, fin, grêle, menu, mince, subtil, svelte, ténu.

**DÉLIER.** Défaire, dégager, détacher, élargir, libérer, pardon, relever.

**DÉLIMITER.** Borner, cantonner, déterminer, fixer, jalonner, intercepter.

**DÉLINQUANT.** Cas, coupable, dévoyé, loubar, loubard, receleur, usurier.

**DÉLIRE.** Aliénation, folie, hallucination, mégalomanie, perturbation.

**DÉLIRER.** Déménager, dérailler, déraisonner, divaguer, extravaguer, rêver, vaticiner.

**DÉLIT.** Crime, escroquerie, faute, outrage, vagabondage, vice, vol.

**DÉLIVRER.** Défaire, dégager, désensorceler, désintoxiquer, éviter, exeat, guérir, libérer, livrer, quitter, purger, remettre, secourir, tirer.

DÉLOGER. Bannir, chasser, éjecter, évacuer, exiler, renvoyer, virer.

DÉLOYAL. Félon, faux-frère, infidèle, judas, perfide, renégat, traître.

DÉLOYAUTÉ. Duplicité, fausseté, félonie, forfaiture, fourberie, malhonnêteté, parjuré, perfidie, traîtrise.

DÉLUGE. Cataclysme, crue, débord, déferlement, expansion, flux, pluie.

DÉLURÉ. Actif, conscient, dégourdi, délié, espiègle, lutin, mutin, vif.

DEMAIN. Avenir, bientôt, futur, incessamment, jour, lendemain.

DEMANDE. Commande, exigence, instance, plainte, prière, question, quête, réclamation, reconvention, requête, sollicitation, SOS, supplique.

DEMANDER. Chercher, commander, exiger, implorer, interroger, prier, questionner, réclamer, requérir, revendiquer, solliciter, sonder.

DEMANDEUR. Appelant, quémandeur, requérant, serveur, tapeur.

DÉMANGEAISON. Chatouillement, gale, prurit, trombidiose.

DÉMANGER. Brûler, désirer, gratter, griller, picoter, piquer.

DÉMARCHE. Air, allure, aspect, course, demande, effort, marche, pas.

DÉMARRAGE. Anticabreur, antidémarreur, départ, partir, redémarrer.

DÉMASQUER. Brûler, confondre, découvrir, démêler, dénouer, griller.

DÉMÊLER. Dénouer, distinguer, éclaircir, expliquer, peigner, trier.

DÉMEMBREMENT. Découpage, dislocation, division, fractionnement, maintien, morcellement, partage.

DÉMEMBRER. Découper, dépecer, disloquer, diviser, partager.

DÉMÉNAGER. Bannir, chasser, éjecter, évacuer, exiler, renvoyer, virer.

DÉMENCE. Aliéné, Alzheimer, cacolalie, démentiel, folie, hébéphrénie.

DÉMENT. Aliéné, cinglé, demeuré, dingue, fol, fou, insensé, nie, sénile.

DÉMENTIR. Cesser, contredire, couper, dédire, infirmer, nier, réfuter.

DÉMESURÉ. Effréné, énorme, excessif, gigantesque, immense, outrance.

DEMEURE. Adresse, château, domicile, est, foyer, gîte, habitation, hôtel, igloo, logis, maison, manoir, motel, permanence, reste, séjour.

DEMEURÉ. Aliéné, bête, fol, fou, handicapé, idiot, imbécile, insensé.

DEMEURER. Attendre, coller, continuer, coucher, dormir, durer, gîter, habiter, loger, rester, séjourner, stationner, subsister, tarder, vivre.

DEMI. Entrouvert, mi, moitié, partiellement, presque, semi, tango.

DEMI-CEINTURE. Martingale.

DEMI-CERCLE. Arc, caveçon, demi-lune, fer, gorge, hémicycle, méridien, rapporteur, venet, voûte.

DEMI-DIEU. Champion, épique, guerrier, héros, valeureux.

DEMI-DOUZAINE. Six.

DEMI-FRÈRE. Demi-sœur, utérin.

DEMI-JOUR. Clair-jour, clair-obscur, pénombre.

DEMI-LUNE. Gâteau, ravelin, Vachon.

DEMI-PINTE. Chopine.

DEMI-PIQUE (n. p.). Esponton.

DEMI-SANG. Cob.

DEMI-SOMMEIL. Assoupissement, hypnagogique, somnolence.

DEMI-SHPÈRE. Dôme, hémisphère, poche.

DEMI-TEINTE. Nuance.

DEMI-TON. Bémol, dièse, gamme, semi-ton.

DEMI-TOUR. Chaintre, rebrousser, revenir, volte-face.

DEMI-UNITÉ. Demi.

DÉMISSION. Abdiquer, départ, désister, fonction, quitter, résigner.

DÉMODÉ. Ancien, antique, caduc, cucul, daté, dépassé, désuet, mode, obsolète, périmé, rossignol, suranné, tacot, vétuste, vieux.

DEMOISELLE. Agrion, bélier, célibataire, dame, femme, fille, hie, libellule, miss, odonate, senorita, touret.

DÉMOLIR. Abattre, décliner, déglinguer, démanteler, démantibuler, détruire, éreinter, ruiner.

DÉMON. Démone, diable, diabolique, enfer, goule, incube, lamie, Lucifer, lutin, malin, maudit, possédé, poulpican, Satan, sirène, succube.

DÉMONIAQUE. Diable, diabolique, génie, luciférien, possédé, turbulent.

DÉMONSTRATIF. Cà, ce, ceci, cela, celle, celles, celui, ces, cestuy, cet, cette, ceux, ci, communicatif, icelle, icelui, modèle, montre, sète.

DÉMONTER. Clastique, débobiner, débosser, déboulonner, déboucler, déconnecter, défaire, dégager, démantibuler, désassembler, monter.

DÉMONTRER. Apprendre, citer, expliquer, montrer, prouver, réfuter.

DÉMORALISER. Abattre, accabler, décourager, déprimer, écœurer.

DÉMOSTHÈNE. Athénien, orateur.

DÉMUNI. Abandonné, dénué, dépouillé, nu, panné, pauvre, privé.

DÉNATURER. Altérer, changer, corrompre, déformer, déguiser, gâter.

DÉNÉGATION. Contestation, controverse, démenti, déni, désaveu, refus.

DÉNEIGER. Balayer, gratter, ôter, pelleter.

DÉNI. Désaveu, refus.

DÉNIAISER. Comprendre, dégrossir, délurer, dépuceler, virginité.

DÉNICHER. Admirer, citer, considérer, découvrir, dégoter, dépister, désigner, deviner, éprouver, figurer, indiquer, inventer, pêcher, relever, rencontrer, résoudre, sentir, surprendre, trouver, voir.

DÉNIER. Argent, arrhes, contester, démentir, intérêt, nier, refuser.

DÉNIGRER. Abaisser, accuser, blâmer, critiquer, dauber, débiner, décrier, diminuer, discréditer, médire, mépriser, noircir, vilipender.

DÉNOMBREMENT. Catalogue, cens, compter, détail, énumération, état, évaluation, inventaire, liste, litanie, recensement, rôle, statistique.

DÉNOMBRER. Compter, dresser, énumérer, inventorier, recenser.

DÉNOMINATION. Appellation, désignation, nom, qualification.

DÉNONCER. Donner, livrer, moucharder, rapporter, signaler, vendre.

DÉNONCIATEUR. Accusateur, balance, cafteur, cafard, cafardeur, délateur, donneur, indicateur, mouchard, sycophante.

DÉNONCIATION. Accusation, délation, espion, plainte, poursuite.

DÉNONCIATEUR. Accusateur, calomniateur, délateur, détracteur, espion, faux-frère, indic, indicateur, mouchard, renégat, sycophante.

DÉNOUER. Délacer, délier, démêler, éclaircir, expliquer, peigner, trier.

DENRÉE. Aliment, analeptique, bouillon, brouet, cétogène, comestible, datte, édule, fromage, manne, mets, nourriture, pain, pitance, poison, provision, prétexte, salaison, sauté, soupe, subsistance, sucre, vivre.

DENSE. Bref, condensé, délayage, dru, épais, plein, ramassé, riche.

DENSIMÈTRE. Aréomètre.

DENT. Abcès, appétit, bouche, bridge, canine, carie, chaîne, couronne, croc, défense, dentelure, dentition, édenté, émail, engrenage, gomphose, incisive, mâchoire, molaire, morfil, odontologie, or, osanore, pince, pissenlit, quenotte, rancune, sagesse, salade, surdent, talion.

DENT-DE-LION. Pissenlit.

DENTELLE. Bisette, bride, broderie, fichu, filet, gaze, guipure, jabot, laie, macramé, passement, point, réseau, striquer, tissu, tulle, vélin, voile.

DENTIER. Prothèse, râtelier.

DENTINE. Gomme, ivoire.

DENTITION. Denture.

DÉNUDER. Chauve, défaire, dépouiller, dévêtir, nu, ôter, peler, tonsure.

DÉNUÉ. Démuni, dépouillé, dépourvu, destitué, infondé, nu, pauvre, sot.

DÉNUEMENT. Besoin, débine, dèche, dépourvu, détresse, gêne, indigence, manque, misère, mouise, opulence, pauvreté, pénurie.

DÉPANNER. Aider, assister, épauler, soutenir.

DÉPART. Commencer, choisir, début, décollage, démarrage, do, envol, exode, fuite, go, la, méhul, origine, partance, partir, premier, ré, ur.

DÉPARTEMENT. Division, domaine, ministère, province, région, service.

DÉPARTEMENT FRANÇAIS (n. p.). Ain, Aisne, Allier, Alpes-de-Haute-Provence, Alpes-Maritimes, Ardèche, Ardennes, Ariège, Aubes, Aude, Aveyron, Bas-Rhin, Belfort, Bouches-du-Rhône, Calvados, Cantal, Charente, Charente-Maritime, Cher, Corrèze, Corse-du-Sud, Côte-d'Or, Côtes-du-Nord, Creuse, Deux-Sèvres, Dordogne, Doubs, Drôme, Essonne, Eure, Eure-et-Loir, Finistère, Gard, Gers, Gironde, Haut-Rhin, Hauts-de-Seine, Haute-Alpes, Haute-Corse, Haute-Garonne, Haute-Loire, Haute-Marne, Haute-Saône, Haute-Savoie, Haute-Vienne, Hautes-Pyrénées, Hérault, Ille-et-Vilaine, Indre, Indre-et-Loire, Isère, Jura, Landes, Loir-et-Cher, Loire, Loire-Atlantique, Loiret, Lot, Lot-et-Garonne, Lozère, Maine-et-Loire, Manche, Marne, Mayenne, Meurthe-et-Moselle, Meuse, Morbihan, Moselle, Nièvre, Nord, Oise, Orne, Paris, Pas-de-Calais, Puy-de-Dôme, Pyrénées-Atlantiques, Pyrénées-Orientales, Rhône, Saint-Denis, Saône-et-Loire, Sarthe, Savoie, Seine, Seine-et-Marne, Seine-Maritime, Somme, Tarn, Tarn-et-Garonne, Val-d'Oise, Val-de-Marne, Var, Vaucluse, Vendée, Vosges, Vienne, Yonne, Yvelines.

DÉPARTIR. Abandonner, distribuer, donner, mesurer, renoncer.

DÉPASSÉ. Anachronique, archaïque, caduc, débordé, démodé, désuet, enchéri, inactuel, noyé, obsolète, out, périmé, rétro, rétrograde, ringard, submergé, suranné, vieilli, vieillot.

DÉPASSER. Devancer, distancer, doubler, exagérer, surpasser, trémater.

DÉPECER. Couper, débiter, découper, démembrer, équarrir, partager.

DÉPÊCHE. Avis, billet, câble, corespondance, courrier, lettre, message, missive, nouvelle, pneu, poste, télégramme, télégraphie, télex.

DÉPÊCHER. Accélérer, envoyer, grouiller, hâter, immédiatement, tuer.

DÉPEINDRE. Brosser, décrire, dessin, dire, parler, peindre, tracer.

DÉPENDANCE. Aide, appui, assistance, auspice, autorité, bénédiction, couverture, défense, égide, garantie, patronage, protection, support.

DÉPENS. Charge, commensale, compte, crochet, frais, parasite, prix.

DÉPENSE. Armoire, cambuse, cellier, garde-manger, impense, réserve.

DÉPENSER. Débourser, dilapider, donner, frais, gaspiller, gruger, impenses, mettre, payer, placer, prodiguer, régler, sortir, utiliser.

DÉPÉRIR. Affaiblir, altérer, atrophier, consumer, languir, sécher.

DÉPÉRISSEMENT. Affaiblissement, décadence, délabrement, phtisie.

DÉPHASAGE. Décalage, désorientation, largage, perdu.

DÉPISTER. Découvrir, démasquer, dérouter, dévoiler, repérer.

DÉPIT. Aigreur, amertume, bouder, contrariété, crève-cœur, déception, désappointement, enrager, envie, jalousie, rancœur, vexer, zut.

DÉPLACÉ. Change, grossier, malvenu, part, pas, rend, scabreux, va.

DÉPLACEMENT. Abaissement, aberration, avance, cinèse, déboîtement, décaler, démanché, démettre, dérive, détaler, excentration, excentrer, labile, luxation, report, riper, souffle, transfert, virement, vol, voyage.

DÉPLACER. Abaisser, bouger, décaler, démettre, dériver, dévier, muter.

DÉPLAIRE. Agacer, blesser, choquer, gêner, irriter, peiner, vexer.

DÉPLAISANT. Antipathique, blessant, contrariant, désagréable, désobligeant, ennuyeux, fâcheux, gênant, incommodant, pénible.

DÉPLIANT. Brochure, catalogue, imprimé, prospectus.

DÉPLIER. Dédoubler, étalement, étendre, expliquer, ouvrir.

DÉPLOIEMENT. Défilé, étalage, étendue, exhibition, faste, montre.

DÉPLORABLE. Mauvais, misérable, piteux, pitoyable, scandaleux, triste.

DÉPLORER. Pleurer, regretter.

DÉPLOYER. Allonger, arborer, développer, étaler, étendre, opposer.

DÉPORTER. Abandonner, bannir, contraindre, exiler, interner, reléguer.

DÉPOSER. Confier, désarmer, descendre, destituer, mettre, miser.

DÉPOSSÉDER. Dépouiller, déshériter, évincer, exproprier, ôter, spolier.

DÉPÔT. Allaise, amas, argenture, arsenal, boue, calcin, consignation, fange, gage, gain, incrustation, lie, limon, mise, néritique, pile, précipité, sédiment, suie, tartre, tas, travertin, tuf, vase, versement.

DÉPOTOIR. Déchet, déchetterie, dépôt, fourrière, vidoir, usine.

DÉPOUILLE. Cadavre, carcasse, charnier, charogne, corps, goule, hyène, macchabée, momie, mort, noyé, ossements, pendu, restes, sujet.

DÉPOUILLÉ. Chenu, dénudé, dénué, mu, nu, pelé, plumé, simple.

DÉPOUILLEMENT. Analyse, austérité, examen, nudité, sévérité, simplicité, sobriété.

DÉPOUILLER. Abandonner, arracher, défruiter, dénuder, déposséder, ébourrer, écorcher, égermer, élaguer, équeuter, étronçonner, frustrer, nettoyer, ôter, plumer, priver, renoncer, rober, spolier, tondre, voler.

DÉPOURVU. Apode, aride, dénué, exempt, gêné, glabre, idiot, inerte, ladre, laid, négatif, pauvre, plat, privé, rigide, tendu, vain, vide.

DÉPRAVÉ. Corrompu, débauché, pervers.

DÉPRAVER. Avilir, conduite, gâter, immoral, licence, perdre, salir, tarer.

DÉPRÉCIATION. Critique, dégât, dévalorisation, discréditer, perte.

DÉPRÉCIER. Avilir, démonétiser, dévaluer, mépriser, rabaisser, ravaler.

DÉPRÉDATION. Dégât, dégradation, destruction, détérioration, détournement, dévastation, dommage, malversation, pillage, vol.

DÉPRESSION. Abattement, burnout, crise, cuvette, découragement, macula, pli, ravin, sinuosité, torpeur, tristesse, trou, vallée, vallon.

DEPUIS. Dernièrement, dès, durée, lors, naguère, récemment.

DÉPURER. Absterger, affiner, candi, filtrer, fumiger, purger, purifier.

DÉPUTATION. Délégation.

DÉPUTÉ. Élu, envoyé, nonce, parlementaire, représentant, sénateur.

DÉRAISON. Aberration, affolement, folie, insanité, ivresse, témérité.

DÉRAISONNABLE. Absurde, démesuré, fou, idiot, illogique, imbécile, inconscient, insane, insensé, irrationnel, niais, sot, téméraire.

DÉRAISONNEMENT. Absurdité, délire, divagation, extravagance.

DÉRANGER. Changer, déplacer, gêner, nuire, importuner, perturber.

DÉRAPAGE. Dérive, glissade.

DÉRAPER. Antidérapant, chasser, glisser, patiner, riper, survirer.

DÉRÉGLÉ. Dérangé, égaré, excès, habitude, libertin, régler, trouble.

DÉRÈGLEMENT. Aliénation, asile, avertin, bouleversement, crise, dada, délire, dérangement, détraquement, fou, grelot, humorisme, imagination, ire, lubie, lycanthropie, manie, marotte, tic, vésanie.

DÉRÉGLER. Bouleverser, déclinquer, déranger, détraquer, perturber.

DÉRIDER. Amuser, badiner, éclat, égayer, gai, glousser, hilarité, joie, marrer, moquer, pâmer, pouffer, quolibet, railler, ri, ricaner, rictus, rigoler, rioter, ris, risée, risette, rosorius, sourire, zygomatique.

DÉRISION. Ironie, moquerie, persiflage, raillerie, sarcasme.

DÉRIVATIF. Changement, distraction, diversion, exutoire, hobby.

DÉRIVER. Découler, dériveur, dévier, émaner, provenir, résulter, venir.

DERMATOSE. Acné, adné, cutané, derme, érythrasma, érythrodermie, favus, intertrigo, peau, pityriasis, psoralène, psoriasis, puvathérapie.

DERMITE. Érésipèle, inflammation, peau, séborrhéique.

DERNIER. Affinage, antépénultième, apois, après, bout, cadet, dessert, extrême, fin, final, limite, morasse, nouvelle, passé, queue, reste, retour, soir, suprême, terme, terminus, testament, tierce, ultime.

DÉROBADE. Cachette, escalier, fuir, fuite, reculade, voler.

DÉROBER. Chiper, dissimuler, éluder, escamoter, esquiver, faiblir, fléchir, kleptomane, prendre, soustraire, subtiliser, voiler, voler.

DÉROUILLER. Dégourdir, déguster, écoper, encaisser, prendre, ramasser, recevoir, réveiller.

DÉROULER. Cours, dévider, étendre, évoluer, film, suite, tourner.

DÉROUTE. Bouscueil, chute, débâcle, débandade, défaite, dégel, krach.

DERRIÈRE. Anus, après, arrière, arrière-train, coulisse, croupion, cul, dos, ensuite, envers, fesses, fessier, postérieur, revers, séant, tain.

DÉSABUSER. Blaser, dégoûter, fatiguer, lasser, rassasier, soûler.

DÉSACCORD. Brouille, conflit, différend, dissension, divergence, division, divorce, mésentente, opposition, rupture, séparation, tension, zizanie.

DÉSACCOUTUMER. Déshabituer, désintoxiquer, sevrer.

DÉSAGRÉABLE. Aigre, amer, ennuyeux, laid, rude, sale, tuile, vilain.

DÉSAGRÉGATION. Délitescence, destruction, rupture, séparation.

DÉSAGRÉGER. Atomiser, crever, diviser, éclater, effriter, sauter, scinder.

DÉSAGRÉMENT. Chagrin, contrariété, déboire, déplaisir, difficulté, embêtement, ennui, mécontentement, peine, souci, tracas.

DÉSAMORCER. Désarmer, enrayer.

DÉSAPPOINTEMENT. Crève-cœur, déception, déconvenue, désillusion.

DÉSAPPOINTER. Chagriner, décevoir, déçu, mécontenter, tromper.

DÉSAPPRENDRE. Oublier.

DÉSAPPROBATION. Blâme, condamnation, opposition, réserve.

DÉSAPPROUVER. Blâmer, incriminer, flétrir, reprendre, stigmatiser.

DÉSARRIMAGE. Ripage.

DÉSARROI. Arroi, désespéré, détresse, glas, tocsin, trouble, SOS.

DÉSASTRE. Abîme, catastrophe, destruction, ennui, malheur, ruine.

DÉSAVANTAGE. Dommage, handicap, inconvénient, infériorité, tare.

DÉSAVANTAGER. Défaut, défavoriser, handicaper, infériorité, léser.

DÉSAVEU. Abjuration, démenti, déni, non, palinodie, rétractation.

DÉSAVOUER. Blâmer, dédire, démentir, mentir, nier, renier, rétracter.

DESCENDANCE. Enfant, extraction, fils, ligne, lignée, maison, race, sang.

DESCENDANT. Agnat, épigone, famille, fils, génération, héritier, issu, lignée, mémoire, né, postérité, race, rejeton, souche, successeur.

DESCENDRE. Aborder, avatar, couler, débarquer, débouler, dégringoler, dévaler, diminuer, échafaud, plonger, remonte, roi, sauter, tuer.

DESCENTE. Aval, avatar, bobsleigh, colpocède, dégringolade, moquette, pente, pentecôte, police, ptôse, raft, rafting, slalom, tapis, toboggan.

DESCRIPTION. Angiographie, carte, devis, halographie, halologie, hématologie, image, ophiographie, ophiologie, peinture, plan, signalement, topographie, tracé, trait.

DÉSENTORTILLER. Débrouiller, démêler, dénouer.

DÉSÉQUILIBRÉ. Anormal, cinglé, désaxé, détraqué, fou, instable, névropathe, névrosé, piqué, psychopathe, timbré, toqué.

DÉSERT. Aride, bled, caravane, dune, erg, inhabité, manne, mirage, néant, oasis, reg, retraite, sable, seul, simoun, solitude, steppe, vide.

DÉSERT (n. p.). Air, Atacama, Gobi, Kalahari, Libye, Nafoud, Namib, Nubib, Sahara, Sahël, Sertao, Sinaï, Taklimakan, Tanezrouft, Ténéré, Thar.

DÉSESPÉRÉ. Abois, détresse, espoir, extrême, hallali, misérable, quia.

DÉSESPOIR. Abattement, accablement, consternation, découragement, désespérance, désolation, détresse.

DÉSHABILLER. Découvrir, dégarnir, dénuder, dévêtir, enlever, nu.

DÉSHERBER. Biner, échardonner, enlever, extirper, nettoyer, serfouir.

DÉSHÉRITER. Défavoriser, déposséder, exhéréder, frustrer, priver.

DÉSHONNEUR. Honte, honteux, humiliation, ignominie, réputation.

DÉSHONORANT. Avilissant, dégradant, flétrissant, honteux, ignoble, ignominieux, infamant, infâme.

DÉSHONORER. Avilir, dégrader, dénigrer, nuire, salir, séduire, souiller.

DÉSHYDRATER. Assécher, assoiffer, dessécher, essorer, lyophiliser, oléum, privation, priver, sécher.

DESIDERATA. Désir, prétention, revendication, souhait, vœux

DÉSIGNATION. Altesse, baron, chah, comte, duc, éminence, émir, frontispice, iman, lord, maestro, maître, marquis, médaille, messire, nom, prince, révérend, revue, sainteté, sir, sire, sultan, titulaire, titre.

DÉSIGNER. Citer, choisir, indiquer, montrer, nommer, signaler, voici.

DESIGNER AMÉRICAIN (n. p.). Eames.

DÉSILLUSION. Déboire, déception, désappointement, dessillé, tristesse.

DÉSINENCE. Achèvement, apothéose, cas, fin, queue, régir, terminaison.

DÉSINFECTANT. Antiputride, antiseptique, benzonaphtol, chlore, créosote, crésyl, déodorant, javel, méthylène, phénol, stérilisant.

DÉSINFECTER. Aseptiser, assainir, dakin, étuver, purger, purifier.

DÉSINFECTION. Antisepsie, aseptie, aseptisation, assainissement, désinfectiser, purification, stérilisation.

DÉSINTÉRESSÉ. Altruiste, généreux, gratuit, impartial.

DÉSINVOLTE. Chic, dégourdi, déluré, élégance, insolent, libre.

DÉSIR. Ambition, appel, appétence, appétit, aspiration, attente, attirance, attrait, besoin, but, convoitise, desiderata, envie, faim, imagination, soif, souhait, tendance, tentation, vœu, volonté, vouloir.

DÉSIRER. Aimer, aspirer, brûler, envier, espérer, rêver, vouloir.

DÉSOBÉIR. Braver, contrevenir, enfreindre, refuser, transgresser.

DÉSOBÉISSANCE. Indiscipline, insubordination, refus, résistance.

DÉSOBÉISSANT. Coquin, espiègle, luron, lutin, malicieux, peste, polisson.

DÉSOBLIGEANT. Blessant, choquant, cru, leste, libre, osé, raide, salé, sec.

DÉSŒUVRÉ. Fainéant, inactif, oisif, musardise, paresseux.

DÉSOLÉ. Attristé, chagriné, éploré, fâché, navré, peiné, ravagé, triste.

DÉSOLER. Affliger, attrister, chagriner, consterner, désespérer, détruire, dévaster, lamenter, navrer, peiner, ravager, ruiner, saccager.

DÉSORDONNÉ. Dévoyé, égaré, épars, étourdi, impoli, inégal, obscur.

DÉSORDONNER. Découdre, disparate, emmêler, étourdir, inorganiser.

DÉSORDRE. Anarchie, art, bordel, chahut, chaos, confusion, décousu, dégât, déroute, dissipation, fatras, gabegie, gâchis, incohérence, vrac.

DÉSORGANISER. Bouleverser, déranger, déstructurer, perturber, troubler.

DÉSORMAIS. Avenir, demain, dorénavant, futur, horizon, lendemain.

DESPOTE. Autocrate, dictateur, potentat, proconsul, tyran.

DESPOTIQUE. Absolu, arbitraire, illégal, satrape, tyrannique.

DESSÈCHEMENT. Dépérissement, déshydratation, dessication, endurcissement, étiolement, momification, racornissement, sclérose.

DESSÉCHER. Aride, brûler, copra, évaporer, griller, hâler, luffa, moere, momie, ortie, pemmican, racornir, rôtir, salep, saur, sec, sécher, tarir.

DESSEIN. But, intention, ligue, objet, plan, projet, visée, voie, vue.

DESSERRER. Abandonner, casser, céder, flancher, fléchir, lâcher, laisser, larguer, livrer, parachuter, quitter, reculer, relâcher, rompre, semer.

DESSERT. Dernier, fin, flan, fruit, lèse, nuit, pâtisserie, tarte, tort.

DESSERVIR. Aider, débarrasser, enlever, nuire, obédiencier, ôter.

DESSIN. Canevas, charbonnée, coupe, croquis, design, ébauche, élévation, épure, esquisse, étude, fusain, graphisme, illustration, image, lavis, œuvre, onde, pastel, paysage, peinture, portrait, racinage, relevé, représentation, sanguine, schéma, silhouette, tatouage, tracé, veine.

DESSINATEUR. Caricaturiste, compas, crayonneur, équerre, graveur, illustrateur, jardiniste, modéliste, règle, styliste, té, traçoir.

DESSINATEUR ALLEMAND (n. p.). Busch.

DESSINATEUR AMÉRICAIN (n. p.). Avery, Crumb, Disney, McCay, Steinberg.

DESSINATEUR ANGLAIS (n. p.). Beardsley, Cruikshank, Rowlandson, Searle.

DESSINATEUR BELGE (n. p.). Folon, Franquin, Hergé, Morris, Peyo.

DESSINATEUR FRANÇAIS (n. p.). Bretécher, Callot, Carlu, Chaval, Chéret, Christophe, Cohl, Copi, Daumier, Doré, Dubout, Effel, Eisen, Forain, Forest, Gassier, Gavarni, Goscinny, Grandville, Gravelot, Guys, Hansi, Lenôtre, Maillot, Monnier, Morris, Poulbot, Raffet, Reiser, Robida, Sempé, Steinlen, Tardi, Topor, Uderzo, Wolinski.

DESSINATEUR ITALIEN (n. p.). Pratt.

DESSINATEUR SUISSE (n. p.). Toepffer.

DESSINATEUR TCHÈQUE (n. p.). Mucha.

DESSINER. Calquer, chiner, colorier, croquer, figurer, lever, ombrer, planifier, profiler, projeter, relever, saillir, silhouetter, tracer.

DESSOUS. Bas, bobette, carte, fond, infériorité, gratification, jupon, litote, moindre, secret, semelle, sornois, sous, table, tout.

DESSUS. Amont, as, avantage, ciel, croûte, empeigne, épi, haut, hyper, premier, supériorité, sur, sus, surpasser, timbre, toit, ultra, vaincre.

DÉSTABILISER. Affaiblir, agiter, balancer, chanceler, commotionner, ébranler, étonner, remuer, ruiner, saper, secouer, traumatiser.

DESTIN. Aléa, astrologie, condition, étoile, fatalité, fatum, fortune, futur, hasard, lot, numérologie, providence, sort, vie, vocation.

DESTINATION. But, de, en, expédition, fin, groupage, pour, sud, usage.

DESTINÉE. Chance, destin, étoile, fin, fortune, lot, partage, sort, vie.

DESTINER. Aboutir, affecter, arriver, dédier, prédire, réserver, vouer.

DESTITUER. Chasser, démettre, dénuer, déposer, détrôner, évincer, fonction, libérer, limoger, priver, révoquer, sauter, suspendre.

DESTITUTION. Cassation, déchéance, dégradation, déposition, détrônement, licenciement, limogeage, renvoi, révocation.

DESTRUCTION. Abolition, anéantissement, annulation, autolyse, carie, démolition, dératisation, hémolyse, ruine, sabotage, sape, suicide.

DÉSUET. Ancien, antique, caduc, daté, démodé, dépassé, mode, obsolète, périmé, ringard, rococo, rossignol, suranné, tacot, vieillot, vieux.

DÉSUNION. Brouille, diviseur, désaccord, fractionnel, trouble, zizanie.

DÉSUNIR. Brouiller, disjoindre, dissocier, diviser, saillir, séparer.

DÉTACHABLE. Amovible, dégraissage, nettoyage.

DÉTACHÉ. Blasé, dégoûté, envieux, impartial, neutre, séparé, tiède.

DÉTACHER. Affecter, arracher, découper, défaire, dégraisser, délier, dénouer, désinvolte, désunir, dételer, égrapper, égrener, éloigner, enlever, isoler, libérer, nettoyer, ressortir, scalper, séparer, unir.

DÉTAIL. Débit, devis, élément, étude, note, particularité, public, revue.

DÉTAILLER. Découper, énumérer, étudier, noter, relever, spécifier.

DÉTALER. Barrer, décamper, déguerpir, enfuir, filer, fuir, sauver, tirer.

DÉTECTEUR. Dépisteur, fumée, hydrophone, radar, son, voleur.

DÉTECTION. Découverte, écoute, idée, invention, nouveauté, trouvaille.

DÉTECTIVE. Agent, enquêteur, flic, lieutenant, limier, police, policier.

DÉTENDRE. Débander, délasser, distraire, lâcher, relâcher, relaxer.

DÉTENDU. Ballant, calme, cool, débandé, décontracté, desserré, distrait, flasque, lâche, largué, libre, paresseux, relâché, relaxe, reposé, serein.

DÉTENIR. Avoir, conserver, emprisonner, garder, posséder, pourvu.

DÉTENU. Bagnard, captif, cep, codétenu, condamné, déporté, esclave, forçat, galérien, interné, otage, prisonnier, relégué, septembrisades, séquestré, transporté, taulard, taulard, tôlard.

DÉTÉRIORATION. Avarie, dégât, dommage, sabotage, vétuste, usure.

DÉTÉRIORER. Abîmer, altérer, amocher, avarier, briser, déchirer, déglinguer, dégrader, délaborer, délabrer, détérioration, détraquer, détruire, ébrécher, éculer, empirer, endommager, esquinter, gâter, geler, manger, miner, mutiler, percer, pourrir, raguer, ravager, rayer, ronger, ruiner, saboter, trouer, user, vétuste.

DÉTERMINATION. Aréométrie, arrêter, centrer, décider, définir, doser, estimer, fixer, identifier, limiter, peser, rationaliser, régir, titrer.

DÉTERMINÉ. Décidé, défini, dosé, ferme, fixé, parfait, résolu, sûr, vrai.

DÉTERMINER. Apprécier, calculer, décider, délimiter, détailler, estimer, évaluer, expliciter, fixer, mesurer, quantifier, situer, spécifier, stipuler.

DÉTERREMENT. Déterrage, exhumation.

DÉTERRER. Arracher, découvrir, déraciner, exhumer, hyène, ôter.

DÉTESTABLE. Abominable, antipathique, haïssable, mauvais, odieux.

DÉTESTÉ. Affreux, épouvantable, exécrable, haï, haïssable.

DÉTESTER. Abhorrer, abominer, aversion, exécrer, haïr, ressentir.

DÉTONATION. Bruit, éclatement, explosion, pétarade, moteur, rire.

DÉTONER. Éclater, exploser, fuser, partie, pétiller, sauter, tonner, voler.

DÉTOUR. Courbe, fuite, manège, repli, retour, ruse, tour, virage, zigzag.

**DÉTOURNÉ.** Dérivé, dévié, écarté, éloigné, indirect, paré, rusé, viré, volé.

**DÉTOURNEMENT.** Évitement, malversation, péculat, prévarication.

**DÉTOURNER.** Affecter, distraire, écarter, dissuader, ranger, soustraire.

**DÉTRACTER.** Dénigrer, déprécier, détractation.

**DÉTRAQUÉ.** Aliéné, caractériel, cinglé, dément, dérangé, déréglé, désaxé, déséquilibré, dingue, fou, malade, piqué, troublé.

**DÉTRAQUEMENT.** Dérangement, dérèglement, désordre, désorganisation, perturbation.

**DÉTRAQUER.** Abîmer, déglinguer, démolir, déranger, dérégler, détériorer, disloquer, esquinter.

**DÉTREMPER.** Décolorer, délaver, délayer, jaunissage, pétrir, tremper.

**DÉTRESSE.** Berne, désespéré, glas, malheur, misère, tocsin, SOS.

**DÉTRIMENT.** Absence, désavantage, dommage, préjudice, tort.

**DÉTRITUS.** Déchet, fange, lie, ordure, rebut, résidu, saleté, souille.

**DÉTROIT.** Canal, chenal, kertch, manche, pas, pertuis, raz.

**DÉTROIT** (n. p.). Antioche, Bass, Bell-Isle, Belt, Béring, Bonifacio, Bosphore, Breton, Cabot, Calais, Cattégat, Cook, Dardanelles, Foxe, Gibraltar, Hudson, Kattégat, Magellan, Makassar, Messine, Oresund, Ormuz, Otrante, Palk, Skagerrak, Sund, Tsugaru.

**DÉTRÔNER.** Déchu, dégommer, dégoter, déposer, dépouiller, destituer.

**DÉTRUIRE.** Abattre, abîmer, abolir, abroger, anéantir, aviner, bousiller, briser, broyer, brûler, casser, chat, défaire, défleurir, dératiser, désinfecter, exterminer, gâter, massacrer, moissonner, ôter, renverser, raser, rayer, révoquer, ruiner, saper, supprimer, triturer, tuer, user.

**DETTE.** Ardoise, criade, drapeau, dû, échéance, prêt, solde, tribut.

**DEUIL.** Berne, chagrin, enterrement, mort, noir, tristesse.

**DEUX.** Alternative, ambe, bâtard, bi, bicolore, bilingue, bine, bis, couple, di, division, double, doublée, doubler, duo, hybride, II, jumeaux, métis, paire, postérieur, réciproque, second, secundo, sexe, suivant.

**DEUXIÈMEMENT.** Deuzio, secondement, secundo.

**DEUX CHOPINES.** Pinte.

**DEUX-PIÈCES.** Bikini.

**DEUX POINTS.** Tréma.

**DÉVALER.** Basculer, choir, chuter, culbuter, débouler, ébouler, écrouler, glisser, neiger, périr, pleuvoir, soir, souscrire, succomber, valdinguer.

**DÉVALISER.** Cambrioler, choper, dépouiller, dérober, détrousser, entôler, essor, filouter, gruger, piller, prendre, rafler, rincer, rosser, soustraire, spolier, subtiliser, tanner, usurper, voler.

**DÉVALORISER.** Amoindrir, couler, déconsidérer, décrier, dénigrer, déprécier, diminuer, discréditer, médire, minimiser, perdre, rabaisser.

**DEVANCER.** Anticiper, informer, précéder, prévenir, primer, surpasser.

**DEVANT.** Avant, devancer, face, front, guide, haton, poitrail, présence.

**DEVANTURE.** Esbroufe, étal, étalage, façade, faste, parade, vitrine.

**DÉVASTATION.** Cyclone, fléau, ouragan, perte, ravage, ruine, torrent.

DÉVASTER. Détruire, gâter, infester, piller, ravager, ruiner, saccager.

DÉVELOPPEMENT. Anaplasie, aoûtement, apogamie, bourgeonnement, croissance, déploiement, déroulement, diatribe, épiage, essai, essor, évolution, explication, exposé, feu, gemmation, germination, hirsutisme, hypergenèse, hypertrophie, lyrique, narration, passage, pilosisme, pousse, polysarcie, progrès, suite, traitement, végétation.

DÉVELOPPER. Accroître, amplifier, augmenter, croître, cultiver, déduire, définir, déplier, déployer, dérouler, élargir, enrichir, étaler, étendre, étoffer, expliquer, exposer, fleurir, germer, mûrir, traiter.

DEVENIR. Abêtir, amuïr, calmir, émacier, évoluer, muer, mûrir, passer, raidir, rancir, rendre, rosir, rougir, surir, tiédir, transformer, verdir.

DÉVERGONDÉ. Arsouille, coureur, débauché, dépravé, déréglé, libertin.

DÉVERGONDER. Débaucher, licence, suborner, vice.

DÉVERROUILLER. Clé, clef, éclore, entrouvrir, éventrer, ouvrir, soutirer.

DÉVERSER. Déborder, décharger, épancher, évacuer, tomber, verser.

DÉVERSOIR. Bonde, bondon, daraise, empellement, tampon, vanne.

DÉVÊTIR. Défrusquer, dénuder, désaffubler, déshabiller.

DÉVÊTU. Découvert, dégarni, dénudé, déshabillé, à poil, nu.

DÉVIATION. Anatomie, cyphose, dérive, détour, diffraction, évitement, flèche, gauche, gauchissement, scoliose, superstition, valgus.

DÉVIDER. Bobiner, envider, ourdir, peloter, tortiller, tourner, voluter.

DÉVIDOIR. Aspe, asple, caret, écheveau, roquetin, séchoir, touret.

DÉVIER. Bannir, dériver, éliminer, éloigner, évincer, isoler, retirer.

DEVIN. Astrologue, augure, auspice, boa, constrictor, eubage, haruspice, jour, nécromancien, oniromancien, oracle, prophète, sorcier.

DEVINER. Annoncer, anticiper, augurer, calculer, comprendre, conjecturer, déchiffrer, découvrir, dévoiler, entrevoir, espérer, flairer, imaginer, interpréter, intuition, juger, pile, pénétrer, prédire, préjuger, présager, pressentir, prévenir, prévoir, pronostiquer, prophétiser, reconnaître, rencontrer, résoudre, révéler, sonder, soupçonner, transparaître, trouver, vaticiner.

DEVINERESSE. Cassandre, pythie, pythonisse, sibylle.

DEVINETTE. Annonce, calcul, divination, énigme, interprétation, présage, pronostic, prophétie, rébus, solution, transparent, trouvaille.

DÉVIRILISER. Efféminer, féminiser.

DEVISE. Billet, cause, emblème, maxime, monnaie, pesée, slogan.

DÉVISSER. Briser, déballer, débâtir, déboucler, déclouer, découdre, défaire, déficeler, desserrer, détruire, effiler, ôter, ouvrir, visser.

DÉVOILER. Apparaître, cacher, déceler, démasquer, expliquer, révéler.

DEVOIR. Charge, corvée, dette, dû, élève, falloir, fonction, obligation, office, ost, pensum, prévarication, redevoir, tâche, tirer, travail.

DÉVONIEN. Céphalaspis, ichtyostéga, polypier, ptérygote, silurien.

DÉVORÉ. Lu.

DÉVORER. Absorber, alimenter, brûler, consumer, lire, manger.

DÉVOT. Béat, bigot, chauvin, croyant, exalté, pieux, religieux, tartuffe.

DÉVOTION. Dulie, fanatisme, ferveur, latrie, piété, religion, zèle.

DÉVOUÉ. Féal, généreux, large, libéral, loyal, noble, sensible, zélé.

DIABÈTE. Biguanide, bronzé, insuline, polydipsie, rein, sucre.

DIABÉTIQUE. Glycosurique.

DIABLE. Chariot, démon, enfer, esprit, génie, mal, malin, voiture.

DIABLE (n. p.). Asmodée, Belzébuth, Lucifer, Méphistophélès, Satan, Talleyrand.

DIABOLIQUE. Démoniaque, infernal, machiavélique, mal, maléfique, méchant, méphistophélique, pervers, satanique.

DIABOLO. Bobine, drain, limonade.

DIACRE. Clerc, diaconal, diaconat, ordre, sacre, tunique.

DIALECTE. Argot, biscaïen, calo, champenois, corse, dorien, erse, francien, gallo, gallot, gan, ionien, jargon, joual, ladin, langage, langue, lorrain, min, oc, oil, patois, pékinois, picard, slang, stichomythie, timée, tupi, xiang, wallon, wu.

DIALOGUE. Causerie, colloque, conversation, entretien, parlementer.

DIALYPÉTALE. Cactacée, câprier, ciste, cornacée, crucifère, lauracée, malvacée, mimosacée, murtacée, onagracée, rosacée, rutacée, violacée.

DIAMANT. Bort, brillant, carbonado, cullinan, égrisée, joyau, K, marguerite, noces, parangon, pierrerie, régent, rivière, rose, solitaire.

DIAMÈTRE. Axe, cercle, droite, jauge, module, pi, rayon, sinus.

DIANE. Avertissement, chasse, réveil, signal, sonnerie.

DIANE (n. p.). Actéon, Artémis, Éphèse, Érostrate, Henri.

DIAPASON. Accord, chant, la, musique, niveau, registre, son, ton.

DIAPHORÈSE. Exsudé, ruisseler, suée, transpiré.

DIAPHRAGME. Muscle, pessaire, photographie, phrénique, sanglot.

DIAPOSITIVE. Achrome, album, écran, film, microfilm, photo, photocopie, photographie, photostat, portrait, pose, posemètre, vue.

DIARRHÉE. Colique, colite, débâcle, dysenterie, entérite, foire, tourista.

DIASTASE. Amidon, amylase, arthritisme, ase, carboxylase, émulsine, entérokinase, enzyme, érepsine, invertase, invertine, laccase, lactase, lipase, maltase, myrosine, oxydase, papaïne, pepsine, protéase, ptyaline, saccharase, sucrase, thrombine, trypsine, zymase.

DIASTOLE. Cœur, périsystole, systole.

DIATRIBE. Accusation, critique, pamphlet, reproche, satire.

DICHLORODIPHÉNYLTRICHLORÉTHANE. DDT.

DICOTYLÉCONE. Acéracée, amarantacée, anonacée, apétale, araliacée, droséracée, gamopétale, grain, hédéracée, labiée, linacée, méliacée, plante, pyrole, ranale, sésame, tiliacée, urticale, verbénacée.

DICTATEUR. Autocrate, chef, despote, gouverneur, souverain, tyran.

DICTATEUR (n. p.). César.

DICTATURE. Absolu, absolutisme, autocratie, autoritarisme, césarisme, communisme, despotisme, dictatorial, domination, fasciste, impérialisme, junte, thermidorien, totalitaire, tyrannie.

DICTÉ. Influence, nuncupatif, prescription, son, soumettre.

DICTER. Dictaphone, dictée, imposer, prescrire, secrétaire, sténographe.

DICTION. Apocope, crase, débit, diérèse, élocution, prononciation.

DICTIONNAIRE. Abrégé, encyclopédie, glossaire, gradus, lexique, livre.

DICTON. Adage, aphorisme, brocard, formule, maxime, mot, proverbe.

DIE. Sine.

DIENE. Dioléfine, isoprène.

DIEFFENBACHIA. Celsoni, picta, régina, rex, seguine.

DIÈSE. Armature, enharmonique.

DIÈTE. Abstinence, assemblée, dextrine, jeûne, régime, soin.

DIEU. Adonis, Agni, Allah, Amon, Anou, Anubis, Arès, Ases, Attis, Atys, Baal, Bêl, ciel, Civa, créateur, culte, dagon, déesse, déo, divin, éden, élu, Éole, Esculape, Ésus, Éros, éternel, faune, Ganesa, hade, Horus, laron, Mars, Neptune, Nérée, Odin, Osiris, Pan, Pénates, père, Râ, Rama, Rê, saint, Seigneur, Sérapis, Siva, Thor, Tlatoc, Tor, Vulcain, Wotan, zeus.

DIEU ALGONQUIN (n. p.). Michabou.

DIEU AMÉRINDIEN (n. p.). Grand Esprit, Grand Manitou, Manitou, Totem.

DIEU DE L'AMOUR (n. p.) Cupidon, Éros, Kama.

DIEU ASSYRIEN (n. p.). Anou, Anu, Assur, Bêl, Ea, Enlil, Mardouk.

DIEU AVEUGLE (n. p.). Amour, Cupidon, Éros.

DIEU BABYLONIEN (n. p.). Anou, Anu, Assur, Bêl, Ea, Enlil, Mardouk.

DIEU DES BERGERS (n. p.). Pan.

DIEU BOUDDHISTE (n. p.). Bouddha, Bodhisattva.

DIEU DE CHALDÉE (n. p.). Adonis, Ashtart, Astarté, Baal, Gilgamesh, Mardouk, Shamash.

DIEU CHINOIS (n. p.). Fo.

DIEU CHRÉTIEN (n. p.). Jésus, Trinité.

DIEU DE LA DESTRUCTION (n. p.). Shiva.

DIEU ÉGYPTIEN (n. p.). Ammon, Amon-Rê, Anubis, Apis, Eson, Ganesa, Hathor, Horus, Isis, Osiris, Ptah, Râ, Rê, Sérapis, Seth, Thôt, Uraeus.

DIEU DU FEU (n. p.). Agni, Vulcain.

DIEU GAULOIS (n. p.). Bélénus, Ogmius, Teutatès.

DIEU GERMANIQUE (n. p.). Odin, Thor, Tor, Walhalla, Wotan.

DIEU GREC (n. p.). Apès, Apollon, Arès, Asclépios, Attis, Atys, Borée, Chronos, Dionysos, Éole, Éros, Esculape, Hadès, Hélios, Hephaïstos, Hermès, Hyménée, Hypnos, Morphée, Nérée, Pan, Phébus, Ploutos, Pluton, Poséidon, Priape, Protée, Satyres, Serapis, Thanatos, Triton, Uranus, Zeus.

DIEU DE LA GUERRE (n. p.). Arès, Mars, Odin, Wotan.

DIEU GUERRIER (n. p.). Ases, Bellone, Ésus, Mars, Teutatès, Thor, Tor.

DIEU HINDOU (n. p.). Civa, Ganesa, Kama, Krichna, Rama, Siva.

DIEU HINDOUISTE (n. p.). Brahma, Çiva, Krishna, Parvati, Skanda, Vishnu.

DIEU INDIEN (n. p.). Grand Esprit, Grand Manitou, Kama, Manitou, Totem.

DIEU ISLAMISTE (n. p.). Allah.

DIEU ITALIE ANCIENNE (n. p.). Lupercus.

DIEU JUDAÏQUE (n. p.). Christ, Jehovah, Messie, Yaveh.

DIEU JUIF (n. p.). Adonai.

DIEU DE LA LUMIÈRE (n. p.). Uriel.

DIEU MARIN (n. p.). Nérée.

DIEU DE LA MÉDECINE (n. p.). Esculape.

DIEU DE LA MER (n. p.). Neptune, Neree, Poseidon, Triton.

DIEU MUSULMAN (n. p.). Allah.

DIEU NORDIQUE (n. p.). Ase, Balder, Cambrinus, Eir, Freyja, Freyr, Frigg, Gambrinus, Heimdal, Holder, Loki, Odin, Thor, Walkyrie.

DIEU DE L'OLYMPE (n. p.). Aphrodite, Apollon, Arès, Artémis, Athéna, Cronos, Dianynos, Hadès, Héphaïstos, Héra, Hermès, Hestia, Poséidon, Zeus.

DIEU PHÉNICIEN (n. p.). Adonis, Baal, Bétyle, Dagon, Moloch.

DIEU PLATONICIEN (n. p.). Démiurge.

DIEU ROMAIN (n. p.). Bacchus, Cupidon, Éole, Esculape, Jupiter, Lares, Mars, Mercure, Neptune, Pénates, Pluton, Plutus, Priape, Saturne, Sylvain, Vertumne, Vulcain.

DIEU SCANDINAVE (n. p.). Ases, Odin, Wotan.

DIEU DU SOLEIL (n. p.). Amon, Amon-rê, Ra, Rê.

DIEU DES VENTS (n. p.) Boree, Éole, Rue.

DIEU DU VIN (n. p.). Bacchus, Dionysos.

DIFFAMER. Accusation, anecdote, atrocité, attaque, bavardage, calomnie, cancan, clabaudage, commérage, discréditation, mal, nuire.

DIFFÉRENCE. Absence, agio, écart, contraste, dénivellation, dénivellement, discordance, dissemblance, distinction, divergence, diversité, inégalité, nuance, opposition, sexe, tension, variété.

DIFFÉRENCIER. Aliéner, altérer, compliquer, contrarier, croiser, déroger, hurler, jurer, mélanger, mêler, nuancer, partager, varier.

DIFFÉREND. Autre, contestation, débat, désaccord, démêlé, dispute, distinct, divers, écart, juger, litige, malentendu, procès, querelle.

DIFFÉRENT. Allopathie, alternance, autre, contraire, distant, distinct, divergent, divers, être, inégal, nouveau, nuance, opposé, varié, us.

DIFFÉRER. Ajourner, atermoyer, caractériser, écarter, remettre, tarder.

DIFFICILE. Abscons, abstrait, abstru, aisé, ardu, chinois, complexe, compliqué, confus, coriace, délicat, dur, effort, épineux, facile, indigeste, malaisé, raide, rare, résistant, rétif, rude, soutenu, tenace.

DIFFICULTÉ. Apepsie, asthénie, complexité, danger, dyspnée, dysurie, éblouissement, écueil, entrave, épine, épreuve, gendarme, hic, inconvénient, nœud, obstacle, os, piège, problème, tirage, tiraillement.

DIFFORME. Affreux, bossu, bot, bote, éclopé, forme, hideux, laid, tors.

DIFFORMITÉ. Bec-de-lièvre, bot, bote, déformation, disgrâce, gnome, handicap, malformation, palmature, tordu, pygmée, strabisme.

DIFFUS. Bavard, ennuyeux, dépoli, prolixe, redondant, succinct, verbeux.

DIFFUSER. Émettre, émission, propager, radiodiffuser, répandre.

DIFFUSION. Délayage, di, dis, émission, invasion, radotage, verbiage.

DIGÉRER. Absorber, accepter, assimiler, avaler, élaborer, transformer.

DIGESTIF. Achalasie, aliment, endoderme, entérovirus, estomac, tube.

DIGESTION. Apepsie, assimilation, chyle, coction, dyspepsie, eupepsie.

DIGITALE. Chiffre, gantelée, ganteline, gantillier, pavée, unité.

DIGITALISER. Numériser, scanner.

DIGNE. Enviable, équitable, fier, louable, mériter, pape, royal, séant.

DIGNITAIRE. Autorité, effendi, figure, hiérarque, huile, notabilité, personnage, personnalité, ponte, voïévode, voïvode.

DIGNITAIRE ECCLÉSIASTIQUE. Camérier, évêque, pape, prélat.

DIGNITAIRE OTTOMAN. Éfendi, reis.

DIGNITÉ. Caïdat, dogat, droit, émirat, grade, grand, imamat, nabab, palatinat, pontificat, prêtrise, rang, royauté, tiare, titre, vidame.

DIGRESSION. Dévier, écart, excursus, hors-d'œuvre, parenthèse, récit.

DIGUE. Barrage, écluse, endiguer, estacade, jetée, levée, môle, musoir.

DILAPIDATION. Dissipation, gabegie, gaspillage.

DILAPIDER. Dépenser, dissiper, engloutir, gaspiller, manger, prodiguer.

DILATATION. Augmenter, bronchectasie, chaleur, distension, emphysème, étendre, expansion, gaz, mégacôlon, mydriase, varice.

DILATER. Atropine, cathéter, distendre, enfler, épanouir, expansif.

DILECTION. Amour, tendresse.

DILEMME. Alternative, choix, option, préférence.

DILETTANTE. Amateur, attitude, dilettantisme, goût, négligence, plaisir.

DILIGENCE. Activité, attention, coche, hâte, promptitude, rapidité, zèle.

DILUER. Couler, délaver, délayer, détremper, étendre, liquifier.

DILUVIEN. Torrentiel.

DIMANCHE. Avent, calendrier, dominical, endimancher, oculi, missel, pâque, prône, quasimodo, saint, septuagésime, sexagésime.

DIMENSION. Énormité, envergure, étendue, format, proportion, taille.

DIMINUER. Abaisser, abréger, aléser, alléger, altérer, amaigrir, amoindrir, amputer, ariser, atrophier, atténuer, attiédir, baisser, céder, écourter, décarburer, décroître, détendre, diluer, éligir, raccourcir, rapetisser, réduire, restreindre, rétrécir, rogner, ronger, user.

DIMINUTIF. Doucet, et, hypocoristique, mot, nom, surnom, tantine.

DIMINUTION. Abaissement, agranulocytose, amenuisement, amortissement, anhépatie, amnésie, anémie, anosmie, collapsus, détente, détumescence, encroûtement, frai, hypochlorhydrie, hypoglycémie, hypotonie, leucopénie, oligurie, paralysie, presbytie, réduction, retrait, soulagement, surdité, xérophtalmie.

DINDE. Dindon, glouglouter, glousser, oie, urubu.

DINDON. Caroncule, dupe, gallinacé, glou-glou, pigeon, urubu.

DINGUE. Aliéné, amoureux, barjo, braque, cerveau, cinglé, dément, désaxé, détraqué, fada, fêlé, fol, fou, furieux, givré, idiot, imbécile, insensé, interné, ire, mental, niais, sonné, sot, toqué, tordu, triboulet.

DINOSAURIEN. Brontosaure, dinosaure, diplodocus, iguanodon.

DIOCÈSE. Archidiacre, diocésain, écolâtre, évêché, exeat, ordo.

DIOGÈNE. Cynique, lanterne, tonneau.

DIOLÉFINE. Diène.

DIONÉE. Attrape-mouches.

DIPHTÉRIE. Croup, streptomycine.

DIPHTONGUE. Ae, diphtongaison, diphtonguer, œ, oi, tréma.

DIPLOCOQUE. Méningocoque, pneumocoque.

DIPLODOCUS. Dinosaure.

DIPLOMATE. Ambassadeur, consul, émissaire, envoyé, légat, nonce.

DIPLOMATE ANGLAIS (n. p.). Elgin.

DIPLOMATE BRITANNIQUE (n. p.). Cross, Elgin.

DIPLOMATE CANADIEN (n. p.). Bouchard, Chrétien, Leduc, Pearson.

DIPLOMATE FRANÇAIS (n. p.). Baïf, Lesseps, Nicot.

DIPLOMATE ITALIEN (n. p.). Rossi.

DIPLOMATE RUSSE (n. p.). Giers.

DIPLÔME. Bac, brevet, certificat, DEC, degré, grade, parchemin, titre.

DIPTÈRE. Insecte, mouche, moustique, myiase, puce, simulie, taon.

DIRE. Affirmer, biner, chuchoter, citer, conter, crier, débiter, déclarer, décrire, échapper, épancher, expliquer, mentir, murmurer, nier, opiner, papoter, proférer, prononcer, psalmodier, raconter, réciter, rêver.

DIRECT. Brutal, cru, droit, franc, immanent, immédiat, naturel, subit.

DIRECTEUR. Administrateur, chef, dirigeant, gérant, principal, recteur.

DIRECTION. Acheminement, administration, auspices, autorité, axe, biais, cap, commandement, conduite, côte, destination, est, fil, gestion, nord, orientation, ouest, route, sens, stratégie, sud, tête, vers, visée.

DIRIGE. Agent, conducteur, épi, guide, lit, meneur, oriente, porteur.

DIRIGEABLE. Aérostat, zeppelin.

DIRIGEANT. Administrateur, amman, as, caïd, calife, chancelier, chef, cheik, curion, despote, dey, duc, duce, émir, gérant, gouvernant, hérésiarque, iman, maire, maître, meneur, ovate, pacha, pape, parrain, patron, père, prote, rapin, sachem, satan, shah, shérif, roi, tête, vizir.

DIRIGER. Accompagner, acheminer, ajuster, aller, animer, axer, avertir, conduire, fixer, gêner, gérer, gouverner, guider, manier, mener, orienter, porter, router, senestrer, styler, tenir, tenter, viser, voguer.

DISCERNER. Démêler, dépister, expliquer, flairer, goûter, trier, voir.

DISCIPLE. Adepte, ami, apôtre, élève, épigone, satori, talibé, zététique.

DISCIPLINAIRE. Biribi, enseignement, peine, règle, soumission.

DISCIPLINE. Ascèse, cilice, contrepoint, enseignement, fouet, géométrie, haire, ordre, matière, mortification, musicologie, ordre, règle, yoga.

DISCIPLINER. Dompter, enseigner, modérer, ordonner, policer, régler.

DISCOMYCÈTE. Botytris, discale, helvelle, morille, pezize, truffe.

DISCONTINUER. Ancrer, arrêter, borner, buter, caler, camper, cesser, clore, couper, épingler, fixer, freiner, interrompre, juguler, limiter, maintenir, pincer, rayer, régler, reposer, retenir, stagner, stopper, suspendre, tarir, tenir.

DISCONTINUITÉ. Accès, alternance, averse, bouffée, boutade, discordance, échappée, giboulée, interférence, ondée, rafale, rémission.

DISCORDANCE. Conflit, dispute, divorce, émeute, lutte, schisme, zizanie.

DISCORDANT. Absurde, anormal, boiteux, décousu, dérangé, grinçant.

DISCORDE. Choc, crise, désaccord, dispute, guerre, lutte, mêlée, querelle.

DISCOURIR. Causer, parler, pérorer, plaider, prêcher, présenter, réciter.

DISCOURS. Allocution, boniment, dissertation, dit, éloge, énigme, exorde, exposé, galimatias, harangue, homélie, laïus, mensonge, oraison, parole, péroraison, plaidoyer, prêche, sermon, sornette, topo.

DISCOURTOIS. Désobligeant, disgracieux, grossier, impoli, incivil, inamical, inélégant, rustre.

DISCOURTOISIE. Grossièreté, impolitesse, incivilité, malhonnête.

DISCRÉDITER. Avilir, décrier, dénigrer, diffamer, médire, noircir.

DISCRET. Circonspect, délicat, réservé, retenu, secret, silencieux, sobre.

DISCRÉTION. Chasteté, décence, honneur, honte, pureté, réserve, vertu.

DISCULPER. Blanchir, défendre, excuser, innocenter, justifier, résigner.

DISCUSSION. Contestation, débat, démêlé, huis clos, procès, querelle.

DISCUTER. Critiquer, débattre, délibérer, ergoter, étudier, examiner.

DISETTE. Absence, besoin, faim, famine, manque, pénurie, rareté.

DISGRÂCE. Adversité, affliction, aman, calamité, cataclysme, catastrophe, chagrin, coton, défaveur, difformité, fatalité, fléau, funeste, glas, ingratitude, laideur, malchance, malheur, revers, tocsin.

DISGRACIEUX. Déplaisant, désagréable, détestable, ingrat, laid, vilain.

DISJOINDRE. Analyser, arracher, casser, cliver, cloisonner, couper, disloquer, diviser, écarter, écrémer, éloigner, enlever, épurer, espacer, exfolier, exiler, fendre, isoler, scier, séparer, trancher, trier, zester.

DISLOQUER. Abîmer, briser, casser, démancher, démonter, luxer.

DISPARAÎTRE. Abolir, dissiper, effacer, évanouir, évaporer, fuir, mort, ôter, partir, passer, plonger, soustraire, tuer, voiler, volatiliser.

DISPARATE. Bigarré, composite, divers, diversifié, hétéroclite, hétérogène, hybride, mélangé, mêlé, multiple, panaché, pluriel.

DISPARITION. Absence, agonie, agranulocytose, analgésie, décès, départ, deuil, éclipse, éloignement, évanoui, fin, fondu, fugue, mort.

DISPARU. Absent, absorbé, bu, éteint, évanoui, mort, naufragé, noyé.

DISPENDIEUX. Cher, coûteux, estimable, onéreux, précieux, prix, rare, ruineux, salé, surpayer.

DISPENSE. Autorisation, dérogation, exemption, exonération, franchise.

DISPENSER. Abstenir, annuler, distribuer, congé, exempter, exonérer.

DISPERSÉ. Chassé, clairsemé, éclaté, épars, rayonné.

DISPERSER. Disséminer, dissiper, diviser, égailler, émietter, éparpiller, épars, épendre, jeter, parsemer, perdre, répandre, semer, séparer.

DISPERSION. Aérosol, atomisation, diffusion, fuite, solaire, spectre.

DISPONIBLE. Inoccupé, intérim, libre, ouvert, vacant, vague, vide.

DISPOS. Agile, alerte, délassé, frais, gaillard, ingambe, souple, vif.

DISPOSÉ. Agile, apte, avoir, capable, dresser, enclin, fatigue, forme, garnir, infus, léger, mettre, préparer, prêt, rangé, santé, souple.

DISPOSER. Agencer, ajuster, aménager, anneler, arranger, arrimer, croiser, décider, draper, étager, étaler, étirer, imbriquer, mannequiner, masser, organiser, orner, ourdir, placer, prédisposer, prêter, tendre.

DISPOSITIF. Alarme, antivol, articulation, bande, capteur, clabot, déclic, frein, lecteur, machine, procédé, radar, stabilisateur, vernier, viseur.

DISPOSITION. Acrimonie, agencement, aptitude, arrangement, bosse, clause, cœur, diathèse, distribution, don, écusson, esprit, état, être, feuillaison, foliation, forme, frein, gisement, humeur, infus, inné, irascibilité, legs, natif, né, nervation, nonchalance, placentation, plan, préfloraison, rang, rythme, soumission, structure, vice.

DISPUTE. Algarade, altercation, bisbille, brouille, chicane, conflit, débat, démêlé, discorde, discussion, escarmouche, fâcherie, grabuge, lice, lutte, noise, opposition, querelle, rixe, scène, tempête, tournoi, violence.

DISPUTER. Chamailler, chicaner, discuter, expliquer, opposer, quereller.

DISQUE. Anneau, cd, cercle, cicatricule, compact, dc, enregistrement, flan, frisbee, galette, microsillon, palet, plateau, rayon, rondelle, roue.

DISSECTION. Anatomie, chirurgie, découpage, désossage, zootomie.

DISSÉMINER. Déconcentrer, décentraliser, diffuser, disperser, éparpiller, parsemer, propager, répandre, semer, vulgariser.

DISSENSION. Désaccord, discorde, dissentiment, haine, mésintelligence.

DISSIDENT. Déviationniste, gréviste, hérétique, indocile, insoumis, insurger, mutin, rebelle, résistant, révolté, révolutionnaire.

DISSIMULATION. Duplicité, fausseté, hypocrisie, sournoiserie, soutenu.

DISSIMULER. Atténuer, cacher, camoufler, celer, couvrir, déguiser, enfouir, fourber, inavouer, mentir, sournois, taire, tricher, voiler.

DISSIPER. Absorber, chahuter, dépenser, disparaître, disperser, ôter.

DISSOCIATION. Annuler, dissoudre, électrolyse, ion, métal, voltamètre.

DISSOLUTION. Auvergne, dérèglement, fusion, résiliation, résolution.

DISSOLVANT. Décapant, nettoyant, solvant.

DISSOUDRE. Délayer, détruire, fondre, gazéifier, liquifier, résorber.

DISTANCE. Absence, aversion, bordée, chevauchée, écart, espace, éloignement, empan, espacement, lointain, longueur, recul, volée.

DISTANT. Avance, dédaigneux, hautain, sauvage, traquenard, turf.

DISTENDRE. Augmenter, élonger, étirer, étendre, tendre, tirer.

DISTENSION. Ballonnement, claquage, gonflement, hydronéphrose.

DISTILLER. Exsuder, hydrolat, répandre, sécréter.

DISTILLERIE. Alcool, chaufferie, gaz, liquide, rhumerie.

DISTINCT. Absolu, autre, clair, différent, isolé, net, pur, rare, seul.

DISTINCTION. Décoration, différence, dignité, division, égards, élégance, faveur, galon, honneur, insigne, médaille, nettement, respect, sélect.

DISTINGUÉ. Affable, agréable, aimable, aristocrate, as, beau, bon, brillant, chic, choisi, élégant, élu, émérite, noble, racé, raffiné, vu.

DISTINGUER. Différencier, illustrer, signaler, singulariser, voir.

DISTRACTION. Absence, amusement, attraction, délassement, détente, divertissement, étourderie, évasion, inattention, loisir, récréation.

DISTRAIRE. Amuser, délasser, détourner, divertir, égayer, tromper.

DISTRAIT. Absent, absorbé, étourdi, inattentif, préoccupé, rêveur.

DISTRIBUER. Attribuer, départir, dispenser, donner, partager, répartir.

DISTRIBUTION. Attribution, classification, don, partage, répartition, tri.

DISTRIBUTEUR. Diffuseur, facteur, fontaine, pompiste, répartiteur.

DISTRICT. Canton, charge, commune, comté, division, province.

DIT. Autrement, convenir, discours, émet, émis, émit, sic, succinct.

DITHYRAMBE. Dithyrambique, éloge, enthousiasme, flatterie.

DIVAGATION. Délire, élucubration, errements, extravagance.

DIVAGUER. Délirer, dérailler, déraisonner, élucubrer, errer, rêver.

DIVAN. Canapé, cosy, lit, meuble, sofa, turquie.

DIVERGENCE. Discordance, disparité, dispersion, écart, fossé, rayon.

DIVERS. Autre, différent, maint, mélange, mixte, plusieurs, us, varié.

DIVERSIFIER. Différencier, mélanger, mêler, mixer, varier, variété.

DIVERSITÉ. Éclectisme, hétérogénéité, multiplicité, variété.

DIVERTICULE. Appendice, cavité, détour.

DIVERTIR. Amuser, distraire, ébattre, égayer, jouer, plaire, rire.

DIVERTISSEMENT. Amusement, carnaval, délassement, distraction, ébat, intermède, jeu, joute, partie, plaisir, récréation, réjouissance.

DIVIDENDE. Bénéfice, intérêt, part.

DIVIN. Céleste, déesse, dieu, diva, messe, nimbe, saint, surnaturel.

DIVINATION. Augure, cabale, conjecture, extase, géomancie, horoscope, oniromancie, oracle, ornithomancie, prédiction, présage, pronostic.

DIVINITÉ. Athéna, Atlas, Belzébuth, Civa, déesse, déise, déité, dieu, Éros, faune, furie, Gaia, Gê, Hestia, hymen, idole, Isis, naïade, oréade, Osiris, prier, Rê, Ris, Satyres, Siva, sylvain, Thétis, valkyrie, vœu.

DIVINITÉ ALGONQUINE (n. p.). Michabou.

DIVINITÉ AMÉRINDIENNE (n. p.). Grand Esprit, Grand Manitou.

DIVINITÉ DE L'AMOUR (n. p.) Cupidon, Éros, Kama.

DIVINITÉ BABYLONIENNE (n. p.). Anu, Bêl, Ea, Enlil, Mardouk.

DIVINITÉ ÉGYPTIENNE (n. p.). Amon, Anubis.

DIVINITÉ DU FOYER (n. p.). Lare.

DIVINITÉ GAULOISE (n. p.). Bélénus, Ogmius, Teutatès.

DIVINITÉ GRECQUE (n. p.). Apès, Apollon, Arès, Asclépios, Chronos, Dionysos, Éole, Éros, Esculape, Hadès, Harpies, Harpyes, Hécate, Hélios, Hephaïstos, Hermès, Hyménée, Hypnos, Ge, Morphée, Nérée, Pan, Phébus, Ploutos, Pluton, Poséidon, Priape, Protée, Satyre, Thanatos, Triton, Uranus, Zeus.

DIVINITÉ HINDOU (n. p.). Civa, Kama, Krichna, Siva.

DIVINITÉ ITALIQUE (n. p.). Junon.

DIVINITÉ JUIVE (n. p.). Adonai.

DIVINITÉ DE LA MER (n. p.). Neptune, Okeanos, Poseidon, Triton.

DIVINITÉ MUSULMANE (n. p.). Allah.

DIVINITÉ DE LA NATURE (n. p.). Artémis, Pan.

DIVINITÉ DES RIVIÈRES (n. p.). Naïade.

DIVINITÉ ROMAINE (n. p.). Bacchus, Cupidon, Éole, Esculape, Jupiter, Lares, Mars, Mercure, Neptune, Pénates, Pluton, Plutus, Priape, Saturne, Sylvain, Vertumne, Vulcain.

DIVINITÉ SHINTOÏSTE (n. p.). Kami.

DIVINITÉ DU SOLEIL (n. p.). Amon, Amon-rê, Ra, Rê.

DIVINITÉ DE LA TERRE (n. p.). Ge.

DIVINITÉ DES VENTS (n. p.) Boree, Eole, Rue.

DIVINITÉ DU VIN (n. p.). Bacchus, Dionysos.

DIVISÉ. Endetté, fissile, losangé, métamérise, scissile, tripartite.

DIVISER. Allotir, classer, cliver, cloisonner, couper, débiter, découper, déliter, disjoindre, dissocier, fendre, fractionner, graduer, granuleux, morceler, pair, partager, ramifier, scier, scinder, séparer, tomer.

DIVISION. Acte, an, bissection, branche, case, clan, clivage, coupure, déchirure, déci, décurie, dème, embranchement, ène, épisode, ère, ese, foliole, ion, jeu, lobe, lotissement, macroute, mélose, mesure, mois, monosperme, nome, page, part, partition, pico, placentaire, quartier, saison, schisme, section, temps, thallophytes, tome, verset, zone.

DIVULGATION. Dévoilement, propagation, publication, révélation.

DIVULGUER. Dévoiler, dire, ébruiter, éventer, publier, révéler, trahir.

DIX. Déca, décade, décadi, décaèdre, décagone, décalitre, décalobe, décalogue, décamètre, décan, décapode, décapole, décathlon, décennal, décennie, déci, décigrade, décilitre, décimal, décimètre, décimo, décupler, dîme, dixième, messidor.

DIXIÈME. Décadi, décigrade, décigramme, décime, dîme.

DIZYGOTE. Bivitellin, jumeaux, monozygote.

DO. Ut.

DOCILE. Discipliné, doux, facile, obéissant, sage, soumis, souple, têtu.

DOCILITÉ. Discipline, obéissance, soumission.

DOCKER. Arrimeur, coltineur, commissionnaire, courrier, coursier, débardeur, estafette, facteur, laptot, livreur, messager, nervi, porteur.

DOCTEUR. Didascal, doctorat, dr, esdras, grade, mandarin, médecin, mollah, O.R.L., ouléma, santé, taleb, théologien, thèse, titre, uléma.

DOCTRINE. Abolitionnisme, athéisme, chiisme, classicisme, crédo, déterminisme, dogme, école, égalitarisme, évangile, fatalisme, galénisme, gnèse, gnose, hérésie, humanisme, léninisme, nestorianisme, organicisme, quiétisme, saktisme, savoir, scepticisme, secte, socialisme, système, stalinisme, suc, théologie, théorie, thèse, volontarisme.

DOCUMENT. Dossier, papier, pièce, rectificatif, source, témoignage.

DODELINER. Balancer, baller, branler, changer, hésiter, osciller.

DODINE. Ballottine.

DODO. Anesthésie, assoupissement, dodo, dormir, dronte, hypnose, inaction, léthargie, repos, roupillon, sieste, somme, sommeil. somnolence, stupéfiant, torpeur.

DODU. Adipeux, arrondi, bouffi, charnu, corpulent, décharné, épais, empâté, étique, étoffé, fort, graisse, gras, gros, huileux, lard, maigre, obèse, onctueux, pansu, pâteux, plein, potelé, plantureux, replet, taché.

DOGMATIQUE. Affirmatif, autoritaire, catégorique, doctrinaire, ex cathedra, impérieux, péremptoire, sectaire.

DOGME. Affirmation, certitude, crédo, croyance, décisif, évangile, foi.

DOGUE. Bouledogue, carlin, chien, doguin, mastiff, molosse, terrier.

DOIGT. Annulaire, auriculaire, bague, bijou, castagnette, dé, digital, digitopuncture, doigté, doigtier, douze, empan, index, majeur, montrer, ongle, orteil, palmé, phalange, phalangette, pouce, shiatsu, su.

DOIGTÉ. Adresse, délicatesse, dextérité, habileté, tact, virtuosité.

DOIGTIER. Dé, délot.

DOIT. Faut.

DOLÉANCE. Cri, grief, lamentation, murmure, pétition, pleur, reproche.

DOLOMIE. Cargneule, dolomitique, roche.

DOMAINE. Aire, apanage, bien, bief, département, champ, château, discipline, eu, ferme, fief, garenne, matière, métairie, monde, possession, propriété, secteur, spécialité, sphère, terrain, terre, villa.

DÔME. Calotte, coupole, galbe, lanternon, radôme, verrière, voûte.

DOMESTIQUE. Apprivoisé, boy, chasseur, convers, familial, foyer, lad, larbin, maison, majordome, nurse, page, servante, serviteur, valet.

DOMESTIQUER. Affaîter, apprivoiser, dompter, dresser, former.

DOMICILE. Aître, baraque, bercail, bicoque, bastide, cambuse, cassine, chalet, coron, couvent, demeure, école, ermitage, famille, foyer, habitation, hôtel, gîte, institution, isba, logis, lupanar, maison, maisonnette, mas, masure, ménage, nid, pension, soue, toit, tripot, villa.

DOMINANCE. Épistasie, génotype, hérédité, latéralisation, phénotype.

DOMINANT. Essentiel, fondamental, premier, prépondérant, primordial, principal, régnant.

DOMINATEUR. Autoritaire, impérieux, joug, maîtrise, possessivité.

DOMINATION. Ascendant, autorité, contrôle, dictature, empire, emprise, épistasie, griffe, influence, joug, maîtrise, oppression, pouvoir, prépondérance, règne, sujétion, suprématie, tyrannie, union.

DOMINER. Asservir, assujettir, commander, contrôler, diriger, dompter, gouverner, mater, régenter, régner, soumettre, surplomber, vaincre.

DOMMAGE. Atteinte, avarie, bavage, calamité, dam, dégât, dégradation, détérioration, grief, lésé, mal, perte, préjudice, ravage, ruine, tort.

DOMPTER. Apprivoiser, dresser, mater, régenter, soumettre, vaincre.

DOMPTEUR. Dresseur.

DOMPTE-VENIN. Asclépiade.

DON. Art, attribution, aumône, bienfait, bosse, cadeau, donation, donner, inné, legs, libéralité, naissance, octroi, présent, récompense.

DONATEUR. Bienfaiteur.

DONATION. Attribution, cadeau, étrennes, largesse, legs, libéralité, octroi, offrande, pourboire, présent, secours, récompense.

DONAX. Olive, trialle.

DONC. Adonc, adoncques, conséquent, ainsi, ergo, or, partant, suite.

DONJON. Ballon, clocher, dôme, guète, phare, prison, pylône, tour.

DONNÉE. Argument, base, fondement, présent, principe, soignant, titre.

DONNER. Adoucir, aérer, affaler, aider, alerter, américaniser, animer, arabiser, araser, armer, aviver, battre, bécoter, becqueter, biner, biser, calotter, carrer, catir, causer, céder, chuinter, coaguler, colorer, corser, définir, doter, droguer, élever, enfanter, engendrer, enhardir, ennoblir, ériger, érotiser, étendre, façonner, faisander, ficher, fouetter, fréter, gaver, germaniser, gifler, gigoter, gîter, gréciser, idéaliser, intituler, iriser, lainer, léguer, limiter, loger, louer, lustrer, marier, médicamenter, mesurer, métalliser, moderniser, moirer, nacrer, nommer, occasionner, occuper, offrir, opaliser, ordonnancer, permettre, ployer, politiser, ravitailler, recevoir, refiler, rehausser, rendre, renforcer, renoter, rénover, renseigner, romancer, ruer, salarier, saluer, servir, soigner, surélever, suriner, taper, tapoter, téléphoner, teinter, tiercer, tonifier, traiter, travestir, urbaniser, veiller, voter, warranter.

DORADE. Pageau, pagel, pagre.

DORÉE. Argenture, euphémisme, patisserie, or, zée.

DORÉNAVANT. Avenir, dans, désormais, ores, suite.

DORER. Ambré, blondir, brunir, embellir, griller, hâler, jaunir, or, orner.

DORLOTER. Cajoler, câliner, chouchouter, choyer, cocoler, couver, gâter, materner, mignoter, mitonner, soigner.

DORMEUR. Dormant, loir, martyr, ronfleur, rouspilleur, tourteau.

DORMIR. Anesthésique, écraser, Morphée, narcolepsie, narcose, narcotique, opium, pavot, reposer, ronfler, roupiller, sieste, sommeiller, somnifère, somnoler, soporifique, stupéfiant, traîner, tsé-tsé, vierge.

DORTOIR. Chambrée, dormitorium, salle.

DORURE. Or.

DOS. Arrière, cariatide, colonne, derrière, dorsal, échine, lombes, on, programme, râble, rachis, reins, religieuse, revers, télamon, verso.

DOSAGE. Chlorométrie, mélange, mesure, posologie, quantité.

DOSE. Mesure, part, posologie, quantité, ration, surdose, teinte.

DOSER. Combiner, mêler, proportionner.

DOSSIER. Chemise, divan, farde, parapheur, retable, sellette, violoné.

DOT. Don, dotal, dotation, kabin, mariage, morgengabe, paraphernal.

DOTER. Douer, équiper, gratifier, munir, orner, pouvoir, structurer.

DOUAIRE. Douairière, héritage, noble, succession, veuf, vieille, vieux.

DOUANIER. Brigadier, ermin, frontière, gabelou, rat-de-cave.

DOUBLE. Alias, ambigu, battellement, bis, cap, complex, copie, couple, crémone, deux, dilemme, dualité, enrue, faux, fla, géminé, jumeau, ombre, pli, rein, remplace, répété, siamois, sosie, sournois, té, tréma.

DOUBLEAU. Arc.

DOUBLER. Augmenter, damer, dépasser, étendre, jumeler, répéter.

DOUBLON. Erreurs, monnaie.

DOUBLURE. Cascadeur, coiffe, comédien, ouatine, parementure, velet.

DOUCE. Amène, câline, caressante, clémente, duveteuse, mœlleuse, riante.

DOUCEMENT. Bas, décanter, insinuer, lentement, mollo, piano, tâter.

DOUCEREUX. Benoît, doux, fade, hypocrite, mielleux, sournois, sucré.

DOUCEUR. Affabilité, agrément, aménité, baume, bénignité, bonté, clémence, liqueur, mélodie, miel, mignardise, onction, suavité.

DOUER. Animer, as, capable, don, doter, partager, pourvoir.

DOUILLE. Baïonnette, cartouche, étui, extracteur, jack.

DOULEUR. Algie, amer, arthralgie, brachialgie, brûlure, chagrin, cardialgie, colique, courbature, crampe, deuil, élancement, entéralgie, gastralgie, gémir, hépatalgie, irritation, larme, lumbago, ostéalgie, otalgie, mal, martyre, migraine, myalgie, névralgie, ostéalgie, peine, pleurodynie, proctalgie, pyrosis, rachialgie, rage, souffrance.

DOULOUREUX. Accablant, affligeant, algique, amer, chagrin, cruel, cuisant, déchirant, endolori, éprouvant, pénible, sensible, triste.

DOUTE. Critique, énigme, euh, hem, hésitation, heu, hum, incertitude, indécision, irrésolution, litige, scepticisme, si, vraisemblablement.

DOUTER. Contester, critiquer, hésiter, interroger, méfier, suspecter.

DOUTEUX. Ambigu, apocryphe, casuel, discutable, faux, fragile, gratit, incertain, louche, obel, obèle, obscur, putatif, risqué, suspect, véreux.

DOUVE. Aissette, bonde, douelle, fossé, jable, merrain, trématode.

DOUX. Agréable, aimable, amène, bénin, câlin, caressant, charitable, clément, gentil, indulgent, langoureux, liant, mœlleux, mol, mou, ouaté, paisible, riant, satin, sociable, souple, suave, sucré, tendre, tranquille.

DOUZAINE. Demi-douzaine, douze, grosse.

DOUZE. Alexandrin, an, année, apôtres, cicéro, décembre, duodénum, grosse, mois, once, pence, penny, pied, poète, porte, pouce, shilling.

DOUZE (n. p.). Cézar, Hercule.

DRAA. Dra.

DRAGÉE. Anis, confiserie, dragéifier, drageoir, fourrage, pilule.

DRAGON. Amphiptère, camisard, chimère, dent, étoile, serpentin.

DRAINAGE. Assèchement, collecte, méchage.

DRAINER. Assainir, assécher, égoutter, émissaire, purger, sécher, sonder, tirer.

DRAMATIQUE. Crucial, difficile, émouvant, poignant, théâtral, tragique.

DRAME. Acteur, calamité, catastrophe, cinéma, comédie, film, malheur, mélodrame, no, œuvre, opéra, oratorio, pièce, plat, tragédie.

DRAP. Alaise, alèse, bâche, bure, carde, débarrasser, étoffe, feu, habit, lé, linceul, lit, mort, narengo, poêle, ratine, sédan, striquer, tissu.

DRAPEAU. Bannière, couleurs, dette, étendard, fanion, guidon, hampe, oriflamme, pavillon, pavois, symbole, trophée, vexillographie.

DRAPERIE. Cantonnière, rideau, tapisserie, tenture, tissu.

DRAVIDIENNE. Canara, kannara, malayalam, télougou, télugu.

DRESSER. Affaitage, apprendre, apprivoiser, cabrer, chauvir, dompter, élever, ériger, établir, exercer, fixer, former, hérisser, hisser, lamer, layer, lever, mater, meute, nerver, riper, styler, tente, verbaliser.

DRESSEUR. Belluaire, dompteur, fauconnier.

DROGUE. Accro, acide, came, cocaïne, dealer, dope, goure, haschich, héroïne, intoxiqué, LSD, marijuana, mixtion, morphine, mortier, neige, onguent, opium, orviétan, remède, séné, seng, sniffer, speed, trip.

DROGUER. Camer, défoncer, piquer.

DROIT. Autorité, canon, dr, entrée, ermin, héritage, honnête, hypoténuse, impôt, intérêt, juriste, justice, loi, parallèle, péage, permission, quillage, priorité, rectiligne, usage, usus, vertical.

DROITE. Amusant, bras, capitaliste, conservateur, côté, coup, cour, dextre, diagonal, dictature, gauche, hue, main, théâtre, tribord.

DROITURE. Équité, foi, franchise, honnêteté, impartialité, justice, loyauté, netteté, perfidie, rectitude, rigueur.

DRÔLE. Bizarre, cocasse, comique, crevant, farce, marrant, rire.

DRÔLEMENT. Beaucoup, bien, bizarrement, bougrement, très, super.

DROMADAIRE. Camélidé, chameau, méhari.

DROSERA. Attrape-mouche, binata, capensis, carnivore, intermedia, longifolia, rossolis, rotundifolia, spathulata.

DRU. Épais, fort, garni, hérisse, hirsute, huppé, pressé, serré, touffu.

DRUIDE. Ésotériste, gnose, hermétiste, illuminé, kabbale, magicien, mystérieux, ovate, psychomancien, radiesthésien, spiritiste, tumulus.

DRY. Sec.

DÛ. Échéance, dette, devoir, facture, payer.

DUC. Architecte, ducal, duché, hibou, maréchal, prince, rapace, scops.

DUC (n. p.). Augereau, Boufflers, Caxias, Lesdiguières, Luxembourg, Ney.

DUCE (n. p.). Mussolini.

DUEL. Combat, défi, escrime, lame, lice, pré, rencontre, terrain.

DUNE. Aspre, butte, côte, coteau, erg, hauteur, mont, montagne, oyat.

DUPER. Abuser, appât, berner, capter, empiler, enjôler, entuber, flouer, gruger, lentille, leurrer, mensonge, pigeon, piper, rouler, tromper.

DUPERIE. Artifice, fraude, gabegie, manège, mensonge, panneau, ruse.

DUPLICITÉ. Dissimulation, fausseté, fourberie, hypocrisie, tartuferie.

DUR. Amer, ardu, brutal, calleux, consistant, coriace, costaud, cruel, épais, ferme, impitoyable, implacable, inexorable, insensible, métallique, rassis, résistant, rigide, robuste, roc, rude, sec, sévère.

DURABLE. Constant, continuel, éternel, immuable, inaltérable, indéfectible, invariable, permanent, perpétuel, persistant, stable.

DURANT. Assidu, durable, ferme, fidèle, fixe, immuable, pendant.

DURCIR. Affermir, concréter, endurcir, geler, glacer, névé, raidir, rassir, scléroser, sténosage.

DURCISSEMENT. Artériosclérose, athérome, glaucome, nitruration, sclérose, sténose, xérodermie.

DURE. Constant, longtemps, pendant, temporellement, vertu.

DURÉE. Âge, an, bout, bref, cours, délai, éternité, grossesse, lour, note, nuit, nuitée, permanence, phase, pour, règne, soir, temps, user.

DUREMENT. Brutalement, désagréablement, désobligeamment, méchamment, rudement, sèchement, sévèrement, vertement.

DURER. Demander, étaler, occuper, perpétrer, prolonger, rester.

DURETÉ. Brutalité, cruauté, fermeté, rigueur, rudesse, sévérité, vigueur.

DURILLON. Cal, calus, cor, œil-de-perdrix, oignon.

DUVET. Coton, édredon, eider, kapok, laine, linter, lit, plume, poil.

DUVETEUX. Doux, lanugineux, pubescent, tomenteux, velouté.

DYN. Barye, dine, dyn, erg.

DYNAMIQUE. Activité, rageux, énergique, force, pep, tonicité, vitalité.

DYNASTIE. Chef, empereur, famille, hockey, race, roi, sassanide.

DYNASTIE ALLEMANDE (n. p.). Hohenstaufen, Hohenzollern.

DYNASTIE ANGLAISE (n. p.). Plantagenêt.

DYNASTIE ARABE (n. p.). Abbadides, Abbassides, Hachémites.

DYNASTIE AUTRICHIENNE (n. p.). Habsbourg.

DYNASTIE BERBÈRE (n. p.). Hafsides, Zirides.

DYNASTIE BYZANTINE (n. p.). Isauriens, Paléologue.

DYNASTIE CHINOISE (n. p.). Chang, Han, Hia, Mandchous, Ming, Qin, Qing, Shang, Song, Souei, Sui, Tang, Ts'in, Ts'ing, Xia, Yuan.

DYNASTIE CHIITE (n. p.). Fatimides.

DYNASTIE ÉCOSSAISE (n. p.). Stuart.

DYNASTIE ÉGYPTIENNE (n. p.). Lagides, Sénousret, Thoutmès, Thoutmôsis.

DYNASTIE FRANÇAISE (n. p.). Anjou, Bourbon, Capétiens, Carolingiens, Mérovingiens, Orléans.

DYNASTIE HELLÉNISTIQUE (n. p.). Séleucides.

DYNASTIE HONGROISE (n. p.). Zapoly, Zapolya.

DYNASTIE INDIENNE (n. p.). Gupta, Maurya, Pala, Pallava.

DYNASTIE IRLANDAISE (n. p.). O'Neill.

DYNASTIE JAPONAISE (n. p.). Ashikaga.

DYNASTIE MAROCAINE (n. p.). Alaouites, Idrisides, Idrissides, Saadiens.

DYNASTIE MONGOLE (n. p.). Yuan.

DYNASTIE MUSULMANE (n. p.). Aghlabides, Almohades, Almoravides, Ayyubides, Ghaznévides, Ghourides, Rhaznévides.

DYNASTIE PERSANE (n. p.). Achéménides, Séfévides.

DYNASTIE POLONAISE (n. p.). Piast.

DYNASTIE ROMAINE (n. p.). Antonins, Flaviens, Sévères.

DYNASTIE RUSSE (n. p.). Romanov.

DYNASTIE SERBE (n. p.). Obrenovic, Obrénovitch.

DYNASTIE TCHÈQUE (n. p.). Premyslides.

DYNASTIE TURQUE (n. p.). Husaynides, Qadjars, Seldjoukides.

DYNE. Barye, din, dyn, erg.

DYSENTERIE. Diarrhée, dysentérique, nopal.

DYSPNÉE. Asystolie, dyspnéique, étouffement, orthopnée.

DYSPROSIUM. Dy.

DYSTOCIE. Accouchement.

# E

ÉACIDE (n. p.). Achille, Jupiter, Néoptolème, Pélée, Pyrrhus.

ÉAQUE. Champion, conquérant, épique, guerrier, héros, juge, valeureux.

EAU. Aqua, baille, boisson, cascade, étang, filet, fleuve, flots, glace, hydrolat, lac, lavure, lotion, lustrale, mare, mer, minérale, morte, muire, nappe, neige, onde, ondée, perhydrol, pluie, rivière, ru, ruisseau, ruisson, saumure, soda, suage, torrent.

EAU-DE-VIE. Alcool, aquavit, arak, armagnac, brandevin, brandy, calvados, cherry, cognac, fine, genièvre, gin, gnaule, gnôle, kirsch, raki, rhum, rogomme, rye, schnaps, scotch, tafia, vodka, whisky.

ÉBAHIR. Abasourdir, ahurir, ébaubir, éberluer, épater, estomaquer, étonner, étourdir, interdire, méduser, pétrifier, sidérer, surprendre.

ÉBAUCHE. Amorce, aperçu, dessin, esquisse, essai, idée, jet, projet.

ÉBÈNE. Aubours, bois, cytise, ébénier, macassar, noir, sillet, vrai.

ÉBÉNISTE. Bois, boulle, menuisier, pestum, rabot, sergent, varlope, vis.

ÉBÉNISTE FRANÇAIS (n. p.). Oeben, Riesener.

ÉBÉNISTERIE. Menuiserie.

ÉBLOUIR. Aveugler, blesser, briller, émerveiller, épater, impressionner.

ÉBLOUISSANT. Aveuglant, brillant, éclatant, enchanteur, époustouflant, étincelant, étourdissant, fabuleux, fantastique, impressionnant, merveilleux, somptueux, splendide.

ÉBLOUISSEMENT. Berlue, contrejour, fascination, mirage, vertige.

ÉBOUILLANTER. Blanchir, bouillir, brûler, échauder.

ÉBOULEMENT. Chute, dosse, étrésillon, fondis, pierre, ruine, tomber.

ÉBOULIS. Amas, éboulement, décombres, fatras, liasse, monceau, ruine.

ÉBOURIFFER. Décoiffer, ébahir, écheveler, étonner, hérisser, hirsute.

ÉBRANCHER. Couper, élaguer, émonder, étêter, houppier, tailler.

ÉBRANLER. Affaiblir, agiter, balancer, chanceler, choc, commotionner, émouvoir, étonner, imperturbable, inébranlable, inflexible, lézarder, remuer, ruiner, saper, secouer, séismal, toucher, traumatiser.

ÉBRÉCHER. Briser, détériorer, écorner, égueuler, entailler.

ÉBRIÉTÉ. Alcoolisme, débauche, éthylisme, griserie, ivresse, vertige.

ÉBULLITION. Bouillir, évaporation, hypsomètre, point, surchauffe.

ÉBURNÉ. Éburnéen, ivoire, ivoirin.

ÉCAILLE. Coccolite, coquille, fente, lèpre, plaque, squame, squama.

ÉCALE. Arachide, brou.

ÉCART. Danse, détour, distance, embardée, faute, frasque, fredaine.

ÉCARTELER. Agacer, agiter, déchirer, envier, gêner, harceler, infester, lanciner, moquer, mouvementer, partager, quartier, ronger, tanner, tenailler, tirailler, torturer, tourmenter, vexer.

ÉCARTER. Bannir, carte, éliminer, éloigner, évincer, isoler, retirer.

ÉCARTEUR. Délogeur, dériveur, disloqueur, érigne, érine, fourreur.

ECCHYMOSE. Blessure, bleu, contusion, coquard, guérir, plaie.

ECCLÉSIASTIQUE. Abbé, aumônier, barrette, bref, camail, chronologie, clerc, église, frère, laïc, lévite, liturgie, ordo, ordre, mosette, prélat, prêtre, religieux, religion, rote, sacerdotal, sœur, synode, tribunal.

ECCLÉSIASTIQUE FRANÇAIS (n. p.). Lemire, Olier.

ÉCERVELÉ. Braque, étourdi, éventé, fou, hurluberlu, irréfléchi.

ÉCHAFAUD. Échafaudage, estrade, gibet, guillotine, potence, son.

ÉCHALAS. Bâton, démaillonner, hautain, hautin, paisseau, pieu.

ÉCHALOTE. Ail, allium, mince, oignon, ravigote, rocambole.

ÉCHANCRER. Casser, décolleté, entailler, évider, mire, ouvert, tailler.

ÉCHANCRURE. Anse, baie, calanque, entournure, indentation, habit.

ÉCHANGE. Achat, câlin, change, commerce, marché, mue, permutation, rechange, relais, retour, rhubarbe, séné, soulte, soute, traite, troc.

ÉCHANGER. Aliéner, commuer, discuter, permuter, relayer, troquer.

ÉCHANSON. Échansonnerie, serdeau, sommelier.

ÉCHANTILLON. Aperçu, exemplaire, idée, modèle, panel, spécimen.

ÉCHAPPATOIRE. Dérobade, esquive, excuse, faux-fuyant, issue, porte, prétexte, subterfuge.

ÉCHAPPEMENT. Éclipse, escapade, fugue, fuite, inaperçu, sauf.

ÉCHAPPER. Couler, enfuir, évader, éviter, filer, fuir, sauver, sortir.

ÉCHARPE. Arc-en-ciel, châle, fichu, foulard, guimpe, iris, mantille.

ÉCHARPER. Déchiqueter, démolir, descendre, éreinter, esquinter, lyncher, massacrer, traîner, vilipender.

ÉCHASSIER. Aigrette, avocette, autruche, barge, bécasse, bihoreau, butor, cagou, cigogne, courlan, flamant, foulque, gallinule, gambette, grue, héron, ibis, oiseau, outarde, poule, râle, spatule, tantale, vanneau.

ÉCHAUFAUDER. Doser, élaborer, façonner, praliner, trousser.

ÉCHAUFFER. Brûler, chauffer, colère, ébouillanter, enflammer, irriter.

ÉCHAUFFOURÉE. Bagarre, bataille, combat, escarmouche, rififi, rixe.

ÉCHÉANCE. Annuité, date, expiration, terme, trimestre, unance.

ÉCHEC. Adouber, avortement, berger, bide, blanc, cavalier, clouer, colonne, culotte, dame, damer, déboire, défaite, échiquier, échouer, faillite, fiasco, flop, fou, gambit, insuccès, mat, noir, pat, pièce, pion, prise, reine, revers, roc, roi, roque, simultanée, tour, veste.

ÉCHELLE. Dimension, échalier, escabeau, escalier, gamme, hiérarchie, iso, indice, jacob, levant, marche, mesure, modalité, registre, rapport.

ÉCHELON. Barreau, degré, espace, étage, grade, niveau, ranche, rang.

ÉCHELONNER. Espacer, étager, étaler, graduer, palier, phase, ranger.

ÉCHEVEAU. Dédale, embrouillamini, imbroglio, labyrinthe.

ÉCHEVELÉ. Bacchante, déchaîné, enragé, furie, hérissé, hirsute, mégère.

ÉCHINE. Colonne, coppa, épine, dorsale, dos, longe, rachis.

ÉCHINODERME. Anémone, astéride, astérozoa, comatule, crinoïde, encrine, étoile, étoile de mer, holothurie, oursin, pentacrine, stelléride.

ÉCHO. Impact, répandre, répercuter, résonance, retentissement.

ÉCHOIR. Advenir, appartenir, dévolu, incomber, obtenir, revenir.

ÉCHOPPE. Bédane, burin, charnière, ciseau, drille, guilloche, pointe.

ÉCHOUER. Avorter, déconvenue, fiasco, foirer, manquer, obstacle, rater.

ÉCHU. Dévolu, encours, escompte, incombe, terme.

ÉCIMER. Décapiter, découronnement, découronner, étêter.

ÉCLABOUSSER. Arroser, asperger, baigner, délaver, détremper, doucher, gicler, humecter, inonder, rade, sécher, suer, touer, tremper.

ÉCLAIR. Épart, feu, flash, foudre, fulguration, idée, orage, tonnerre.

ÉCLAIRAGE. Diaphanoscopie, illumination, lampe, lumière, néon, phare.

ÉCLAIRCIR. Décanter, démêler, élucider, expliquer, polir, tailler.

ÉCLAIRCISSEMENT. Clarification, élucidation, embellissement, explication, justification, note, raclage, raclement, renseignement.

ÉCLAIRÉ. Clair, ignorant, instruit, luire, luisant, lumineux, lux, ver.

ÉCLAIRER. Animer, apporter, briller, édifier, illuminer, instruire, luire.

ÉCLAIREUR. Goum, guide, louveteau, pisteur, scout, tirailleur.

ÉCLAT. Brillant, bruit, coloris, couleur, crevaison, cri, éblouissant, éclair, écornure, éteint, feu, lueur, lustre, mat, morceau, œil, ors, pâle, papillotement, poli, rayonnement, rehausser, strass, terne, vernis.

ÉCLATER. Briser, casser, colère, crever, exploser, péter, rompre, tirer.

ÉCLIPSE. Défection, émersion, entrée, immersion, retour, solstice, sortie.

ÉCLISSE. Attelle, bandage, clisse, strass, volette.

ÉCLOPÉ. Boiteux, contusionné, écorché, encorné, estropié, étripé, froissé, gelé, infirme, lésé, mordu, mutilé, navré, offensé, ulcéré, vexé.

ÉCLORE. Apparaître, commencer, culot, fleurir, naître, percer, sortir.

ÉCLOS. Début, éveil, naissance, né, prémonitoire.

ÉCLUSE. Barrage, bief, bonde, canal, fermeture, retenue, sas, vanne.

ÉCŒURANT. Alléchant, dégoûtant, malpropre, nauséabond, révoltant.

ÉCŒURER. Choquer, colère, crier, dégoûter, décourager, indigner, insurger, mutiner, rebeller, révolter.

ÉCOLE. Collège, conservatoire, cours, couvent, doctrine, institution, lycée, manécanterie, maternelle, pension, polyvalente, système.

ÉCOLIER. Apprenti, cadet, cancre, collégien, disciple, élève, érige, étudiant, externe, interne, lycéen, maître, pensionnaire, pilotin.

ÉCOLOGISTE. Écolo.

ÉCONDUIRE. Bouler, chasser, congédier, reconduire, valdinguer.

ÉCONOME. Avare, cellérier, épargnant, parcimonieux, regardant.

ÉCONOMIE. Épargne, gain, magot, parcimonie, pécule, réserves, tirelire.

ÉCONOMISER. Épargner, gratter, lésiner, ménager, thésauriser.

ÉCONOMISTE. Administrateur, comptable, intendant, marché, questeur.

ÉCONOMISTE ALLEMAND (n. p.). List, Marx, Weber.

ÉCONOMISTE AMÉRICAIN (n. p.). Becker, Carey, Fisher, Friedman, Galbraith, Klein, , Koopmans, Kuznets, Leontief, Modigliani, Morgenstern, Nader, Samuelson, Schultz, Simon, Stigler, Tobin.

ÉCONOMISTE ANGLAIS (n. p.). Jevans, Malthus, Marshall, Mill, Ricardo, Sinclair, Stone.

ÉCONOMISTE AUTRICHIEN (n. p.). Schumpeter.

ÉCONOMISTE BELGE (n. p.). Brouckère.

ÉCONOMISTE BRÉSILIEN (n. p.). Castro.

ÉCONOMISTE BRITANNIQUE (n. p.). Beveridge, Clark, Cobden, Hayek, Keynes, Lewis, Meade, Mill, Pigou, Stone.

ÉCONOMISTE ÉCOSSAIS (n. p.). Smith.

ÉCONOMISTE ÉGYPTIEN (n. p.). Amin.

ÉCONOMISTE FRANÇAIS (n. p.). Aftalion, Allais, Barre, Bastiat, Bettelheim, Considérant, Cournot, Enfantin, Fourier, Gide, Gournay, Jouvenel, Juglar, Monnet, Passy, Perroux, Quesnay, Rist, Rossi, Rueff, Saint-Simon, Sauvy, Say, Siegfried, Turgot, Walras.

ÉCONOMISTE ITALIEN (n. p.). Einaudi, Pareto, Rossi.

ÉCONOMISTE QUÉBÉCOIS (n. p.). Bourassa.

ÉCONOMISTE NORVÉGIEN (n. p.). Frisch.

ÉCONOMISTE RUSSE (n. p.). Boukharine, Kantorovitch, Varga.

ÉCONOMISTE SUÉDOIS (n. p.). Myrdal, Ohlin.

ÉCONOMISTE SUISSE (n. p.). Sismondi.

ÉCOPE. Épuisette, pelle.

ÉCOPER. Déguster, dérouiller, ramasser, recevoir, sasse, subir, trinquer.

ÉCORCE. Arbre, brou, cannelle, cortical, écale, éplucher, enveloppe, extérieur, macis, panama, peau, regros, tan, teille, tille, zeste.

ÉCORCHER. Blesser, choquer, déchirer, dépouiller, égratigner, éplucher, érafler, érailler, excorier, griffer, grume, lacérer, peler, voler.

ÉCORCHURE. Égratignure, éraflure, éraillement, éraillure, griffure.

ÉCORNER. Ébrécher, entamer.

ÉCOSSAIS. Ayr, cairn, Calédonie, erse, esterlin, filibeg, haggis, kilt, laird, loch, pibrock, plaid, presbtutérien, scotch, scottish, tweed, whisky.

ÉCOSSAISE. Jupe, kilt, Philibeg.

ÉCOSSER. Batteuse, blé, dévider, égrapper, égrener, émietter, pois.

ÉCOT. Écoté, quota, quote-part, part, tronc.

ÉCOULEMENT. Bave, canal, dalot, débit, débord, débouché, décharge, drain, égout, égouttement, épanchement, éruption, évier, flux, gourme, hématidrose, jet, jetage, laps, larmoiement, leucorrhée, onde, otorrhée, phléborragie, saignement, stillation, suintement, torrent, vente.

ÉCOULER. Couler, épuiser, fuir, liquider, passer, refiler, vendre, vider.

ÉCOURTER. Abréger, compendieux, exposer, épitamer, etc., résumer.

ÉCOUTER. Accueillir, audition, ausculter, câble, cru, dresser, entendre, exauser, obéir, ouïr, parlementer, prêter, satisfaire, soigner, suivre.

ÉCRABOUILLER. Anéantir, aplatir, broyer, écraser, lessiver, mater.

ÉCRAN. Cacher, éventail, filtre, paravent, pare-étincelles, pare-soleil.

ÉCRASER. Accabler, anéantir, aplatir, bousiller, briser, broyer, comprimer, écacher, écorcher, écrabouiller, gruger, lessiver, mater, moudre, mouliner, piler, réduire, subir, surcharger, vaincre.

ÉCREVISSE. Astacidé, bouquet, buisson, cancre, crustacé, patte, pince.

ÉCRIN. Baguier, boîte, cassette, coffre, coffret, écriture, épi, ménagère.

ÉCRIRE. Adresser, calligraphier, composer, consigner, dactylographier, griffonner, marquer, noter, rédiger, taper, tester, tracer, transcrire.

ÉCRIT. Acte, article, barbouillage, barbouillis, braille, dire, factum, graphisme, gribouillage, journal, libelle, minute, nécrologie, nota, pamphlet, papier, récépissé, rôle, satire, script, style, tête, zend.

ÉCRITEAU. Affiche, avis, mural, pancarte, placard, poster, réclame.

ÉCRITURE. Atonalité, braille, caractère, ogham, plume, style, texte.

ÉCRIVAIN. Académie, auteur, cénacle, conteur, journaliste, lettre, nègre, poète, pseudonyme, rédacteur, romancier, scribe, scribouilleur.

ÉCRIVAIN ALGÉRIEN (n. p.). Dib, Kateb.

ÉCRIVAIN ALLEMAND (n. p.). Arnim, Benn, Bettelheim, Böll, Curtius, Durrenmatt, Goethe, Grass, Grimm, Hamsun, Hegel, Hein, Heine, Hermlin, Hesse, Jung, Jünger, Laube, Mann, Marx, Nietzche, Raabe, Singer, Storm, Süskind, Zweig.

ÉCRIVAIN AMÉRICAIN (n. p.). Asimov, Auden, Auster, Brunner, Capote, Carnegie, Clancy, Clarke, Clavell, Cook, Coonts, Crichton, Cussler, Daley, DeMille, Dick, Dreiser, Fitzgerald, Follett, Forsyth, Gray, Greene, Hailey, Hemingway, Higgins, Himes, Hitchcock, King, Lawrence, Ludlum, Mailer, Michener, Miller, Poe, Puzo, Roth, Segal, Steinbeck, Twain, Updike, Wells, West, Wilde.

ÉCRIVAIN ANGLAIS (n. p.). Dekker.

ÉCRIVAIN AUSTRALIEN (n. p.). West, White.

ÉCRIVAIN AUTRICHIEN (n. p.). Musil.

ÉCRIVAIN BELGE (n. p.). Claus, Daisne, Eekhoub, Simenon, Thiry.

ÉCRIVAIN BRÉSILIEN (n. p.). Amado, Soâres.

ÉCRIVAIN BRITANNIQUE (n. p.). Chase, Chesterton, Doyle, Defoe, Fry, Gay, Gray, Greene, Kipling, Lamb, Lawrence, Naipaul, Pater, Reade, Reid, Richardson, Ruskin, Rushdie, Scott, Stevenson, Wells.

ÉCRIVAIN CANADIEN (n. p.). Grignon, Lemelin, Nelligan, Savard.

ÉCRIVAIN CHILIEN (n. p.). Bello.

ÉCRIVAIN COLOMBIEN (n. p.). Garcia Marquez.

ÉCRIVAIN CUBAIN (n. p.). Marti.

ÉCRIVAIN DANOIS (n. p.). Abell, Branner, Drachmann, Jensen, Nexo.

ÉCRIVAIN ÉCOSSAIS (n. p.). Scott.

ÉCRIVAIN ÉQUATORIEN (n. p.). Icaza.

ÉCRIVAIN ESPAGNOL (n. p.). Aleman, Cervantès, Ganivet, Iriarte, Larra, Ors, Pla.

ÉCRIVAIN FINLANDAIS (n. p.). Aho, Kivi, Rintala.

ÉCRIVAIN FRANÇAIS (n. p.). About, Alain-Fournier, Apollinaire, Arène, Aristote, Aron, Attali, Aymé, Balzac, Barres, Baudelaire, Bazin, Beaumarchais, Berger,

Bernanos, Bloy, Bodard, Borel, Bosco, Brion, Butor, Camus, Carco, Céline, Chateaubriand, Clavel, Cocteau, Corneille, Dabit, Daninos, Daudet, Déon, Descartes, Diderot, Dorgeles, Druon, Ducis, Dumas, Exbrayat, Faret, Féval, Feydeau, Flaubert, Frossard, Gallo, Gary, Genet, Gide, Giono, Giraudoux, Green, Hémon, Hugo, Ionesco, Jaccard, Janin, Jouve, Karr, Kessel, Laborit, La Fontaine, La Martine, Leblanc, Leroux, Lévy, Lpti, Macé, Malot, Malraux, Maupassant, Mauriac, Maurois, Mérimée, Molière, Montaigne, Monteilhet, Montesquieu, Montherland, Musset, Nourissier, Péguy, Pérec, Piron, Platon, Prévost, Proust, Rabelais, Racine, Radiguet, Renan, Renard, Rolland, Romains, Rostand, Rousseau, Sade, Sartre, Stendhal, Sue, Sulitzer, Troyat, Urfé, Vercors, Verlaine, Verne, Vian, Villon, Voltaire, Zola.

ÉCRIVAIN GREC (n. p.). Athenée.

ÉCRIVAIN GUINÉEN (n. p.). Laye.

ÉCRIVAIN HOLLANDAIS (n. p.). Hooft, Slaverhoff.

ÉCRIVAIN HONGROIS (n. p.). Dery, Füst, Illyes, Koestler.

ÉCRIVAIN INDIEN (n. p.). Bana.

ÉCRIVAIN IRLANDAIS (n. p.). Steele, Wilde, Yeats.

ÉCRIVAIN ISRAÉLIEN. (n. p.). Agnon.

ÉCRIVAIN ITALIEN (n. p.). Aretin, Dante, Eco, Gadda, Luzi, Pasolini, Pavese, Pratolini, Svevo, Verga.

ÉCRIVAIN JAPONAIS (n. p.). Abe, Kobo, Mori, Ogai.

ÉCRIVAIN MEXICAIN (n. p.). Azuela, Paz, Reyes.

ÉCRIVAIN NORVÉGIEN (n. p.). Duun, Ibsen, Lie.

ÉCRIVAIN PÉRUVIEN (n. p.). Alegria, Llosa, Palma, Vargas.

ÉCRIVAIN POLONAIS (n. p.). Prus, Rej.

ÉCRIVAIN PORTUGAIS (n. p.). Herculano.

ÉCRIVAIN QUÉBÉCOIS (n. p.). Acquelin, Aktouf, Alain, Anderson, Andrès, Angers, Antoine, Archambault, Arnau, Assiniwi, Aubin, Audet, Babineau, Baillargeon, Baillie, Barcelo, Beauchamp, Beauchemin, Beaudet, Beaudoin, Beaudry, Beaulieu, Beausoleil, Bédard, Bégin, Béguin, Bélanger, Belec, Bergeron, Bernier, Berthiaume, Bertrand, Bérubé, Bessette, Bigras, Blackburn, Blais, Boissay, Boisvert, Boivin, Bonenfant, Boulerice, Boulizon,Bourdon, Brassard, Brière, Brillant, Brochu, Brodeur, Brossard, Brouillard, Brouillette, Bruens, Bujold, Bureau, Bussières, Cadet, Caron, Chabot, Chamberland, Champagne, Champetier, Charbonneau, Charland, Charron, Chatillon, Choquette, Chrétien, Claveau, Clavet, Comeau, Coppens, Corriveau, Cossette, Côté, Crémazie, Cyr, Daignault, Dansereau, Day, De Lorimier, De Vernal, Delisle, Delorme, Des Rosiers, Des Ruisseaux, Descheneaux, Désy, Dion, Dionne, Dor, Doré, Drache, Dubois, Ducharme, Duguay, Duhaime, Dumont, Dupont, Dupuis, Dussault, Duval, Fasciano, Favreau, Ferland, Filion, Findley, Folch-Ribas, Fournier, Francœur, Gaboury, Gagnon, Garneau, Garon, Gaudet, Gauthier, Gay, Gélinas, Gemme, Gendreau, Gendron, Genest, Gérin, Germain, Gervais, Gobeil, Godbout, Godin, Gosselin, Gratton, Gravel, Graveline,Grignon, Guillemet, Haeck, Hazelton, Hébert, Hénault, Hétu, Homel, Horic, Hus, Isabelle, Jacob, Jacques, Jasmin, Julien,

Kattam, Kemp, Laberge, Labrie, Lacasse, Laferrière, Lalonde, Languirand, Laplante, Lavoie, Leblond, Leclerc, Lemelin, Lemieux, Lemoine, Léveillé, Lévesque, Mainville, Major, Malenfant, Marchand, Martin-Laval, Mathieu, Matteau, Meunier, Miron, Monette, Mongrain, Montmorency, Morissette, Noël, Ohl, Olivier, Ollivier, Ouellet, Ouellette, Paradis, Paré, Pelchat, Piché, Plante, Poissant, Poliquin, Poulin, Poupart, Pratte, Prieur, Proulx, Roy, Saïa, Savard, Simard, Smith, Soucy, Soulières, Stanké, Thériault, Tremblay, Turgeon, Vadeboncœur, Vaillancourt, Vallières, Vanasse, Vastel, Vigneault, Zumthor.

ÉCRIVAIN ROUMAIN (n. p.). Eliade, Ionesco, Istrati.

ÉCRIVAIN RUSSE (n. p.). Babel, Boulgakov, Dostoïevski, Gogol, Gorki, Leonov, Soljénitsyne, Tchekhov, Tolstoï.

ÉCRIVAIN SUÉDOIS (n. p.). Ahlin.

ÉCRIVAIN SUISSE (n. p.). Amiel, Chappaz, Chessex, Cohen, Jaccottet, Hesse, Rod.

ÉCRIVAIN TCHÈQUE (n. p.). Drda, Kundera, Macha.

ÉCRIVAIN TURC (n. p.). Hikmet.

ÉCRIVAINE ALLEMANDE (n. p.). Frank.

ÉCRIVAINE AMÉRICAINE (n. p.). Brontë, Chase-Riboud, French, Higgins-Clark, Jong, Kubler-Ross, Lessing, Maclaine, McCullough, Nin, Oates, Rendell, Steel, Susann, Taylor-Bradford.

ÉCRIVAINE ANGLAISE (n. p.). Cartland, Christie, Cornwell, Highsmith, James, Westmacott, Woolf.

ÉCRIVAINE ESPAGNOLE (n. p.). Allende.

ÉCRIVAINE FRANÇAISE (n. p.). Arnothy, Avril, Boissard, Bourin, Cardinal, Chapsal, Charles-Roux, Colette, Collange, Deforges, Dolto, Dorin, Frain, Groult, Lacamp, Laclos, Le Varlet, Mallet-Joris, Monsigny, Pisier, Rivoyre, Sagan, Sand.

ÉCRIVAINE QUÉBÉCOISE (n. p.). Allard, Alonzo, Anctil, Aubry, Baillargeon, Bazin, Beaudry, Bersianik, Bissonnette, Blais, Blouin, Boisjoli, Boisvert, Bombardier, Bouchard, Boucher, Brault, Brière, Brossard, Bussières, Cadieux, Cardinal, Champagne, Cholette, Claudais, Cloutier, Corbeil, Côté, Cousture, Cyr, D'Amour, Daveluy, De Gramont, De Lamirande, Demers, Déry, Desrochers, Doyon, Dubé, Dumont, Ferretti, Ferron, Gagnon, Gauvin, Ghalem, Grisé, Harvey, Hébert, Jacob, Juteau, Laberge, Lacasse, Lanctôt, Larouche, Larue, Lasnier, Lavigne, Lemieux, Lévesque, Loranger, Maillet, Major, Mallet, Marchessault, Marineau, Martin, Michel, Miville-Deschênes, Monette, Noël, Ouellette, Ouellette-Michalska, Ouvrard, Paquette, Paris, Payette, Pelland, Plamondon, Poisson, Proulx, Rainville, Renaud, Robert, Roy, Ruel, Saint-Denis, Sarfati, Sauriol, Simard, Thériault, Tremblay, Villemaire, Villeneuve.

ÉCROUER. Détenir, emprisonner, incarcérer, interner, séquestrer.

ÉCROULEMENT. Abaissement, chute, destruction, éboulement, ruine.

ÉCROULER. Affaisser, dégrader, démolir, ébouler, effriter, enfoncer.

ÉCROÛTER. Bêcher, biner, émouvoir, herser, replier, tourner.

ÉCU. Blason, bouclier, écusson, emblème, greffe, monnaie, thorax.

ÉCUEIL. Achoppement, barrage, basse, batture, brisant, danger, écore, étoc, obstacle, péril, piège, récif, rocher, sain, sèche, traverse, vigie.

ÉCUELLE. Assiette, batée, gamelle, sébile, vaissellerie.

ÉCULÉ. Déformé, rebattu, ressassé, usé.

ÉCULER. Abîmer, abraser, abuser, amoindrir, araser, biaiser, corroder, effacer, effriter, élimer, émeri, émousser, entamer, épointer, épuiser, érafler, éroder, fatiguer, finasser, gâter, laminer, limer, meuler, miner, mordre, râper, rayer, roder, ronger, ruser, saper, servir, vider, user.

ÉCUME. Anadyomène, arcot, bave, chiasse, colère, crachat, épaulard, ferment, levure, mousse, mouton, pirate, rebut, salive, scorie, silicate, sueur.

ÉCUME (n. p.). Anadyomène, Vénus.

ÉCUMER. Baver, bouiller, crémer, enrager, mousser, piller, rager, trier.

ÉCUMEUR DES MERS. Corsaire, flibustier, pirate.

ÉCUMEUSE. Crémeuse, effervescence, mousseuse, spumeuse.

ÉCUREUIL. Arboricole, burunduk, chikaree, commun, douglas, fouquet, grêle, gris, hudson, noir, pétauriste, petit-gris, pétauriste, polatouche, suisse, souslik, spermophile, sunda, tamia, volant, xérus.

ÉCURIE. Augias, bauge, bouge, box, équipe, étable, gatelas, grange, lad.

ÉCUSSONNER. Enter, greffer.

ÉCUYER. Cavalier, crispin, lad, laquais, larbin, scapin, serviteur, valet.

ECZÉMA. Eczémateux.

EDELWEISS. Étoile d'argent, pied-de-lion.

ÉDEN. Édénique, eldorado, jardin, nirvâna, olympe, paradis.

ÉDÉNIQUE. Paradisiaque.

ÉDENTÉ. Aï, dent, fourmilier, glytodon, mammifère, oryctérope, pangolin, paresseux, tamanoir, tatou, tortue, uneau, xénarthre.

ÉDICULE. Chalet, exèdre, kiosque, pavillon, sanisette.

ÉDIFICE. Ante, chapelle, construction, dôme, épure, étage, étai, faîte, hôtel, maison, musée, odéon, ordre, pagode, saper, socle, temple, vue.

ÉDIFIER. Bâtir, conduite, construire, ériger, faire, instruire, renseigner.

ÉDILE. Conseiller, édilité, magistrat, sénat.

ÉDIT. Firman, loi, Nantes, nouvelle, règlement, ukase, union.

ÉDITER. Imprimer, lancer, livre, paraître, publier, rééditer, sortir, tirer.

ÉDITEUR. Coéditeur, imprimeur, surresmise.

ÉDITEUR CANADIEN (n. p.). Beauchemin, Stanké.

ÉDITEUR FRANÇAIS (n. p.). Flammarion, Gallimard, Grasset, Hachette.

ÉDITION. Ed, impression, parution, pilon, publication, tirage.

EDOM. Idumée.

ÉDOUARD. Ed.

ÉDREDON. Boudin, coussin, couvre-pied, crin, duvet, laine, oreiller.

ÉDUCATEUR. Édificateur, enseignant, formateur, instituteur, moniteur, moralisateur, précepteur, prof, professeur, rééducateur.

ÉDUCATION. Édification, élève, enseignement, politesse, savoir-vivre.

ÉDULCORATION. Adoucir, affadir, cyclamate, mitiger, sucrate, sucrer.

ÉDULCORER. Adoucir, affaiblir, atténuer, dulcifier, mitiger, modérer, nuancer, sucrer, tempérer.

ÉDUQUER. Dresser, édifier, élever, façonner, former, instruire, prêcher.

EFFACÉ. Bas, doux, faible, falot, humble, insignifiant, modeste, obscur, orgueilleux, petit, quelconque, simple, terne, timide, vaniteux.

EFFACER. Barrer, biffer, caviarder, corriger, détruire, échopper, gommer, gratter, indélébile, laver, oblitérer, radier, raturer, rayer.

EFFARANT. Effrayant, épouvantable, extraordinaire, incroyable, inimaginable, inouï, stupéfiant, terrifiant, troublant.

EFFARER. Abasourdir, ahurir, effaroucher, effrayer, hagard, troubler.

EFFECTIF. Efficace, positif, quantité, réel, renfort, solide, troupe, vrai.

EFFECTIVEMENT. Positivement, réellement, sûrement, véritablement.

EFFECTUER. Accomplir, exécuter, faire, gemmer, réaliser, souder.

EFFÉMINÉ. Émasculé, éon, femelle, féminin, mièvre, mou, uranien.

EFFERVESCENCE. Agitation, chaleur, ébullition, émoi, passion.

EFFET. Action, agir, agissement, bagage, brûlure, cause, choc, coloris, conséquence, fin, gag, impression, influence, mémoire, morsure, nu, nul, opérer, plaisir, ravage, rétro, son, théâtral, vain, valeur, vêtement.

EFFEUILLER. Défeuiller, dépouiller, effeuillage, striptease.

EFFICACE. Actif, agissant, énergique, opérant, puissant, radical.

EFFICACITÉ. Absolu, action, agissant, énergie, palliatif, positif, utilité.

EFFIGIE. Angle, carte, chaîne, cône, dame, dièdre, face, frimousse, géométrie, idole, litote, logique, ovale, peinture, rhétorique, roi, rond, sphère, strophe, tau, tête, tonneau, tourteau, trope, type, valet, visage.

EFFILER. Aigu, amincir, atténuer, défaire, délier, effilocher, mince.

EFFLANQUÉ. Amaigri, amenuisé, aminci, cachectique, carcan, carcasse, décharné, émaciation, étique, étisie, grêle, marasme, mince, sec.

EFFLEURER. Caresser, érafler, friser, frôler, lécher, raser, tâter, toucher.

EFFLUVE. Émanation, exhalaison, fluide, odeur, senteur, vapeur.

EFFONDREMENT. Anéantissement, chute, débâcle, écroulement, ruine.

EFFONDRER. Affaisser, céder, chuter, craquer, crouler, défoncer, disparaître, ébouler, ébranler, écrouler, ruiner, sombrer, tomber.

EFFORCER. Appliquer, attacher, chercher, combattre, escrimer, essayer, évertuer, ingénier, peiner, tâcher, tenter, vouloir.

EFFORT. Ahan, ahaner, application, contention, fatigué, hernie, mobilisation, peine, pesée, réaction, rush, tension, travail, violence.

EFFRACTION. Brigandage, bris, cambriolage, extorsion, forcement, hémorragie, pillage, raid, racket, rapine, tire, vol.

EFFRAIE. Chouette, hibou, hulotte.

EFFRAYANT. Abominable, alarmant, affolant, affreux, effroyable, épouvantable, horrible, monstrueux, redoutable, terrible, terrifiant.

EFFRAYER. Affoler, alarmer, angoisser, apeurer, effarer, effaroucher, épouvanter, horrifier, inspirer, peur, ressentir, terrifier, terroriser.

EFFRÉNÉ. Débridé, délire, échevelé, endiablé, enragé, érinye, excessif, fanatisme, frénésie, furieux, ivresse, pythie, rage, rager, violence.

EFFROI. Crainte, épouvante, frayeur, horreur, panique, peur, terreur.

EFFRONTÉ. Culotté, cynique, déluré, drôle, galopin, grossier, hardi, impertinent, impoli, impudent, inconvenant, insolent, osé, polisson.

EFFRONTERIE. Culot, cynisme, gouaille, indiscrétion, insolence, toupet.

EFFROYABLE. Atroce, affreux, effrayant, horrible, terrible, tragique.

ÉGAL. Équi, indifférent, iso, lisse, même, niveau, pair, pareil, plat, uni.

ÉGALEMENT. Aussi, balancement, comme, comparable, continuation, équivalent, itou, même, nivellement, pareillement, plus, semblable.

ÉGALER. Atteindre, balancer, compenser, équivaloir, répartir, valoir.

ÉGALISER. Aplanir, araser, doubler, niveler, polir, taquer, tempérer.

ÉGALITÉ. Équation, iso, niveau, pair, parité, ressemblance, symétrie.

ÉGARD. Assiduité, attention, courtoisie, déférence, estime, gentillesse, hommage, ménagement, politesse, préférence, respect, soin.

ÉGARÉ. Adiré, clairsemé, dévoyé, désaxé, dispersé, disséminé, éparpillé, épars, éperdu, fourvoyé, ivre, perdu, sporadique, troublé.

ÉGAREMENT. Délire, effarement, folie, ivresse, mémoire, oubli, vertige.

ÉGARER. Abuser, adirer, aliéner, dérouter, désorienter, dévoyer, écarter, errer, fourvoyer, ivre, paumer, perdre, pervertir, tromper.

ÉGAYER. Amuser, animer, délasser, dérider, divertir, orner, railler, rire.

ÉGIDE. Appui, auspices, bouclier, Minerve, patronage, protection.

ÉGLANTIER. Cynorrhodon, rosier sauvage, rose, rosier des haies.

ÉGLISE. Abbatiale, abside, basilique, cathédrale, chapelle, chœur, clergé, couvent, doctrine, dogme, églisehalle, épiscopat, fabrique, liturgie, maronite, nef, oratoire, pastoral, saderdoce, sanctuaire, secte, temple, transept.

ÉGLOGUE. Bucolique, idylle, partorale, poème, poésie.

ÉGLOGUE (n. p.). Chénier, Dante, Pétraque, Ronsard, Théocrite, Virgile.

EGO. Âme, bibi, empathie, intérêt, je, mien, moi, personnel, vous.

ÉGOÏNE. Air, dosseret, godendard, mouche, musique, refrain, rengaine, sauteuse, scie, sciotte, trait.

ÉGOÏSME. Amour-propre, autolâtrie, avarice, égocentrisme, individualisme, intérêt, je, moi, narcissisme, personnel, soi-même.

ÉGOÏSTE. Altruiste, désintéressé, dévoué, généreux, moi, oisif.

ÉGORGER. Dépouiller, écorcher, étrangler, plumer, saigner, tuer.

ÉGOUT. Bouche, bourbier, canal, cloaque, collecteur, égoutier, ordure, puisard, regard, sentine.

ÉGOUTTOIR. Cagerotte, clayon, clisse, éclisse, faisselle, hérisson, if, passoire, porte-bouteilles, tamis.

ÉGRAPPER. Batteuse, blé, dévider, écosser, égrener, émietter.

ÉGRATIGNER. Blesser, critiquer, déchirer, écorcher, dénigrer, effleurer, épingler, érafler, grafigner, griffer, médire, piquer, rayer.

ÉGRENER. Batteuse, blé, dévider, écosser, égrapper, émietter.

ÉGYPTE. Biblique, bohémien, plaie, pyramide, soudon, typographique.

ÉGYPTE (n. p.). Apis, Apophis, Horus, Ibis, Isis, Khédive, Nil, Nitocris, Nomarque, Osiris, Pschent, Râ, Ramsès, Sésostris, Tanît, Thébaïde, Thot, Uraeus.

ÉGYPTIEN. Alexandrin, arabe, copte, crue, doum, hiéroglyphe, momie, nome, obélisque, papyrus, pharaon, pyramide, sphynx, stèle.

ÉHONTÉ. Cynique, effronté, honteux, impudent, insolent, scandaleux.

EIDER. Canard.

EINSTEINIUM. Es.

EISENHOWER (n. p.). Ike.

ÉJECTION. Évacuation, éviction, expultion, lancement, rejet, renvoi.

EKTACHROME. Film, photo, photographie.

ÉLABORATION. Conception, exécution, fabrication, mellification.

ÉLABORÉ. Assimilable, perfectionné, recherché, sophistiqué.

ÉLABORER. Concocter, confectionner, construire, créer, réaliser.

ÉLAGUER. Couper, dégager, ébrancher, écot, étêter, émonder, tailler.

ÉLAGUEUR. Cisaille, croissant, émondeur, serpe, tailleur, tronqueur.

ÉLAN. Ardeur, aspiration, bond, envolée, erre, essor, foucade, fougue, geste, mouvement, orignal, passion, progrès, saut, tremplin, zèle.

ÉLANCÉ. Aigu, allongé, délicat, délié, effilé, élégant, épais, étroit, fil, filiforme, fin, fluet, folié, fragile, frêle, fuselé, gracile, grêle, gros, lame, large, long, maigre, menu, mince, petit, pincé, pruine, ru, svelte, ténu.

ÉLANCON. Étai.

ÉLARGIR. Aléser, arrondir, dilater, écarter, étendre, évaser, grossir.

ÉLARGISSEMENT. Agrandissement, libération, stomatoplastie.

ÉLASTICITÉ. Anélasticité, étirable, flexibilité, ressort, souplesse.

ÉLECTION. Adoption, bulletin, choix, consultation, opinion, plébiscite, préférence, référendum, scrutin, suffrage, urne, votation, vote, urne.

ÉLECTRIQUE. Ampère, capteur, dissociation, hydro, survolté, volt.

ÉLECTRISER. Allumer, animer, embraser, exciter, passionner.

ÉLECTROCUTION. Anode, anodisatrode, exécution, penthode.

ÉLECTRODE. Anode, cathode, diode, lampe, grille, penthode, tétrode.

ÉLECTRON. Ev, microsonde, négaton, positon, volt, wehnelt.

ÉLECTUAIRE. Catholicon, diascordium, épithème, opiat.

ÉLÉGANCE. Allure, beauté, chic, classe, commun, cri, distinction, finesse, grâce, goût, grossier, lourd, luxe, mode, pureté, vénusté, vulgaire.

ÉLÉGANT. Beau, chic, coquet, dandy, distingué, élancé, snob, soigné.

ÉLÉGIE. Diminution, mélancolie, muse, poème.

ÉLÉMENT. Air, composant, détail, eau, feu, iode, ion, isotope, item, milieu, notion, partie, pièce, principe, substance, synthèse, unité.

ÉLÉMENT CHIMIQUE. Actinium (Ac), aluminium (Al), américium (Am), antimoine (Sb), argent (Ag), argon (Ar), arsenic (As), astate (At), azote (N), baryum (Ba), berkélium (Bk), béryllium (Be), bismuth (Bi), bore (B), brome (Br), cadmium (Cd), calcium (Ca), californium (Cf), carbone (C), cérium (Ce), césium (Cs), chlore (Cl), chrome (Cr), cobalt (Co), cuivre (Cu), curium (Cm), dysprosium (Dy), einsteinium (Es), erbium (Er), étain (Sn), europium (Eu), fer (Fe), fermium (Fm), fluor (F), francium (Fr), gadolinium (Gd), gallium (Ga), germanium (Ge), hafnium (Hf), hahnium (Ha), hélium (He), holmium (Ho), hydrogène (H), indium

(In), iode (I), iridium (Ir), kourchatovium (Ku), krypton (Kr), lanthane (La), lawrencium (Lr), lithium (Li), lutécium (Lu), magnésium (Mg), manganèse (Mn), mendélévium (Md), mercure (Hg), molybdène (Mo), néodyme (Nd), néon (Ne), neptunium (Np), nickel (Nl), niobium (Nb), nobélium (No), or (Au), osmium (Os), oxygène (O), palladium (Pd), phosphore (P), platine (Pt), plomb (Pb), plutonium (Pu), polonium (Po), potassium (K), praséodyme (Pr), prométhium (Pm), protactinium (Pa), radium (Ra), radon (Rn), rhénium (Re), rhodium (Rh), rubidium (Rb), ruthénium (Ru), samarium (Sm), scandium (Sc), sélénium (Se), silicium (Si), sodium (Na), soufre (S), strontium (Sr), tantale (Ta), technétium (Tc), tellure (Te), terbium (Tb), thallium (Tl), thorium (Th), thulium (Tm), titane (Ti), tungstène (W), uranium (U), vanadium (V), xénon (Xe), ytterbium (Yb), yttrium (Y), zinc (Zn), zirconium (Zr).

ÉLÉMENTAIRE. Abécédaire, notion, rudimentaire, simple, sommaire.

ÉLÉPHANT. Barreter, barrissement, élé, ivoire, trompe, phanteau, ivoire, mammouth, mastodonte, pachyderme, proboscidien.

ÉLÉPHANTESQUE. Colossal, énorme, gigantesque, immense, mastodonte.

ÉLEVAGE. Apiculture, aquiculture, auge, aviculture, embouche, héliciculture, parc, salmoniculture, terrarium, trotting, trutticulture.

ÉLÉVATION. Altitude, arsis, ascension, augmentation, élevé, éminence, enseuillement, fièvre, grandeur, haut, hauteur, hyperthermie, messe, mont, montagne, montée, noblesse, poulie, réa, sublime, tertre.

ÉLÈVE. Apprenti, cadet, collégien, disciple, écolier, érige, étudiant, externe, interne, lycéen, maître, pensionnaire, pilotin, rapin, rat.

ÉLEVÉ. Accru, beau, cher, dignité, élévation, fier, grade, grand, haut, hauteur, hissé, noble, poulie, promu, soutenu, sublime, supérieur.

ÉLEVER. Bâtir, construire, crier, dispenser, éduquer, ériger, former, grouper, lever, monter, nourrir, poétiser, promouvoir, soulever.

ÉLEVEUR. Aviculteur, faisandier, herbager, oiseleur, sériculteur.

ÉLEVURE. Bouton, bulle, militaire, pustule, suçon, vésicule.

ELFE. Esprit, follet, génie, lutin, sylphe.

ÉLIMER. Défraîchi, égruger, limer, pulvériser, râper, usagé, user.

ÉLIMINATION. Ammoniurie, détartrage, excrétion, menstruation.

ÉLIMINER. Abstraire, anéantir, bannir, détruire, écarter, enlever, évincer, excréter, ôter, sortir, suer, supprimer, tirer, trier, tuer, urée.

ÉLINGUE. Brayer, cordage.

ÉLIRE. Choisir, désigner, nommer, plébisciter, réélire, trier, voter.

ÉLISION. Apostrophe, article.

ÉLITE. Aristocratie, as, choix, crème, éminent, fleur, garde, gratin, grenadier, guide, lie, premier, qualifié, quantité, sélectif, supérieur.

ELLE. Éon, femme, fille, lui, soi.

ELME. Érasme.

ÉLOCUTION. Articulation, débat, débit, diction, parler, prononciation.

ÉLOGE. Apologie, apothéose, compliment, congratulation, dithyrambe, encens, félicitations, flatter, louange, panégyrique, triomphe.

ÉLOIGNÉ. Écarté, détourné, distance, isolé, loin, lointain, perdu, reculé.

ÉLOIGNEMENT. Absence, dégoût, distance, nostalgie, recul, sûreté.

ÉLOIGNER. Absenter, aliéner, arracher, détacher, disparaître, distancer, écarter, évincer, exiler, fuir, isoler, partir, reléguer, retirer, séparer.

ÉLONGER. Allonger, détirer, égrener, épandre, étaler, étendre, étirer, lever, paver, semer, tirer.

ÉLOQUENCE. Ardeur, art, dire, bagout, brillant, brio, chaleur, charme, conviction, écrire, faconde, muse, orateur, oratoire, rhétorique, verve.

ÉLU. Bienheureux, censitaire, choisi, député, papable, saint, sénateur.

ÉLUCIDER. Clarifier, débrouiller, éclaircir, embrouiller, obscurcir.

ÉLUDER. Détour, escamoter, esquiver, éviter, négation, non, tourner.

ÉLUSIF. Éluder, enfuir, évasif, éviter, fuir, obvier, pallier, parer, partir.

ELVIS (n. p.). Aron, Gladys, Graceland, Gratton, Lisa-Marie, Memphis, Mississippi, Pelvis, Presley, Priscilla, Tupelo, Vermon.

ÉLYTRE. Abri, aile, aileron, aliforme, aviateur, flanc, pale, penne, plume, régime, spoiler, tache, talonnière, voilure, voler.

ÉMAIL. Allumé, décoration, émaillure, métal, nielle, porcelaine, vernis.

ÉMANATION. Agréable, arôme, bouffée, ectoplasme, effluence, effluve, exhalaison, ichor, odeur, parfum, miasme, mofette, radon, senteur.

ÉMANCIPÉ. Affranchi, dégagé, délié, détaché, libéré, relâché.

ÉMANER. Dégager, élever, exhaler, inhaler, partir, pulvériser, sortir.

EMBALLAGE. Berlingot, empaquetage, enveloppe, récipient, tine.

EMBALLÉ. Charmé, enchanté, heureux, joyeux, ravi, réjoui.

EMBALLER. Attacher, emboîter, entourer, envelopper, remballer.

EMBARCADÈRE. Appontement, cale, débarcadère, dock, gare, quai.

EMBARCATION. Accon, acon, allège, bachot, baleinière, barge, barque, bateau, canoë, canot, catamaran, chaloupe, esquif, flette, gondole, kayak, nacelle, oumiak, pédalo, périssoire, pirogue, prame, rafiot, skiff, vedette, verchère, yacht, yole, youyou.

EMBARDÉE. Déflexion, déviation, écart, échappée, escapade, faute.

EMBARGO. Bannir, déconcerter, défendre, embarrasser, interdire.

EMBARQUER. Débarquer, emporter, monter, partir, rembarquer.

EMBARRAS. Aria, chiqué, complication, danger, difficulté, doute, enchifrènement, ennui, esbroufe, gêne, honte, pétris, pose, snob.

EMBARRASSANT. Ennuyeux, épineux, gênant, malencontreux, obstacle.

EMBARRASSÉ. Confus, contourné, contraint, décidé, décontenancé, démonté, égaré, étonné, filandreux, gauche, gêné, hardi, honteux, indécis, pâteux, penaud, perdu, perplexe, résolu, sot, timide.

EMBARRASSER. Dérouter, encombrer, entraver, gêner, obstruer.

EMBASSADEUR. Consul, diplomate, émissaire, envoyé, légat, nonce.

EMBAUCHER. Demander, embrigader, engager, enjôler, enrôler, recruter, inciter, louer, recruter, traiter.

EMBECQUER. Absorber, avaler, becter, bouffer, brouter, consommer, croquer, déguster, dévorer, dîner, gaver, gorger, goûter, grignoter, happer, ingérer, mâcher, paître, pignocher, ronger, sustenter, vider.

EMBÉGUINER. Éprendre.

EMBELLIR. Border, décorer, enjoliver, flatter, ornementer, orner, parer.

EMBELLISSEMENT. Amélioration, arrangement, décoration, enjolivement, garniture, fioriture, ornement, parement, parure.

EMBÊTANT. Affligeant, agaçant, assommant, barbant, contrariant, déplaisant, désagréable, désolant, emmerdant, empoisonnant, ennuyeux, enquiquinant, fâcheux, gênant, importunant, navrant, rasoir.

EMBÊTER. Assiéger, assommer, cramponner, déranger, ennuyer, excéder, importuner, obséder, persécuter, peser, raser, suer, tanner.

EMBLÈME. Armoiries, attribut, balance, blason, écusson, fuscine, image, insigne, lis, médaille, myrte, phrygien, signe, symbole, tiroir.

EMBOBELINER. Cajoler, enjôler, ficeler, flatter, mensonge, tromper.

EMBOBINER. Bobiner, circonvenir, emberlificoter, embobeliner, enjôler, enrouler, entortiller, ficeler.

EMBOÎTER. Ajuster, assembler, encastrer, enchâsser, engager, entrer, envelopper, glisser, infiltrer, insinuer, introduire, mouler, pénétrer.

EMBONPOINT. Corpulence, enflure, graisse, gros, grosseur, gourmandise, obésité, pléthore, réplétion, rondelet, rondeur.

EMBOUCHURE. Bocal, bouche, delta, embouchoir, estuaire, grau, tétine.

EMBOURBER. Embarrasser, emberlificoter, empêtrer, enferrer, enfoncer, engluer, enliser, envaser, patauger, perdre.

EMBOUT. About, ferret.

EMBOUTEILLER. Boucher, bouchon, congestionner, embarrasser, embouteiller, encombrer, entasser, obstruer, saturer, surproduire.

EMBOUTIR. Calfater, choquer, cogner, défoncer, étendre, fermer, frapper, frotter, heurter, oindre, percuter, tamponner, télécosper.

EMBRANCHEMENT. Chemin, fourche, partie, phanérogame, ver.

EMBRASEMENT. Ardeur, crémation, feu, flamme, incendie, sinistre.

EMBRASER. Activer, agacer, agiter, allumer, altérer, animer, apitoyer, attirer, attiser, aviver, brûler, causer, charmer, émoustiller, énerver, éveiller, exalter, inciter, piquer, remuer, soulever, sus, va.

EMBRASSEMENT. Accolade, baisement, baiser, bec, caresse, étreinte.

EMBRASSER. Adopter, baiser, biser, choisir, enlacer, étreindre, serrer.

EMBRIGADER. Demander, engager, enjôler, enrégimenter, enrôler, recruter, inciter, louer, recruter, traiter.

EMBROUILLER. Embarrasser, emmêler, imbroglio, mélanger, mêler.

EMBRYON. Alantoïde, bourgeon, fœtus, ovule, placenta, plantule.

EMBRYONNAIRE. Fivete, fœtal, initial, larvaire, ouraque, primitif.

EMBÛCHE. Aiche, appât, appeau, attrape, cage, danger, difficulté, écueil, embuscade, esche, filet, gluau, insidieux, leurre, nasse, obstacle, os, panneau, piège, ratière, rets, ruse, souricière, syllabe, trappe, traquet.

ÉMÉCHÉ. Gris, ivre, pompette, saoul, soûl.

ÉMERAUDE. Ague-marine, gemme, morillon, noces, smaragdin, vert.

ÉMERGENCE. Absence, agio, écart, contraste, dénivellation, dénivellement, discordance, dissemblance, distinction, divergence, diversité, inégalité, nuance, opposition, sexe, tension, variété.

ÉMERGER. Naître, nager, paraître, ressurgir, sortir, surgir, venir.

ÉMÉRITE. Adroit, brillant, distingué, éminent, insigne, remarquable.

ÉMERVEILLEMENT. Admiration, éblouissement, emballement, enchantement, engouement, enthousiasme, ravissement.

ÉMERVEILLER. Charmer, éblouir, étonner, fasciner, surprendre.

ÉMÉTIQUE. Algaroth, vomitif.

ÉMETTRE. Aspirer, claqueter, créer, diffuser, dire, énoncer, jeter, luire.

ÉMEUTE. Agitation, insurrection, meute, mutinerie, pogrom, pogrome, rébellion, révolte, sédition, soulèvement, trouble.

ÉMIER. Égrener, émietter.

ÉMIETTER. Broyer, disperser, égrener, émier, fragmenter, paner.

ÉMIGRATION. Exil, exode, expatriation, immigration, relégation.

ÉMIGRER. Essaimer, expatrier, fuir, migrer, or, rapatrier, rat, réfugier.

ÉMINENCE. Cardinal, colline, élévation, Ém., excellence, grise, hauteur, mont, montagne, protubérance, saillie, téocalli, tertre, tumeur.

ÉMIR. Prince, souverain.

ÉMIS. SOS.

ÉMISSAIRE. Agent, bouc, chargé, délégué, député, envoyé, espion.

ÉMISSION. Antenne, irradiation, jet, luminescence, rot, ruissellement.

ÉMISSOLE. Chien de mer.

EMMAILLOTER. Bobiner, envider, langer, serpenter, tordre, tortiller.

EMMÊLER. Brouiller, embrouiller, enchevêtrer, mélanger, mêler.

EMMENER. Amener, conduire, emporter, entraîner, mener, traîner.

EMMERDER. Amuser, barber, canuler, distraire, divertir, égayer, embêter, enquiquiner, lasser, récréer, réjouir, tanner, tartir, vexer.

EMMITOUFLER. Couvrir, déguiser, envelopper, habiller.

ÉMOLUMENTS. Appointements, commission, gain, rétribution, salaire.

ÉMONDER. Décortiquer, ébrancher, élaguer, jardiner, tailler, têtard.

ÉMOTIF. Affectif, colérique, nerveux, sensible, sentimental.

ÉMOTION. Agitation, bouleversement, choc, commotion, coup, cri, émoi, ému, fièvre, frisson, ire, sentiment, souci, transe, traumatisme, trouble.

ÉMOTIONNER. Angoisser, choquer, commotionner, émouvoir, troubler.

ÉMOTTER. Herser.

ÉMOUSSER. Arrondir, blaser, énerver, épointer, gâter, paralyser, user.

ÉMOUVANT. Attendrissant, bouleversant, déchirant, impressionnant, navrant, pathétique, poignant, prenant, saisissant, touchant, troublant.

ÉMOUVOIR. Affecter, agiter, amadouer, apitoyer, attendrir, choquer, fléchir, perturber, remuer, retourner, saisir, sympathiser, toucher.

EMPAILLEUR. Canneur, naturaliste, rempailleur, taxidermiste.

EMPALMER. Embaumer, empalmage, empaumer.

EMPAN. Alépine, alun, basin, batiste, batik, bord, bure, casimir, cati, cotonnade, drap, escot, étamine, feutre, gaze, grain, granité, lé, laine, linge, ottoman, mérinos, mohair, moire, pan, ras, ratine, rep, satin, satinette, sergé, soie, suédine, surah, taffetas, tarlatane, tartan, tenture, textile, tissu, trentain, tulle, tussor, un, uni, velours, zénana.

EMPARER. Accaparer, approprier, capturer, prendre, saisir, usurper.

EMPÂTÉ. Adipeux, arrondi, baveux, beurre, bouffi, charnu, corpulent, décharné, dodu, étique, étoffé, fort, graisse, gras, gros, huileux, lard, maigre, obèse, onctueux, pansu, pâteux, plein, potelé, replet, taché.

EMPÊCHEMENT. Barrière, écueil, embarras, entrave, obstacle.

EMPÊCHER. Arrêter, barrer, consigner, entraver, éviter, fermer, gêner, interdire, modérer, museler, neutraliser, opposer, retenir, séparer.

EMPEREUR. Bataille, César, empire, impérial, kaiser, légat, mikado, monarque, palmipède, rescrit, roi, sénat, sire, sultan, trône, tsar, tzar.

EMPEREUR D'ALLEMAGNE (n. p.). Adolphe de Nassau, Arnoul, Conrad, François, Frédéric, Joseph, Léopold, Otton, Robert le Bref, Rodolphe, Venceslas.

EMPEREUR D'AUTRICHE (n. p.). Charles, Ferdinand, François.

EMPEREUR DE BULGARIE (n. p.). Tsar.

EMPEREUR BYZANTIN (n. p.). Bardane, Basile, Constantin, Léon, Manuel, Maurice, Michel.

EMPEREUR DE CHINE (n. p.). Yao.

EMPEREUR D'ÉTHIOPIE (n. p.). Sélassié.

EMPEREUR DE FRANCE (n. p.). Napoléon.

EMPEREUR GERMANIQUE (n. p.). Mathias.

EMPEREUR GREC (n. p.). Romain, Théodose.

EMPEREUR D'IRAN (n. p.). Pahlavi.

EMPEREUR DE MONGOLIE (n. p.). Ogoday.

EMPEREUR D'OCCIDENT (n. p.). Anthémius, Augustulus, Avitus, Constantius, Glycérius, Honorius, Julius, Majorien, Nepos, Olybrius, Pétrone, Romulus, Sévère, Valentin.

EMPEREUR D'ORIENT (n. p.). Arcadius, Arsène, Léon, Marcian, Theodosius, Zénon.

EMPEREUR ROMAIN (n. p.). Alexandre, Antonin, Apostolat, Auguste, Aurélien, Balbin, Balbinus, Caligula, Caracalla, Carin, Carus, Claude, Commode, Constance, Constant, Constantin, Decius, Didius, Dioclétien, Domitien, Élagabal, Émilien, Eugène, Florien, Galba, Galère, Gallien, Gallus, Geta, Gordien, Gratian, Hadrien, Héliogabale, Jovien, Julianus, Licinius, Marc-Aurèle, Macrin, Magnence, Maxence, Maxime, Maximien, Maximin, Néron, Nerva, Numérien, Octave, Othon, Pertinax, Philippe l'Arabe, Probus, Pupien, Septime, Sévère, Tacite, Théodose, Tibère, Titus, Trajan, Valens, Valentinien, Valérien, Vérus, Vespasien, Vittelius, Zénon.

EMPEREUR RUSSE (n. p.). Nicolas, Paul, Pierre, Tsar.

EMPEREUR DU VIETNAM (n.p). Baodai.

EMPESAGE. Amidonnage, apprêt, dur, étude, raidir.

EMPESTER. Empuantir, infecter, puer, sentir, renfermé, sentir, vicier.

EMPÊTRER. Embarrasser, entraver, lier, merdoyer, vasouiller.

EMPHASE. Affectation, ampoule, enflure, excès, hyperbole, ithos, naturel, pathos, pompe, pompier, prétention, simplicité, solennité.

EMPHATIQUE. Bouffi, grand, guindé, pompeux, ronflant, solennel.

EMPIÉTER. Anticiper, chasser, déborder, dépasser, envahir, usurper.

EMPILER. Accumuler, amasser, entasser, gerber, tromper, voler.

EMPIRE. Abeille, autorité, empereur, pouvoir, puissance, royaume.

EMPIRE (n. p.). Britannique, bysantin, incas, orient, romain.

EMPIRER. Aggraver, aigrir, augmenter, aviver, envenimer, péricliter.

EMPLACEMENT. Abri, étal, gatte, lieu, local, place, site, stand, terrain.

EMPLÂTRE. Antiphlogistique, cataplasme, compresse, diachylon, magdaléon, mou, résolutoire, révulsif, sinapisme, thapsia.

EMPLETTE. Achat, acquisition, chaland, commande, course, échange.

EMPLIR. Bonder, bourrer, bonder, charger, combler, enfumer, engrener, envahir, farcir, garnir, infester, occuper, remplir, truffer.

EMPLOI. Boulot, carrière, place, poste, situation, titre, travail, usage.

EMPLOYÉ. Agent, cadre, clerc, commis, facteur, job, lampiste, livreur, peseur, postier, préposé, salarié, sert, traminot, usé, usité, utilisé.

EMPLOYER. Action, donner, faire, ménager, occuper, user, utiliser, zèle.

EMPOCHER. Accepter, accueillir, adopter, agréer, avoir, capter, cuir, écoper, émarger, essuyer, gagner, héberger, hériter, initier, loger, obtenir, palper, prendre, récolter, sentir, souffrir, subir, toucher, voir.

EMPOIGNER. Agripper, attraper, émouvoir, prendre, saisir, serrer.

EMPOISONNANT. Assommant, barbant, casse-pieds, embêtant, emmerdant, ennuyeux, enquiquinant, puant, rapoir, tuant, upas.

EMPOISONNÉ. Envenimé, gâté, infecté, intoxiqué, toxique, vénéneux.

EMPOISONNEMENT. Avanie, avatar, botulisme, ennui, intoxication.

EMPORTÉ. Déchaîné, enragé, fanatique, furieux, passionné, vif, violent.

EMPORTEMENT. Avertin, colère, décharnement, emmener, entraîner, fougue, frénésie, fureur, furie, impétuosité, ire, passion, scène.

EMPORTER. Arracher, enlever, entraîner, ôter, rafler, transporter.

EMPOTÉ. Empêtré, épais, guindé, incapable, maladroit, pattu, paysan.

EMPOURPRER. Colorer, dorer, ensanglanter, rouge, rougir.

EMPREINT. Abondant, ample, animé, bondé, bourré, chargé, comble, complet, couvert, débordant, dense, dodu, étoffé, farci, fort, gras, gros, ivre, massif, morne, nourri, plein, potelé, ras, rempli, replet, rond, saturé, senti, seul, sévère, vidé.

EMPREINTE. Cachet, caractère, coin, ectype, flan, fossile, fumé, griffe, impression, marque, médaille, morne, piste, sceau, trace, type, vestige.

EMPRESSÉ. Affairé, assidu, attentif, attentionné, complaisant, dévoué, diligent, galant, impatient, prévenant, prompt, zélé.

EMPRESSEMENT. Chaleur, diligence, élan, galanterie, hâte, précipitation.

EMPRESSER. Accélérer, affairer, courir, démener, dépêcher, hâter.

EMPRISONNEMENT. Captivité, détention, écrou, enfermement, fermer, incarcération, internement, prison, réclusion, séquestration, tôle.

EMPRISONNER. Détenir, écrouer, incarcérer, interner, séquestrer.

EMPRUNT. Anglicisme, compilation, embarras, imitation, prêt, rente.

EMPRUNTÉ. Affecté, artificiel, contraint, embarrassé, pris, tiré.

EMPRUNTER. Artificiel, embarrassé, guinder, imiter, péage, plagier, pseudonyme, prendre, prêter, prime, puiser, taper, tirer, user, voler.

EMPUANTI. Infecter, irrespirable, puer, renfermé, sentir, vicier.

EMPYRÉE. Astre, azur, calotte, céleste, ciel, cieux, climat, coupole, éther, exil, firmament, frise, lit, mythologie, Olympe, paradis, séjour, voûte.

ÉMU. Agité, émotion, gris, ivresse, noir, parti, rond, saoul, soûl, trouble.

ÉMULATION. Antagonisme, assaut, combat, course, jalousie, lutte, zèle.

ÉMULE. Adversaire, candidat, concurrent, ennemi, prétendant, rival.

ÉMULSION. Amandié, anionique, crémage, latex, looch, mûrir, panchromatique.

EN. Dans, date, dedans, es.

ENCADREMENT. Bande, bord, cadre, chambranle, côté, marge, zone.

ENCADRER. Border, enserrer, entourer, insérer, marger, ourler.

ENCAISSER. Boxeur, endurer, recevoir, rentrée, rivière, route, toucher.

ENCARTER. Enchâsser, enficher, inclure, incruster, insérer, intercaler.

ENCASTRER. Enchâsser, enficher, inclure, incruster, insérer, intercaler.

ENCAUSTIQUER. Appliquer, bitumer, cirer, couvrir, crépir, encrer, enduire, engommer, étaler, farter, gluer, gommer, lustrer, recouvrir, résiner, revêtir.

ENCEINDRE. Cerner, encercler, enclore, entourer, envelopper, investir.

ENCEINTE. Cirque, clôture, contour, mur, parc, pourpris, rempart, ring.

ENCENS. Clerc, encensoir, flatteur, galipot, louange, navette, oliban.

ENCENSER. Aimer, iconolâtrie, idolâtrer, ignocoler, honorer, vénérer.

ENCÉPHALITE. Kuru.

ENCERCLEMENT. Blocus, investissement, siège.

ENCERCLER. Cerner, enclore, entourer, envelopper, fermer, investir.

ENCHAÎNEMENT. Destin, fil, intrigue, karma, suite, tachypsychie.

ENCHAÎNER. Attacher, continuer, joindre, lier, menotter, river, suivre.

ENCHANTEMENT. Bonheur, charme, fée, magie, paradis, ravissement.

ENCHANTÉ. Content, ensorcellé, envoûté, fasciné, magique, ravi, séduit.

ENCHANTER. Charmer, envoûter, féerer, intéresser, ravir, séduire.

ENCHANTEUR. Charmant, magicien, Merlin, séducteur, séjour.

ENCHÂSSEMENT. Emboîtement, encastrer, montage, serte, sertie, sertir.

ENCHÂSSER. Emboîter, encadrer, encastrer, enchâssement, enchâssure, enchâtonner, insérer, intercaler, jable, monter, reliquaire, sertir.

ENCHÈRE. Adjudication, criée, encan, licitation, surenchère, vente.

ENCHEVÊTRÉ. Embarrassé, emmêlé, filandreux, plique, tissu, trame.

ENCHEVÊTREMENT. Confusion, embrouillamini, embrouillement, emmêlement, fouillis, imbrication, imbroglio, interpénétration, intrication, labyrinthe, plique.

ENCHEVÊTRER. Brouiller, embrouiller, emmêler, entrelacer, erg, mêler.

ENCLAVER. Enchâsser, enficher, inclure, incruster, insérer, intercaler.

ENCLIN. Géant, jouette, malin, penchant, pervers, porté, sujet.

ENCLORE. Clôturer, encercler, enclaver, enfermer, enserrer, entourer.

ENCLOS. Clôture, corral, courtine, jardin, mur, parc, pâturage.

ENCLUME. Bigorne, billot, dé, embase, forge, oreille, ressaut, tas.

ENCOCHE. Adent, coche, coupure, cran, crevasse, dame, échancrure, entaille, éraflure, faille, fente, onglet, raie, rainure, ruinure, surlé.

ENCODER. Code, code-barres, cryptage, décalogue, deuteronome, titre.

ENCOIGNURE. Amure, angle, angrois, biseau, cachet, caractère, coin, corne, empreinte, estampille, marque, poinçon, recoin, sceau.

ENCOLURE. Cheval, cou, frivolité, jabot, parmenture, poitrail, rouvieux.

ENCOMBRANT. Embarrassant, gênant, importun, pesant, volumineux.

ENCOMBREMENT. Accumulation, amas, barda, bouchon, congestion, dimension, embouteillage, encombre, saturation, volume.

ENCOMBRER. Amas, barda, boucher, congestionner, embarrasser, embouteiller, entasser, farcir, obstruer, saturer, surproduire.

ENCORE. Ainsi, aussi, autant, bis, même, plus, quand, quoique, toujours.

ENCOURAGER. Aider, animer, applaudir, apporter, approuver, appuyer, conforter, décider, engager, enhardir, exalter, exciter, exorter, favoriser, flatter, inciter, inviter, piquer, porter, pousser, quête.

ENCOURIR. Attirer, exposer, mériter, occasionner, risquer.

ENCRE. Dessin, écrire, encrier, lavis, moine, ponce, typographie.

ENDETTER. Contracter, devoir, grever, obérer.

ENDIABLÉ. Débridé, fougueux, impétueux, indiscipliné, infernal, vif.

ENDIVE. Chocon, chicorée de Bruxelles, chicorée de Witloof.

ENDOCTRINER. Catéchiser, enrôler, influencer, matraquer.

ENDOMMAGER. Abîmer, avarier, briser, détériorer, gâter, ruiner, user.

ENDORMEUR. Amorphe, apathique, dormir, lent, somnifère, tsé-tsé.

ENDORMI. Amorphe, apathique, assoupi, indolent, mou, somnolent.

ENDORMIR. Anesthésier, assoupir, bercer, chloroformer, dormir, engourdir, ennuyer, hypnotiser, illusionner, soulager, tromper.

ENDOSCOPIE. Cystoscopie, embryoscopie, gastroscopie, rectoscopie.

ENDOSSEMENT. Acceptation, aval, charge, endos, ordre, signature.

ENDOSSER. Accepter, assumer, garantir, mettre, revêtir, signer, vêtir.

ENDROIT. Affût, arrêt, asile, cédraie, cinéma, clairière, creuset, emplacement, entrée, envers, flottaison, germoir, glaisière, gué, héronnière, ici, là, légumier, lieu, mangeure, melonnière, noiseraie, parage, paysage, place, pondoir, précipice, recto, resserre, rouissoir, rucher, séjour, silo, site, soudure, source, tabagie, tir, vasière.

ENDUIRE. Appliquer, bitumer, cirer, couvrir, crépir, encrer, engommer, étaler, farter, gluer, gommer, luter, recouvrir, résiner, revêtir.

ENDUIT. Apprêt, badigeon, baume, cire, couche, crépi, crépissure, dépôt, engobe, fard, galinot, glaçage, glaçure, gunite, incrustation, lut, mastic, onguent, peinture, pommade, protection, solin, stuc, vernis.

ENDURCIR. Amurer, bander, durcir, empeser, engourdir, fixer, tendre.

ENDURER. Boire, essuyer, souffrir, soutenir, subir, supporter, tolérer.

ÉNERGIE. Atome, cœur, efficacité, effort, faiblesse, fermeté, force, mollesse, libido, photon, pile, tonus, vertu, vigueur, vitalité, watt.

ÉNERGIQUE. Actif, amorphe, apathique, décidé, déterminé, dynamique, efficace, faible, ferme, fort, indolent, mou, pusillanime, résolu, viril.

ÉNERGUMÈNE. Exalté, excité, fanatique, forcené, hurluberlu.

ÉNERVANT. Agaçant, exaspérant, horripilant, insupportable, irritant.

ÉNERVER. Affadir, affaiblir, agacer, alanguir, amollir, aveulir, crisper, échauffer, exaspérer, excéder, fatiguer, horripiler, irriter, ulcérer.

ENFANCE. Aube, aurore, commencement, gâteux, origine, toxicose.

ENFANT. Amour, ange, angelot, bara, bébé, champi, chérubin, démon, diablotin, doux, gamin, fille, fils, môme, moutard, négrillon, nouveau-né, oblat, orphelin, part, peste, polisson, poupon, têtard.

ENFANTER. Accoucher, créer, engendrer, procréer, produire.

ENFANTILLAGE. Badinerie, caprice, frivolité, gaminerie, mômerie.

ENFANTIN. Espiègle, immature, infantile, nono, puéril, simple, tata.

ENFER. Chthonienne, damné, diable, fleuve, géhenne, infernal, licencieux, minos, parque, rhadamante, styx, supplice, tartare.

ENFER (n. p.). Chthonienne, Éaque, Érèbe, Géhenne, Dante, Lucifer, Minos, Rhadamante, Tartare, Satan.

ENFERMER. Boucler, cacher, cloîtrer, coffrer, confiner, emmurer, emprisonner, encercler, enserrer, fermer, fourrer, inclus, interner, murer, priver, ranger, séquestrer, serrer, traquer, verrouiller.

ENFILADE. Caravane, chapelet, colonne, cordon, défilé, file, haie, ligne, part, procession, queue, rang, rangée, remorqueur, suite, tisse, train.

ENFILER. Avaler, engloutir, engouffrer, envoyer, ingurgiter, revêtir.

ENFIN. Bref, conclusion, finalement.

ENFLAMMER. Allumer, brûler, colère, embraser, exciter, passionner.

ENFLER. Ballonner, bouffir, dilater, gonfler, grossir, ru, tuméfier.

ENFLURE. Bosse, boursouflure, grosseur, œdème, tuméfaction.

ENFONCÉ. Cavité, creux, envasé, incarné, niche, renforcement.

ENFONCEMENT. Alcôve, baissière, creux, crique, golfe, salière, trou.

ENFONCER. Caler, enliser, envaser, ficher, introduire, planter, plonger.

ENFONÇURE. Cavité, creux, gouffre, sombre.

ENFOUIR. Cacher, caleter, enfoncer, enterrer, plonger, terrer.

ENFREINDRE. Contrevenir, déroger, désobéir, faillir, forfaire, manquer, observer, parjurer, respecter, suivre, transgresser, violer.

ENFUIR. Déguerpir, détaler, échapper, évader, filer, fuir, partir, sauver.

ENGAGEMENT. Affirmation, embauche, entreprise, fiançailles, mariage.

ENGAGER. Demander, embaucher, inciter, louer, recruter, traiter.

ENGAZONNER. Enherber.

ENGELURE. Crevasse, enflure, érythème, froidure, gelure, rougeur.

ENGENDRER. Créer, enfanter, générer, père, procréer, produire.

ENGIN. Arme, excavateur, fusée, mine, niveleuse, piège, tunnelier.

ENGLOUTIR. Abîmer, absorber, avaler, consumer, perdre, sombrer.

ENGLOUTINER. Absorber, avaler, déglutir, entonner, gober, sombrer.

ENGORGEMENT. Bouchon, congestion, lampas, obstruction, œdème.

ENGORGER. Barrer, bloquer, boucher, dégorger, embarrasser, embouteiller, encombrer, encrasser, fermer, oblitérer, obstruer, opiler.

ENGOUÉ. Acoquiner, coiffé, emballé, entêté, entiché, féru, toqué.

ENGOUEMENT. Amour, entichement, folie, mode, passion, vogue.

ENGOURDI. Figé, froid, gelé, gourd, impassible, lent, morfondu, transi.

ENGOURDIR. Assoupir, endormir, hiberner, lent, paralyser, somnoler.

ENGOURDISSEMENT. Apathie, consomption, dolent, épuisement, hibernation, langoureux, langueur, morne, onglée, paresse, torpeur.

ENGRAIS. Amendement, apport, compost, cyanamide, fertilisant, fumier, gadoue, guano, humus, nourrain, poudrette, purin, urée.

ENGRAISSEMENT. Embouche, engraissage, épandeur, pouture.

ENGRAISSER. Améliorer, amender, appâter, empâter, faluner, grossir.

ENGRENAGE. Arbre, came, dent, doigt, escalade, liaison, roue, spirale.

ENGUEULER. Corriger, enguirlander, injurier, jurer, réprimander.

ENHERBER. Gazonner.

ÉNIGMATIQUE. Cacher, logogriphe, mystérieux, obscur, secret.

ÉNIGME. Charade, demande, mystère, œdipe, question, secret, sphinx.

ENIVRÉ. Amant, bituré, éméché, enthousiasmé, étourdi, euphorisé, exalté, gris, grisé, ivre, passionné, saoul, saoulé, soûl, soûlé.

ENIVREMENT. Enthousiasme, griserie, ivresse, ivrognerie, vertige.

ENIVRER. Alcooliser, boire, émécher, étourdir, griser, saouler, soûler.

ENJAMBÉE. Allure, espace, danse, empiété, étape, foulée, jalon, marche, pas, préséance, progrès, promenade, seuil.

ENJAMBER. Empiéter, franchir, marcher, passer, rejeter, usurper.

ENJEU. Action, banco, but, cave, jeu, mise, pari, pot, poule, relance.

ENJOINDRE. Avertir, aviser, diriger, endosser, intimer, ordonner.

ENJÔLER. Amadouer, cajoler, embobiner, flatter, mensonge, tromper.

ENJÔLEUR. Aguicheur, cajoleur, charmeur, embobineur, ensorceleur, menteur, patelin, racoleur, séducteur, trompeur.

ENJOLIVER. Agrémenter, décorer, embellir, idéaliser, orner, parer.

ENJOUÉ. Badin, folâtre, gai, grave, jovial, joyeux, sévère, souriant.

ENJOUEMENT. Alacrité, allégresse, follement, joie, spitant, vivacité.

ENLACEMENT. Embrassement, caresse, entrelacement, étreinte, nœud.

ENLACER. Embrasser, entourer, entrelacer, étreindre, nouer, serrer.

ENLAIDIR. Abîmer, défigurer, déparer, embellir, enjoliver, laidir.

ENLÈVEMENT. Collecte, démasclage, dépilage, desquamation, kidnapping, otage, prise, ramassage, rapt, ravissement, razzia, violence.

ENLEVER. Abolir, confisquer, couper, débarrasser, décortiquer, délainer, démieller, dénoyauter, dépiauter, dépoussiérer, dépulper, détartrer, ébarber, ébavurer, écaillage, écaler, écimer, écrêter, écumer, effacer, égrener, éliminer, emmener, émorfiler, emporter, énouer, épiler, érater, essorer, essuyer, étêter, exfolier, kidnapper, laver, ôter, peler, râcler, ravir, retirer, sauner, soustraire, supprimer, tuer, vider.

ENLIGNER. Bornoyer, désirer, lorgner, mirer, pointer, regarder, viser.

ENLISER. Embarrasser, embourber, empêtrer, enfoncer, engluer.

ENLUMINÉ. Colorié, congestionné, cramoisi, écarlate, empourpré, miniaturisé, rougeaud, rubescent, ribicond, sanguin, vermeil.

ENNEIGÉ. Avalanche, blanc, blizzard, charrue, chenu, congère, grêle, héroïne, neige, neigeux, névé, obier, perce-neige, poudrerie, viorne.

ENNEMI. Adversaire, antagoniste, capulet, concurrent, opposant, ratier.

ENNUI. Aria, avanie, avaro, avatar, cafard, contrariété, déboire, dégoût, désagrément, difficulté, embarras, embêtement, enquiquinement, épine, épreuve, hic, lassitude, os, panne, pépin, souci, tracas, tuile.

ENNUYANT. Assommant, barbant, embêtant, emmerdant, empoisonnant, endormant, enquiquinant, fastidieux, fatigant, lassant.

ENNUYÉ. Assommé, embêté, emmerdé, fâché, fatigué, las, rasé, tanné.

ENNUYER. Amuser, barber, canuler, distraire, divertir, égayer, enquiquiner, lasser, raser, récréer, réjouir, tanner, tartir, vexer.

ENNUYEUX. Agaçant, barbant, embêtant, fâcheux, fade, fatigant, insipide, lassant, long, maussade, monotone, rasant, suant, vexant.

ÉNONCÉ. Affirmation, allégation, aphorisme, assertion, axiome, lexis, loi, maxime, morphème, postulat, précepte, principe, proposition.

ÉNONCER. Affirmer, alléguer, articuler, avancer, déclarer, déduire, définir, dire, écrire, émettre, énumérer, former, juger, lire, stipuler.

ÉNORME. Beaucoup, éléphantesque, grand, immense, monumental.

ÉNOTHÈRE. Anogre, bergamote, calypholis, chylismia, kneiffia, lavauxia, megapterium, raimannia, sphaerostigma, taraxia.

ENQUÊTE. Accusation, panel, perquisition, recherche, sondage, turbe.

ENRACINER. Adné, amitié, ancré, ars, boucle, calé, chaîne, collé, corde, épris, et, fixé, hart, lacé, laisse, lie, lien, ligament, noué, rivé, vissé.

ENRAGÉ. Endiablé, énergumène, exalté, excité, fan, fanatique, forcené, fou, fougueux, furieux, mordu, passionné.

ENRAGER. Acharner, délire, endiabler, érinye, exaspéré, fanatisme, frénésie, furieux, irriter, ivresse, pythie, rage, rager, violence.

ENRAYER. Arrêter, endiguer, étouffer, freiner, gêner, juguler, modérer.

ENRÉGIMENTER. Embrigader, engager, enrôler, lever, persuader.

ENREGISTRER. Écrire, graver, immatriculer, lexicaliser, noter, tourner.

ENRICHIR. Abondance, engraisser, étoffer, gain, orner, meubler.

ENRÔLEMENT. Conscrit, embrigadement, engagement, levée.

ENRÔLER. Embaucher, embrigader, engager, lever, persuader, racoler.

ENROUEMENT. Chat, extinction, graillement, râlement, raucité, toux.

ENROULEMENT. Boucle, coquille, papillote, spirale, volute, vrille.

ENROULER. Bobiner, envider, lover, serpenter, tordre, tortiller.

ENRUBANNER. Orner.

ENSEIGNANT. Grammairien, éducateur, instituteur, maître, moniteur, pédagogue, précepteur, prof, professeur, vulgarisateur.

ENSEIGNE. Affiche, bannière, écusson, drapeau, étendard, panneau.

ENSEIGNEMENT. Acquisition, apprentissage, classe, collège, conclusion, cours, école, éducation, formation, instruction, leçon, matière, règle.

ENSEIGNER. Apprendre, démontrer, initier, instruire, maître, montrer.

ENSEMBLE. Accord, agio, amas, assemblage, bloc, concert, couple, couronne, écurie, état, kit, race, total, tout, uni, unisson, unité.

ENSEMENCER. Emblaver, ressemer, semailles, semer, semis.

ENSEVELIR. Cacher, enfouir, entasser, enterrer, inhumer, sépulture.

ENSORCELER. Amadouer, cajoler, embobiner, flatter, tromper.

ENSUITE. Après, et, puis, subséquemment, suite, ultérieurement.

ENTACHER. Anachronique, noir, réputation, salir, souiller, tache.

ENTAILLE. Adent, coche, coupure, cran, crevasse, dame, échancrure, encoche, éraflure, faille, fente, onglet, raie, rainure, ruinure, surlé.

ENTAILLER. Cocher, couper, échancrer, entamer, exciser, inciser, tailler.

ENTAMER. Amorcer, attaquer, corroder, couper, ébrécher, écorner, émécher, engager, mâchurer, manger, mordre, ouvrir, ronger, toucher.

ENTASSEMENT. Abattis, abcès, adipeux, banquise, bloc, boule, bourre, branchage, cal, chaton, dune, empyème, fatras, fétras, feu, foule, filasse, jar, jard, liasse, lithiase, lot, masse, meule, mitraille, monceau, mousse, névé, noyau, nuage, ossuaire, pannicule, paquet, pierraille, pierre, pile, plexus, ruée, salage, sécas, sérac, sore, tas, tout, trésor.

ENTASSER. Accumuler, amasser, empiler, ensevelir, presser, serrer.

ENTE. Enter, enture, greffe.

ENTENDEMENT. Compréhension, conception, intellect, jugement, raison.

ENTENDRE. Accepter, admettre, attraper, audition, comprendre, écouter, embrasser, ouïr, percevoir, prêter, saisir, union, vouloir.

ENTENDU. Accord, approbation, capable, convenu, cru, inouï, ouï.

ENTENTE. Amitié, amour, approuver, arpège, concert, concorde, convenir, convention, discord, do, entente, harmonie, la, marché, musique, oui, pacte, refus, rime, traité, unanimité, union, unisson.

ENTÉNÉBRER. Assombrir, obscurcir.

ENTER. Abouter, ajouter, greffer, joindre.

ENTÉRINER. Approuver, avaliser, confirmer, consacrer, plébisciter.

ENTÉRITE. Colite, entérocolite, strongylose.

ENTERREMENT. Calendrier, cérémonie, convoi, deuil, funérailles, mort.

ENTERRER. Cacher, enfouir, ensevelir, entasser, inhumer, sépulture.

ENTÊTÉ. Acharné, buté, ferme, lutin, mule, obstiné, raide, tenace, têtu.

ENTÊTEMENT. Caprice, fermeté, obstination, préjugé, ténacité, volonté.

ENTHOUSIASME. Apathie, ardeur, brio, délire, dithyrambe, élan, extase, fanatisme, flegme, fureur, indifférence, ivresse, tiède, transport, zèle.

ENTHOUSIASMER. Emballer, exalter, extasier, griser, rêver, zéler.

ENTHOUSIASTE. Ardent, chaud, chauvin, énergumène, enragé, exalté, excité, fan, fana, fanatique, forcené, fou, mordu, passionné, zélé.

ENTICHÉ. Coiffé, amouraché, enfatué, engoué, épris, féru, fou, toqué.

ENTIER. Complet, ferme, intégral, plein, raide, têtu, total, tout, un.

ENTIÈREMENT. Absolument, absorbant, complètement, exclusif, franc, globalement, hémi, intégral, lot, mi, moitié, part, pleinement, quart, radicalement, semi, systématique, têtu, tiers, totalement, tout.

ENTITÉ. Capital, classe, élément, objet, tenseur, unité.

ENTITÉ (n. p.). Avogadro.

ENTONNOIR. Autoclave, bassinet, boudinière, chantepleure, chausse, cornet, culot, cuvette, perloir, siphon, tourbillon, trémie, verveux.

ENTORTILLER. Affecter, alambiquer, amphigouriquer, compliquer, confus, contourner, emberlificoter, embrouiller, tarabiscoter, tordu.

ENTORSE. Déboîtement, distorsion, écart, effort, élongation, foulure.

ENTOURAGE. Ambiance, cercle, cour, entours, milieu, monde, trémus.

ENTOURÉ. Admiré, aidé, île, lac, lardé, recherché, soutenu.

ENTOURER. Assiéger, border, ceindre, ceinture, cerner, clore, clôturer, couronner, encercler, enclore, environner, épiner, île, enserrer, garnir, investir, gencive, lac, langer, larder, lover, murer, rober, tortiller.

ENTRAILLES. Boyaux, éviscérer, flanc, intestin, tripes, viscères.

ENTRAIN. Animation, ardeur, brio, élan, fougue, joie, vie, vivacité, zèle.

ENTRAÎNEMENT. Élan, engranage, entraîneur, erre, exaltation, habitude, mouvement, poussé, surentraînement, transmission.

ENTRAÎNER. Abuser, amener, causer, impliquer, perdre, rentraîner.

ENTRAÎNEUR. Animateur, chef, coach, manager, meneur.

ENTRAÎNEUR des CANADIENS (n. p.). Blake, Bowman, Burns, Demers, Ruel, Vigneault.

ENTRAÎNEUSE. Entremetteuse, locomotive, taxi-girl.

ENTRAVE. Abat, abot, chaînes, embarras, empêchement, fer, frein, gêne, joug, libre, obstacle, saboteur, tribart, troussepied.

ENTRAVER. Contrarier, embarrasser, empêcher, enrayer, gêner.

ENTRE. Avancer, dans, ingrédient, inter, milieu, moyen, parmi, tiède.

ENTREBÂILLER. Entrouvrir.

ENTRECHOQUER. Ferrailler, heurter.

ENTRECOUPER. Couper, entrelarder, entremêler, hacher, larder.

ENTRECROISEMENT. Croisement, croix, nœud, tissure, treillis.

ENTRE-DEUX. Dentelle, entrecuisse, intermédiaire, milieu, moyen, raie.

ENTRÉE. Accès, admission, gorge, irruption, parvis, passage, porte, seuil.

ENTREFILET. Article, chronique, écho, feuille, journal, reportage.

ENTRELACEMENT. Armure, croisé, lacé, natte, nœud, réseau, tresse.

ENTRELACER. Croiser, enlacer, lacer, natter, nouer, tisser, tramer.

ENTREMÊLER. Enchevêtrer, imbriquer, intriquer, mélanger, mêler.

ENTREMETS. Compote, crème, flottant, île, lissé, pâtisserie, soufflé.

ENTREPOSER. Déposer, ensiler, remiser, stocker, transporter.

ENTREPÔT. Cellier, dépôt, halle, hangar, magasin, parc, réserve.

ENTREPRENANT. Agissant, allant, ardent, diligent, efficace, énergique, increvable, laborieux, militant, pétulant, remuant, transitif, vif, zélé.

ENTREPRENDRE. Agir, atteler, créer, essayer, intenter, oser, tenter.

ENTREPRISE. Aventure, établissement, firme, tentée, trust, voltige.

ENTRER. Aborder, ficher, garer, mettre, parlementer, pourrir, rentrer.

ENTRETENIR. Caresser, causer, choyer, maintenir, parler, tenir, vivre.

ENTRETIEN. Aparté, colloque, demande, devis, dialogue, tête-à-tête.

ENTRETOISE. Clairsemé, dispersé, disséminé, éparpillé, épars.

ENTREVOIR. Annoncer, anticiper, augurer, calculer, comprendre, conjecturer, déchiffrer, découvrir, deviner, dévoiler, espérer, flairer, imaginer, interpréter, intuition, juger, pile, pénétrer, prédire, préjuger, présager, pressentir, prévenir, prévoir, pronostiquer, prophétiser, reconnaître, rencontrer, résoudre, révéler, sonder, soupçonner, transparaître, trouver, vaticiner.

ENTREVUE. Audience, colloque, congrès, palabre, réunion, visite.

ENTUBER. Abuser, berner, décevoir, dol, duper, égarer, enjôler, errer, escroquer, flouer, frauder, gourer, gruger, induire, léser, leurrer, mentir, piper, posséder, refaire, rouler, trahir, tricher, tromper, truc.

ÉNUMÉRATION. Articulation, bordereau, ci, comptable, compte, décompte, dénombrement, détail, dito, etc., item, liste, litanie.

ÉNUMÉRER. Compter, conjuguer, décompter, dénombrer, détailler, inventorier, lister, recenser.

ENVAHI. Bondé, bourré, colonisé, importuné, infesté, occupé, trichiné.

ENVAHIR. Déborder, emparer, emplir, entrer, inonder, parasiter.

ENVAHISSANT. Accaparant, dévorant, importun, indiscret, parasite.

ENVELOPPE. Albuginée, ampoule, baie, bale, barder, bogue, brou, calice, chemise, chorion, clisse, cocon, coque, coquille, cosse, couverture, dé, délivre, écale, écorce, étui, fourreau, gaine, genouillère, giron, glume, housse, légume, membrane, momie, peau, périsprit, placenta, pli, récipient, rétine, robe, sac, taie, tégument, test, tunique, zoécie.

ENVELOPPER. Bander, barder, enrober, emmitoufler, nouer, vêtir.

ENVENIMER. Accroître, alourdir, amplifier, augmenter, charger, compliquer, détériorer, développer, empirer, exciter, pire, récidiver.

ENVERS. Arrière, avec, dos, endroit, médaille, pour, renverser, revers.

ENVIE. Appétence, besoin, désir, épreintes, faim, goût, haut-le-cœur, inclination, jalousie, libido, nausée, péché, repos, soif, sommeil.

ENVIER. Agacer, agiter, convoiter, gêner, harceler, infester, lanciner, moquer, mouvementer, ronger, tanner, tenailler, torturer, vexer.

ENVIEUX. Jaloux, tentant, zoïle.

ENVIRON. Abords, alentour, approximativement, autour, dans, quelque.

ENVIRONNEMENT. Ambiance, décor, écologie, entourage, environ.

ENVIRONNER. Ceindre, cerner, encadrer, encercler, enfermer, entourer.

ENVISAGER. Concevoir, considérer, juger, prévoir, réfléchir, regarder.

ENVOI. Colis, dédicace, don, lancement, livraison, paquet, passe, renvoi.

ENVOL. Avion, décollage, départ, envolée, essaim, essor, vol.

ENVOLÉE. Avion, élan, inspiration, oral, passé, perdu, vol, volée.

ENVOYÉ. Ablégat, agent, délégué, député, diplomate, émissaire, internonce, mandataire, messager, représentant.

ENVOYER. Adresser, éloigner, émettre, lancer, livrer, porter, télécopier.

ENZYME. Amylase, autolyse, cœnzyme, diastase, émulsine, érepsine, esterase, kinase, myrosine, pepsonine, présure, rénine, zymase.

ÉOSINOPHILE. Acidophile, éosine, leucocyte.

ÉPAIS. Abondant, andouille, brume, compact, concret, consistant, délié, dense, dru, dur, empâté, fin, fort, fourni, gluant, gras, gros, grossier, lard, large, lourd, menu, mince, opaque, pâteux, pesant, touffu, serré.

ÉPAISSEUR. Callosité, compacité, consistance, corps, corpulence, densité, empêtement, graisse, lourdeur, profondeur, tranche.

ÉPAISSIR. Cailler, concentrer, cristalliser, figer, grossir, grumeler, lier.

ÉPAISSISSEMENT. Callosité, empattement, grosseur, pachydermie.

ÉPANCHEMENT. Aveu, confiance, dégorgement, déversement, ecchymose, écoulement, effusion, expansion, hémarthrose, hématome.

ÉPANDRE. Arroser, couler, déverser, distiller, entonner, épancher, infuser, instiller, larmoyer, mettre, payer, pleurer, répandre, servir, soutirer, transfuser, transvaser, transverser, transvider, verser, vider.

ÉPANOUIR. Déployer, dilater, éclore, floraison, ouvrir, ravir, réjouir.

ÉPANOUISSEMENT. Anthèse, dilatation, essor, éveil, floraison, joie.

ÉPARGNE. Grâce, lésine, lésinerie, magot, masse, parcimonie, pécule.

ÉPARGNER. Économiser, éviter, garder, ménager, pardonner, prodiguer.

ÉPARPILLER. Disperser, disséminer, dissiper, émietter, épandre, étaler, gaspiller, grouper, parsemer, rassembler, répandre, réunir, semer.

ÉPARS. Clairsemé, constellé, dispersé, disséminé, dissocié, épar, séparé.

ÉPATANT. Chouette, extra, formidable, génial, merveilleux, super.

ÉPATER. Ébahir, éberluer, éblouir, écraser, étendre, étonner, imposer, impressionner, interloquer, méduser, renverser, scier, sidérer, zigoto.

ÉPAULARD. Orque, rorqual.

ÉPAULE. Amict, ars, bras, buste, carré, cou, éclanche, froc, garrot, jambon, lever, longe, omoplate, saie, saye, scapulaire, soutien.

ÉPAULER. Aider, appuyer, assister, dévisser, protéger, soutenir.

ÉPAVE. Déchet, décombres, épaviste, lagan, loque, ruine.

ÉPÉE. Alfange, arme, badelaire, bague, bancal, bandal, batte, botte, brand, braquemart, brette, briquet, cape, carrelet, cimeterre, claymore, colichemarde, coutelat, coutille, croisette, dague, Damoclès, durandal, espadon, estoc, estocade, estramaçon, fer, fil, flamberge, fleuret, glaive, haute-claire, joyeuse, lame, latte, rapière, robe, sabre, yatagan.

ÉPÉISME. Assaut, botte, discussion, lutte, escrime.

ÉPERON. Aiguillon, bride, broche, collet, dent, ergot, excitant, molette, nectaire, pique, plateau, pointe, rosette, rostre, saillie, stimulant.

ÉPERONNER. Aiguillonner, animer, brocher, exciter, piquer, stimuler.

ÉPERVIER. Faucon, filet, horus, nasse, rapace, tiercelet.

ÉPERVIÈRE. Piloselle.

ÉPI. Bale, blé, cheveux, crib, loge, mèche, obliquement, ouvrage.

ÉPICE. Absinthe, ail, aneth, angélique, anis, aspic, badiane, basilic, cannelle, cardamome, cari, carvi, cayenne, céleri, cerfeuil, chile, ciboulette, coriandre, cumin, curcuma, échalote, estragon, fenouil, genièvre, gingembre, girofle, hysope, laurier, livèche, macis, maniguette, marjolaine, mélisse, menthe, moutarde, muscade, oignon, origan, paprika, persil, piment, poivre, quatre, romarin, safran, sarriette, sauge, sel, serpolet, sésame, thym.

ÉPICER. Assaisonner, corser, pimenter, poivrer, relever, saler.

ÉPICÉA. Chermès, conifère, épinette, pesse, sapin, sapinette.

ÉPICURIEN. Ataraxie, hédoniste, jouisseur, secte, sensuel, sybarite.

ÉPIDÉMIE. Choléra, contagion, enzootie, épizootie, grippe, lèpre, maladie, manie, peste, pian, rubéole, suette, typhus, variole, vomito.

ÉPIDERME. Cutané, desquamation, gale, peau, pellicule, squame.

ÉPIER. Espionner, filer, guet, guetter, observer, regarder, rôder, suivre.

ÉPIEU. Dard, javelot, lance, pieu, pique, sagaie.

ÉPILEPSIE. Aura, comital, convulsion, éclampsie, mal, grand mal.

ÉPILLET. Épi, glume, grappe.

ÉPINE. Aiguillon, arête, berberis, broussalle, cactée, écharde, essart, filet, haie, inerme, nerprun, os, queue, rachis, spinelle, spinule.

ÉPINETTE. Arbre, blanche, bleue, brewer, cage, clavecin, engelmann, japon, mue, noire, norvège, résineux, rouge, sitka, virginal.

ÉPINGLE. Bigoudi, camion, fibule, fichoir, sixtus.

ÉPINGLER. Accrocher, agrafer, alpaguer, appréhender, arrêter, cueillir.

ÉPIQUE. Chant, élevé, épopée, extraordinaire, geste, héroïque, rare.

ÉPIS. Épillet, glane.

ÉPISODE. Aventure, digression, événement, péripétie, pont, rapsodie.

ÉPITHÈTE. Adjectif, apposition, attribut, épiphane, injure, qualificatif.

ÉPÎTRE. Bible, lettre, missive, pape.

ÉPIZOOTIE. Brucellose, enzootie, épidémie.

ÉPLUCHER. Décortiquer, écaler, écosser, gratter, lire, nettoyer, peler.

ÉPLUCHURE. Déchet, pelure, pluche.

ÉPOINTER. Arrondir, blaser, énerver, émousser, gâter, paralyser, user.

ÉPONGE. Amnistie, euplectelle, euplectille, grâce, loofa, luffa, oscule, pardon, polype, spicule, spongia, spongieux, spongille, zoophyte.

ÉPONGEAGE. Essuyage.

ÉPONGER. Acquitter, effacer, essuyer, étancher, payer, sécher.

ÉPOPÉE. Aventure, épique, événement, histoire, odyssée, poème, saga.

ÉPOQUE. Âge, agnelage, canicule, cervaison, cycle, date, défloraison, en, épiage, ère, essaimage, étape, fenaison, frai, frondaison, fructification, gemmation, période, pondaison, moment, semailles, siècle, terme.

ÉPOUSE. Bourgeoise, compagne, conjointe, femme, légitime, ménagère.

ÉPOUSE D'ABRAHAM (n. p.). Sara, Sarah.

ÉPOUSE D'ADMÈTE (n. p.). Alceste.

ÉPOUSE D'AGAMEMNON (n. p.). Clytemnestre.

ÉPOUSE D'AMPHION (n. p.). Niobé.

ÉPOUSE D'AMPHITRYON (n. p.). Alcmène.
ÉPOUSE D'ASSUÉRUS (n. p.). Esther.
ÉPOUSE D'ATHAMAS (n. p.). Ino.
ÉPOUSE DE CÉPHÉE (n. p.). Cassiopée.
ÉPOUSE DE CHAMPLAIN (n. p.). Hélène.
ÉPOUSE DE CRONOS (n. p.). Rhéa.
ÉPOUSE DE DEUCALION (n. p.). Pyrrha.
ÉPOUSE D'ÉNÉE (n. p.). Créüse.
ÉPOUSE D'ÉPIMÉTHÉE (n. p.). Pandore.
ÉPOUSE DE HECTOR (n. p.). Andromaque.
ÉPOUSE DE HÉRACLÈS (n. p.). Déjanire, Nessos, Nessus, Omphale.
ÉPOUSE DE HIPPOMÈNE (n. p.). Atalante.
ÉPOUSE DE JACOB (n. p.). Léa.
ÉPOUSE DE JASON (n. p.). Médée.
ÉPOUSE DE JUPITER (n. p.). Junon.
ÉPOUSE DE LAIOS (n. p.). Jocaste.
ÉPOUSE DE MÉLÉNAS (n. p.). Hélène.
ÉPOUSE DE MINOS (n. p.). Pasiphaé.
ÉPOUSE D'ORPHÉE (n. p.). Eurydice.
ÉPOUSE D'OURANOS (n. p.). Gala, Gê.
ÉPOUSE DE PÉLÉE (n. p.). Thétis.
ÉPOUSE DE PERSÉE (n. p.). Andromède.
ÉPOUSE DE POSÉIDON (n. p.). Amphitrite.
ÉPOUSE DE PRIAM (n. p.). Hécube.
ÉPOUSE DE PYRRHUS (n. p.). Hermione.
ÉPOUSE DE TÉRÉE (n. p.). Philomène.
ÉPOUSE DE THÉSÉE (n. p.). Hippolyte, Phèdre.
ÉPOUSE DE TYNDARE (n. p.). Léda.
ÉPOUSE D'ULYSSE (n. p.). Pénélope.
ÉPOUSE DE ZEUS (n. p.). Héra.
ÉPOUSER. Allier, attacher, choisir, convoler, former, marier, redorer.
ÉPOUSSETER. Abraser, approprier, astiquer, brosser, caréner, curer, décaper, déterger, écumer, écurer, énouer, faire, fourbir, laver, lessiver, monder, ôter, polir, purger, racler, ratisser, récurer, rincer.
ÉPOUVANTABLE. Affreux, apocalypse, atroce, effrayant, effroi, terrible.
ÉPOUVANTE. Affolement, affres, alarme, angoisse, crainte, effarement, effroi, émotion, frayeur, horreur, panique, peur, sirène, terreur.
ÉPOUX. Compagnon, conjoint, consort, futur, légitime, mari, moitié.
ÉPOUX D'AGRIPPINE (n. p.). Germanicus.
ÉPOUX D'ALCESTE (n. p.). Admète.
ÉPOUX D'ALCMÈNE (n. p.). Amphitryon.
ÉPOUX D'AMALADONTE (n. p.). Théodat.
ÉPOUX D'AMPHITRITE (n. p.). Poséidon.
ÉPOUX D'ANDROMAQUE (n. p.). Hector.

ÉPOUX D'ANDROMEDE (n. p.). Persée.
ÉPOUX D'ATALANTE (n. p.). Hippomène.
ÉPOUX D'ATHALIE (n. p.). Joram.
ÉPOUX DE BETHSABÉE (n. p.). Urie.
ÉPOUX DE CASSIOPÉE (n. p.). Céphée.
ÉPOUX DE CLODIDE (n. p.). Amalaric.
ÉPOUX DE CLYTEMNESTRE (n. p.). Agamemnon.
ÉPOUX DE CRÉÜSE (n. p.). Énée.
ÉPOUX D'EUGÉNIE (n. p.). Napoléon.
ÉPOUX D'EURICE (n. p.). Orphée.
ÉPOUX DE FATIMA (n. p.). Ali.
ÉPOUX D'HÉCUBE (n. p.). Priam.
ÉPOUX D'HÉLÈNE (n. p.). Ménélas.
ÉPOUX D'HERMIONE (n. p.). Pyrrhus.
ÉPOUX D'HIPPOLYTE (n. p.). Thésée.
ÉPOUX DE JOSÉPHINE (n. p.). Beauharnais, Bonaparte.
ÉPOUX DE LAVINIA (n. p.). Énée.
ÉPOUX DE PROCNÉE (n. p.). Térée.
ÉPOUX DE PROSERPINE (n. p.). Pluton.
ÉPOUX DE PYRRHA (n. p.). Deucalion.
ÉPOUX DE RASOHERINA (n. p.). Radama.
ÉPOUX DE RÉBECCA (n. p.). Isaac.
ÉPOUX DE RHÉA (n. p.). Cronos.
ÉPOUX DE RUTH (n. p.). Booz.
ÉPREUVE. Compétition, coupe, course, cromalin, éliminatoire, essai, examen, final, fumé, guerre, malheur, match, ordalie, raid, stage, test.
ÉPRIS. Amoureux, attaché, féru, fou, passionné, polarisé, séduit, toqué.
ÉPROUVANT. Accablant, crevant, épuisant, éreintant, exténuant, fatigant, harassant, pénible, tuant, usant.
ÉPROUVÉ. Angoissé, eu, fidèle, misandre, oppressé, ressenti, sûr.
ÉPROUVER. Avoir, brûler, craindre, endurer, enrager, essayer, expérimenter, flairer, goûter, pâtir, peiner, percevoir, recevoir, regretter, ressentir, sentir, subir, tâter, trembler, tressaillir.
ÉPROUVETTE. Cylindre, tube.
ÉPUISÉ. Anéanti, bu, détamé, échiné, écopé, éreinté, fatigué, flapi, forfait, fourbu, harassé, las, livre, recru, sassé, sec, tari, tué, usé, vidé.
ÉPUISER. Accabler, briser, exténuer, fatiguer, miner, tarir, user, vider.
ÉPUISETTE. Écope, filet.
ÉPULIDE. Tumeur.
ÉPURATEUR. Décanteur, filtre, purificateur, raffineur.
ÉPURATION. Déjection, écoulement, éjection, émission, éruption, expulsion, nettoyage, péril, purge, sialorrhée, uriner, vomique.
ÉPURER. Affiner, décaper, écumer, expurger, filtrer, purger, purifier.
ÉQUANIMITÉ. Calme, flegme, sang-froid, sérénité, tranquillité.

ÉQUERRE. Biveau, esquarre, graphomètre, règle, sauterelle, té.

ÉQUIDÉ. Âne, ânesse, bidet, cheval, hémione, jument, mule, poulain.

ÉQUILIBRE. Aplomb, balance, iotomie, lest, niveau, santé, stabilité.

ÉQUILIBRÉ. Apte, assiette, assuré, balancé, chargé, égal, ému, épanoui, ferme, ivre, modéré, niveau, pondéré, sain, sensé, solide, stable.

ÉQUILIBRER. Balancer, ballaster, boucler, compenser, contrebalancer, contrepeser, corriger, gymnastique, immobile, otolithe, pondérer.

ÉQUILLE. Lançon, vive.

ÉQUIPAGE. Apparat, arroi, arsenal, attirail, bagage, navire, train.

ÉQUIPE. Armateur, écurie, escouade, gang, groupe, relève, troupe.

ÉQUIPEMENT. Apparaux, armement, bagage, barda, navire, outillage.

ÉQUIPER. Appareiller, armer, doter, fournir, munir, outiller, pourvoir.

ÉQUIPIER. Ailier, allié, avant, centre, défenseur, demi, garde, gardien.

ÉQUITABLE. Arbitraire, aristarque, droit, égal, impartial, injuste, juste, légitime, loyal, objectif, partial, probitable, raisonnable.

ÉQUITÉ. Convenable, droiture, impartialité, intégrité, justice, légalité.

ÉQUIVALENCE. Annuité, égalité, identité, isodynamie, module, parité.

ÉQUIVALENT. Égal, égalité, homologue, pareil, semblable, synonyme.

ÉQUIVOQUE. Ambigu, amphibologique, catégorique, clair, douteux, éon, évasif, faux, incertain, louche, net, obscur, précis, suspect, trouble.

ÉRABLE. Acer, argenté, blanc, campestre, champêtre, circiné, épis, floride, ginnala, grosseri, japon, japonicum, montagne, négondo, négundo, noir, norvège, palmé, pennsylvanie, plaine, platane, platanoïde, rouge, saccharinum, saccharum, sucre, sycomore.

ÉRAFLER. Abîmer, blesser, déchirer, écorcher, érailler, grafigner, racler.

ÉRAFLURE. Barre, biais, contour, droite, écorchure, égratignure, griffure, hachure, raie, rayure, scion, segment, strie, trace, trait.

ÉRAILLÉ. Cassé, égratigné, enroué, éraflé, griffé, rauque, rayé, voilé.

ÉRASME. Elme, saint.

ERBIUM. Er, erbine.

ÈRE. Cambrien, chronologie, cycle, époque, glaciaire, hégire, jurassique, miocène, néogène, période, permien, précambrien, temps, tertiaire.

ÈRE PRÉCAMBRIENNE. Briovérien, pentévrien.

ÈRE PRIMAIRE. Cambrien, carbonifère, dévonien, ordovicien, permien, silurien.

ÈRE QUATERNAIRE. Pléistocène.

ÈRE SECONDAIRE. Crétacé, jurassique, trias.

ÈRE TERTIAIRE. Éocène, miocène, oligocène, paléocène, pliocène.

ÉRECTION. Bander, dressage, élévation, fondation, pripisme, tension.

ÉREINTER. Blâmer, claquer, critiquer, démolir, fatiguer, lasser, lessiver.

ÉREINTEUR. Critiqueur.

ERGOT. Doigt, éperon, ergotine, histamine, lysergique, ongle.

ERGOTER. Chicaner, chinoiser, chipoter, discuter, pinailler, vétiller.

ÉRICACÉE. Airelle, arbousier, azalée, bleuet, bruyère, busserole, canneberge, gaulthéria, myrtille, rhododendron.

ÉRIGAN. Pô.

ÉRIGÉ. Bâti, créé, élevé, établi, fondé, institué, promu, systématique.

ÉRIGER. Bâtir, codifier, construire, dresser, élever, établir, promouvoir.

ÉRIGNE. Érine.

ÉRIN. Irlande.

ERMITE. Anachorète, ascète, insociable, reclus, seul, solitaire, stylite.

ÉRODER. Corroder, dégrader, émousser, miner, ronger, saper, user.

ÉROSION. Baisse, corrosion, dégradation, dépréciation, terrigène, usure.

ÉROTIQUE. Cochon, libidineux, luxure, obscène, sensuel, sexy, vicieux.

ERRANT. Ambulant, égaré, fugitif, itinérant, nomade, robineux, rônin.

ERRE. Allure, élan, manière, marche, train, vitesse.

ERRER. Divaguer, écarter, égarer, flâner, marcher, rôder, vaguer.

ERREUR. Aberration, abus, ânerie, bavure, bévue, blague, bourde, certitude, coquille, correction, écart, égarement, errement, faute, gaffe, illusion, loup, méprise, orthodoxie, oubli, perle, réalité, sophisme, vérité, vice.

ERRONÉ. Absurde, affecté, âge, apocryphe, cabotin, double, douteux, faute, fautif, faux, félon, fourbe, irréel, pseudo, toc, vain, vrai.

ERS. Lentille.

ÉRUCTATION. Exhalaison, hoquet, nausée, refoulement, renvoi, rot.

ÉRUCTER. Baver, hurler, proférer, renvoi, roter, soulager, vomir.

ÉRUDIT. Calé, cultivé, docte, éclairé, informé, instruit, lettré, savant.

ÉRUDITION. Compétence, encyclopédique, expertise, recherche, savoir.

ÉRUPTION. Ébullition, énanthème, exanthème, herpès, impétigo, lichen, poussée, purpura, rash, roséole, sortie, urticaire, vaccinelle, vaccinide.

ÉRYSIPOLE. Érisipèle.

ÉRYTHÈME. Érythémateux, frayement.

ÉRYTHROBLASTE. Érythroblastose, hématie, mégalobaste.

ESCABEAU. Échalier, escalier, marche, marchepied, siège, tabouret.

ESCALADER. Enjamber, franchir, gravir, grimper, monter, passer.

ESCALE. Arrêt, bateau, étape, halte, port, rade, ré, relâche.

ESCALIER. Degré, échelle, escabeau, escalator, gat, gémonies, marche.

ESCAMOTER. Cacher, dérober, disparaître, éluder, soustraire.

ESCAPADE. Absence, bordée, caprice, dérobade, évasion, fugue, fuite.

ESCARBILLE. Charbon, grésillon, poussière, tison.

ESCARBOUCLE. Almandine, fleurdelisés, grenat, rais, rouge.

ESCARGOT. Cagouille, colimaçon, gastéropode, hélice, héliciculteur, héliciculture, hélix, limaçon, luma, petit-gris, tortillon.

ESCARMOUCHE. Algarade, assaut, combat.

ESCARPÉ. Abrupt, ardu, difficile, montant, raide, roide, vaurien.

ESCARPEMENT. Crêt, falaise, paroi, pente, précipice.

ESCARPOLETTE. Balançoire.

ESCHE. Abet, aiche, allécher, amorce, appât, attirer, boëtte, devon, èche, filet, grappe, leurre, manne, mouche, piège, pêche, rogue, ver.

ESCLAFFER. Éclater, pouffer, rire, tordre.

ESCLANDRE. Algarade, barouf, bruit, choc, désordre, éclat, émotion, étonnement, honte, indignation, léger, passif, scandale.

ESCLAVAGE. Captivité, servitude, subordination, vasselage, vassalité.

ESCLAVE. Affranchi, anagnoste, asservi, assujetti, capsaire, captif, domestique, eunuque, fer, galérien, hiérodule, hilote, ilote, nègre, pantin, prisonnier, rime, séid, serf, servile, sujétion, tributaire, valet.

ESCLAVE (n. p.). Agar, Christophe, Hiérodule.

ESCOMPTE. Agio, avance, boni, discount, net, prime, réduction, remise.

ESCOMPTER. Anticiper, avancer, espérer, prévenir, réescompter, tabler.

ESCORTE. Ami, cavalier, cortège, croiseur, destroyer, frégate, suite.

ESCRIME. Assaut, botte, discussion, fente, garde, lame, ligne, lutte, passe.

ESCRIMEUR. Épéiste, essayiste, ferrailleur, fleurettiste, sabreur.

ESCROC. Aigrefin, bandit, estampeur, filou, fripon, truand, voleur.

ESCROQUER. Arnaquer, estamper, entuber, pirater, truander, voler.

ESCROQUERIE. Arnaque, carambouillage, entourloupe, filouterie, vol.

ESGOURDE. Oreille.

ESKIMO. Aléoute, esquimau, igloo, inuit.

ÉSOTÉRISME. Astrologie, cabale, hermétisme, occultisme.

ESPACE. An, année, arène, barre, ciel, cosmos, cour, durée, empan, enclos, entre-nœud, étage, fontanelle, île, journée, lacune, laos, laps, longueur, lunaison, lustre, nagée, nuitée, oasis, ouverture, ruelle, soirée, stand, temps, terrain, tonsure, travée, volume, vide, vie, zone.

ESPACEMENT. Distance, écart, espace, intervalle, spanioménorrhée.

ESPACER. Allonger, distancer, échelonner, étager, étendre, ouvrir.

ESPADON. Épée, poisson-épée.

ESPAGNOL. Alfa, andalou, calo, castagnan, don, hispanique, rio, soie.

ESPAR. Balestron, bôme, drome, mât, tangon.

ESPÈCE. Acabit, animal, argent, aspect, cène, essence, état, genre, gent, manière, nature, ordre, paire, plante, race, sexe, sonnante, sorte, type.

ESPÉRANCE. Aspiration, assurance, attente, certitude, confiance, croyance, désir, espoir, foi, illusion, inattendu, promesse, songe.

ESPÉRER. Allécher, aspirer, attendre, désespérer, repaître, souhaiter.

ESPERANTO (n. p.). Zamenhof.

ESPIÈGLE. Badin, démon, gai, gamin, luron, lutin, malicieux, mutin, vif.

ESPIÈGLERIE. Démoniaque, niche, plaisanterie, polissonnerie.

ESPION. Affidé, cafard, curieux, délateur, épieur, mouchard, traître.

ESPION (n. p.). Mata-Hari.

ESPIONNER. Cafarder, éclairer, épier, filer, guetter, inspecter, moucharder, observer, rapporter, rechercher, surveiller, trahir.

ESPOIR. Confiance, croyance, désespéré, espérance, promesse, si.

ESPRIT. Âme, âne, ataraxie, bête, bon, caractère, cœur, diable, démon, élite, éon, être, fantôme, fin, finesse, génie, idée, idiot, jeu, lutin, moi, niais, paraclet, Satan, sel, sens, sot, souffle, soupir, spirituel, sujet, vin.

ESPRIT (n. p.). Dieu, Djinns, Manitou, Matchi, Mithra.

ESQUIMAU. Aléoute, eskimoi, esquimo, igloo, iglou, inuit, renne.

ESQUISSE. Canevas, carcasse, crayon, croquis, description, dessin, ébauche, essai, étude, idée, maquette, plan, pochade, projet, schéma.

ESQUIVER. Contourner, crayonner, croquer, dessiner, éluder, enfuir, évasif, éviter, fuir, obvier, non, pallier, parer, partir, pocher, tracer.

ESSAI. Épreuve, examen, expérience, répétition, stage, tentative, test.

ESSAIM. Armée, colonie, fourmis, nuée, possession, protectorat, ruche.

ESSAYER. Chercher, éprouver, escrimer, évertuer, goûter, ingénier, oser, risquer, sonder, tâcher, tâter, tâtonner, tendre, tenter, tester.

ESSAYISTE. Auteur, expérimenteur, modiste, testeur.

ESSAYISTE FRANÇAIS (n. p.). Benda.

ESSE. Cheville, crochet.

ESSENCE. Absinthe, anis, arbre, cajeput, captieux, entité, fond, gazoline, huile, indol, indole, lampe, nature, nizeré, principe, propre, suc.

ESSENTIEL. Capital, central, clé, clef, fond, important, indispensable, inhérent, intrinsèque, nécessaire, nœud, principal, principe, vital, vrai.

ESSEULÉ. Abandonné, délaissé, dernier, ermite, exclusif, isolé, premier, reclus, retiré, seul, seulement, solitaire, solo, un, unique.

ESSIEU. Arbre, axe, hampe, ligne, pivot, pôle, rachis, tige, vecteur.

ESSOR. Avancement, élan, envol, progrès, relance, reprise, vol, volée.

ESSOUFFLÉ. Haletant, pantelant.

ESSOUFFLER. Anhéler, aspirer, bâiller, époumonner, étouffer, exhaler, expirer, haleter, inhaler, inspirer, poumon, pousser, souffler, soupirer.

ESSUIE-MAINS. Débarbouillette, guenille, linge, serviette, torchon.

ESSUYER. Balayer, effacer, éponger, essorer, frotter, malmener, nettoyer, recevoir, refus, ressuyer, sécher, subir, supporter, torcher.

EST. Alizé, devient, été, être, existe, levant, orient, ouest, plage, vit.

ESTACADE. Butée, digue, jetée, mur, ope, paroi, pile, quai, voûte.

ESTAFETTE. Courrier, messager.

ESTAMPE. Eau-forte, épreuve, gravure, image, planche, trait, vignette.

ESTAMPEUR. Escroc, frappeur, graveur, illustrateur, imprimeur.

ESTAMPILLER. Estamper, frapper, graver, imprimer, marquer.

ESTER. Benzoate, carbonate, inventer, lactone, oléate, trister, stéarate.

ESTIMABLE. Chiffrage, estimation, inventaire, jauge, louable, mesure.

ESTIMATEUR. Évaluateur.

ESTIMATION. Appréciation, cotation, dire, devis, évaluation, valeur.

ESTIMÉ. Arbitré, calculé, coté, déterminé, égard, évalué, expertisé, hommage, honneur, mérite, navigué, orgueil, prisé, taxé, vogue.

ESTIMER. Apprécier, compter, coter, croire, évaluer, goûter, honorer, jauger, juger, noter, priser, ramas, rapin, réputer, soupeser, trouver.

ESTIVAL. Curiste, estivant, été, touriste, vacancier.

ESTIVANT. Touriste, vacancier.

ESTOC. Épée, estocade, race, racine, souche.

ESTOMAC. Abomasum, bedaine, bile, bonnet, buste, caillette, chyme, cœur, feuillet, gaster, gésier, io, jabot, meulette, mulette, panse, poche, queue, rumen, sac, sein, tripe, ulcère, urogastre, ventre, ventricule.

ESTOMPER. Adoucir, affaiblir, atténuer, décroître, diminuer, éteindre, expirer, faiblir, gazer, modérer, mourir, pâlir, passer, tamiser, voiler.

ESTONIE. Esti.

ESTONIEN. Este.

ESTOURBIR. Abattre, assommer, barber, battre, boxer, ennuyer, étourdir, fesser, fouetter, gauler, KO, rosser, rouer, sonner, tuer.

ESTRADE. Chaire, échafaud, plancher, podium, ring, tréteau, tribune.

ESTRAGON. Absinthe, achillée, artemisia, dragonne, fargon, serpentine.

ESTRAMAÇON. Épée.

ESTROPIER. Amputer, blesser, couper, diminuer, écloper, mutiler.

ESTUAIRE. Embouchure.

ESTURGEON. Acipenséridé, béluga, blanc, caviar, commun, sterlet.

ET CAETERA. Etc.

ÉTABLE. Abri, bercail, bergerie, bouverie, écurie, porcherie, soue, tect.

ÉTABLI. Assis, banc, bardo, campé, échafaudage, fixe, fondé, formé, menuisier, ordre, plan, poste, préétabli, rangé, sis, titre, vigie.

ÉTABLIR. Baser, bâtir, camper, créer, embrayer, fixer, fonder, instituer, instrumenter, justifier, mettre, nouer, ponter, poster, prouver, unir.

ÉTABLISSEMENT. Aciérie, aérium, alumnat, asile, bains, clinique, collège, crémerie, dancing, école, familistère, haras, internat, lycée, medersa, mission, moulière, nourricerie, observatoire, orphelinat, polarisation, prison, restaurant, sanatorium, succursale, usine, zaouïa.

ÉTAGE. Attique, degré, escalier, gradin, grenier, impériale, mezzanine, niveau, palier, plancher, premier, rez-de-chaussée, second, trias.

ÉTAGÈRE. Archelle, clayette, dressoir, fruitier, juchoir, tablard.

ÉTAIN. Fer blanc, métal, noces, plomb, potée, Sn.

ÉTALAGE. Esbroufe, étal, faste, flafla, inventaire, parade, vitrine.

ÉTALER. Afficher, arborer, éployer, étendre, exposer, montrer, tomber.

ÉTALON. Archétype, baudet, cheval, haras, jauge, matrice, mesure, modèle, or, pige, plan, référence, standard, statère, type, unité.

ÉTAMER. Canne, étain, étamage, miroiter, rétamer.

ÉTAMINE. Agame, andracée, anthère, burat, extrorse, filet, fleur, girouette, monandre, penon, pistil, pollen, staminée, tétradyname.

ÉTANCHER. Acquitter, boire, effacer, éponger, essuyer, payer, sécher.

ÉTANÇON. Appui, béquille, cale, chevalement, étai, soutien.

ÉTANG. Alevinier, bassin, bonde, by, canardière, chenal, chott, eau, grau, ide, lac, lagon, lagune, marais, mare, réservoir, rive, vivier.

ÉTAPE. Arrêt, époque, escale, halte, kan, khan, pas, pause, relais, répit.

ÉTAT. Aisé, cité, dans, en, liste, ordre, pays, plus, prêt, rut, sujet, sur.

ÉTAT D'AFRIQUE (n. p.). Afrique du Sud, Algérie, Angola, Bénin, Botswana, Burundi, Cabinda, Cameroun, Cap, Congo, Djibouti, Égypte, Éthiopie, Gabon,

Gambie, Ghana, Guinée, Kenya, Lesotho, Libéria, Libye, Madagascar, Mali, Maroc, Mauritanie, Mozambique, Namibie, Natal, Niger, Nigéria, Orange, Ouganda, Rhodésie, Rwanda, Sénégal, Somalie, Soudan, Swaziland, Tanganie, Tchad, Togo, Transvaal, Tunisie, Zaïre, Zambie, Zimbabwe.

ÉTAT D'ALLEMAGNE (n. p.). Bade, Bavière, Brandebourg, Hambourg, Hanovre, Hesse, Holstein, Mecklembourg, Prusse, Rhénanie, Saxe, Slesvig, Thuringe, Westphalie, Wurtemberg.

ÉTAT D'AMÉRIQUE CENTRALE (n. p.). Bahamas, Costa Rica, Cuba, Haïti, Honduras, Mexique, Nicaragua, Panama, République dominicaine.

ÉTAT D'AMÉRIQUE DU NORD (n. p.). Canada, États-Unis, Mexique.

ÉTAT D'AMÉRIQUE DU SUD (n. p.). Argentine, Bolivie, Brésil, Chili, Colombie, Costa Rica, Indochine, Guyane, Pérou, Venezuela.

ÉTAT D'ARABIE (n. p.). Katar, Oman, Qatar, Séoudite, Yémen.

ÉTAT D'ASIE (n. p.). Afghanistan, Arabie, Birmanie, Bornéo, Cambodge, Ceylan, Chine, Corée, Inde, Indonésie, Irak, Iran, Iraq, Japon, Laos, Malaisie, Mésopotamie, Mongolie, Népal, Pakistan, Palestine, Perse, Russie, Syrie, Taiwan, Thaïlande, Turquie, Vietnam.

ÉTAT DES BALKANS (n. p.). Albanie, Bulgarie, Grèce, Roumanie, Turquie, Yougoslavie.

ÉTAT DES ÉTATS-UNIS (n. p.). Alabama, Alaska, Arizona, Arkansas, Californie, Caroline, Colorado, Connecticut, Dakota, Delaware, Floride, Georgie, Hawaii, Idaho, Illinois, Indiana, Iowa, Kansas, Kentucky, Louisiane, Maine, Maryland, Massachusetts, Michigan, Minnesota, Mississippi, Missouri, Montana, Nebraska, New Hampshire, New Jersey, New York, New Mexico, Nouveau Mexique, Ohio, Oklahoma, Oregon, Pennsylvanie, Rhode Island, Tennessee, Texas, Utah, Vermont, Virginie, Washington, Wisconsin, Wyoming.

ÉTAT D'EUROPE (n. p.). Albanie, Allemagne, Angleterre, Autriche, Baltes, Belgique, Bulgarie, Croatie, Danemark, Eire, Espagne, Estonie, Finlande, France, Grande-Bretagne, Grèce, Hongrie, Irlande, Italie, Lettonie, Luxembourg, Norvège, Pologne, Portugal, Roumanie, Russie, Slovaquie, Suède, Suisse, Tchécoslovaquie, Turquie, Yougoslavie.

ÉTAT DE L'INDE (n. p.). Assam, Goa, Manipur, Orissa, Tripura.

ÉTAT DE L'INDOCHINE (n. p.). Birmanie, Cambodge, Laos, Malaisie, Thaïlande, Vietnam.

ÉTAT DE L'INDOCHINE FRANÇAISE (n. p.). Annam, Cambodge, Cochinchine, Guangzhouwan, Laos, Tonkin.

ÉTAT DU MEXIQUE (n. p.). Campeche, Chiapas, Chihuahua, Coahuila, Colima, Durango, Guadalajara, Guanajuato, Guerrero, Hidalgo, Jalisco, Mexico, Michoachan, Morelos, Nayarit, Nuevo Leon, Oaxaca, Puebla, Quintanaroo, San-Luis-Potosi, Sinaloa, Sonora, Tabasco, Tlaxacala, Vera Cruz, Yucatan, Zacatecas.

ÉTAT DU MOYEN-ORIENT (n. p.). Égypte, Israël, Liban, Syrie, Turquie.

ÉTAT DE L'OCÉANIE (n. p.). Australie, Nouvelle-Zélande.

ÉTAT DU PROCHE-ORIENT (n. p.). Israël, Liban, Syrie.

ÉTAU. Âne, bidet, étreinte, mordache, mors, ramasse.

ÉTAYER. Buter, caler, étançonner, étrésillonner, soutenir, supporter.

ÉTÉ. Allé, est, être, ex, feu, participe, poire, rendu, saison, thermidor.

ÉTEINDRE. Calmer, cesser, fermer, finir, périr, pompe, mourir, tison.

ÉTEINT. Couvre-feu, détruit, disparu, étouffé, mort, nul, terne.

ÉTENDARD. Aigle, bannière, cornette, couleurs, drapeau, emblème, enseigne, gonfalon, guidon, labarum, pavillon, pétale, turc, vexille.

ÉTENDRE. Allonger, détirer, épandre, étaler, étirer, lever, paver, semer.

ÉTENDU. Ample, arène, district, expansible, extensible, gisant, grand, forêt, infini, large, limite, long, mesure, plaine, prairie, pré, reg, registre, ressort, terre, traite, travers, universel, vaste, volume, vue.

ÉTENDUE. Aire, ampleur, borne, envergure, extension, grandeur, île, importance, nappe, portée, registre, superficie, surface, tessiture, vue.

ÉTENDUE D'EAU. Étang, fleuve, lac, lagon, mare, mer, océan, rivière.

ÉTERNEL. Constant, continuel, dieu, durable, éphémère, immémorial, indéfectible, infini, même, passager, perpétuel, repos, sempiternel.

ÉTERNELLEMENT. Futur, imprescriptible, indéfiniment, perdurer.

ÉTERNUER. Ébrouer, sternutation.

ÉTÊTER. Décapiter, découronner, écimer, écrêter, élaguer.

ÉTHANAL. Acétaldéhyde, aldéhyde.

ÉTHER. Air, atmosphère, ester, gazoline, nitrocellulose, nitroglycérine.

ÉTHIQUE. Admonestation, capucinade, déontologie, devoir, homélie, latitudinaire, leçon, maxime, morale, parénèse, probité, vertu.

ETHNIE. Aulique, bande, clan, érié, famille, gad, genre, groupe, horde, multiethnique, peuplade, peuple, phratrie, race, totem, tribal, tribu.

ETHNOLOGUE FRANÇAIS (n. p.). Leiris.

ÉTINCELANT. Brillant, chatoyant, coruscant, éblouissant, éclatant, flamboyant, luisant, miroitant, radieux, rayonnant, resplendissant, rutilant, scintillant.

ÉTINCELER. Briller, éblouir, éclairer, flamboyer, pétiller, scintiller.

ÉTINCELLE. Ardeur, cause, éclair, escarbille, flamme, flammèche, lueur.

ÉTIQUETTE. Décorum, écriteau, inscription, marque, protocole, vignette.

ÉTIRER. Allonger, ductile, égrener, élonger, étendre, protactile, tirer.

ÉTOFFE. Alépine, alun, basin, batiste, batik, bord, bure, casimir, cati, cotonnade, drap, escot, étamine, feutre, gaze, grain, granité, lé, laine, linge, ottoman, mérinos, mohair, moire, pan, peluche, piqué, ras, ratine, rep, satin, satinette, sergé, soie, suédine, surah, taffetas, tarlatane, tartan, tenture, textile, tissu, trentain, tulle, tussor, un, uni, velours, zénana.

ÉTOILE. Artiste, astre, astronomie, chariot, constellation, destin, destinée, filante, météore, météorite, nébuleuse, nova, pléiades, polaire, rat, sidéral, soleil, star, titre, trèfle, vedette, véga.

ÉTOILE (n. p.). Aldébaran, Alpha, Altaïr, Anémone, Antarès, Arcturus, Astérie, Barnard, Berger, Bételgeuse, Bethléem, Canopus, Capella, Castor, Centaure, Céphée, Dragon, Edelweiss, Lalande, Mizar, Nébuleuse, Pléiade, Procyon, Sirius, Véga, Voie Lactée, Vénus, Wolf.

ÉTOILE DE MER. Astérie.

ÉTONNANT. Bizarre, énorme, étrange, imprévu, inouï, miraculeux.

ÉTONNÉ. Ahuri, déconcerté, ébahi, épaté, étonné, interloqué, renversé, stupéfait, surpris.

ÉTONNEMENT. Ça, effroi, miracle, quoi, stupéfaction, stupeur, surprise.

ÉTONNER. Ahurir, ébahir, éberluer, éblouir, émerveiller, épater, esbroufer, hébéter, interdire, ravir, saisir, scier, sidérer, surprendre.

ÉTOUFFE. Braisière, efface, éteignoir, insonore, neutre, suffoque.

ÉTOUFFER. Asphyxier, couvrir, enrayer, éteindre, noyer, refréner.

ÉTOUPE. Bourras, calfat, chanvre, filasse, lin, serpillière.

ÉTOURDERIE. Imprudence, inattention, irréflexion, maladresse, oubli.

ÉTOURDI. Ahuri, attentif, braque, distrait, ébahi, écervelé, évaporé, éventé, fou, frivole, idiot, prévoyant, réfléchi, serin, sonné, vigilant.

ÉTOURDIR. Abasourdir, assommer, casser, estourbir, griser, soûler.

ÉTOURDISSEMENT. Éblouissement, désarroi, déséquilibre, évanouissement, ivresse, oreille, saisissement, trouble, vertige.

ÉTOURNEAU. Étourdi, militaire, passereau, sansonnet, sot.

ÉTRANGE. Bannir, bizarre, curieux, différent, extraordinaire, inouï.

ÉTRANGER. Allochtone, aubain, huilander, métèque, xénophobe.

ÉTRANGETÉ. Anomalie, bizarrerie, comique, curieux, drôle, extraordinaire, extravagant, farfelu, hétéroclite, inexplicable, inouïsme, insolite, lunatique, originalité, saugrenu, singularité, spécial.

ÉTRANGLER. Égorger, étouffer, pendre, réserver, resserrer, serrer, tuer.

ÊTRE. Aître, autre, auxiliaire, chose, créateur, durer, est, été, force, forme, genre, homme, maison, manière, régner, verbe, vie, vivre.

ÉTREINDRE. Angoisser, caresser, embrasser, enlacer, presser, serrer.

ÉTREINTE. Caresse, coït, embrassade, enlacement, étau, serrement.

ÉTRENNE. Cadeau, don, dot, envoi, largesse, offrande, pot-de-vin, présent, prime, prix, souvenir, surprise.

ÉTRIER. Chape, cheval, manille, oreille, otospongiose.

ÉTRILLER. Bouchonner, brosser, frotter, malmener, panser, rudoyer.

ÉTRIPER. Entretuer, éventrer, éviscérer, vider.

ÉTRIQUÉ. Étroit, exigu, juste, limité, maigre, petit, restreint, riquiqui.

ÉTROIT. Aigu, ample, collant, confiné, effilé, étendu, exigu, fin, juste, large, menu, mince, ouvert, petit, resserré, rétréci, spacieux, vaste.

ÉTROITESSE. Atrésie, exiguïté, médiocrité, mesquinerie, petitesse.

ÉTRON. Colombin, crotte, excrément.

ÉTUDE. Anatomie, biologie, bryologie, cardiographie, classe, coprologie, cryométrie, cryoscopie, droit, écologie, épidémiologie, éthologie, géochimie, géographie, gérontologie, graphologie, hépatologie, hydrostatique, ichtyologie, iconologie, laryngologie, malacologie, mémoire, métallographie, métapsychique, morphologie, myologie, odontologie, onirologie, onomastique, orogénie, orographie, otologie, parapsychologie, parasitologie, pétrographie, pharmacodynamie, phytopathologie, posologie, psychiatrie, psychopathologie, rhinologie, science, stage, stomatologie, urologie, zoogéographie.

ÉTUDIANT. Apprenti, carabin, collégien, écolier, élève, externe, lycéen.

ÉTUDIER. Analyser, apprendre, comparer, creuser, délibérer, discuter, éplucher, examiner, explorer, observer, pâlir, peser, sonder, scruter.

ÉTUI. Aiguiser, boîte, boîtier, cartouchière, cassette, coffin, dé, douille, enveloppe, fourreau, gaine, housse, onglon, sac, trousse, tube.

ÉTYMOLOGIE. Commencer, évolution, grammaire, lexicologie, origine.

EU. Avoir, éprouvé, possédé, pu, trompé, vu.

EUCHARISTIE. Cène, communion, impanation, messe, viatique.

EUNUQUE. Castrat, châtré, eutrope.

EUPATOIRE. Cannabinacée, chanvre d'eau.

EUPHORBE. Épurge, ésule, intisy, réveil, ricin.

EUPHORBIACÉE. Aleurite, bancoulier, croton, épurge, foirole, hévéa, kamala, mancenillier, manioc, médicinier, mercuriale, ricin.

EUPHORIE. Aise, bonheur, hallucinogène, joie, manie, nicotine, opium.

EURASIEN. Eurasiatique, métis.

EUROPÉEN. Albanais, allemand, anglais, autrichien, belge, britannique, bulgare, danois, espagnol, eurasien, finlandais, finnois, français, germain, germanique, grec, helvète, helvétique, hongrois, ibérique, irlandais, islandais, italien, latin, luxembourgeois, magyar, maltais, néerlandais, norvégien, polonais, portugais, roman, roumain, scandinave, slave, soviétique, suédois, suisse, tchécoslovaque, tchèque, turc, yougoslave.

EUROPIUM. Eu.

EUX. Ils.

ÉVACUATEUR. Déversoir, échappement, selle, spiracle, train.

ÉVACUATION. Déjection, écoulement, éjection, émission, éruption, expulsion, méléna, péril, purge, retrait, sialorrhée, uriner, vomique.

ÉVACUER. Dégorger, éliminer, émettre, expulser, sortir, uriner, vider.

ÉVADÉ. Échappé, fugitif.

ÉVADER. Échapper, éclipser, enfuir, envoler, esquiver, fuir, sauver.

ÉVALUATION. Chiffrage, estimation, inventaire, jauge, mesure.

ÉVALUER. Apprécier, calculer, chiffrer, compter, coter, estimer, jauger, juger, nombrer, priser, réputer, stérer, supputer, taxer, ventiler.

ÉVANGÉLISER. Catéchiser, christianiser, prêcher, rechristianiser.

ÉVANGÉLISTE. Homélie, missionnaire, prédicateur, synoptique.

ÉVANGÉLISTE (n. p.). Jean, Jésus, Luc, Marc, Matthieu, Paul.

ÉVANGILE. Bible, catéchisme, dogme, ladre, loi, mages, mission, règle.

ÉVANGINATION. Épiphyse.

ÉVANOUIR. Défaillir, disparaître, mourir, pâmer, syncope, tomber.

ÉVANOUISSEMENT. Anéantissement, coma, défaillance, disparition, faiblesse, pâmoison, perte, syncope.

ÉVAPORÉ. Écervelé, éventé, frivole, inattentif, insouciant, léger.

ÉVAPORER. Dissiper, éventer, étourdir, sécher, vaporiser, volatiliser.

ÉVASER. Agrandir, arrondir, dilater, élargir, étamper, fraiser, ouvrir.

ÉVASIF. Abstrait, agitation, confus, douteux, erre, général, indécis, on.

ÉVASION. Amen, belle, changement, détente, été, ite, fuite, rêve.

ÈVE Adam, biblique, pomme, serpent.

ÉVÊCHÉ. Gap, Sées.

ÉVEIL. Alarme, alerte, apparition, commencement, début, naissance.

ÉVEILLÉ. Actif, conscient, dégourdi, délié, espiègle, lutin, mutin, vif.

ÉVEILLER. Alerter, animer, frapper, ramener, ranimer, réveiller, tirer.

ÉVÉNEMENT. Acte, aléa, bénédiction, cas, chose, crise, date, drame, fait, fléau, heur, mésaventure, récit, scène, signe, sort, tuile, vicissitude.

ÉVENT. Narine.

ÉVENTAIL. Assortiment, choix, gamme, Éon, flabellum, sélection.

ÉVENTRÉ. Crevé, défoncé, étourdi, étripé, évaporé.

ÉVENTUEL. Aléatoire, casuel, circonstance, incertain, possible.

ÉVENTUALITÉ. Cas, circonstance, contingence, continence, possibilité.

ÉVÊQUE. Apostolique, avranche, évêché, homélie, mitre, monseigneur, ordre, pasteur, pontife, prélat, primat, remi, sacre, trône, vicaire.

ÉVÊQUE (n. p.). Donat, Égede, Éloi, Eusebe, Irénée, Latimer, Rémi, Rémy, Tutu.

ÉVÊQUE DE BAIE-COMEAU (n. p.). Labrie.

ÉVÊQUE DE CHICOUTIMI (n. p.). Melançon, Racine.

ÉVÊQUE DE GASPÉ (n. p.). Ross.

ÉVÊQUE DE GATINEAU-HULL (n. p.). Proulx.

ÉVÊQUE DE JOLIETTE (n. p.). Archambault, Audet, Forbes.

ÉVÊQUE DE LONGUEUIL (n. p.). Grégoire, Hubert.

ÉVÊQUE DE MONTRÉAL (n. p.). Bruchesi, Léger, Racicot, Turcotte.

ÉVÊQUE DE NICOLET (n. p.). Bruneault.

ÉVÊQUE DE QUÉBEC (n. p.). Baillargeon, Briand, Panet, Plessis, Roy, Signay, Turgeon, Vachon.

ÉVÊQUE DE RIMOUSKI (n. p.). Courchesne.

ÉVÊQUE DE SAINT-HYACINTHE (n. p.). Decelles, Moreau.

ÉVÊQUE DE SAINT-JÉRÔME (n. p.). Frenette.

ÉVÊQUE DE SHERBROOKE (n. p.). Desranleau, Larocque.

ÉVÊQUE DE TROIS-RIVIÈRES (n. p.). Cloutier.

ÉVÊQUE DE VALLEYFIELD (n. p.). Caza, Langlois.

ÉVERTUER. Appliquer, attacher, efforcer, épuiser, escrimer, essayer, fatiguer, ingénier, peiner, tâcher, tuer.

ÉVIDÉ. Antre, aven, caverne, cavité, cloup, concavité, conque, coupure, creux, fente, fontis, fossé, fouille, grotte, mine, puits, trou.

ÉVIDEMMENT. Absolument, incontestablement, indubitablement, oui.

ÉVIDENT. Appert, assuré, certain, clair, constant, contestable, criant, discutable, douteux, flagrant, formel, indiscutable, limpide, manifeste, net, notoire, obscur, obvie, palpable, patent, positif, sûr, visible.

ÉVIER. Cuvette, lavabo.

ÉVINCER. Bannir, chasser, écarter, excepter, exiler, ôter, radier, rayer.

ÉVITER. Cartayer, chercher, couper, écarter, échapper, effacer, éluder, empêcher, esquiver, fuir, obvier, parer, préserver, rechercher, volte.

ÉVOCATION. Acclamation, appel, commémoration, magie, mémento, mémoire, mention, mobilisation, rappel, souvenance, souvenir.

ÉVOLUER. Changer, devenir, graviter, manœuvrer, mûrir, parader.

ÉVOLUTION. Amélioration, avancement, bond, degré, essor, étape.

ÉVOQUER. Commémorer, raconter, rappeler, retracer, souvenir.

EXACT. Certain, conforme, complet, conforme, congru, convenable, correct, fiable, fidèle, fin, juste, réel, précis, strict, sûr, textuel, vrai.

EXACTEMENT. Fidèle, littéral, pile, régulièrement, rigoureusement.

EXACTITUDE. Assiduité, certitude, discrétion, justesse, précision, vérité.

EXAGÉRATION. Abus, excès, emphase, outrance, paranoïa, sédation.

EXAGÉRÉ. Abusif, excès, excessif, forcé, outré, polydipsie, salé.

EXAGÉRER. Abuser, attiger, charrier, dramatiser, forcer, grossir, outrer.

EXALTANT. Encourageant, enivrant, excitant, extase, grisant, ivresse.

EXALTATION. Apothéose, calme, enthousiasme, éréthisme, flegme, folie, impassibilité, lyrisme, pondération, pythie, sang-froid, sibylle.

EXALTÉ. Énergumène, enragé, excité, fanatique, frénétique, ivre.

EXALTER. Élever, enivrer, enorgueillir, expirer, griser, louanger, vanter.

EXAMEN. Analyse, autopsie, bac, baccalauréat, bachot, brevet, colle, colonoscopie, cystoscopie, essai, gastroscopie, oral, test, visite, vue.

EXAMINATEUR. Interrogateur, testeur.

EXAMINER. Analyser, apprécier, approfondir, arraisonner, ausculter, critiquer, débattre, étudier, inspecter, langueyer, observer, peser, regarder, réviser, revoir, scruter, sonder, tâter, vérifier, visiter, voir.

EXASPÉRANT. Agaçant, crispant, énervant, insupportable, irritant.

EXASPÉRER. Agacer, aggraver, aiguiser, assommer, gonfler, irriter.

EXAUCER. Accomplir, combler, demande, écouter, satisfaire, vœu.

EXCAVATEUR. Bulldozer, pelle, pelleteuse, pépine.

EXCAVATION. Antre, aven, caverne, cavité, cloup, concavité, conque, coupure, creux, fente, fontis, fossé, fouille, grotte, mine, puits, trou.

EXCAVER. Creuser, déblayer, enfoncer, fouiller, ouvrir, vider.

EXCÉDÉ. Agacé, crispé, fatigué, las, dépassé, irrité, ras-le-bol, roué.

EXCÉDENT. Bagage, boni, excès, prime, reste, solde, surcroît, surplus.

EXCÉDER. Abuser, accabler, combler, crisper, dépasser, déplaire, énerver, éreinter, exaspérer, exciter, irriter, outrepasser, surmener.

EXCELLENT. Beau, bien, bon, divin, éminent, fin, habile, parfait, qualité.

EXCENTRIQUE. Anormal, baroque, bigarré, bizarre, cocasse, comique, curieux, drôle, étrange, farfelu, hétéroclite, incroyable, inouï, insolite, lunatique, olibrius, original, phénomène, saugrenu, spécial.

EXCEPTÉ. Abstraction, exciper, hormis, hors, ôté, sauf, sinon, tous, tout.

EXCEPTER. Écarter, exciper, hormis, omis, ôté, sauf, sinon, tous, tout.

EXCEPTIONNEL. Anormal, bizarre, étonnant, inouï, rare, seul, unique.

EXCES. Abus, adipose, aérogastrie, blettissement, comble, dèche, démesuré, emphase, exagération, hyperchlorhydrie, hyperglycémie, intempérance, luxe, naïveté, obésité, plus, ribote, surplus, trop.

EXCESSIF. Avare, bigot, démesuré, déraisonnable, énorme, extrême, fol, fou, ladre, monstrueux, outrancier, prude, rage, torride, trop, violent.

EXCESSIVEMENT. Abusivement, démesurément, énormément, exagérément, extrêmement, suprêmement, surabondamment, terriblement, torride, trop, usurairement, vertigineusement.

EXCIPIENT. Absorption, julep, médicament.

EXCISION. Abcision, ablation, amputation, clitoridectomie, coupé, enlèvement, exérèse, irridectomie, tomie.

EXCITATION. Aigreur, appel, ardeur, chaleur, colère, cunnilingus, éréthisme, fumée, hypermnésie, ivresse, orgasme, rage, stimulus.

EXCITÉ. Attisé, énergumène, enragé, exalté.

EXCITER. Activer, agacer, agiter, allumer, altérer, animer, apitoyer, attirer, attiser, aviver, causer, charmer, embraser, émoustiller, énerver, éveiller, exalter, inciter, piquer, remuer, soulever, sus, va.

EXCLAMATION. Ah, aïe, allo, bah, bon, ça, chut, crac, cri, eh, eurêka, fi, ha, hé, hein, ho, hom, interjection, oh, ouf, paf, pan, pécaïre, pif, zut.

EXCLAMER. Clamer, écrier, récrier.

EXCLUANT. Bannissement, caste, divorce, exception, monopole, seul.

EXCLURE. Bannir, chasser, écarter, excepter, exiler, ôter, radier, rayer.

EXCLUSION. Avortement, bannir, défécation, disgrâce, éjection, évacuation, éviction, exil, huissier, ipéca, paria, sans, seul, xénélasie.

EXCOMMUNICATION. Anathème, expulsion, malédiction, ostracisation.

EXCRÉMENT. Besoins, bouse, bran, caca, chiasse, chiure, coprolithe, crotte, crottin, déchet, étron, fèces, fiente, guano, merde, selle, urine.

EXCROISSANCE. Apophyse, bédégar, bosse, broussin, caroncule, condylome, coque, corne, crête, épine, évagination, fic, fongosité, fongus, galle, loupe, saillie, tubercule, tumeur, verrucosité, verrue.

EXCURSION. Aventure, balade, digression, promenade, raid, voyage.

EXCUSABLE. Justifiable, pardonnable, rémissible.

EXCUSE. Absolution, alibi, allégation, bourde, couverture, défense, échappatoire, indulgence, invocation, justification, pardon, prétexte.

EXCUSER. Absoudre, acquiter, admettre, adoucir, alléguer, blanchir, couvrir, décharger, effacer, éluder, exciper, laver, pallier, tolérer.

EXÉCRER. Abominer, détester, haïr, horrifier, maudire, sacrer.

EXÉCUTANT. Anticipant, bricoleur, joueur, ponceur, saboteur, tueur.

EXÉCUTER. Accomplir, bourreau, électrocuter, enlever, évoluer, faire, fignoler, fusiller, guillotine, hart, jouer, mouler, opérer, pendre, perler, réaliser, remplir, réussir, roder, saboter, tirer, tricoter, tuer.

EXÉCUTION. Achèvement, attaque, création, effet, électrocution, faire, massacre, œuvre, opération, production, réalisation, supplice.

EXÉGÈTE. Analyse, censeur, commentateur, crucial, décisif, diatribe, difficile, étude, grave, juge, observateur, sérieux, soupçonneux, zoïle.

EXÉGÈTE (n. p.). Bea.

EXEMPLE. Archétype, argument, comme, échantillon, imitation, instar, modèle, paradigme, parangon, preuve, règle, sillage, spécimen, type.

EXEMPT. Affranchi, aseptique, blanc, déchargé, dégagé, dépourvu, franc, intact, libre, net, préservé, propre, pur, sain, sauf, serein.

EXEMPTER. Abriter, absoudre, acquitter, amnistier, décharger, écarter, épargner, excuser, exonérer, garantir, gracier, libérer, pardonner.

EXEMPTION. Abri, amnistie, décharge, dispense, faveur, remise.

EXERCÉ. Adroit, cotuteur, exerçant, expérimenté, expert, habile, inexercé, rétenteur, retrayant, versé.

EXERCER. Action, agir, cumuler, devoir, diriger, dominer, entraîner, essayer, ester, faire, influer, manœuvre, occuper, plié, réagir, régner, remplir, sévir, sport, subjuguer, tenir, tirer, toréer, travailler, verser.

EXERCICE. Acrobatie, action, conférence, dictée, gymnastique, marche, manœuvre, mouvement, pratique, salve, sport, thème, tir, xyste.

EXÉRÈSE. Abcision, ablation, amputation, coupe, excision, tomie.

EXFOLIATION. Dartre, écaillement, gerçure, rhagade.

EXHALAISON. Arôme, effluve, émanation, fumet, odeur, méphitiser, miasme, puanteur, parfum, senteur, souffle, vapeur.

EXHALER. Dégager, émaner, fumer, puer, rendre, sentir, sortir, suer.

EXHAUSSEMENT. Billon, colmatage, élévation, surélévation.

EXHAUSSER. Augmenter, élever, hausser, remonter, surélever.

EXHIBER. Braver, énoncer, ensoleiller, étaler, éventer, exposer, formuler, insoler, irradier, montrer, motiver, narrer, saisir, traiter.

EXHIBITION. Numéro, présentation, représentation, salon, spectacle.

EXHORTER. Encourager, inspirer, mû, prier, suborner, suggérer, tenter.

EXHUMER. Déterrer, produire, ressortir, ressusciter, sortir.

EXIGEANT. Absorbant, délicat, difficile, intraitable, nitrophile, pointilleux, précis, rigoureux, sévère.

EXIGÉ. Nécessaire, prescrit, réclamé, requis, voulu.

EXIGENCE. Appétit, besoin, désir, envie, faim, jeûne, laver, manque, misère, narcolepsie, nécessité, prier, privation, soif, sommeil, urgence.

EXIGER. Demander, imposer, obliger, prendre, rançonner, vouloir.

EXIGIBLE. Dû, strict.

EXIGU. Aigu, ample, collant, confiné, effilé, étendu, étroit, fin, juste, large, menu, mince, ouvert, petit, resserré, rétréci, spacieux, vaste.

EXIGUÏTÉ. Étroitesse, médiocrité, mesquinerie, modicité, petitesse.

EXIL. Ban, déportation, expatriation, expulsion, ostracisme, renvoi.

EXILER. Bannir, chasser, déporter, proscrire, rappeler, reléguer.

EXISTANT. Actuel, authentique, concret, effectif, palpable, présent, réel.

EXISTE. Es, est, été, être, fictif, imaginaire, inventé, mort, nul, vis, vit.

EXISTENCE. Concret, état, être, matière, présence, réalité, vérité, vie.

EXISTER. Compatible, durer, être, précéder, régner, subsister, vivre.

EXODE. Abandon, départ, désertion, émigration, fuite, Our, ré, Ur.

EXONÉRER. Décote, dégrever, exempter, impôt, libérer, ôter, soulager.

EXORBITANT. Coûteux, démesuré, dingue, dispendieux, estimable, exagéré, excessif, fou, onéreux, précieux, prix, rare, salé, surpayer.

EXPANSIF. Communicatif, explosif, franc, jubilatif, prospère, souple.

EXPANSION. Boom, coquille, croissance, décompression, détente, développement, diffusion, dilatation, effusion, épanchement, épanouissement, essor, explosion, extension, propagation.

EXPATRIATION. Bannissement, émigration, exil, péril, quitter.

EXPATRIER. Bannir, chasser, émigrer, exiler, expatriation, quiter.

EXPECTATIVE. Attente, espérance, espoir, patience, perspective.

EXPECTORATION. Bronchorrée, expulsion, toux.

EXPECTORER. Cracher, éternuer, époumoner, spasme, toussoter.

EXPÉDIER. Céder, confier, bâcler, envoyer, faire, fournir, lâcher, rendre.

EXPÉDITION. Campagne, copie, course, croisade, envoi, épreuve, étude, gare, greffe, grosse, mille, poste, réalisation, safari, tuer, voyage.

EXPÉRIENCE. École, épreuve, éprouvette, essai, habileté, hier, nouveau, pratique, routine, sagesse, savoir, science, test, usage, vécu.

EXPÉRIMENTÉ. Averti, adroit, capable, chevronné, distingué, émérite, essayé, exercé, expert, ferré, fort, habile, rompu, sage, savant, versé.

EXPÉRIMENTER. Éprouver, essayer, goûter, observer, subir, tester.

EXPERT. As, capable, expérimenté, habile, priseur, sapiteur.

EXPIER. Compenser, inexpié, infliger, payer, purgatoire, réparer, sévir.

EXPIRATION. Délai, éternuement, prescription, souffle, terme, toux.

EXPIRER. Aspirer, exhaler, finir, mourir, périr, respirer, souffler.

EXPLÉTIF. En, ne, superflu.

EXPLICATION. Avis, car, exégèse, exposé, glose, notice, raison, théorie.

EXPLIQUÉ. Annoncé, commenté, défini, éclairé, enseigné, justifié.

EXPLIQUER. Décrire, définir, élucider, énoncer, exposer, lire, montrer.

EXPLOIT. Action, geste, performance, prestation, prouesse, raid, record.

EXPLOITANT. Agriculteur, colon, consortage, cultivateur, saunier.

EXPLOITATION. Charlatanisme, concession, ferme, gérance, salin.

EXPLORATEUR. Chercheur, découvreur, excursionniste, globe-trotter, nomade, passager, pèlerin, promeneur, ravenala, touriste, visiteur.

EXPLORATEUR ALLEMAND (n. p.). Barth, Behaim, Nachtigal.

EXPLORATEUR AMÉRICAIN (n. p.). Boone, Byrd, Ellsworth, Peary.

EXPLORATEUR ANGLAIS (n. p.). Baffin, Banks, Chancellor, Cook, Dampier, Davis, Eyre, Franklin, Frobisher, Hudson, Raleigh, Scott, Speke, Stanley, Willoughby.

EXPLORATEUR BRITANNIQUE (n. p.). Baker, Cook, Eyre, Franklin, Fraser, Frobisher, Hudson, McClure, Ross, Skackleton, Vancouver.

EXPLORATEUR CANADIEN (n. p.). La Vérendrye, Nicolet.

EXPLORATEUR CARTHAGINOIS (n. p.). Hannon, Himilcon.

EXPLORATEUR CRÉTOIS (n. p.). Néarque.

EXPLORATEUR DANOIS (n. p.). Rasmussen.

EXPLORATEUR ÉCOSSAIS (n. p.). Clapperton, Livingstone, Mackenzie.

EXPLORATEUR ESPAGNOL (n. p.). Cano, Colomb, Fernandez, Grijalva, Ojeta, Nunez, Pinzon, Torrès.

EXPLORATEUR FLORENTIN (n. p.). Vespucci.

EXPLORATEUR FRANÇAIS (n. p.). Bougainville, Brazza, Brûlé, Caillé, Cartier, Casteret, Champlain, Charcot, Chardin, Charlevois, Chauminot, Chouart, Dablon, Duperrey, Duveyrier, Foucauld, Foureau, Freycinet, Gentil, Groseillers, Jolliet, Lamy, Marchand, Marquette, Martel, Monfreid, Pavie, Radisson, Segalen, Victor.

EXPLORATEUR GÉNOIS (n. p.). Colomb.

EXPLORATEUR GREC (n. p.). Pausanias, Pythéas.

EXPLORATEUR IRLANDAIS (n. p.). McClintock.

EXPLORATEUR ITALIEN (n. p.). Cabot, Nobile, Verrazano, Vespucci.

EXPLORATEUR NÉERLANDAIS (n. p.). Barents, Barentzs.

EXPLORATEUR NORMAND (n. p.). Béthencourt.

EXPLORATEUR NORVÉGIEN (n. p.). Amundsen, Nansen.

EXPLORATEUR PORTUGAIS (n. p.). Cabral, Cam, Cao, Covilham, Cunha, Dias, Gama, Magellan, Queiros, Tristam.

EXPLORATEUR PRUSSIEN (n. p.). Humboldt.

EXPLORATEUR RUSSE (n. p.). Kotzebue, Prjevalski, Przewalski.

EXPLORATEUR SUÉDOIS (n. p.). Nordenskjöld.

EXPLORATEUR SUISSE (n. p.). Burckhardt.

EXPLORATEUR VÉNITIEN (n. p.). Polo.

EXPLORER. Chercher, étudier, fouiller, palper, scruter, sonder, tâter.

EXPLOSER. Détonner, éclater, fulminer, partir, péter, sauter.

EXPLOSIF. Amorce, cheddite, cordite, dynamite, fusée, lyadite, lyddite, mélinite, obus, panclastite, pentrite, poudre, roburite, T.N.T., tolite.

EXPLOSION. Bruit, détonation, éclatement, hilarité, ire, moteur, rire.

EXPOSÉ. Aéré, aperçu, énoncé, éventé, exposition, mémoire, mémorandum, narration, notice, périlleux, plaidoirie, plan, rapport, récit, relation, sain, sommaire, sujet, synthèse, thèse, topo, versant.

EXPOSER. Aérer, braver, énoncer, ensoleiller, étaler, éventer, formuler, insoler, irradier, montrer, motiver, narrer, risquer, saisir, traiter.

EXPOSITION. Étalage, foire, floralie, galerie, midi, salon, salut, stand.

EXPRÈS. Clair, délibéré, messager, net, spécialement, volontairement.

EXPRESSIF. Animé, atone, bavard, éloquent, jovial, parlant, significatif.

EXPRESSION. Accent, air, âme, art, caractère, cliché, énoncé, figure, juron, jus, locution, mine, physionomie, purée, regard, style, ton, voix.

EXPRIMÉ. Dit, duratif, écrit, émis, essoré, figure, peinture, souhait, suc.

EXPRIMER. Dire, écrire, émettre, énoncer, gémir, maudire, mimer, parler, presser, prier, rédiger, remercier, rire, souhaiter, traduire.

EXPULSER. Bannir, chasser, éjecter, évacuer, exiler, renvoyer, virer.

EXPULSION. Avortement, bannir, défécation, disgrâce, éjection, évacuation, éviction, exclusion, exil, huissier, ipéca, xénélasie.

EXQUIS. Agréable, bon, délectable, délicat, friandise, nanan, suave.

EXSUDATION. Sécrétion, distillation, miellée, miellure, sueur.

EXSUDER. Couler, dégouliner, fuir, pleurer, suer, suinter, transpirer.

EXTASE. Béatitude, bonheur, chanam, contemplation, émerveillement, exaltation, ivresse, mysticisme, ravissement, transport, yoga.

EXTASIÉ. Émerveillé, pâmé, ravi.

EXTENSIBLE. Ductile, élastique, étirable, pandémique.

EXTENSION. Développé, entorse, étendue, détente, distension, essor, étendue, pandémie, phagédénisme, plan, stretching, traction.

EXTÉNUANT. Blâmant, claquant, critiquant, démolissant, fatigant.

EXTÉNUER. Accabler, briser, épuiser, fatiguer, miner, tarir, user, vider.

EXTÉRIEUR. Aile, air, allure, apparence, aspect, attitude, au dehors, brillant, caché, dehors, externe, hors, périphérie, visible, zeste.

EXTERMINATION. Anéantissement, génocide, liquidation, massacre.

EXTERMINER. Anéantir, décimer, dératiser, détruire, éteindre, tuer.

EXTINCTION. Aphonie, brûler, fin, finir, nirvana, rachat.

EXTIRPATION. Ablation, amputation, césarienne, énucléation.

EXTIRPER. Anéantir, arracher, déraciner, détruire, enlever, énucléer, éradication, éradiquer, extirpation, extraire, inextirpable, ôter.

EXTORQUER. Arracher, escroquer, rançonner, soutirer, taxer, voler.

EXTRA. Épatant, étonnant, formidable, sensationnel, super, terrible.

EXTRACTION. Ablation, arrachement, benne, déracinement, enfleurage, enlevé, énucléation, évulsion, exérèse, extirpation, fonte, lixiviation, métallurgie, naissance, né, noble, origine, racé, sang, sous-produit, tiré.

EXTRAIRE. Arracher, dégager, déraciner, détacher, distiller, enlever, essorer, ôter, puiser, résiner, retirer, sauner, tirer, traire, vider.

EXTRAIT. Abrégé, analyse, citation, esprit, essence, iode, lactucarium, passage, quintessence, thridace, sérum, suc, sucre.

EXTRAORDINAIRE. Abracadabrant, bizarre, épatant, épique, étonnant, excessif, gigantesque, héros, incroyable, inouï, magique, merveilleux, phénoménal, prodigieux, rare, sensationnel, surnaturel, unique.

EXTRAVAGANCE. Caprice, divagation, élucubration, excentricité, folie, frasque, incartade, loufoquerie, lubie, manie, marotte, toquade.

EXTRAVAGANT. Absurde, bizarre, dément, farfelu, insensé, unique.

EXTRÊME. Absolu, apogée, bout, infini, limite, sommet, summum.

EXTRÊMEMENT. Infiniment, profondément, radicalement, très, vanné.

EXTRÉMITÉ. Abois, about, abside, aileron, airure, appendice, bec, bord, borne, bout, cap, comble, confins, contour, croupion, croûte, délimitation, épi, épiphyse, éponge, externe, fin, flèche, frontière, gland, lance, limite, lisière, mort, mufle, œilleton, ongle, penne, pied, pôle, queue, scion, sclex, sommité, talon, terme, tête, têteau, trayon.

EXTRINSÈQUE. Étranger, extérieur, externe, fictif, nominal, théorique.

EXTRUDER. Bannir, chasser, éjecter, évacuer, exiler, expulser, renvoyer.

EXULTER. Action, allégresse, jubiler, liesse, réjouir, transporter, ulcérer.

EXUTOIRE. Assainir, débarrasser, diversion, émonctoire, ulcération.

EXUVIE. Mue.

EX-VOTO. Don, inscription, sanctuaire, vœu.

EYRA. Puma.

EZÉCHIAS (n. p.). Achaz, Judas, Sennachérib.

EZRA (n. p.). Esdras.

# F

FA. Clé, clef, note.

FABLE. Allégorie, anecdote, conte, fabliau, fabuleux, fabuliste, fiction, intrigue, isopet, légende, mensonge, morale, mythe, parabole, ysopet.

FABRICANT. Armurier, artisan, cirier, distillateur, façonnier, faiseur, faussaire, fromager, huilier, luthier, opticien, robinetier, vermicellier.

FABRICATION. Confection, création, façon, facture, fagotage, grosserie, industrie, matériau, montage, préparation, production, viniculture.

FABRIQUE. Aluminerie, arsenal, atelier, bâtiment, câblerie, cidrerie, conseil, édifice, église, ferronnerie, griffe, huilerie, imagerie, laboratoire, malterie, poudrerie, saboterie, soierie, stéarinerie, usine.

FABRIQUER. Composer, créer, façonner, faire, inventer, usiner.

FABULEUX. Admirable, certain, chimère, étonnant, exact, excessif, extraordinaire, fable, homérique, irréel, légende, mythe, réel, vrai.

FABULISTE. Fable, gay, hâbleur, magicien, mythomane.

FABULISTE ALLEMAND (n. p.). Hagedorn.

FABULISTE ARABE (n. p.). Bidpay, Pilpay.

FABULISTE ESPAGNOL (n. p.). Iriarte.

FABULISTE FRANÇAIS (n. p.). Florian, Franc-Nohain, La Fontaine, Perrault.

FABULISTE GREC (n. p.). Ésope.

FABULISTE LATIN (n. p.). Phèdre.

FABULISTE ITALIEN (n. p.). Abstemius.

FABULISTE RUSSE (n. p.). Dmitriev, Krylov.

FAÇADE. Apparence, devant, devanture, front, frontispice, fronton.

FACE. Angle, apparence, as, aspect, avant, côté, débat, échange, façade, faciès, figure, front, lit, pan, plante, rencontre, ridé, tournure, visage.

FACE-À-FACE. Contestation, démêlé, discussion, procès, querelle.

FACÉTIE. Attrape, barigoule, blague, bouffonnerie, canular, clownerie, facétieux, farce, fumisterie, godiveau, niche, plaisanterie.

FÂCHÉ. Contrarié, courroucé, excité, irrité, marri, mécontent, vexé.

FÂCHER. Agacer, aigrir, bouder, briser, déplaire, irriter, offenser, vexer.

FÂCHERIE. Bisbille, bouderie, brouille, dispute, froid, offense, trouille.

FÂCHEUX. Gêneur, importun, pis, pléthore, râlant, sot, tic, tuile.

FACIÈS. Atérien, face, figure, physionomie, urgonien, visage.

FACILE. Aisé, clair, digeste, docile, friable, léger, rire, simple, usuel.

FACILEMENT. Aisément, fluide, naturellement, simplement, souple.

FACILITÉ. Agilité, aider, aisance, marge, naturel, routine, simple.

FAÇON. Ainsi, air, art, allure, biais, chiqué, comme, coupe, est, été, facture, forme, griffe, manière, méthode, mode, style, ton, tour.

FAÇONNER. Ajuster, équerrer, faire, former, modeler, pétrir, sculpter.

FACTEUR. Accordeur, agent, cause, cœfficient, commis, élément, information, luthier, musique, porteur, postier, rapport, rhésus.

FACTEUR D'INSTRUMENT DE MUSIQUE (n. p.). Érard, Sax.

FACTICE. Absurde, apocryphe, artificiel, bidon, double, douteux, erroné, faute, fautif, faux, feint, forcé, irréel, postiche, pseudo, toc.

FACTIEUX. Agitateur, comploteur, conjuré, conspirateur, émeutier, insurgé, mutin, rebelle, révolté, séditieux, subversif, trublion.

FACTION. Brigue, cabale, cabillaud, cabochien, hameçon, ligue, parti.

FACTIONNAIRE. Garde, gardien, guetteur, planton, sentinelle, vedette.

FACTO. Ipso.

FACTURE. Addition, ci, compte, dû, façon, griffe, note, pro format.

FACULTÉ. Académie, collège, campus, corps, discernement, école, énergie, entendement, es, imagination, intelligence, institut, mémoire, motricité, néantise, raison, sens, ubiquité, université, volonté, vue.

FADA. Abruti, ahuri, ballot, bête, bêta, con, enfoiré, imbécile, niais.

FADAISE. Amusette, baliverne, bagatelle, bêtise, brande, cortex, fagot, fascine, futilité, gerbe, habit, hart, paquet, rouette, sornette, traîne.

FADE. Aigre-doux, dégoût, délavé, insipide, languissant, plat, terne.

FAGOT. Brande, brassée, bourrée, cortex, cotret, fadaise, fagotin, fascine, gerbe, habit, hart, javelle, paquet, rouette, sarment, traîne.

FAIBLE. Bénin, bon, chétif, débile, énervé, épuisé, étiolé, fatigué, grêle, léger, menu, mou, pâle, petit, fluet, précaire, usé, veule, vil.

FAIBLEMENT. Délicatement, doucement, indécision, légèrement, rosé.

FAIBLESSE. Adynamie, anémie, apathie, asthénie, atonie, cachetie, débilité, dépression, épuisement, fatigue, fragilité, inanition, syncope.

FAIBLIR. Abattre, abrutir, adoucir, alanguir, altérer, amoindrir, amollir, anémier, aveulir, briser, casser, déprimer, diluer, ébranler, épuiser, étioler, lasser, miner, pâlir, ronger, ruiner, sénilité, user.

FAÏENCE. Azuléjo, céramique, chien, porcelaine, ramequin, trésaillée.

FAÏENCE (n. p.). Gien, Jersey, Lunéville, Marseille, Moustiers, Nevers, Palissy, Quimper, Rouen, Strasbourg, Wedgwood.

FAILLE. Brèche, cassure, coupure, crevasse, enture, espace, fêlure, fente, fissure, gerçure, grigne, hiatus, ouverture, séisme, trouée.

FAILLIR. déroger, gâcher, louper, manquer, omettre, pécher, rater.

FAILLITE. Banqueroute, débâcle, déficit, échec, krach, ruine, sinistre.

FAIM. Appétit, boulimie, désir, fringale, pica, polyphagie, repu.

FAINÉANT. Acagne, cagne, loir, oisif, paresseux, rien, roi, rossard.

FAINÉANTISE. Désœuvrement, fortuit, inertie, inopiné, paresse, repos.

FAIRE (4 lettres). Agir, lire, oser, user.

**FAIRE** (5 lettres). Airer, bâtir, caver, cirer, coter, créer, crâner, dédier, finir, frire, garer, gaver, haler, léser, luxer, mater, noyer, nuire, périr, péter, plier, punir, rêver, rimer, roter, rôtir, rouer, saler, tarir, tirer.

**FAIRE** (6 lettres). Amener, avaler, bâcler, broder, cabrer, causer, cerner, conter, coudre, crever, draver, écoper, écrire, élever, épiler, ériger, ficher, fonder, forcer, former, fuguer, griser, lancer, médire, mettre, narrer, nicher, opérer, ouvrir, parier, passer, percer, perler, pincer, relier, rendre, sauter, siéger, sinuer, sonner, strier, tester, tinter, tisser, tomber, trôner, vaquer, vendre, verser, uriner.

**FAIRE** (7 lettres). Accuser, affaler, annoter, apaiser, arrêter, avancer, avertir, bourrer, chanter, claquer, creuser, crisser, débuter, dresser, ébranler, éclater, effacer, égrener, émettre, enquêter, envoyer, essayer, estimer, évacuer, feindre, frauder, honorer, immoler, innover, laminer, languir, macérer, marcher, méditer, menacer, mijoter, minuter, nuancer, pédaler, plisser, potiner, référer, remplir, retenir, réussir, révéler, revenir, saboter, suturer, tapager, tapiner, tourner, tousser.

**FAIRE** (8 lettres). Abaisser, adresser, affecter, analyser, annoncer, bricoler, caresser, composer, cuisiner, déclarer, déconner, dégriser, denteler, dérouter, dessiner, détruire, éliminer, employer, endiguer, épanouir, étatiser, éteindre, éternuer, étrenner, exécuter, expédier, façonner, festoyer, fulminer, malfaire, molester, notifier, procréer, réaliser, rebondir, recenser, rééditer, régenter, réitérer, relancer, résorber, résoudre, réveiller, rissoler, tempêter, torturer, utiliser.

**FAIRE** (9 lettres). Accomplir, acquitter, amalgamer, cabotiner, commenter, empiffrer, entailler, escamoter, éterniser, légiférer, raisonner, rehausser, renverser, ronronner, sermonner, soumettre, supprimer, suspendre, témoigner, violenter, vocaliser, zigzaguer.

**FAIRE** (10 lettres). Gesticuler, interposer, surcharger, travailler.

**FAIRE** (11 lettres). Assermenter, éclabousser, effaroucher, empoisonner, enregistrer, frictionner, inventorier, ressusciter.

**FAIRE** (12 lettres). Complimenter, concurrencer, instrumenter.

**FAIRE** (13 lettres). Comptabiliser, confectionner, personnaliser.

**FAISAN.** Argus, avocette, coq, faisandé, fripon, juchée, pouillard.

**FAISCEAU.** Accumulation, aigrette, amas, balai, botte, bouquet, bysse, byssus, fagot, feston, gerbe, grappe, lumière, pyramidal, spot, troche.

**FAIT.** Acte, action, cas, chose, épisode, événement, exemple, exploit, faire, geste, initier, modalité, performance, point, prouesse, vérité.

**FAÎTE.** Alpinisme, apogée, arête, calotte, cime, crâne, crête, dent, haut, hauteur, maximum, montagne, paroxysme, pic, sommet, tête.

**FALLACIEUX.** Absurde, apocryphe, cabotin, double, douteux, erroné, faute, fautif, faux, félon, fourbe, irréel, pseudo, toc, trompeur, vain.

**FALOT.** Anodin, comique, effacé, fanal, humble, inconsistant, insignifiant, lanterne, médiocre, terne.

**FALSIFICATION.** Adultération, alliage, contrefaçon, frelatage, fraude, imitation, maquillage, pastiche, postiche, tromperie, trucage.

**FALSIFIER.** Altérer, changer, fausser, frelater, imiter, tromper, truquer.

**FAMEUX.** As, célèbre, connu, extraordinaire, remarquable, réputé.

FAMILIARITÉ. Affabilité, amitié, camaraderie, connaisance, fraternité.

FAMILIER. Aisé, commun, courant, habituel, facile, simple, tu, usuel.

FAMILIÈREMENT. Tu.

FAMILLE. Aristocrate, chez, clan, feu, foyer, gens, maison, né, népotisme, noble, ordre, parent, parenté, race, smalah, tribu, type.

FAMILLE DES ACÉRACÉES. Érable, négondo, négundo, sycomore.

FAMILLE DES ACCIPITRIDAES. Aigle, balbuzard, buse, crécerelle, épervier, faucon, milan, vautour.

FAMILLE DES AGARICACÉES. Lépiote.

FAMILLE DES ALADIDAES. Alouette.

FAMILLE DES ALCIDAES. Alque, guillemot, macareux, marmette, mergule, pingouin.

FAMILLE DES ALISMACÉES. Sagittaire, plantain d'eau.

FAMILLE DES AMARYLLIDACÉES. Agave, narcisse, perce-neige, tubéreuse.

FAMILLE DES AMPÉLIDACÉES. Vigne.

FAMILLE DES ANACARDIACÉES. Fustet, lentisque, nanguier, monbin, pistachier, spondias, sumac, térébinthe.

FAMILLE DES ANATIDAES. Bernache, canard, cygne, eider, garrot, oie, macreuse, sarcelle.

FAMILLE DES ANONACÉES. Ilang-ilang, ylang-ylang.

FAMILLE DES APÉTALES. Aristoloche.

FAMILLE DES APOCYNACÉES. Cyprès, génévrier, pervenche, thuya.

FAMILLE DES ARACÉES. Acore, arum.

FAMILLE DES ARALIACÉES. Lierre.

FAMILLE DES ARDEIDAES. Aigrette, bihoreau, butor, héron.

FAMILLE DES ASCLÉPIADACÉES. Dompte-venin.

FAMILLE DES BALAENIDÉS. Baleine.

FAMILLE DES BALAENOPTÉRIDÉS. Rorqual.

FAMILLE DES BERBÉRIDACÉES. Mahonia.

FAMILLE DES BÉTULACÉES. Aulne, aune, bouleau, charme, noisetier.

FAMILLE DES BIGNONIACÉES. Catalpa, jacaranda.

FAMILLE DES BOMBYCILLIDAES. Jaseur.

FAMILLE DES BORRAGINACÉES. Bourrache, buglosse, consoude, cynoglosse, grémil, héliotrope, myosotis, orcanette, pulmonaire, vipérin.

FAMILLE DES BOVIDÉS. Bœuf.

FAMILLE DES BROMÉLIACÉES. Ananas, tillandie.

FAMILLE DES BRYOPHYTES. Mousse.

FAMILLE DES BUXACÉES. Buis.

FAMILLE DES CACTACÉES. Cactier, cactus, cierge, épiphylle, gaillardie, marguerite, matricaire, oponce, opuntia, tussilage, xéranthème.

FAMILLE DES CAMPANULACÉES. Lobélie, spéculaire.

FAMILLE DES CANNIBALACÉES. Chanvre.

FAMILLE DES CAPRIFOLIACÉES. Sureau, symphorine, viorne.

FAMILLE DES CAPRIMULGIDAES. Engoulevent.

FAMILLE DES CANIDÉS. Coyote, loup, renard.

FAMILLE DES CARYOPHYLLACÉES. Coquelourde, espargoutte, lychnis, morgeline, nielle, œillet, saponaire, sclétanthe, silène, spargoute, spergule, stellaire, turquette, vaccaire.

FAMILLE DES CASTORIDÉS. Castor.

FAMILLE DES CERVIDÉS. Caribou, cerf, orignal.

FAMILLE DES CÉSALPINIÉES. Caroubier, casse, cassier, copayer, févier, gainier, séné, tamarinier.

FAMILLE DES CHARADRIIDAES. Pluvier.

FAMILLE DES CHÉNOPODIACÉES. Arroche, betterave, chénopode, épinard, kali, quinoa, salicorne, soude.

FAMILLE DES COLÉOPTÈRES. Scarabéidé.

FAMILLE DES COLUMBIDAES. Pigeon, tourte, tourterelle.

FAMILLE DES COMPOSACÉES. Achillée, agérate, ageratum, anthémis, armoise, arnica, artichaut, aster, aulnée, bardane, bleuet, camomille, chardon, chicorée, cinéraire, cirse, dahlia, edelweiss, épervière, eupatoire, gaillarde, hélianthe, inule, laiteron, lampourde, marouette, maroute, picris, pulicaire, pyrèthre, radié, rudbeckia, salsifis, santoline, sarrette, séneçon, serratule, solidage, souci, tanaisie, zinnia.

FAMILLE DES CONVOLVULACÉES. Cuscute, liseron, patate, pomme de terre.

FAMILLE DES CORNÁCÉES. Aucuba.

FAMILLE DES CORVIDAES. Choucas, corbeau, corneille, geai, pie.

FAMILLE DES CORYLACÉES. Noisetier.

FAMILLE DES CRASSULACÉES. Joubarbe, ombilic, orpin, sedum, sempervivum.

FAMILLE DES CRICÉTIDÉS. Campagnol, lemming, rat musqué, souris.

FAMILLE DES CRYPTOGAMES. Fougère, prêle, presle.

FAMILLE DES CRUCIFÉRACÉES. Alliaire, alysse, alysson, caméline, cardamine, cochléaria, guède, giroflée, ibéride, ibéris, isatis, julienne, matthiole, moutarde, navet, passerage, pastel, quarantaine, radis, raifort, roquette, thlaspi.

FAMILLE DES CUCURBITACÉES. Bryone, citrouille, courge, concombre, ecballium, melon, pastèque.

FAMILLE DES CUPULIFÉRACÉES. Châtaignier, chêne, fau, fayard, hêtre.

FAMILLE DES CYPÉRACÉES. Laiche, linaigrette, papyrus, scirpe, souchet.

FAMILLE DES DELPHINIDÉS. Dauphin, épaulard, globicéphale.

FAMILLE DES DIALYPÉTALES. Bégonia.

FAMILLE DES DICOTYLÉDONES. Anonacée, cucurbitacée.

FAMILLE DES DIDELPHIDÉS. Opossum.

FAMILLE DES DIOMEDEIDAES. Albatros.

FAMILLE DES DIOSCORÉACÉES. Igname, tamier.

FAMILLE DES DIPODIDÉS. Souris sauteuse.

FAMILLE DES DIPSACÉES. Cardère, scabieux.

FAMILLE DES DROSÉRACÉES. Dionée.

FAMILLE DES DYCOTYLÉDONES. Réséda.

FAMILLE DES ÉBÉNACÉES. Plaqueminier.

FAMILLE DES EMBERIZIDAES. Bruant, cardinal, carouge, dickcissel, junco, goglu, oriole, paruline, passerin, quiscale, sturnelle, tangara, tohi, vacher.

FAMILLE DES ÉRÉTHIZONTIDÉS. Porc-épic.

FAMILLE DES ÉRICACÉES. Airelle, arbouzier, azalée, bleuet, bruyère, busserolle, gaulthérie, myrtille, rhododendron, rosage.

FAMILLE DES EUPHORBIACÉES. Aleurite, bancoulier, croton, euphorbe, hévéa, kamala, macenillier, manioc, médicinier, mercuriale, ricin.

FAMILLE DES FÉLIDÉS. Couguar, lynx.

FAMILLE DES FRINGILLIDAES. Bec-croisé, chardonneret, dur-bec, gros-bec, roselin, sizerin.

FAMILLE DES FUMARIACÉES. Dicentra, fumeterre.

FAMILLE DES GAMOPÉTALES. Asclépiade, asclépias.

FAMILLE DES GAVIIDAES. Huart.

FAMILLE DES GRAMINACÉES. Alfa, avoine, blé, brize, brome, canne, fléole, gramen, houque, ivraie, mil, millet, nard, orge, oyat, panic, riz, vulpin.

FAMILLE DES GRUIDAES. Grue.

FAMILLE DES HAMAMÉLILACÉES. Copalme.

FAMILLE DES HIPPOCASTANACÉES. Marronnier.

FAMILLE DES HIRUNDINIDAES. Hirondelle.

FAMILLE DES HYDROBATIDAES. Pétrel.

FAMILLE DES HYDROCHARIDACÉES. Morrène, vallisnérie.

FAMILLE DES HYPÉRICACÉES. Millepertuis.

FAMILLE DES ILICACÉES. Houx.

FAMILLE D'INSECTES. Acridiens, aphidiens, apidés, cérambycidés, chrysomélidés, curculionidées, élatéridés, géométridés, muscidés, scarabéidés, vespidés.

FAMILLE DES IRIDACÉES. Glaïeul, iris, tigridie.

FAMILLE DES JONCACÉES. Jonc, luzule.

FAMILLE DES JUGLANDACÉES. Carya, noyer.

FAMILLE DES LABIACÉES (LABIÉES). Ballote, basilic, bétoine, bugle, calament, cataire, crapaudine, crosne, germandrée, gléchome, glécome, hysope, lamier, lavande, lycope, marrube, mélisse, mélitte, menthe, népète, romarin, sauge, scutellaire, thym.

FAMILLE DES LARIDAES. Bec-en-ciseaux, goéland, labbe, mouette, sterne.

FAMILLE DES LAURACÉES. Avocatier, laurier, sassafras.

FAMILLE DES LÉGUMINEUSES. Acacia, robinier.

FAMILLE DES LÉPORIDÉS. Lapin, lièvre.

FAMILLE DES LILIACÉES. Ail, aloès, asparagus, asperge, asphodèle, aspidistra, ciboule, ciboulette, cive, civette, colchique, endymion, fragon, fritillière, hémérocalle, hyacinthe, jacinthe, lis, lys, muguet, oignon, ornithogale, parisette, phormium, poireau, salsepareille, sansevière, scille, tulipe, yucca.

FAMILLE DES LINACÉES. Lin.

FAMILLE DES MAGNOLIACÉES. Badiane, magnolier, tulipier.

FAMILLE DES MALVACÉES. Ambrette, baobab, cotonnier, fromager, guimauve, hibiscus, kapotier, mauve.

FAMILLE DES MÉLIACÉES. Cedrela.

FAMILLE DES MIMIDAES. Moqueur.

FAMILLE DES MIMOSACÉES. Acacia.

FAMILLE DES MONOCOTYLÉDONES. Butome, marante, massette, potamot, typha.

FAMILLE DES MONODONTIDÉS. Béluga, narval.

FAMILLE DES MOROCÉES. Jacquier, jaquier, mûrier, upas.

FAMILLE DES MURIDÉS. Rat, surmulot, souris.

FAMILLE DES MUSACÉES. Ravenala.

FAMILLE DES MUSCICAPIDAES. Gobe-moucheron, grive, merle, roitelet, solitaire, traquet.

FAMILLE DES MUSTÉLIDÉS. Belette, carcajou, hermine, loutre, martre, mouffette, pékan, vison.

FAMILLE DES MYRTACÉES. Eucalyptus, giroflier, goyavier, niaouli.

FAMILLE DES NYCTAGINACÉES. Bougainvillée, mirabilis.

FAMILLE DES NYMPHÉACÉES. Nénuphar.

FAMILLE DES ODOBÉNIDÉS. Morse.

FAMILLE DES OLÉACÉES. Forsythia, frêne, jasmin, lilas, olivier, troène.

FAMILLE DES OMBELLIFÈRES. Aethuse, angélique, anis, arche, berce, carotte, carvi, céleri, cerfeuil, chervis, ciguë, crithme, cumin, éthuse, fenouil, férule, hydrocotyle, livèche, maçeron, œnanthe, opopanax, panais, panicault, persil, peucédan, sanicle, sanicule, sium, thapsis.

FAMILLE DES ONAGRARIACÉES. Épilobe, fuchsia, onagraire, onagre.

FAMILLE DES ORCHIDACÉES. Catteya, orchidée, orchis, vanda.

FAMILLE DES PAPAVÉRACÉES. Chélidoine, coquelicot, pavot, sanguinaire.

FAMILLE DES PAPILIONACÉES. Ajonc, baguenaudier, bugrane, coronille, érythrine, fenugrec, fève, genêt, glycine, haricot, lentille, lotier, lupin, luzerne, pois, physostigma, réglisse, robinier, sainfoin, sesbanie, sophora, téphrosie, trèfle, trigonelle.

FAMILLE DES PARIDAES. Mésange.

FAMILLE DES PASSERIDAES. Moineau.

FAMILLE DES PELECANIDAES. Pélican.

FAMILLE DES PHALACROCORACIDAES. Cormoran.

FAMILLE DES PHASIANIDAES. Faisan, gélinotte, lagopède, perdrix, tétras.

FAMILLE DES PHYSÉTÉRIDÉS. Cachalot.

FAMILLE DES PHOCIDÉS. Phoque.

FAMILLE DES PHOCOENIDÉS. Marsouin.

FAMILLE DES PHOENICOPTERIDAES. Flamant.

FAMILLE DES PICIDAES. Pic.

FAMILLE DES PIPÉRACÉES. Poivrier.

FAMILLE DES PODICIPEDIDAES. Grèbe.

FAMILLE DES POLYGONACÉES. Bistorte, oseille, patience, renoué, rhubarbe, sarrasin.

FAMILLE DES PRIMULACÉES. Cyclamen, lysimaque, soldanelle.

FAMILLE DES PROCELLARIIDAES. Fulmar, puffin.

FAMILLE DES PROCUANIDÉS. Raton laveur.

FAMILLE DES RALLIDAES. Foulque, gallinule, poule d'eau, râle.

FAMILLE DES RENONCULACÉES. Actée, aconit, adonis, ancolie, anémone, anéolie, cimicaire, clémantite, dauphinelle, dicotylédone, ellébore, ficaire, hellébore, nigelle, pied-d'alouette, pivoine, populage.

FAMILLE DES RHAMNACÉES. Jujubier, nerprun.

FAMILLE DES RIBÉSIACÉES. Groseillier.

FAMILLE DES ROSACÉES. Aigremoine, alchimille, alloucher, amandier, aubépine, benoîte, cerisier, cognassier, crataegus, églantier, fraisier, kerrie, icaquier, merisier, néflier, pêcher, pimprenelle, poirier, pommier, ronce, rosier, sanguisorbe, sorbier, spirée, tormentille.

FAMILLE DES RUBIACÉES. Gaillet, garance, gardénia, ipéca, ipécacuana, vaillantie.

FAMILLE DES RUTACÉES. Angusture, citronnier, fraxinelle, mandarinier, oranger.

FAMILLE DES SALICACÉES. Osier, peuplier, saule, tremble, ypréau.

FAMILLE DES SANTALACÉES. Santal.

FAMILLE DES SAPINDACÉES. Letchi, litchi, savonnier.

FAMILLE DES SAPOTACÉES. Dichopsis, sapotier, sapotillier, sidéroxylon.

FAMILLE DES SAXIFRAGÉES. Hortensia, seringa, seringat.

FAMILLE DES SCIURIDÉS. Écureuil, marmotte, polatouche, tamia.

FAMILLE DES SCITAMINACÉES. Balisier, bananier, cardamome, curcume.

FAMILLE DES SCOLOPACIDAES. Barge, bécasse, bécasseau, bécassine, courlis, maubèche, phalarope, tournepierre.

FAMILLE DES SCROFULARIACÉES. Calcéolaire, euphraise, lomoselle, linaire, maurandie, mélampyre, muflier, paulownia, pédiculaire, rhinanthe, véronique.

FAMILLE DES SIMARUBACÉES. Ailante, simaruba.

FAMILLE DES SITTIDAES. Sitelle.

FAMILLE DES SOLONACÉES. Belladone, datura, jusquiame, morelle, nicotiane, patate, pétunia, physalis, piment, pomme de terre, tabac, tomate.

FAMILLE DES SORICIDÉS. Musaraigne, sorex.

FAMILLE DES STERCULIACÉES. Cacaotier, cacaoyer, cola, kola, kolatier.

FAMILLE DES STRIGIDAES. Chouette, grand-duc, harfand, hibou, petit-duc, nyctale.

FAMILLE DES STURNIDAES. Étourneau.

FAMILLE DES STYRACACÉES. Styrax.

FAMILLE DES SULIDAES. Fou de Bassan.

FAMILLE DES TALPIDÉS. Condylure, taupe.

FAMILLE DES TÉRÉBINTHACÉES. Anacardier.

FAMILLE DES THRESKIONITHIDAE. Ibis, spatule.

FAMILLE DES TILIACÉES. Tilleul.

FAMILLE DES TROCHILIDAES. Colibri.

FAMILLE DES TYTONIDAES. Effraie.

FAMILLE DES ULMACÉES. Micocoulier, orme.

FAMILLE DES URSIDÉS. Ours.

FAMILLE DES URTICACÉES. Ortie, pariétaire, ramie.

FAMILLE DES VALÉRIANACÉES. Valériane, valérianelle.

FAMILLE DES VERBÉNACÉES. Gattilier, lantanier, verveine.

FAMILLE DES VESPERTILIODÉS. Chauve-souris, pipistrelle, sérotine, vespertilion.

FAMILLE DES VIOLACÉES. Violette.

FAMILLE DES ZINGIBÉRACÉES. Amome, cardamome, gingembre.

FAMILLE DES ZIPHIIDÉS. Baleine-à-bec.

FAN. Admirateur, groupie, inconditionnel.

FANAL. Campanile, diogène, falot, feu, guillotine, lanterne, lamparo, lampe, lampion, loupiote, lumière, lustre, phare, réverbère, veilleuse.

FANATIQUE. Accro, amoureux, ardent, chaud, dévot, emballé, enflammé, enragé, enthousiaste, exalté, fana, fervent, forcené, fou, frénétique, furieux, illuminé, mordu, passionné, séide, voyant, zélé.

FANATISME. Dévotion, fureur, intolérance, passion, persécution, zèle.

FANÉ. Effanure, flétri, fripé, ratatiné, ridé, stigmatisé, terne, usé.

FANER. Défloraison, enlaidir, flétrir, ratatiner, rider, stigmatiser.

FANFARE. Clique, cors, cuivres, harmonie, lyre, nouba, trompes.

FANFARE (n. p.). Orphéon.

FANFARON. Bravache, brave, casseur, crâneur, faraud, fendant, matamore, prétentieux, tartarin, tranche-montagne, truculent, vantard.

FANFARONNADE. Blague, bravade, crânerie, craque, esbrouffe, gasconnade, hâblerie, jactance, parade, rodomontade, vanité.

FANFARONNER. Blaguer, braver, crâner, craquer, fausser, tromper.

FANFRELUCHE. Colifichet, falbalas, ornement, bagatelle.

FANGE. Bauge, boue, bourbe, ignomonie, lie, limon, sanglier, vase.

FANION. Bannière, couleur, drapeau, enseigne, étendard, pavillon.

FANTAISIE. Caprice, désir, idée, humour, gré, lubie, mode, volonté.

FANTASMER. Créer, croire, forger, juger, penser, rêver, supposer.

FANTASSIN. Bidasse, chasseur, peltaste, péon, pion, soldat, voltigeur.

FANTASTIQUE. Chimérique, extraordinaire, féerique, génie, monstre.

FANTOCHE. Marionnette, pantin.

FANTÔME. Apparition, esprit, génie, revenant, spectre, vampire.

FANTÔME (n. p.). Lémure, Mânes, Opéra, Zombi.

FAON. Axis, biche, bois, brocard, chevreuil, cor, daguet, daim, élan, époi, fauve, hallali, harde, hère, muntjac, orignal, renne, sica, wapiti.

FARANDOLE. Cavalcade, cotillon, danse.

FARCE. Attrape, barigoule, blague, bouffonnerie, canular, facétie, fumisterie, godiveau, hachis, niche, pasquinade, plaisanterie.

FARCEUR. Baladin, bouffon, comique, fumiste, loustic, plaisantin.

FARCIR. Emplir, entrelarder, fourrer, hachis, niche.

FARD. Affectation, artifice, blanc, blush, brillant, couleur, démaquillant, faux, fond, grimage, maquillage, nu, peinture, rimmel, rouge.

FARDEAU. Charge, coltineur, faix, joug, lourd, main, poids, tortillon.

FARDER. Cacher, couvrir, déguiser, embellir, grimer, maquiller, voiler.

FARFADET. Follet, lutin, nain.

FARFELU. Baroque, biscornu, bizarre, excentrique, extravagant, fantaisiste, foufou, funambulesque, hurluberlu, loufoque, saugrenu.

FARIBOLE. Baliverne, billeversée, calembredaine, frivole, sornette.

FARINE. Blé, bluter, bouillie, cassave, enfariné, farineux, fécule, gari, grésillon, griot, lin, maïs, millias, milliasse, minot, minoterie, mouture, pain, pâte, poudre, roux, salep, sasser, semoule, ténébrion.

FARINER. Enfariner.

FARNIENTE. Inaction, loisir, oisiveté.

FARLOUSE. Passereau, pipit.

FAROUCHE. Âpre, hagard, insociable, méfiant, misanthrope, sauvage.

FASCE. Burèle, burelle, équipolé, équipollé.

FASCINER. Attirer, captiver, charmer, éblouir, émerveiller, épater.

FASTE. Apparat, beau, fastueux, favorable, luxe, pauvreté, simplicité.

FASTIDIEUX. Assommant, barbant, divertissant, insipide, ennuyeux.

FATAL. Désastreux, fatalité, fatidique, funeste, immuable, inévitable, invariable, mortel, néfaste, nécessaire, prédestination, sûr, vamp.

FATALITÉ. Destin, fatum, hasard, malheur, nécessaire, prédestiné, sort.

FATIGANT. Agaçant, claquant, ennuyant, éreintant, soûlant, tuant.

FATIGUÉ. Abattu, accablé, amaigri, anéanti, anémie, avachi, brisé, charge, échiné, élimé, ennui, épuisé, éreinté, faible, fardeau, fourbu, harassé, las, lassitude, peine, poids, recru, rendu, tiré, tué, usé, vanné.

FATIGUER. Ahaner, briser, crever, harceler, lasser, peser, tirer, user.

FATUITÉ. Autosatisfaction, infatuation, modestie, orgueil, outrecuidance, modestie, présomption, prétention, suffisance, vanité.

FATUM. Destin, fatalité, hasard, malheur, nécessaire, prédestiné, sort.

FAUBOURG. Agglomération, banlieue, ceinture, périphérie, village, ville.

FAUCHÉ. Aisé, appauvri, chétif, clochard, cossu, démuni, gueux, fortuné, hère, indigent, job, ladre, minable, miséreux, pauvre, riche, ruiné.

FAUCHER. Abattre, couper, renverser, sectionner, tailler, voler.

FAUCHEUR. Arachnide, faucheux, opillion.

FAUCILLE. Communisme, étrape, faux, sape, serpe, serpette, vouge.

FAUCON. Busard, buse, canon, crécerelle, émerillon, épervier, falco, falconidé, falconiforme, gerfaut, hobereau, huir, laneret, lanier, des moineaux, pèlerin, prairie, rapace, réclame, sacre, sacret, tiercelet.

FAUSSER. Feindre, forcer, gourer, mentir, simuler, truquer, voiler.

FAUSSETÉ. Exactitude, feinte, félonie, franchise, sincérité, vérité.

FAUTE. Ânerie, bêtise, connerie, coquille, confusion, délit, erratum, erreur, gaffe, loup, mal, méprise, parachronisme, sinon, vénielle, vice.

FAUTEUIL. Académie, bergère, canapé, chaise, crapaud, ouvreuse, siège, trône, violoné, voltaire.

FAUTIF. Concussionnaire, coupable, criminel, délinquant, responsable.

FAUVE. Alezan, antre, bois, carnassier, lion, once, ressui, tanière, tigre.

FAUVETTE. Azurée, blanche, bleue, buissons, calotte, canada, capuchon, cendrée, colima, couronne, croupion, figuier, flamboyante, grise, hybride, jaune, kentucky, kirtland, lunettes, masquée, mexique, moustache, noire, obscure, orangée, parula, parulidé, passereau, passerinette, pins, plastron, polyglotte, rayée, sylvette, swainson, terrestre, tigrée, townsend, triste, verdâtre, vermivore, verte, virginia.

FAUX. Absurde, affecté, âge, apocryphe, cabotin, double, douteux, erroné, faute, fautif, félon, fourbe, irréel, pseudo, toc, vain, vrai.

FAVEUR. Aide, amitié, appui, aumône, avantage, bienfait, cadeau, grâce, mercière, passe-droit, récompense, ruban, tolérance, vogue.

FAVORABLE. Ami, atout, bien, bon, éclaircie, embellie, mécène, pour.

FAVORI. Chéri, choisi, chouchou, élu, gagnant, mignon, préféré, turf.

FAVORI (n.p). Aman, Entrague, Estrée, Fersen, Giac, Mécène, Mignon, Neipperg, Sorel.

FAVORISÉ. Avantagé, don, doué, loti, privilégié, protégé, soutenu.

FAVORISER. Aider, choyer, donner, doter, douer, lotir, seconder, servir.

FAVORITISME. Combine, chouchoutage, népotisme, passe-droit.

FAYARD. Hêtre.

FAYOT. Assidu, dévoué, empressé, enflammé, fanatique, haricot, zélé.

FÉBRIFUGE. Antipyrétique, antithermique, fièvre, quinine, quinquina.

FÉBRILE. Agité, fiévreux, impatient, nerveux, pondéré, typhose.

FÉCES. Bran, étron, excréments, fécal, lie, méconium.

FÉCOND. Abondant, été, fertile, gras, lapinisme, nil, riche, ubéreux.

FÉCONDATION. Autogamie, chasmogamie, fertilité, superfécondation.

FÉCONDER. Enrichir, fécondant, fertiliser, inséminer.

FÉCULE. Amylique, colocase, féculent, maïs, racahout, sagou, tapioca.

FÉDÉRATION. Alliance, coalition, confédération, société, syndicat, union.

FÉE. Féer, fougère, génie, korrigan, magicienne, pérri.

FÉE (n. p.). Carabosse, Mab, Mélusine, Urgande, Urgèle.

FEINDRE. Affecter, boiter, dissimuler, inventer, jouer, semblant, simuler.

FEINTE. Artifice, comédie, duplicité, fard, fiction, frime, leurre, ruse.

FELDSPATH. Albite, arkose, kaolin, oligoclase, orthose, pétunsé, syénite.

FÊLER. Craquer, étoiler, fendiller, fendre, fissurer, rayer, rompre, strier.

FÉLIBRIGE. Félibre, gras, majoral, mistral, oc, poète, prosateur.

FÉLIBRIGE (n. p.). Aubanel, Brunet, Giera, Mathieu, Mistral, Roumanille, Tavan.

FÉLICITATIONS. Apologie, apothéose, compliment, congratulation, dithyrambe, éloge, encens, flatter, louange, panégyrique, triomphe.

FÉLICITÉ. Adversité, aise, amulette, aubaine, bonheur, calamité, chance, confort, délice, désastre, douceur, douleur, échec, extase, heur, infortune, joie, jouissance, malchance, misère, peine, plaisir, prospérité, rayonner, revers, satisfaction, souffrance, succès, veine.

FÉLICITER. Adresser, complimenter, congratuler, témoigner, vanter.

FÉLIN. Agile, carnassier, chat, lion, ocelot, once, serval, souple, tigre.

FÊLURE. Brèche, brisure, cassure, coupure, crevasse, enture, espace, étoilement, faille, fente, fissure, hiatus, lézarde, ouverture, trouée.

FEMELLE. Agami, agnelle, ânesse, biche, brebis, bufflesse, bufflette, bufflonne, cane, chamelle, chanterelle, chatte, chèvre, chevrette, chienne, coche, daine, dinde, faisande, faisane, guenon, hase, hérissonne, jument, laie, lapine, levrette, lice, lionne, louve, mère, merlette, meurette, mule, oie, ourse, paonne, perruche, pigeonne, poule, rate, reine, renarde, tigresse, truie, vache.

FEMME (3 lettres). Brut, ève, fée, pie.

FEMME (4 lettres). Amie, brue, dame, elle, grue, mère, rani, vamp.

FEMME (5 lettres). Atour, bonne, catin, dinde, donna, fille, furie, garce, gaupe, harem, naine, pecte, perle, poule, pin-up, reine, sœur, squaw.

FEMME (6 lettres). Ânière, beauté, chipie, déesse, épouse, gouine, guenon, hourri, lapine, lionne, mégère, mémère, menine, moitié, nabote, poupée, putain, rousse, sainte, salope, sirène, touffe, virago.

FEMME (7 lettres). Avocate, bécasse, bobonne, bringue, cocotte, frigide, logeuse, luronne, marâtre, matrone, ogresse, préfète, rameuse, soldate, sphinge, sultane, traînée, tribade, tsarine, typesse, tzarine.

FEMME (8 lettres). Agalacte, bouchère, capeline, comtesse, connasse, cornette, cotillon, duchesse, éleveuse, glaneuse, gonzesse, hommasse, laideron, mairesse, marquise, marraine, ménagère, menteuse, paysanne, pimbêche, poétesse, rombière, servante, sylphide, tigresse.

FEMME (9 lettres). Batelière, belle-mère, coiffeuse, écrivaine, maîtresse, pimpesoué, pleureuse, prêtresse, sauvagesse, soubrette.

FEMME (10 lettres). Belle-fille, boulangère, cantinière, châtelaine, doctoresse, escrimeuse, filandière, nymphomane, prostituée.

FEMME (11 lettres). Chancelière, conseillère, gouvernante, impératrice, jouvencelle, lieutenante, parturiente, prophétesse, spectatrice.

FEMME (12 lettres). Ambassadrice, effeuilleuse, procuratrice.

FEMME (13 lettres). Archiduchesse, strip-teaseuse.

FEMME D'ADMÈTE (n. p.). Alceste.

FEMME D'AGAMEMNON (n. p.). Clytemnestre.

FEMME D'AMPHION (n. p.). Niobé.

FEMME D'AMPHITRYON (n. p.). Alcmène.

FEMME D'ISAAC (n. p.). Rébecca

FEMME D'ATHAMAS (n. p.). Ino.

FEMME DE LA BIBLE (n. p.). Esther, Ève, Judith, Rébecca, Ruth.

FEMME DE BOOZ (n. p.). Ruth.

FEMME DE CÉPHÉE (n. p.). Cassiopée.

FEMME DE CHAMPLAIN (n. p.). Hélène.

FEMME DE CRONOS (n. p.). Rhéa.

FEMME DE DEUCALION (n. p.). Pyrrha.

FEMME D'ÉNÉE (n. p.). Créüse.

FEMME D'ÉPIMÉTHÉE (n. p.). Pandore.

FEMME DE HECTOR (n. p.). Andromaque.

FEMME DE HÉRACLÈS (n. p.). Déjanire, Nessos, Nessus, Omphale.

FEMME DE HIPPOMÈNE (n. p.). Atalante.

FEMME DE JACOB (n. p.). Léa.

FEMME DE JASON (n. p.). Médée.

FEMME DE JUPITER (n. p.). Junon.

FEMME DE LAIOS (n. p.). Jocaste.

FEMME DE MÉLÉNAS (n. p.). Hélène.

FEMME DE MINOS (n. p.). Pasiphaé.

FEMME D'ORGON (n. p.). Elmire.

FEMME D'ORPHÉE (n. p.). Eurydice.

ÉPOUSE D'OURANOS (n. p.). Gala, Gê.

FEMME DE PÉLÉE (n. p.). Thétis.

FEMME DE PERSÉE (n. p.). Andromède.

FEMME DE POSÉIDON (n. p.). Amphitrite.

FEMME DE PRIAM (n. p.). Hécube.

FEMME DE PYRRHUS (n. p.). Hermione.

FEMME DE TÉRÉE (n. p.). Philomène.

FEMME DE THÉSÉE (n. p.). Hippolyte, Phèdre.

FEMME DE TYNDARE (n. p.). Léda.

FEMME D'ULYSSE (n. p.). Pénélope.

FEMME DE ZEUS (n. p.). Héra.

FEMME DE LETTRES ALLEMANDE (n. p.). Frank.

FEMME DE LETTRES AMÉRICAINE (n. p.). Nin, Oates, Stein.

FEMME DE LETTRES ANGLAISE (n. p.). Christie, Higgins.

FEMME DE LETTRES AUTRICHIENNE (n. p.). Aichinger.

FEMME DE LETTRES BRITANNIQUE (n. p.). Cartland, Christie, Cornwell, Eliot, Highsmith, James, Westmacott, Woolf.

FEMME DE LETTRES CANADIENNE (n. p.). Conan, Hébert, Roy.

FEMME DE LETTRES DANOISE (n. p.). Blixen.

FEMME DE LETTRES ESPAGNOL (n. p.). Allende.

FEMME DE LETTRES FRANÇAISE (n. p.). Arnothy, Avril, Beauvoir, Boissard, Bourin, Cardinal, Chapsal, Charles-Roux, Colette, Collange, Deforges, Dolto, Dorin, Duras, Frain, Groult, Lacamp, Laclos, Le Varlet, Mallet-Joris, Monsigny, Pisier, Rivoyre, Sagan, Sand, Ségur, Staël.

FEMME DE LETTRES NORVÉGIENNE (n. p.). Undset.

FEMME DE LETTRES QUÉBÉCOISE (n. p.). Allard, Alonzo, Anctil, Aubry, Baillargeon, Bazin, Beaudry, Bersianik, Bissonnette, Blais, Blouin, Boisjoli, Boisvert, Bombardier, Bouchard, Boucher, Brault, Brière, Brossard, Bussières, Cadieux, Cardinal, Champagne, Cholette, Claudais, Cloutier, Corbeil, Côté, Cousture, Cyr, D'Amour, Daveluy, De Gramont, De Lamirande, Demers, Déry, Desrochers, Doyon, Dubé, Dumont, Ferretti, Ferron, Gagnon, Gauvin, Ghalem, Grisé, Harvey, Hébert, Jacob, Juteau, Laberge, Lacasse, Lanctôt, Larouche, Larue, Lasnier, Lavigne, Lemieux, Lévesque, Loranger, Maillet, Major, Mallet, Marchessault, Marineau, Martin, Michel, Miville-Deschênes, Monette, Noël, Ouellette, Ouellette-Michalska, Ouvrard, Paquette, Paris, Payette, Pelland,

Plamondon, Poisson, Proulx, Rainville, Renaud, Robert, Roy, Ruel, Saint-Denis, Sarfati, Sauriol, Simard, Thériault, Tremblay, Villemaire, Villeneuve.

**FENDILLEMENT.** Brèche, cassure, coupure, crevasse, enture, espace, fêlure, fente, fissure, gerçure, grigne, hiatus, ouverture, séisme, trouée.

**FENDILLER.** Craqueler, craquer, crevasser, déchirer, écarter, inciser.

**FENDRE.** Casser, cliver, couper, fêler, fissurer, rompre, scier, scinder.

**FENDU.** Bifide, ente, fêlé, fou, greffe, vis.

**FENÊTRE.** Ajour, baie, chassis, châssis, croisée, hublot, lucarne, lunette, oculus, œil-de-bœuf, oriel, oreille, tabatière, vanterne, vasistas.

**FENIL.** Aire, foin, grain, grange, grenier, hangar, pailler, remise.

**FENOUIL.** Amer, amni, anet, aneth, bâtard, fenouillet, fenouillette, fœniculum, légume, meum, ombellifère, vespétro, visnage.

**FENTE.** Bouterolle, cassure, coupure, crevasse, creux, enture, espace, faille, filon, fêlure, fissure, fuite, gerce, gerçure, grigne, hiatus, jour, ouverture, péristome, raie, ride, seime, strie, trace, trou, voie, vue.

**FER.** Acier, angrois, arme, bagnard, cep, chemin, coin, coutre, dard, digon, épé, étain, fe, forçat, jas, gond, lame, lance, métal, minerai, poignard, repasser, ruade, sanguine, soc, tôle, tranchant.

**FER À CHEVAL.** Amphithéâtre, étampure, pin, rhinolophe.

**FER BLANC.** Étain.

**FERME.** Bastide, comble, domaine, dur, énergique, entêté, exploitation, fazenda, fermette, fort, hacienda, hardi, inébranlable, inflexible, maltôte, mas, métairie, nerveux, obstiné, opiniâtre, persévérant, ranch, redevance, résolu, robuste, solide, stoïque, tenace, terme, volontaire.

**FERMÉ.** Borné, buté, caché, clos, départ, hermétique, luté, œil, scellé.

**FERMENT.** Broche, charnière, espagnolette, fiche, panture, tourniquet.

**FERMENTATION.** Agitation, bouillonnement, butyrique, ébullition, effervescence, excitation, fièvre, nervosité, remous, trouble.

**FERMENTER.** Cuver, gâter, germer, lever, moût, sur, tourner, travailler.

**FERMER.** Arrêter, bâcler, barrer, barricader, boucher, boucler, cadenasser, cicatriser, ciller, claquer, cligner, clore, coudre, lacer.

**FERMETÉ.** Détermination, énergie, opiniâtreté, stoïcisme, ténacité, ton.

**FERMETURE.** Barreau, cadenas, clé, clef, cloison, clôture, croisée, fin, jalousie, loquet, occlusion, serrure, tirette, trappe, verrou, volet.

**FERMIER.** Agriculteur, agronome, cultivateur, colon, paysan, tenant.

**FERMIUM.** Fm.

**FÉROCE.** Atroce, barbare, brute, cruel, dur, rude, sadique, sanguinaire.

**FÉROCITÉ.** Apprivoisé, barbarisme, brutalité, cruauté, douceur, dureté, horreur, inhumain, instinct, sadique, sauvage, violence.

**FERRAILLE.** Limaille, mitraille, monnaie, ravageur, rebut, tacot.

**FERRAILLEUR.** Bagarreur, batailleur, breteur, duelliste, querelleur.

**FERROCYANURE.** Ferroprussiate.

**FERRONNERIE.** Atelier, boutique, crampon, fer, fiche, quincaillerie.

**FERRUGINEUX.** Ferreux, hématine.

FERRURE. Aiguillon, charnière, ferrage, fiche, penture, serrure, té.

FERTILE. Fécond, fructueux, généreux, plantureux, prolifique, riche.

FERTILISANT. Amendement, apport, compost, cyanamide, engrais, fumier, gadoue, guano, humus, nourrain, poudrette, purin, urée.

FERTILISER. Améliorer, amender, appauvrir, bonifier, colmater, cultiver, engraisser, enrichir, féconder, fumer, phosphater.

FERTILITÉ. Créativité, fécondité, générosité, orolificité, richesse.

FÉRU. Amant, amitié, amor, amourette, ardeur, baise, charité, cœur, cour, dilection, égoïsme, épris, érotisme, feu, fleuve, flirt, herbe, idolâtrie, idylle, feu, gastronomie, narcissisme, passion, piété.

FERVENT. Ardent, chaud, enthousiaste, froid, indifférent, tiède, vœu.

FERVEUR. Ardeur, dévotion, feu, piété, religion, respect, sainteté, zèle.

FESSE-MATHIEU. Avare, usurier.

FESSER. Bastonner, battre, châtier, corriger, fouetter, frapper, taper.

FESTIN. Banquet, bombe, beuverie, fête, foire, noce, repas, ripaille.

FESTIVITÉ. Cérémonie, fête, réjouissance.

FÊTARD. Bambocheur, noceur, viveur.

FÊTE. Amusement, assemblée, anniversaire, bacchanale, bal, célébration, cérémonie, commémoration, dentelle, féralie, festin, festivité, foire, gala, jubilé, kermesse, noce, nouba, orgie, parentalie, raout, réjouissance, rodéo, saturnale, soirée, solennité, têt, tournoi.

FÊTE CATHOLIQUE (n. p.). Ascension, Carême, Épiphanie, Noël, Pâques, Pentecôte, Rameaux, Toussaint.

FÊTE JUIVE (n. p.). Hanouka, Pâque, Pessah, Pourim, Rosh Hashana, Sabbat, Shavouath, Sim'hat, Soukkot, Yom Kippour.

FÊTE VIETNAMIENNE (n. p.). Têt.

FÊTER, Célébrer, chômer, commémorer, festoyer, pavoiser, sanctifier.

FÉTICHE. Amulette, effegie, gri-gri, hasard, idole, image, mascotte, porte-bonheur, reliques, scapulaire, superstition, talisman, totem.

FÉTIDE. Abominable, dégoûtant, écœurant, empesté, ignoble, immonde, infect, innommable, malodorant, marcaptan, méphitique, nauséabond, puant, putride, repoussant, répugnant.

FÉTU. Bagatelle, brimborion, brin, brindille, misère, peu, rien.

FEU. Ardeur, âtre, bière, bouche, brasier, brûler, bûcher, cendres, chaleur, décédé, défunt, drap, famille, flamme, foyer, funéraire, fuser, igné, linceul, mort, passion, poêle, tir, tirer, ustion, veuf, veuve.

FEU (n. p.). Abiu, Osiris, Prométhée, Vestales.

FEUILLAISON. Feuillée, foliation, frondaison, verdure.

FEUILLE. Aiguille, bractée, carotte, carpelle, conjugué, découpé, décurrent, décussé, écaille, encart, engainant, fane, feuillage, folio, fronde, imparipenné, journal, livre, page, palme, palmifide, palmilobé, palmiparti, palmiséqué, pellicule, pelté, penné, perfolié, pubescent, rame, rosette, thé, tôle, tract, trifolié, verticille, unifolié.

FEUILLET. Bœuf, cédule, ectodreme, endoderme, estomac, fascicule, feuille, folio, garde, mésoderme, onglet, page, pli, rôle, tract.

FEUILLETÉ. Compulsé, dariole, dartois, pâtisserie, survolé.

FEUILLETER. Bouquiner, compulser, jeter, lire, parcourir, survoler.

FEUILLETON. Action, anecdote, conte, histoire, intrigue, livre, manuscrit, nouvelle, prologue, rêve, romanesque, scénario, thriller.

FEULER. Gronder, rauquer, rugir.

FEUTRAGE. Garniture, mélusine, rembourrage, trichoma, trichome.

FEUTRE. Drap, feutrine, manchon, mélusine, nappe, stylo, surligneur.

FÈVE. Anagyre, coumarine, fayot, favelotte, faverole, féverole, févier, gleditschia, gourgane, légumineuse, physostigma, tonka, vicia.

FIABLE. Ampleur, capital, conséquence, essentiel, étendue, fidèle, gabarit, grandeur, gravité, gros, intérêt, poids, pressant, quantité, rien, sérieux, somme, suffisant, sûr, urgent, utilité, valeur, vice, vue.

FIACRE. Carrosse, saint, sapin, voiture.

FIANCÉ. Accordé, bien-aimé, futur, galant, parti, prétendu, promis.

FIANCÉ (n. p.). Cid.

FIASCO. Avortement, bide, déboire, déconvenue, défaite, échec, échouer, faillite, flop, four, insuccès, revers, veste.

FIBRE. Abaca, agave, banlon, byssus, câble, chalaze, coir, dacron, dralon, fibreux, fibrille, filament, goretex, kapok, kevlar, ligament, lin, lycra, nylon, orlon, orlontagal, papier, piassava, pite, raphia, rayonne, rhovyl, rilsan, tampico, tergal, térylène, tractus, verrane.

FIBROME. Fibromateux, fibromatose, tumeur, ulcère.

FICAIRE. Chélidoine, dill, éclairette, épinard, petite éclair.

FICELER. Attacher, brider, habiller, lier, saucissonner, tringler, vêtir.

FICELLE. Astuce, corde, fil, filion, ligneul, lisse, mèche, nerf, ruse.

FICHU. Carré, châle, chéret, cuit, écharpe, fâcheux, fanchon, foulard, foutu, guimpe, madras, mantille, marmotte, mouchoir, perdu, pointe.

FICTIF. Fable, fabriqué, faux, fiction, imaginaire, invention, irréel.

FICUS. Aurea, benghalensis, benjamina, buxifolia, callosa, caoutchouc, carica, cyathistipula, diversifolia, élastica, figuier, gommier, lyrata, macrophylla, moracée, parcellii, radicans, religiosa, rubiginosa, stipulata, sycomorus, vogelli.

FIDÈLE. Ami, constant, dévot, dévoué, éprouvé, juste, lige, loyal, sûr.

FIDÈLEMENT. Correctement, exactement, honnêtement, loyalement, minutieusement, précisément, scrupuleusement.

FIDÉLITÉ. Amitié, amour, foi, hommage, loyauté, sûreté, vérité.

FIEL. Acrimonie, amer, bave, bile, haine, hostilité, malveillance, venin.

FIENTE. Bouse, colombin, crotte, crottin, épreinte, excrément, merde.

FIENTER. Chier, crotter, expulser.

FIER. Altier, arrogant, confiance, crâne, dédaigneux, enflé, entier, grand, hardi, hautain, noble, rogue, sauvage, superbe, sûr, vain, vanité.

FIÈVRE. Amaril, aphteuse, brucellose, crise, équine, fébrifuge, hectique, malaria, or, paludisme, pyrexie, sueur, température, vitulaire, vomito.

FIÉVREUX. Agité, ardent, excité, frénétique, malade, passionné, rouge.

FIGER. Cailler, coaguler, congeler, immobiliser, scléroser, transir.

FIGNOLER. Lécher, limer, orner, parfaire, peaufiner, perler, soigner.

FIGUE. Barbarie, carique, fic, kaki, nopal, oponce, sycone, sycophante.

FIGUIER. Adriatic, banian, banyans, barbarie, barnissotte, benjamin, bourjasotte, commun, cotignane, dauphine, étrangleur, ficus, figuerie, inde, indien, kadota, lyrée, oponce, opuntia, marseillaise, moracée, pagodes, sultane, tameriout.

FIGURATION. Casting, choriste, copie, dessin, image, plan, rôle, schéma.

FIGURE. Angle, antonomase, carte, chaîne, chiasme, cône, dame, dièdre, face, frimousse, géométrie, hendiadis, idole, litote, logique, métaphore, ovale, peinture, prétérition, rhétorique, roi, rond, sphère, strophe, tau, tête, tonneau, tourteau, trope, type, valet, visage.

FIGURE GÉOMÉTRIQUE. Adducteur, angle, carré, cône, dièdre, ellipse, hyperbole, ligne, ovale, quadrature, périmètre, rectangle, rond, segment, solide, sphère, surface, tau, triangle.

FIGURER. Accoler, dessiner, imaginer, incarner, réfléchir, représenter.

FIGURINE. Jaquemart, ludion, netsuké, poupée, santon, statue, tanagra.

FIL. Aiguiser, basin, borne, brin, cannetille, cantatille, caténaire, chas, corde, cordon, coton, coupant, courant, cours, déroulement, épée, faufil, fibre, filament, filasse, filet, funicule, guide, laine, ligne, lurex, moule, poil, soie, solénoïde, suite, téléphone, tergal, trame, tranchant.

FIL (n. p.). Ariane, Damoclès.

FIL-DE-FÉRISTE. Équilibriste.

FILAMENT. Barbe, barbillon, chalaze, charpie, cil, fibre, fibrine, flagelle, flagellum, funicule, fuseau, hyphe, ouate, poil, rivulaire, usnée.

FILASSE. Blond, broie, chanvre, clair, étoupe, lin, pâle, séran, terne.

FILE. Caravane, chapelet, colonne, cordon, défilé, enfilade, haie, ligne, part, procession, queue, rang, rangée, remorqueur, suite, tisse, train.

FILER. Couler, courir, déguerpir, détaler, disparaître, épier, fuir, lâcher, larguer, partir, passer, pister, rouet, surveiller, suivre, tisser, tordre.

FILET. Ableret, appât, bâche, barbe, carrelet, chalut, châteaubriand, châteaubriant, cordon, drague, embûche, émouchette, épervier, flanc, folle, hamac, haveneau, havenet, lac, magret, nasse, nervure, orle, panneau, picot, piège, plexus, réseau, résille, rets, ridée, rissole, ru, seine, senne, thonaire, tirasse, tournedos, vannet, venet, verveux.

FILIFORME. Aigu, allongé, délicat, délié, effilé, élancé, épais, étroit, fil, fin, fluet, folié, fragile, frêle, fuselé, gracile, grêle, gros, lame, large, maigre, menu, mince, petit, pincé, pruine, ru, svelte, ténu, tôle, tulle.

FILIGRANE. Filigraner, serpente, vergeure.

FILIN. Brague, câble, cordage, corde, funin, manille, orin, vérine.

FILLE. Adolescente, agalacte, ambassadrice, amie, ânière, batelière, beauté, bédasse, bonne, brue, catin, chipie, coiffeuse, comtesse, dame, déesse, demoiselle, dinde, doctoresse, duchesse, écrivaine, éleveuse, escrimeuse, étudiante, ève, épouse, fée, filandière, fillette, frigide, gamine, garce, glaneuse, gonzesse, gosse, gouvernante, grue, hommasse, impératrice, lapine, laideron, lionne, logeuse, luronne, mairesse, maîtresse, marquise, marâtre, marraine, matrone, mégère, mémère, ménagère, menine, menteuse, mère, moitié, nabote, naine, nièce, nymphomane, ogresse, parturiente, paysanne, pecte, perle, pie, pimbêche, pimpesoué, pleureuse, poétesse, poule, poupée, prêtresse, prostituée, putain, rameuse, rani, reine, rombière, rousse, sainte, salope, sauvagesse, servante, sirène, sœur, soubrette, spectatrice, sultane, sylphide, tendron, tigresse, touffe, traînée, tsarine, vamp, vestale.

FILLE D'ACRISIOS (n. p.). Danaé

FILLE D'AGAMEMNON (n. p.). Électre, Iphigénie.

FILLE D'AGÉNOR (n. p.). Europe.

FILLE D'ALCINOOS (n. p.). Nausicaa.

FILLE D'ARES (n. p.). Penthésilée.

FILLE D'ARGOS (n. p.). Danaé.

FILLE D'ATLAS (n. p.). Hespérides, Hyades, Pléiades.

FILLE DE CADMOS (n. p.). Ino, Sémélé.

FILLE DE CÉRES (n. p.). Proserpine.

FILLE DE CRONOS (n. p.). Hestia.

FILLE DE CLYTEMNESTRE (n. p.). Iphigénie.

FILLE DE DANAOS (n. p.). Danaïdes.

FILLE DE DÉMÉTER (n. p.). Coré, Perséphone.

FILLE DE DORIS (n. p.). Galatée, Néréides.

FILLE D'ÉPIMÉTHÉE (n. p.). Pyrrha.

FILLE D'EURYTHÉMIE (n. p.). Léda.

FILLE D'EURYTOS (n. p.). Iole.

FILLE DE GAIA (n. p.). Mnémosyne, Phoibê, Rhéa, Théia, Thémis, Téthys, Tinadides.

FILLE DE GEORGES VI (n. p.). Élisabeth.

FILLE D'HARMONIA (n. p.). Ino, Sémélé.

FILLE D'HÉCUBE (n. p.). Cassandre.

FILLE D'HÉLÈNE (n. p.). Hermione.

FILLE D'HÉLIOS (n. p.). Circé, Pasiphaé.

FILLE DE HÉRA (n. p.). Hébé, Io.

FILLE D'INACHOS (n. p.). Io.

FILLE DE JOCASTE (n. p.). Antigone, Ismène.

FILLE DE JORAM (n. p.). Josabeth.

FILLE DE JUPITER (n. p.). Astrée, Diane, Hébé, Minerve, Muses, Proserpine.

FILLE DE LABAN (n. p.). Lia.

FILLE DE LATONE (n. p.). Diane.

FILLE DE LÉDA (n. p.). Clytemnestre, Hélène.

FILLE DE LYCAON (n. p.). Callisto.

FILLE DE MÉNÉLAS (n. p.). Hermione.

FILLE DE MINOS (n. p.). Ariane, Phèdre.

FILLE DE NECKER (n. p.). Staël.

FILLE DE NÉRÉE (n. p.). Galatée, Néréides.

FILLE D'OCÉANOS(n. p.). Amphitrite, Dioné, Doris, Océanides.

FILLE D'ŒDIPE (n. p.). Antigone, Ismène.

FILLE D'OURANOS (n. p.). Mnémosyne, Phoibê, Rhéa, Théia, Thémis, Téthys, Tinadides.

FILLE DE PANDION (n. p.). Philomène.

FILLE DE PANDORE (n. p.). Pyrrha.

FILLE DE PASIPHAÉ (n. p.). Ariane, Phèdre.

FILLE DE PERSÉIS (n. p.). Circé.

FILLE DE PLÉIONÉ (n. p.). Pléiades.

FILLE DE PRIAM (n. p.). Cassandre.

FILLE DE RHÉA (n. p.). Hestia.

FILLE DE SATURNE (n. p.). Cérès, Junon.

FILLE DU SOLEIL (n. p.). Héliades.

FILLE DE TANTALE (n. p.). Niobé.

FILLE DE TÉTHYS (n. p.). Dioné, Doris, Océanides, Astrée, Heures.

FILLE DE THESTIOS (n. p.). Léda.

FILLE DE TYNDARE (n. p.). Clytemnestre.

FILLE DE ZEUS (n. p.). Core, Hébé, Héra, Heures, Perséphone.

FILM. Actualité, bande, documentaire, métrage, pellicule, projection.

FILMER. Cinématographier, filmage, tourner, zoomer.

FILON. Amulette, bonheur, chance, combine, couche, dyke, éponte, galerie, hasard, masse, mine, salbande, source, strate, veine.

FILOU. Arnaqueur, bandit, escroc, flibustier, fripon, rat, voleur.

FILOUTER. Arnaquer, escroquer, friponner, tricher, voler.

FILS. Aîné, chef, descendant, effet, élève, enfant, fieux, fiston, frère, fruit, garçon, gars, héritier, issu, né, neveu, petit, race, rejeton, sang.

FILS D'AARON (n. p.). Abius, Eléazar, Nabab.

FILS D'ABRAHAM (n. p.). Isaac, Ismaël, Jacob.

FILS D'ACHILLE (n. p.). Pyrrhus.

FILS D'ADAM (n. p.). Abel, Caïn, Sam, Seth.

FILS D'AGAMEMMON (n. p.). Oreste.

FILS D'AGRIPPINE (n. p.). Néron.

FILS D'ALCÉE (n. p.). Amphiltryon.

FILS D'ALCMÈNE (n. p.). Héraclès.

FILS D'ANCHISE (n. p.). Énée.

FILS D'ANTIOPE (n. p.). Hippolyte.

FILS D'APOLLON (n. p.). Aristée, Esculade, Ion.

FILS DE CALLIOPE (n. p.). Orphée.

FILS DE CÉSAR (n. p.). Césarion, Kaisar, Ptolémée.

FILS DE CHAM (n. p.). Canaan.

FILS DE CLÉÔPATRE (n. p.). Césarion, Kaisar, Ptolémée.

FILS DE CLOTAIRE (n. p.). Gontran.

FILS DE CLYTEMNESTRE (n. p.). Oreste.

FILS DE DAVID (n. p.). Absalon, Adonias, Amnon, Salomon.

FILS DE DÉDALE (n. p.). Icare.

FILS DE DÉIDAMIE (n. p.). Pyrrhus.

FILS D'ÉSON (n. p.). Jason.

FILS D'ÈVE (n. p.). Abel, Caïn, Sam, Seth.

FILS DE GAIA (n. p.). Cœos, Crios, Cronos, Hypérion, Japet, Océanos, Titans.

FILS D'HERCULE (n. p.). Laocoon.

FILS D'HERMÈS (n. p.). Daphnis.

FILS D'ISAAC (n. p.). Esaü, Jacob.

FILS DE JACOB (n. p.). Aser, Benjamin, Berwick, Dan, Gad, Issachar, Joseph, Juda, Lévi, Nephtali, Ruben, Siméon, Zabulon.

FILS DE JOCASTE (n. p.). Œdipe.

FILS DE JOSEPH (n. p.). Ephraïm.

FILS DE JUPITER (n. p.). Bacchus, Eaque, Eole, Hercule, Mars, Mercure, Rhadamanthe, Vulcain.

FILS DE LAIOS (n. p.). Œdipe.

FILS DE LOT (n. p.). Ammon, Moab.

FILS DE LOTH (n. p.). Ammon, Moab.

FILS DE MEHMED (n. p.). Djem, Djim, Zizim.

FILS DE NEPTUNE (n. p.). Antée, Pellas, Polyphène, Protée, Triton.

FILS DE NOÉ (n. p.). Cham, Japhet, Sam, Sem.

FILS D'OEAGRE (n. p.). Orphée.

FILS D'OEDIPE (n. p.). Étéocle.

FILS D'OURANOS (n. p.). Coeos, Crios, Cronos, Hypérion, Japet, Océanos, Titans.

FILS DE PANDION (n. p.). Égée.

FILS DE PÉLOPS (n. p.). Atrée.

FILS DE PÉLOPIA (n. p.). Égisthe.

FILS DE PÉNÉLOPE (n. p.). Télémaque.

FILS DE POSÉIDON (n. p.). Antée, Protée.

FILS DE PRIAM (n. p.). Alexandre, Hector, Laocoon, Paris.

FILS DE RÉBECCA (n. p.). Ésaü, Jacob.

FILS DE SALOMON (n. p.). Roboam.

FILS DE SARA (n. p.). Isaac.

FILS DE SATURNE (n. p.). Neptune, Pluton.

FILS DE SEM (n. p.). Aram.

FILS DU SOLEIL (n. p.). Inca.

FILS DE THÉSÉE (n. p.). Hippolyte.

FILS DE THYESTE (n. p.). Égisthe.

FILS DE TITAN (n. p.). Atlas, Épiméthée, Prométhée.

FILS D'ULYSSE (n. p.). Télémaque.

FILS D'URANUS (n. p.). Cronos, Kronos, Saturne.

FILS DE VÉNUS (n. p.). Énée.

FILS DE VESPASIEN (n. p.). Domitien, Titus.

FILS DE LA VIERGE (n. p.). Jésus.

FILS DE ZEUS (n. p.). Amphion, Eaque, Héraclès, Minos, Persée, Sarpedon, Zéthos.

FILTRATION. Colature, épuration, purge, purification, tamisage.

FILTRE. Blanchet, bougie, buvard, chausse, colature, crépine, écran, feutre, géotextile, infiltrer, joseph, narine, passoire, rein, tamis.

FIN. Aboutissement, achèvement, adroit, agonie, amen, arrêt, borne, bout, but, cessation, chute, clôture, coda, commencement, début, décadence, déclin, dessert, expiration, extrémité, final, fine, finesse, fini, futé, habile, ite, limite, lisière, malin, ménopause, menu, mince, mort, naissance, nuit, objet, oméga, origine, péroraison, ps, râle, ruine, rusé, soie, soir, sortie, soyeux, suffixe, ténu, terme, terminaison, ultime.

FINAL. But, définitif, dernier, éliminatoire, issue, terminal, ultime.

FINALEMENT. Conclusion, dernier, enfin, fin, ressort, somme.

FINALISER. Bâcler, cesser, clore, lever, ôter, tarir, terminer, vider.

FINANCIER. Argentier, monétaire, nucingen, payeur, pécuniaire.

FINASSER. Atermoyer, biaiser, éluder, éviter, louvoyer, ruser.

FINAUD. Adroit, fin, futé, habile, malicieux, malin, retors, roué, rusé.

FINE. Brandy, cognac, eau-de-vie, émince, herbe, lame, lamelle.

FINE FLEUR. Crème, élite, éminent, gratin, qualifié, supérieur.

FINE LAME. Lamelle.

FINES HERBES. Aneth, anis, basilic, bourrache, camomille, carvi, fenouil, herbe aux chats, cerfeuil, ciboulette, coriandre, estragon, lavande, mélisse, marjolaine, menthe, origan, oseille, persil, romarin, sauge, sarriette, thym.

FINESSE. Acuité, adresse, astuce, bêtise, clair voyance, délicatesse, délié, épais, finasserie, flair, grâce, ineptie, intelligence, maigre, malice, menu, minceur, niaiserie, ort, perspicacité, raffinement, ruse, sagacité, sel, sottise, spirituel, stratagème, stupidité, subtilité, tact, ténu, ténuité.

FINI. Achevé, bu, fatigué, fin, limité, recru, striquer, tari, tué, usé, vidé.

FINIR. Arrêter, bâcler, cesser, clore, lever, ôter, tarir, terminer, vider.

FINISSANT. Cessant, diplômé.

FINLANDAIS. Finnois, markka, ouralo-altaïque, suomi.

FIOLE. Ampoule, biberon, bouille, bouteille, figure, flacon, tête, topette.

FIRMAMENT. Air, astrologie, ciel, cieux, coupole, empyrée, étoile.

FIRMAN. Édit, rescrit, shah.

FIRME. Boîte, entreprise, établissement, maison, société.

FISSURE. Craque, crevasse, faille, fente, filon, fuite, lézarde, sillon.

FISSURER. Craqueler, craquer, crevasser, déchirer, écarter, inciser.

FISTON. Descendant, effet, élève, enfant, fieux, fils, frère, fruit, garçon, gars, héritier, issu, né, neveu, petit, race, rejeton, sang.

FISTULINE. Foie-de-bœuf, langue de bœuf.

FIXATION. Accolage, amarrage, attache, enkystement, hydratation, ski.

FIXE. Appui, atone, défini, ferme, immobile, point, précis, solide, stable.

FIXER. Ancrer, amarrer, arrêter, arrimer, claveter, clouer, déterminer, évaluer, fermer, figer, lier, pendre, reclouer, régler, terminer, visser.

FLACON. Bouteille, burette, fiasque, fiole, flaconnage, flaconnier, flasque, gourde, saupoudreuse.

FLA FLA. Affectation, chichis, chiqué, esbroufe, étalage, ostentation.

FLAGELLER. Battre, châtier, cingler, fesser, fouetter, rosser, rouer.

FLAGEOLER. Chanceler, tituber, trembler, vaciller.

FLAGEOLET. Chalumeau, flûte, flûteau, flûtiau, haricot, pan, piccolo.

FLAGORNER. Aduler, amadouer, cajoler, encenser, flatter, lécher.

FLAGRANT. Aveuglant, certain, criant, éclatant, évident, patent, visible.

FLAIR. Clairvoyance, futur, intuition, nez, odorat, pifomètre, rosée.

FLAIRER. Halener, humer, pressentir, renifler, sentir, soupçonner.

FLAMBEAU. Bougie, brandon, chandelle, cierge, fanal, lampe, torche.

FLAMBER. Briller, brûler, claquer, consumer, croquer, dépenser, dévorer, dilapider, dissiper, engloutir, étinceler, feu, flamboyer, gaspiller, luire, manger, scintiller.

FLAMBERGE. Épée.

FLAMBOYER. Briller, chatoyer, dorer, éblouir, lustrer, reluire, vernir.

FLAMENCO. Cuadro, cueva, danse, taconeos.

FLAMME. Amour, ardeur, chaleur, clarté, crise, drapeau, éclair, éclat, élan, étendard, étincelle, ferveur, feu, lueur, oriflamme, pennon, zèle.

FLAMMÈCHE. Ardeur, éclair, escarbille, étincelle, flamme, lueur.

FLAN. Barbille, dariole, entremets, far, quiche, stéréotype.

FLANC. Aile, bord, côté, crêt, filet, iliaque, latéral, lof, pan, ventre.

FLANCHER. Accorder, avouer, attribuer, céder, octroyer, permettre.

FLANELLE. Hockey, sainte, tennis, tissu.

FLÂNER. Amuser, badauder, baguenauder, balader, batifoler, errer, lasser, marcher, muser, promener, rôder, traîner, vadrouiller.

FLÂNEUR. Badaud, errant, fainéant, indolent, marcheur, promeneur, rôdeur, traîneux.

FLANQUER. Border, congédier, couvrir, encadrer, escorter, garantir.

FLAQUE. Flache, gouille, mare, nappe, sang.

FLASH. Éclair, idée, rapide, urgent.

FLASQUE. Amorphe, atone, avachi, cotonneux, flaccidité, inconstitant, inerte, lâche, molasse, mollasse, mou, ramolli, spongieux.

FLAT. Crevaison, studio.

FLATTER. Aduler, allécher, amadouer, bénir, cajoler, câliner, vanter.

FLATTERIE. Adoration, cajolerie, complaisance, compliment, encens, galanterie, hypocrisie, louange, mamours, mensonge, tromperie.

FLATTEUR. Adorateur, adulateur, cajoleur, courtisan, élogieux, encenseur, enjôleur, flagorneur, los, louange, menteur, thuriféraire.

FLATULENCE. Éructation, gaz, hoquet, pet, vent, météorisme, rot.

FLAUBERT (n. p.). Bouvard, Bovary, Pécuchet, Salammbô.

FLÉAU. Balance, calamité, catastrophe, lèpre, malheur, peste, plaie.

FLÈCHE. Arc, archer, aster, bois, brocard, carquois, carreau, dard, épigramme, javelot, lazzi, penne, pointe, quolibet, sagaie, sagette, trait.

FLÈCHE (n. p.). Parthe, Tell.

FLÈCHE D'EAU. Sagittaire.

FLÉCHIR. Arquer, attendrir, céder, courber, crisper, plier, ployer.

FLEGME. Apathie, calme, emportement, enthousiasme, exaltation, excitation, fougue, froideur, impassible, indifférent, inertie.

FLÉTRIR. Avilir, défloraison, dessécher, enlaidir, faner, marcescent, marcescible, plier, ployer, ratatiner, rider, stigmatiser, ternir, vieillot.

FLEUR (3 lettres). Ada, épi, ive, lin, lis, lys, rue, uve.

FLEUR (4 lettres). Anis, arum, geum, iris, ixia, ixie, lobe, miel, puya, rose, sium, thym, ulex, ulve.

FLEUR (5 lettres). Ajonc, agave, aster, berce, bluet, bugle, calla, canna, câpre, ciguë, cobéa, colza, draba, élite, érica, flore, gaura, genêt, glume, gouet, hosta, inula, inule, jacée, ledum, lilas, lotus, malva, mauve, mélia, myrte, ortie, pavot, phlox, sauge, sedum, souci, tecum, viola, yucca.

FLEUR (6 lettres). Aconit, adonis, arabis, arnica, azalea, azalée, bellis, bleuet, bryone, butome, calice, caltha, cosmos, coucou, crocus, cytise, dahlia, datura, ébéris, floral, galium, hypose, ivette, jasmin, kerria, lilium, menthe, mimosa, mouron, muguet, nepena, nielle, ophrys, orchis, pensée, picris, plante, réséda, rosage, safran, salvia, samole, scillia, silène, soleil, spirea, spirée, tagète, tépale, thymus, trèfle, tulipe, zinnia.

FLEUR (7 lettres). Adonide, ancolie, anémone, arabète, armoise, aroïdée, astilbe, barbeau, basilic, bégonia, benoîte, bétoine, bruyère, camélia, catalpa, celosia, chardon, chloris, dicline, fleuron, floréal, foliole, fuchsia, garance, glaïeul, glécome, glycine, lavande, liseron, lobélie, mahonia, mélilot, mélisse, néottie, nigelle, œillet, papaver, pétunia, pivoine, ponceau, romarin, seringa, statice, tagetes, tamaris, trochet, ulmaire, velvote, weigela.

FLEUR (8 lettres). Absinthe, achillée, ageratum, amarante, anthémis, arabette, aubépine, balisier, bassinet, bistorte, buglosse, caladium, caméline, capucine, couronne, crassile, crassula, cyclamen, digitale, ellébore, endymion, euphorbe, fanaison, fleurage, gardénia, gentiane, géranium, giroflée, gléchome, glumelle, grenadine, hypogyne, jacinthe, joubarbe, julienne, magnolia, malherbe, martagon, monandre, myosotis, narcisse, nénuphar, orchidée, panicule, parterre, robinier, roquette, tanaisie, tigridie, trillium, uniflore, unisexué, verveine, victoria, violette.

FLEUR (9 lettres). Amaryllis, améthyste, angélique, asphodèle, balsamine, belladone, bourrache, camomille, campanule, centaurée, cinéraire, clématite, clochette, colchique, coréopsis, défleurir, ecballium, edelweiss, églantine, fleurette, fleuriste, fleuronné, floraison, florifère, florilège, foliation, forsythia, gaillarde, hellébore, hépatique, hortensia, impatient, jonquille, magnolier, maurandie, mirabilis, œillette, passerose, pédoncule, périanthe, pervenche, pissenlit, primerose, primevère, renoncule, rudbeckia, rudbeckie, saponaire, scabieuse, sensitive, stramoine, tubéreuse, unisexuel, valérianne, véronique, volubilis, volucelle.

FLEUR (10 lettres). Accrescent, aigremoine, asclépiade, coquelicot, cynoglosse, dentelaire, fleuraison, florissant, fraxinelle, gamopétale, gamosépale, héliotrope, immortelle, marguerite, marjolaine, mercuriale, monadelphe, multiflore, nidularium, pâquerette, passiflore, paucuflore, perce-neige, potentille, protangrie, protogynie, soldanelle, spéculaire, symphorine, tillandsie, verticille, virescence, xéranthème.

FLEUR (11 lettres). Aristoloche, bouquetière, calcéolaire, caryophyllé, défloraison, effloraison, fleurdelisé, fritillaire, marcescence, pélargonium, sanguisorbe.

FLEUR (12 lettres). Affleurement, boule-de-neige, chrysanthème, floriculture, gueuledeloup, millefeuille, millepertuis, polycarpique, protérandrie, protérogynie, rhododendron.

FLEUR (13 lettres). Bougainvillée, chèvrefeuille, grenouillette, inflorescence, pied-d'alouette, tiercefeuille.

FLEUR DE NAISSANCE. Œillet (janvier), violette (février), jonquille (mars), pois de senteur (avril), muguet (mai), rose (juin), pied-d'alouette (juillet), glaïeul (août), aster (septembre), souci (octobre), chrysanthème (novembre), narcisse (décembre).

FLEURET. Botte, épée, escrime, fer, fleurettiste, mouche, plastron.

FLEURIR. Briller, croître, épanouir, grandir, orner, prospérer, réussir.

FLEUVE. Bras, cours, embouchure, fluvial, rive, rivière, roman.

FLEUVE, AFGHANISTAN (n. p.). Hilmand.

FLEUVE, AFRIQUE (n. p.). Casamance, Chari, Congo, Djouba, Dra, Draa, Gambie, Gabon, Limpopo, Medjerda, Niger, Nil, Ogoué, Orange, Sénégal, Zambèze.

FLEUVE, ALASKA (n. p.). Yukon.

FLEUVE, ALBANIE (n. p.). Drin.

FLEUVE, ALGÉRIE (n. p.). Chelif, Macta, Rummel, Seybouse, Tafna.

FLEUVE, ALLEMAGNE (n. p.). Danube, Eider, Elbe, Ems, Oder, Peene, Rhin, Trave, Weser.

FLEUVE, AMÉRIQUE DU NORD (n. p.). Columbia.

FLEUVE, AMÉRIQUE DU SUD (n. p.). Amazone, Parana, Uruguay.

FLEUVE, ANGLETERRE (n. p.). Eden, Mersey, Ouse, Severn, Tamise, Tees, Tyne.

FLEUVE, ARGENTINE (n. p.). Colorado, Negro, Salado.

FLEUVE, ASIE (n. p.). Brahmapoutre, Salouen, Yalu.

FLEUVE, AUSTRALIE (n. p.). Murray.

FLEUVE, BANGLADESH (n. p.). Gange.

FLEUDE, BELGIQUE (n. p.). Escaut, Meuse, Yser.

FLEUVE, BIÉLORUSSIE (n. p.). Niemen.

FLEUVE, BIRMANIE (n. p.). Irraouaddi, Irrawaddy.

FLEUVE, BRÉSIL. (n. p.). Amazone, Araguaya, Parana, Tocantins.

FLEUVE, BRETAGNE (n. p.). Élorn.

FLEUVE, BULGARIE (n. p.). Danube, Maritza, Strymon.

FLEUVE, CAMEROUN (n. p.). Sanaga.

FLEUVE, CANADA (n. p.). Churchill, Fraser, Hamilton, Mackenzie, Nelson, Rupert, Saint-Laurent.

FLEUVE, CHINE (n. p.). Houai, Huai, Huanghe, Tarim, Xijiang, Yalu, Yang-Tsé-Kiang

FLEUVE, COLOMBIE (n. p.). Atrato, Magdalena.

FLEUVE, CORÉE DU SUD (n. p.). Naktong.

FLEUVE, CORSE (n. p.). Golo.

FLEUVE, ÉCOSSE (n. p.). Clyde, Forth, Spey, Tay.

FLEUVE, ÉGYPTE (n. p.). Nil.

FLEUVE, ENFERS (n. p.). Achéron, Cocyte, Léthé, Styx.

FLEUVE, ESPAGNE (n. p.). Douro, Ebre, Ebro, Genil, Guadiana, Jucar, Minho, Rio, Tage, Tinto.

FLEUVE, ÉTATS-UNIS (n. p.). Arkansas, Canadian, Colorado, Connecticut, Delaware, Hudson, Merrimack, Mississipi, Missouri, Mobile, Orégon, Potomac.

FLEUVE, EUROPE (n. p.). Danube, Dniepr, Dniestr, Dvina, Elbe, Escaut, Rhin.

FLEUVE, EXTRÊME-ORIENT (n. p.). Amour, Jourdain.

FLEUVE, FRANCE (n. p.). Aa, Adour, Agly, Arc, Argens, Aude, Aulne, Authie, Belon, Bidassoa, Blavet, Bresle, Canche, Charente, Couesnon, Dives, Douve, Élorn, Escaut, Garonne, Hérault, Lay, Leyre, Loire, Meuse, Orb, Orne, Rance, Rhin, Rhône, Seine, Seudre, Somme, Tech, Têt, Touques, Var, Vidourie, Vilaine, Vire, Yser.

FLEUVE, GHANA (n. p.). Volta.

FLEUVE, GRANDE-BRETAGNE (n. p.). Tamise.

FLEUVE, GUINÉE (n. p.). Konkouré, Mbini.

FLEUVE, GUYANE (n. p.). Essequibo, Maroni, Oyapoc, Oyapock, Sinnamary.

FLEUVE, INDE (n. p.). Brahmapoutre, Gange, Godavéri, Indus, Kistna, Mahanadi, Narbada, Sind.

FLEUVE, INDOCHINE (n. p.). Lancangjiang, Mékong, Salouen.

FLEUVE, IRLANDE (n. p.). Erne, Shannon.

FLEUVE, ITALIE (n. p.). Adige, Arno, Brenta, Garigliano, Isonzo, Métaure, Ofanto, Piave, Pô, Tagliamento, Tibre, Volturno.

FLEUVE, KAZAKHSTAN (n. p.). Emba.

FLEUVE, LANGUEDOC (n. p.). Orb.

FLEUVE, LAPONIE (n. p.). Torne.

FLEUVE, MAROC (n. p.). Sebou, Sous.

FLEUVE, MONGOLIE (n. p.). Ienissei.

FLEUVE, NORVÈGE (n. p.). Glama, Glommen.

FLEUVE, PÉROU (n. p.). Amazone.

FLEUVE, POLOGNE (n. p.). Oder, Odra, Vistule.

FLEUVE, PORTUGAL (n. p.). Guadiana, Minho, Mondego.

FLEUVE, PROCHE-ORIENT (n. p.). Euphrate, Oronte.

FLEUVE, PYRÉNÉE (n. p.). Adour, Tech.

FLEUVE, RUSSIE (n. p.). Alma, Don, Dniéper, Kama, Kouban, Lena, Neva, Niémen, Ob, Obi, Onéga, Oural, Petchora, Volga.

FLEUVE, SCANDINAVIE (n. p.). Tana.

FLEUVE, SÉNÉGAL (n. p.). Casamance, Saloum.

FLEUVE, SIBÉRIE (n. p.). Anadyr, Ienisseï, Indighirka, Kolyma, Léna, Lenissei, Ob.

FLEUVE, SLOVÉNIE (n. p.). Isonzo.

FLEUVE, SUÈDE (n. p.). Angerman, Göta, Lule, Pité, Rhone, Torné, Ume.

FLEUVE, SUISSE (n. p.). Rhône.

FLEUVE, THAÏLANDE (n. p.). Ménam.

FLEUVE, TCHÉCOSLOVAQUIE (n. p.). Odra.

FLEUVE, TURQUIE (n. p.). Menderes, Sakarya, Tigre.

FLEUVE, UKRAINE (n. p.). Boug, Bug, Prout, Prut.

FLEUVE, VENDÉE (n. p.). Lay.

FLEUVE, VENEZUELA (n. p.). Orénoque.

FLEUVE, VIETNAM (n. p.). Rouge.

FLEUVE, YOUGOSLAVIE (n. p.). Isondo, Vardar.

FLEXIBLE. Élastique, influençable, maniable, mou, pliable, souple.

FLIBUSTIER. Boucanier, brigand, corsaire, écumeur, pirate, surcouf.

FLIC. Agent, ange, bobby, chien, cogne, condé, détective, garde, gardien, gendarme, limier, policier, poulet, roussin, sbire.

FLION. Donace, donax, mollusque.

FLINGUE. Arme, arquebuse, artillerie, busc, carabine, chassepot, chien, crosse, escopette, espingole, fusil, hammerless, infanterie, lebel, mitraillette, mousquet, mousqueton, pétoire, rifle, tromblon.

FLIRT. Amour, amourette, béguin, caprice, idylle, passade, tocade.

FLIRTER. Amourette, commettre, coqueter, courtiser, friser.

FLOP. Bide, échec, fiasco, insuccès, ratage, revers.

FLORE. Biote, botanique, dextrine, floralies, madicole, végétation.

FLORILÈGE. Anthologie, chrestomathie, extrait, recueil, spicilège.

FLORIN. Fl, or.

FLOT. Abondance, affluence, bouillon, couler, eau, enfant, essaim, flux, houle, lame, marée, masse, mer, onde, multitude, torrent, vague.

FLOTTAGE. Drave.

FLOTTANT. Ample, dénoué, flou, lâche, large, mobile, ondoyant, vague.

FLOTTE. Armada, bateau, eau, escadre, flottille, marine, rein, vaisseau.

FLOTTER. Claquer, heureux, nager, ondoyer, surnager, voler, voltiger.

FLOU. Abstrait, agitation, barre, brouillé, confus, douteux, erre, estompé, fondu, général, imprécis, incertain, indécis, on, vague.

FLOUER. Dérober, duper, enlever, faucher, frauder, piller, piquer, voler.

FLUCTUER. Alterner, bigarrer, changer, commuer, différencier, discorder, diversifier, mélanger, moirer, nuancer, osciller, panacher.

FLUET. Aigu, allongé, délicat, délié, effilé, élancé, épais, étroit, fil, filiforme, fin, folié, fragile, frêle, fuselé, gracile, grêle, gros, lame, large, maigre, menu, mince, petit, pincé, pruine, ru, svelte, ténu, tôle, tulle.

FLUIDE. Air, caloporteur, clair, courant, diffusion, eau, effluent, émersion, éther, flux, fréon, gaz, humeur, liquide, phlogistique.

FLUOPHOSPHATE. Apatite.

FLUOR. F.

FLUORESCENCE. Chimiluminescence, luminescence, rhodamine, stokes.

FLUORURE. Cryolite, cryolithe, fluate, fluorine, hexafluorure.

FLUOSILIOCATE. Topaze.

FLÛTE. Diaule, fifre, fistule, flageolet, galoubet, larigot, mie, mirliton, monaule, navire, octavin, pain, piccolo, pipeau, syrinx, traversière.

FLUVIAL. Alluvion, épi, érosion, fleuve, poussage.

FLUX. Balancer, écoulement, débauche, déluge, diarrhée, eau, faisceau, flot, humeur, marée, menstrues, mer, profusion, règles, revif, torrent.

FOC. Clinfoc, génois, tourmentin, trinquette, voile.

FŒTUS. Accouchement, embryon, fœtal, fruit, germe, gestation, œuf.

FOI. Canon, confiance, croyance, jurer, mystère, religion, vérité, zèle.

FOIE. Abats, bile, cirrhose, distomatose, hépatite, hépatomégalie.

FOIE-DE-BŒUF. Fistuline.

FOIN. Bale, fenil, fourrage, herbe, meule, paille, rhume.

FOIRE. Braderie, bringue, débauche, diarrhée, ducasse, excrément, exposition, festin, fête, foiral, foraine, kermesse, lendit, marché.

FOIRER. Esquinter, gâcher, glisser, louper, manqué, omettre, oublier.

FOIS. Cas, cause, chance, circonstance, conjointement, coup, facilité, hasard, heure, incidence, lieu, moment, occasion, piège, temps.

FOISON. Abondant, beaucoup, considérablement, copieusement, flopée, foule, kyrielle, masse, multitude, nuée, profusion, quantité.

FOISONNER. Abonder, augmenter, beaucoup, fourmiller, proliférer.

FOLÂTRER. Amuser, badiner, batifoler, ébattre, folâtrerie, folichonner, gambader, ginguer, marivauder, papillonner.

FOLICHONNER. Amuser, batifoler, drôle, ébattre, folâtrer, gai, ginguer, marivauder, papillonner, plaisant, plaisanter, réjouir.

FOLIE. Aliénation, amok, asile, avertin, bêtise, caprice, crise, dada, délire, démence, égarement, fièvre, fou, fureur, grelot, imagination, ire, ivresse, lubie, lycanthropie, manie, marotte, passion, tic, vésanie.

FOLIO. Folioter, numéro, page, paginer.

FOLIOLE. Limbe, pinnule, sépale.

FOLKLORE. Coutume, légende, mythe, romancero, saga, tradition, us.

FOLKLORISTE, FEMME (n. p.). Baillargeon, Breton, Cadrin, Chailler, Charlebois, Guannel, Lemay, Pascal, Tremblay.

FOLKLORISTE, HOMME (n. p.). Beaudoin, Collard, Cormier, Daignault, Gosselin, Grenier, Labrecque, Mignault.

FOLLE. Amoureuse, cinglée, dingue, idiote, sotte, toquée, tordue.

FOMENTER. Amener, apporter, attirer, bondir, causer, créer, déchaîner, déclencher, déterminer, élever, fournir, inspirer, porter, susciter.

FONCER. Bondir, charger, débouler, fondre, piquer, précipiter, sauter.

FONCIER. Cadastre, censier, immeuble, impôt, inné, profond, radical.

FONCTION. Adipopexie, biliaire, chaire, charge, décanat, emploi, génération, office, olfaction, métier, mission, onéraire, office, place, position, poste, priorat, respiration, rôle, titre, travail, utilité.

FONCTIONNAIRE. Agent, employé, magistrat, muezzin, sous-ministre.

FONCTIONNEL. Commode, pratique, rationnel, symptôme, utilitaire.

FONCTIONNEMENT. Déclenchement, enclenchement, fiabilité, jeu.

FONCTIONNER. Actionner, agir, aller, animer, carburer, conduire, contribuer, coopérer, démarrer, démériter, disposer, employer, faire, lambiner, lésiner, marcher, mener, militer, œuvrer, opérer, organiser, partir, procéder, régner, remuer, ruser, trahir, traiter, user, venir.

**FOND.** Abysse, acul, ancre, bas, base, boue, cale, vreux, cul, dépôt, lie, limon, limite, réseau, résistance, sole, térébration, vasard, vase.

**FONDAMENTAL.** Base, capital, crucial, dogme, fond, tendance, vital.

**FONDANT.** Coulant, fusion, herbue, mœlleux, tendre.

**FONDATEUR.** Bâtisseur, commencer, chef, créateur, entrepreneur.

**FONDATEUR** (n. p.). By, Champlain, Laviolette, Maisonneuve, Néri.

**FONDATION.** Appui, assiette, assise, base, constitution, création, enfoncement, établissement, fondement, formation, soutènement.

**FONDEMENT.** Assiette, assise, base, fondation, infrastructure.

**FONDER.** Baser, bâtir, créer, élever, établir, instaurer, instituer, tabler.

**FONDEUR.** Skieur.

**FONDRE.** Célérité, dégeler, dégivrer, déglacer, délayer, désagréger, dissoudre, fondu, infuser, liquéfier, précipitation, unir, vitrifier.

**FONDU.** Flou, fond, fondre, fonte, fusé, fusion, incertain, vaporeux.

**FONDUE.** Chinoise, fromage, fusible, léger, raclette, suisse.

**FONTAINE.** Abreuvoir, baptême, geyser, griffon, nymphe, puits, source.

**FONTE.** Caquelon, dégel, ferromanganèse, floss, fusion, liquéfaction, matte, métal, poche, réduction, selle, spiegel, taque, type, union.

**FOOTBALL.** Ballon, corner, dribbler, foot, polo, rugby, soccer, verge.

**FOOTBALLEUR** (n. p.). Pele.

**FORAINE.** Bal, diarrhée, exposition, fête, foire, lendit, marché, tir.

**FORÇAT.** Argousin, bagnard, chiourme, fer, galérien, prisonnier, ré.

**FORCE.** Activité, ardeur, bras, ciseau, courage, énergie, es, fort, fougue, inévitable, intensité, lion, mana, nerf, poids, poigne, potentiel, pouvoir, puissance, résistance, union, vent, vigueur, violence, volume.

**FORCE** (n. p.). IRA.

**FORCENÉ.** Aliéné, amoureux, barjo, braque, cerveau, cinglé, dément, désaxé, détraqué, fada, fêlé, fol, fou, furieux, givré, idiot, imbécile, insensé, interné, ire, mental, niais, sonné, sot, toqué, tordu, triboulet.

**FORCER.** Aliter, augmenter, obliger, poursuivre, torturer, violenter.

**FORER.** Bêcher, caver, chever, creuser, évider, excaver, fileter, fouiller, fouir, labourer, miner, percer, tarauder, térébrer, trou, vider, vriller.

**FORESTIER.** Arbre, bois, forêt, laie, layon, lé, rime, sentier, ure, urus.

**FORÊT.** Bocage, bois, boisé, bosquet, chênaie, clairière, flopée, foule, fraise, futaie, kyrielle, maquis, multitude, nuée, parc, perceuse, pignade, pinède, sapinière, selve, sous-bois, sylve, taïga, verger.

**FORÊT** (n. p.). Chambord, Paimpont, Sénart.

**FORFAIT.** Abonnement, convention, crime, fixe, marchandage, trahison.

**FORFICULE.** Perce-oreille, pince-oreille.

**FORGER.** Cingler, corroyer, fabriquer, former, imaginer, inventer.

**FORGERON.** Anel, etna, maréchal-ferrant, oculi, tubalcaïn, Vulcain.

**FORMALITÉ.** Cérémonie, convenance, convention, démarche, enregistrement, facilité, filière, forme, préavis, règle, tracasserie.

FORMAT. Album, carré, coquille, dimension, douze, feuille, folio, grandeur, grosse, in, légal, octavo, quarto, seize, standard, tabloïd.

FORMATION. Brigade, colonne, commando, création, diplôme, prairie, ravinement, salification, steppe, thrombose, toundra, tuf, unité.

FORME. Carré, état, pointu, rectangulaire, rond, tubulaire, triangulaire.

FORMENE. Méthane.

FORMER. Composer, constituer, créer, diriger, dresser, éduquer, élever, enclore, énoncer, entraîner, épier, épouser, établir, étirer, exercer, fabriquer, façonner, faire, fonder, habituer, instituer, instruire, mixer, mouler, nouer, organiser, penser, pétrir, produire, rouler, styler.

FORMIDABLE. Épatant, étonnant, sensationnel, super, terrible.

FORMULE. Adieu, dédicace, équation, modèle, recette, règle, véto, visa.

FORMULER. Écrire, émettre, énoncer, ériser, exposer, exprimer, fulminer, insinuer, intenter, poser, rédiger, reformuler, règle, stipuler.

FORT. Âcre, bon, chétif, costaud, débile, déficient, dru, énergique, faible, ferme, grand, haut, malingre, nerveux, plein, puissant, redoutable, résistant, robuste, très, solide, violent, vigoureux.

FORT, BÂTIMENT. Bicoque, bastille, bunker, citadelle, donjon, ferté, forteresse, fortification, fortin, rempart.

FORT DU CANADA (n. p.). Albany, Beauséjour, Caracoui, Caraquet, Carillon, Chambly, Cuillerier, Érié, Frontenac, Garry, Gaspareaux, Jonquière, Louisbourg, Niagara, Richelieu, Rouillé, Rupert, Saint-Jean, Sainte-Anne, Ticondéraga, Toronto.

FORT DES ÉTATS-UNIS (n. p.). Alamo, Chouaguen, Corlar, Dearborn, Meigs.

FORTEMENT. Ardemment, énergiquement, fermement, grandement, puissamment, solidement, vigoureusement, violemment, vivement.

FORTERESSE. Bicoque, bastille, bunker, citadelle, donjon, fort, fortin.

FORTERESSE (n. p.). Bastille, Gibraltar, Louisbourg.

FORTIFICATION. Château, donjon, éperon, fort, forteresse, fortin, herse, ligne, mur, muraille, oppidum, redoute, rempart, sarrasine, tenaillon.

FORTIFIER. Affermir, armer, invétérer, munir, nourrir, prémunir.

FORTUIT. Accident, aléa, aventure, bonheur, chance, dé, destin, déveine, errant, fortune, hasard, imprévu, occasion, pile, sort, veine.

FORTUNE. Aise, argent, avoir, bien, bonheur, capital, chance, destin, destinée, hasard, patrimoine, ressource, riche, richesse, trésor, veine.

FOSSÉ. Abysse, canal, cavité, creux, douve, excavation, graben, oubliette, purot, rigole, saut-de-loup, silo, tombe, tranchée, trou.

FOSSILE. Ambre, ammonite, anas, ancien, calamite, géologie, oiseau, pemphix, platax, poisson, préhistoire, reptile, tabulé, vieillard, zoolite.

FOU. Aliéné, amoureux, barjo, braque, cerveau, cinglé, cintré, dément, désaxé, détraqué, dingue, fada, fêlé, fol, forcené, furieux, givré, idiot, imbécile, insane, insensé, interné, ire, maboul, marotte, mental, nasé, niais, sonné, sot, taré, toqué, tordu, triboulet.

FOUDRE. Choc, éclair, épart, fulgurer, lueur, paratonnerre, tonnerre.

FOUDROYER. Électrocuter, frapper, mourir, soudain, terrasser, vaincre.

FOUET. Aile, badine, chambrière, chicote, cravache, discipline, étrivière, garcette, houssine, knout, martinet, nagaïka, nerf, sangle, verge.

FOUETTER. Battre, cingler, exciter, fesser, flageller, rosser, sangler.

FOUGASSE. Fouace, froment, mine.

FOUGÈRE. Adiante, aigle, asplénium, athyrium, capillaire, cétérac, cétérach, dryoteris, filicale, filicinée, indusie, ophioglosse, osmonde, pécoptéris, polypode, pteridium, rhizoïde, royale, scolopendre.

FOUGUE. Ardeur, bravoure, élan, entrain, feu, véhémence, violence.

FOUGUEUX. Ardent, déluré, emporté, enragé, impétueux, vif, violent.

FOUILLER. Chercher, excaver, explorer, farfouiller, fouger, fouiner, fureter, inventorier, ratisser, rechercher, sonder, tripoter, vermiller.

FOUILLIS. Anarchie, art, bazar, bordel, capharnaüm, chahut, chaos, confusion, décousu, désordre, dégât, déroute, désordre, dissipation, fatras, gabegie, gâchis, incohérence, mélange, pagaille, souk, vrac.

FOUINARD. Curieux, indiscret, farfouilleur, fouilleur, fureteur, rusé.

FOUIR. Approfondir, cécilie, creuser, taupe, vermillonner.

FOULARD. Carré, écharpe, étoffe, fichu, pointe, tussah, tussor.

FOULE. Affluence, amas, armada, armée, cohue, essaim, flopée, masse, meute, monde, multitude, nuée, peuple, populace, presse, tale, tas.

FOULÉE. Abatture, enjambée, pas, volée.

FOULER. Damer, éreinter, opprimer, piétiner, pilonner, presser, tasser.

FOULURE. Déboîtement, distorsion, écart, entorse, effort, élongation.

FOUR. Aire, alandier, âtre, bouche, calcarone, calisson, cuisinière, étuve, fournaise, fourneau, fournil, grille, insuccès, oura, voûte.

FOURBE. Effronté, escobar, fripon, impudent, rusé, sournois, trompeur.

FOURBERIE. Mensonge, rouerie, ruse, sycophante, tour, tromperie.

FOURBERIE (n. p.). Scapin.

FOURBU. Claqué, crevé, éreinté, exténué, fatigué, lassé, sué, trimé, usé.

FOURCHE. Bident, bretelle, caudine, dent, fouine, gibet, harpon, trident.

FOURCHETTE. Cheval, couvert, écart, échec, glome, ustensile, variation.

FOURGON. Break, bétaillère, corbillard, van, voiture, wagon.

FOURGONNETTE. Camionnette, van, wagon.

FOURME (n. p.). Ambert, Cantal, Puy-de-Dôme.

FOURMI. Démangeaison, formication, formique, fourmilière, miellat, pangolin, picotement, reine, soldat, tamanoir, termite, travailleuse.

FOURMILLER. Abonder, foisonner, grouiller, profiler, pulluler, regorger.

FOURNAISE. Brasier, canicule, feu, truie.

FOURNEAU. Chaudière, cratère, creuset, cuisinière, étalage, four, gazinière, gueule, poêle, réchaud, té, ventre.

FOURNI. Achalandé, approvisionné, dru, épais, garni, pourvu, touffu.

FOURNIR. Apporter, armer, assortir, atteler, débiter, dispenser, donner, doter, entretenir, garnir, livrer, lotir, meubler, monter, munir, nantir, nipper, nourrir, pourvoir, procurer, ravitailler, servir, verser, vêtir.

FOURRAGE. Colza, dragée, foin, fouille, gazon, houque, ivraie, litière, lupin, luzernem, millet, ortie, paille, pâtirin, ravage, trèfle, vulpin.

FOURRAGÈRE. Cordelière, crételle, ers, phléole, plante.

FOURREAU. Bas, bélière, bouterolle, dard, dé, dégainer, doigtier, élytre, enveloppe, étui, gaine, manchon, nu, porte-épée, rengainer.

FOURRE-TOUT. Besace, bissac, bourse, havresac, pillage, sac.

FOURRURE. Armeline, astracan, astrakan, aumusse, blaireau, boa, caracul, carcajou, castor, chat, chinchilla, coyote, écureuil, étole, hermine, isatis, kid, kolinski, lapin, lièvre, loup, loutre, lynx, martre, menu, mite, mouffette, myopotame, ocelot, ondatra, opossum, ours, peau, pékan, pelage, poil, putois, ragondin, rat, raton, renard, roselet, sconce, vair, vison, zibeline, zorille.

FOURVOIEMENT. Égarement, erreur, perdu, tromperie.

FOURVOYER. Aberrer, divaguer, écarter, égarer, errer, vaguer.

FOUTU. Bousillé, condamné, cuit, fichu, incurable, maudit, nase, perdu.

FOYER. Âtre, brasier, centre, cheminée, famille, feu, lare, maison, phare.

FRACASSER. Briser, broyer, casser, éclater, écraser, édenter, effondre, éreinter, fractionner, gruger, mouler, péter, pulvériser, rompre, stèle.

FRACTION. Abattement, division, escouade, part, partie, tendance.

FRACTIONNER. Casser, couper, débiter, découper, dédoubler, dépecer, diviser, graduer, morceler, partager, rompre, scinder, séparer.

FRACTURE. Apocope, blessure, bris, brisure, cal, cassure, comminutif, embarrure, esquille, fêlure, fente, fraction, os, pseudarthrose, rupture.

FRAGILE. Cassant, chétif, débile, délicat, faible, frêle, friable, grêle, instable, menu, mince, ostéoporose, périssable, précaire, vain.

FRAGILITÉ. Attaquable, délicatesse, éphémère, néant, précaire, vanité.

FRAGMENT. Aréosol, bout, bribe, chicot, crossette, éclat, épave, miette, morceau, parcelle, part, partie, pas, pièce, récitatif, semoule, tronc.

FRAGMENTER. Couper, éclater, morceler, segmenter, tronçonner.

FRAGRANCE. Eau, odeur, parfum.

FRAÎCHEMENT. Froidement, nouvellement, pec, peu, récemment.

FRAÎCHEUR. Frais, froid, humidité, grâce, oasis, rose, rosée, serein.

FRAIS. Agio, brut, débours, dépens, dépense, écolade, frisquet, froid, jeune, minerval, net, neuf, net, nouveau, propre, récent, reposé, vert.

FRAISE. Alèse, capron, collerette, engoncement, fressan, roulette.

FRAISER. Aléser, évaser, fraisage, fraiseuse, percer, usiner.

FRAISIER. Quatre-saisons, rosacée.

FRANC. Antrustion, carré, clair, cordial, cru, direct, droit, entier, libre, loyal, naturel, net, oc, ouvert, parfait, pur, roi, rond, sincère, vif, vrai.

FRANÇAIS. Breton, franc, franciser, hexagonal, normand, parisien.

FRANCHEMENT. Librement, net, simplement, sincèrement, vraiment.

FRANCHIR. Boire, enjamber, escalader, passer, sauter, traverser.

FRANCHISE. Abandon, clarté, confiance, crudité, droiture, fausseté, liberté, loyauté, mensonge, netteté, sincérité, tromperie, véracité.

FRANCHISSEMENT. Balade, circuit, croisière, déplacement, escalade, excursion, exil, expédition, incursion, itinéraire, odyssée, passage, pèlerinage, saut, transfrontalier, traversée.

FRANCISCAIN (n. p.). Celano.

FRANCIUM. Fr.

FRANCO. Carrément, franc, franchement, gratuitement, résolument.

FRANGE. Bord, crépine, effilé, limite, marge, minorité, ruban, torsade.

FRANGIN. Frère, frérot, garçon, germain, ignorantin, lai, lait.

FRAPPANT. Émouvant, étonnant, impressionnant, lumineux, tapant.

FRAPPÉ. Bat, écu, éprouvé, férir, fripouille, froid, glacé, ictus, marque, médaille, méduse, obsolescent, roue, sou, terrorisé, tue.

FRAPPER. Asséner, assommer, battre, boxer, cingler, cogner, ébahir, étonner, férir, fesser, fou, geler, heurter, infliger, marteler, plaquer, poignarder, proscrire, sonner, taper, tapoter, tondre, trépigner.

FRASQUE. Caprice, conduite, digression, écart, faute, incartade.

FRATERNEL. Affectueux, alter ego, bienveillant, fraternellement, frère.

FRATERNISER. Aimer, amitié, chérir, engouer, entendre, enticher, lier, plaire, solidariser, sympathiser.

FRATERNITÉ. Accord, amitié, charité, club, concert, fenian, secte, union.

FRATRICIDE. Assassinat.

FRATRICIDE (n. p.). Caïn.

FRAUDE. Contrefaçon, dol, escroquerie, surpercherie, tromperie, vol.

FRAUDER. Falsifier, frelater, priver, resquiller, tricher, tromper, voler.

FRAUDEUR. Resquilleur, stellionataire, tricheur.

FRAYER. Fréquenter, ouvrir, tracer.

FRAYEUR. Alarme, crainte, effroi, épouvante, peur, terreur, transe.

FREDAINE. Chanson, écart, échappée, folie, frasques, répétition, sienne.

FREDONNER. Chanter, chantonner, fredonnement.

FREIN. Aile, arrêt, cheval, déviateur, mors, obstacle, sabot, servofrein.

FREINER. Ancrer, arrêter, borner, buter, caler, camper, cesser, clore, couper, épingler, fixer, interrompre, juguler, limiter, maintenir, pincer, rayer, régler, reposer, retenir, stagner, stopper, suspendre, tarir, tenir.

FRÊLE. Délicat, faible, fort, puissant, résistant, robuste, vigoureux.

FRÉMIR. Balancer, colère, frissonner, palpiter, peur, trembler, vibrer.

FRÉMISSEMENT. Bruissement, frisson, friselis, murmure.

FRÊNE. Amérique, blanc, bleu, cantharide, caroline, commun, excelsior, frai, fraxinelle, fraxinus, fresne, gregg, manne, mannitol, noir, odorant, oléacée, orégon, orne, oxycarpa, pleureur, pubescent, rouge, texas, velu.

FRÉNÉSIE. Agitation, délire, enthousiasme, fièvre, folie, furie, passion.

FRÉQUEMMENT. Communément, souvent, tant, toujours, usuel.

FRÉQUENCE. Chaîne, file, hertz, litanie, modulation, rythme, série, suite.

FRÉQUENT. Banal, commun, constant, courant, exceptionnel, général, habituel, ordinaire, perpétuel, rare, souvent, tant, toujours, unique.

FRÉQUENTATION. Attache, contact, côtoiement, rapport, relation.

FRÉQUENTER. Côtoyer, courtiser, flirter, lier, pratiquer, voir, voisiner.

FRÈRE. Compagnon, congénère, curé, égal, frangin, frérot, garçon, germain, ignorantin, lai, lait, moine, oncle, pareil, semblable, sœur.

FRÈRE BÉATIFIÉ (n. p.). André.

FRÈRE DE CHAM (n. p.). Japhet, Sem.

FRÈRE DE JACOB (n. p.). Ésaü.

FRÈRE DE JOCASTE (n. p.). Créon.

FRÈRE DE MOÏSE (n. p.). Aaron.

FRÈRE DE SAINT ISIDORE (n. p.). Léandre.

FRET. Cargaison, charge, contenu, faix, lest, nolis, pacotille, transport.

FRÉTER. Affréter, charger, louer, noliser, pourvoir, transport.

FRÉTEUR. Affréteur, armateur.

FREUX. Choucas, corbeau, grole.

FRIANDISE. Baba, biscuit, bonbon, chatterie, confiserie, douceur, gâteau, gâterie, gourmandise, nanan, œuf, sucrerie, tarte, tire, touron.

FRIC. Argent, billet, bourse, douille, fonds, magot, mise, radis, rond.

FRICASSÉE. Fricot, gibelotte, mélange, poêle, ragoût.

FRICTIONNER. Frotter, lotionner, masser, oindre, parfumer.

FRIME. Apparaître, dissimulation, fard, feinte, simulation, zéro.

FRIMOUSSER. Bouger, danser, gigoter, minois, remuer, tricoter, valser.

FRINGALE. Appétit, boulimie, désir, faim, pica, polyphagie, repu.

FRINGANT. Actif, alerte, animé, arrogant, déluré, chaud, cheval, vif.

FRINGUER. Attifer, draper, fagoter, habiller, parer, revêtir, vêtir.

FRIPON. Aigrefin, bandit, coquin, escroc, espiègle, filou, gredin, vif.

FRIPONNERIE. Espièglerie, malhonnêteté, maroufle, picaro, tour.

FRIPOUILLE. Bandit, brigand, canaille, crapule, escroc, gredin, voyou.

FRIPPER. Chiffonner, plisser, rider, froisser, scandaliser.

FRIQUET. Moineau.

FRISAGE. Crêpage.

FRISER. Anneler, aplatir, bichonner, boucler, canneler, crêper, frisotter, frôler, lisser, moutonner, onduler, permanente, raser, ratiner, risquer.

FRISETTE. Boucle, bouclette, frison, frisottis, frisure, lambris.

FRISQUET. Algide, chaud, frimas, froid, gel, glacé, glacial, hiver, refroidir.

FRISSON. Crispation, fièvre, froid, horreur, peur, soubresault.

FRISSONNER. Balancer, colère, frémir, palpiter, peur, trembler, vibrer.

FRISURE. Boucle, friser, ratinage.

FRITURE. Grésillement, huile, pararasite, poisson, ratinage.

FRIVOLE. Bagatelle, étourdi, futile, léger, marionnette, niaiserie, volage.

FROID. Algide, ardent, bise, chaud, distant, frigide, frimas, gel, glacé, glacial, gourd, hiver, lucide, rancunier, refroidir, torride, vindicatif.

FROIDEMENT. Calmement, flegmatiquement, fraîchement, glacialement, posément, saisissement, sèchement.

FROIDURE. Hiver.

FROISSER. Blesser, chiffonner, choquer, colère, fâcher, friper, heurter, offenser, meurtrir, mortifier, piquer, plisser, rider, ulcérer, vexer.

FRÔLER. Caresser, côtoyer, effleurer, friser, frotter, raser, toucher.

FROMAGE. Bleu, brie, broccio, calando, camembert, cancoillotte, cantal, chabichou, cheddar, chester, chevrotin, comté, conté, coulommiers, crémet, édam, emmental, feta, fourme, fromageon, fromager, frome, gaperon, géromé, gorgonzola, gouda, grana, gruyère, hollande, livarot, maroilles, mimolette, munster, neufchâtel, niolo, oka, olivet, parmesan, raton, reblochon, rocamadour, roquefort, salers, sassenage, sbrinz, septmoncel, sérac, séré, sinécure, suisse, tomme, vacherin, valençay.

FROMAGERIE. Buron, crémerie.

FROMENT. Blé, cari, champart, écautre, engrain, méteil, orge, épeautre.

FRONT. Avant, chanfrein, coalition, façade, impoli, ride, sourcil, tête.

FRONTIÈRE. Art, barrière, borne, ligne, limite, pays, province, science.

FRONTON. Acrotère, fronteau, gable, titre, tympam.

FROTTEMENT. Abrasion, attition, baderne, friction, galet, lime, user.

FROTTER. Bagarrer, cirer, huiler, limer, lisser, oindre, polir, racler, user.

FROUSSARD. Audacieux, anxieux, brave, couard, courageux, craintif, fuyard, héros, peureux, poltron, trouillard, vaillant, valeureux.

FROUSSE. Anxiété, crainte, effroi, émoi, frayeur, fuite, phobie, peur, poltronnerie, souleur, suée, terreur, trac, transe, trouille, veinette.

FRUCTIFICATION. Écidie, périthèce, prospérer, urédospore.

FRUCTOSE. Lévulose, saccharose, sorbitol.

FRUCTUEUX. Fécond, gain, juteux, payant, prospère, rentable, utile.

FRUGAL. Austère, chiche, léger, maigre, pauvre, simple, sobre.

FRUIT (3 lettres). Api, mûr, rob.

FRUIT (4 lettres). Arec, baie, blet, brou, café, coco, cola, cône, dard, ente, fève, kaki, kiwi, kola, lime, loge, marc, mûre, nafé, noix, pois.

FRUIT (5 lettres). Akène, alise, anone, brou, câpre, caque, carvi, coing, corme, datte, drupe, écale, faîne, figue, gland, grain, jaque, liard, limon, macle, melon, mûron, nèfle, olive, pavie, péché, pêche, pépon, piment, pinot, poire, pomme, profit, prune, sorbe, taler, tonka.

FRUIT (6 lettres). Agrume, amande, ananas, avocat, balise, banane, bleuet, cageot, capron, cassis, cédrat, cerise, citron, coprah, courge, fraise, gousse, goyave, graine, guigne, icaque, jabose, jujube, mange, letchi, mangue, marron, merise, orange, papaye, potiron, raisin, tomate.

FRUIT (7 lettres). Abricot, achaine, agassin, airelle, alberge, arbaise, arbouse, aveline, azérole, bardane, brugnon, cabosse, capsule, caroube, cenelle, doyenne, fructus, glucose, grenade, griotte, harocot, intérêt, limette, longane, muscade, poivron, potiron, produit, résultat, vanille.

FRUIT (8 lettres). Ambrette, anacarde, bigarade, caryopse, corossol, disamare, épicarpe, féculent, féverole, fruitier, genièvre, hâtiveau, myrtille, noisette, pastèque, péponide, pistache, prunelle, strobile.

FRUIT (9 lettres). Aubergine, balsamine, bergamote, bigarreau, cacahuète, calebasse, châtaigne, compotier, concombre, confiture, cornichon, courgette, endocarpe, glageolet, follicule, framboise, frugivore, groseille, mandarine, mirabelle, myrobalan, nectarine.

FRUIT (10 lettres). Baguenaude, cacahouète, citrouille, clémentine, coquerelle, cornouille, cynorhodon, fenouillet, manceville, plaquemine.

FRUIT (12 lettres). Fenouillette, pamplemousse.

FRUSTE. Brut, grossier, lourdaud, primitif, rude, rustre, simple, usé.

FRUSTER. Décevoir, déposséder, léser, priver, spolier, trahir, tromper.

FUGACE. Bref, éphémère, gragile, fugitif, furtif, fuyant, passager.

FUGITIF. Banni, évadé, fugace, fuir, fuyard, passager, proscrit, réfugié.

FUGUE. Absence, cavale, échappée, escapade, frasque, scarlatti, strette.

FUHRER (n. p.). Duce, Guide, Hitler.

FUIR. Courir, décamper, déguerpir, déloger, dérober, détaler, émigrer, enfuir, envoler, esquiver, évader, éviter, filer, lever, partir, passer.

FUITE. Abandon, débâcle, débandade, déroute, exode, panique.

FULGURANT. Aveuglant, brusque, éblouissant, éclatant, étincelant, foudroyant, fulgurance, rapide, soudain.

FULGURATION. Éclair, étincelant, foudre.

FULMINER. Détoner, éclater, exploser, pester, tempêter, tonner.

FUMÉ. Boucané, gendarme, hareng, morue, pec, saumom, saur, sor.

FUMER. Boucaner, enfumer, mégoter, pipailler, pétuner, saurer.

FUMIER. Apport, chanci, compost, mouton, paillé, ruée, vache.

FUNÈBRE. Deuil, glas, lugubre, macabre, mortuaire, obsèques, triste.

FUNÉRAILLES. Deuil, ensevelissement, enterrement, funèbre, tombe.

FUNESTE. Affligeant, calamiteux, fatal, lugubre, macabre, mal, malheur, mauvais, mésarriver, mortel, néfaste, noir, nuisible, sinistre, tragique.

FUREUR. Agitation, avertin, colère, démence, explosion, folie, frénésie, furie, ire, irriter, manie, mode, passion, rage, rusé, violence, vogue.

FURIE. Délire, dragon, érinye, fanatisme, frénésie, grognasse, harengère, harpie, ivresse, junon, mégère, pythie, rage, violence.

FURIEUX. Acharné, déchaîné, délirant, dément, enragé, fâché, forcené, fou, frénétique, furax, furibard, furibond, irrité, possédé, violent.

FURONCLE. Abcès, clou, orgelet, staphylocoque, tumeur, ulcère.

FURTIF. Subreptice, fugace, fugitif, œillade, rapide, secret, subreptice.

FUS. Pus.

FUSEAU. Bobine, broche, centromère, culotte, dentellière, fusée, fuselé.

FUSIL. Arme, arquebuse, artillerie, briquet, busc, carabine, chassepot, chien, crosse, escopette, espingole, flingue, hammerless, infanterie, lebel, mitraillette, mousquet, mousqueton, pétoire, rifle, tromblon.

FUSILLER. Abîmer, bousiller, canarder, exécuter, tirer, tuer, viser.

FUSION. Absorption, acier, amalgame, arcot, association, brassage, fonte, liquéfaction, mélange, métal, réduction, réunion, scorie, union.

FÛT. Ancien, astragale, baril, bollard, colonne, escape, été, ex, futaille, grenadière, haste, lance, pommeau, tambour, tonneau, tronc, vin.

FUTAILLE. Barrique, bourdillon, fût, gerbeuse, muid, pipe, tonneau.

FUTÉ. Adroit, astucieux, dégourdi, finaud, habile, malin, roué, rusé.

FUTILE. Babiole, baliverne, bête, frime, frivole, inutile, léger, rien, vain.

FUTILITÉ. Babiole, bagatelle, breloque, bricole, colifichet, rien, vétille.

FUTUR. Anticipation, avenir, conjugaison, éternité, fiancé, prophétie.

FUYANT. Éphémère, évanescent, évasif, fugace, fugitif, secret.

FUYARD. Couard, évadé, fugitif, lâche, libre, peureux, pleutre, poltron.

# G

GABARDINE. Étoffe, imperméable, manteau, tissu.

GABARIT. Dimension, dispositif, forme, modèle, outil, portique, taille.

GABEGIE. Désordre, gâchis, gaspillage, pagaille.

GABIER. Gréement, marin, matelot, voile.

GÂCHER. Abîmer, avarier, bâcler, bousiller, cochonner, délayer, gâche, gaspiller, gâter, manquer, massacrer, plâtre, saboter, saloper, serrure.

GADOLINIUM. Gd.

GADOUE. Boue, compost, débris, détritus, engrais, fagne, fange, fumier.

GAFFE. Bâton, bévue, blague, bourde, erreur, faute, perche, sottise.

GAG. Farce, gaguesque.

GAGE. Assurance, aval, caution, créance, dépôt, endossement, foi, otage.

GAGER. Défier, enjeu, garantir, miser, parier, prouver, risquer.

GAGEURE. Challenge, défi, mise, pari, risque.

GAGNANT. Champion, conquérant, dominateur, dompteur, gain, jeu, lauréat, lot, outsider, sortant, travailleur, vainqueur, victorieux.

GAGNE-PAIN. Emploi, job, métier, profession, travail.

GAGNÉ. Allé, distancé, empiété, eu, front, mérité, râflé, ride, vaincu.

GAGNER. Acquérir, capter, emparer, endoctriner, enlever, envahir, franchir, lauréat, mériter, obtenir, prendre, remporter, vaincre.

GAI. Alacrité, alerte, allègre, amusant, animé, badin, bon, content, dispos, drôle, éveillé, jeu, joie, luron, réjouissance, ri, riant, rire, vif.

GAIETÉ. Comique, entrain, gaillardise, hilarité, joie, réjouissance, rire.

GAILLET. Caille-lait, grateron, gratteron, rubiacée.

GAILLARD. Bougre, costaud, cru, dru, fort, leste, navire, osé, raide.

GAIN. Avantage, bénéfice, boni, dividende, fruit, gagnant, gagné, intérêt, lucre, profit, rapport, rétribution, revenu, salaire, usure.

GAINE. Corset, écorce, enveloppe, éplucher, étui, fourreau, mèche.

GALANT. Cajoleur, courtisan, enjôleur, flirteur, poli, séducteur.

GALANTINE. Ballotine, minoune, rôti.

GALE. Bouquet, cécidie, gratelle, noix, redi, rouvieux, sarcopte, teigne.

GALÈRE. Bagne, bateau, birème, chiourme, espalier, fuste, galéace, galérien, galiote, mahonne, prame, réale, sensile, trière, trirème.

GALERIE. Arcade, balcon, hypogée, jubé, loge, passage, préau, raucheur, salon, souterrain, spectateur, tunnel, vestibule, voûte, xyste.

GALÉRIEN. Argousin, bagnard, déporté, espalier, forçat, relégué.

GALET. Brique, caillou, pierre, plage, poudingue, roche.

GALETAS. Combles, gourbi, grenier, mansarde, réduit, taudis.

GALETTE. Biscuit, cassave, crêpe, fric, gâteau, lire, oseille, placenta.

GALEUX. Cagot, décrépit, fy, ladre, lépreux, maladrerie, scrofuleux.

GALLINACÉ. Coq, francolin, gélinotte, grouse, hocco, lagopède, perdrix.

GALLIUM. Ga, galleux.

GALOCHE. Chaussure.

GALON. Avancement, bande, bordure, chevron, degré, ficelle, galuche, ganse, grade, laisse, officier, pansement, ruban, sardine, tresse.

GALONNÉ. Officier.

GALOP. Allure, bague, canter, cavaler, cavalier, cheval, course, danse, galopade, trot.

GALOPADE. Chevauchée, course, corrida, cross, derby, drag, épreuve, incursion, longueur, marathon, marche, omnium, promenade, rodéo, sprint, steeple, sulky, tauromachie, trajet, turf.

GALOPER. Aubin, cavaler, courir, galopeur.

GALVANISER. Électriser, enflammer, entraîner, métalliser, zinguer.

GAMBADE. Bond, cabriole, entrechat, saut.

GAMBERGER. Penser, réfléchir.

GAMÈTE. Anthérozoïde, oosphère, ovocyte, ovule, spermatozoïde.

GAMIN. Apprenti, arpète, cadet, chenapan, crapaud, enfant, enfantin, flot, galopin, gavroche, gosse, lipette, marmiton, mioche, morveux, titi.

GAMINE. Fillette, minette, petite, tendron.

GAMME. Degré, éventail, hymne, médiante, mode, note, sol, suite, ton.

GANGLION. Adénite, bubon, glande, grosseur, stellaire, tumeur.

GANGRÈNE. Mortification, nécrose, névrite, pourriture, putréfaction.

GANGRENER. Corrompre, dénaturer, empoisonner, gâter, infecter, pervertir, pourrir, ronger, vicier.

GANGSTER. Bandit, brigand, escroc, filou, pillard, truand, voleur.

GANSE. Corde, cordon, crénelage, embrasse, enguichure, fil, funicule, insigne, lacet, lido, pédoncule, rang, tirant, tirette, tors, tresse.

GANT. Ceste, gantelet, main, mitaine, miton, moufle, suède.

GANTELET. Ceste, miton.

GARAGE. Abri, box, dépôt, hangar, parc, remise, stationnement.

GARANT. Accréditeur, assurance, aval, caution, défenseur, gage, garantie, gardien, otage, preuve, protecteur, répondant, témoignage.

GARANTIE. Assurance, aval, caution, endossement, foi, gage, otage.

GARANTIR. Affirmer, avérer, contresigner, jurer, signer, témoigner.

GARÇON. Fils, gars, gosse, lad, loufiat, marmot, mitron, puceau, serveur.

GARDE. Défense, dogue, escorte, eunuque, gardien, gorille, guet, loge, messier, molosse, piquet, prétorien, rouet, veille, veilleur, vigie, vigile.

GARDE-BOUE. Aile, pare-boue.

GARDE-CORPS. Balustrade, garde-fou, gorille, parapet, rambarde.

GARDE-FOU. Balustrade, clôture, parapet, pilastre, rambarde, rampe.

GARDE-ROBE. Armoire, basique, penderie, placard, selle.

GARDER. Aliter, attendre, détenir, receler, réserver, retenir, tenir.

GARDERIE. Crèche, maternelle, pouponnière.

GARDIEN Agent, cerbère, concierge, consignataire, eunuque, garde, gardian, gaucho, geôlier, huissier, maton, policier, thesmothète.

GARDIEN DE BUT AU HOCKEY (n. p.). Dryden, Giacomin, Parent, Plante, Roy, Sévigny, Thibault.

GARDIEN DES TROUPEAUX (n. p.). Eumée.

GARE. Buffetier, consigne, halte, quai, station.

GARER. Arrêter, éviter, parquer, placer, ranger, remiser, stationner.

GARNEMENT. Chenapan, galopin, gamin, gredin, polisson, vaurien.

GARNI. Abondant, bagué, boisé, farci, fleuri, fourni, meublé, touffu.

GARNIR. Armer, baguer, boiser, bourrer, décorer, doubler, gréer, enrubanner, ferrer, lotir, mâter, meubler, munir, orner, parer, tapisser.

GARNITURE. Accessoire, assortiment, calandre, embout, ferrement, fanfreluche, ferrure, grébiche, jabot, lattis, ornement, parure, sabot.

GARROTER. Attacher, bâillonner, enchaîner, lier, ligoter, museler.

GASPILLAGE. Coulage, dépradation, gabegie, gâchis, perte.

GASPILLER. Consumer, dépenser, dilapider, gâcher, galvauder, perdre.

GASTÉROPODE. Buccin, cauris, conque, fuscan, natice, triton, troque.

GASTRO-ENTÉRITE. Tourista, turista.

GÂTEAU. Baba, bûche, cake, clafoutis, couque, dartois, éclair, frangipane, galette, gaufre, génois, gougère, kouglof, kugelholf, millas, mille feuille, moka, nougat, opéra, pudding, roulé, sablé, saint-honoré, vacherin.

GÂTER. Abîmer, altérer, améliorer, amender, avarier, carier, conserver, corriger, corrompre, dénaturer, détériorer, endommager, gâcher, pervertir, pourrir, préserver, saboter, salir, tarer, troubler, vicier.

GAUCHE. Bâbord, bras, côté, dia, droite, empêtré, empoté, épais, guindé, incapable, jardin, maladroit, pattu, paysan, scène, senestre, théâtre.

GAUFRE. Bricelet, cloqué, gâteau, gaufrette, gaufrier, gaufroir.

GAULOIS (n. p.). Astérix, Brennus, Celte, Ésus, Obélix, Olibrius.

GAULOISE. Celte, cervoise, cigarette, coquine, gaillarde, grivoise, polissonne.

GAVE. Argelès, bourre, gavarnie, gorge, pau, ruisseau, torrent.

GAVER. Bourrer, engraisser, gorger, rassasier, suralimenter, surnourrir.

GAVROCHE. Apprenti, arpète, cadet, chenapan, crapaud, enfant, enfantin, flot, galopin, gamin, gosse, lipette, marmiton, mioche, morveux, poulbot, titi.

GAZ. Ammoniac, anode, argon, arsine, auer, azote, bulle, chlore, cyanogène, flatulence, fumerolle, grisou, hélium, krypton, méthate, néon, oxygène, ozone, pet, propane, rot, soda, vapeur, vent, xénon.

GAZE. Barège, blessure, étoffe, mèche, mousseline, tissu, tutu, voile.

GAZON. Alyssum, agrostis, armeria, ceraiste, crételle, cynoglosse, fétuque, herbe, paturin, pelouse, ray-grass, saxifrage, sedum, statice.

GAZONNER. Enherber, tourber.

GE. Gaïa.

GÉANT. Colosse, énorme, grand, mastodonte, monstre, ogre, titanique.

GÉANT (n. p.). Antée, Cyclope, Encelade, Goliath, Hercule, Polyphède, Titan, Ymer, Ymir.

GECKO. Lézard, reptile, saurien, tarente.

GÉHENNE. Enfer, supplice.

GEIGNARD. Dolent, gémissant, larmoyant, plaintif, pleurnichard.

GEINDRE. Appeler, crier, gémir, lamenter, murmurer, plaindre.

GEL. Arrêt, blocage, hydrogel, givre, interruption, suspension, verglas.

GÉLATINE. Colle, colloïde, gélatineux, pelliculage, réticulation.

GELÉE. Aspic, confiture, congelée, frimas, froid, froidure, galantine, gel, gélatine, giboulée, givre, glace, pâte, napalm, regel, transi, verglas.

GELER. Congeler, figer, frapper, frigorifier, glacer, prendre, transir.

GÉMIR. Appeler, crier, geindre, lamenter, murmurer, plaindre.

GÉMISSEMENT. Cri, geignement, larmoiement, plainte, pleur.

GEMME. Diamant, joyau, lapis-lazuli, pierre, pierrerie, résine, zircon.

GENCIVE. Épulide, épulis, gengival, gingivite, parulie, ulite.

GENDARME. Balai, brigadier, carabinier, cogne, défaut, griffe, guignol, hareng, pandore, pic, policier, punaise, rebiffe, repasser, saucisse.

GENDARME (n. p.). Anatole.

GENDRE. Beau-fils, époux, fiancé.

GÊNE. Besoin, embarras, ennui, entrave, misère, obstacle, pitié, purée.

GÉNÉALOGIE. Ancêtre, arbre, ascendant, commencement, descendant, famille, filiation, implexe, lignée, origine, pedigree, phylogénie.

GÊNER. Embarrasser, empêtrer, entraver, incommoder, nuire, serrer.

GÉNÉRAL. Armée, capitaine, chef, collectif, commandant, commun, ensemble, indécis, major, principe, supérieur, universel, vague.

GÉNÉRAL (n. p.). Bolivar, Bréa, De Gaulle, Foy, Lasalle, Lee, Ney, Uhrich.

GÉNÉRAL ALLEMAND (n. p.). Bismarck, Blucher, Choltitz, Falkenhayn, Fritsch, Goebbels, Goering, Guderian, Jodl, Kluck, Ludendorff, Moltke, Paulus, Rommel, Rundstedt, Seeckt, Scheer, Schlieffen, Stülpnagel, Tirpitz, Todt.

GÉNÉRAL ANGLAIS (n. p.). Abercromby, Fairfax, Fleetwood, Lowe, Malborough, Monk, Murray, Stanhope, Wolfe.

GÉNÉRAL AMÉRICAIN (n. p.). Abrams, Alexander, Allen, Arnold, Barry, Bradley, Clark, Doolittle, Eisenhower, Early, Garfield, Gates, Grant, Haig, Hull, Jackson, Jones, King, Lee, MacArthur, Marshall, Meade, Merrill, Nelson, Nimitz, Patch, Patton, Perry, Pershing, Ridgway, Schwarzkopf, Sherman, Stiwell, Thomas, Wainwright, Washington, Wayne, Westmoreland.

GÉNÉRAL ARGENTIN (n. p.). Alvear, Lanusse, Videla.

GÉNÉRAL ATHÉNIEN (n. p.). Alcibiade, Chares, Cimon, Démosthène, Miltiade, Nicias, Phocion, Thrasybule, Xanthippos.

GÉNÉRAL AUTRICHIEN (n. p.). Gallas, Neipperg, Starhemberg.

GÉNÉRAL BANGLADESH (n. p.). Ershad.

GÉNÉRAL BELGE (n. p.). Brialmont, Leman.

GÉNÉRAL BÉOTIEN (n. p.). Épaminondas.

GÉNÉRAL BOER (n. p.). Joubert.

GÉNÉRAL BRITANNIQUE (n. p.). Baden-Powell, Burgoyne, Carleton, Cornwallis, Cumberland, Glubb, Murray, Stanhope, Wellington, Wolfe.

GÉNÉRAL BYSANTIN (n. p.). Bélisaire, Narsès.

GÉNÉRAL CANADIEN (n. p.). Doyle, Sévigny.

GÉNÉRAL CARTHAGINOIS (n. p.). Adherbal, Amilcar, Annibal, Giscon, Hamilcar, Hannibal, Hannon, Hasdrubal, Magon.

GÉNÉRAL CHILIEN (n. p.). O'Higgins, Pinochet.

GÉNÉRAL COLOMBIEN (n. p.). Sucre.

GÉNÉRAL ÉCOSSAIS (n. p.). Montrose.

GÉNÉRAL ESPAGNOL (n. p.). Albe, Avalos, Espartero, Lannoy, Franco, Narvaez, Riego.

GÉNÉRAL ÉGYPTIEN (n. p.). Néguib.

GÉNÉRAL FRANÇAIS (n. p.). Amade, André, Archinard, Berton, Bertrand, Biron, Bonneval, Bouillé, Boulanger, Bourbaki, Bourmont, Cambronne, Castelnau, Catroux, Caulaincourt, Championnet, Changarnier, Chanzy, Chevert, Custine, Dampierre, Damrémont, Daumesnil, De Gaulle, Degoutte, Delestraint, Desaix, Desmichels, Dodds, Drouot, Dugommier, Dumouriez, Duroc, Eblé, Espinasse, Estienne, Fabvier, Faidherbe, Faucher, Ferrié, Flahaut, Frère, Frontenac, Foy, Fleury, Foy, Galliffet, Gamelin, Giraud, Gouraud, Gourgaud, Gribeauval, Haxo, Hoche, Houchard, Huntziger, Hurault, Junot, Kellermann, Kléber, Koenig, Lally, Lamarque, Lameth, Lamoricière, Largeau, Lariboisière, Leclerc, Lecourbe, Malet, Mangin, Marbeuf, Marceau, Marchand, Margueritte, Menou, Miollis, Montcalm, Montholon, Moreau, Nivelle, Noguès, Ordener, Pichegru, Poncelet, Puisaye, Rapp, Rivet, Rohan, Salan, Sarrail, Savary, Trochu, Verneau, Weygand, Yousouf.

GÉNÉRAL GREC (n. p.). Condylis, Metaxas, Philopoemen.

GÉNÉRAL HONGROIS (n. p.). Gyulai.

GÉNÉRAL IRAKIEN (n. p.). Kassem.

GÉNÉRAL ISRAÉLIEN (n. p.). Dayan, Herzog, Rabin.

GÉNÉRAL ITALIEN (n. p.). Garibaldi, Pepe.

GÉNÉRAL JAPONAIS (n. p.). Hideki, Isoroku, Oku, Tojo, Yamamoto.

GÉNÉRAL MACÉDONIEN (n. p.). Antipater, Antipatros, Perdiccas.

GÉNÉRAL MALIEN (n. p.). Traoré.

GÉNÉRAL MEXICAIN (n. p.). Diaz, Iturbide, Villa.

GÉNÉRAL NIGÉRIEN (n. p.). Gowon.

GÉNÉRAL PANAMÉEN (n. p.). Noriega.

GÉNÉRAL PERSE (n. p.). Mardonios, Tissapherne.

GÉNÉRAL POLONAIS (n. p.). Anders, Bor, Dabrowski, Haller, Jaruzelski, Mierostawski, Sikorski.

GÉNÉRAL PORTUGAIS (n. p.). Eanes, Scharnhorst, Spinola.

GÉNÉRAL PRUSSIEN (n. p.). Brunswick, Bülow, Clausewitz, Moltke.

GÉNÉRAL ROMAIN (n. p.). Aetius, Agricola, Agrippa, Antoine, Camille, César, Cinna, Crassus, Flamininus, Galba, Germanicus, Labienus, Marius, Mummius, Pompée, Regulus, Ricimer, Sertorius, Stilicon, Syagrius, Varus.

GÉNÉRAL RUSSE (n. p.). Bagration, Bennigsen, Broussilov, Brusilov, Denikine, Doudaïev, Kerensky, Kornilov, Kourbski, Kouropatkine, Kutuzov, Rostopchine, Totleben, Vasilevski, Vlassov, Voronov, Vrangel, Wrangel, Zhukov.

GÉNÉRAL SERBE (n. p.). Putnik.

GÉNÉRAL SOUDANAIS (n. p.). Nemeyri.

GÉNÉRAL SPARTIATE (n. p.). Antalcidas, Antalkidas, Gylippos, Lysandre, Xanthippos.

GÉNÉRAL SUD-AFRICAIN (n. p.). Botha.

GÉNÉRAL SUÉDOIS (n. p.). Baner, Königsmarck.

GÉNÉRAL SUISSE (n. p.). Dufour, Guisan, Jomini.

GÉNÉRAL SYRIEN (n. p.). Asad, Assad.

GÉNÉRAL TCHÈQUE (n. p.). Waldstein, Wallenstein.

GÉNÉRAL TOGOLAIS (n. p.). Eyadema.

GÉNÉRAL TURC (n. p.). Gürsel, Inönü.

GÉNÉRAL URUGUAYEN (n. p.). Artigas.

GÉNÉRAL VENDÉEN (n. p.). Elbée.

GÉNÉRAL VÉNÉZUÉLIEN (n. p.). Miranda.

GÉNÉRAL VIETNAMIEN (n. p.). Giap

GÉNÉREUX. Bon, charitable, chic, clément, large, libéral, noble, sensible.

GÉNÉRIQUE. Commun, général, individuel, spécial, spécifique.

GENÊT. Brande, papilionacée.

GÊNEUR. Empêcheur, importun, ennuyeux, fâcheux, importun.

GÉNÉVRIER. Arceuthos, cade, cèdre, commun, cupressacée, deppe, genièvre, ginkgo, juniperus, occidental, pinchot, pleureur, polocarpe, rocheuses, sabine, utah, virginie.

GÉNIAL. Chouette, dément, épatant, étonnant, extra, lumineux, super.

GÉNIE. Capacité, démon, diable, djinn, don, elfe, éfrit, esprit, farfadet, fée, follet, gnome, imagination, incube, intelligence, lutin, lyre, nain, ondin, penchant, monstre, muse, nature, sirène, succube, sylphe, talent.

GÉNIE (n. p.). Ariel, Efrit, Elfe, Ondin, Nixe, Sylphe, Troll.

GENIÈVRE. Encens, genevrette, gin, sandaraque, vernis.

GÉNISSE. Io, taure, vaccinifère, vache, veau.

GÉNITEUR. Grand-père, parent, paternel, père, reproducteur.

GENRE. Annexe, catégorie, classe, épicène, espèce, famille, féminin, manière, masculin, ordre, prénom, race, sexe, société, sorte, type.

GENS. Cohorte, foule, homme, individu, monde, personne, public.

GENT. Clan, espèce, famille, gens, race.

GENTIL. Aimable, apôtre, beau, charmant, gracieux, joli, mignon, païen.

GENTILHOMME. Aristocrate, galant, gentleman, hobereau, noble, sire.

GENTLEMAN. Galant, homme, gentilhomme.

GENTLEMAN (n. p.). Lupin.

GÉOGRAPHE. Atlas, cartographe, géostratège.

GÉOGRAPHE ALLEMAND (n. p.). Barth, Pench, Ptolémée, Ratzel, Ritter.

GÉOGRAPHE ARABE (n. p.). Edrisi, Idris.

GÉOGRAPHE FLAMAND (n. p.). Mercator.

GÉOGRAPHE FRANÇAIS (n. p.). Blanchard, Brunhes, Élisée.

GÉOGRAPHE GREC (n. p.). Ératosthène, Pausanias, Strabon.

GEÔLE. Bagne, cachot, cellule, pénitencier, prison, tôle, violon.

GEÔLIER. Cerbère, garde, gardien, sentinelle.

GÉOLOGIE. Jurassique, lias, primaire, secondaire, tertiaire, trias, tuf.

GÉOLOGUE. Minéralogiste.

GÉOLOGUE ALLEMAND (n.p). Wegener, Werner.

GÉOLOGUE AMÉRICAIN (n.p). Powell.

GÉOLOGUE AUTRICHIEN (n.p). Suess.

GÉOLOGUE BRITANNIQUE (n.p). Hall.

GÉOLOGUE CROATE (n. p.). Mohorovicic.

GÉOLOGUE ÉCOSSAIS (n. p.). Hutton.

GÉOLOGUE FRANÇAIS (n. p.). Beudant, Bravais, Cayeux, Dolomieu, Friedel,
Gignoux, Haüy, Lapparent, Lartet, Tazieff.

GÉOMÈTRE. Arpenteur.

GÉOMÉTRIE. Aire, carré, centre, cercle, cône, côté, courbe, diamètre, papillon, pi,
rayon, rectangle, rhombe, sinus, théorème, tore, triangle.

GÉRANIUM. Acetosum, armenum, endressil, ibericum, frutetorum, géraniacée,
grandiflorum, inquinans, lierre, macrorrhizum, pélargonium, phaeum, pratense,
psilostemon, salmoneum, sanguineum.

scandens, sylvaticum, zonale.

GERBE. Airée, botte, bouquet, colonne, faisceau, grain, jet, moyette.

GERÇURE. Crevasse, fendillement, fente, fissure, gélivure, peau.

GÉRER. Administrer, cogérer, diriger, entreprendre, manager, régir.

GERMAIN. Allemand, consanguin, teuton, teutonique, utérin.

GERMANIUM. Ge.

GERME. Aseptique, cause, départ, embryon, fœtus, germer, germicide, grain, graine,
kyste, levain, malt, microbe, neurotrope, œuf, origine, proligère, semence, source,
sperme, spore, touraillon.

GÉRONTOLOGIE. Gériatrie, géronte, vieillard, vieillesse.

GERZEAU. Nielle.

GESSE. Jarosse, jarousse, lathyrus, orobe, pois de senteur, vespéron.

GESTE. Acte, action, allure, attitude, câlin, exploit, façon, manière, menace,
mimique, mine, mudra, nique, outrage, épopée, sort.

GESTICULER. Activer, balloter, battre, bercer, bouger, brandiller, brasser, brouiller,
démener, ébranler, remuer, secouer, touiller.

GESTION. Bureau, conduite, direction, fisc, régie, régime, syndic.

GIBECIÈRE. Carnassière, carnier, cartable, musette, sac, sacoche.

GIBET. Credo, croix, estrapade, patibulaire, pendaison, potence.

GIBIER. Affût, becfigue, chasse, civet, dépister, draine, gélinotte, grive, grouse,
lièvre, potence, rabattre, râle, retraite, tétras, tire, traquer.

GIBOULÉE. Averse, grain, ondée, pluie.

GICLER. Couler, eau, fuser, giclement, jaillir, jet.

GIFLE. Baffe, claque, coup, mornifle, soufflet, taloche, tape, torgnole.

GIFLER. Calotter, claquer, congler, fouetter, souffleter, talocher.

GIGANTESQUE. Acromégalie, colossal, comac, démesuré, éléphantesque, énorme, étonnant, excessif, géant, grand, haut, maous, titanesque.

GIGANTISME. Acromégalie, démesuré, énormité, hypertrophie.

GIGOT. Baron, cuisse, gigue, souris.

GIGOTER. Agiter, bouger, branler, danser, mouvoir, piétiner, remuer.

GILET. Anorak, blazer, blouson, boléro, caban, cabi, canadienne, cardigan, carmagnole, défaite, dolman, doudoune, échec, hoqueton, jaquette, pourpoint, saharienne, tunique, vareuse, veston, vêtement.

GIOBERTITE. Magnésite.

GINGEMBRE. Zérumbet, zingiber, zingibéracé.

GINKGO. Biloba, ginkgoacée, salisburia.

GINSENG. Panax, praliacée.

GIRAFE. Amble, girafeau, girafon, muette, okapi, son.

GIRATION. Hélicoptère, révolution, rotation, tour.

GIROFLÉE. Cheiranthus, crucifère, eugénol, matthiola, ravenelle, violier.

GIROLLE. Champignon, chanterelle, chevrette, gallinace, girolle, girandolle, girondelle, jaunotte, rousotte.

GIRON. Bercail, blason, église, endroit, intérieur, sein.

GIROUETTE. Cardinal, coq, pantin, penon, vent.

GISEMENT. Bassin, filon, géostatistique, gîte, milieu, mine, placer, veine.

GITAN. Bohémien, gadjo, kalé, manouche, rom, tsigane, tzigane.

GÎTE. Abri, aire, antre, asile, bauge, boucherie, cerf, débouler, débusquer, forlancer, habitation, lièvre, mine, minière, navire, nid, noix, refuge, repaire, retraite, tanière, tende, terrier.

GIVRE. Antigivrant, dégivrer, frimas, gel, gelée, givrage, glace, neige.

GLABRE. Barbu, imberbe, nu.

GLACE. Cadre, étamer, fixe, froid, gelée, glaçon, granité, grésil, iceberg, miroir, neige, névé, plombière, sorbet, tain, verglas, verre, vitre.

GLACER. Apeurer, figer, fixer, geler, intimider, lisser, paralyser, transir.

GLACIAL. Blizzard, froid, hivernal, polaire, réfrigérant, sibérien.

GLACIER. Crevasse, drift, iceberg, névé, polaire, rempart.

GLACIER D'HIMALAYA (n. p.). Ambu, Chukhung, Imja, Kangshung, Khumbu, Lhotse, Nuptse, Rongbuk.

GLACIER D'ISLANDE (n. p.). Eirik, Oroefi, Snoefell.

GLACIS. Bonnette, pédiment, piémont, talus, verseau, vertugadin.

GLADIATEUR. Belluaire, bestiaire, cavalier, cirque, hoplomaque, laniste, mercenaire, mirmillon, parmulaire, rétiaire, samnite, sécuteur.

GLAIVE. Alfange, badelaire, braquemart, colichemarde, épée, lame.

GLAND. Alvéole, balanos, capuchon, floche, paraphimosis, prépuce.

GLANDE. Acineuse, adénome, bartholinite, cortex, endocrine, exocrine, fistule, gonade, hypophyse, ovaire, mamelle, nectaire, pancréas, parathyroïde, parotide, pore, prostate, ris, salivaire, sébacée, sein, suc, testicule, testostérone, thymus, thyroïde, thyroxine, uropygienne.

GLÉCHOME. Glécome, labiée, lierre.

GLISSADE. Dérapage, ramassé, tacle.

GLISSEMENT. Butée, chute, coulissement, dérapage, tremblement.

GLISSER. Chasser, couler, errer, patiner, ramper, rouler, skier, tomber.

GLOBAL. Collectif, commun, ensemble, indécis, principe, universel.

GLOBE. Ampoule, boule, bulbe, carte, équateur, sphère, verrine.

GLOBULE. Bulle, cytaphérèse, dispédèse, hématie, hématite, hémolyse, hydrémie, kalicytie, leucocyte, leucocytose, macrophage, mégalocyte, mononucléaire, neutropénie, phagocyte, plaquette, polynucléaire, sang.

GLOIRE. Apogée, auréole, éclat, honneur, mérite, nom, prestige, renom.

GLORIEUX. Flanelle, illustre, magnifique, orgueilleux, saint, vaniteux.

GLORIFICATION. Apogée, apologie, apothéose, auréole, exaltation.

GLORIFIER. Auréoler, bénir, célébrer, exalter, flatter, louer, parer.

GLOSSINE. Muscidé, trypanosome, tsé-tsé.

GLOUSSÉ. Gloussant, ri.

GLOUSSER. Éclater, marrer, moquer, pouffer, railler, rire, tordre.

GLOUTON. Avaleur, avide, goinfre, gourmand, mangeur, porc, vorace.

GLOUTONNERIE. Avidité, cupidité, goulafre, gouliafre, rapacité.

GLUANT. Agglutinant, bas, collant, étroit, gommé, pantalon, poisseux.

GLUCIDE. Amidon, cellulose, disaccharide, glucose, glycogène, holocide, inuline, mannose, ose, oside, rutine, saccharose, sucre.

GLUCINIUM. Be, béryllium, gl, glucide.

GLUCOSE. Dextrose, esculine, fructose, glycémie, glycérol, hypoglycémie, maïs, ouabaïne, saccharine, saccharose, salicine, sapoline, sorbitol.

GLUCOSIDE. Esculine, ouabaïne, salicine, saponine.

GLYCÉRIDE. Glycérol, linoléine.

GNÔLE. Alcool, eau-de-vie, gnaule, gniôle, niole.

GNOME. Cabalistique, esprit, génie, lutin, nain, talmudique, troll.

GNON. Choc, claque, coup, gifle, heurt, taloche, tape, touche.

GNOMON. Cadran, solaire.

GOBELET. Chope, cornet, quart, rince-bouche, sol, tasse, timbale, verre.

GOBE-MOUCHES. Becfique, fauvette, gobe-moucheron, sylviidé, tyran.

GOBER. Aimer, appât, attendre, avaler, croire, éprendre, flâner, happer.

GOBEUR. Avaleur, crédule.

GODASSE. Pantoufle, soulier.

GODET. Avelanède, chope, gobelet, pli, pot, tasse, timbale, vase, verre.

GOÉLETTE. Bateau, brigantin, fortune, schooner, voilier.

GOÉMON. Algue, sar, sart, varech.

GOINFRE. Bâfreur, glouton, goulafre, goulu, gourmand, morfal, vorace.

GOLFE. Aber, anse, baie, calanque, crique, estuaire, fjord, fleuve, port, rade, ria.

GOLFE, ANTILLES (n. p.). Darien.

GOLFE, AUSTRALIE (n. p.). Carpentarie.

GOLFE, BOUCHES-DU-RHÔNE (n. p.). Fos.
GOLFE, CANADA (n. p.). Hudson, Saint-Laurent.
GOLFE, CORSE (n. p.). Porto.
GOLFE, CHINE (n. p.). Pohai.
GOLFE, CRIMÉE (n. p.). Azov.
GOLFE, DJIBOUTI (n. p.). Tadjoura.
GOLFE, IJSELMEER (n. p.). Ij.
GOLFE, OCÉAN ATLANTIQUE (n. p.). Biscaye, Gascogne.
GOLFE, OCÉAN INDIEN (n. p.). Arabique, Bengale, Oman, Persique.
GOLFE, MEDITERRANÉE (n. p.). Lion.
GOLFE, MER DES ANTILLES (n. p.). Darién, Honduras.
GOLFE, MER BALTIQUE (n. p.). Finlande.
GOLFE, MER NOIRE (n. p.). Azov.
GOLFE, MER ROUGE (n. p.). Akaba.
GOLFE, PAYS-BAS (n. p.). Ij.
GOMME. Adragante, balata, baume, butée, calamite, cati, cire, colle, dégommer, efface, encoller, galbanum, gommette, grummifère, gutte, laque, minable, nul, résine, snob.
GOMME-RÉSINE. Glabanum, ladanum, laque.
GONDOLE. Duchesse, gondolier, péotte.
GONFLÉ. Audacieux, bouffi, culotté, enflé, hardi, obèse, plein, saturé.
GONFLEMENT. Abcès, crue, emphase, emphysème, enflure, fluxion, intumescence, oedème, tuméfaction, tumeur, turgescence.
GONFLER. Arrondir, augmenter, ballonner, bomber, boucler, bouffer, bouffir, cloquer, dilater, enfler, exagérer, météoriser, rebondir.
GORGE. Amygdale, buste, canard, canon, chat, col, décelé, défilé, gave, gosier, ingurgitation, luette, menthol, pharynx, poitrine, sein, val.
GORGÉE. Coup, goulée, lampée, trait.
GORGER. Boire, emplir, gaver, grasseyer, ingurgiter, rassasier, soûler.
GOSIER. Avaloir, cloison, dalle, estomac, gargamelle, gorge, sifflet.
GOSSE. Enfant, gamin, mioche, môme.
GOTHIQUE. Cathédrale, flamboyant, formeret, gouttereau, sexpartite.
GOUACHE. Gouacher, peintre, peinture.
GOUDRON. Asphalte, bitume, brai, calfat, coaltar, macadam, poix, résine.
GOUET. Arum.
GOUFFRE. Abîme, aven, catastrophe, caverne, cavité, désastre, entonnoir, fosse, igue, précipice, profondeur, puits, ruine, trou, vide.
GOUJAT. Brut, butor, grossier, impoli, malapris, malotru, mufle, rustre.
GOUJATERIE. Grossièreté, impolitesse, incorrection, indélicatesse.
GOULÉE. Bouchée, coup, gorgée, lampée, trait.
GOULOT. Bouteille, canal, capsule, col, cou, égueuler, goulet, gouttière.
GOULU. Avide, bâfreur, glouton, goinfre, goulûment, gourmand, vorace.
GOUPIL. Renard.
GOURDE. Bête, bidon, bouteille, buse, calebasse, flacon, piastre, réserve.

GOURDIN. Barre, bâton, billot, bois, bûche, épieu, jonc, pieu, tige.

GOURMAND. Amateur, avide, brifaud, friand, gastronome, girelle, glouton, goinfre, goulu, gourmet, lécheur, pansu, ventru, vorace.

GOURMANDER. Admonester, chapitrer, engueuler, gronder, houspiller, morigéner, réprimander, sermonner, tancer.

GOURMETTE. Bracelet, chaînette, sous-barbe.

GOUROU. Chaperon, chef, cicérone, conducteur, cornac, gouverneur, guide, maître, mène, mentor, péon, pilote, sherpa.

GOUSSE. Ail, albuginée, ampoule, baie, bale, barder, bogue, brou, caïeu, calice, chorion, clisse, cocon, coque, coquille, cosse, couverture, délivre, écale, écorce, étui, faverole, féverole, gaine, genouillère, glume, légume, lesbienne, membrane, momie, peau, périsprit, placenta, pli, rétine, robe, sac, taie, tégument, test, tête, tunique, zoécie.

GOÛT. Acidité, âcre, âpre, attachement, condiment, épice, faim, fort, foxé, mode, odeur, palais, rage, salé, sauvagin, saveur, sens, sur.

GOÛTER. Aimer, allécher, collation, déguster, entrée, éprouver, essayer, estimer, goûteur, gustation, jouir, plaire, raffoler, sentir, tâter, toucher.

GOUTTE. Arthrite, colchicine, gonagre, larme, mère, mie, orteil, pas, pâté, perle, podagre, postillon, rhumatisme, rien, roupie, tectile, tophus.

GOUTTIÈRE. Bouche, bourbier, canal, cloaque, collecteur, égout, regard.

GOUVERNAIL. Barre, barreur, commande, conduite, dérive, direction, empennage, étambot, gouverne, manche, mèche, safran, timon.

GOUVERNANTE. Bonne, chaperon, duègue, nurse, responsable.

GOUVERNEMENT. Aristocratie, dey, état, gérontocratie, junte, nation, note, pouvoir, régime, règne, royauté, saint-siège, sénat, tétrarchie.

GOUVERNER. Administrer, barrer, conduire, diriger, dominer, étatiser, lofer, manœuvrer, mener, obéir, régenter, régir, régner.

GOUVERNEUR. Administrateur, ban, chef, émir, exarque, guide, magistrat, maire, maître, mentor, olibrius, pacha, palatin, pays, procurateur, province, satrape, vice-roi.

GOUVERNEUR, BAS-CANADA (n. p.). Aylmer, Colborne, Craig, Dalhousie, Drummond, Durham, Gosford, Kempt, Lorne, Milnes, Prescott, Prévost, Richmond, Sherbrooke.

GOUVERNEUR GÉNÉRAL DU CANADA (n. p.). Aberdeen, Alexander, Amherst, Athlone, Aylmer, Bessborough, Bossy, Byng-de-Vimy, Colborne, Connaught, Craig, Dalhousie, Devonshire, Dufferin, Elgin, Gosford, Grey, Head, Hnatyshin, Kempt, Lansdowne, Leblanc, Léger, Lisgar, Lorne, Massey, Michener, Minto, Monck, Preston, Roux, Schreyer, Stanley, Tweedmuir, Vanier, Wellington.

GOUVERNEUR, NOUVELLE-FRANCE (n. p.). Argenson, Avaugour, Bagot, Beauharnois, Callières, Champlain, Courcelle, Coulonge, Denonville, Duquesne, Frontenac, La Barre, Lauzon, Mésy, Montmagny, Talon, Vaudreuil.

GOUVERNEUR, TROIS-RIVIÈRES (n. p.). Boucher, Varennes.

GOY. Chrétien, goï, goye, goyim, non-juif.

GRABAT. Alèse, ber, chevet, ciel, coite, couchette, couchis, couette, divan, dodo, drap, épi, hamac, jar, jard, justice, lire, litière, pageot, pieu, procuste, pucier, mariage, ravin, ru, ruelle, ruisseau, sofa, sultane.

GRÂCE. Adresse, agrément, aman, attrait, beauté, bienfait, bienveillance, charme, élégance, faveur, fée, goût, merci, onction, octroi, pardon, plaisir, raideur, remise, rémission, service, vénusté.

GRACIEUX. Accort, agréable, aimable, cerf, daim, élégant, félin, gentil, gratuit, minois, pimpant, poli, suave, sylphide, talentueux, tendre.

GRACILE. Délicat, élancé, filiforme, fin, fluet, frêle, grêle, menu, mince.

GRADE. Adjudant, amiral, brigadier, capitaine, caporal, classe, colonel, commandant, dan, degré, doctorat, échelon, enseigne, galon, général, gr, licence, lieutenant, maître, major, maréchal, officier, quartier-maître, sergent, titre, vice-amiral.

GRADIN. Degré, escalier, grade, grenier, impériale, mezzanine, niveau, palier, plancher, premier, rez-de-chaussée, second, terrasse, trias.

GRADUATION. Degré, division, échelon, party, repère.

GRADUER. Échelonner, étager, étaler, étalonner.

GRAFFITI. Barbouillage, dessein, graffiteur, inscription, tag.

GRAIN. Anis, avé, averse, blé, bouton, brin, cacahuète, céréale, envie, épi, fève, flocon, fruit, gerbe, germe, graine, graminée, grange, gruau, grume, lentigo, lentille, mil, naevus, navette, nuage, panic, pépin, pignon, pisolithe, pluie, pollen, pollinie, provende, rafale, rasaire, riz, sas, seigle, silo, son, spore, tempête, van.

GRAIN DE BEAUTÉ. Lentigo, naevi, naevus.

GRAINE. Amande, amome, bran, cacahouète, cacahuète, cacao, café, épi, ers, germe, glume, ivraie, linette, pépin, pignon, pistache, semence, sésame, son, test, zizanie.

GRAISSE. Adipeux, axonge, beurre, cambouis, graille, graillon, gras, huile, lard, lipide, lubrifiant, oing, oindre, oint, oléine, maniguette, myéline, panne, saindoux, suif, suint, spic, vaseline.

GRAISSER. Acheter, cirer, corrompre, encrasser, graissage, huiler, lubrifier, oindre, salir, soudoyer, vaseliner.

GRAMINACÉE. Avoine, bambou, canne, chiendent, crételle, flouve, ivraie, maïs, nard, orge, riz.

GRAMINÉE (3 lettres). Blé, poa, riz, zea.

GRAMINÉE (4 lettres). Aira, alfa, coix, cram, maïs, nard, orge, sasa.

GRAMINÉE (5 lettres). Avena, briza, brize, brome, herbe, oryza, stipa.

GRAMINÉE (6 lettres). Arundo, avoine, bambou, bromus, canche, élymus, flouve, holcus, lolium, lygaea, mélica, roseau, uniola, zoysia.

GRAMINÉE (7 lettres). Alpiste, bambusa, dactyle, ehrarta, éleusine, festuca, hordeum, hystrix, lagurus, panicum, phléole, sorghum, zizania.

GRAMINÉE (8 lettres). Agrostis, chusquea, crêtelle, dactylis, eremopoa, gaudinia, glyceria, gynérium, imperata, oryzopsis, paspalum, phalaris.

GRAMINÉE (9 lettres). Agrostile, ammophila, amourette, asperella, chiendent, cynosurus, écourgeon, érianthus, haynaldia, lamarckia, phragmite, polypogon, saccharum, ventenata, vetiveria.

GRAMINÉE (10 lettres). Alopecurus, coléoptile, cymbopogon, desmazeria, éragrostis, escourgeon, hierochloe, miscanthus, oplismenus, pennisetum, trichioris.

GRAMINÉE (11 lettres). Arundinacea, arundinaria, brachypodium, deschampsia, rhynchetrum, sorgtastrum, tricholaena.

GRAMINÉE (12 lettres). Anthoxanthum, stenotaphrum,

GRAMINÉE (13 lettres). Arrhenatherum, dendrocalamus, phyllostachys.

GRAMINÉE (14 lettres). Helictotrichon.

GRAMMAIRE. Actif, adjectif, adverbe, alpiste, analyse, article, bambou, cas, féminin, figure, genre, langage, langue, locution, masculin, mélique, mode, nom, norme, passif, phonétique, pluriel, pronom, règle, rime, singulier, structure, syntaxe, temps, verbe.

GRAMMAIRIEN. Bélise, cuistre, linguiste, philologue, puriste, vadius.

GRAMMAIRIEN (n. p.). Beaudry, Littré, Vaugelas.

GRAND. Abondant, ample, bon, colossal, considérable, élancé, élevé, emphatique, étendu, fort, géant, gigantesque, gros, fort, haut, important, intense, large, long, petit, noble, pompeux, quantité, solennel, somptueux, spacieux, tant, vaste, vif, violent.

GRAND ESPRIT (n. p.). Manitou.

GRAND-MÈRE. Aïeule, grand-maman, mamie, mémère, mère-grand.

GRAND-MÈRE DE JÉSUS (n. p.). Anne.

GRAND-PÈRE. Aïeul, bon-papa, grand-papa, pépé, pépère, papi.

GRANDE. Aînée, chiée, craquée, rio.

GRANDE-BRETAGNE. Albion, G.B.

GRANDE-BRETAGNE (n. p.). Angleterre, Écosse, GB, Irlande, Pays de Galles, Royaume-Uni.

GRANDEUR. Ampleur, délire, dimension, élévation, étalon, étendue, gravité, hauteur, immensité, importance, longueur, majesté, taille.

GRANDIOSE. Épique, frappant, impressionnant, rare, touchant.

GRANDIR. Augmenter, baisser, croître, décliner, décroître, diminuer, gagner, invaginer, naître, pousser, rabougrir, renaître, repousser.

GRANGE. Aire, fenil, foin, grain, grenier, hangar, pailler, remise.

GRANITE. Granulite, grenu, orthose, pegmatite, porphyroïde, porpegmatite, protogine, rhyolite, roche, thyolite.

GRANULATION. Centromose, cirrhose, éosinophile, nodosité.

GRAPEFRUIT. Pamplemousse.

GRAPHIQUE. Abaque, canevas, courbe, dessin, ébauche, graphe, graphiste, logo, myographie, nomogramme, sonogramme, trace.

GRAPHITE. Crayon, graphiteux, mine, plombagine.

GRAPPE. Amas, banane, diète, épi, groupe, pampre, panicule, rafle, râpe, racème, raisin, régime, sarment, thyrse, vendange, vigne.

GRAPPILLER. Glaner, gratter, grignoter, rabioter, ramasser, rogner.

GRAPPIN. Ancre, chat, cigale, corbeau, crampon, croc, crochet, harpon.

GRAS. Adipeux, arrondi, beurre, bouffi, charnu, corpulent, décharné, dodu, empâté, épais, étique, étoffé, fort, graisse, gros, huileux, lard, maigre, obèse, onctueux, pansu, pâteux, plein, potelé, replet, taché.

GRATIFICATION. Aumône, cadeau, don, pourboire, prime, rétribution.

GRATIFIER. Doter, douer, équiper, munir, orner, pouvoir, structurer.

GRATIN. Aristocratie, choix, crème, élite, fleur, gotha, supérieur.

GRATIS. Cadeau, franco, gracieux, gratuit, prime, prodeo, rien.

GRATITUDE. Gré, obligation, reconnaissance, remerciement.

GRATELLE. Gale.

GRATTER. Abraser, effacer, égratigner, enlever, entamer, fouiller, frotter, fouiller, piquer, racler, ratisser, regratter, riper, veloutine.

GRAVE. Aigu, alto, austère, bas, componction, digne, important, lourd, posé, profond, raide, raser, redoutable, sage, sculte, sérieux, tare.

GRAVER. Buriner, chiffrer, écrire, entailler, imprimer, inscrire, orfèvre.

GRAVEUR. Artiste, ciseleur, lithographe, nielleur, sculpteur, xylographe.

GRAVEUR FLAMAND (n. p.). Bril.

GRAVEUR JAPONAIS (n. p.). Outamaro, Utamaro.

GRAVIER. Aétite, aigue-marine, calcul, camée, claveau, diamant, émeraude, galet, gemme, gravelle, grenat, grès, gypse, intaille, jade, lapis, liais, margelle, menhir, mica, obélisque, œil-de-chat, œil-de-tigre, olivine, opale, pendeloque, péridot, perle, pierrerie, ponce, pouzzolane, roc, roche, rubis, saphir, silex, tombe, topaze, tourmaline, voûte, zircon.

GRAVIR. Escalader, franchir, grimper, haut, monter, remonter.

GRAVITÉ. Dignité, énormité, flegme, froideur, réserve, retenue, sérieux.

GRAVURE. Burin, cliché, coulé, épreuve, estampe, galvano, godron, graveur, grené, icône, image, nielle, nielleur, pointillé, vignette.

GRÉ. Accord, amiable, gratitude, malgré, volonté, volontiers.

GREC. Chtonien, hellène, hellénistique.

GRÉEMENT. Agrès, ancre, croc, dame, écope, gaffe, garnir, mât, voile.

GRÉER. Appareiller, armer, doter, équiper, munir, outiller, pourvoir.

GREFFE. Bouture, écusson, ente, enture, greffier, greffon, isogreffe, kératoplastie, marcotte, marque, œil, parabiose, pousse, rejeton.

GREFFER. Adjoindre, ajouter, bouturer, écussonner, enter, entoir, greffage, greffoir, marquer, regreffer, tailler, transplanter.

GREFFIER. Copiste, dactylo, dactylographe, notaire, plumitif, rédacteur, scribe, scribouillard, secrétaire.

GREFFON. Ente, greffe, porte-griffe, transplant.

GRÊLE. Abattée, ascaride, averse, délicat, délié, déluge, érepsine, faible, fin, fluet, gracile, grain, grêlon, grésil, intestin, menu, mince, pluie.

GRELOT. Cloche, clochette, sonnaille, sonnette, timbre, tintinnabuler.

GRELOTTER. Branler, frémir, frissonner, secouer, trembler, trépider.

GRÉMILLE. Goujonnière, goujonnerie.

GRENADIER. Briscard, dragon, grenade, punica, punicacée, soldat.

GRENADILLE. Caerulea, passifloracée, passiflore.

GRENAT. Alabandine, almandin, almandine, bordeaux, éclogite, escarboucle, pierrerie, pourpre, pyrénéite, rouge.

GRENÉ. Granité, granulé, granuleux, grenelé, grenu.

GRENIER. Fenil, gatelas, grange, maison, mansarde, pailler, réserve.

GRENOUILLE. Aglossa, anoures, archaeobatrachia, batracien, brachycéphalidé, centrolenidé, crapaud, coasser, dendrobatidé, discoglossidé, héléophrynidé, hyperoliidé, leptodactylidé, ouaouaron, microhylidé, myobatrachidé, neobatrachis, pelobatoidea, pseudidé, rhacophoridé, raine, rainette, rhinodermatidé, rhinophrynoidea, sooglossidé.

GRÈS. Alios, argile, arkose, cérame, jaquelin, jaqueline, jarre, molasse, mollasse, quartzite, séricine, tourie.

GRÉSIL. Averse, déluge, friture, grain, grêle, grêlon, parasite, pluie.

GRÉSILLER. Craquer, craqueter, crépiter, cuire, grêler, pétiller.

GRÈVE. Arrêt, bord, cessation, jeûne, plage, rivage, suspension, tas.

GRIBOUILLER. Barbouiller, brouillon, griffonner, écrire.

GRIFFE. Bijou, croc, égratignure, empreinte, griffer, marque, ongle, onguicule, serre, signature, talon.

GRIGOU. Avare, harpagon, ladre, pingre.

GRIGNOTER. Corroder, dévorer, éroder, gruger, manger, mordre, user.

GRILLE. Barreau, clôture, crapaudine, grillage, herse, mots croisés.

GRILLER. Braiser, brassiller, brûler, calciner, chaleur, rôtir, torréfier.

GRILLON. Cigale, cricri, grésillement, stridulation.

GRIMACE. Contorsion, convulsion, distorsion, moquer, moue, rictus, tic.

GRIMER. Cacher, couvrir, déguiser, embellir, farder, maquiller, voiler.

GRIMPER. Escalader, gravir, hausser, hisser, lever, marcher, monter.

GRINCEMENT. Aigu, bruit, couinement, crissement, grésillement, parasite.

GRINCER. Crier, crisper, crisser, grinçant, grignoter, strider.

GRINCHEUX. Acariâtre, bougon, gringe, grogneur, grognon, hargneux, pimbêche, râleur, revêche, rogue, ronchon, ronchonneur, rouspéteur.

GRINGALET. Aigu, allongé, délicat, délié, effilé, élancé, épais, étroit, fil, filiforme, fin, folié, fragile, frêle, fuselé, gracile, grêle, gros, lame, large, maigre, menu, mince, petit, pincé, pruine, ru, svelte, ténu, tôle, tulle.

GRIOTTE. Cerise, marasque, marbre.

GRIPPE. Coryza, courbature, espagnol, fébrile, influenza, rhume.

GRIS. Âne, aviné, bis, biset, carte, écureuil, éméché, éminence, escargot, fer, fourrure, grège, grisâtre, grison, iode, ivre, loup, terreux, vair.

GRISANT. Capiteux, enivrant, entêtant, étourdissant, excitant.

GRISÂTRE. Aviné, beige, grège, nuageux, pinchard, terne, terreux.

GRISER. Ébriété, émécher, enivrer, étourdir, rêver, saouler, soûler.

GRISON. Âne, roussin.

GRIVE. À collier, des bois, dos olive, draine, drenne, fauve, grivette, joues grises, litorne, mauvis, solitaire, tourd, vendangette.

GRIVOIS. Cochon, coquin, croustillant, cru, épicé, gaillard, grivoiserie, léger, leste, libre, licence, obscène, osé, paillard, salé, vert, vulgaire.

GRIZZLI. Brun, ours.

GROGNER. Bougonner, crier, critiquer, feuler, geindre, gronder, murmurer, pester, protester, rager, râler, renauder, ronchonner.

GROGNON. Acariâtre, boudeur, bougon, grincheux, maussade, mécontent, morose, râleur, renfrogné, ronchon, rouspéteur.

GROIN. Boutoir, butoir, museau.

GROLE. Choucas, corbeau, freux, grolle.

GROMMELER. Bougonner, grogner, marmonner, maugréer, ronchonner.

GRONDEMENT. Feulement, réprimande, roulement.

GRONDER. Attraper, bougonner, rabrouer, réprimander, tancer.

GRONDIN. Rouget, téléostéen, trigla, trigle.

GROS. Adipeux, ample, arrondi, ballonné, bâti, bedonnant, bombé, enflé, épais, fort, gras, lot, lourd, massif, mot, obèse, potelé, ragot, rond.

GROSSE. Copie, douze, douzaine, enceinte, expédition, grasse, ronde.

GROSSESSE. Gestation, gravité, maternité, trigémellaire.

GROSSEUR. Bosse, calibre, corpulence, dimension, gabarit, tumeur.

GROSSIER. Brut, brutal, cru, dur, emporté, épais, féroce, gras, imparfait, lourd, malappris, massif, mufle, rude, rustre, salé, vil, violent, vulgaire.

GROSSIÈRETÉ. Barbarie, bassesse, brutalité, crudité, muflerie, ordure.

GROSSIR. Bomber, bouffer, dilater, empâter, enfler, épaissir, gonfler.

GROTESQUE. Bouffon, burlesque, caricature, fou, ridicule, risible.

GROTTE. Abri, antre, baume, calcaire, caverne, cavité, tanière.

GROTTE DE BELGIQUE (n. p.). Han.

GROTTE D'ESPAGNE (n. p.). Alquerti, Altamira, Casteret, Malboré.

GROTTE DE FRANCE (n. p.). Armand, Aurignac, Bédeillac, Cigalère, Dargilan, Escalère, Fuilla, Gargas, Isturitz, Labastide, Marsoulas, Montespan, Niaux, Portel, Tibiran,

GROUPE. Atelier, cadre, chœur, clique, équipe, espèce, essaim, îlot, macle, parti, pool, race, réunion, secte, série, trait, troupe, type.

GROUPEMENT. Association, bloc, coalition, front, syndicat, union.

GROUPER. Accumuler, additionner, allier, assembler, attrouper, classer, condenser, contrarier, enrégimenter, éparpiller, fédérer, joindre, masser, rallier, rassembler, regrouper, réunir, spécialiser, spécifier.

GROUPIE. Admiratrice, fan, inconditionnelle.

GRUE. Bigue, chèvre, chouleur, échassier, glapir, gruau, gruon, témoin.

GRUGER. Avaler, briser, broyer, croquer, duper, éroder, flouer, manger, posséder, réduire, rogner, ronger, rouler, ruiner, tromper, voler.

GUENILLE. Chiffon, défroque, haillon, harde, loque, nippe, oripeau.

GUÊPE. Abeille, ammophile, corset, eumène, frelon, guêpier, ichneumon, poliste, sphex.

GUÈRE. Feu, médiocrement, peu, presque, rarement, souvent, trop.

GUÉRIDON. Bouillotte, rognon, table, trépied.

GUÉRIR. Adoucir, apaiser, calmer, cicatriser, opérer, panser, réchapper, récupérer, remède, rétablir, retaper, sauver, soigner, soulager, traiter.

GUÉRISSABLE. Curable.

GUÉRIT. Remède, remis, rétabli, soulage.

GUERRE. Assaut, attaque, bagarre, bataille, bloc, campagne, combat, conflit, croisade, démêlé, dispute, émeute, escalade, escarmouche, guérilla, lutte, mine, paix, péan, razzia, révolte, sécession, soldat.

GUERRIER. Martial, militaire, militant, pair, soldat, samouraï, truste.

GUERRIER ARABE (n. p.). Antar.

GUERRIER MÉROVINGIEN (n. p.). Antrustion.

GUERRIER PHILISTIN (n. p.). Goliath.

GUERRIER TROYEN (n. p.). Énée.

GUERRIÈRE (n. p.). Amazone, Bellone, Bradamante, Walkyrie.

GUET. Affût, cachette, embuscade, faction, garde, surveillance.

GUÊTRE. Chausses, guêtron, houseaux, jambart.

GUETTER. Attendre, éclairer, épier, observer, regarder, surveiller.

GUETTEUR. Épieur, historien, matelot, mirador, observateur, vigie.

GUEULARD. Braillard, cadmie, criard, hurleur, râleur, rouspéteur.

GUEULE. Blason, bouche, lion, loup, obusier, ouverture, tête, visage.

GUEULER. Beugler, brailler, bramer, crier, fulminer, hurler, tempêter.

GUEULETON. Festin, gastronomie, gourmandise, repas.

GUEUX. Clochard, mendiant, miséreux, neutre, pauvre, pilon, robineux.

GUIDE. Catalogue, chaperon, chef, cicérone, conducteur, cornac, gouverneur, mène, mentor, notice, péon, phare, pilote, rêne, sherpa.

GUIDER. Conduire, conseiller, diriger, mener, orienter, mener, piloter.

GUIDOUNE. Catin, péripatéticienne, poule, prostituée, putain, pute.

GUIGNE. Cerisier, déveine, guignon, malchance, poisse.

GUIGNOL. Bouffon, charlot, clown, fantoche, marionnette, pantin, pitre.

GUILLOTINE. Bécane, bourreau, échafaud, gibet, potence, son, veuve.

GUILLOTINER. Décapiter, décoller, raccourcir.

GUIMAUVE. Althaea, malvacée, marshmallow, mauve, rose trémière.

GUIMBARDE. Automobile, languette, musique, rabot, tacot, voiture.

GUINDÉ. Apprêté, coincé, compassé, constipé, empesé, pincé, raide.

GUINGUETTE. Auberge, bal, bastringue, cabaret, musette, surboum.

GUINÉE (n. p.). Jacobus, Papouasie.

GUIRLANDE. Couronne, dessin, feston, fête, fleurs, sculpture, tortis.

GUISE. Accord, amiable, gratitude, libre, malgré, volonté, volontiers.

GUITARE. Balalaïka, banjo, cithare, guimbarde, guiterne, guzla, lyre, luth, lyre, mandore, mandoline, sistre, touchette, turtulette, ukulélé.

GUITOUNE. Abril, cabane, tente.

GYMNASTE. Acrobate, athlète, coureur, sauteur, sportif, trapéziste.

GYMNASTIQUE. Acrobatie, agrès, culturisme, exercice, gym, mil, sport.

GYMNOSPERME. Cycas, éphédra, ginkgo, gnétale, taxacée, zamia.

GYNÉCÉE. Bordel, femme, harem, lupanar, pistil, sérail, zénana.

GYPSE. Alabastrite, albatre, clivage, désert, plâtre, roche, rose, sable.

GYROPHARE. Ambulance, phare, policier, pompier.

# H

**HABILE.** Adroit, agile, aisé, apte, astucieux, avisé, bien, bon, calé, capable, expert, ferré, fin, finaud, fort, futé, ingénieux, intelligent, léger, leste, madré, maître, malin, roublard, rusé, sorcier, subtil, vif.

**HABILETÉ.** Adresse, art, astuce, dextérité, don, grâce, ruse, tact, truc.

**HABILLEMENT.** Atour, gant, harde, jupe, layette, parure, toilette.

**HABILLER.** Accoutrer, ajuster, attifer, carosser, coller, couvrir, draper, équiper, franger, ganter, nipper, parer, revêtir, rhabiller, saper, vêtir.

**HABIT.** Bure, costume, frac, fringue, froc, ornement, sac, simarre, spencer, tenue, uniforme, vergette, vêtement, vêture.

**HABITANT.** Aborigène, âme, autochtone, bois, citadin, citoyen, colon, être, évacué, habitation, hôte, individu, insulaire, manant, mèdes, natif, nomade, originaire, pays, peuple, rural, ruraux, turbe, zonier.

**HABITATION.** Case, caverne, chalet, demeure, domicile, ermitage, fourmilière, gîte, HLM, igloo, immeuble, isba, logement, logis, maison, manoir, mas, ménage, nid, pénate, piaule, propriété, ruche, tanière, taudis, taule, tipi, toit, tour.

**HABITER.** Crécher, demeurer, estiver, établir, fixer, hanter, loger, nicher, occuper, passer, peupler, résider, rester, séjourner, vivre.

**HABITUDE.** Conduite, coutume, dada, jactance, loquacité, manie, manière, mœurs, norme, pli, rite, routine, tic, us, usage, usance, vanité.

**HABITUEL.** Coutume, errement, manie, pli, rite, routine, tic, us, usage.

**HABITUELLEMENT.** Accoutumée, classiquement, communément, couramment, généralement, normalement, ordinairement, rituellement, traditionnellement, usuellement.

**HABITUER.** Aguerrir, amariner, dresser, exercer, façonner, former.

**HÂBLERIE.** Bluff, boniment, bravade, exagération, fanfaronnade, forfanterie, galéjade, gasconnade, rodomontade, vantardise.

**HACHE.** Arme, aisseau, bipenne, cochoir, cognée, doleau, erminette, francisque, herminette, laye, merlin, minerve, tille, tomahawk.

**HACHIS.** Boulette, croquette, farce, godiveau, haché, pâté, taboulé.

**HACHOIR.** Hache-viande, hansart, ustensile.

**HAFNIUM.** Hf.

**HAGARD.** Dépaysé, dérouté, désorienté, écarté, effaré, égaré, perdu.

**HAIE.** Barricade, barrière, bordure, chaîne, claie, clos, clotûre, cordon, échalier, enceinte, mur, palissade, rampe, saut-de-loup, trêve.

**HAILLON.** Chiffon, défroque, guenille, harde, loque, nippe, oripeau.

**HAINE.** Acrimonie, androphobie, amertume, animosité, antipathie, aversion, baver, fiel, horreur, inimitié, rancune, xénophobie.

**HAÏR.** Abhorrer, aigrir, détester, exécrer, irriter, rebuter, ulcérer.

**HALEINE.** Ail, anhélation, bouffée, brise, expiration, souffle, vent.

**HALÉ.** Aduste, basané, bronzé, cuivré, toué.

**HALER.** Berme, lé, remorquer, tirer, touer, traîner.

**HÂLER.** Bronzer, brunir.

HALETER. Essouffler, pantelant, panteler, respirer, saccader.

HALIOTIDE. Gastéropode, oreille-de-mer, ormeau.

HALLE. Entrepôt, foire, magasin, marché, minque, poissonnerie, salle.

HALLEBARDIER. Pertuisane, soldat, traban, travan.

HALLUCINATION. Acousmie, aliénation, apparition, autoscopie, cauchemar, chimère, délire, fantasme, folie, illusion, onirisme, vision.

HALLUCINOGÈNE. Coke, drogue, LSD, lysergique, psilocybine, qat.

HALO. Aura, auréole, brume, cercle, lueur, nimbe, voile.

HALTE. Arrêt, escale, étape, pause, relais, répit, scale, station, stop.

HAMEAU. Bourg, bourgade, écart, îlet, irles, lieu-dit, localité, mechta, village.

HAMPE. Banderole, bâton, bois, boucherie, brayer, dard, digon, drapeau, faux, haste, lance, manche, pique, tige, trabe.

HANDICAP. Cheval, désavantage, gêne, golf, infirmité, pénalisant.

HANDICAPÉ. Anormal, bossu, bot, déficient, déformé, estropié, infirme.

HANGAR. Abri, appentis, chartil, dépendance, entrepôt, fenil, garage.

HANNETON. Cancouële, hannetonner, man, scarabée, turc.

HANTER. Fréquenter, obséder, poursuivre, préoccuper, tourmenter.

HAPPER. Adhérer, agripper, attacher, attraper, prendre, saisir.

HARANG. Laité.

HARASSÉ. Brisé, claqué, crevé, épuisé, esquinté, estrapassé, exténué, fatigué, fourbu, las, lessivé, recru, rendu.

HARASSER. Anéantir, briser, claquer, crever, épuiser, éreinter, estrapasser, fatiguer, fourber, lasser, recru, rendre, tuer, vanner, vider.

HARCELANT. Assiégeant, persécuteur, pourchasseur, traqueur.

HARCELER. Acculer, assaillir, attaquer, chahuter, ennuyer, fatiguer, huer, importuner, obséder, persécuter, poursuivre, suivre, taquiner.

HARDES. Défroques, fringues, frusques, guenilles, haillons, nippes, oripeaux.

HARDI. Assuré, audacieux, aventureux, brave, casse-cou, cavalier, courageux, culotté, cynique, décidé, déluré, déterminé, effronté, énergique, entreprenant, ferme, fier, fougueux, impavide, impétueux, intrépide, luron, osé, résolu, risqué, risque-tout, téméraire, vaillant.

HARDIESSE. Aplomb, audace, bravoure, calme, courage, cran, culot, cynisme, fermeté, jactance, sûreté, témérité, timidité, toupet, sûr.

HAREM. Bordel, femme, gynécée, lupanar, pistil, sérail, zénana.

HARENG. Aine, bouffi, caque, clupéidé, gendarme, guais, kipper, lité, pec, proxénète, rollmops, saur, sauret, saurin, sor, sprat, trinquart.

HARENGUET. Sprat.

HARENGUIER. Drifter.

HARGNE. Âcreté, agressivité, colère, dureté, hostilité, méchanceté.

HARGNEUX. Acariâtre, bougonneux, bourru, maussade, rêche, teigneux.

HARICOT. Beurre, chevrier, dolic, dolique, ers, fayot, fève, flageolet, jaune, légumineuse, lingot, mange-tout, michelet, mungo, niébé, phaseolus, pois, princesse, ragoût, rata, soissons, soja, soya, vert.

HARMONIE. Accord, avenant, cadence, chœur, concert, équilibré, fanfare, mélodie, musique, orchestre, rythme, symétrie, unité, vent.

HARMONIEUX. Adapté, balancé, cohérent, épanoui, musical, régulier.

HARMONISER. Accorder, arrondir, assortir, équilibrer, homogénéiser.

HARNACHEMENT. Attirail, bât, équipement, étrivière, licol, licou.

HARNACHER. Accoutrer, affubler, atteler, bâter, brider, seller, vêtir.

HARNAIS. Bacul, bât, bateuil, bourre, bricole, bride, bridon, collier, dossière, guide, harnachement, licou, mors, surdos, timon, trait.

HARO. Cri.

HARPAGON. Avare, grigou, grippe-sou, ladre, lésineur, radin, rapiat.

HARPE. Angle, boyau, éolienne, lyre, mollusque, sambusque, trigone.

HARPON. Crampon, croc, crochet, dard, digon, foène, grappin, harpeau.

HARPONNER. Affecter, arrêter, attraper, clouer, mordre, percer, piquer.

HART VON AUE (n. p.). Aue.

HASARD. Accident, aléa, aventure, bonheur, chance, dé, destin, déveine, errant, fortune, imprévu, jeu, occasion, pile, sort, veine.

HASARDER. Aventurer, brusquer, commettre, essayer, risquer, tenter.

HASARDEUX. Aléatoire, aventureux, extrême, fortuit, glissant, risqué.

HASE. Femelle, lapin, lièvre.

HASSIUM. Hs.

HAST. Angon, épieu, faux, hache, hampe, haste, lance, pique, vouge.

HÂTER. Avancer, avorter, brusquer, dépêcher, forcer, oust, presser.

HATTÉRIA. Sphénodon.

HAUBAN. Barre, câble, cadène, étai, galhauban, gambe, mât, ride.

HAUSSE. Boom, dièse, élévation, enchérissement, inflation, valorisation.

HAUSSER. Accroître, augmenter, baisser, diéser, diminuer, élever, enchérir, enfler, hisser, lever, majorer, monter, relever, remonter.

HAUT. Aigu, amont, bas, crête, dessus, dressé, élancé, élevé, faîte, grand, hauteur, levé, long, perché, pôle, sommet, summum, tête.

HAUTAIN. Altier, arrogant, cavalier, condescendant, dédaigneux, distant, fier, impétueux, morgue, orgueilleux, prude, sourcilleux.

HAUTE. Chic, engrêlure, grande, noble, mer, oraliser, voix.

HAUTEUR. Altier, altitude, apogée, cime, crête, culminant, dessus, élévation, étage, grandeur, haut, mont, montagne, montée, niveau, orgueil, pic, pinacle, sommet, stature, surplomb, taille, tête, zénith.

HAUT-LE-CŒUR. Dégoût, écœurement, nausée, répugnance, révolte.

HAVRE. Abri, asile, havrais, oasis, paix, port, refuge, repos, retraite.

HAVRESAC. Sac.

HÉBERGER. Abriter, accueillir, hébergement, loger, recevoir.

HÉBÉTEMENT. Abrutissement, hébétude.

HÉBÉTER. Abêtir, abrutir, ahurir, hagard, idiot, stupide.

HÉBREU. Aleph, amen, israélite, judaïque, juif, lévirot, menora, pessah.

HÉCATOMBE. Boucherie, carnage, massacre, sacrifice, tuerie.

HECTARE. Ha.

HECTOLITRE. Hl.

HECTOMÈTRE. Hm.

HECTOPIÈZE. Hpz.

HÉGIRE. Ère.

HÉGIRE (n. p.). Mahomet, Mecque, Médine.

HÉLAS. Las, malheureusement.

HÉLER. Appeler, attirer, convier, interpeller, inviter, mander, sonner.

HÉLIANTHUS. Hélianthe, soleil, topinambour, tournesol.

HÉLICE. Écrou, pale, spirale, tire-bouchon, tors, turbine, vis, vrille.

HÉLIUM. He.

HÉMATITE. Émeri, ferret, ocre, oligiste.

HÉMÉROCALLE. Asphodèle, hémerocallis, liliacée, lis, lys.

HÉMICRÂNIEN. Migraine.

HÉMORRAGIE. Épistaxis, exode, fuite, hémostase, métrorragie, otorragie, perte, pétéchie, pléborragie, saignée, saignement.

HÉPATIQUE. Anemone, bryophyte, mousse, renonculacée, riccie.

HÉRACLÈS (n. p.). Alcmène, Aristophane, Euripide, Homère, Hésiode, Hercule, Iole, Mégara, Oeta, Pindare, Sophocle, Stésichore, Zeus.

HERBE. Aconit, agrostide, alfa, andain, anémone, angélique, asclepias, basilic, belladone, berce, cataire, chélidoine, chiendent, éléa, euphorbe, fines herbes, foin, phléole, fléole, fourrage, herbette, herbicide, fléole, foin, fourrage, gazon, graminée, gynerium, isoète, ivraie, narcisse, ortie, pulicaire, regain, sarclure, valériane, zostère.

HERBE (FINES HERBES). Aneth, anis, basilic, bourrache, camomille, carvi, fenouil, herbe-aux-chats, cerfeuil, ciboulette, coriandre, estragon, lavande, mélisse, marjolaine, menthe, origan, oseille, persil, romarin, sauge, sarriette, thym.

HERBE DU QUÉBEC. Anémone, apocyn, asclépiade, aster, carotte, chénopode, chicorée, dinde, échinochloa, épervière, épolobe, fraisier, galéopside, jargeau, laiteron, léontodon, lépidie, lierre, linaire, liseron, lupuline, lychnide, marguerite, matricaire, mauve, mélilot, onagre, oseille, oxalide, panais, phléole, plantain, pied-de-coq, pissenlit, potentille, à poux, prunelle, renoué, salicaire, salsifis, saponaire, sétaire, silène, stellaire, tabouret, trèfle, tussilage, verge d'or, vergerette, vesce, zizia.

HERBE-AUX-CHATS. Cataire, valériane.

HERBE-AUX-TANNEURS. Redoul.

HERBICIDE. Amibe, aryloxyacide, atrazine, bromacil, carbamate, diallate, diazine, diquat, diuron, fongicide, killex, lénacile, linuron, monalide, monuron, néburon, paraquat, simazine.

HERCULE (n. p.). Abyla, Alcmène, Antée, Cacus, Calpe, Déjanire, Diomède, Erymanthe, Eurysthée, Gibraltar, Hésione, Iole, Lerne, Minos, Némée, Neptune, Nesos, Nessus, Oeta, Omphale, Prométhée, Thésée.

HÈRE. Diable, homme, misérable, miséreux, pauvre.

HÉRÉDITÉ. Atavisme, antécédent, atavisme, gêne, génétique, héritage, légitimité, patrimoine, succession.

HÉRÉTIQUE. Albigeois, apostat, arien, camisard, dissident, impie, infidèle, laps, relaps, renégat, révolté, roussi, sacrilège, séparé.

HÉRISSER. Agacer, crisper, dresser, ébouriffer, exaspérer, excéder, froisser, hérissement, hirsute, hispide, horripiler, indisposer, irriter.

HÉRISSON. Échinoderme, égouttoir, oursin, porc-épic, suie.

HÉRITAGE. Alleu, ayant, bien, deshérence, dot, douaire, espérance, hoir, hoirie, legs, magot, mort, patrimoine, recueillir, testament, us, veuve.

HÉRITIER. Diadoque, hoir, légataire, préciput, présomptif, successeur.

HERMÉTIQUE. Abscons, abstrus, clos, énigmatique, ésotérique, étanche, fermé, garniture, impénétrable, incompréhensible, inintelligible, lut, mystérieux, obscur, opaque, scaphandre, sibyllin.

HERMÉTISME. Alchimie, émeri, ésotérisme, inintelligibilité, fermé, garniture, luté, nébuleux, obscurité, opacité, scellé, secret.

HERNIAIRE. Turquette.

HERNIE. Effort, épiplocèle, étranglement, gastrocèle, hépatocèle.

HÉROÏNE. Came, championne, cocaïne, conquérante, courageuse, diamorphine, drogue, épique, guerrière, héroïnomanie, héros, neige, noble, personnage, stupéfiant, valeureuse.

HÉROÏNE (n. p.). Atalante, Iole, Iseult.

HÉROÏNE CANADIENNE (n. p.). Mance, Verchères.

HÉROÏQUE. Brave, courageux, élevé, geste, homérique, valeureux.

HÉRON. Aigrette, bihoreau, butor, crabier, éolipile, éolipyle, garde-bœufs, grand, héronnière, petit, ventre blanc, vert.

HÉROS. Champion, conquérant, épique, guerrier, noble, valeureux.

HÉROS (n. p.). Énée, Hamlet, Ion, Lear, Lee, Othello, Richard, Tell, Ulysse.

HÉROS DE SHAKESPEARE (n. p.). Adonis, Antoine, Hamlet, Lear, Macbeth, Olivier, Othello, Périclès, Richard, Roméo, Troïllus.

HERSE. Canadienne, émotteuse, grille, hérisson, sarrasine.

HERTZ. Hz, mégahertz.

HÉSITANT. Embarrassé, flottant, incertain, indécis, irrésolu, timide.

HÉSITATION. Critique, doute, euh, hem, heu, hum, incertitude, indécision, irrésolution, scepticisme, si, vraisemblablement.

HÉSITER. Balancer, barguiner, broncher, danser, douter, osciller, perplexe, reculer, réticence, tâter, tâtonner, vaciller, vasouiller.

HÉTÉROGAMIE. Anisogamie, isogamie.

HÊTRE. Faine, fagacée, fagus, fau, fayard, fou, fouteau, gaïacol, loir, orne, pleureur, pourpre, sylvatica, tâtonner, vasouiller.

HEURE. Complie, demi-heure, horaire, laude, GMT, matine, minute, moment, montre, none, seconde, sexte, tierce, top, vêpres.

HEUREUX. Béat, bon, calme, content, euphorique, fortuné, réussite.

HEURT. Abordage, accident, assaut, attaque, cahot, charge, choc, collision, contrecoup, coup, émotion, ictus, impact, lutte, percussion.

HEURTÉ. Abrupt, accidenté, décousu, désordonné, embouti, haché, irrégulier, rude, saccadé, verboquet.

HEURTER. Battre, buter, cogner, frapper, tamponner, télescoper, vexer.

HIBISCUS. Althaea, ambrette, calycinus, cameroni, ketmie, malvacée, militaris, moscheutos, pedunculatus, schizopetalus, trionum.

HIBOU. Chouette, duc, effraie, grand-duc, harfang des neiges, hululer, moyen duc, nyctale, petit duc, prédateur, rapace, strigidé, ululer.

HIC. Complication, écueil, ennui, obstacle, os, pépin, problème.

HIDEUR. Affreux, infâmie, laideur, méchanceté, moche, ord, vilain.

HIDEUX. Affreux, beau, contrefait, difforme, horrible, laid, monstrueux, repoussant, répugnant, sordide, vilain.

HIE. Dame, demoiselle, hiement.

HIER. Avant, veille.

HILARITÉ. Allégresse, comique, gaieté, joie, jubilation, rire, risible.

HINDOUISME. Atman, civaïsme, darshan, dharma, indien, indou, mantra, rajah, sivaïsme, vishnouisme.

HIPPIATRE. Vétérinaire.

HIPPIE. Asocial, baba, beatnik, contestataire, marginal.

HIPPIQUE. Cheval, équestre, hippisme.

HIRONDELLE. Aronde, bicolore, cycliste, exocet, hirondeau, hirundinidé, granges, ironde, martinet, passereau, pourprée, ramoneur, rivage, sable, solangane, sterne, tangara.

HIRSUTE. Déchevelé, ébouriffé, échevelé, hérissé, poilu.

HIRUDINÉE. Sangsue.

HISSER. Arborer, déployer, dresser, élever, envoyer, guinder, lever.

HISTOIRE. Analyse, anecdote, annales, archives, aventure, biographie, conte, ère, étude, mensonge, mythologie, narration, récit, relation, vie.

HISTOLOGIE. Biopsie, hématologie, osmique.

HISTOLOGISTE (n. p.). Ranvier.

HISTORIEN. Biographe, chroniqueur, conteur, médiéviste, narrateur.

HISTORIEN ALLEMAND (n. p.). Kantorowwicz, Mommsen, Pufendorf, Ranke.

HISTORIEN AMÉRICAIN (n. p.). Adams, Bancroft.

HISTORIEN ANGLAIS (n. p.). Clarendon, Gibbon.

HISTORIEN ANGLO-NORMAND (n. p.). Benoît.

HISTORIEN ANGLO-SAXON (n. p.). Bède.

HISTORIEN ARABE (n. p.). Biruni, Masudi.

HISTORIEN BELGE (n. p.). Pirenne.

HISTORIEN BRITANNIQUE (n. p.). Gildas, Toynbee.

HISTORIEN BYSANTIN (n. p.). Procope, Psellos.

HISTORIEN CANADIEN(n. p.). Chapais, Groult, Lacoursière.

HISTORIEN ÉCOSSAIS (n. p.). Carlyle.

HISTORIEN ÉGYPTIEN (n. p.). Manéthon.

HISTORIEN FLAMAND (n. p.). Chastellain.

HISTORIEN FRANÇAIS (n. p.). Agulhon, Anselme, Ariès, Aumale, Bainville, Bloch, Bonnassie, Bouard, Braudel, Bremond, Breuil, Cahen, Carcopino, Castries, Champollion, Charléty, Chastenet, Chaunu, Commynes, Corbin, Daru, Daunou,

Delumeau, Duby, Dumézil, Dupront, Duroselle, Duruy, Éginhard, Faure, Febvre, Flacourt, Flodoard, Furet, Garçon, Gaxotte, Glotz, Goubert, Grenier, Grimal, Grousset, Gsell, Guizot, Hanotaux, Hozier, Isaac, Jaurès, Joinville, Jullian, Labrousse, Lavisse, Le Bras, Lefebvre, Le Goff, Lemerle, L'estoile, Lévis, Mabillon, Mably, Madelin, Maitron, Mandrou, Mariette, Marrou, Maspéro, Mathiez, Michelet, Mortillet, Naudé, Nicolet, Oldenbourg, Ozanam, Pelliot, Piganiol, Quinet, Raynal, Rémond, Rémusat, Renan, Renouvin, Retz, Riché, Roupnel, Seignobos, Soboul, Sorel, Taine, Tapié, Tocqueville, Vilar, Villehardouin, Vovelle, Wahl.

HISTORIEN GREC (n. p.). Appien, Arrien, Ctésias, Hérodote, Polybe, Strabon, Thucydide.

HISTORIEN HOLLANDAIS (n. p.). Hooft.

HISTORIEN ITALIEN (n. p.). Ferrero, Guichardin, Muratori, Pogge.

HISTORIEN LATIN (n. p.). Ammien, Tite-Live.

HISTORIEN NÉERLANDAIS (n. p.). Huizenga.

HISTORIEN POLONAIS (n. p.). Geremek.

HISTORIEN PORTUGAIS (n. p.). Heuculano.

HISTORIEN ROMAIN (n. p.). Tite-Live.

HISTORIEN ROUMAIN (n. p.). Iorga.

HISTORIEN RUSSE (n. p.). Karamzine.

HISTORIEN SUÉDOIS (n. p.). Geijer.

HISTORIEN SUISSE (n. p.). Suisse.

HISTORIEN VÉNITIEN (n. p.). Sarpi.

HISTORIETTE. Anecdote.

HIVER. Bise, déclin, frimas, froidure, hivernal, loup, misère, saison.

HOBEREAU. Aristocrate, émerillon, faucon, gentleman, noble.

HOCHEQUEUE. Bergeronnette, lavandière.

HOCHER. Battre, bercer, berner, compenser, dandiner, dodeliner, frémir, glander, hésiter, jeter, osciller, peser, rouler, sauter, vaciller.

HOCKEY. Bâton, ringuette, rondelle, zamboni.

HOCKEY CLUB LNH (n. p.). Black Hawks de Chicago, Blues de Saint Louis, Bruins de Boston, Canadien de Montréal, Canucks de Vancouver, Capitals de Washington, Coyotes de Phœnix, Devils de New Jersey, Flames de Calgary, Flyers de Philadelphie, Islanders de New York, Kings de Los Angeles, Lightning de Tampa Bay, Maple Leafs de Toronto, Oilers d'Edmonton, Panthers de la Floride, Penguins de Pittsburgh, Rangers de New York, Red Wings de Détroit, Sabres de Buffalo, Sénateurs d'Ottawa, Sharks de San Jose, Stars de Dallas, Trachers d'Atlanta, Whalers de Hartford.

HOCKEY TROPHÉE (n. p.). Art Ross, Calder, Conn-Smythe, Frank J Selke, Hart, James Norris, Vézina.

HOCKEYEUR (n. p.). Béliveau, Bossy, Bourque, Clarke, Cournoyer, Delvecchio, Dionne, Dryden, Esposito, Francis, Geoffrion, Giacomin, Gilbert, Gretzky, Harvey, Howe, Hull, Lafleur, Leetch, Lemieux, Lindros, Messier, Mikita, Orr, Parent, Park, Plante, Potvin, Ratelle, Richard, Robinson, Shore.

HOLLANDAIS. Batave, jongkeer, néerlandais, tête-de-maure.

HOLMIUM. Ho.

HOLOTHURIE. Concombre de mer, échinoderme, trépang, tripang.

HOMÉLIE. Avent, discours, oraison, prêche, prédication, prône sermon.

HOMBRE. Baste, gano, jeu, ombre, matador, spadille, tri, trick, virevolte.

HOMÈRE (n. p.). Iliade, Ionie, Ios, Odyssée, Ulysse.

HOMICIDE. Assassinat, crime, égorgement, exécution, meurtre.

HOMMAGE. Civilités, cuaigrefin, culte, dédicace, devoir, duale, dulie, lige, offrande, préface, respects, sérénade.

HOMME (3 lettres). Ane, mec, rat, sot.

HOMME (4 lettres). Bête, caïd, chef, être, fils, fort, hère, mime, nain, noir, ogre, ours, paon, papa, père, porc, pote, sire, tête, voix, zéro.

HOMME (5 lettres). Amant, blanc, brave, dandy, drôle, épave, époux, garde, génie, gnome, idiot, ilote, jaune, lapin, lascar, luron, lion, loup, mâle, mari, marin, mufle, nègre, paria, robin, ténor, thane, vigie, viril.

HOMME (6 lettres). Abruti, avocat, captif, crétin, dandin, éphèbe, esclave, meneur, mortel, noceur, nocher, ouvrier, pantin, paysan, prêtre, renard, rufian, salaud, satyre, scribe, soldat, vassal, voleur.

HOMME (7 lettres). Apollon, athlète, avorton, eunuque, matelot, notaire, nouille, orateur, sommité, usurier, vaurien, vautour.

HOMME (8 lettres). Aigrefin, arlequin, attorney, blanc-bec, bohémien, bonhomme, bourreau, cavalier, courrier, écrivain, gaillard, greffier, individu, moniteur, narciste, pistolet, plongeur, sourcier, touriste.

HOMME (9 lettres). Andouille, cabochard, chauffeur, cornichon, courtisan, freluquet, gentleman, gringalet, imposteur, mannequin.

HOMME (10 lettres). Affairiste, apiculteur, architecte, combattant, énergumène, escogriffe, exploiteur, femmelette, navigateur.

HOMME (11 lettres). Brancardier, capitaliste, ferrailleur, palefrenier.

HOMME (12 lettres). Conférencier, millionnaire, polichinelle.

HOMME FORT CANADIEN (n. p.). Cyr, Montferrand, Weider.

HOMME POLITIQUE ALBANAIS (n. p.). Hodja, Hoxha, Zog.

HOMME POLITIQUE ALGÉRIEN (n. p.). Abbas, Ben Bella, Boudiaf, Boumediene, Chadli, Zeroual.

HOMME POLITIQUE ALLEMAND (n. p.). Abetz, Bebel, Brandt, Ebert, Führer, Goring, Heinemann, Herzog, Hess, Heuss, Hindenburg, Hitler, Honecker, Köhl, Lübke, Neurath, Papen, Pieck, Scheel, Stein, Stoph, Ulbricht, Weizsäcker.

HOMME POLITIQUE AMÉRICAIN (n. p.). Adams, Arthur, Bush, Carter, Cleveland, Clinton, Coolidge, Eisenhower, Filmore, Ford, Garfield, Grant, Harding, Harrison, Hayes, Hoover, Hull, Jackson, Jay, Jefferson, Johnson, Kennedy, Lincoln, McKinley, Madison, Monroe, Nixon, Polk, Reagan, Roosevelt, Taft, Taylor, Truman, Tyler, Washington, Wilson.

HOMME POLITIQUE ANGLAIS (n. p.). Churchill, Fox, Heath, Peel, Pym, Snowden.

HOMME POLITIQUE ANGOLAIS (n. p.). Neto.

HOMME POLITIQUE ARGENTIN (n. p.). Menem, Pern, Peron, Sarmiento, Videla.

HOMME POLITIQUE ATHÉNIEN (n. p.). Solon.

HOMME POLITIQUE AUTRICHIEN (n. p.). Adler, Figl, Raab, Renner, Waldheim.

HOMME POLITIQUE BANGLADAIS (n. p.). Rahman.

HOMME POLITIQUE BELGE (n. p.). Beernaert, Destree, Eyskens, Lebeau, Spaak.

HOMME POLITIQUE BIRMAN (n. p.). Thant.

HOMME POLITIQUE BOSNIAQUE (n. p.). Izetbegovic.

HOMME POLITIQUE BRÉSILIEN (n. p.). Cardoso, Dutra, Fonseca, Goulart, Peixoto, Vargas.

HOMME POLITIQUE BRITANNIQUE (n. p.). Acton, Bagot, Bevan, Bevin, Churchill, Cripps, Eden, Fox, Grey, Heath, Peel, Pitt, Pym, Snowden, Webb.

HOMME POLITIQUE BULGARE (n. p.). Dimitrow, Stambolijski, Zivkov.

HOMME POLITIQUE CAMEROUNAIS (n. p.). Ahidjo, Biya.

HOMME POLITIQUE CANADIEN (n. p.). Abbott, Bennett, Borden, Bowell, Chrétien, Clark, King, Lapointe, Laurier, Macdonald, Mackenzie, Meighen, Mulroney, Papineau, Pearson, Saint-Laurent, St-Laurent, Thompson, Trudeau, Tupper.

HOMME POLITIQUE CHILIEN (n. p.). Allende, Bello, Frei, Montt, Pinochet.

HOMME POLITIQUE CHINOIS (n. p.). Gnomorno, Mao.

HOMME POLITIQUE CHYPRIOTE (n. p.). Makarios.

HOMME POLITIQUE CONGOLAIS (n. p.). Lumumba, Mobutu, Naouabi, Youlou.

HOMME POLITIQUE CORÉEN (n. p.). Rhee.

HOMME POLITIQUE CROATE (n. p.). Tudjman.

HOMME POLITIQUE CUBAIN (n. p.). Castro, Guevara.

HOMME POLITIQUE DANOIS (n. p.). Struensée.

HOMME POLITIQUE DOMINICAIN (n. p.). Trujillo Y Molina.

HOMME POLITIQUE ÉGYPTIEN (n. p.). Moubarak, Nasser, Sadate.

HOMME POLITIQUE ÉQUATORIEN (n. p.). Flores, Olmedo.

HOMME POLITIQUE ESPAGNOL (n. p.). Calvosotelo, Caudillo, Franco, Lerma, Perez.

HOMME POLITIQUE FINLANDAIS (n. p.). Kekkonen, Koivisto, Mannerheim, Paasikivi.

HOMME POLITIQUE FRANÇAIS (n. p.). Arena, Auriol, Barbes, Barnave, Bert, Briand, Birague, Blum, Caillaux, Chirac, Choiseul, Coty, Couthon, Déat, Debré, De Gaule, Deroulede, Deschanel, Doumer, Doumerque, Éboué, Fallières, Faure, Favre, Fould, Garat, Gay, Gensonne, Grévy, Guadet, Hébert, Isambert, Jaures, Larocque, Laval, Lebrun, Loubet, Marat, Maret, Millerand, Mitterrand, Molé, Mollien, Mun, Orry, Pache, Péri, Pétain, Poher, Poincaré, Pompidou, Ribot, Robespierre, Rochet, Roederer, Sartine, Sée, Tallien, Tardien, Thiers, Zay.

HOMME POLITIQUE GABONAIS (n. p.). Bongo, M'ba.

HOMME POLITIQUE GÉORGIEN (n. p.). Chevarnadzé.

HOMME POLITIQUE GHANÉEN (n. p.). Nkrumah, Rawlings.

HOMME POLITIQUE GREC (n. p.). Capodistria, Caramanlis, Papadhopoulos, Papadopoulos.

HOMME POLITIQUE GUINÉEN (n. p.). Cabral, Touré.

HOMME POLITIQUE HAÏTIEN (n. p.). Aristide, Duvalier, Lonverrure, Pétion.

HOMME POLITIQUE HOLLANDAIS (n. p.). Witt.

HOMME POLITIQUE HONGROIS (n. p.). Deak, Göncz, Magy, Tisza.

HOMME POLITIQUE INDIEN (n. p.). Dessai, Gandhi, Nehru.

HOMME POLITIQUE INDONÉSIEN (n. p.). Suharto, Sukarno.

HOMME POLITIQUE IRAKIEN (n. p.). Aref, Hussein, Husayn.

HOMME POLITIQUE IRANIEN (n. p.). Kassem, Mossadegh, Rafsandjani.

HOMME POLITIQUE IRLANDAIS (n. p.). Butt, Griffith, Obrien, Ormonde, Parnell.

HOMME POLITIQUE ISRAÉLIEN (n. p.). Begin, Eban, Eshkol, Peres, Shekel, Weizmann.

HOMME POLITIQUE ITALIEN (n. p.). Azeglio, Calvosotelo, Ciano, Cinaudi, Cipriani, Dini, Duce, Einaudi, Giano, Giolitti, Ginaudi, Gramsci, Gronchi, Longo, Matteotti, Moro, Mussolini, Nenni, Orlando, Pertini, Rienzo, Rossi, Saragat, Scalfaro, Sturzo, Turati.

HOMME POLITIQUE JAPONAIS (n. p.). Nobunaga, Sato.

HOMME POLITIQUE KÉNYEN (n. p.). Kenyatta.

HOMME POLITIQUE LAOTIEN (n. p.). Souphanouvong.

HOMME POLITIQUE LIBANAIS (n. p.). Chamoun, Joumblatt, Gemayel.

HOMME POLITIQUE LIBÉRIEN (n. p.). Tubman.

HOMME POLITIQUE LIBYEN (n. p.). Kadhafi.

HOMME POLITIQUE MALGACHE (n. p.). Ratsiraka, Tsiranana.

HOMME POLITIQUE MALIEN (n. p.). Keita.

HOMME POLITIQUE MEXICAIN (n. p.). Cardenas, Diaz, Juarez, Sapasa, Zapata, Zedillo.

HOMME POLITIQUE NÉERLANDAIS (n. p.). Drees, Kok.

HOMME POLITIQUE NICARAGUAYEN (n. p.). Ortega, Somoza.

HOMME POLITIQUE NIGÉRIEN (n. p.). Diori.

HOMME POLITIQUE NORVÉGIEN (n. p.). Quisling.

HOMME POLITIQUE OTTOMAN (n. p.). Pasa, Talatpasa.

HOMME POLITIQUE PAKISTANAIS (n. p.). Bhutto, Ziau.

HOMME POLITIQUE PANAMÉEN (n. p.). Noriega.

HOMME POLITIQUE PARAGUAYEN (n. p.). Lopez, Stroessner.

HOMME POLITIQUE PÉRUVIEN (n. p.). Fujimori, Perez-de-Cuellar.

HOMME POLITIQUE PHILIPPIN (n. p.). Marcos.

HOMME POLITIQUE POLONAIS (n. p.). Gierek, Jaruzelski, Paderewski, Walesa.

HOMME POLITIQUE PORTUGAIS (n. p.). Braga, Carmona, Eanes, Pombal, Saldanha, Soares, Spinola.

HOMME POLITIQUE ROMAIN (n. p.). Caton, César, Milon, Rufin.

HOMME POLITIQUE ROUMAIN (n. p.). Alecsandri, Bratianu, Ceausescu, Iliescu, Iorga.

HOMME POLITIQUE RUSSE (n. p.). Andropov, Beria, Brejnev, Doudaïev, Eltsine, Gorbatchev, Khrouchtchev, Lénine, Staline.

HOMME POLITIQUE SALVADORIEN (n. p.). Duarte.

HOMME POLITIQUE SÉNÉGALAIS (n. p.). Diouf, Senghor.

HOMME POLITIQUE SERBE (n. p.). Milosevic.

HOMME POLITIQUE SOVIÉTIQUE (n. p.). Beria, Krouchtchev, Tchernenko.

HOMME POLITIQUE SUD-AFRICAIN (n. p.). Botha, Malan.

HOMME POLITIQUE SUD-AMÉRICAIN (n. p.). Bolivar.

HOMME POLITIQUE SUÉDOIS (n. p.). Palme.

HOMME POLITIQUE SUISSE (n. p.). Ador, Kruger, Motta, Ochs.

HOMME POLITIQUE SYRIEN (n. p.). Assad, Asad.

HOMME POLITIQUE TANZANIEN (n. p.). Nyerere.

HOMME POLITIQUE TCHADIEN (n. p.). Habré, Tombalbaye.

HOMME POLITIQUE TCHÉCOSLOVAQUE (n. p.). Benès, Dubcek, Gottwald, Hacha, Husak, Masaryk, Menderes, Novotny, Slansky, Svoboda.

HOMME POLITIQUE TUNISIEN (n. p.). Bourguiba.

HOMME POLITIQUE TURC (n. p.). Evren, Gürsel, Inönü, Kemal, Ozal.

HOMME POLITIQUE UKRAINIEN (n. p.). Petlioura.

HOMME POLITIQUE VÉNÉZUÉLIEN (n. p.). Betancourt, Paez.

HOMME POLITIQUE VIETNAMIEN (n. p.). Hô Chi Minh.

HOMME POLITIQUE YOUGOSLAVE (n. p.). Tito.

HOMME POLITIQUE ZAÏROIS (n. p.). Kasavubu, Mobutu.

HOMME POLITIQUE ZAMBIEN (n. p.). Kaunda.

HOMME POLITIQUE ZIMBABWE (n. p.). Mugabe.

HOMOGÈNE. Analogue, comparable, confondu, couleur, égal, équivalent, fondu, joint, latéral, lié, lisse, net, noué, rivé, similaire, voisin, uni.

HOMOGÉNÉITÉ. Cohérence, cohésion, régularité, uniformité, unité.

HOMOLOGUER. Confirmer, entériner, ratifier, sanctionner, valider.

HOMOSEXUEL. Gay, giton, lesbien, lope, lopette, pédé, tante, tapette.

HONNÊTE. Décent, digne, intègre, poli, probe, scrupuleux, vertueux.

HONNÊTETÉ. Bienséance, décence, droiture, excusabilité, incorruptibilité, intégrité, probité, pudeur.

HONNEUR. As, carte, culte, dévotion, dignité, duel, élite, estime, fierté, gloire, ovation, pavois, rang, renommée, respect, roi, triomphe.

HONORAIRE. Dichotomie, émoluments, paie, rémunération, rétribution.

HONORER. Adorer, combler, décorer, fêter, révérer, saluer, vénérer.

HONTE. Affront, avanie, confusion, crainte, embarras, gêne, humilation, ignominie, opprobre, pudeur, réserve, scandale, vergogne, vilenie.

HONTEUX. Embarrassé, interdit, lâche, pauvre, penaud, piteux, puant.

HÔPITAL. Asile, clinique, hospice, hosto, infirmerie, ladrerie, léproserie, maladrerie, maternité, osto, salle, sanatotium, tour.

HORIZON. Almicantarat, ascendant, avenir, aube, jour, méridien, nuit.

HORLOGE. Ancre, cadran, carillon, cartel, clepsydre, chronomètre, comtoise, coucou, minuterie, morbier, pendule, régulateur, vrillette.

HORLOGER. Aiguilleur, bijoutier, pendulier, régulateur.

HORLOGER FRANÇAIS (n. p.). Lepaute.

HORMIS. Abstraction, excepté, hors, sauf.

HORMONE. Adrénaline, auxine, cortisone, folliculine, insuline, ocytocine, lutéine, parathormone, parathyrine, phytohormone, progestérone, sécrétine, somototrope, stimuline, testostérone, thyroxine.

HORREUR. Aversion, cauchemar, dégoût, effroi, émotion, exécrer, frisson, haine, hydrophobie, peur, photophobie, stupeur, terreur, vide.

HORRIBLE. Abominable, affreux, atroce, effrayant, hideux, vilain.

HORRIPILER. Aigrir, aviver, énerver, excéder, fâcher, irriter, révolter.

HORS. Absent, collatéral, dehors, ému, ex, excepté, extérieur, extravagant, fors, hormis, obsolète, réprouvé, sauf, surplomber.

HORSE-POWER. Hp.

HORTENSIA. Alpenglûhen, altona, ami pasquier, bénélux, chaperon rouge, constellation, corsaire, europa, floralia, goliath, hambourg, marquise, mascotte, merveille, mousmée, opaline, pirate, rosabelle, rosita, rutilan, splendeur, yola.

HORTICULTEUR. Bagueur, floriculteur, jardinier, rosiériste.

HOSPICE. Asile, clinique, hôpital, salle.

HOSPITALIER. Accueillant, mouroir, nosocomial.

HOSTILE. Adversaire, agressif, contre, défavorable, ennemi, haineux, hargneux, inamical, inhospitalier, malveillant, sentiment.

HÔTE. Amphitryon, aubergiste, convive, diffa, logeur, invité, receveur.

HÔTEL. Auberge, cambuse, caravansérail, crèche, hall, logis, lupanar, mairie, maison, motel, palace, pension, rambouillet, relais, taule.

HÔTEL (n. p.). Rambouillet.

HOTTE. Banne, benne, bouille, brante, cheminée, collet, panier.

HOTU. Nase.

HOUE. Bêche, bêchoir, binette, fossoir, hoyau, marre, sarcloir, tranche.

HOUILLE. Anthracite, boulet, brai, briquette, calamite, charbon, coke, fines, gailletin, lignite, maréchale, mineur, pyrène, pyridine, pyrrol.

HOULE. Agitation, agité, confus, douteux, eau, erre, flot, indécis, lame, mouton, onde, raz, ressac, roulis, tangage, tempête, vague.

HOULETTE. Autorité, bâton, commandement, direction, férule.

HOULEUX. Acculée, agité, orageux, moutonneux, tempête, vague.

HOUP. Oup.

HOUPPE. Aigrette, floc, floche, freluche, huppe, pompon, touffe, toupet.

HOURRA. Acclamation, bravo, ovation, vivat.

HOUSSE. Caparaçon, cape, chabraque, cocon, coque, enveloppe, sac, taie.

HOUX. Aigrefeuille, fragon, glu, houssaie, housset, maté, thé.

HUCHE. Coffre, maie.

HUÉ. Aubade, avanie, bruit, chahut, charivari, cri, mépris, tollé.

HUER. Ameuter, bafouer, chahuter, conspuer, honnir, siffler, vilipender.

HUILE. Ail, anis, basilic, bergamotier, bigarade, bornéol, brillantine, cajeput, camomille, camphre, cannelle, carvi, chénopode, chrême, citron, coriandre, créosol, cyprès, essentielle, estragon, eucalyptus, fenouil, genévrier, géranium, gingembre, ginseng, girofle, hysope, kérosène, lavande, oxycèdre, marjolaine, mélisse, menthe, menthol, muscade, néroli, niaouli, noix, oignon, oléolat, oranger, origan, pétrole, pin, ricin, romarin, santal, santoline, sarriette, sauge, spic, térébenthine, terpine, thuya, thym, thymol, verveine, ylang-ylang.

HUILER. Cirer, encrasser, graisser, huiler, lubrifier, oindre, salir.

HUILEUX. Adipeux, crémeux, glissant, graisseux, gras, oléagineux, oléolat, visqueux.

HUIS. Porte.

HUIT. Août, canon, esse, huitaine, huitième, octave, octogone, triolet.

HUITIÈME. Octave, octid, octidi, octogone, octuple.

HUÎTRE. Acul, anisomyaria, belon, cancale, coquillage, crassostrea, écaillage, méléagrine, mollusque, moule, nacre, ostracé, peigne, perlot, pintadine, portugaise, ptériidé, ostréiculture, ostréidé, valve.

HUMAIN. Altruiste, bon, charitable, clément, compatissant, corps, doux, être, généreux, homme, mortel, philanthrope, pitoyable, sensible.

HUMANISTE ALLEMAND (n. p.). Camerarius, Fischart, Peutinger, Reuchlin.

HUMANISTE BYZANTIN (n. p.). Bessarion.

HUMANISTE FRANÇAIS (n. p.). Amyot, Budé, Castellion, Dolet, Dorat, Estienne, Muret, Peletier, Ramus, Sponde.

HUMANISTE HOLLANDAIS (n. p.). Érasme.

HUMANISTE ITALIEN (n. p.). Bembo, Pétrarque, Pogge, Politien, Sannazzaro, Vanini.

HUMANISTE SUÉDOIS (n. p.). Stiernhielm.

HUMANISTE TCHÈQUE (n. p.). Comenius.

HUMBLE. Bas, discret, doux, effacé, faible, modeste, obscur, orgueilleux, pauvre, petit, rampant, réservé, simple, soumis, timide, vaniteux, vil.

HUMECTER. Arroser, baigner, bassiner, mouiller, saucer, tremper.

HUMECTEUR. Arrosoir, mouilleur, mouilloir.

HUMER. Aspirer, avaler, blairer, enrôler, flairer, pifer, ressentir, sentir.

HUMÉRUS. Épaule, épicondyle, os, trochin.

HUMEUR. Atrabilaire, attitude, bile, désir, écrouelle, ennui, envie, esprit, fantaisie, flegme, goût, ire, lune, morve, mucus, pus, rire, rogne, roupie, salive, sueur, suint, synovie, tempérament, ton, tracassin.

HUMIDE. Aqueux, chaud, détrempé, eau, embrum, embué, fluide, frais, halitueux, hydraté, hygrophobe, marécage, moite, mouillé, trempé.

HUMIDIFIER. Arroser, diluer, imbiber, infuser, macérer, mouiller.

HUMIDITÉ. Infiltration, moiteur, mouillure, suintement.

HUMILIANT. Déconvenue, mortifiant, plastitude, vexatoire.

HUMILIATION. Abaissement, avanie, déshonneur, honte, vilenie.

HUMILIER. Chagriner, choquer, contrarier, mépriser, tourmenter.

HUMORISTE. Amuseur, comique, fantaisiste, ironiste, spirituel.

HUMUS. Géophile, terreau.

HUNE. Gabie, gambe, mât, perroquet.

HUPPÉ. Aigle, chic, distingué, élégant, fortuné, rapace, riche, touffe.

HURLEMENT. Braillement, bruit, clameur, cri, glapissement.

HURLER. Aboyer, bêler, crier, rugir, tonitruer, tonner, ululer, vociférer.

HURLEUR. Alouate, crieur, ouarine, singe.

HURLUBERLU. Anormal, bizarre, braque, écervelé, étourdi, fou, zigoto.

HUTTE. Buron, cabane, cahute, case, igloo, loge, niche, tente, wigwam.

HYBRIDE. Bardot, hétérosis, lavandin, léporidé, mélange, métis, mulet, tiglon, tigron, triticale.

HYDNE. Basidiomycède, pied-de-mouton.

HYDRANGÉE (n. p.). Annabelle, Bouquet Rose, Nikko Blue, Paniculée.

HYDRATE. Borax, calamine, épidote, glucide, sapotine, terpine.

HYDROCARBONATE. Vert-de-gris.

HYDROCARBURE. Acétylène, alcane, allène, allylène, amylène, benzène, butane, cyclane, diène, éthylène, hylène, octane, mazout, naphtaline, octane, pentane, propane, styrène, térébenthine, terpène, toluène.

HYDROGÈNE. H.

HYDROPISIE. Ascite, enflure, hydrocèle, hydrocéphalie, hydrothorax.

HYDROXYDE. Alcali, lithine, potasse, rouille, soude, strontiane, zincate.

HYDRURE. Hydrolithe.

HYÈNE. Carnassier, lycaon, protèle.

HYGIÉNIQUE. Confort, diététique, naturel, sain, salubre, sanitaire, santé.

HYMNE. Air, cantique, chant, chœur, choral, gloria, hosanna, marche, musique, ode, paean, péan, psaume, séquence, stance, verset.

HYPERSÉCRÉTION. Séborrhée.

HYPNOSE. Catalepsie, dormir, envoûtement, léthargie, narcose.

HYPNOTIQUE. Penthiobarbital, phénobarbital, prométhazine.

HYPNOTISER. Captiver, ensorceler, envoûter, fasciner, magnétiser.

HYPOCRISIE. Cautèle, comédie, fausseté, mascarade, pruderie.

HYPOCRITE. Bigot, cagot, déloyal, faux, félon, fourbe, franc, judas, loyal, mielleux, papelard, pharisien, rusé, simulateur, sournois, tartufe.

HYPOTHÉQUE. Assiette, bail, cas, gage, garantie, privilège, purge, sûreté.

HYPOTHÈSE. Conjecture, présupposer, prévision, si, supposition.

HYPOTHÉTIQUE. Argument, centile, éventuel, incertain, léporide.

HYSTÉRIE. Aura, délire, excitation, folie, frénésie, hystériforme, hystérique, nervosité, névrose, pithiatisme, psychiatrique.

HYSTRICOÏDE. Chinchilla, porc-épic, rongeur.

# I

I. Iotacisme.

IAMBE. Choriambe, pied, poème, poésie, satire, théâtre.

IBÉRIEN. Espagnol, ibère, ibéris.

IBÉRIS. Téraspic.

IBIDEM. Ib, ibid, même.

ICHTYOL. Nase.

ICI. Ça, céans, ci, ci-gît, dedans, là.

ICTÈRE. Chlorose, cholémie, hépatite, jaunisse, leptospirose.

IDÉAL. Absolu, accompli, archétype, art, but, idylle, parfait, rêvé, type.

IDÉALISER. Embellir, esprit, imagination, poétiser, magnifier.

IDÉE. Air, aperçu, cafard, chimère, concept, dada, dyade, ébauche, ectopie, fantaisie, fiction, illusion, image, lubie, manie, marotte, mode, notion, opinion, pensée, phonétiquement, prénotion, projet, rêve, rêverie, songe, soupçon, théorie, thèse, ton, tour, vide, volonté, vue.

IDEM. Aussi, dito, ibidem, id, infra, itou, même, pareil, supra, susdit.

IDENTIQUE. Égal, indiscernable, même, pareil, semblable, seul, tel.

IDIOME. Idiomatique, langage, langue, parler, patois.

IDIOT. Arriéré, bête, con, conneau, crétin, daube, débile, demeuré, enflé, insanité, nase, naze, sot, stupide.

IDIOTIE. Ânerie, bourde, connerie, énormité, esprit, fadaise, finesse, ingéniosité, intelligence, niaiserie, sornette, sottise, stupidité, subtilité.

IDOLÂTRER. Adorer, aimer, iconolâtrer, ignocoler, honorer, vénérer.

IDOLE. Amour, belphégor, dieu, effigie, fétiche, héros, totem.

IDUMÉE (n. p.). Édom.

IDYLLE. Amour, bucolique, caprice, caristys, églogue, idéal, pastorale.

IDYLLIQUE. Agreste, arcadien, idéal, merveilleux, parfait, pastoral.

IGNARE. Analphabète, ignorant, illettré, incapable, inculte, nul.

IGNOBLE. Abject, affreux, bas, hideux, laid, odieux, repoussant.

IGNORANCE. Ânerie, bêtise, candeur, connaissance, crasse, énormité, incompétence, inconnu, instruction, insu, loi, naïf, nuit, nullité, sottise.

IGNORANT. Abruti, âne, balourd, béjaune, béotien, bête, buse, butor, candide, fat, ignare, illettré, ilote, incompétent, naïf, niais, nul, sot.

IL. Lui, se, soi.

ÎLE. Archipel, atoll, if, îlet, îlette, îlot, insulaire, javeau, oasis, Ré.

ÎLE, AÇORES (n. p.). Fayal, Flores, Jorge, Pico, Sao, Terceira.

ÎLE, ADRIATIQUE (n. p.). Rab.

ÎLE, ALÉOUTIENNES (n. p.). Adak, Agattu, Amchitka, Atka, Attu, Kiska, Randall, Shemya, Shumagin, Tanaga, Umnak, Unalaska, Unimak.

ÎLE, ALLEMANDE (n. p.). Helgoland, Héligoland, Rügen.

ÎLE, AMÉRICAINE (n. p.). Aléoutiennes.

ÎLE, ANGLAISE (n. p.). Man.

ÎLE, ANTILLES (n. p.). Antigua, Anguilla, Barbades, Cuba, Curaçao, Dominique, Grenade, Grenanide, Guadeloupe, Haïti, Jamaïque, Martinique, Montserrat, Nevis, Porto Rico, République dominicaine, Saint-Martin, Sainte-Croix, Sainte-Lucie, Tobago, Trinidad, Trinité.

ÎLE, ARCTIQUE (n. p.). Baffin, Banks, Devon, Ellesmere, Melville, Somerset, Svalbard, Victoria.

ÎLE, ATLANTIQUE (n. p.). Aix, Groenland, Islande, Oléron, Ré, Terre-Neuve, Yeu.

ÎLE, AUSTRALIENNE (n. p.). Melville.

ÎLE, BAHAMAS (n. p.). Acklin, Andros, Caicos, Cat, Eleuthère, Grand-Abaco, Grand-Bahama, Grand-Inague, Long, Mayaguana, San Salvador, Turks, Turquoise.

ÎLE, BAIE JAMES (n. p.). Akimiski.

ÎLE, BALÉARES (n. p.). Cabrera, Conejera, Formentera, Ibiza, Ivica, Majorque, Minorque.

ÎLE, BRÉSILIENNE (n. p.). Marajo.

ÎLE, BRITANNIQUE (n. p.). Anglesey, Anguilla, Antigua, Barbuda.

ÎLE, CANADA (n. p.). Anticosti, Axel-Heiberg, Baffin, Banks, Bylot, Cap-Breton, Cornwallis, Devon, Ellesmere, Graham, Manitouline, Melville, Montréal, Prince-Édouard, Prince-Patrick, Roi-Guillaume, Somerset, Southampton, Vancouver, Victoria.

ÎLE, CANARIES (n. p.). Fuerteventura, Gomera, Hesperides, Hierro, Lanzarote, Palma, Ténériffe.

ÎLE, CAP VERT (n. p.). Boa-Vista, Feu, Fogo, Maio, Sal, Santo-Antao, Sao-Nicolao, Sao-Thiago.

ÎLE, CAROLINES (n. p.). Eauripik, Greenwich, Hall, Kusaie, Mokil, Namoluk, Namonuitp, Nomoi, Oroluk, Pikelot, Pingelap, Ponape, Pulusuk, Truk.

ÎLE, CHILI (n. p.). Chiloé.

ÎLE, CHINOISE (n. p.). Hainan, Penghu, Pescadores.

ÎLE, COMORES (n. p.). Anjouan, Mayottes, Moili, Ngazidja.

ÎLE, CROATE (n. p.). Korcula, Krk, Lissa, Rab.

ÎLE, CYCLADES (n. p.). Amorgos, Andros, Astipalaia, Délos, Ios, Kythnos, Makronisos, Milo, Mykonos, Paros, Santorin, Syros, Syra, Thira, Tinos.

ÎLE, DANEMARK (n. p.). Bornholm, Faeroe, Falster, Féroé, Fionie, Fyn, Groenland, Laaland, Lolland, Sjaelland.

ÎLE, DANUBE (n. p.). Csepel, Scepel.

ÎLE, DODÉCANESE (n. p.). Cos.

ÎLE, EGÉE (n. p.). Eubée, Ios.

ÎLE, ÉGYPTIENNE (n. p.). Éléphantine.

ÎLE, ÉGYPTIENNE ANCIENNE (n. p.). Pharos.

ÎLE, FIDJI (n. p.). Kandavu, Lau, Levu, Ngali, Rotuma, Suva, Vanua, Viti.

ÎLE, FRANÇAISE (n. p.). Aix, Corse, If, Oléron, Noirmoutier, Pins, Ré, Yeu.

ÎLE, GALAPAGOS (n. p.). Cristobal, Isabela.

ÎLE, GILBERT (n. p.). Abaiang, Abemama, Kuria, Maiana, Makin, Nukunau, Onotoa, Tabiteuea, Tamana, Tarawa.

ÎLE, GRANDE, (n. p.). Baffin, Bornéo, Célèbes, Cuba, Ellsmere, Grande-Bretagne, Groenland, Hondo, Honshu, Islande, Java, Luçon, Madagascar, Nouvelle-Guinée, Sumatra, Terre de Baffin, Terre-Neuve, Victoria.

ÎLE, GRÈCE (n. p.). Céphalonie, Chio, Corfou, Cos, Crete, Cythère, Égée, Égine, Eubée, Hydra, Icarie, Lesbos, Leucade, Milo, Mytilene, Naxos, Patmos, Rhodes, Samos, Samothrace, Santorin, Sporades, Ténos, Zante.

ÎLE, GUINÉE (n. p.). Bioco.

ÎLE, HAÏTI (n. p.). Tortue.

ÎLE, HAWAII (n. p.). Hawaii, Honolulu, Kauai, Maui, Necker, Oahu.

ÎLE, IONIENNES (n. p.). Céphalonie, Corcyre, Corfou, Cythère, Ithaque, Leucade, Sphactérie, Theaki, Thiaki, Zante.

ÎLE, INDE (n. p.). Diu.

ÎLE, INDONÉSIE (n. p.). Bali, Bangka, Banka, Célèbes, Céram, Flores, Halmahera, Gilolo, Java, Lombok, Madoura, Madura, Sumatra, Sumbava, Sumbawa, Timor.

ÎLE, INSULINDE (n. p.). Bornéo.

ÎLE, IRANIENNE (n. p.). Kharg.

ÎLE, ITALIENNE (n. p.). Aegates, Capri, Elbe, Ischia, Lampedusa, Montecristo, Sardaigne, Sicile.

ÎLE, JAPON (n. p.). Hokkaïdo, Hondo, Honshu, Kyushu, Okinawa, Ryukyu, Shikoku, Tsushima.

ÎLE, DE-LA-MADELEINE (n. p.). Allright, Amherst, Brion, Coffin, Grosse-Île, Meules.

ÎLE, MALAISIE (n. p.). Penang.

ÎLE, MALTE (n. p.). Gozo, Gozzo.

ÎLE, MANCHE (n. p.). Batz, Bréhat.

ÎLE, MARSHALLS (n. p.). Bikar, Majuro, Maloelap, Mejit, Mili, Taka.

ÎLE, MÉDITERRANÉE (n. p.). Elbe, Chypre, Corse, If, Lerins, Malte, Sardaigne.

ÎLE, NÉERLANDAISE (n. p.). Aruba, Texel.

ÎLE, OCÉANIE (n. p.). Futuna.

ÎLE, PACIFIQUE (n. p.). Célèbes, Formose, Haïnan, Kyushu, Niue, Nouvelle-Guinée, Timor, Vancouver, Victoria.

ÎLE, PHILIPPINES (n. p.). Cébu, Leyte, Luçon, Luzon, Palaouan, Mindanao, Mindoro, Negros, Palauan, Palawan, Samar.

ÎLE, POLONAISE (n. p.). Wolin.

ÎLE, PORTUGAISE (n. p.). Açores, Madere.

ÎLE, QUÉBEC (n. p.). Orléans.

ÎLE, RUSSIE (n. p.). Sakhaline.

ÎLE, DU SAINT-LAURENT (n. p.). Anticosti, Aux Coudres, Aux Grues, Bic, Bonaventure, Bouchard, Grobois, Jésus, La Ronde, Madame, Maligne, Montréal, Notre-Dame, Orléans, Sainte-Hélène, Saint-Thérèse, Salaberry, Sœurs.

ÎLE, SALOMON (n. p.). Guadalcanal.

ÎLE, SÉNÉGAL (n. p.). Gorée.

ÎLE, SEYCHELLES (n. p.). Mahé.

ÎLE, SONDE (n. p.). Sumatra, Timor.

ÎLE, SUÈDE (n. p.). Gotland, Öland.

ÎLE, TANZANIENNE (n. p.). Pemba.

ÎLE, TUNISIE (n. p.). Djerba, Jerba.

ÎLE, VIERGES (n. p.). Leeward, Saint-Thomas, Sainte-Croix.

ILLÉGAL. Défendu, illicite, interdit, interlope, noir, pirate, proscription.

ILLÉGALITÉ. Illégitimité, irrégularité.

ILLETTRÉ. Analphabète, ignare, ignorant, inculte.

ILLICITE. Défendu, illégal, interdit, interlope, noir, pirate, proscription.

ILLICO. Aussitôt, dès, immédiatement, instantanément, sitôt, soudain.

ILLIMITÉ. Amplifié, démesuré, immense, infini.

ILLOGIQUE. Aberrant, absurde, contradictoire, déraisonnable, incohérent, inconséquent, invraisemblable, irrationnel, paradoxal.

ILLUMINER. Allumer, briller, chatoyer, éblouir, éclairer, embraser, ensoleiller, étinceler, fêter, luire, miroiter, pétiller, reluire, visionner.

ILLUSION. Erreur, leurre, mirage, phantasme, rêve, songe, utopie.

ILLUSOIRE. Chimérique, creux, fantaisiste, faux, frivole, fugace, futile, imaginaire, prestige, puéril, rêverie, simulacre, superficiel, vain.

ILLUSTRATEUR. Caricaturiste, compas, crayonneur, dessinateur, équerre, graveur, jardiniste, modéliste, règle, styliste, té, traçoir.

ILLUSTRATEUR (n. p.). Effel, Lenôtre, Reiser.

ILLUSTRATION. Gloire, gravure, honneur, image, lustre, maquette.

ILLUSTRE. Apothegme, célèbre, connu, distingué, exemplatif, fameux, gloire, noble, personnage, renommé.

ILLUSTRER. Décorer, démontrer, éclairer, orner, prouver, triompher.

ÎLOT. Archipel, atoll, bloc, if, îlet, îlette, insulaire, javeau, oasis, pâté, Ré.

ILOTE. Bête, esclave, hilote, ilotisme, ivrogne, paria.

IMAGE. Cliché, dessin, effigie, enluminure, emblème, estampe, figure, gravure, icône, idée, métaphore, peinture, statue, symbole, tableau.

IMAGINAIRE. Conte, esprit, faux, fictif, inexistant, irréel, utopie.

IMAGINATION. Délire, idée, manie, pensée, rêve, songe, thème, vision.

IMAGINER. Aviser, concevoir, construire, créer, croire, découvrir, délirer, deviner, espérer, fantasmer, figurer, forger, illustrer, inventer, juger, penser, persuader, rêver, songer, supposer, trouver.

IMBÉCILE. Âne, bête, borné, con, conard, couillon, crétin, débile, demeuré, fat, idiot, inepte, naïf, poire, sot, stupide, taré, tourte.

IMBÉCILLITÉ. Bêtise, crétinisme, idiotie, naïveté, sottise, stupidité.

IMBERBE. Alabre, barbu, glabre, lisse, nu.

IMBIBER. Abreuver, arroser, asperger, aviner, baigner, baptiser, bruire, détremper, doucher, inonder, mouiller, teindre, tremper.

IMBROGLIO. Confusion, désordre, détour, mélange, micmac, ombre.

IMITATEUR. Compilateur, contrefacteur, copieur, copiste, fausseur, mime, moutonnier, parodiste, pasticheur, plagiaire, similateur, suiveur.

IMITATEUR (n. p.). Doyon, Gagnon, Hammond, Loftus, Mondor, Paiement, Payer, Poirier, Rancourt.

IMITATION. Calque, canon, caricature, contrefaçon, copie, faux, mime, pastiche, plagiat, parodie, reproduction, simili, simulation, singerie, toc.

IMITATRICE. (n. p.) Charlebois, Deslauriers, Mercier.

IMITER. Calquer, caricaturer, compiler, contrefaire, copier, emprunter, jouer, mime, mimer, modeler, onomatopée, parodier, pasticher, picorer, pirater, plagier, répéter, reproduire, simuler, singer, travestir, veiner.

IMMACULÉ. Blanc, intact, net, propre, pur, vierge.

IMMATRICULATION INTERNATIONALE DES VÉHICULES. A (Autriche), ADN (Yémen), AL (Albanie), AND (Andorre), AUS (Australie), B (Belgique), BDS (Barbade), BG (Bulgarie), BH (Honduras), BR (Brésil), BRN (Bahrein), BRU (Brunei), BS (Bahamas), BUR (Birmanie), C (Cuba), CDN (Canada), CH (Suisse), CI (Côte-d'Ivoire), CL (Sri Lanka), CO (Colombie), CR (Costa Rica), CS (Tchécoslovaquie), CY (Chypre), D (Allemagne), DK (Danemark), DOM (République dominicaine), DY (Bénin), DZ (Algérie), E (Espagne), EAK (Kenya), EAT (Tanzannie), EAU (Ouganda), EC (Équateur), ET (Égypte),

ES (El Salvador), F (France), FJI (Fidji), FL (Liechtenstein), GB (Grande-Bretagne), GBZ (Gibraltar), GCA (Guatemala), GH (Ghana), GR (Grèce), GUY (Guyane), H( Hongrie), HK (Hong-Kong), HKJ (Jordanie), I (Italie), IL (Israël), IND (Inde), IRL (Irlande), IS (Islande), J (Japon), JA (Jamaïque), K (Kamputchea ou Cambodge), KWT (Koweit), L (Luxembourg), LAO (Laos), LAR (Libye), LB (Libéria), LS (Lesotho), M (Malte), MA (Maroc), MAL (Malaysia), MC (Monaco), MEX (Mexique), MS (Île Maurice), N (Norvège), NA (Antilles néerlandaises), NIC (Nicaragua), NL (Pays-Bas), NR (Niger), NZ (Nouvelle-Zélande), P (Portugal), PA (Panama), PAK (Pakistan), PE (Pérou), PI (Philippines), PL (Pologne), PY (Paraguay), R (Roumanie), RA (Argentine), RC (Chine), RCA (République centrafricaine), RCH (Chili), RH (Haïti), RI (Indonésie), RL (Liban), RMM (Mali), ROK (Corée du Sud), RSM (Saint-Martin), RSD (Zimbabwe), RU (Burundi), RWA (Rwanda), S (Suède), SF (Finlande), SGP (Singapour), SN (Sénégal), SY (Seychelles), SYR (Syrie), T (Thaïlande), TG (Togo), TN (Tunisie), TR (Turquie), TT (Trinité et Tobago), U (Uruguay), USA (États-Unis), V (Vatican), VN (Vietnam), Wag (Gambie), WAN (Nigeria), WG (Grenade), WL (Sainte-Lucie), WV (Saint-Vincent), YU (Yougoslavie), YV (Venezuela), Z (Zambie), ZA (Afrique du Sud), ZRE (Zaïre).

IMMÉDIATEMENT. Aussitôt, go, illico, promptement, subitement, tôt.

IMMENSE. Colossal, énorme, éléphantesque, géant, grand, infini.

IMMERGER. Baptiser, couler, mouiller, nager, noyer, orin, plonger.

IMMERSION. Baignade, bain, étuve, noyade, trempage, trempette.

IMMEUBLE. Bâtiment, habitation, hôtel, maison, propriété, tour.

IMMIXTION. Cléricalisme, ingérence, intervention.

IMMOBILE. Atone, ferme, fixe, inactif, inerte, passif, stable, stupéfait.

IMMOBILISER. Ancrer, arrêter, clouer, coincer, ficher, figer, fixer, river.

IMMOBILITÉ. Ankylose, ataraxie, calme, fixité, inertie, mouvement.

IMMODESTE. Chaste, décent, humble, obscène, réservé, retenu, timide.

IMMOLER. Dévouer, donner, laisser, renoncer, sacrifier, tuer, vendre.

IMMONDE. Abject, dégoûtant, ignoble, infect, répugnant, sale, sordide.

IMMONDICE. Boue, cloaque, débris, décharge, égout, gadoue, ordure.

IMMORAL. Grivois, impur, malpropre, malséant, mœurs, obscène.

IMMORTALISER. Assurer, conserver, éterniser, pérenniser, perpétuer.

IMMORTALITÉ. Éternité, gloire, pérennité, pospérité, survie, vie.

IMMORTEL. Académicien. éternel, immuable, impérissable, perpétuel.

IMMORTELLE. Acroclinium, amarantoïde, ammobium, éternelle, gnaphalium, hélichrysum, helipterum, rodanthum, statice, waitzia, zeranthemum, xéranthème.

IMMUABLE. Arrêté, durable, fixe, inaltérable, même, stéréotypé.

IMMUNISER. Exempter, inoculer, mithridatiser, protéger, réceptif, trier.

IMMUNITÉ. Anavenin, dispense, franchise, mithridatisme, plasmocyte.

IMPACT. Choc, collision, coup, effet, heurt, incidence, influence.

IMPAIR. Bêtise, incapable, ethmoïde, inhabileté, maladresse, maladroit.

IMPALPABLE. Aérien, arachnéen, éthéré, immatériel, insaisissable, intangible, vaporeux.

IMPARDONNABLE. Inexcusable, irrémissible.

IMPARFAIT. Avorté, boiteux, brut, écorné, hâtif, inachevé, inexact.

IMPARTIAL. Égal, équitable, histoire, indifférent, intègre, juste, neutre.

IMPASSE. Accul, aporie, courée, cul-de-sac, danger, rue, venelle.

IMPASSIBILITÉ. Ataraxie, flegme, immobilité, placidité, stoïcisme.

IMPASSIBLE. Calme, flegmatique, froid, immobile, imperturbable.

IMPATIENT. Ardent, avide, bouillant, fébrile, fougueux, nerveux.

IMPATIENTER. Agacer, bouillir, crisper, énerver, exciter, tourmenter.

IMPAYÉ. Dû.

IMPAYER. Arriéré, déficit, dette, devoir, dû, emprunt, prêt, solde.

IMPECCABLE. Excellent, irréprochable, net, parfait, propre, soigné.

IMPÉNÉTRABLE. Dense, énigmatique, hermétique, inexplicable, insondable, mystérieux, obscur, secret, serré, sibyllin, touffu.

IMPÉNITENT. Endurci, incorrigible, invétéré, irrécurable.

IMPÉRATIF. Absolu, bref, formel, impérieux, inconditionnel, injonctif, must, nécessité, obligatoire, ordre, pressant, tranchant, urgent, va, verbe.

IMPÉRATRICE. Cantatrice, reine, souveraine, tsarine, tzarine.

IMPÉRATRICE (n. p.). Eugénie, Irène, Sissi, Tsarine, Tseuhi.

IMPERFECTION. Défaut, faute, malfaçon, manque, tache, tare, vice.

IMPÉRIEUX. Absolu, autoritaire, entier, exclusif, magistral, relatif.

IMPERMÉABLE. Anorak, canard, ciré, clos, étanche, gabardine, imper.

IMPERSONNEL. Banal, indifférent, neutre, on, personne, quelconque.

IMPERTINENT. Désinvolte, inconvenant, insolent, pimbêche, taquin.

IMPÉTUEUX. Ardent, bourrasque, emporté, endiablé, fougueux, furieux, pétulant, torrentueux, tourbillon, tumultueux, véhément, violent.

IMPÉTUOSITÉ. Ardeur, fièvre, flamme, fougue, frénésie, furie, vivacité.

IMPIE. Apostat, athée, déiste, hérétique, incroyant, infidèle, laps, mécréant, païen, pêcheur, profane, relaps, renégat, sceptique.

IMPITOYABLE. Acharné, draconien, farouche, féroce, implacable, inexorable, inflexible, intraitable, intransigeant, irréductible.

IMPLACABLE. Cruel, dur, endurci, impitoyable, inhumain, rigoureux.

IMPLANTATION. Nidation.

IMPLANTER. Ancrer, enraciner, établir, fixer, insérer, planter.

IMPLICITE. Convenu, inexprimé, informulé, sous-entendu, tacite.

IMPLIQUER. Agir, aider, apaiser, arranger, causer, contradictoire, débarrasser, défendre, entreprendre, intervenir, mêler, nécessiter, plaider, supposer.

IMPLORER. Adjurer, conjurer, demander, humilier, invoquer, mendier, prier, quémander, quêter, réclamer, recommander, solliciter, supplier.

IMPOLI. Discourtois, effronté, grossier, impudent, incivil, inconvenant, injurieux, insolent, malappris, rustaud, sans-gêne, saugrenu.

IMPORTANCE. Ampleur, capital, conséquence, essentiel, étendue, gabarit, grandeur, gravité, gros, intérêt, poids, pressant, quantité, rien, sérieux, somme, suffisant, urgent, utilité, valeur, vice, vue.

IMPORTANT. Capital, central, essentiel, fort, grand, grave, gros, majeur, notable, sérieux, spécial, suffisant, suprême, titre, tout, urgent, vital.

IMPORTATEUR DE TABAC (n. p.). Nico.

IMPORTER. Acheter, aggraver, apporter, chaille, chaloir, chaut, commercer, compter, imposer, intéresser, introduire, transférer.

IMPORTUN. Collant, fléau, gêneur, gluant, intrus, poison, raseur, trop.

IMPORTUNER. Assiéger, assommer, cramponner, déranger, embêter, ennuyer, excéder, obséder, persécuter, peser, raser, suer, tanner.

IMPOSANT. Grandiose, grave, majestueux, magistral, noble, solennel.

IMPOSER. Charger, commander, dicter, donner, obliger, saler, tromper.

IMPOSSIBILITÉ. Acalculie, atonie, constipation, paralysie, sclérose.

IMPOSSIBLE. Absurde, erroné, faux, imparable, impondérable, infaisable, insensé, insoluble, introuvable, ridicule, saugrenu, vain.

IMPOSTEUR. Bluffeur, charlatan, menteur, simulateur, usurpateur.

IMPÔT. Accise, annate, annone, banalité, capitation, cens, contribution, corvée, décime, dîme, droit, fisc, gabelle, lods, maltôte, ost, paulette, publicain, redevance, septain, serisette, taille, taxe, tonlieu, TPS, TVQ.

IMPOTENT. Amputé, difforme, estropié, infirme, invalide, mutilé.

IMPRÉCIS. Estompé, évasif, flou, fondu, incertain, indécis, vague.

IMPRÉGNER. Abreuver, aluner, baigner, confire, graver, huiler, imbiber, inonder, intoxiquer, mouiller, parfumer, pénétrer, teindre.

IMPRESSION. Apprêt, couleur, édition, effet, édition, effet, élancement, émotion, frappant, gêne, image, joie, offset, poignant, pose, réceptif, saveur, sens, sensation, souvenir, stylographe, tabellaire, trace.

IMPRESSIONNABLE. Émotif, imposant, sensible, sentimental, tendre.

IMPRESSIONNÉ. Ému, frappé, touché.

IMPRESSIONNER. Affecter, émouvoir, exposer, frapper, toucher.

IMPRÉVU. Aléa, brusque, fortuit, hasard, inespéré, inopiné, subit, tuile.

IMPRIMÉ. Bilboquet, brochure, écrit, embossé, épreuve, feuille, libelle, livre, maculature, minerve, morasse, placard, pliage, police, tract, typographie, variorium.

IMPRIMER. Éditer, estamper, fouler, graver, lister, marquer, tirer.

IMPRIMEUR. Composeur, correcteur, éditeur, graphiste, réviseur.

IMPRIMEUR ALLEMAND (n. p.). Fust, Gering, Gutenberg, Schöffer.

IMPRIMEUR ANGLAIS (n. p.). Caxton.

IMPRIMEUR CANADIEN (n. p.). Péladeau.

IMPRIMEUR FRANÇAIS (n. p.). Badius, Ballard, Didot, Dolet, Pellerin, Plantin.

IMPRIMEUR HOLLANDAIS (n. p.). Coster, Elsevier, Elzevier, Elzévir.

IMPRIMEUR ITALIEN (n. p.). Bodoni, Giunta, Junte, Petrucci, Zonta.

IMPRODUCTIF. Aride, inefficace, infécond, infructueux, ingrat, stérile.

IMPROMPTU. Improvisé, inopinément, subit.

IMPROVISATION. Onomatopée, scat, vocal.

IMPROVISÉ. Imaginé, impromptu, inopiné, subitement.

IMPRUDENCE. Danger, légèreté, maladresse, négligence, témérité.

IMPRUDENT. Audacieux, casse-cou, écervelé, léger, osé, téméraire.

IMPUDENT. Arrogant, audacieux, culotté, cunique, effronté, éhonté.

IMPUDIQUE. Honte, immodeste, impur, inconvenant, indécent, lascif, libidineux, licence, licencieux, lubrique, luxurieux, obscène, puant.

IMPUISSANCE. Faiblesse, incapacité, infécondité, inaptitude, stérilité.

IMPULSION. Appel, colère, disposition, élan, essor, excitation, force, instinct, mouvement, nerf, poussée, réflexe, tendance, top, vent, voix.

IMPUR. Corrompu, dépravé, dévoyé, lascif, malsain, pollué, sale, vicié.

IMPURETÉ. Abjection, bassesse, cérumen, chassie, corruption, déchet, faute, furfure, gangue, humeur, immonde, indécence, lasciveté, obscénité, ordure, pus, roupie, saleté, sanie, tache, tartre, trouble.

IMPUTER. Accuser, affecter, attribuer, créditer, prêter, référer, rejeter.

INACCENTUÉ. Atone.

INACCEPTABLE. Inadmissible, insupportable, intolérable, irrecevable.

INACCOUTUMÉ. Anormal, débauché, exceptionnel, inhabituel, insolite, inusité, rare.

INACHEVÉ. Embryon, hâtif, imparfait, inabouti, incomplet, vert.

INACTIF. Amorphe, endormi, fainéant, inerte, oisif, paresseux, passif.

INACTION. Désœuvrement, fortuit, inertie, inopiné, paresse, repos.

INADÉQUAT. Imploré, impropre, inadapté, inapproprié.

INALTÉRABLE. Apyre, constant, durable, éternel, fixe, permanent.

INANIMÉ. Arginine, chose, empaillé, inerte, momie, mort, zombi.

INAPPROPRIÉ. Impropre, inadapté, inadéquat, inexact.

INAPTITUDE. Impéritie, incapacité, incompétence, insuffisance.

INATTENDU. Accidentel, aléa, attend, brusque, étonnant, fortuit, hasard, imprévu, inespéré, inopiné, soudain, subit, surprise.

INATTENTION. Absence, erreur, faute, légèreté, mollesse, omission.

INAUGURATION. Baptême, commencement, consécration, crémaillère, début, dédicace, étrenne, ouverture, première, sacre, vernissage.

INAUGURER. Commencer, consacrer, entamer, entreprendre, instaurer.

INAVOUABLE. Déshonorant, honteux, infâme, secret.

INCALCULABLE. Considérable, illimité, indénombrable, infini.

INCANTATION. Attrait, charme, évocation, magie, prestige, sort.

INCAPABLE. Faible, frigide, gauche, ignorant, impeccable, impropre, impuissant, inapte, incompétent, insuffisant, lourd, maladroit, stérile.

INCAPACITÉ. Agénésie, alexie, amusie, anarthrie, apraxie, ignorance, impuissance, inaptitude, incompétence, ineptie, maladresse, nullité.

INCARCÉRATION. Détention, emprisonnement, internement.

INCARCÉRER. Boucler, coffrer, écrouer, emprisonner, enfermer.

INCARNATION. Annonciation, avatar, imitation, rama, réincarnation.

INCARNER. Figurer, personnifier, représenter, symboliser.

INCENDIAIRE. Érostate, pyromane, séditieux, subversif.

INCENDIE. Brasier, conflagration, extincteur, feu, pyromane, sinistre.

INCENDIER. Brûler, embraser, flamber, fumer, griller, rôtir, roussir.

INCERTAIN. Aléatoire, ambigu, confus, douteux, éventuel, flou, hésitation, hypothétique, indécis, irrésolu, précaire, sourd, vague.

INCERTITUDE. Doute, équivoque, flottement, indécision, précarité.

INCESSAMMENT. Bientôt, constamment, continuellement, toujours.

INCIDENT. Accident, aventure, circonstance, conflit, dénouement, encombre, épisode, événement, incidenter, péripétie.

INCINÉRATION. Brûler, columbarium, combustion, crémation, feu.

INCISER. Cerner, couper, entailler, entamer, gemmer, ouvrir, scarifier.

INCISIF. Acerbe, acéré, acide, aigu, caustique, dent, mordant, punch.

INCISION. Bistouri, boutonnière, césarienne, coupure, cystotomie, entaille, excision, fente, kératotomie, scalpel, scarification.

INCISIVE. Caustique, dent, grignard, labiodendale.

INCITATION. Attaque, excitation, instigation, provocation, tentation.

INCITER. Encourager, inspirer, mû, prier, suborner, suggérer, tenter.

INCLINAISON. Appétit, aspiration, attrait, bienfaisance, bonté, caprice, chavirer, déclivité, désir, dévoiement, envie, gîte, goût, inflexion, isocline, obliquité, penchant, pente, talus, tendance, voie.

INCLINER. Attirer, chavirer, coucher, décliner, obliquer, pencher.

INCLURE. Avoir, contenir, enchâsser, enfermer, englober, intégrer.

INCLUS. Ajout, attaché, avec, ci-joint, déjà, hyponyme, intérieur, joint.

INCLUSION. Insertion, internalisation, pinocytose.

INCOERCIBLE. Impérieux, incoercibilité, incontrôlable, invincible, irrépressible, irrésistible, mentisme, sitiomanie.

INCOGNITO. Anonymat, anonyme, inaperçu, inconnu, secret, solitaire.

INCOMMODER. Déplaire, embarrasser, gêner, importuner, indisposer.

INCOMPÉTENCE. Ignorance, inexpérience, impéritie, inaptitude, nullité.

INCOMPÉTENT. Ignare, ignorant, inapte, incapable, nul.

INCOMPRÉHENSIBLE. Abscons, abstrus, clair, ésotérique, hermétique, illisible, impénétrable, impensable, inconcevable, indéchiffrable, inexplicable, inintelligible, insondable, obscur, opaque, vague.

INCOMPRÉSIF. Étroit, fermé, intolérant, sectaire.

INCONNU. Abstrait, avenir, caché, clandestin, escient, étranger, ignorance, ignoré, incognito, inédit, insu, néant, obscur, secret, x, y, z.

INCONSÉQUENT. Absurde, déraisonnable, fou, illogique, incohérent, insensé, irrationnel, irréfléchi, léger, maladroit, malavisé.

INCONSIDÉRÉ. Déraisonnable, étourdi, imprudent, inconséquent, irréfléchi, irresponsable, léger, maladroit, malavisé.

INCONSTANCE. Frivolité, incertutude, instabilité, légèreté, mobilité.

INCONSTANT. Capricieux, changeant, incertain, infidèle, léger, mobile.

INCONTESTABLE. Certain, flagrant, indéniable, reconnu, réel, sûr, vrai.

INCONTINENCE. Débauche, diarrhée, encoprésie, énurésie, excès.

INCONVENANT. Cavalier, déplacé, désinvolte, effronté, impertinent, impoli, impudent, incongru, incorrect, indigne, insolent, malséant.

INCONVÉNIENT. Danger, défaut, demi-mal, désagrément, désavantage, difficulté, ennui, étrenner, gêne, incommodité, mal, rançon, risque.

INCOORDINATION. Ataxie.

INCORPORATION. Amendement, inc., incération, ltée, marnage.

INCORPORER. Agréger, amalgamer, annexer, associer, inc., intégrer.

INCORRECT. Défectueux, erroné, fautif, impertinent, impoli, inexact.

INCORRUPTIBLE. Honnête, imputrescible, inaltérable, intègre, probe.

INCRÉDULE. Douteur, dubitatif, mécréant, perplexe, sceptique.

INCRÉDULITÉ. Agnosticisme, défiance, doute, scepticisme.

INCRIMINER. Accuser, attaquer, blâmer, dénigrer, révéler, vendre.

INCROYABLE. Effarant, effroyable, formidable, inimaginable, inouï.

INCROYANT. Aporétique, athée, incrédule, pyrrhonien, sceptique.

INCRUSTATION. Inlay, dépôt, marqueterie, nielle, pétrification.

INCRUSTER. Accrocher, buriner, cramponner, damasquiner, désincruster, graver, imprimer, inscrire, intailler, xylographie.

INCUBER. Couver, couveuse, incubateur.

INCULPÉ. Accusé, coupable, prévenu, réquisitoire.

INCULQUER. Apprendre, enseigner, imprégner, imprimer, persuader.

INCULTE. Analphabète, aride, ignorant, illettré, incapable, inculte, nul.

INCURSION. Attaque, descente, envahissement, immixtion, ingérence, intervention, intrusion, invasion, irruption, raid, razzia, voyage.

INCURVER. Arquer, cintrer, courber, fléchir, gauchir, infléchir, plier, ployer.

INDE. Campêche, hindou, hindoustan, indigotier, indien, œillet.

INDE FRANÇAISE (n. p.). Chandernagor, Karikal, Mahé, Pondichéry, Yanaon.

INDE PORTUGAISE (n. p.). Daman, Diu, Goa.

INDÉCHIFFRABLE. Illisible, embrouillé, énigmatique, grimoire, illisible, impénétrable, incompréhensible, inexplicable, inintelligible, mystérieux, obscur, sibyllin.

INDÉCENCE. Immosdestie, impudeur, malpropreté, nudité, obscénité.

INDÉCIS. Ambigu, amorphe, confus, craintif, douteux, embarrassé, flottant, hésitant, incertain, obscur, perplexe, timide, vague.

INDÉCISION. Ambigu, confus, doute, flottement, hésitation, généralité, imprécision, indétermination, irrésolution, obscur, perplexité, vague.

INDÉFECTIBLE. Béatitude, continuel, durable, éternel, immortalisation.

INDÉFINI. Aucun, autre, confus, illimité, immense, imprécis, indécis, indéterminé, monde, nul, on, passé, plusieurs, pronom, tel, un, vague.

INDEMNE. Entier, intact, préservé, rescapé, sauf, sauvé, survivant.

INDEMNITÉ. Allocation, compensation, dédommagement, dommages, intérêt, paie, paye, prêt, récompense, réparation, surestarie.

INDÉPENDANCE. Autonomie, désobéissance, émancipation, indiscipline, individualisme, indolicité, insoumission, liberté, sécession, servitude.

INDÉPENDANT. Absolu, autonome, libre, outre, principauté, souverain.

INDÉSIRABLE. Agaçant, embêtant, fâcheux, gêneur, importun, intrus.

INDESTRUCTIBLE. Éternel, immuable, impérissable, inaltérable, incassable, indéfectible, indissoluble, infrangible, inusable.

INDÉTERMINATION. Doute, incertitude, indécision, résolution, scrupule.

INDEX. Bague, catalogue, dé, doigt, inventaire, liste, matière, table.

INDICATEUR. Badin, correction, date, directive, exit, index, jauge, opus.

INDICATION. Adagio, andante, avis, index, information, marque, note, opus, point, posologie, renvoi, rubrique, signe, suggestion, tuyau.

INDICE. Annonce, charge, cote, espion, marque, piste, présage, preuve, renseignement, repère, reste, signe, symptôme, trace, voie.

INDICIBLE. Extraordinaire, indescriptible, ineffable, inexprimable, inouï, intraduisible.

INDIEN. Amérindien, autochtone, hindou, indigène, indigotier, manitou, matelot, peau-rouge, sachem, totem, yoga, yogi.

INDIEN D'AMAZONIE (n. p.). Jivaro.

INDIEN DE BOLIVIE (n. p.). Aymara.

INDIEN DU BRÉSIL (n. p.). Bororo.

INDIEN DU CANADA (n. p.). Abénaquis, Agnier, Algonquin, Apache, Cri, Etchemin, Goyogouin, Huron, Iroquois, Malécite, Micmac, Mohawk, Onneyout, Onnontagué, Outagami, Outaouais, Sioux, Souriquois, Tsonnontouan.

INDIEN DES ÉTATS-UNIS (n. p.). Acolaopissas, Apache, Atakapas, Catawbas, Cherokee, Cheyenne, Chinook, Chitimachas, Choctaw, Comanche, Creek, Hidatsas, Illinois, Mandan, Mohawk, Navabo, Nez Percé, Paiute, Pawnee, Pieds-Noir, Pomo, Séminole, Seneca, Shoshone, Sioux, Tête-Plate.

INDIEN DU NOUVEAU MEXIQUE (n. p.). Chickasaw, Choctaw, Hopis, Mimbre, Mohave, Natchez, Pueblos, Yumas.

INDIEN DU PÉROU (n. p.). Aymara, Incas.

INDIFFÉRENCE. Apathie, athymie, dégoût, insouciance, légèreté.

INDIFFÉRENT. Apathie, atonie, blasé, calme, désintéressé, désinvolte, détaché, distant, égal, égoïste, froid, indolence, inertie, insensibilité, insouciant, marasme, mou, neutre, nonchalance, passif, sourd, tiède.

INDIGENCE. Besoin, manque, misère, nécessité, pauvreté, pénurie.

INDIGENE. Aborigène, amérindien, autochtone, barbare, habitant, indien, local, natif, naturel, originaire, réserve, spahi.

INDIGÈNE D'AMAZONIE (n. p.). Jivaro.

INDIGÈNE DE BOLIVIE (n. p.). Aymara.

INDIGÈNE DU BRÉSIL (n. p.). Bororo.

INDIGÈNE DU CANADA (n. p.). Abénaquis, Agnier, Algonquin, Apache, Cri, Etchemin, Goyogouin, Huron, Iroquois, Malécite, Micmac, Mohawk, Onneyout, Onnontagué, Outagami, Outaouais, Sioux, Souriquois, Tsonnontouan.

INDIGÈNE DES ÉTATS-UNIS (n. p.). Acolaopissas, Apache, Atakapas, Catawbas, Cherokee, Cheyenne, Chinook, Chitimachas, Choctaw, Comanche, Creek, Hidatsas, Illinois, Mandan, Mohawk, Navabo, Nez Percé, Paiute, Pawnee, Pieds-Noir, Pomo, Séminole, Seneca, Shoshone, Sioux, Tête-Plate.

INDIGÈNE DU NOUVEAU MEXIQUE (n. p.). Chickasaw, Choctaw, Hopis, Mimbre, Mohave, Natchez, Pueblos, Yumas.

INDIGÈNE DE LA NOUVELLE-ZÉLANDE (n. p.). Maoris.

INDIGÈNE DU PÉROU (n. p.). Aymara, Incas.

INDIGENT. Démuni, gueux, malheureux, misérable, nécessiteux, pauvre.

INDIGNE. Abominable, bas, lâche, odieux, outré, révoltant, trivial.

INDIGNER. Écœurer, exaspérer, hérisser, outrer, révolter, scandaliser.

INDIGO. Aniline, bleu, céruline, florée, indol, pastel.

INDIGOTIER. Bleu, Inde, indigotine.

INDIQUER. Accuser, assigner, définir, dénoter, désigner, déterminer, dire, donner, guider, fixer, marquer, montrer, noter, tracer, voilà.

INDISCRET. Curieux, envahissant, espion, importun, intrus, inquisiteur.

INDISCUTABLE. Certain, constant, évident, formel, réel, sûr, visible.

INDISPENSABLE. Capital, eau, essentiel, important, nécessaire, vital.

INDISPOSER. Choquer, contrarier, fâcher, mécontenter, malade, vexer.

INDISTINCT. Amorphe, confus, flou, imprécis, inarticulé, incertain, indéfini, indéfinissable, indéterminable, obscur, trouble, vague.

INDIUM. In.

INDIVIDU. Cave, crapule, enrôlé, escarpe, escogriffe, être, gus, homme, hors-la-loi, lascar, malfaiteur, olibrius, particulier, personnage, rôdeur, salopard, sbire, soudard, tête, type, unité, voyou, zig, zigue.

INDIVIDUALITÉ. Ego, moi, originalité, personnalité, personne.

INDIVIDUEL. Distinct, particulier, personnel, propre, spécifique.

INDIVISIBLE. Indécomposable, insécable, irréductible, simple, un, une.

INDOCILE. Difficile, dissipé, entêté, rebelle, récalcitrant, rétif, têtu.

INDOLENT. Amorphe, apathique, atone, avachi, cagnard, empaillé, endormi, inactif, insensible, léthargique, mou, oisif, paresseux.

INDOMPTABLE. Fier, indocile, inflexible, invincible, irréductible.

INDUBITABLE. Certain, certitude, irrécusable, manifeste, reconnu, sûr.

INDUBITABLEMENT. Assurément, certainement, évidemment, incontestablement, indéniablement, indiscutablement, manifestement.

INDUIRE. Abuser, aveugler, égarer, enjôler, leurrer, séduire, tromper.

INDULGENCE. Bonté, charité, faveur, jubilé, mansuétude, tolérance.

INDULGENT. Affectueux, bon, clément, commode, favorable, tolérant.

INDURATION. Sclérose.

INDUSTRIE. Atelier, chevalier, distillerie, fabrique, firme, habileté, métier, production, sellerie, sériciculture, tôlerie, usine.

INDUSTRIEL. Entrepreneur, fabricant, financier, manufacturier, usinier.

INDUSTRIEL ALLEMAND (n. p.). Abbe, Linde.

INDUSTRIEL AMÉRICAIN (n. p.). Eastman, Drake, Getty, Kayser.

INDUSTRIEL BRITANNIQUE (n. p.). Bessemer.

INDUSTRIEL CANADIEN (n. p.). Bombardier, Miron, Simard.

INDUSTRIEL FRANÇAIS (n. p.). Berliet, Hirn, Renault.

INDUSTRIEL QUÉBÉCOIS (n. p.). Bombardier.

INDUSTRIEL SUÉDOIS (n. p.). Nobel.

INÉDIT. Neuf, nouveau, original, prototype, rare, singulier, texte.

INEFFICACE. Impuissant, inactif, incapable, inutile, stérile, vain.

INÉGALABLE. Champion, incomparable, inimitable, nonpareille, unique.

INÉGALITÉ. Accident, aspérité, bosse, disparité, évection, différence, grain, grigne, inéquation, oscillation, ressaut, saillie, saute, variation.

INÉLÉGANT. Balourd, commun, discourtois, disgracieux, inconvenant, incorrect, indélicat, lourdaud, vulgaire.

INÉLUCTABLE. Inévitable, fatal, fatidique, nécessaire, obligatoire.

INEMPLOI. Chômage, inutile.

INÉVITABLE. Fatal, fatidique, forcé, imparable, inéluctable, irrévocable.

INEPTE. Abruti, borné, con, cruche, fat, idiot, niais, simple, sot, stupide.

INÉPUISABLE. Infatigable, infini, inlassable, intarissable.

INERTE. Apathique, atone, éteint, immobile, inanimé, inactif, passif.

INERTIE. Apathie, atonie, faiblesse, flamme, inactif, indolence, léthargie, masse, mollesse, paresse, sommeil, stagnation, stupéfiant.

INÉVITABLE. Fatal, fatidique, forcé, immanquable, imparable, incontournable, inéluctable, inexorable, infaillible, logique, obligé.

INEXACT. Douteux, erroné, factice, faux, irréel, postiche, prétendu.

INEXACTITUDE. Erreur, fausseté, hypocrisie, illogisme, mensonge.

INEXCUSABLE. Imaginaire, imparable, injustifiable, irréalisable.

INEXISTANT. Faux, fictif, imaginaire, inventé, négligeable, nul, zéro.

INEXPÉRIMENTÉ. Apprenti, béjaune, cancre, crédule, crétin, gauche, ignare, ignorant, inexercé, inhabile, jeune, naïf, nouveau, novice, nul.

INEXPLIQUÉ. Discrétion, énigmatique, miracle, mystère, secret.

INEXPRESSIF. Atone, éteint, fade, figé, froid, incolore, inerte, insipide.

INFAILLIBLE. Assuré, certain, immanquable, inévitable, pape, sûr.

INFÂME. Fameux, glorieux, honorable, illustre, insigne, renommé.

INFAMIE. Abjection, crime, honte, ignominie, opprobre, scandale.

INFATIGABLE. Endurci, inassouvi, increvable, inlassable, résistant.

INFÉCOND. Aride, désertique, improductif, infertile, stérile, vain.

INFECT. Abject, dégoûtant, dégueulasse, écœurant, fétide, ignoble, immonde, infâme, innommable, mauvais, nauséabond, odieux, pestilentiel, puant, repoussant, répugnant, révoltant.

INFECTER. Abîmer, contaminer, corrompre, empester, empoisonner, envenimer, expester, gangrener, gâter, intoxiquer, méphisiser, puer.

INFECTION. Altération, contagion, corruption, ecthyma, gangrène, impédigo, lèpre, peste, sycosis, syphilis, tétanos, typhus, variole.

INFÉRIEUR. Bas, camelote, cave, commun, dépendant, domestique, esclave, faible, humble, jambe, mineur, moindre, nain, pacotille, petit, réduit, second, secondaire, soupirail, subalterne, subordonné, vassal.

INFERNAL. Damné, diabolique, endiablé, enfer, furie, insupportable.

INFERTILE. Aride, bréhaigne, désert, désolé, desséché, épuiser, improductif, inculte, infécond, ingrat, intérêt, inutile, pauvre, stérile.

INFESTER. Désoler, dévaster, écumer, piller, polluer, ravager, saccager.

INFIDÈLE. Adultère, déloyal, félon, impie, judas, perfide, relaps, traître.

INFILTRATION. Amylose, chape, entrisme, exhaurre, infiltrer, injection, noyautage, pénétration, piqûre, suintement.

INFILTRER. Faufiler, glisser, insinuer, introduire, noyauter, pénétrer.

INFIME. Dérisoire, insignifiant, minime, négligeable, petit, ridicule.

INFINI. Absolu, éternel, grand, illimité, immense, immensité, infinité.

INFINITIF. Er, if, ir, oir, re.

INFIRME. Anormal, bossu, bot, déficient, déformé, estropié, handicapé.

INFIRMER. Annuler, casser, démentir, réfuter, ruiner.

INFIRMIÈRE. Assistante, garde, garde-malade, nurse, soignante.

INFIRMITÉ. Amputé, blessé, cécité, éclopé, manchot, mutilé, nanisme.

INFLAMMABLE. Combustible, ignifuge, impétueux.

INFLAMMATION (3 lettres). Feu, pus.

INFLAMMATION (5 lettres). Brout, carie, lupus, morve, otite, rhume.

INFLAMMATION (6 lettres). Colite, corysa, iléite, iritis, onyxis, uvéite.

INFLAMMATION (7 lettres). Adénite, aortite, cardite, cystite, dermite, orchite, ostéite, ovarite, mastite, métrite, myélite, orchite, ostéite, ovarite, panaris, parulie, pulpite, pyélite, rectite, rhinite, vulvite.

INFLAMMATION (8 lettres). Annexite, artérite, arthrite, arthrose, balanite, catarrhe, chéilite, entérite, furoncle, gastrite, glossite, hépatite, hygroma, kératite, phlébite, posthite, proctite, pubalgie, rétinite, sinusite, splénite, synovite, typhlite, urétrite, vaginite.

INFLAMMATION (9 lettres). Alvéolite, bronchite, duodénite, gingivite, laryngite, pneumonie, stomatite, tentinite, trachéite, urétérite.

INFLAMMATION (10 lettres). Amygdalite, blépharite, coronarite, écrouelles, parotidite, péritonite, pharyngite, salpingite.

INFLAMMATION (11 lettres). Adénopathie, appendicite, bourbouille, capillarite, encéphalite, endocardite, endométrite, épididymite, lymphangite, œsophagite, pancréatite, péricardite, périphlébite.

INFLAMMATION (12 lettres). Angiocholite, bartholinite, blennorragie, cholécystite, dacryadénite, entérocolite, ostéomyélite, périarthrite.

INFLÉCHIR. Arquer, courber, dévier, fléchir, gauchir, incurver, modifier, plier, ployer.

INFLEXIBLE. Constant, dur, ferme, inhumain, raide, rigide, rigoureux.

INFLEXION. Accent, chant, détonation, diapason, modulation, son, ton.

INFLIGER. Donner, énerver, imposer, pénaliser, prescrire, sanctionner.

INFLORESCENCE. Camomille, capitule, chaton, cône, conique, conoïde, corymbe, cyme, épi, glomérule, grappe, ombelle, spadice.

INFLUÉ. Agi.

INFLUENCE. Action, aide, appui, ascendant, attirance, autosuggestion, disposé, domination, empire, emprise, lune, magnétisme, osmose, poids, pouvoir, prévenu, prestige, prévenu, signe, soufle.

INFLUENCER. Agir, déteindre, dominer, influer, peser, suggestionner.

INFLUER. Agir, déteindre, influencer, jouer, peser, répercuter.

INFORMATION. Avis, enquête, escient, indication, info, insu, message, nouvelle, précision, recherche, renseignement, scoop, sensation.

INFORMATIQUE. Bit, bureautique, cédérom, disque, robotique.

INFORMATISER. Informatisable, télématiser.

INFORMER. Apprendre, avertir, aviser, écrire, prévenir, renseigner.

INFORTUNE. Adversité, calamité, disgrâce, malchance, malheur, misère.

INFRACTION. Billet, contravention, crime, délit, entorse, faute, recel.

INFRUCTUEUX. Improductif, impuissant, inutile, fruit, stérile, vain.

INFUS. Atavique, congénital, héréditaire, inconscient, inné, naturel.

INFUSER. Bouillir, communiquer, inoculer, insuffler, macérer, verser.

INFUSION (3 lettres). Ail, gui, lin, lis, pin, son, thé.

INFUSION (4 lettres). Ache, agnus, aloès, amer, anis, aune, buis, café, chou, fève, houx, iris, kari, kola, marc, maïs, maté, moka, orme, thym.

INFUSION (5 lettres). Acore, algue, aneth, aulne, aunée, baume, berce, buchu, bugle, cacao, carex, carvi, chêne, cumin, curry, frêne, genêt, herbe, hêtre, lilas, lotus, mauve, myrte, nouet, noyer, ortie, pavot, radis, ricin, sapin, sauge, saule, souci, thuya, vigne.

INFUSION (6 lettres). Aconit, adiante, adonis, agaric, arnica, asaret, aurone, bleuet, cactus, cassis, céleri, citron, cyprès, fraise, fusain, galéga, génépi, ginkgo, grémil, hysope, laitue, lamier, levure, lichen, lierre, menthe, mouron, muguet, mûrier, oignon, orange, origan, pêcher, pensée, persil, piment, poivre, pomme, raifort, roseau, sabine, safran, sureau, tamier, tisane, trèfle, varech.

INFUSION (7 lettres). Airelle, anémone, armoise, asperge, badiane, ballote, bardane, basilic, bétoine, bouleau, cajeput, cardère, carotte, caroube, cataire, chanvre, chardon, colombo, cresson, drosera, fenouil, ficaire, fougère, gaillet, garance, ginseng, girofle, goudron, houblon, laurier, lavande, liseron, livèche, mélilot, mélisse, morelle, nerprun, niaouli, olivier, oranger, papayer, pivoine, poireau, poirier, poivron, pommier, romarin, sombong, sorbier, tamarin, tilleul, vanille.

INFUSION (8 lettres). Absinthe, achillée, agar-agar, alléluia, alliaire, amandier, ansérine, arbousier, argentier, argousier, aspérule, aubépine, barbarée, bistorte, brunelle, buglosse, calament, cannelle, capucine, cerfeuil, cerisier, chicorée, épinette, estragon, gentiane, géranium, gratiole, guimauve, joubarbe, julienne, lycopode, moutarde, myosotis, myrtille, narcisse, nénuphar, patience, peuplier, plantain, pourpier, primevère, réglisse, rhubarbe, serpolet, verveine, violette.

INFUSION (9 lettres). Alkékenge, angélique, artichaut, balsamine, belladone, bourdaine, bourrache, busserole, camomille, centaurée, chénopode, chiendent, clématite, coriandre, églantier, euphraise, framboise, genévrier, gingembre, grassette, grenadier, hélianthe, hépatique, noisetier, pervenche, pissenlit, salicaire, salicorne, sarriette, tournesol.

INFUSION (10 lettres). Aigremoine, alchémille, chélidoine, cimicifuga, coloquinte, coquelicot, mandragore, marjolaine, marronnier, pâquerette, passiflore, persicaire, potentille, prunellier, vergerette.

INFUSION (11 lettres). Aristoloche, bergamotier, groseillier.

INFUSION (12 lettres). Baguenaudier, effondrilles, millepertuis.

INFUSION (13 lettres). Chèvrefeuille.

INGÉNIEUR. Concepteur, constructeur, engineering, théoricien.

INGÉNIEUR ALLEMAND (n. p.). Benz, Braun, Chanute, Daimler, Diesel, Drais, Heinkel, Lilienthal, McCormick, Mergenthaler, Messerschmitt, Otto, Siemens.

INGÉNIEUR AMÉRICAIN (n. p.). Braun, Bush, Chanute, Ericsson, Fuller, Fulton, Gantt, Gernsback, Gilbreth, Hollerith, Hotchkiss, Karman, Taylor, Zworykin.

INGÉNIEUR ANGLAIS (n. p.). Bessemer, Bickford, Stephenson, Trevithick, Whittle.

INGÉNIEUR BADOIS (n. p.). Drais.

INGÉNIEUR BELGE (n. p.). Gramme.

INGÉNIEUR BRITANNIQUE (n. p.). Baird, Crampton, Maxim, Rankine.

INGÉNIEUR CROATE (n. p.). Tesla.

INGÉNIEUR ÉCOSSAIS (n. p.). Baird, Watt.

INGÉNIEUR FRANÇAIS (n. p.). Ader, Armand, Baudot, Bedaux, Belin, Bertin, Bienvenüe, Bourseul, Breguet, Brémontier, Capazza, Caquot, Carnot, Caus, Chanute, Citroën, Conté, Cugnot, Dassault, Eiffel, Fabre, Flachat, Fourneyron, Fréminville, Fresneau, Freycinet, Giffard, Girard, Girod, Gribeauval, Guillet, Hennebique, Héroult, Houdry, Laubeuf, Léauté, Lebon, Leclanché, Leduc, Lenoir, Levassor, Martin, Mouillard, Nieuport, Oehmichen, Panhard, Pathé, Perronet, Pitot, Polonceau, Potez, Prony, Rateau, Renault, Rey, Riquet, Sadi, Seguin, Tellier, Vaucanson, Vieille, Zédé.

INGÉNIEUR ITALIEN (n. p.). Francini, Nervi.

INGÉNIEUR NORVÉGIEN (n. p.). Bull, Wideröe.

INGÉNIEUR SOVIÉTIQUE (n. p.). Iliouchine, Podgorny, Tupolev.

INGÉNIEUR SUÉDOIS (n. p.). Brinell.

INGÉNIEUR SUISSE (n. p.). Maillart.

INGÉNIEUX. Adroit, astucieux, capable, génial, habile, inventif, sagace.

INGÉNU. Candide, immaculé, inexpérimenté, innocent, naïf, simple.

INGÉNUITÉ. Candeur, franchise, inexpérience, innocence, naïveté, naturel, simplicité, sincérité.

INGÉRÉ. Bu.

INGÉRER. Absorber, avaler, immiscer, insinuer, intervenir, prendre.

INGRAT. Âge, déplaisant, disgracieux, égoïste, laid, oublieux, stérile.

INGRÉDIENT. Composant, constituant, élément.

INGURGITÉ. Bu, enfourné, englouti, engouffré.

INGURGITER. Absorber, avaler, boire, gober, manger, ravaler, sucer.

INHABILETÉ. Faute, gaffe, gaucherie, impéritie, maladresse, stupidité.

INHABITÉ. Désert, désolé, isolé, mort, sauvage, séparé, solitaire, vide.

INABITUEL. Anormal, étrange, insolite, inusité, nouveau, singulier.

INHALER. Aspirer, humer, inspirer, respirer.

INHUMAIN. Barbare, brutal, cruel, dénaturé, dur, méchant, sauvage.

INHUMANITÉ. Brutalité, cruauté, férocité, sadisme.

INHUMATION. Cimetière, enterrement, fosse, funérailles, sépulture.

INHUMER. Enfouir, ensevelir, enterrer, honneur, porter, terrer.

INIMAGINABLE. Aberrant, fabuleux, impensable, inconcevable.

INITIAL. Débutant, original, originel, premier, primitif, primordial.

INITIALE. Abréviation, commencer, double, monogramme, sigle.

INITIATEUR. Agisseur, créateur, entrepreneur, ésotérisme, père.

INITIATIVE. Action, décision, intervention, mouvement, volonté.

INITIÉ. Ésotérique, hermétique, instruire, obscur, recevoir.

INJECTER. Créosoter, embouer, infiltrer, infuser, inoculer, insuffler, introduire, piquer, transmettre.

INJECTION. Aiguille, éperonner, insecte, pincer, piqûre, tatouage.

INJURE. Affront, avanie, insulte, invective, offense, outrage, sottise.

INJURIER. Agonir, engueuler, insulter, invectiver, offenser, outrager.

INJUSTE. Déloyal, illégal, immoral, indigne, indu, inique, odieux, partial.

INJUSTICE. Abus, faveur, fourberie, fraude, iniquité, tromperie.

INJUSTIFIÉ. Abusif, arbitraire, illégitime, immérité, immotivé, indu, infondé, inique, injuste.

INLASSABLE. Inassouvi, increvable, inépuisable, infatigable, patient.

INNÉ. Atavique, congénital, foncier, gêne, génétique, héréditaire, inconscient, infus, instinctif, naissance, natif, naturel, spontané.

INNOCENT. Anodin, bénin, bête, blanc, candide, crédule, demeuré, enfant, gauche, idiot, ingénu, inoffensif, naïf, niais, pur, simple.

INNOCENTER. Blanchir, défendre, disculper, excuser, justifier, résigner.

INOCCUPÉ. Désœuvré, inactif, libre, oisif, passif, vacant, vague, vide.

INOCULER. Immuniser, infuser, injecter, piquer, transmettre, vacciner.

INOFFENSIF. Anodin, bénin, bon, calme, doux, fruste, innocent, simple.

INONDATION. Cataclysme, crue, déferlement, déluge, expansion, flux.

INONDER. Abreuver, arroser, asperger, baigner, déborder, envahir, illuminer, mouiller, noyer, ruisseler, submerger, tremper.

INOPÉRANT. Improductif, impuissant, inefficace, infructueux, inutile, stérile, vain.

INOPPORTUN. Bysantin, fâcheux, intempestif, mal, malséant, oiseux.

INQUALIFIABLE. Abominable, dégoûtant, dégueulasse, honteux, ignoble, immonde, inconcevable, indigne, infâme, infect, inimaginable, innommable, odieux, scandaleux, sordide, vil.

INQUIET. Agité, anxieux, béat, dévoré, fiévreux, pensif, rongé, triste.

INQUIÉTANT. Alarmant, angoissant, menaçant, sombre, stressant.

INQUIÉTER. Alarmer, ennuyer, frapper, obséder, préoccuper, tracasser.

INQUIÉTUDE. Agitation, angoisse, anxiété, chagrin, embarras, émoi, ennui, fou, peine, peur, scrupule, souci, tintouin, tracas, transe.

INSAISISSABLE. Évanescent, fugace, fuyant, impalpable, invisible.

INSALUBRE. Impur, malsain, maremme, nuisible, pollué, santé.

INSANE. Déraisonnable, fou, imbécile, ineptie, sot.

INSATIABLE. Affamé, avare, avide, cupide, dévorant, friand, vorace.

INSATISFAIT. Grognon, hargneux, inassouvi, mécontent, plaintif.

INSCRIPTION. Adhésion, affiche, affiliation, catalogue, devise, écriteau, épigraphe, épitaphe, exergue, graffiti, légende, liste, plaque, rôle, titre.

INSCRIPTION (n. p.). I.N.R.I.

INSCRIRE. Adhérer, coter, ficher, écrire, enrôler, marquer, noter. INSECTE (3 lettres). Nid, pou, ver, vol.

INSECTE (4 lettres). Aile, dard, iule, miel, mite, nèpe, puce, taon, toto.

INSECTE (5 lettres). Apidé, apion, asile, blaps, coque, corne, filer, galle, gerce, guêpe, gyrin, imago, jabot, mante, méloé, patte, perle, queue, sirex, sphex, zabre.

INSECTE (6 lettres). Agrile, altise, anobie, blatte, bombyx, bruche, carabe, cigale, empuse, eumère, fourmi, gerris, lucane, mouche, phasme, piquer, psoque, sialis, silphe, taupin, thrips, uranie.

INSECTE (7 lettres). Abeille, acarien, agrilus, alifère, andrène, bacille, bourdon, bousier, cétoine, couvain, criquet, diptère, donacie, dytique, galerie, grillon, halicte, haliple, lampyre, lécheur, lépisme, lepture, luciole, naucore, panorpe, phyllis, pompile, puceron, punaise, ranatre, rhodite, saperde, scolyte, tergite, termite, vermine.

INSECTE (8 lettres). Acridien, aculéate, aegosome, anthrène, araignée, arcytère, bupreste, carabidé, cérambyx, chenille, cooloola, criocère, dermeste, éphémère, erythème, gallérie, glossine, hanneton, hémérobe, isoptère, métabole, nécrobie, nymphose, papillon, parasite, phrygane, pupipare, scarabée, sensille, symphyte, syrphidé, xylocope.

INSECTE (9 lettres). Anthonome, bostryche, charançon, cicindèle, doryphore, élatéride, forficule, galéruque, ichneumon, larvicide, libellule, mécoptère, moustique, notonecte, pentaphage, philanthe, rhynchite, staphylin, ténébrion, tenthrède, vrillette, xylophage.

INSECTE (10 lettres). Archiptère, brachycère, cantharide, capricorne, chrysomèle, coccinelle, coléoptère, demoiselle, drosophile, fourmilion, hydrophile, longicorne, maringouin, nécrophore, nématocère, phlébotome, plécoptère, phylloxéra, pyrrhocore, sauterelle.

INSECTE (11 lettres). Courtilière, dictyoptère, entomologie, entomophage, éphippigère, hétéroptère, lépidoptère, strepsitère.

INSECTE (12 lettres). Strepsistère, thysanoptère, trophallaxie.

INSECTICIDE. Aldrine, antimite, arsenic, chlordane, DDT, dicofol, dieldrine, fluor, HCH, heptachlore, lindane, nicotine, pyrèthre, quassine, roténone, sulfure, téphrosie, toxaphène.

INSECTIVORE. Bergeronnette, caméléon, couleuvre, entomophage, lézard, musaraigne, orvet, serpent, tanrec, taupe, vampire.

INSENSÉ. Aberrant, absurde, démentiel, fou, inepte, insane, saugrenu.

INSENSIBILISATION. Analgésie, anesthésie.

INSENSIBLE. Acide, analgésique, apathique, détaché, dur, endormi, engourdi, ferme, froid, glacé, inanimé, indolent, raide, sourd.

INSÉPARABLE. Indécollable, indivisible, indissociable, inhérent, insécable.

INSÉRER. Encarter, enchâsser, enficher, inclure, incruster, intercaler.

INSERTION. Aisselle, emboîture, enchâssement, jointure, justificatif.

INSIGNE. Cocarde, emblème, étole, macaron, rosette, sceptre, verge.

INSIGNIFIANT. Anodin, banal, fade, médiocre, mince, petit, vétille.

INSINUER. Glisser, immiscer, ingérer, inspirer, mêler, suggérer.

INSIPIDE. Aigre-doux, banal, eau, édulcorer, fade, plat, terne.

INSIPIDITÉ. Banalité, fadeur, incinstance, inintérêt, platitude.

INSISTER. Appuyer, obséder, presser, remettre, répéter, ressasser.

INSOCIABLE. Farouche, hargneux, méfiant, sauvage, solitaire.

INSOLENCE. Audace, hardiesse, impudence, insolamment, orgueil.

INSOLENT. Arrogant, audacieux, effronté, grossier, impertinent, impoli.

INSOLITE. Anormal, bizarre, étrange, inusité, rare, saugrenu, singulier.

INSOMNIE. Benzodiazépine, sommeil, varus, veille.

INSONORISER. Isoler, insonorisation.

INSOUCIANCE. Indolence, mollesse, négligence, nonchalance, oubli.

INSOUCIANT. Étourdi, évaporé, imprévoyant, insoucieux, léger.

INSOUMIS. Déserteur, dissident, espiègle, mutin, séditieux, transfuge.

INSPECTER. Contrôler, étudier, scruter, superviser, surveiller, vérifier.

INSPECTION. Analyse, critique, épreuve, examen, revue, test, visite.

INSPIRATION. Génie, idée, illumination, muse, plan, projet, rêve, verve.

INSPIRER. Aspirer, dicter, élever, émerveiller, figurer, humer, revenir.

INSTABILITÉ. Déséquilibre, fluctuation, mobilité, précarité, versatilité.

INSTABLE. Bancal, boiteux, branlant, labile, nomade, précaire, vacillant.

INSTALLÉ. Arrivé, assis, canissier, nanti, prospère.

INSTALLER. Arranger, camper, construire, établir, introniser, placer.

INSTANCE. Conjuration, prière, procès, réclamation, supplication.

INSTANT. Moment, phase, point, pressant, soudain, temps, urgent.

INSTANTANÉ. Brusque, éclat, illico, immédiat, prompt, soudain, subit.

INSTAURER. Constituer, créer, ériger, établir, fonder, instituer.

INSTIGATEUR. Inspirateur, instaurateur, promoteur.

INSTINCT. Aptitude, disposition, don, grégaire, inclination, libido, sens.

INSTINCTIF. Appétence, inconscient, involontaire, machinal, réflexe.

INSTITUER. Briguer, constituer, ériger, établir, fonder, nommer, sacrer.

INSTITUT. Académie, école, collège, couvent, lycée, polyvalente.

INSTITUTEUR. Enseignant, froebélien, maître, professeur, régent.

INSTRUCTION. Culture, enseignement, guide, homélie, leçon, savoir.

INSTRUIRE. Apprendre, avertir, catéchiser, dresser, éclairer, éduquer, étudier, former, informer, initier, procédure, seriner, serinette.

INSTRUIT. Autodidacte, averti, calé, cultivé, éclairé, érigne, érine, érudit, expérimenté, fort, initié, lettré, pédagogue, sage, savant.

INSTRUMENT. Abaisse-langue, accessoire, accordéon, alto, araire, aratoire, arme, arrosoir, balafon, broche, burin, ciseau, claquette, clarinette, clavecin, clé, clef, cloche, compas, cor, cornemuse, crémaillère, crible, croissant, davier, engin, équerre, étau, faucille, faux, fléau, flûte, foret, fouet, gong, guitare, hache, haltère, harpe, herse, hie, houe, jouet, lielle, lorgnon, lunette, luth, lyre, mandoline, métronome, microscope, molette, musette, navette, odomètre, orgue, outil, piano, pic, pilon, pinceau, potence, rasoir, râteau, rénette, saxophone, semoir, serpe, soufflet, spatule, tamis, télescope, thermomètre, timbale, tisonnier, ustensile, tille, toise, triangle, tuba, velte, verge, verre, viole, violon.

INSTRUMENT, MUSIQUE. Accordéon, alto, anche, archet, balafon, balalaïka, bandonéon, banjo, baryton, basse, basson, batterie, bec, biniou, biseau, bois, bombarde, bombardon, bongo, bourdon, bouzouki, buccin, bugle, buffet, bugle, cabrette, caisse, carillon, castagnettes, célesta, céleste, chalumeau, chanterelle, chapeau, chevalet, chevillecithare, clairon, clarinette, clavecin, clavicorde, clavier, clé, clef, cloche, clochette, combinaison, concertina, conga, console, contrebasse, contrebasson, cor, corne, cornemuse, cornet, crécelle, crotale, cuivre, cymbale, cymbalum, diapason, diaule, épinette, esse, fifre, flageolet, flûte, flûteau, galoubet, gambe, gong, grelot, guimbarde, guitare, guzla, harmonica, harmonium, harpe, hautbois, hélicon, heptacorde, hochet, jeu, kora, laie, larigot, limonaire, luth, lyre, mailloche, mandoline, maracas, marteau, médiator, mirliton, monocorde, musette, ocarina, octavin, olifant, orgue, pandore, percussion, piano, piccolo, pipeau, piston, plectre, psaltérion, rebec, registre, saxhorn, saxophone, scie, serpent, sillet, sistre, sitar, sommier, soprano, soufflet, sourdine, synthétiseur, tabla, tambour, tambourin, tam-tam, tétracorde, timbale, timbre, tom, touche, traversier, triangle, trombone, trompe, trompette, tuba, tympanon, ukulélé, vent, vibraphone, vielle, viole, violon, violoncelle, xylophone.

INSTRUMENTAL. Fantaisie, orchestral, rondo, tiento, toccata.

INSTRUMENTISTE. Musicien, pianiste, ripieno.

INSU. Inconsciemment.

INSUCCES. Avortement, chute, déconvenu, échec, défaite, four, perte.

INSUFFISANCE. Arriération, asystolie, idiotie, déficience, hypoplasie, inaptitude, médiocrité, myxœdème, supplétoire, tolérance, vicariant.

INSUFFISANT. Faible, frêle, grêle, insatisfaisant, léger, pauvre, terne.

INSUFFLER. Aspirer, communiquer, idée, inoculer, inspirer, instiller.

INSULAIRE. Îlien, îlienne.

INSULTE. Affront, blasphème, défi, injure, mépris, offense, outrage.

INSULTER. Agonir, cracher, injurier, invectiver, offenser, outrager.

INSUPPORTABLE. Atroce, déplaisant, endiablé, garnement, imbuvable, infernal, intenable, intolérable, massacrant, odieux, sciant.

INSURGÉ. Émeutier, mutin, rebelle, révolté.

INSURRECTION. Agitation, émeute, révolution, sédition, soulèvement.

INTACT. Chaste, complet, entier, immaculé, inaltéré, inchangé, indemne, intégral, net, neuf, probe, pucelle, pur, sain, sauf, vierge.

INTANGIBLE. Immatériel, impalpable, intouchable, sacré, tabou.

INTÉGRAL. Absolu, complet, entier, exclusif, infini, intact, plein, tout.

INTÉGRALITÉ. Bloc, complétude, ensemble, masse, rafle, totalité.

INTÈGRE. Honnête, incorruptible, juste, probe, pur, vertueux.

INTÉGRER. Assimiler, associer, comprendre, domotique, fondre, inclure, incorporer, réunir, sociabiliser, unir.

INTELLIGENCE. Capacité, esprit, entendement, habileté, idiot, intellect, jugement, lucidité, lumière, ouvert, science, sensé, spirituel, test.

INTELLIGENT. Adroit, astucieux, bête, borné, capable, clair, doué, éclairé, entendu, éveillé, fin, fort, fortiche, ganache, habile, ingénieux, intuitif, inventif, lucide, net, ouvert, perspicace, profond, tête.

INTEMPESTIF. Bysantin, déplacé, importun, inopportun, malvenu.

INTENABLE. Impossible, indéfendable, intolérable, irresponsable.

INTENDANT. Administrateur, amman, as, caïd, calife, chancelier, cheik, curion, despote, dey, duc, duce, économe, émir, factoton, gérant, hérésiarque, iman, maire, maître, ovate, pacha, pape, parrain, père, prote, rapin, régisseur, sachem, satan, shah, shérif, roi, tête, vizir.

INTENDANT DE LA NOUVELLE-FRANCE (n. p.). Beauharnois, Bégon, Bigot, Bochard, Bouteroue, Champigny, Chazelles, De Meules, Duchesneau, Dupuy, Hocquart, Raudot, Robert, Talon.

INTENSITÉ. Acuité, force, luminance, recrudescence, violence, voix.

INTENTER. Actionner, attaquer, commencer, ester, justifier, procès.

INTENTION. Arrière-pensée, but, chimère, désir, dessein, fin, final, idée, motif, objet, pensée, rôder, tâter, venir, visée, volonté, vue.

INTERCALATION. Embolisme, épenthèse, parenthèse, tmèse.

INTERCALER. Encarter, enchâsser, insérer, interposer, introduire.

INTERCEPTER. Cacher, emparer, masquer, occulter, prendre, saisir.

INTERCEPTION. Capter, couper, éclipser, ombre, passe, prendre.

INTERDICTION. Défense, embargo, exclusion, prohibition, suspension.

INTERDIRE. Bannir, boycotter, censurer, déconcerter, défendre, démilitariser, embargo, embarrasser, exclure, porte, prohiber, tabou.

INTERDIT. Anathème, censure, défense, embargo, stupéfait, tabou.

INTÉRESSÉ. Avare, combine, courtisan, mercenaire, valet, vénat.

INTÉRESSER. Animer, avantager, charmer, passionner, plaire, tenir.

INTÉRÊT. Annuité, arrérages, calcul, capital, cause, commission, denier, dividende, gain, nul, part, parti, profit, rente, revenu, taux, usure.

INTÉRIEUR. Âme, âtre, céans, central, dans, dedans, en, entre, familial, fond, for, foyer, inclus, individuel, interne, intériorité, intestin, intime, intrinsèque, logement, milieu, profond, sein.

INTERJECTION. Ah, aïe, bah, bof, eh, euh, fi, gare, ha, hé, hein, hi, hip, ho, holà, hou, houp, hum, na, oh, ohé, olé, ouais, ouf, ouille, ouste, paf, pif, taratata, zut.

INTERLOPE. Illégal, louche, mafia, malfamé, suspect, trafiquant.

INTERLOQUER. Confondre, déconcerter, décontenancer, démonter, désarçonner, déstabiliser, épater.

INTERMÈDE. Divertissement, interlude, intermission, repos, saynète.

INTERMÉDIAIRE. Avocat, courtier, facteur, interprète, mandataire, médiateur, médium, négociateur, procureur, relais, truchement.

INTERMINABLE. Discontinuation, élancement, long, permanent.

INTERMISSION. Divertissement, entracte, interlude, interruption.

INTERMITTENT. Discontinu, élancement, erratique, irrégulier, stade.

INTERNE. Blessure, gastrite, intérieur, médecin, pensionnaire, sein.

INTERPELLATION. Apostrophe, appel, arrestation, capture, injonction, sommation, vocatif.

INTERPELLER. Appeler, attirer, baptiser, bénir, caser, citer, crier, élever, enrôler, épeler, héler, intimer, maudire, rappeler, recruter.

INTERPÉNÉTRATION. Enchevêtrement, imbrication, intrication, osmose.

INTERPOSER. Apaiser, arranger, composer, concilier, intervenir.

INTERPRÉTATION. Anagogie, augure, babisme, cabale, définition, entente, exérèse, explication, glose, phrasé, sacré, traduction, version.

INTERPRÈTE. Acteur, artiste, comédien, porte-parole, traducteur.

INTERPRÉTER. Chanter, danser, définir, évaluer, prendre, traduire.

INTERROGATEUR. Examinateur, questionneur.

INTERROGATION. Appel, charade, colle, énigme, examen, questionnaire.

INTERROGER. Demander, examiner, héler, poser, questionner, sonder.

INTERROMPRE. Arrêter, briser, cesser, chômer, couper, geler, hacher, obturer, quitter, relayer, reposer, rompre, séparer, suspendre.

INTERRUPTEUR. Bouton, commutateur, conjoncteur, disjoncteur.

INTERRUPTION. Absence, arrêt, avortement, brisure, cessation, cession, chômage, congé, coupure, délai, distance, entracte, fin, gel, grève, halte, hiatus, interception, intérim, lacune, laps, panne, pause, relâche, relais, répit, repos, rupture, saut, silence, tilt, toujours, trêve, vacance, vide.

INTERSTICE. Bande, barre, espace, fente, lacune, méat, palé, pore.

INTERURBAIN. Inter.

INTERVALLE. Comma, distance, écart, entracte, espace, mode, octave, quarte, quinte, sas, seconde, sixte, tierce, ton, triton, vacances, vide.

INTERVENIR. Agir, aider, apaiser, arranger, immiscer, opérer, plaider.

INTERVENTION. Action, agissement, aide, intrusion, opération, secours.

INTERVERTIR. Inverser, permuter, renverser, retourner, transposer.

INTERVIEWEUR (n. p.). Auger, Blondin, Bois, Bruneau, Bureau, Cartier, Crevier, Daigneault, Dandenault, Delisle, Delmas, Desmarais, Ferland, Fontaine, Godin, Gougeon, Guèvremont, Hébert, Hurteau, Jasmin, Kemeid, Landry, Lapointe, Laurendeau, Laurin, Lauzon, Lavoie, Leblanc, Leclerc, Lemay, Lizotte, L'Herbier, Maisonneuve, Maltais, Marquis, Masson, Mercier, Morin, Olivier, Paille, Paradis, Plante, Pilon, Prévost, Proulx, Sarrazin, Sormany, Stanké, Steben, Thériault, Tremblay, Vézina, Viens.

INTERVIEWEUSE (n. p.). Auclair, Bail Milot, Beaudoin, Berd, Biondi, Charette, Cheno Lebrun, Clermont, Cloutier, Couture, Cusson, Dansereau, Desjardins, Désy, Drolet-Douville, Dumas, Dussault, Faure, Fournier, Gagnon, Garneau, Gaudreault, Gauvin, Ghalem, Gilbert, Gratton, Grégoire, Hardy, Hébert, Laberge, Lachaussée, Lacoste, Lafond, Lajeunesse, Lalande, Lalanne, Lambert, Langlais, Langlois, Lapointe, Laporte, Lauzon, Lavigne, Le Bel, Lecavalier, Lépine, Lessard, Letendre, Lord, Magnan, Maher, Mantel, Marchand, Marie, Massicotte, Mondoux, Mongeau, Mouffe, Murray, Nadeau, Paquet, Paradis, Payette, Pelletier, Petit-Martinon, Pilote, Poirier, Poliquin, Proulx, Quesnel, Racicot, Ricard, Rodrigue,

Rousseau, Roussel, Roy, Saint-Andrée, Serei, Simard, Synnett, Trottier, Vasiloff, Verdon.

INTESTIN. Bile, boyau, chyle, côlon, duodédum, entrailles, grêle, hypogastre, rectum, transit, tripaille, tripe, tube, viscère.

INTIME. Ami, charnel, conjoint, étroit, familier, fond, intérieur, lié, personnel, physique, privé, proche, profond, secret, sexuel, tu, uni.

INTIMEMENT. Étroitement, foncièrement, profondément.

INTIMER. Citer, commander, enjoindre, notifier, signifier.

INTIMIDATION. Alerte, fureur, injure, outrage, menace, ultimatum.

INTIMIDER. Apeurer, bluffer, comminatoire, complexer, effaroucher, gêner, glacer, influencer, intimidateur, troubler.

INTIMITÉ. Alcôve, amitié, étroitesse, familiarité, fréquentation.

INTITULER. Appeler, choisir, dénommer, désigner, nommer, titrer.

INTOLÉRABLE. Atroce, épouvantable, inacceptable, inadmissible, insoutenable, insupportable, intenable, odieux, révoltant.

INTONATION. Accent, inflexion, modulation, ton, tonalité.

INTOUCHABLE. Immuable, impalpable, intactile, intangible, paria.

INTOXICATION. Accro, bolutisme, drogue, empoisonnement, endoctrination, ergotisme, poison, propagande, tabagisme, urémie.

INTOXIQUÉ. Accro, cocaïnomane, drogué, toxicomane.

INTRAITABLE. Impitoyable, implacable, irréductible, invivable, juré.

INTRANSIGEANT. Entêté, entier, intolérant, intraitable, irréductible.

INTRANT. Input.

INTRÉPIDE. Audacieux, aventurier, brave, fier, hardi, valeureux.

INTRIPIDITÉ. Aplomb, courage, culot, fermeté, hardiesse, sûreté.

INTRIGANT. Arriviste, aventurier, condottière, diplomate, escroc, flagorneur, fripon, habile, picaro, pirate, rusé, souple, subtil.

INTRIGUE. Action, brigue, cabale, complot, coterie, démarche, dessein, drame, embarras, éviction, faction, imbroglio, liaison, manège, manigance, menée, micmac, nœud, pacte, ruse, stratagème, trame.

INTRIGUER. Briguer, comploter, étonner, magouiller, surprendre.

INTRINSÈQUE. Constitutif, immanent, inhérent, interne, propre.

INTRODUCTION. Engagement, intrusion, porte, préambule, préface.

INTRODUIRE. Amener, coucher, couler, engager, entrer, indexer, ingérer, innover, insérer, loger, mêler, mettre, passer, taper, verser.

INTROUVABLE. Exceptionnel, insaisissable, rare, rarissime.

INTRUS. Gêneur, importun, indésirable, tiers.

INTRUSION. Immixtion, ingérence, intervention.

INTUITION. Clairvoyance, croyance, instinct, prétention, prévision.

INUIT. Eskimo.

INUTILE. Absurde, creux, frivole, futile, gaspillage, gratuit, inefficace, infécond, neutre, nul, oiseux, perdu, stérile, superflu, utilité, vain.

INUTILISABLE. Inapplicable, inemployable, inexploitable.

INUTILISÉ. Inemployé, inexploité, inefficacité, inusité.

INUTILITÉ. Chinoiserie, inanité, surabondance, vanité.

INVALIDE. Blessure, handicapé, impotent, infirme, nul, paralysé.

INVALIDITÉ. Handicap, impotence, incapacité, infirmité.

INVARIABLE. Certain, constant, fixe, même, précis, solide, stable.

INVASION. Attaque, déferlement, endigage, incursion, infection, razzia.

INVECTIVE. Affront, avanie, injure, insulte, offense, outrage, rixe.

INVECTIVER. Crier, engueuler, enguirlander, injurier, insulter, pester.

INVENTAIRE. Dénombrer, description, état, liste, recensement, stock.

INVENTER. Broder, combiner, créer, deviner, forger, imaginer, penser.

INVENTEUR. Créateur, conceveur, découvreur, forgeur, penseur, trésor.

INVENTEUR (n. p.). Ader, Archimède, Bell, Colt, Cross, Edison, Gutenberg, Leinn, Napier, Neper, Nobel, Vidie.

INVENTEUR ALLEMAND (n. p.). Benz, Braun, Bunsen, Daimler, Diesel, Fischer, Geiger, Geissler, Guericke, Gutenberg, Helmholtz, Junkers, Kirchhoff, Linde, Mauser, Mergenthaler, Nernst, Otto, Senefelder, Siemens.

INVENTEUR AMÉRICAIN (n. p.). Burroughs, Coolidge, Dewey, Eastman, Edison, Franklin, Fulton, Hale, Hollerith, Hughes, Langmuir, Lawrence, Libby, McMillan, Morse, Shockley, Westinghouse, Zworykin.

INVENTEUR ANGLAIS (n. p.). Aston, Atwood, Babbage, Barlow, Bessemer, Bickford, Cartwright, Crookes, Faraday, Flamsteed, Fleming, Galton, Martin, Ramsden, Swan, Talbot, Turing, Whittle, Wollaston.

INVENTEUR AUTRICHIEN (n. p.). Zsigmondy.

INVENTEUR BELGE (n. p.). Gramme.

INVENTEUR BRITANNIQUE (n. p.). Gabor, Hounsfield.

INVENTEUR CANADIEN (n. p.). Bell.

INVENTEUR ÉCOSSAIS (n. p.). Baird, Brewster, Dewar, Dunlop, Graham, Gregory, Watt.

INVENTEUR FRANÇAIS (n. p.). Ader, Ampère, Appert, Baudot. Bayard, Belin, Bertin, Blanchard, Bollée, Braille, Breguet, Citroën, Cugnot, Daguerre, Dombasle, Ferrié, Fleurieu, Foucault, Fresneau, Fresnel, Freyssinet, Gaumont, Girard, Girod, Gouthière, Guillotin, Héroult, Houdry, Jacquard, Laennec, Lallemand, Leblanc, Lebon, Leclanché, Lenoir, Lippmann, Lumière, Lyot, Marey, Martenot, Martin, Moissan, Niepce, Papin, Pascal, Pasteur, Pitot, Planté, Prony, Réaumur, Renard, Reynaud, Roberval, Seguin, Thimonnier, Velpeau, Zédé.

INVENTEUR ITALIEN (n. p.). Cardan, Farina, Finiguerra, Nobili, Petrucci.

INVENTEUR NÉERLANDAIS (n. p.). Huygens, Zernike.

INVENTEUR POLONAIS (n. p.). Zamenhof.

INVENTEUR PORTUGAIS (n. p.). Nonius.

INVENTEUR SOVIÉTIQUE (n. p.). Prokhorov.

INVENTEUR SUÉDOIS (n. p.). Brinell, Celcius, Lundström, Nobel.

INVENTEUR SUISSE (n. p.). Guillaume.

INVENTEUR TCHÈQUE (n. p.). Heyrovsky.

INVENTIF. Créatif, fécond, fertile, imaginatif, inventivité.

INVENTION. Création, découverte, fiction, idée, mensonge, trouvaille.

INVERSE. Contraire, envers, opposé, tête-bêche, vergence, vice-versa.

INVERSION. Interversion, permutation, saphisme, transposition.

INVERSION (n. p.). Babinski.

INVESTIGATION. Analyse, enquête, étude, examen, inquisition, mensuration, observation, recherche, spychanalyse.

INVESTIGUER. Enquêter, examiner, inquisitionner, rechercher.

INVESTIR. Assiéger, cerner, engager, immobiliser, pourvoir, revêtir.

INVINCIBLE. Imbattable, indomptable, invulnérable, irrésistible.

INVIOLABLE. Asile, imprenable, inexpugnable, invulnérable, sacré, sacro-saint, sanctuaire, saint, sûr, tabou.

INVISIBLE. Évanescent, fugitif, immatériel, impalpable, insaisissable.

INVITANT. Incitateur.

INVITATION. Appel, congé, convocation, demande, encouragement, excitation, guerre, prié, prière, réception, réunion, signe, sortir.

INVITÉ. Ami, commensal, convive, écornifleur, hôte, parasite, prié.

INVITER. Appeler, attirer, engager, exhorter, invoquer, prier, réunir.

INVOCATION. Appel, épiclèse, hésychasme, litanies, martyrium.

INVOQUER. Appeler, citer, convier, évoquer, induire, insister, inviter, invocateur, prier, recommander, réunir, solliciter.

INVULNÉRABLE. Costaud, dur, fort, imbattable, immortel, résistant.

INVULNÉRABLE (n. p.). Achille.

IODE. I.

ION. Anion, cation, composite, ionique, ligand, oxonium, redox.

IOS (n. p.). Nio.

IPÉCACUANA. Ipéca, rubiacée, uragoga.

IRAN (n. p.). Perse.

IRANIEN. Avestique, baloutchi, kurde, iwan, tchador.

IRASCIBLE. Atrabilaire, coléreux, colérique, emporté, irritable, rageur, susceptible.

IRADACÉE. Crocus, glaïeul, iris, ixia.

IRE. Atrabilaire, colère, exaspéré, fulminant, furieux, hargneux, rageur.

IRIDIUM. Ir.

IRIS. Apogon, arille, aucheri, barbus, bucharica, confusa, cretensis, cristata, crocea, cypriana, ensata, évansia, flambe, germanica, iridacée, lazica, lilliput, lutescens, macrantha, mesopotamica, monnieri, montana, pallida, persica, poireau, prismatica, pulila, regelia, reticulata, setosa, sibirica, sintenis, sphylla, susiana, tenax, trojana, variegata, versicolor.

IRISER. Chromatiser, colorer, iridescent, marbrer, nacrer, opalin, zébrer.

IRLANDE (n. p.). Eire, Érin, Irois.

IRLANDE, FLEUVE (n. p.). Erne.

IRLANDE, VILLE (n. p.). Ulster.

IRLANDE, PORT (n. p.). Cork.

IRONIE. Badinage, causticité, épigramme, humour, ironique, ironiste, moquerie, parodie, persiflage, raillerie, rire, rosse, sarcasme, satire.

IRONISER. Badiner, brocarder, parodier, persifler, plaisanter.

IROQUOIS. Amérindien.

IROQUOIS (n. p.). Mohawks.

IRRÉALISABLE. Impossible, infaisable, invention, utopie, utopique.

IRRÉFLÉCHI. Brusque, dissipé, étourdi, fou, idiot, léger, sot, stupide, vif.

IRRÉFLEXION. Aboulie, impulsion, légèreté, sottise, stupidité, vivacité.

IRRÉFUTABLE. Décisif, inattaquable, incontestable, indiscutable.

IRRÉGULARITÉ. Anomalie, anormalité, asymétrie, caprice, dissymétrie, erreur, exception, faute, fractal, illégalité, inégalité, particularité.

IRRÉGULIER. Anormal, capricieux, difforme, inégal, saccadé, usurpé.

IRRELIGIEUX. Athée, impie, incrédule, incroyant, libertin, mécréant.

IRRÉMÉDIABLE. Définitif, irréparable, irrévocable, ultimatum.

IRRÉPROCHABLE. Honnête, impeccable, inattaquable, intact, net.

IRRÉSOLU. Chancelant, flottant, hésitant, incertain, indécis, indéterminé, irrésolution, perplexe, vacillant, versatile.

IRRÉVÉRENCE. Impertinence, insolence, irrespect.

IRRÉVOCABLE. Écrit, fatal, fixe, ultimatum, vouer.

IRRIGUER. Arroser, baigner, irrigable.

IRRITABILITÉ. Impatience, irascibilité, nervosisme, nervosité.

IRRITABLE. Aigre, brusque, coléreux, impatient, nerveux, susceptible.

IRRITANT. Âcre, agacement, amer, colère, énervant, envie, ortie.

IRRITATION. Agacement, bile, brûlure, colère, démangeaison, énervement, éréthisme, envie, hargne, impatience, inflammation, ire, lassitude, prurit, rage, révulsion, rhume, ténesme, toux.

IRRITER. Agacer, aigrir, apaiser, aviver, blesser, brûler, calmer, crisper, démanger, énerver, ennuyer, excéder, exciter, fâcher, piquer, rubéfier.

IRRUPTION. Descente, entrer, explosion, implosion, incursion, invasion.

ISATIS. Guède, pastel, renard.

ISLAM. Ayatollah, chafiisme, chiisme, coran, ismaïlien, Mahomet, mahométisme, madhisme, musulman, sunnisme, turc, zakat.

ISLANDE. Île.

ISOLÉ. Abandonné, as, bled, conducteur, délaissé, dépeuplé, désert, écarté, éloigné, ermite, esseulé, fiche, île, inhabité, oasis, pâté, premier, reculé, retiré, rouir, ségrais, sélectif, séparé, seul, trié, un, vide.

ISOLEMENT. Abandon, célibat, individualisme, quarantaine, solitude.

ISOLER. Confiner, écarter, éloigner, encercler, enfermer, séparer, trier.

ISOLOMA. Amabile, bogotense, deppeana, erianthum, gesnéracée, kohleria, picta, seemanii, tydaea.

ISOTOPE. Deuterium, isobare, radiocobalt, thoron, tritium.

ISRAËL. Amalécite, biblique, gog, hébreu, iduméen, juif, loi, og, our, patriarche, prêtre, prophète, samarie, sion, sionisme, ur, youpin.

ISRAÉLITE. Azyme, hébreu, juif, manne, pâque, sémite, tobie, youdi.

ISSU. Dérivé, descendant, natif, né, originaire, résultant.

ISSUE. Aboutissement, accul, après, critique, cul-de-sac, débouché, émonctoire, entrée, fils, fin, funeste, mouture, ouverture, passage, porte, rade, résultat, réussite, sortie, succès, terme, vomitoire.

ISTHME (n. p.). Kra, Panama, Suez, Tehuantepec.

ITALIE. Comédie, latin, rital, romain, Rome, transalpin.

ITALIEN. Calabrais, étrusque, rital, romain, sbire, toscan, transalpin.

ITINÉRAIRE. Chemin, cheminement, circuit, direction, guide, horaire, lieu, parcours, route, trajectoire, trajet, via, voyage.

ITINÉRANT. Ambulant, dioula, nomade, robineux.

ITOU. Aussi, idem, pareillement.

IVETTE. Ive.

IVOIRE. Albâtre, blanc, blanchâtre, cément, dame, dent, dentine, éléphant, émail, jeton, morfil, morse, opalin, porcelaine, rohart.

IVRAIE. Chicane, chiendent, dispute, mésentente, vorge, zizanie.

IVRE. Aviné, beurré, dipsomane, éméché, émergé, enivré, gai, gris, ivrogne, noir, paf, parti, plein, pompette, pris, rond, saoul, soûl.

IVRESSE. Alcoolisme, bacchante, biture, cuite, débauche, ébriété, éthéromanie, éthylisme, griserie, orgie, ribote, souûerie, vertige.

IVROGNE. Alcoolique, buveur, débauché, pochard, soûlard, soûlon.

IXIA. Azureus, bridesmaid, hogarth, invincible, morphixia, sparaxis, tritonia, uranus, wurmea.

IXODE. Acarien, gluant, parasite, tique.

IXTLE. Agave.

IZARD. Chamois, isard.

# J

JABIRU. Cigogne.

JABOT. Col, cravate, dentelle, estomac, gave, gorge, gosier, poche.

JACASSE. Pie.

JACASSER. Babiller, bavarder, bavasser, caqueter, crier, jaboter, parler.

JACOB. Benjamin, échelle, Lia.

JACINTHE. Bellevallia, brimeura, endymion, galtonia, hyacinthella, hyacinthus, liliacée, muscari, peribœa, pontederia, scille, strangweia.

JACQUERIE. Émeute, insurrection, rébellion, révolte, soulèvement.

JACQUET. Backgammon, matador.

JACQUIER. Arbre à pain, moracée.

JACTER. Bavarder, parler.

JADIS. Anciennement, antan, autrefois, hier, naguère, passé.

JAILLIR. Couler, fuser, gicler, rejaillir, saillir, sortir, sourdre, venir.

JAIS. Jayet, noir.

JALON. Balise, cible, marque, mire, niveau, piquet, repère.

JALOUSER. Craindre, douter, envier, guetter, redouter, soupçonner.

JALOUSIE. Crainte, envie, émulation, persienne, rai, rivalité, volet.

JAMAIS. Aucun, définitivement, nul, onc, onques, sans, toujours, zéro.

JAMBAGE. Dosseret, empattement, hampe, pied-droit.

JAMBE. Amble, bas, bigle, botte, canon, fémur, flûte, genou, gigot, gigue, guibolle, nager, patte, pied, pilon, suros, tarse, tibia, tige.

JAMBIÈRE. Arme, cnémide, grève, guêtre, heuse, houseaux, jambart, leggings, protecteur.

JAMBONNEAU. Lamellibranche, pinna, pinne.

JAPONAIS. Geisha, karaté, kimono, koto, nippon, samouraï, to, yen.

JAPONAIS (n. p.). Asie, Bouddha.

JAPPER. Aboyer, clabauder, chien, crier, cyon, jappeur, glapir.

JAPPEUR. Aboyeur, glapeur.

JARDIN. Clos, closerie, cour, courtil, éden, enclos, jardinet, mail, oasis, paradis, parc, potager, serre, square, terre, théâtre, verger, zoo.

JARDINIER. Arboriculteur, bêche, binette, écobue, fleuriste, gratte, horticulteur, houe, houlette, maraîcher, pépiniériste, rosiériste.

JARGON. Argot, charabia, joual, langage, langue, narquois, parler, sabir.

JAROUSSE. Ers, gesse, jarosse.

JARRET. Acier, capelet, jambe, malandre, mollet, poplité, trumeau.

JASER. Bavarder, bavasser, converser, jacasser, médire, papoter, parler.

JASMIN. Jasminum, officinale, oléacée, tecoma, trachelospermum.

JAUGER. Cuber, doser, graduer, marquer, mesurer, palper, peser.

JAUNE. Ambre, blond, chamois, citron, doré, flavescent, or, orange, rire, safran.

JAUNE (n. p.). Asie, Chinois, Japonais.

JAUNISSE. Chlorose, hépatite, ictère, leptospirose.

JAUNISSEMENT. Étiolement.

JAVELOT. Ambre, arme, angon, béril, bile, dard, digon, doré, fauve, flèche, framée, haste, lance, ocre, pilum, pique, sagaie, sil, ulex.

JE. Ego, moi.

JÉHOVAH (n. p.). Jésus, Sabaoth, Tabaoth.

JÉRÉMIADE. Bêlement, doléance, gémissement, lamentation, plainte.

JERRYCAN. Bidon, nourrice.

JÉRUSALEM. Sion.

JÉSUITE (n. p.). Brébeuf, Letellier, Molina, Régis, Vimont.

JÉSUS (n. p.). Bethléem, Cana, Esprit, Josué, Messie, Sauveur.

JÉSUS-CHRIST. Agape, croix, évangile, J.C., Messie, Nativité.

JET. Avion, douche, émission, gerbe, lancer, pluie, marteau, tir, trait.

JETER. Balancer, baver, crier, éjecter, émettre, ensemencer, éparpiller, envoyer, flanquer, lancer, pousser, regarder, ruer, semer, tirer, verser.

JETON. Marque, marron, méreau, numéro, péage, taxiphone, tessère.

JEU. Aluette, baccara, badminton, balle, baseball, belote, bingo, bridge, calembour, canasta, carte, charade, cœur, croquet, crosse, dames, dés, devinette, échec, énigme, enjeu, furet, go, golf, hockey, huit, jouet, lego, loto, loterie, mah-jong, maie, manille, marelle, neuf, pari, passe-temps, polo, poker, quille, quiz, rami, reversi, rob, rodéo, sport, tarot, tour, truc, sport, whist.

JEUNE. Adonis, blanc-bec, diète, faim, garçon, gars, petit, page, varlet.

JEUNESSE. Adolescence, enfance, fraîcheur, jeunes, verdeur, vigueur.

JEUNESSE OUVRIÈRE CATHOLIQUE. J.O.C.

JOAILLIER. Bijoutier, diamantaire, orfèvre, pierreries.

JODLER. Iodle, iouler.

JOGGING. Course, joggeur.

JOIE. Bonheur, délire, entrain, extase, gaieté, humeur, jubilation, liesse.

JOINDRE. Aboucher, abouter, accoler, accoupler, adjacent, agglutiner, ajointer, ajouter, annexer, assembler, coudre, enlier, latéral, lier, marier, mastiquer, mêler, nouer, relier, réunir, souder, trait, unir.

JOINT. Agrégat, ci-joint, cigarette, cou, délit, enlier, genou, jointure.

JOINTURE. Aboutage, anastomose, boulet, gomphose, raccord, trochlée.

JOLI. Accorte, agréable, aimable, beau, bel, bijou, chouette, coquet, divin, élégant, ignoble, jojo, laid, mignon, superbe, vilain.

JOLIESSE. Charme, délicatesse, finesse, grâce.

JOLIMENT. Agréablement, bien, drôlement, gentiment, très.

JONC. Alèse, alliance, anneau, bague, baguette, balai, bâton, butome, canne, chevalière, juncacée, juncus, roseau, scirpe, solitaire, souchet.

JONCHER. Couvrir, parsemer, prévoir, recouvrir, tapisser.

JONCTION. Adhésion, assemblage, liaison, matir, raccordement, union.

JONGLEUR. Enchanteur, magicien, psylle, rêveur, sorcier, troubadour.

JONQUILLE. Amaryllidacée, coucou, jeannette, narcisse, porillon, trompette.

JOUER. Exécuter, figurer, flûter, incarner, interpréter, mimer, rejouer.

JOUET. Feu, fronde, hochet, jeu, joujou, poupée, proie, toupie, victime, victime, yoyo.

JOUEUR. Ailier, arrière, avant, botteur, centre, champ, claveciniste, défenseur, donneur, gardien, handballeur, hockeyeur, inter, intérieur, lanceur, organiste, pianiste, quilleur, receveur, trompettiste, violoniste.

JOUEUR, BASKETT (n. p.). Jordan.

JOUEUR, TENNIS (n. p.). Bédard, Borg, Borotra, Brugnon, Cochet, Lacoste, Lareau, Lendl, McEnroe, Noah.

JOUEUSE, TENNIS (n. p.). Evert, Graf, Lenglen, Navratilova.

JOUIR. Bénéficier, déguster, délecter, goûter, profiter, savourer.

JOUISSANCE. Bail, libre, plaisir, possession, privilège, usage, usufruit.

JOUR. Date, dimanche, équinoxe, férié, hier, jeudi, journée, lendemain, lumière, lundi, mardi, mercredi, période, samedi, têt, veille, vendredi.

JOUR DE LA DÉCADE. Décadi, duodi, nonidi, octidi, primidi, quartidi, quintidi, septidi, sextidi, tridi.

JOURNAL (n. p.). Le Devoir, The Gazette, La Presse, Le Droit, Le Réveil, Le Soleil, de Montréal, Le Nouvelliste, de Québec, La Tribune.

JOURNALISTE. Chroniqueur, correspondant, courriériste, écrivain, éditorialiste, envoyé, nouvelliste, publiciste, rédacteur, reporter.

JOURNALISTE ESPAGNOL (n. p.). Pla.

JOUTE. Combat, compétition, duel, lance, lice, lutte, morne, tournoi.

JOUVENCEAU. Ado, adolescent, éphèbe, jeune, teenager.

JOUXTER. Attenant, avoisiner, contigu, toucher, voisin.

JOVIAL. Allègre, enjoué, épanoui, gai, gaillard, joyeux, réjoui, rieur.

JOYAU. Alliance, bijou, diadème, ferronnière, ménisque, parure.

JOYEUX. Aise, allègre, enjoué, enthousiaste, épée, gai, gaillard, guilleret, heureux, joie, jovial, jubilant, luron, ravi, réjoui, riant, rieur, rire.

JUBILER. Exulter, joie, jubilaire, réjouir, rire, triompher.

JUCHOIR. Perchoir.

JUDAS. Déloyal, fenêtre, infidèle, iscariotte, perfide, renégat, traître.

JUDÉO-ALLEMAND. Yiddish.

JUDÉO-ESPAGNOL. Ladino.

JUDICIEUSEMENT. Intelligemment, sainement.

JUDICIEUX. Bon, droit, équilibré, fin, ingénieux, intelligent, lucide, perspicace, raisonnable, sage, sain, sensé, sérieux.

JUDO. Ceinture, dan, ippon, jiu-jitsu, judogi, judoka.

JUGE. Alcade, arbitre, assesseur, commissaire, estime, héliaste, inquisiteur, juré, justicier, kadi, magistrat, prévôt, robe, robin, siège, tortionnaire, tribunal, veniat, viguier.

JUGE (n. p.). Éli, Gédéon, Héli, Kerr.

JUGEMENT. Appel, approbation, arrêt, arrêté, attendu, avis, ban, censure, décision, décret, diagnostic, erreur, jugeotte, justice, opinion, ordalie, prise, procès, raison, sens, sentence, subir, verdict, vu.

JUGER. Blâmer, croire, deviner, dire, estimer, évaluer, jurer, louer, objecter, opiner, penser, prévoir, priser, prononcer, toise, voir.

JUGULER. Arrêter, enrayer, étouffer, maîtriser, mater, stopper.

JUIF. Bible, biblique, cachère, circoncision, exode, genèse, hébreu, israélite, judaïsme, lévite, lévitique, loi, miniane, mitzva, pharisien, pentateuque, rabbin, sémite, shema, sioniste, synagogue, torah, youpin.

JUIF (n. p.). Conservateur, Hassidim, orthodoxe, Sabra.

JUIF PHARISIEN (n. p.). Esdras, Néhémie, Nicodème.

JUIF, FÊTE (n. p.). Hanouka, Pâque, Pessah, Pourim, Rosh Hashana, Sabbat, Shavouath, Sim'hat, Soukkot, Yom Kippour.

JUJUBIER. Cicourlier, datte, guindaulier, rhamnacée, zizyphe.

JULES. Amant, estafier, homme, maquereau, mec, pim, proxénète, souteneur.

JUMEAU. Besson, double, deux, gémeau, identique, menechme, pareil, triplé, quadruplé, semblable, siamois, sosie, triplé, univitellin.

JUMEAU (n. p.). Dionne, Dupont.

JUMELLE. Longue-vue, lorgnette, lunette, microscope, télescope.

JUMENT. Baie, cavale, cheval, haras, haquenée, moreau, mule, mulet, ponette, pouliche, poulin, poulinière, suitée.

JUPE. Cotillon, cotte, crinoline, écossaise, enjuponner, fustanelle, jupette, jupon, kilt, maxi, mini, paréo, robe, tutu, vertugadin.

JUPITER (n. p.). Zeus.

JUPON. Cotillon, filibeg, jupe, panier.

JURASSIQUE. Diplodocus, géologie, rhétien, télésaure, transjuran.

JUREMENT. Blasphème, cri, exécration, imprécation, juron, outrage.

JURER. Adjurer, exécrer, maudire, maugréer, pester, promettre, sacrer.

JURIDICTION. Arrêt, basoche, cercle, district, for, instance, kanat, paroisse, prévôté, qualité, ressort, rote, siège, sphère, tribunal.

JURIDIQUE. Cas, dire, exégèse, informé, judiciaire, légal, tribunal.

JURISCONSULTE. Juriste, légiste.

JURISCONSULTE ANGLAIS (n. p.). Bentham.

JURISCONSULTE BYSANTIN (n. p.). Tribonien.

JURISCONSULTE FRANÇAIS (n. p.). Bigot, Brandt, Camus, Charondas, Cujas, Dalloz, Domat, Dumoulin, Esmein, Fabre, Fail, Lacretelle, Portalis, Preameneu, Sirey.

JURISCONSULTE HOLLANDAIS (n. p.). Grotius.

JURISCONSULTE ITALIEN (n. p.). Acursio, Alciata, Cinodepistoia.

JURISCONSULTE ROMAIN (n. p.). Alciat, Gaius, Papinien, Ulpien.

JURISTE. Avocat, bâtonnier, criminaliste, légiste, rau, uléma.

JURISTE ALLEMAND (n. p.). Pufendorf.

JURISTE AMÉRICAIN (n. p.). Kelsen, Nader.

JURISTE FRANÇAIS (n. p.). Basdevant, Cassin, Duverger, Esmein, Geny, Hauriou, Isambert, Ripert, Sirey, Vedel.

JURISTE GREC (n. p.). Politis.

JURISTE ITALIEN (n. p.). Beccaria.

JURISTE NÉERLANDAIS (n. p.). Grotius.

JURISTE RUSSE (n. p.). Erlanger.

JURISTE SUISSE (n. p.). Vattel.

JURON. Blasphème, damnation, diantre, jarnicoton, morbleu, mot, parbleu, pardi, pardieu, sabre, saperlipopette, tonnerre, tudieu.

JUS. Cidre, citronnade, coulis, gelée, limon, marc, moût, orangeade, punch, sirop, suc, verjus, vesou, vin, vinification.

JUSTE. Droit, équitable, exact, légal, légitime, précis, pur, sain, sûr, vrai.

JUSTESSE. Authenticité, convenance, correction, exactitude, raison.

JUSTICE. Cour, crime, droiture, équité, ester, judiciaire, juge, juridiction, magistrat, partie, procès, pureté, salle, siège, sûreté, traduire, tribunal.

JUSTIFIER. Confirmer, légitimer, motiver, préciser, valoir, vérifier.

JUVÉNILE. Actif, ardent, jeune, pimpant, vert, vif, vigoureux.

JUXTAPOSER. Accoler, ajouter, comparer, différencier, doubler, jumeler.

# K

K2 (n. p.). Himalaya, Karakoram, Karakorum.

KABUKI. Chant, danse, shamisen, spectacle, théâtre.

KABYLE. Arabe, berbère, gétule.

KAKI. Brun, caque, couleur, ébénacée, figue, fruit, plaquemine, vert.

KALA-AZAR. Donovani, leishmaniose.

KALÉIDOSCOPE. Cylindre, miroirs, multicolore, ornement, paillettes.

KAOLIN. Argile.

KANGOUROU. Mammifère, marsupiaux, pétrogale, wallabi.

KAON. Ka, méson.

KAPOK. Bourre, fromager, kapotier.

KARATAS. Aregelia, bromelia, néoregélia, nidularium.

KAYAC. Bateau, canoë, canot, périssoire.

KÉPI. Casquette, chapeau, chapska, coiffure, shako.

KERMESSE. Ducasse, festival, festivité, fête, foire, frairie, réjouissance.

KIDNAPPER. Disparaître, enlever, rapt, ravir, séquestrer, voler.

KILOGRAMME. Kg, kilo, livre.

KILOMÈTRE. Km, millage.

KILOTONNE. Kt.

KILOWATT. Kw.

KILOWATT-HEURE. Kwh.

KIOSQUE. Belvédère, édicule, gloriette, journal, pavillon, tonnelle.

KITSCH. Baroque, hétéroclite, pompier, rétro.

KIWI. Aptéryx.

KLAXON. Avertisseur, klaxonner, signal, trompe.

KNOCK-OUT. Assommé, évanoui, groggy, inconscient, KO, sonné.

KNOUT. Bastonnade, fouet, verges.

KODIAK. Botte, ours.

KOLA. Caféine, cola.

KORRIGAN. Bretagne, fée, génie, lutin, nain.

KRACH. Banqueroute, chute, crise, culbute, déconfiture, faillite, ruine.

KRAK. Bastide, château, citadelle, crac, fort, forteresse, fortification.

KRILL. Crustacé, euphausiacé, plancton.

KRYPTON. Kr.

KYRIELLE. Abondance, avalanche, beaucoup, cascade, chapelet, déluge, flopée, foule, infinité, myriade, nuée, pluie, ribambelle, série, suite.

KYSTE. Abcès, chalazion, grosseur, induration, loupe, tanne, tumeur, ulcère.

# L

LÀ. Ça, céans, ci, diapason, en, ici, là-bas, lieu, note, présent.

LABEUR. Besogne, corvée, occupation, fatigue, ouvrage, peine, travail.

LABIACÉE. Dictame, ive, népéta, népète, romarin, sarriette, spic, thym.

LABIAL. Dire, écrire, lettre, lèvre.

LABIÉE. Bétoine, bugle, coléus, ive, ivette, lamiacée, menthe, thym.

LABORATOIRE. Alchimie, cabinet, début, examen, officine, test, verre.

LABORIEUX. Actif, âpre, aride, complexe, dur, difficile, pénible, rude.

LABOUR. Agriculture, billonnage, champ, culture, défonçage, défoncement, parage, rayon, retroussage, scarifiage, terre.

LABOURABLE. Arable, charruage, fermage, hivernage.

LABOURER. Aérer, arer, bêcher, écroûter, enrayer, houer, retercer.

LABRE. Entom, ichtyol, lèvre, vieille.

LABYRINTHE. Cul-de-sac, dédale, détour, enchevêtrement, lacis, oreille.

LABYRINTHE (n. p.). Ariane, Mimotaure, Thésée.

LAC. Eau, étang, flaque, grau, lagon, marais, mare, rive, stymphale.

LAC (n. p.). Albert, Aral, Athabaska, Baïkal, Balaton, Balkhach, Caribou, Dubawnt, Érié, Esclaves, Eyre, Huron, Iséo, Issyk-Koul, Itaska, Khanka, Ladoga, Manitoba, Maracaibo, Michigan, Nettilling, Nicaragua, Nipigon, Nyassa, Oô, Onega, Ontario, Ours, Pô, Reindeer, Rodolphe, Supérieur, Tanganyika, Tchad, Titicaca, Torrens, Van, Vanern, Victoria, Winnipeg.

LAC, AFGHANISTAN (n. p.). Helmand.

LAC, AFRIQUE (n. p.). Albert, Édouard, Kivu, Moero, Mweru, No, Nyassa, Omo, Rodolphe, Tanganyika, Tchad, Titicaca, Victoria.

LAC, AFRIQUE CENTRALE (n. p.). Assa.

LAC, ALBANIE (n. p.). Matia, Ochrida, Ohrid, Ohridsko, Prespa, Scutari, Shkoder, Ulze.

LAC, ALASKA (n. p.). Becharof, Clark, Iliamma, Teshekpuk, Wiseman.

LAC, ALGÉRIE (n. p.). Azzel, Chergui, Fedjadj, Hodna, Matti, Meherrhane, Meirhir, Sabkha.

LAC, ALLEMAGNE EST (n. p.). Muritz.

LAC, ALLEMAGNE OUEST (n. p.). Constance.

LAC, ALPES (n. p.). Bourget.

LAC, AMÉRIQUE DU NORD (n. p.). Érié, Huron, Michigan, Ontario, Supérieur.

LAC, ANDORRE (n. p.). Engolasters.

LAC, ANGLETERRE (n. p.). Buttermere, Derwentwater, Ennerdale, Grasmere, Ullswater, Wastwater, Windermere.

LAC, ARGENTINE (n. p.). Cardiel, Fagnano, Musters, Viedma.

LAC, ARMÉNIE (n. p.). Sevan, Urmia, Urumiyah, Van.

LAC, ASIE (n. p.). Aral.

LAC, AUSTRALIE (n. p.). Amadeus, Austin, Barlee, Blanche, Buhou, Bulloo, Carey, Carnegie, Cowan, Dundas, Everard, Eyre, Frome, Gairdner, Harris, MacDonald, Mackay, Moore, Torrens, Yammayamma, Wells.

LAC, AUTRICHE (n. p.). Almsee, Bodensee, Constance, Fertoto, Mondsee, Neusiedler, Traunsee.

LAC, AUVERGNE (n. p.). Pavin.

LAC, BÉNIN (n. p.). Aheme, Nokoue.

LAC, BOLIVIE (n. p.). Allagas, Colpasa, Desaguader, Poopo, Rogagua, Titicaca.

LAC, BOTSWANA (n. p.). Dow, Ngami, Xau.

LAC, BRÉSIL (n. p.). Aima, Feia, Logo, Mirim.

LAC, BURUNDI (n. p.). Rugwero, Tanganyika, Tshohoha.

LAC, CAMBODGE (n. p.). Sap, Tonie.

LAC, CAMEROUN (n. p.). Chad.

LAC, CANADA (n. p.). Abitibi, Athabaska, Érié, Esclaves, Huron, Louise, Manitoba, Mistassini, Nipigon, Nipissing, Okanagan, Ontario, Supérieur, Winnipeg.

LAC, CHILI (n. p.). Cochrane, Lianquihue, Puyehue, Ranco, Rupanco, Yelcho.

LAC, CHINE (n. p.). Bagrach, Bamtso, Bornor, Chaling, Chao, Dongting, Ebinor, Erhhai, Hulunnor, Hungtsee, Kaoyu, Karanor, Khanka, Kokonor, Lopnor, Montcalm, Na-mu, Namtso, Oling, Poyang, Tai, TarokTso, Telli, Tellinor, Tienchih, Tsinghai, Tungting.

LAC, COLOMBIE (n. p.). Tota.

LAC, COLOMBIE-BRITANNIQUE (n. p.). Berg.

LAC, COSTA RICA (n. p.). Arenal.

LAC, DANEMARK (n. p.). Arreso.

LAC, DJIBOUTI (n. p.). Abbe, Assai.

LAC, ÉCOSSE (n. p.). Awe, Dee, Duich, Earm, Fyne, Gair, Gare, Katrine, Laggan, Leven, Lin, Linn, Linnhe, Loch, Lochy, Lomond, Lough, Maree, Morar, Ness, Nevis, Oich, Rannoch, Ryan, Sloy, Tay.

LAC, ÉGYPTE (n. p.). Burullus, Edku, Idku, Manzala, Mareotis, Maryut, Moeris, Nasser, Qarun.

LAC, ESPAGNE (n. p.). Albrifera, Lago.

LAC, ESTONIE (n. p.). Peipus, Pskov, Vortsjarv.

LAC, ÉTATS-UNIS (n. p.). Alder, Alligator, Cayuga, Champlain, Clear, Érié, Finger, George, Huron, Iliamma, Itasca, Mead, Michigan, Okeechobee, Oneida, Ontario, Placid, Pontchartrain, Seneca, Supérieur, Swan, Tahoe, Teshekpuk, Wallenpaupack, Winnebago, Winnipesaukee, Yellowstone.

LAC, ÉTHIOPIE (n. p.). Abaya, Abe, Omo, Rudolf, Shola, Tana, Tsana, Tzana, Zeway.

LAC, ÉTRURIE (n. p.). Trasimène.

LAC, EUROPE (n. p.). Leman.

LAC, FINLANDE (n. p.). Enara, Enare, Hauki, , Inari, Juo, Kalla, Kallavesi, Kemi, Kiui, Koitere, Ladoya, Lappa, Lentua, Lesti, Muo, Nasi, Nilakka, Oulu, Pielavesi, PielinenPuula, Puru, Pyha, Saimaa, Salma, Simo, Sounne, Syvari.

LAC, FRANCE (n. p.). Annecy, Casaux, Genève.

LAC, GABON (n. p.). Anengue, Azinguo.

LAC, GHANA (n. p.). Bosumtwi, Volta.

LAC, GRÈCE (n. p.). Copais, Ioannina, Karia, Kopais, Koroneia, Prespa, Trichonis, Vegoritis, Vistonis, Volve, Voweis.

LAC, GUATEMALA (n. p.). Amatitian, Atitlan, Dulce, Guija, Izabal, Peten.

LAC, HAÏTI (n. p.). Saumatre.

LAC, HONDURAS (n. p.). Brewer, Criba, Yojoa.

LAC, HONGRIE (n. p.). Balaton, Ferto, Neusiedler, Velence.

LAC, INDE (n. p.). Chilka, Colair, Dhebar, Jheel, Kolair, Kolleru, Lonar, Pulicat, Pushkar, Sambahr, Wular.

LAC, INDONÉSIE (n. p.). Ranau, Toba, Towuti.

LAC, IRAK (n. p.). Al-Hammar, Al-Milh, Sanniya.

LAC, IRAN (n. p.). Maharlu, Nemekser, Niris, Sahweh, Sistan, Tasht, Tuzlu, Urmia, Urumiyeh.

LAC, IRLANDE (n. p.). Allen, Barra, Boderg, Carra, Conn, Cooper, Corrib, Derg, Doo, Dromore, Eme, Ennell, Gougane, Gowna, Key, Killamey, Leane, Lough, Mask, Neagh, Oughter, Ree, Sheelin, Tay.

LAC, ISLANDE (n. p.). Myvatn, Thingvallavatn, Thorisvatn.

LAC, ISRAËL (n. p.). Galidée, Génésareth, Huleh, Kinneret, Tibériade.

LAC, ITALIE (n. p.). Albano, Averne, Boisena, Bracciano, Côme, Garde, Iseo, Lesina, Lugano, Maggiore, Nemi, Perugia, Trasimène, Varano.

LAC, JAPON (n. p.). Biwa, Kiutchawa, Shikotysu, Suwa, Towada, Toya.

LAC, KAZAKHSTAN (n. p.). Balkhach.

LAC, KENYA (n. p.). Magadi, Naivasha, Nakuru, , Natron, Rudolf, Turkana, Victoria.

LAC, LAPONIE (n. p.). Inari.

LAC, LITUANIE (n. p.). Dysna.

LAC, LUXEMBOURG (n. p.). Haut, Sure.

LAC, MACÉDONIE (n. p.). Ochrida, Ohrid, Prespa.

LAC, MADAGASCAR (n. p.). Alaotra, Itasy, Kinkony.

LAC, MALAWI (n. p.). Chilwa, Malawi, Nyasa.

LAC, MALI (n. p.). Debo, Do, Faguibine, Garou, Korarou.

LAC, MEXIQUE (n. p.). Chapala, Patzcuaro, Texcoco.

LAC, MONGOLIE (n. p.). Airik, Durga, Ghirgis, Hobsogol, Khubsugui, Ubsa, Uvs.

LAC, MONTÉNÉGRO (n. p.). Scutari, Shkoder.

LAC, MOZAMBIQUE (n. p.). Chuali, Nhavarre, Nyasa, Nyassa.

LAC, NOUVELLE-ZÉLANDE (n. p.). Ada, Brunner, Diamond, Hawea, Gunn, Kanieri, Manapouri, Ohau, Okareka, Okataina, Paradise, Pukaki, Pupuke, Rotoaira, Rotorua, Taupo, Tekapo, Wakapiti, Wanaka.

LAC, NICARAGUA (n. p.). Managua, Nicaragua.

LAC, NIGER (n. p.). Chad.

LAC, NIGERIA (n. p.). Chad.

LAC, ONTARIO (n. p.). Abitibi, Erié, George, Huron, Nipigon, Ontario, St-Clair, Supérieur.

LAC, OUGANDA (n. p.). Albert, Édouard, George, Kioga, Kyoga, Victoria.

LAC, PANAMA (n. p.). Galun.

LAC, PARAGUAY (n. p.). Vera, Ypacarai, Ypos.

LAC, PÉROU (n. p.). Titicaca.

LAC, POLOGNE (n. p.). Goplo, Mamry, Niegocin, Sniardwy.

LAC, PORTO RICO (n. p.). Carite, Caonillas, Guatajaca, Loiza.

LAC, PYRÉNÉES (n. p.). Oô.

LAC, QUÉBEC (n. p.). Achigan, Archambault, Argent, Aylmer, Baskatong, Beaudry, Beauport, Bersimis, Bienville, Bouchette, Brochet, Brome, Carré, Champlain, Croche, Delage, Deux-Montagnes, Écorses, Eau Claire, Etchemin, Gouin, Kianika, Lesage, Manic, Mégantic, Memphrémagog, Mistassini, Moreau, Ouareau, Péribonca, Saint-Louis, Saint-Pierre, Saint-Jean, Simard, Témiscamingue, Whiskey.

LAC, RÉPUBLIQUE DOMINICAINE (n. p.). Enriquillo.

LAC, ROUMANIE (n. p.). Sinoe, Snagov.

LAC, RUSSIE (n. p.). Azov, Baïkal, Byelo, Chany, Elton, Erara, Ilmen, Kola, Lacha, Ladoga, Neva, Onega, Seg, Vozhe.

LAC, RWANDA (n. p.). Bufera, Bulera, Kivu, Ihema, Mohasi, Mugesera, Rugwero, Ruhnodo, Tshohoha.

LAC, SALVADOR (n. p.). Coatepeque, Guiha, Guija, Ilopango.

LAC, SÉNÉGAL (n. p.). Guiers.

LAC, SIBÉRIE (n. p.). Baïkal.

LAC, SICILE (n. p.). Camarina, Pergusa.

LAC, SLOVANIE (n. p.). Bled.

LAC, SOUDAN (n. p.). Chad, Nasser, No, Toad.

LAC, SUÈDE (n. p.). Asnen, Dalalven, Hallwil, Hielmar, Hjalmaren, Malar, Mâlaren, Silja, Ster, Ume, Vaner, Vanern, Vatter, Vattern, Wennen.

LAC, SUISSE (n. p.). Ageri, Biel, Bienne, Bierersee, Brienz, Constance, Genève, Hallwil, Leman, Lucerne, Lugano, Lungern, Maggiore, Morat, Neuchatel, Samen, Samersee, Thon, Thun, Uri, Vierwald, Wallen, Zoug, Zug, Zurich.

LAC, SYRIE (n. p.). Asad, Djebold, Merom, Tibérias.

LAC, TANZANIE (n. p.). Eyasi, Malawi, Manyara, Natron, Nyasa, Rukwa, Tanganyika, Victoria.

LAC, TIBET (n. p.). Aru, Bam, Bum, Dagtse, Garhur, Jagok, Jiggitai, Kashun, Kyaring, Manasarowar, Mema, Nam, Seling, Tabia, Tangra, Tengrinor, Terinam, Tosu, Tsaring, Yamdok, Zilling.

LAC, TUNISIE (n. p.). Achkel, Bizerte, Djerid.

LAC, TURQUIE (n. p.). Beysehir, Egridir, Tuz, Van.

LAC, VENEZUELA (n. p.). Maracaïbo, Tacarigua.

LAC, YOUGOSLAVIE (n. p.). Bled, Ochrida, Ohrid, Prespa, Scutari.

LAC, ZAÏRE (n. p.). Albert, Édouard, Kivu, Mweru, Tumba, Upemba.

LAC, ZAMBIE (n. p.). Bangweulu, Kariba, Mweru, Tanganyika.

LACER. Attacher, boucler, ficeler, fixer, mailler, nouer, serrer.

LACERTIEN. Lacertilien, saurien.

LACET. Aiguillette, contour, corde, ferret, lac, œillet, piège, rets, tirette.

LÂCHE. Abattu, bas, capon, cerf, couard, craintif, dégonflé, détendu, faible, froussard, fuyard, mou, peureux, pleutre, poltron, vague, vil.

LÂCHER. Abandonner, casser, céder, desserrer, flancher, fléchir, laisser, larguer, livrer, parachuter, quitter, reculer, relâcher, rompre, semer.

LÂCHETÉ. Bassesse, couardise, frousse, poltronnerie, pusillanimité.

LACIS. Dédale, entrelacement, labyrinthe, nerfs, réseau, veines.

LACONIQUE. Bref, concis, court, lapidaire, mince, peu, précis, succinct.

LACS. Cordon, lacet, nœud, piège.

LACTÉ. Agalaxie, blanc, lait, pis, prolactine, voie.

LACUNE. Absence, carence, hiatus, lésion, omission, trou, vacant, vide.

LADRE. Avare, lépreux, pingre, radin, regardant, scrofuleux, ruiné.

LADRERIE. Avarice, chiennerie, léproserie, lésine, lésinerie, lésion.

LAGOPÈDE. Alpin, blanche, grouse, perdrix, rochers, saules.

LAGUNE. Colline, cordon, étang, étendue, lagon, lido, liman, moere.

LAGUNE (n. p.). Thau.

LAI. Frater, frère, laie, sanglier, sentier, sœur.

LAÏC. Agnostique, indépendant, laïque, neutre, séculier.

LAICHE. Carex, monocotylédone.

LAID. Affreux, atroce, beau, chafouin, hideux, horrible, ignoble, informe, odieux, moche, monstrueux, pou, ridé, singe, tocard, vilain.

LAIDEUR. Disgrâce, hideur, honte, infamie, mocheté, turpide.

LAIE. Allée, frère, lai, marteau, sanglier, sentier, sœur.

LAINAGE. Châle, chandail, gilet, loden, ratine, tissu, toge, toison, tuque.

LAINE. Agneline, bure, bourre, cardigan, carméline, cheviotte, chèvre, corde, coton, couaille, étaim, lanice, mère, mohair, mouton, noces, ouate, poil, ruban, satin, sorie, toison, tonte, tuque, tweed, vigogne.

LAÏQUE. Convers, lai, laïc, oblat, profane, séculier, civil.

LAISSER. Abandonner, aérer, aliéner, céder, confier, déposer, emmener, emporter, enlever, larguer, livrer, marquer, négliger, obéir, ôter, quitter, relayer, semer, suinter, tamiser, transmettre.

LAIT. Blanc, caillé, chadeau, coco, colostrum, crème, ésule, frère, lacté, laitage, laiteux, lolo, peau, sœur, tétée, vache, yaourt, yogourt.

LAITEUX. Blanchâtre, lacté, lactescent, latex, opalin, pavot.

LAITIÈRE. Vache.

LAITON. Alliage, archal, corde, similor, tombac, vergeure, zinc.

LAITUE. Batavia, boston, chicon, composée, frisée, iceberg, lactuca, lactucarium, pommée, romaine, salade, sucrine, thridace, ulve.

LAIZE. Lé.

LAMA. Alpaga, guanaco, lamaserie, vigogne.

LAMBEAU. Bribe, débris, déchiqueté, guenille, loque, morceau, partie.

LAMBIN. Flâneur, indolent, lent, lourd, nonchalant, paresseux, traînard.

LAME. Bêche, busc, canif, ciseau, dague, dos, éclisse, épée, interligne, languette, onglet, oripeau, patin, réglet, scie, serpe, tranchant.

LAMELLE. Adnée, pellicule, plectre, spath, squame, talc, tranche.

LAMELLIROSTRE. Ansériforme.

LAMENTABLE. Minable, misérable, moche, pitoyable, piteux, triste.

LAMENTATION. Cri, doléances, geignement, jérémiades, plainte, peur.

LAMENTATION (n. p.). Thrène.

LAMIE. Taupe.

LAMPE. Alel, ampoule, carcel, éolipyle, if, lanterne, pétoche, verrine.

LAMPER. Absorber, assouvir, avaler, boire, déguster, étancher, pomper, vider.

LAMPOURDE. Glouteron.

LANCE. Angon, ante, dard, doryphore, émet, épieu, framée, guisarme, hallebarde, hast, haste, javiline, javelot, jette, pique, sarisse, uhlan.

LANCE (n. p.). Achille.

LANCÉE. Élan, émulation, envoi, envolée, erre, essor, impulsion, saut, zèle.

LANCEMENT. Ber, départ, jet, lancer, livre, publication, réception, tir.

LANCER. Catapulter, cracher, darder, débuter, décocher, éjaculer, émettre, envoyer, jeter, lâcher, larguer, projeter, tirer, vitrioler.

LANCIER. Cavalerie, chapska, quadrille, soldat, uhlan.

LANDE. Brousse, friche, garrigue, jachère, inculte, maquis, pâtis.

LANGAGE. Argot, jargon, joual, langue, logogriphe, marivaudage, sabir.

LANGAGE INFORMATIQUE. Algol, basic, cobol, pascal.

LANGOUREUX. Alangui, amoureux, caresseur, délicat, sensible, tendre.

LANGOUSTINE. Scampi.

LANGUE (2 lettres). Oc.

LANGUE (3 lettres). Bec, lao, oil, pal.

LANGUE (4 lettres). Dard, dari, duel, erse, este, grec, inca, inti, maya, pali, peul, thai, tupi, turc, urdu, zend.

LANGUE (5 lettres). Aïnou, arabe, argot, azeri, celte, copte, guèze, hindi, ibère, koine, kurde, lapon, latin, lette, oriya, otomi, papou, perse, peuhl, russe, sabir, sarde, sioux, style, tagal, tamil, tatar, thai, wolof.

LANGUE (6 lettres). Afghan, aymara, bantou, basque, birman, breton, canara, coréen, créole, danois, eskimo, frison, hébreu, idiome, jargon, kabyle, kazakh, letton, malais, mongol, mouda, ossète, ostiak, ostyak, ouolof, ourdou, ouzbek, pachto, parler, patois, pehlvi, persan, radula, ramage, romani, slavon, somali, tamoul, telugu, toscan, vipère, vogoul.

LANGUE (7 lettres). Adstrat, aléoute, anglais, araméen, bambara, bengali, berbère, bulgare, catalan, cebuano, chinois, euskéra, faconde, féroien, fidjiien, finnois, flamand, gallois, gaulois, guarani, haoussa, hittite, italien, kannara, khoisan, kirghiz, langage, laotien, lexique, malinké, marathe, marathi, norrois, occitan, osmanli, ouigour, pachtou, pahlavi, panjabi, parlure, pâteuse, quechua, roumain, slovène, suédois, swahili, tagalog, tchèque, touareg, tsigane, vogoule, volapük, yiddish.

LANGUE (8 lettres). Akkadien, albanais, algonkin, allemand, annamite, arménien, assamais, baltique, bilingue, celtique, dialecte, écossais, égyptien, espagnol, estonien, français, gaélique, galicien, géorgien, gujarati, hongrois, iroquois, javanais, lituanien, malgache, marhatte, népalais, pilipino, polonais, portugais, romanche, sanskrit, slovaque, syriaque, tahitien, télougou, tongouse, tongouze, turkmène.

LANGUE (9 lettres). Afrikaans, allophone, américain, amharique, arabisant, avestique, baloutchi, castillan, caucasien, dravidien, espéranto, irlandais, islandais, madourais, malayalam, norvégien, phénicien, portugais, soudanais, tamazight, tokharien, ukrainien.

LANGUE (10 lettres). Alémanique, algonquien, anglicisme, biélorusse, cinghalais, expression, gallicisme, indonésien, lithuanien, macédonien.

LANGUE (11 lettres). Brittonique, couchitique, germanisant, hindoustani, néerlandais, serbo-croate, tchérémisse, vocabulaire.

LANGUE (12 lettres). Austronésien, italianisant, linguistique.

LANGUE (13 lettres). Hellénistique, monolinguisme.

LANGUE (14 lettres). Azerbaïdjanais, holophrastique, paléoasiatique.

LANGUE-DE-BŒUF. Fistuline.

LANGUETTE. Anche, bouveteuse, bugne, épiglotte, guimbarde, patte.

LANGUEUR. Apathie, atonie, indolence, léthargie, somnolence, torpeur.

LANGUIR. Baisser, dépérir, épuiser, fondre, mourir, traîner, végéter.

LANGUISSANT. Abattu, atone, fade, faible, lâche, langoureux, mourant.

LANIÈRE. Bande, bélière, courroie, dragonne, fouet, guide, knout, laisse, lasso, longe, sangle, spartiate, tagliatelle.

LANTERNE. Campanile, diogène, falot, fanal, feu, guillotine, lamparo, lampe, lampion, loupiote, lumière, lustre, phare, réverbère, veilleuse.

LANTHANE. La.

LAPER. Boire, lapement.

LAPIN. Angora, attente, belette, bouquet, bouquin, carnier, clapier, clapir, cuniculiculture, furet, garenne, gibecière, laiteron, lapereau, lièvre, myxomatose, orme, renard, terrier, tularémie.

LAPS. Apostat, durée, espace, infidèle, instant, moment, temps.

LAPSUS. Cuir, erreur, faute, janotisme, pataquès, perle, valise.

LAQUE. Cire, gomme, laqueux, résine, spray, vernis.

LAQUELLE. Que, qui, quoi.

LAQUER. Vernir.

LARCIN. Barbotage, chapardage, escroquerie, exaction, kleptomane, maraudage, maraude, plagiat, rapine, recel, vol, volerie.

LARD. Bacon, barde, couenne, crépine, graillon, lardon, panne, porc.

LARDER. Cribler, emplir, fourrer, percer, piquer, railler, transpercer.

LARGE. Ample, avare, beaucoup, caution, évasé, généreux, grand, gros, indulgent, largeur, litre, long, mer, partir, rat, spacieux, val.

LARGEMENT. Abondamment, amplement, béant, copieusement, évasé, généreusement, grassement, vastement.

LARGESSE. Bienfait, cadeau, don, générosité, libéralité, munificence, offrande, pluie, présent, prodigalité.

LARGEUR. Ampleur, carrure, diamètre, envergure, grandeur, grosseur.

LARGUER. Balancer, déferler, déployer, détacher, déverser, droper, envoyer, jeter, lâcher, lancer, laisser, plaquer, quitter, renvoyer.

LARIGOT. Flûte.

LARME. Affliction, chagrin, émotion, goutte, lacrymal, larmoiement, larmoyer, lysozyme, perle, peu, pleur, rhyas, sanglot, verre.

LARMOYER. Chialer, chigner, éplorer, gémir, lamenter, miauler, plaindre, pleurer, pleurnicher, sangloter.

LARVE. Ammocète, aoûtat, asticot, axoloti, cercaire, chatouille, chenille, couvain, éruciforme, hydatide, lamprillon, larvaire, lepte, leptocéphale, man, myiase, naissain, pibale, sphex, taupe, têtard, varon, ver.

LAS. Abattu, brisé, claqué, crevé, dégoûté, écœuré, épuisé, éreinté, excédé, exténué, fatigué, fourbu, harassé, recru, rompu, vanné.

LASCIF. Amoureux, caressant, charnel, chaud, libidineux, luxurieux.

LASSANT. Crevant, décourageant, délassant, ennuyeux, fatigant.

LASSÉ. Accablé, assommé, blasé, épuisé, fatigué, harassé, vanné.

LASSER. Claquer, décourager, délasser, ennuyer, fatiguer, harasser.

LASSITUDE. Abattement, basta, baste, découragement, dégoût, dépit, déprime, désespérance, ennui, fatigue, spleen.

LATENT. Caché, insidieux, larvé, rampant, somnolent, sous-jacent.

LATEX. Caoutchouc, chicle, ficus, hevea, laiteux, liquide, opium.

LATITUDE. Climat, facilité, faculté, liberté, permission, pouvoir, région.

LATTIS. Hourdage, lattage, latte.

LAURACÉE. Avocatier, camphrier, laurier, sassafras.

LAURÉAT. Champion, gagnant, impétrant, palmarès, prix, vainqueur.

LAURIER. Baie, camphrier, épilobe, gloire, oléandre, lauracée, laurose, laurus, kalmia, nérion, nerium, prunus, rosacée, ruscus, victoire.

LAVABO. Aiguière, aquamanille, baignoire, entracte, fontaine, toilette.

LAVAGE. Ablution, bain, batée, douche, élavé, élution, énéma, lessive, lotion, nettoyage, purification, rinçage, savon, shampooing.

LAVANDE. Aspic, labiée, lavandin, spic, statice.

LAVEMENT. Clystère, lavage, purgation, purge, remède, seringue.

LAVER. Baigner, délaver, doucher, lessiver, nettoyer, plonger, rincer.

LAVERIE. Blanchisseur, buanderie, nettoyeur.

LAVEUR. Blanchisseur, lavandier, plongeur, raton.

LAVEUSE. Blanchisseuse, buandière, lavandière, lessivière.

LAWRENCIUM. Lr.

LAXATIF. Bourdaine, cathartique, lavement, mauve, psyllium, purgatif, purge, rhubarbe, séné, senne, sorbitol, suppositoire, tamar.

LEADER. Article, chef, décideur, directeur, meneur, premier, tête.

LÉCHER. Délecter, fignoler, finir, flatter, licher, polir, soigner, travailler.

LEÇON. Cours, instruction, morale, remontrance, répétition, théorie.

LECTEUR. Anagnoste, lectorat, liseur.

LECTURE. Anagnoste, déchiffrage, décodage, décryptage, liseur.

LÉGAL. Aloi, authentique, cause, droit, juste, loi, moratoire, permis.

LÉGENDE. Conte, fable, fée, folklore, génie, monstre, mythe, saga.

LÉGER. Aérien, agile, allégé, collation, délesté, dispos, égratignure, escarmouche, éthéré, fin, frémissement, gracile, grêle, indisposition, leste, menu, mince, ombre, plume, raté, souple, subtil, vif, volage.

LÉGÈRETÉ. Agilité, badinage, caprice, distraction, enfantillage, étourderie, facétie, frivolité, futilité, grâce, inconduite, inconsistance, inconstance, irréflexion, jeunesse, lourdeur, mobilité, souplesse.

LÉGIFÉRER. Admettre, juger, légaliser, prononcer, régler, statuer.

LÉGION D'HONNEUR. Chevalier, commandeur, croix, officier, troupe.

LÉGISLATEUR. Député, droit, loi, parlement, sénat, sénateur, textes.

LÉGISLATEUR (n. p.). Dracon, Moïse.

LÉGISTE. Jurisconsulte, juriste.

LÉGISTE (n. p.). Nogaret.

LÉGITIME. Admissible, époux, fondé, juste, moitié, motivé, permis.

LÉGITIMER. Disculper, excuser, justifier, reconnaître.

LEGS. Don, donation, fidéicommis, fondation, héritage, hoirie, laisser.

LÉGUME. Ail, artichaut, asperge, aubergine, betterave, bettrave, carotte, céleri, champignon, chou, concombre, cresson, crosne, échalote, endive, épinard, fève, haricot, laitue, lentille, navet, oignon, panais, patate, piment, poireau, pois, poivron, radis, raifort, rave, rutabaga, salade, salsifis, scorsonère, tétragone, tomate, topinambour, truffe.

LÉGUMINEUSE. Ache, arachide, aubergine, bette, céleri, chou, crosne, dolic, ers, fève, gesse, igname, lentille, lotier, lupin, mélitot, mélongène, mimosacée, orobe, palmiste, patate, pois, rave, rumex, rutabaga, salsifis, scorsonène, séné, soja, soya, topinambour, tropogogon, tupa.

LEITMOTIV. Antienne, expression, refrain, répétition, slogan, thème.

LÉMURIEN. Aye-aye, cheiromys, indri, maki, potto, singe.

LENDEMAIN. Après, avenir, conséquence, demain, futur, suite.

LÉNIFIANT. Adoucissant, apaisant, calmant, consolant, lénitif, rassérénant.

LÉNIFIER. Adoucir, alléger, apaiser, atténuer, calmer, diminuer.

LENT. Aï, alangui, âne, arriéré, balourd, calme, flâneur, lambin, long, lourd, mou, nonchalant, paresseux, pou, pressé, tardif, tortue, traînard.

LENTEMENT. Adagio, doucement, gravement, lento, piano, posément.

LENTILLE. Bonnette, ers, Ésaü, fève, focal, iéna, image, lenticule, lentigo, lorgnon, loupe, lunette, naevus, pois, verre, vesce, volet.

LÉPIOTE. Coulemelle, golmote, golmotte.

LÉPORIDÉ. Hase, lapin, lièvre.

LÉPREUX. Cagot, décrépit, fy, galeux, ladre, maladrerie, scrofuleux.

LEQUEL. Où, que, qui, quoi.

LÉSÉ. Nui.

LÉSER. Attenter, blesser, désavantager, noircir, nuire, prétériter, ternir.

LÉSINER. Alène, avare, économiser, ladre, liarder, mégoter, rogner.

LÉSION. Acné, aphte, blessure, cancer, chancre, coronarite, cozarthrie, dommage, dysidrose, dystrophie, engelure, fissure, gelure, granulation, hépatisation, infarctus, lucite, lupome, naevi, naevus, navel, névrite, papule, plaie, préjudice, ptôsis, sarcoïde, syphilide, toxidermie, trauma.

LESSIVABLE. Blanchissable, lavable, nettoyable, récurable.

LESSIVE. Buandier, buée, lavage, nettoyage, purification, récurage.

LESSIVEUSE. Blanchisseuse, buanderie, laveuse.

LESTE. Agile, alerte, allant, allègre, cru, dispos, fringant, gaillard, guilleret, impoli, léger, libre, olé-olé, osé, preste, raide, souple, vert, vif.

LESTÉ. Alourdi, agile, apige, chargé, lège, plombé, pourvoir, vert, vif.

LÉTHARGIE. Apathie, atonie, inertie, langueur, somnolence, torpeur.

LETTRE. Abc, alphabet, babillarde, billet, bref, capitale, caractère, épître, initiale, lambda, omicron, message, missive, mot, pi, pli, ro, RSVP, spi, traite, xi.

LETTRE GRECQUE. Alpha (A), aspiré: khi (K), aspiré: phi (P), aspiré: thêta, bêta (B), delta (D), dzeta (Dz), epsilon (E), eta( E), gamma (G), iota (I), kappa (K), khi (K), lambda (L), mu (M), nu (N), oméga (O), omicron (O), phi (P), pi (P), psi (Ps), rho (R), sigma (S), tau (T), thêta (T), upsilon (U), xiksi (Ks).

LETTRINE. Alinéa, initiale, majuscule.

LEUCOCYTE. Eosinophile, exsudat, globule, granulocyte, infiltrat, lymphocyte, mononucléaire, myélocyte, polynucléaire, sang.

LEURRE. Amorce, appât, appeau, artifice, dandinette, devon, duperie, feinte, illusion, imposture, piège, piperie, tromperie.

LEURRER. Abuser, appâter, attraper, bercer, berner, bluffer, duper, embobiner, endormir, enjôler, illusionner, jouer, piper, tromper.

LEVAIN. Azyme, bactérie, enzyme, ferment, germe, levure, zymase.

LEVANT. Aurore, caïc, crépuscule, échelle, est, île, matin, orient.

LEVÉE. Chaussée, chelem, debout, ôtée, pli, soulèvement, terrasse.

LEVER. Abolir, armer, arsis, debout, dîmer, dresser, élever, enlever, enrôler, gruter, guinder, hausser, hisser, matin, prélever, soupeser.

LEVIER. Aide, anspect, balai, barre, commande, cric, épars, espar, force, louve, manette, manivelle, mors, pédale, pesée, résistance, verdillon.

LÈVRE. Babine, badigoince, balèvre, bord, joue, labial, labié, labium, labre, lippe, lippu, masque, moue, moustache, nymphes, ri, rire.

LÉVRIER. Afghan, barzoï, cynodrome, levrette, levron, sloughi.

LEVURE. Candida, mycoderme, nystatine, saccharomyce, zymase.

LEXIQUE. Glossaire, index, jargon, nomenclature, terminologie.

LÉZARD. Agamidé, basilic, caméléon, gecko, gekko, hatteria, héloderme, iguane, moloch, orvet, reptile, saurien, seps, tipinamais, zonure.

LIAISON. Affinité, alliance, attachement, contact, covalence, cuir, et, fil, imbrication, lié, lien, nœud, pontage, rapport, suite, uni, union, velours.

LIANE. Chèvrefeuille, cobéa, cobée, glycine, gnète, gnetum, luffa, rafflesia, rafflésie, strophante, strophantus, vanillier.

LIBELLE. Écrit, factum, pamphlet, satire.

LIBELLÉ. Formulation, rédaction.

LIBELLER. Écrire, informer, minuter, noter, ponctuer, rédiger, remplir.

LIBELLULE. Aeschne, agrion, demoiselle, odonate.

LIBER. Cambium, libéroligneux, taille, teille, tille.

LIBÉRAL. Généreux, large, munificent, muse, ouvert, tolérant, whig.

LIBÉRALITÉ. Aumône, bienfait, charité, don, générosité, subside.

LIBÉRATEUR. Bienfaiteur, donateur, gratificateur, munificent, sauveur.

LIBÉRATEUR (n. p.). Jésus, Messie, Moïse, Sauveur.

LIBÉRATION. Amnistie, décharge, émancipation, pécule, rachat, rançon.

LIBÉRER. Affranchir, absoudre, dégager, délier, délivrer, élargir, évader, excuser, gracier, jouer, purger, quitter, relaxer, sauver, tolérer.

LIBERTAIRE. Anar, anarchiste.

LIBERTÉ. Abus, choix, cru, drapeau, droit, esclavage, faculté, franchise, garantie, latitude, libre, licence, né, osé, quittance, servage, servitude.

LIBERTIN. Coquin, dépravé, galant, grivois, leste, libre, licencieux.

LIBRAIRE. Bibliothécaire, bouquiniste, livre, parution, pochotèque.

LIBRE. Affranchi, aisé, autonome, délié, émancipé, évadé, familier, franc, hardi, indépendant, leste, net, olé-olé, osé, souverain, vacant.

LIBRETTISTE. Libretto, parolier.

LIBRETTISTE (n. p.). Da Ponte.

LICENCE. Agrégation, doctorat, liberté, plaque, permis, permission.

LICENCIEUX. Cru, gras, érotique, immoral, indécent, obscène, polisson.

LICHEN. Apothèce, apothécie, lécanore, lèpre, mousse, orseille, parmélie, renne, rocella, rocelle, thallophyte, usnée.

LICORNE. Béluga, cheval, narval.

LIE. Baissière, boue, chère, clique, dépôt, élite, et, fange, limon, louré, perle, populace, précipité, racaille, rebut, résidu, sédiment, vase.

LIEN. Accouple, alèse, analogie, attache, bande, câble, catgut, chaîne, connexion, corde, cordon, courroie, entrave, et, fers, ficelle, fil, garrot, harde, hart, laisse, licou, ligature, mariage, nœud, parenté, trait, union.

LIER. Annexer, attacher, bander, copuler, enchaîner, engager, épaissir, et, ficeler, fixer, joindre, lacer, ligoter, marier, nouer, relier, unir.

LIERRE. Aceriphyllum, araliacée, glechma, gléchome, glécome, hedera.

LIEU. Abreuvoir, abri, aillade, aire, antre, asile, atelier, bagne, bal, berceau, bois, cache, camp, cantine, casino, cellier, chai, chenil, ciel, cimetière, dépôt, écurie, éden, égout, église, emplacement, endroit, enfer, entrepôt, ermitage, escale, étape, fourmilière, gare, gîte, habitat, impasse, issue, jardin, laiterie, latitude, lavoir, local, localité, logement, lointain, magasin, manège, oasis, observatoire, odéon, paradis, parc, patio, pharmacie, poste, pré, prison, promenade, purgatoire, rue, salle, saulaie, séjour, sénat, site, sortie, stade, station, sucrerie, théâtre, tribunal, urinoir, verger.

LIEUTENANT. Adjoint, enseigne, gouverneur, louvetier, lt, second.

LIEUTENANT-GOUVERNEUR DU QUÉBEC (n. p.). Angers, Asselin, Belleau, Brodeur, Caroll, Caron, Chapleau, Comtois, Côté, Dorchester, Fauteux, Fitzpatrick, Fiset, Gagnon, Jetté, Langelier, Lapointe, Leblanc, Masson, Patenaude, Pelletier, Pérodeau, Robitaille, Roux, Saint-Just, Thibault.

LIÈVRE. Bossu, bouquet, bouquin, capucin, garenne, gîte, hase, lagomorphe, lapin, levrault, pedetidae, pikas, relaissé, sumatra, vagir.

LIGAMENT. Articulation, écart, faisceau, nerf, organe, ptôse, tendon.

LIGATURE. Attache, bandage, constriction, lien, ligament, striction.

LIGATURER. Attacher, bander, copuler, enchaîner, engager, épaissir, ficeler, fixer, joindre, lacer, lier, ligoter, nouer, relier, unir.

LIGNE. Alinéa, appât, arête, article, axe, barre, biais, bouchon, contour, droite, galbe, géométrie, gras, gribiche, hachure, infanterie, laisse, poisson, profil, raie, rayure, scion, segment, strie, té, trace, trait.

LIGNÉE. Ancêtre, ascendant, descendant, enfant, race, sang, souche.

LIGNIFICATION. Aoûtement.

LIGNITE. Jais, jayet, lignifié, noir.

LIGOTER. Amarrer, arrêter, attacher, fixer, lacer, lier, nouer, river.

LIGUE. Alliance, bande, coalition, faction, front, grève, parti, union.

LILAS. Mauve, prestonia, sauge, syringa, violet, villosa, vulgaris.

LILIACÉE. Ail, cive, colchique, lis, lys, muguet, oignon, tulipe, yucca.

LILLIPUTIEN. Dérisoire, microscopique, minuscule, nain, ridicule.

**LIMACE.** Arion, chamémidé, doris, glaucidé, escargot, limaçon, loche, mollusque, nudibranche, veronicella, vertigo.

**LIMAÇON.** Cagouille, colimaçon, escargot, gastéropode, limace, oreille.

**LIME.** Carreau, citron, demi-ronde, fraise, limaille, mollusque, queue-de-rat, râpe, râpure, riflard, rifloir, rugine, tiers-point, user.

**LIMER.** Adoucir, dresser, mordre, parfaire, polir, râper, rifler, tailler.

**LIMITATION.** Contingentement, contrôle, régulation, restriction.

**LIMITE.** Bord, borne, bout, but, cadre, confins, démarcation, étroit, extrémité, fin, front, frontière, ligne, lisière, restreint, rive, terme.

**LIMITÉ.** Confiné, déficient, démarqué, fini, ltée, restreint, sot.

**LIMITÉE.** Ltée.

**LIMITER.** Border, borner, cadrer, clore, fermer, longer, terminer.

**LIMOGER.** Balancer, casser, chasser, dégommer, relever, récoquer.

**LIMON.** Alluvion, argile, boue, citron, dépôt, loess, mancelle, silt, vase.

**LIMPIDE.** Eau, clair, comprendre, facile, perle, pur, transparent.

**LIMPIDITÉ.** Clarté, intelligibilité, netteté, pureté, transparence.

**LIN.** Affinoir, afioume, chanvre, étoupe, filasse, gaze, huile, linceul, linge, linon, pape, rouir, rouissoir, saint, textile, tissu, toile.

**LINAIRE.** Cymbalaire, velvote.

**LINER.** Cargo, gros porteur, paquebot.

**LINCEUL.** Drap, ensevelir, feu, linge, mort, poêle, sindon, suaire.

**LINGE.** Amict, bande, dessous, drap, essuie-main, essuie-tout, linceul, lingerie, nappe, nouet, sous-vêtement, toile, trousseau, voile.

**LINGOT.** Barre, billette, cadrat, culot, lingotière, or, ressuage.

**LINGUISTE.** Grammairien, néogrammairien, sémanticien.

**LINGUISTE ALLEMAND** (n. p.). Bopp.

**LINGUISTE AMÉRICAIN** (n. p.). Bloomfield, Chomsky, Harris, Jakobson, Labov, Sapir.

**LINGUISTE ANGLAIS** (n. p.). Johnson.

**LINGUISTE BELGE** (n. p.). Grevisse.

**LINGUISTE BRITANNIQUE** (n. p.). Ventris.

**LINGUISTE CANADIEN** (n. p.). Beaudry.

**LINGUISTE DANOIS** (n. p.). Hjelmslev, Jespersen.

**LINGUISTE FRANÇAIS** (n. p.). Benveniste, Bescherelle, Bloch, Boissière, Boiste, Bréal, Brunot, Cohen, Dauzat, Greimas, Guillaume, Kristeva, Lancelot, Larousse, Lhomond, Littré, Marsais, Martinet, Meillet, Robert, Vaugelas.

**LINGUISTE GREC** (n. p.). Chalcocondyle.

**LINGUISTE INDIEN** (n. p.). Panini.

**LINGUISTE POLONAIS** (n. p.). Zamenhof.

**LINGUISTE SUISSE** (n. p.). Saussure, Warthurg.

**LINGUISTE RUSSE** (n. p.). Troubetskoï.

**LINIMENT.** Baume, embrocation, onguent, pommade, vaseline.

**LINOTTE.** Distrait, écervelé, étourdi, frivole, passereau, sizerin, tête.

LION. Affection, crinière, fauve, licube, lionceau, lionin, muflier, otarie, pissenlit, queue, roi, rugissement, tigre, tiglon, tigron, tueur, zodiaque.

LION (n. p.). Androclès, Belfort, Lion-sur-Mer, Némée, Saint-Marc.

LIPIDE. Lécithine, lipédémie, lipidique, lipoïde, thixotropie.

LIQUÉFACTION. Condensation, décongélation, infusion, thixotropie.

LIQUÉFIER. Dégeler, diluer, dissoudre, fondre, infuser, ramollir, souder.

LIQUEUR. Absinthe, alcool, alkermès, anisette, apéritif, arak, arec, bitter, boisson, cassis, chartreuse, citronnelle, cognac, crème, curacao, digestif, eau-de-vie, élixir, essence, marasquin, pastis, punch, ratafia, rogomme, saké, sirop, sépia, spiritueux, suc, vespetro, vin.

LIQUIDATION. Braderie, faillitte, partage, solde, suppression, vente.

LIQUIDE. Bile, boisson, boue, lait, eau, encre, essence, exsudat, flot, fondue, huile, humeur, jus, lait, larme, latex, mélasse, nectar, purin, pus, rasade, ruisseau, sang, sérosité, sérum, sève, sirop, sperme, suc, sueur, tisane, urine, venin, vesou.

LIQUIDER. Abattre, crever, finir, nettoyer, noyer, réaliser, tuer, vendre.

LIRE. Dévorer, épeler, étudier, évasion, lecteur, réciter, relire, revoir.

LIS. Acore, alstroemère, amabile, amaryllis, américain, asiatique, auratum, aurélien, concolor, candidum, cardiocrinum, encrine, hémérocalle, liliacée, lilium, lys, martagon, nénuphar, oriental, ponticum, pumilum, regale, rhodopacum, speciosum, sprekelia, tigré, tigrinum, trompette, versicolor.

LISERON. Arvensis, calystegia, convolvulacée, convolvulus, daurica, ipomée, japon, pubescens, scammonia, sepium, siculus, soldanella, tuguriorum, volubilis, vrillée.

LISEUR. Anagnoste, lecteur, lectorat.

LISIÈRE. Bord, bordure, borne, haie, lé, limite, orée, mur, rain, ruilée.

LISSE. Calandré, crépi, luisant, net, plan, plat, poli, rambarde, ras, uni.

LISSER. Briller, chatoyer, dorer, éblouir, lustrer, polir, reluire, vernir.

LISTE. Annuaire, carte, catalogue, compte, errata, état, inventaire, menu, nécrologie, palmarès, répertoire, rôle, série, tableau, tarif.

LIT. Alèse, ber, chevet, ciel, coite, couchette, couchis, couette, divan, dodo, drap, épi, grabat, hamac, jar, jard, justice, lire, litière, meuble, pageot, pieu, procuste, pucier, mariage, ravin, ru, ruelle, ruisseau, sofa, sultane, tara.

LITANIE. Antienne, chanson, chant, couplet, disque, histoire, invocation, leitmotiv, prière, rabâchage, refrain, rengaine, scie.

LITHIASE. Calcul, cholécystite, gravelle.

LITHIUM. Li, lithine.

LITHODOME. Datte de mer.

LITIGE. Affaire, arbitrage, cause, conflit, contentieux, contestation, décrétale, démêlé, dispute, litigieux, médiation, procès, recréance.

LITORNE. Grive, jocasse.

LITTÉRATURE. Auteur, critique, écrit, idée, lettres, navet, nègre, page.

LITTORAL. Baie, berge, bord, côte, grève, marée, plage, quai, rive.

LITTORINE. Bigorneau.

LITURGIE. Abbé, camerlingue, calice, canon, cérémonie, ciboire, clerc, culte, dom, éminence, frère, hostie, intronisation, investiture, ite, ordo, ordre, pape, père, prêtre, prieuré, religion, rit, rite, sacerdotal, synode.

LIVIDE. Blafard, blanc, blême, exsangue, hâve, pâle, terreux, vert.

LIVRE. Abécédaire, album, annales, anthologie, apologie, atlas, autobiographie, bible, biographie, bouquin, bréviaire chiffrier, code, conte, coran, dictionnaire, écrit, encyclopédie, feuille, florilège, genèse, grimoire, guide, heure, journal, kilo, lancement, lb, libraire, livret, mémoire, missel, nombre, nouveauté, œuvre, ouvrage, page, pamphlet, posthume, roman, souvenir, syllabaire, talmud, tobie, tome, volume.

LIVRE RELIGIEUX (n. p.). Augustinus, Avesta, Coran, Index, Mahabharata, Michna, Mishna, Syllabus, Talmud, Tao-tö-king, Veda, Zohar.

LIVRER. Céder, confier, donner, faire, fournir, lâcher, rendre, trahir.

LIVRET. Abécédaire, album, annales, anthologie, apologie, atlas, autobiographie, bible, biographie, bouquin, bréviaire, chiffrier, code, conte, coran, dictionnaire, écrit, encyclopédie, feuille, florilège, genèse, grimoire, guide, heure, journal, kilo, lancement, lb, libraire, libretto, livre, mémoire, missel, nombre, nouveauté, œuvre, ouvrage, page, pamphlet, posthume, roman, souvenir, syllabaire, talmud, tobie, tome, volume.

LOBE. Auricule, cotylédon, occipital, lèvre, lobectomie, tennis.

LOCAL. Bal, baraque, chambre, laboratoire, poste, remise, salle, serre.

LOCALISER. Borner, circonscrire, délimiter, limiter, mesurer, repérer.

LOCALITÉ. Bled, canton, cité, endroit, lieu, municipalité, village, ville.

LOCALITÉ, ALGÉRIE (n. p.). Arris, Bône, Boufarik, Collo, Dellys, Frenda, Kerrata, Marnia, Mila, Oran, Sétif, Tablat, Ténès, Vialar.

LOCALITÉ, ALLEMAGNE (n. p.). Aalan, Berlin, Bonn, Brême, Cologne, Dachau, Duren, Dusseldorf, Ems, Essens, Frankort, Freiberg, Gutersloh, Hagen, Hambour, Hanovre, Hildesheim, Hof, Lutzen, Munich, Munster, Nordhausen, Nuremberg, Ratisbonne, Stuttgart, Ulm, Witten, Worms, Zeitz.

LOCALITÉ, ANGLETERRE (n. p.). Bath, Bedford, Bolton, Bristol, Bury, Cambridge, Carlisle, Chatham, Chelsea, Chester, Deal, Derby, Durham, Eton, Gloucester, Greewich, Hove, Lancaster, Liverpool, London, Londres, Manchester, Norwich, Nottingham, Oxford, Preston, Richmond, Salford, Salisbury, Sheffield, Stafford, Taunton, Wakefield, Wells, Wimbledon, Winchester, Worcester, York.

LOCALITÉ, BELGIQUE (n. p.). Alost, Anvers, Bruges, Dison, Gand, Geel, Liège, Mons, Namur, Olen, Spa, Ypres.

LOCALITÉ, CANADA (n. p.). Brandon, Calgary, Chatham, Cornwall, Dathmouth, Edmonton, Edmunston, Fredericton, Guelph, Halifax, Hamilton, Kingston, Kitchener, London, Moncton, Oshawa, Regina, Sarnia, Saskatoon, St-Jean, Stratford, Sudbury, Timmins, Toronto, Trenton, Vancouver, Victoria, Welland, Winnipeg, Windsor.

LOCALITÉ, ESPAGNE (n. p.). Astorga, Barcelone, Cadix, Grenade, Irun, Jaca, Linares, Lugo, Mieres, Reus, Séville, Soria, Tolède, Valence, Vich, Vigo.

LOCALITÉ, ÉTATS-UNIS (n. p.). Albany, Baltimore, Boston, Buffalo, Cambridge, Cheyenne, Chicago, Cincinnati, Cleveland, Concord, Dallas, Denver, Detroit, Erie, Hartford, Houston, Manchester, Memphis, Miami, Mobile, Montpelier, New York, Oakland, Pasadena, Phœnix, Pittsburgh, Portland, Providence, Reno, Sacramento, Salem, Seattle, Tampa, Toledo, Troy, Tucson, Tulsa, Washington, Wichita.

LOCALITÉ, FRANCE (n. p.) Albertville, Allos, Arcachon, Barcelonnette, Barrême, Bordeaux, Boulogne, Brest, Briançon, Caen, Cannes, Carcassonne, Castellane, Chamonix, Châtel, Clermont, Cluse, Colmar, Courchevel, Coutances, Dax, Dieppe, Dijon, Dinan, Draguignan, Évreux, Fréjus, Gap, Guillestre, Guingamp, Isola, La Rochelle, Lacanau, Laragne, Le Mans, Lille, Lyon, Malijai, Marseille, Mimizan, Modane, Montpellier, Morlaix, Nancy, Nantes, Nice, Nîmes, Oraison, Paris, Perpignan, Reims, Renne, Royan, Saint Étienne, Saint-Malo, Saint-Nazaire, Saint-Tropez, Sisteron, Termignon, Tignes, Toulon, Toulouse, Tour, Val d'Isère, Valence, Valmorel.

LOCALITÉ, GRÈCE (n. p.). Argos, Arta, Drama, Patras, Thebes, Tripolis, Volo, Xanthi.

LOCALITÉ, HONGRIE (n. p.). Baja, Eger, Sopron, Vac.

LOCALITÉ, INDE (n. p.). Agra, Calcutta, Delhi, Ellora, Mahé, Madras, Salem.

LOCALITÉ, ITALIE (n. p.). Adria, Asti, Bari, Bologne, Cagliari, Côme, Florence, Foligno, Gela, Gênes, Imola, Lecco, Milan, Monza, Naples, Padoue, Palerme, Parme, Pise, Rivoli, Salerne, Sienne, Turin, Venise, Vérone.

LOCALITÉ, JAPON (n. p.). Akita, Gifu, Hiroshima, Kobe, Kure, Kyoto, Nagasaki, Nagoya, Osaka, Sakai, Saporo.

LOCALITÉ, MEXIQUE (n. p.). Acapulco, Leon, Mérida, Mexico, Oaxaca, Puebla, Queretaro, Toluca, Veracruz.

LOCALITÉ, NIGERIA (n. p.). Nok.

LOCALITÉ, PAKISTAN (n. p.). Sui.

LOCALITÉ, PAYS-BAS (n. p.). Bergen, Breda, Delf, Ede, Pernis, Zeist.

LOCALITÉ, PÉROU (n. p.). Cuzco, Lime, Tacna.

LOCALITÉ, POLOGNE (n. p.). Bytom, Cracovie, Gdansk, Plock, Pila, Prague.

LOCALITÉ, PORTUGAL (n. p.). Béja, Faro, Porto, Tomar.

LOCALITÉ, QUÉBEC (n. p.). Acton Vale, Alma, Amos, Ancienne-Lorette, Anjou, Arthabaska, Arvida, Asbestos, Amqui, Ascot, Aylmer, Bagotville, Baie-Comeau, Batiscan, Beaconsfield, Beauceville, Beauharnois, Beauport, Bécancour, Bellefeuille, Belœil, Bernières, Berthierville, Blainville, Boisbriand, Bois-des-Filions, Boucherville, Brossard, Buckingham, Candiac, Cap-de-la-Madeleine, Cap-Rouge, Carignan, Cartierville, Causapscal, Coaticook, Chambly, Charlemagne, Charlesbourg, Charny, Châteauguay, Chelsea, Chibougamau, Chicoutimi, Coaticook, Contrecœur, Côte-Saint-Luc, Cowansville, Daveluyville, Delson, Deux-Montagnes, Dolbeau, Dollard-des-Ormeaux, Donnacona, Dorion, Dorval, Drummondville, East Angus, Farnham, Fleurimont, Gaspé, Gatineau, Granby, Grand-Mère, Greenfield Park, Hampstead, Hemmingford, Hull, Huntingdon, Iberville, Île-Perrot, Joliette, Jonquière, Kahnawake, Kénogami, Kirkland, La Baie, L'Acadie, Lachenaie, Lachine, Lachute, Lac-Mégantic, Lac-Noir, Lac-Saint-

Charles, Lafontaine, La Pêche, La Plaine, La Prairie, La Sarre, LaSalle, L'Assomption, La Tuque, Lauzon, Laval-des-Rapides, Laval, Le Gardeur, LeMoyne, Lennoxville, Lévis, L'Islet, Longueuil, Loretteville, Lorraine, Louiseville, Macamic, Magog, Marieville, Mascouche, Masson-Angers, Matane, Mégantic, Mercier, Mirabel, Mistassini, Montebello, Mont-Joli, Mont-Laurier, Montmagny, Mont-Royal, Mont-Saint-Hilaire, Montréal, Montréal-Nord, Neuville, New-Carlisle, Nicolet, Noranda, Notre-Dame-de-l'Île-Perrot, Notre-Dame-des-Prairies, Otterburn Park, Outremont, Papineauville, Pierreville, Pincourt, Pintendre, Plessisville, Pointe-Claire, Pointe-aux-Trembles, Pointe-du-Lac, Port-Alfred, Port-Cartier, Portneuf, Prévost, Princeville, Québec, Rawdon, Repentigny, Richmond, Rigaud, Rimouski, Rivière-du-Loup, Roberval, Rock Forest, Roquemaure, Rosemère, Rouyn, Roxboro, Saint-Amable, Saint-Antoine, Saint-Athanase, Saint-Augustin-Desmaures, Saint-Basile-le-Grand, Saint-Césaire, Saint-Charles-Borromée, Saint-Bruno-de-Montarville, Saint-Chrysostôme, Saint-Constant, Saint-Émile, Saint-Étienne-de-Lauzon, Saint-Eustache, Saint-Félicien, Saint-François-du-Lac, Saint-Georges, Saint-Hubert, Saint-Hyacinthe, Saint-Jean-sur-Richelieu, Saint-Jean-Deschaillons, Saint-Jérôme, Saint-Joseph-d'Alma, Saint-Joseph, Saint-Joseph-de-Sorel, Saint-Jovite, Saint-Lambert, Saint-Lazare, Saint-Léonard, Saint-Lin, Saint-Louis-de-France, Saint-Luc, Saint-Nicéphore, Saint-Nicolas, Saint-Ours, Saint-Pierre-aux-Liens, Saint-Raphaël-de-l'Île-Bizard, Saint-Rédempteur, Saint-Rémi, Saint-Romuald, Saint-Timothée, Saint-Tite, Saint-Vincent-de-Paul, Sainte-Agathe-des-Monts, Sainte-Anne-de-Beaupré, Sainte-Anne-de-Bellevue, Sainte-Anne-de-la-Pérade, Sainte-Anne-de-la-Pocatière, Sainte-Anne-des-Monts, Sainte-Anne-des-Plaines, Sainte-Catherine, Sainte-des-Plaines, Sainte-Julie, Sainte-Julienne, Sainte-Foy, Sainte-Marie, Sainte-Marthe-sur-le-Lac, Sainte-Marthe-du-Cap, Sainte-Rose, Sainte-Sophie, Sainte-Thérèse, Salaberry-de-Valleyfield, Senneterre, Sept-Îles, Shawinigan, Sherbrooke, Sillery, Sorel, Stanstead, Sweetsburg, Témiscamingue, Terrebonne, Thetford-Mines, Tracy, Trois-Pistoles, Trois-Rivières, Val-Bélair, Val-des-Monts, Val-d'Or, Valleyfield, Vanier, Varennes, Vaudreuil, Verchères, Verdun, Victoriaville, Waterloo, Westmount, Windsor.

LOCALITÉ, ROUMANIE (n. p.). Arad, Bacau, Brashov, Craiova, Sibiu, Turda.

LOCALITÉ, SUÈDE (n. p.). Boras, Calmar, Falun, Upsal.

LOCALITÉ, SUISSE (n. p.). Bale, Berne, Flims, Fribourg, Genève, Lausanne, Montreux, Orbe, Sion, Tène, Wil, Zoug, Zurich.

LOCALITÉ, TUNISIE (n. p.). Béja, Gabes, Gafsa, Nabeul, Sousse, Stax.

LOCALITÉ, TURQUIE (n. p.). Adana, Antioche, Kars, Van.

LOCALITÉ, URUGUAY (n. p.). Montevideo, Salto.

LOCALITÉ, VENEZUELA (n. p.). Caracas, Maracay, Valencia.

LOCALITÉ, VIETNAM (n. p.). Dalat, Hanoï, Hue, Saïgon.

LOCALITÉ, YOUGOSLAVIE (n. p.). Ohrid, Pula, Raguse, Sarajevo, Senta, Split, Zagreb.

LOCHE. Barbote, barbotte, chamémidé, doris, glaucidé, escargot, limace, mollusque, nudibranche, veronicella, vertigo.

LOCOMOTION. Circulation, déplacement, transport, voiture.

LOCOMOTIVE. Automotrice, bécane, coucou, machine, motrice, train.

LOCUTION. Cor, cri, dia, go, hoc, hue, instar, leu, quia, ric, rac, tac, visu.

LOGE. Atelier, avant-scène, box, cabane, cage, cellule, franc-maçon, gîte, habite, maçon, maison, niche, pièce, Rome, stalle, temple, vigie.

LOGEMENT. Demeure, domicile, gamelans, gîte, habitation, loft, loge, logis, maison, nid, pénates, piaule, piôle, repaire, séjour, studio, taudis.

LOGER. Caser, habiter, jucher, gîter, louer, meubler, occuper, placer.

LOGICIEN. Argumentateur, dialecticien, mathématicien.

LOGICIEN ALLEMAND (n. p.). Frege.

LOGICIEN AMÉRICAIN (n. p.). Carnap, Gödel, Quine.

LOGICIEN ANGLAIS (n. p.). Austin, Boole, Turing.

LOGICIEN FRANÇAIS (n. p.). Cavaillès.

LOGICIEN ITALIEN (n. p.). Peano.

LOGICIEN POLONAIS (n. p.). Lukasiewicz.

LOGICIEN TCHÈQUE (n. p.). Bolzano.

LOGIQUE. Argument, cartésien, cohérent, exact, raison, rhétorique.

LOGIS. Gamelans, habitation, loge, nid, piaule, piôle, repaire, taudis.

LOI. Acte, arrêt, caon, code, délit, droit, édit, fuero, lustice, légal, norme, omerta, ordonnance, règle, règlement, ripuaire, salique, thora.

LOIN. Avant, bannir, écarté, éliminé, éloigné, étendre, évincé, ici, là-bas, lointain, pérégrination, perpète, près, récente, reculé, tant.

LOINTAIN. Arrière, distant, éloignement, fond, horizon, loin, reculé.

LOIR. Dormir, glis glis, muscadin, rongeur.

LOIRE, CHÂTEAU (n. p.). Amboise, Anet, Angers, Azay-le-Rideau, Chambord, Chaumont, Chenonceaux, Cheverny, Chinon, Langeais, Loches, Ussé, Valençay, Villandry.

LOLO. Lait.

LOMBE. Enselure, lombaire, lombalgie, lumbago, psoas, rein.

LOMBRIC. Lombricoïde, lombriculture, ver.

LONG. Bordure, canapé, durable, échasse, étendu, grand, macro, maxi.

LONGER. Escorter, ester, filer, pister, ranger, serrer, suivre, talonner.

LONGILIGNE. Élancé, filiforme, fin, fuselé, lept, mince, svelte.

LONGTEMPS. Autrefois, depuis, interminable, lurette, piéça, tant, vieux.

LONGUE. Géminée, finalement, haleine, surdent, taillade, tard.

LONGUEUR. Atèle, aune, canne, chant, cheviotte, dimension, distance, durée, encablure, long, onde, mesure, pas, pied, pige, toué, verge.

LOQUACE. Ara, avocat, bavard, causeur, commère, crécelle, discret, indiscret, jacasseur, margot, orateur, pie, silencieux, taciturne.

LOQUE. Déchet, décombres, épave, guenille, haillon, lagan, ruine.

LORD D'ANGLETERRE (n. p.). Cromwell.

LORDOSE. Ensellure.

LORGNER. Briguer, convoiter, désirer, envier, guigner, loucher, mirer, regarder, reluquer, viser, vouloir.

LORGNON. Binocle, face-à-main, lunette, monocle, pince-nez.

LORSQUE. Alors, comme, lors, moment, où, quand.

LOSANGE. Carreau, fusée, géométrie, macle, polka, rhombe.

LOT. Allotir, amas, apanage, destinée, gros lot, hasard, part, partage.

LOTERIE. Bingo, hasard, loto, sweepstake, tirage, tombola, totocalcio.

LOTO. Bingo, hasard, perfecta, quaterne, quine, sweepstake, tombola.

LOTTE DE MER. Baudroie.

LOTUS. Lotophage, lotos, nélombo, nélumbo, nénuphar, nymphéa.

LOUABLE. Bonté, digne, flatterie, gloire, habileté, méritoire, rang, vertu

LOUAGE. Amodiation, bail, cession, ferme, fret, location, nolis, taxi.

LOUANGE. Admiration, adulation, approbation, cajolerie, dithyrambe, éloge, encens, flatterie, idole, los, louer, panégyrique, prôner, vanter.

LOUANGEUR. Admirateur, courtisan, encenseur, flagorneur, flatteur.

LOUCHE. Ambigu, bigle, bigleux, cuiller, douteux, loucheur, oblique, poche, pochon, strabisme, suspect, torve, travers, trouble, ustensile.

LOUCHER. Bigler, cuiller, guicher, incliner, pencher, suspecter, voir.

LOUER. Aduler, amodier, approuver, bailler, célébrer, chanter, combler, complimenter, encenser, engager, exalter, flatter, fréter, glorifier, louanger, magnifier, noliser, porter, prêcher, prêter, prôner, vanter.

LOUFOQUE. Anormal, baroque, bigarré, cocasse, comique, curieux, drôle, étrange, farfelu, hétéroclite, inouï, insolite, lunatique, saugrenu, spécial.

LOUIS (n. p.). Cyr, Guise, Napoléon, Pieux.

LOUP. Bar, carnassier, cervier, chien, clôture, erreur, fossé, haha, hurler, leu, lioube, loubine, louve, louveteau, masque, muflier, pinnopède, poisson, saint, ysengrin.

LOUPE. Compte-fils, gemme, kyste, lentille, nodosité, rate, tumeur.

LOUPER. Défaillir, échouer, faillir, gâcher, manquer, négliger, rater.

LOURD. Brut, butor, dense, écrasant, épais, gavé, gros, grossier, mastoc, matériel, mulet, nappe, ours, palant, pesant, pilum, plomb, sévère.

LOURDAUD. Ballot, balourd, butor, cruche, enflé, niais, pénible, stupide.

LOUSTIC. Blagueur, farceur, gaillard, lascar, numéro, plaisantin, titi.

LOUTRE. Belette, épreinte, ondatra, otarie.

LOUVE. Anspect, levier, moufle, palan.

LOUVOYER. Biaiser, fausser, obliquer, ruser, tergiverser, tournoyer.

LOVER. Blottir, enrouler, gléner, pelotonner, recroqueviller, rouler.

LOYAL. Ami, carré, correct, dévot, dévoué, droit, féal, fidèle, fourbe, franc, honnête, hypocrite, réglo, régulier, sincère, sûr, trigaud, vrai.

LOYAUTÉ. Droiture, fidélité, foi, franchise, honnêteté, perfidie, rondeur.

LOYER. Fernage, intérêt, location, montant, prix, taux, terme, valeur.

LUBIE. Accès, arbitraire, boutade, caprice, chimère, dada, fantaisie, folie, frasque, gré, idée, lune, marotte, mode, na, plaisir, rat, tocade.

LUBRIFIER. Cirer, graisser, huiler, lubrifiant, lubrification, oindre.

LUBRIQUE. Bacchante, concupiscent, lascif, libidineux, lubricité, luxurieux, salace, sensuel, vicieux.

LUCANE. Coléoptère, cerf-volant.

LUCANIE (n. p.). Basilicate.

LUCARNE. Fenêtre, imposte, judas, œil-de-bœuf, ouverture, tabatière.

LUCIDE. Clairvoyant, conscient, éclairé, fin, intelligent, lumineux, net, passionné, pénétrant, perspicace, sagace, sensé, translucide.

LUCRATIF. Aubaine, avantage, bénéfice, bon, filon, gain, payant, profit.

LUETTE. Staphylin, uvula, uvulaire, uvule.

LUEUR. Aube, aurore, clarté, éclair, éclat, halo, lumière, lustre, rayon.

LUGE. Traîne, traîneau.

LUGUBRE. Funèbre, glauque, macabre, mortuaire, sinistre, sombre.

LUI. Elle, éon, il, se, sézig, sézigue, soi.

LUIRE. Briller, chatoyer, cirer, dorer, éblouir, lustrer, reluire, vernir.

LUISANT. Étincelant, houx, lampyre, lumineux, lustré, poli, rutilant.

LUMEN. Lm.

LUMIÈRE. Aurore, clarté, clé, crépuscule, éclairé, éclat, éclos, feu, génie, halo, jour, lampe, lueur, lux, né, ouverture, rai, savant, soleil, uriel, vie.

LUMINEUX. Aveuglant, clair, éblouissant, éclatant, radieux, splendide.

LUNAIRE. Monnaie-du-pape, têt.

LUNATIQUE. Bizarre, capricieux, fantasque, instable, versable, versatile.

LUNE. Conjoncture, corne, cycle, dichotomie, gable, halo, lunaison, manie, marée, môle, mythologie, néoménie, rêve, sélénien, tache.

LUNETTE. Barnique, binocle, cobra, conserve, jumelle, longue-vue, lorgnon, lorgnette, microscope, naja, oculaire, os, télescope, verres.

LUPANAR. Bordel.

LUPULINE. Minette.

LUSTRAGE. Lissage, satinage.

LUSTRE. Âge, an, brillant, cati, clinquant, écati, éclat, écru, feu, fleur, fraîcheur, glacé, gloire, lampadaire, panache, pendeloque, poli.

LUSTRER. Apprêter, briller, calandrer, catir, cirer, dorer, éblouir, frotter, glacer, laquer, lisser, moirer, peaufiner, polir, satiner, vernir.

LUTÉCIUM. Lu, lutécium.

LUTH. Buzuki, cistre, guitare, lyre, mandoline, mandore, théorbe.

LUTHIER (n. p.). Amati.

LUTIN. Elfe, espiègle, farfadet, génie, gnome, loup-garou, sylphe, troll.

LUTIN (n. p.). Kobold.

LUTTE. Bagarre, boxe, catch, combat, grève, jiu-jitsu, joute, judo, karaté, lice, mêlée, pancrace, prise, pugilat, querelle, savate, sumo.

LUTTER. Bagarrer, combattre, débattre, disputer, résister, rivaliser.

LUTTEUR. Catcheur, combatif, jouteur, militant, tombeur.

LUXATION. Écart, déboîtement, désarticulation, dislocation, entorse.

LUXE. Apparat, élégance, faste, grandeur, parure, pompe, richesse.

LUXER. Déboîter, démettre, désarticuler, disloquer, enrichir.

LUXUEUX. Abondant, confortable, éclatant, fastueux, magnifique, opulent, princier, riche, royal, rupin, somptueux, splendide.

LUXURE. Blessure, cynisme, débauche, dépravation, érotisme, laciveté, licence, lubricité, orgie, péché, saleté, sensualité, stupre, vice, volupté.

LUXURIANCE. Abondance, exubérance, foisonnement, surabondance.

LUZERNE. Falcata, légumineuse, lupuline, medicago, minette, sainfoin, sativa.

LYCÉEN. Cégépien, collégien, écolier, élève, étudiant, externe, potache.

LYCOPE. Patte-de-loup, pied-de-loup.

LYCOPERDON. Vesse-de-loup.

LYCOPODE. Cernuum, cryptogame, diphasium, hookeri, huperzia, lepidotis, lycopodiacée, lycopodium, phlegmaria, taxifolium.

LYNX. Caracal, carnassier, chat sauvage, félidé, felis, loup-cervier, pardinas, roux.

LYRE. Cithare, Érato, harpe, heptacorde, luth, ménure, pentacorde, poésie, psaltérion, tétracorde, vina.

LYRIQUE. Barde, cantilène, épode, lai, nô, pastourelle, poème.

LYRISME. Ardeur, chaleur, enthousiasme, luth, passion, poésie.

LYS. Acore, alstrœmère, amabile, amaryllis, américain, asiatique, auratum, aurélien, concolor, candidum, cardiocrinum, hémérocalle, liliacée, lilium, lys, martagon, nénuphar, oriental, ponticum, pumilum, régale, rhodopacum, speciosum, sprekelia, tigré, tigrinum, trompette, versicolor.

LYSERGIQUE. Acide, LSD, lysercamide.

LYSOZYME. Enzyme.

LYTHRUM. Lysimaque, nummulaire, salicaire.

# M

M. Cinq.

MABOUL. Aliéné, bizarre, cinglé, dingue, idiot, fou, sonné, timbré, toqué.

MACABRE. Funèbre, glauque, lugubre, mortuaire, sinistre, sombre.

MACADAM. Asphalte, bitume, chaussée, goudron, tarmacadam.

MACADAM (n. p.). MacAdam.

MACADAMISER. Asphalter, bétonner, bitumer, goudronner, paver.

MACAQUE. Affreux, magot, moche, rhésus, singe, vilain.

MACARON. Biscuit, décoration, gâteau, insigne, natte, vignette.

MACCHABÉE. Cadavre, carcasse, charogne, corps, momie, mort, pendu.

MACÉDOINE. Jardinière, mélange, mixture, salade, salmigondis.

MACÉRATION. Digestion, mortification.

MACÉRER. Baigner, confire, crucifier, huile, humilier, infuser, mariner, mater, mortifier, rouir, tremper.

MÂCHE. Doucette, fer, rampon, valérianelle.

MÂCHER. Broyer, chiquer, croquer, mâchonner, manger, mastiquer, mordre, préparer, remâcher, ruminer, triturer.

MACHIAVÉLIQUE. Astucieux, fourbe, machiavel, perfide, rusé.

MACHIN. Bidule, bricole, chose, gadget, objet, truc, trucmuche.

MACHINAL. Automatique, convulsif, habituel, inconscient, instinctif, involontaire, irréfléchi, machinalement, mécanique, réflexe.

MACHINATION. Agissement, calcul, complot, conspiration, intrigue, manège, manigance, manœuvre, objectif, organisation, projet.

MACHINE. Aléseuse, appareil, arbre, arracheuse, bineuse, brinell, came, carde, cisaille, cribleur, écrémeuse, engin, enrobeuse, épandeur, épierreuse, grue, hellébore, laminoir, métier, moto, moulin, noria, outil, pelle, plieuse, poinçonneuse, presse, riveteuse, roue, rouet, semoir, teilleuse, toronneuse, tour, touret, truc, turbine.

MACHINER. Arranger, bâcler, bâtir, brasser, but, calculer, chercher, combiner, comploter, concerter, conspirer, élaborer, exécuter, faire, fomenter, forger, imaginer, intriguer, inventer, manigancer, manœuvrer, méditer, monter, mûrir, organiser, ourdir, préméditer, préparer, projeter, ruminer, spéculer, tramer.

MACHINISTE. Aléseur, chauffeur, conducteur, mécanicien, mécano.

MÂCHOIRE. Âne, barres, bouche, carnassière, clavier, dent, denture, étau, ganache, mandibule, margoulette, mors, prognathe.

MÂCHOIRE (n. p.). Samson.

MÂCHONNER. Broyer, chiquer, dire, mâcher, mâchonnement, mâchouiller, manger, mordiller, mordre, ruminer.

MAÇON. Auge, bâtisseur, franc, frangin, frère, limousin, loge, orient.

MAÇONNERIE. Bâtiment, bétonnage, butée, cheminée, créneau, four, fourneau, jetée, joint, mur, ope, paroi, pile, quai, travertin, voûte.

MACULER. Baver, crotter, oblitérer, salir, souiller, tacher, teindre.

MADAME. Mme.

MADAGASCAR (n. p.). Hova, Madécasse, Malgache, Sakalave.

MADELEINE. Pêche, poire, prune, raisin.

MADEMOISELLE. Fille, libellule, miss, mlle.

MADONE. Vierge.

MADRÉPORE. Anthozoaire, cnidaire, hexacoralliaire, madréporaire, méandrine, polypier, zoanthère.

MADRIER. Chevron, colombage, croisillon, entretoise, poutre, solive.

MAFFLU. Arrondi, bouffi, boursouflé, gonflé, gras gros, joufflu, rond.

MAFIA. Bande, camarilla, clan, clique, coterie, gang, yakuza.

MAGASIN. Agence, arsenal, bazar, boutique, chai, commerce, débit, dépôt, échoppe, entrepôt, épicerie, établissement, étal, ganterie, hangar, librairie, marché, officine, réserve, resserre, salon, soute.

MAGE. Astrologie, devin, gnose, magicien, magie, zoroastre.

MAGE (n. p.). Balthazar, Gaspard, Gaumâta, Melchior.

MAGICIEN. Aymon, cire, devin, enchanteur, ensorceleur, escamoteur, fée, illusionniste, mage, merlin, prestidigitateur, sorcier.

MAGICIEN (n. p.). Beaulne, Bergeron, Boucher, Cailloux, Choquette, Cloutier, Copperfield, Couture, Desmarais, Désy, Frédo, Gendron, Laramée, Major, Marotte, Médée, Merlin, Outerbridge, Paquette, Petit, Talbi, Vendette.

MAGICIENNE (n. p.). Circé, Médée.

MAGISTRAT. Arabe, bourgmestre, cadi, couirs, échevin, édile, fonctionnaire, juge, jurat, maire, ministre, polémarque, préfet, préteur, prévarication, procureur, robe, robin, toque, tribun.

MAGISTRAT ATHÉNIEN (n. p.). Thesmothète.

MAGISTRAT FRANÇAIS (n. p.). Brisson, Dupin, Fouquier-Tinville, Harley, Talon, Thou.

MAGISTRAT GREC (n. p.). Archonte, Éphore, Thesmothète.

MAGISTRAT ITALIEN (n. p.). Podestat.

MAGISTRAT SPARTE (n. p.). Éphore.

MAGNANIME. Bon, bonté, clément, cœur, généreux, grand, noble.

MAGNAT. Baron, bonze, mandarin, notable, personnalité, vedette.

MAGNÉSITE. Écume, émeri, giobertite.

MAGNÉSIUM. Mg.

MAGNÉTISER. Aimanter, charmer, fasciner, hypnotiser, suggérer.

MAGNIFICENCE. Apparat, éclat, faste, grandeur, lustre, luxe, majesté, merveille, pompe, richesse, solennité, somptuosité, splendeur.

MAGNIFIQUE. Admirable, beau, belle, merveilleux, noble, splendide.

MAGOT. Crapaud, crapoussin, macaque, nain, sapajou, singe, trésor.

MAHOMÉTAN. Arabe, chérif, émir, islamite, omar, musulman.

MAIGRE. Amaigri, amenuisé, aminci, cachectique, carcan, carcasse, décharné, émaciation, étique, étisie, grêle, marasme, mince, sec.

MAIGRIR. Amaigrir, amincir, dépérir, dessécher, fondre, mincir.

MAILLE. Anneau, boucle, chaînon, filet, folle, gansette, haubert, jaseran, maillage, miton, monnaie, obole, paillon, point, tamis.

MAILLET. Batte, croquet, hutinet, mail, mailloche, marteau, polo.

MAILLOT. Camisole, chandail, couche, débardeur, gilet, string, tricot.

MAIN. Argot, as, atout, bâton, bote, calligraphe, carpe, chiromancie, chirurgie, dextre, doigt, écran, écriture, façon, feuille, fion, gant, geste, gifle, harpe, index, manuel, menotte, palme, papier, patte, paume, pied, pince, poing, poignée, posséder, roi, tenir, thénar.

MAINMISE. Ascendant, empire, emprise, influence, pouvoir, saisie.

MAINTENANT. Actuellement, aujourd'hui, déjà, désormais, or, ores, présent, présentement, pressant.

MAINTENIR. Affirmer, coller, conserver, continuer, déjà, empoigner, enfermer, lacer, or, ores, retenir, river, serrer, séquestrer, tenir.

MAINTIEN. Air, allure, apparence, aspect, attitude, carrure, comportement, conduite, confirmation, conservation, contenance, continuité, démarche, façon, figure, ligne, mine, mise, mufti, port, pose, posture, prestance, soutien, tenue, ton, tournure, unir.

MAIRE. Alcade, bailli, bourgmestre, chef, échevin, édile, gouverneur, magistrat, maïeur, mairesse, mairie, municipalité, village.

MAIRE DE MONTRÉAL (n. p.). André, Bourque, Drapeau, Ferrier, Fournier, Houde, Martin, Nelson, Raynault, Rinfret, Rodier, Smith, Viger.

MAIRE DE PARIS (n. p.). Arago.

MAIRE DE QUÉBEC (n. p.). Alleyn, Auger, Borne, Drouin, Frémont, Hamel, Hossack, Lamontagne, Pelletier, Stuart.

MAÏS. Blé d'Inde, crib, épie, foufou, jaune, milasse, turquet, zéine.

MAISON. Âtre, baraque, bâtiment, bâtisse, bercail, bicoque, bastide, cabane, cambuse, cassine, chalet, château, chaumière, coron, couvent, datcha, domicile, école, ermitage, famille, faré, foyer, habitation, hôtel, gîte, institution, isba, logis, lupanar, maisonnette, mas, masure, ménage, motel, nid, pension, soue, toit, tripot, villa.

MAISONNETTE. Cabanon.

MAÎTRE. Arbitre, avocat, censeur, chef, éducateur, élève, enseignant, gourou, grade, guru, hôtel, instituteur, majordome, mentor, officier, pouvoir, roi, seigneur, vatel, virtuose, volonté.

MAÎTRESSE. Adultère, amante, concubine, favorite, liaison, passion.

MAÎTRESSE (n. p.). Lesbie.

MAÎTRISE. Adresse, contenu, fermeté, flegme, posé, pouvoir, rassis.

MAÎTRISER. Art, asservir, assujettir, contrôler, dominer, dompter, église, fasciner, pouvoir, soumettre, subjuguer, vaincre, volonté.

MAJESTÉ. Dignité, grandeur, gravité, lis, lys, majestueux, solennité.

MAJESTUEUX. Auguste, beau, colossal, fier, grandiose, grave, imposant, monumental, noble, olympien, royal, solennel, souverain.

MAJEUR. Fort, grand, grave, gros, important, ordre, urgent, vital.

MAJOR. Armée, cacique, chef, grade, premier.

MAJOR (n. p.). Ligneris.

MAJORATION. Augmentation, élévation, hausse, malus, montée.

MAJORER. Amplifier, enfler, gonfler, rehausser, relever, revaloriser.

MAJORITÉ. Âge, élu, mineur, nombre, plébiscite, plupart, quorum.

MAL. Affection, calamité, dommage, douleur, élancement, fléau, louper, maladie, maladroit, malheur, mauvais, odontalgie, plaie.

MALADE. Alèse, crève, exéat, fou, garde, pâle, soin, sonde, sujet.

MALADIE (3 lettres). Cas, mal, rot.

MALADIE (4 lettres). Acné, aura, coma, gale, pian, rage, sida, zona.

MALADIE (5 lettres). Aphte, carie, casse, crise, croup, ergot, folie, galle, lèpre, loque, lupus, morve, otite, ozène, peste, sprue, tabès.

MALADIE (6 lettres). Anémie, angine, asthme, carate, cécité, chorée, dengue, eczéma, fièvre, grippe, herpès, ictère, larvée, muguet, nielle, pelade, piétin, pousse, rouget, sodoku, suette, teigne, typhus.

MALADIE (7 lettres). Carreau, charbon, choléra, claveau, diabète, dourine, endémie, malaria, mildiou, névrose, pébrine, rouille, roulure, rubéole, scorbut, tétanos, typhose, vaccine, variole, vertigo.

MALADIE (8 lettres) Acariose, alopécie, angoisse, arythmie, béribéri, black-rot, catarrhe, céphalée, chlorose, cirrhose, clavelée, dartrose, épidémie, friselée, frisolée, fumagine, glaucome, ladrerie, leucémie, mélanose, mosaïque, néphrite, nosémose, oreillon, pellagre, perlèche, psychose, pullorose, rougeole, silicose, tavelure, typhoïde.

MALADIE (9 lettres). Acrodynie, affection, anévrisme, apoplexie, asystolie, avimonose, chronique, dermatose, diphtérie, endémique, épilepsie, épiphytie, épizootie, érésipèle, érysipèle, filariose, grasserie, hémogénie, méningite, nosémiase, oreillons, paludisme, pourlèche, pourridié, syphillis, tularémie, varicelle, ventaison.

MALADIE (10 lettres). Brucellose, coccidiose, coqueluche, dysenterie, hémopathie, idiopathie, myxomatose, phtiriasis, pourriture, psittacose, rachitisme, rhumatisme, scarlatine, septicémie, tremblante, trichinose, vermineuse, xérodermie.

MALADIE (11 lettres). Anthracnose, appendicite, arthritisme, ascaridiase, avitaminose, furonculose, hypotension, tuberculose.

MALADIE (12 lettres). Actinomycose, échauboulure, embryopathie, helminthiase, mélitococcie, néphropathie, paratyphoïde, poliomyélite, psychopathie, rickettsiose, salmonellose, spirochétose.

MALADIE (13 lettres). Conjonctivite, éléphantiasis, schizophrénie.

MALADIF. Chétif, faible, fluet, frêle, infirme, menu, pâle, souffrant.

MALADRESSE. Bévue, bourde, erreur, faute, gaffe, gaucherie, impair.

MALADROIT. Empoté, gauche, inapte, lourd, malhabile, pataud.

MALADROITEMENT. Gauchement, lourdement, mal, malhabilement.

MALAGA. Muscat, raisin, vin.

MALAIS. Amok, criss, étain, gaur, kriss, prao, sarong, upas.

MALAISE. Angoisse, ardu, coincé, difficile, dysphorie, embarras, ennui, faiblesse, gêne, honte, incommoder, inconfort, indisposition, laborieux, mal, mésaise, nausée, pesanteur, sophrologie, vertige.

MALAVISÉ. Imprudent, inconséquent, inconsidéré, sot.

MALAXER. Manipuler, mélanger, mêler, pétrir, presser, triturer.

MALCHANCE. Déveine, guigne, malheur, mésaventure, poisse.

MALCHANCEUX. Guignard, infortuné, miséreux, soucieux, veinard.

MALADRESSE. Balourdise, bêtise, bévue, gaucherie, inexpérience.

MALADROIT. Balourd, empoté, gaffeur, gauche, grossier, incapable, inconsidéré, inhabile, lourd, lourdaud, malavisé, malhabile, pataud.

MALAISÉ. Ardu, délicat, difficile, dur, épineux, pénible, rude.

MALAVISÉ. Bête, écervelé, étourdi, impoli, imprudent, inconséquent, inconsidéré, indiscret, irréfléchi, maladroit, sot.

MALAXER. Brasser, manier, masser, mélanger, pétrir, triturer.

MALCHANCE. Cerise, déveine, guigne, guignon, malheur, poisse.

MÂLE. Bélier, bouc, cerf, coq, daim, fils, jars, mari, taureau, viril.

MALÉDICTION. Anathème, blâme, exécration, fatalité, sort, vœu.

MALÉFICE. Charme, destin, hasard, magie, malheur, sort, sortilège.

MALENTENDU. Ambiguïté, confusion, équivoque, erreur, méprise.

MALFAIRE. Bâcler, gâcher, manquer, négliger, saboter, torcher.

MALFAISANT. Acariâtre, acerbe, affreux, agressif, amer, bienveillant, bon, brutal, corrosif, cruel, dandereux, excellent, maléfique, malicieux, malin, mauvais, méchant, nuisible, pervers.

MALFAITEUR. Apache, assassin, bandit, brigand, coquin, criminel, ennemi, escroc, fripon, mafia, malfrat, scélérat, truand, voleur.

MALFORMATION. Acrocéphalie, craniosténose, délétion, dysmélie, dysplasie, exotrophie, hypospadia, phocomélie, tératogénie.

MALGACHE. Épyornis, filanzane, madécasse, maki, tacca, vari, zébu.

MALGRÉ. Absolument, avec, contre, contrecœur, nonobstant, quand.

MALHEUR. Accident, adversité, affliction, calamité, cataclysme, catastrophe, chagrin, fatalité, fléau, funeste, glas, malchance, tocsin.

MALHEUREUX. Amer, cruel, fatal, noir, pauvre, rude, triste.

MALHONNÊTE. Bandit, crapule, déloyal, grossier, impoli, improbe, indélicat, indigne, infidèle, injuste, tricheur, véreux, vilain, voleur.

MALHONNÊTETÉ. Goujaterie, gredinerie, grossièreté, indélicatesse.

MALICE. Diablerie, espièglerie, méchanceté, saloperie, vacherie.

MALICIEUX. Coquin, espiègle, mauvais, mutin, narquois, roublard.

MALIGNE. Fatale, lymphome, mortelle, mycosis, séminome.

MALIGNITÉ. Glose, malice, malveillance, ruse, sarcome, venin.

MALIN. Adroit, astucieux, combinard, débrouillard, dégourdi, déluré, diable, fin, finaud, futé, lascar, malveillant, mauvais, méchant, narquois, nocif, pernicieux, renard, rusé, sournois.

MALINGRE. Chétif, débile, fragile, frêle, maladif, rachitique.

MALLE. Bagage, caisse, chapelière, coffre, colis, mallette, valise.

MALLÉABLE. Docile, doux, ductile, élastique, façonnable, flexible, influençable, liant, maniable, mou, obéissant, plastique, souple.

MALMAISON (n. p.). Rueil.

MALMENER. Bafouer, battre, brimer, brutaliser, danser, étriller, frapper, huer, lapider, maltraiter, molester, railler, tarabuster.

MALODORANT. Fétide, infection, méphitique, nauséabond, puant.

MALOTRU. Butor, goujat, grossier, malapris, malpoli, mufle, rustre.

MALPROPRE. Cochon, crasseux, dégoûtant, immonde, impur, infâme, maculé, obscène, répugnant, salaud, sale, sordide, souillé, souillon.

MALSAIN. Égrotant, impur, insalubre, morbide, pourri, souffreteux.

MALT. Ale, démêlage, lambic, maltage, malteur, touraillage.

MALTRAITÉ. Brimé, dépourvu, gueux, indigent, mendiant, pauvre.

MALTRAITER. Battre, brimer, brutaliser, frapper, houspiller, malmener, molester, rudoyer, tirailler, tourmenter, tyranniser.

MALVACÉE. Alcée, ambrette, baobab, hibiscus, ketmie, mauve, tiaré.

MALVEILLANCE. Animosité, critique, haine, malfaçon, méchanceté.

MALVEILLANT. Acerbe, agressif, aigre, brutal, cruel, haineux, hostile, malin, mauvais, méchant, rancunier, venimeux, vilain.

MALVERSATION. Concussion, déprédation, détournement, exaction, extorsion, péculat, prévarication, trafic.

MAMAN. Fille, frère, maternel, mère, nourrice, parent, sœur, tante.

MAMELLE. Mamelon, pis, poitrine, sein, tétine, téton, trayon.

MAMMIFÈRE CARNIVORE. Aï, belette, blaireau, caracal, chacal, chat, chaus, chien, civette, coati, colocolo, coyote, créodonte, dhole, édenté, ermine, euphère, félidé, fennec, fossa, fossane, fourmillier, furet, kodlkod, léopard, linsang, lion, loup, loutre, lycaon, lynx, mangouste, manul, martre, moufette, mouffette, ocelot, ours, panda, pangolin, panthère, paresseux, pichi, protèle, puma, putois, ratel, raton, renard, serval, suricate, tamanoir, tatou, tayra, tigre, unau, vison, xenarthre, zibeline, zorille.

MAMMIFÈRE MARIN. Balaenidae, balaenopteriae, baleine, béluga, cachalot, céphalorhynque, cétacé, dauphin, delphinapterus, delphinidae, dogong, éléphant de mer, eschrichtidae, faux-orgue, gammare, globicéphale, hypéroodon, inie, krill, lagénorhynque, lamantin, léopard de mer, lion de mer, marsoin, mésoplodon, monodontidae, morse, mysticeti, narval, odobenidae, odontocète, orcelle, orgne, otarie, phocidae, phoque, physeteridae, physeter, pinnipedia, pinnipède, platanistidae, rhytine, rorqual, sotalie, souffleur, sténo, tasmacète, veau marin, ziphiidae.

MAMMIFÈRE PRIMATE. Apelle, avahi, aye-aye, babouin, bonobo, cébidé, chimpanzé, chirogale, colobe, douc, drill, echidné, entelle, galago, gelada, gibbon, gorille, guéréza, hamadryas, hapalémur, hocheur, homme, hoolock, hurleur, indri, lagotriche, lémur, lépilémur, loris, macaque, macroscélide, magot, maki, mandrill, mangabey, microcèbe, mirza, mongos, moustac, nasique, orang-outan, ouakari, ouistiti, papion, pétrodrome, phaner, pinché, rat-éléphant, sajou, saki, sapajou, simien, singe, talapoin, tamarin, tarsier, titis, toupaye.

MAMMIFÈRE RONGEUR. Agouti, anomalure, cabiai, campagnol, capybara, castor, caviomorphe, chinchillas, cobaye, écureuil, gaufre, gerbille, gerboise, goundi, hamster, hutia, lemming, léporidé, lièvre, loir, marmotte, milan, molot, muridé, octodon, pacarana, pacas, porc-épic, ragondin, rat, souris, suisse, spalax, tamia, vistache, xérus.

MANCHE. Ante, barre, batte, bêche, biroute, bras, caban, cal, cape, coude, coule, crevé, emmanchure, ente, fléeau, fouet, gilet, hampe, manchette, manicle, œil, partie, revanche, rob, robe, set, soie.

MANCHETTE. Crispin, honneur, nouvelle, rubrique, sous-titre, titre.

MANCHON. Bague, collier, gaine, lampe, louve, nille.

MANCHOT. Bras, empereur, gauche, gorfout, palmipède, pingouin.

MANDARIN. Baron, bonze, manitou, notable, personnalité, vedette.

MANDARINE. Agrume, clémentine, mandarinier, tangerine.

MANDAT. Commandement, contre-mandat, mission, pouvoir, siège.

MANDATAIRE. Agent, envoyé, gérant, observateur, responsable.

MANDEMENT. Avis, bref, bulle, écrit, édit, formule, exécutoire, mandat, rescription.

MANÈGE. Caracole, chambrière, flirt, intrigue, jeu, trépigneuse.

MANETTE. Balai, barre, levier, manche, maneton, manivelle, volant.

MANGANÈSE. Mn, rhénium.

MANGEABLE. Comestible, croquable, denrée, hygiénique, possible.

MANGEOIRE. Auge, bac, cabane, crèche, laye, maye, ripe, trémie.

MANGER. Absorber, avaler, becter, bouffer, brouter, consommer, croquer, déguster, dévorer, dîner, faim, gaver, goûter, grignoter, happer, ingérer, mâcher, paître, pignocher, ronger, sustenter, vider.

MANGE-TOUT. Pois.

MANGEUR. Bouffeur, gargantua, souricier.

MANGOUSTE. Ichneumon, suricate, surikate.

MANGUIER. Dika, mangue, oba.

MANIABLE. Commode, élastique, facile, flexible, lâche, mou, souple.

MANIAQUE. Bizarre, chicaneur, exigeant, fantasque, fou, maladif, méticuleux, obsédé, original, pointilleux, tatillon, toqué, vétilleux.

MANICLE. Gantelet, manique.

MANIE. Caprice, dada, délire, démence, égarement, fantaisie, folie, frénésie, goût, habituel, hobby, marotte, passion, tâte, tic, tocade.

MANIEMENT. Emploi, manipulation, manœuvre, usage, utilisation.

MANIER. Assouplir, contrôler, prendre, tâter, toucher, tripoter.

MANIÈRE. Abord, air, allure, attitude, conduite, coutume, élocution, errement, état, façon, guise, instar, mise, mode, opinion, parade, pas, pédanterie, port, qualité, rythme, sentiment, simagrée, singerie, singularité, situation, sorte, style, tenue, ton, touche, train, us.

MANIÉRÉ. Délicat, froid, pimbêche, pincé, précieux, raffiné, sec.

MANIFESTATION. Acte, action, apparition, bonté, crise, ictus, salon.

MANIFESTE. Certain, clair, évident, notoire, ouvert, patent, visible.

MANIFESTER. Affecter, afficher, affirmer, annoncer, clamer, conspuer, crier, déclarer, découvrir, extérioriser, jubiler, mener, montrer, pester, piqueter, rager, répandre, révéler, rire, tiquer.

MANIGANCER. Agir, combiner, fricoter, machiner, ourdir, tramer.

MANILLON. As, étalinguer, manille.

MANIOC. Cassave, couac, fécule, gari, langou, matélé, pivori, tapioca.

MANIPULATION. Manutention, marionnettiste, masseur, ostéopathe.

MANIPULER. Contrôler, diriger, gérer, gouverner, façonner, malaxer, manier, manœuvrer, mener, modeler, pétrir, tripoter, triturer.

MANITOU. Baron, bonze, caïd, mandarin, notable, personnalité.

MANIVELLE. Bobine, enveloppe, giron, maneton, manette, nille.

MANNEQUIN. Épouvantail, fantoche, marionnette, modèle, quintaine, pantin, poupée, tarasque.

MANNEQUIN FÉMININ QUÉBÉCOIS (n. p.). Aguiar, Allaire, Allard, Aubut, Audet, Bardier, Baudains, Bédard, Bérubé, Bisson, Blais, Bluteau, Bosak, Bourbeau, Bouchard, Boucher, Bourgeois, Brûlotte, Chagnon, Chantelois, Chassé, Claveau, Collar, Cormier, Cournoyer, Desbiens, Desmarais, Draper, Dufour, Duquette, Fafard, Fay, Forget, Gagné, Gagnon, Gaul, Gauthier Bigras, Giroux, Greene, Grimaud, Grimes, Huard, Huneault, Jarret, La Chapelle, Lafortune, Lalonde, Lamer, Lamontagne, Landry, Légaré, Lemay, Maillery, Maksad, Martin, Mollot, Moreau, Morency, Morin, Paracchia, Paradis, Philie, Plouffe, Poirier,

Pompizzi, Poulin, Raymond, Rostand, Royer, Simard, St-Martin, Salois, Sauvé, Skerczak, Soudeyns Vosko, Thibault, Tremblay, Villette, Yasmeen.

MANNEQUIN FÉMININ INTERNATIONAL (n. p.). Bourbeau, Campbell, Evangelista, Moss, Schiffer, Tasha, Tennant, Yasmeen.

MANŒUVRE. Action, intrigue, manigance, ouvrier, tactique, thème.

MANŒUVRER. Actionner, conduire, contrôler, diriger, évoluer, gouverner, manier, manipuler, mener, mouvoir, naviguer, ramer.

MANOIR. Castel, château, donjon, gentilhommière, palais, Ussé.

MANOUCHE. Gitan, nomade, tsigane.

MANQUE. Absentéisme, échec, dénuement, disette, espace, famine, faute, gêne, ignorance, inertie, irrespect, jeu, lâcheté, lacune, lenteur, misère, monotonie, nullité, perte, sottise, tiédeur, timidité, vide.

MANQUEMENT. Atonie, défaut, faute, lacune, réprimande, violation.

MANQUER. Chômer, déroger, gâcher, louper, omettre, patiner, rater.

MANSARDE. Combles, galetas, grenier, membron, solier.

MANSUÉTUDE. Bénignité, bienveillance, bonté, charité, clémence, compréhension, douceur, grandeur, indulgence, sévérité, tolérance.

MANTE. Cape, manteau, orthoptère, religieuse.

MANTEAU. Amict, caban, cagoule, cape, capot, capote, douillette, gueuse, imperméable, mante, mantelet, maxi, paletot, pardessus, pèlerine, pelisse, plan, poncho, raglan, redingote, saie, toge, voile.

MANUEL. Artisan, artisanat, bricoleur, chiropraticien, recueil, servile.

MANUFACTURE. Atelier, draperie, fabrique, industrie, usine.

MANUSCRIT. Archives, brouillon, copie, dazibao, dédicace, grébige, obel, obèle, palimpseste, papier, papyrus, texte, volume.

MAPPEMONDE. Carte, globe, planisphère.

MAQUEREAU. Playboy, protecteur, proxénète, sansonnet, souteneur.

MAQUETTE. Canevas, crayonné, ébauche, esquisse, étude, maquettiste, modèle, plan, projet, rough, schéma, trame.

MAQUILLER. Camoufler, déguiser, falsifier, farder, grimer, plâtrer.

MARAÎCHER. Agriculteur, cloche, horticulteur, jardinier.

MARAIS. Acore, boue, cob, cistude, douve, étang, étier, fagne, gâtine, grisou, kob, mare, marécage, maremme, marigot, méthane, noue, palud, palus, salin, savane, tourbière, varaigne, vernier, vie.

MARAIS (n. p.). Lerne.

MARASME. Affaiblissement, apathie, attaque, atteinte, cachexie, colère, colique, crise, danger, embarras, faillite, krach, langueur, malaise, manque, passion, pouffée, récession, syncope, tension.

MARASQUE. Cerise, griotte, marasca, marasquin.

MARAUDEUR. Chapardeur, fricoteur, pillard, pilleur, voleur.

MARBRE. Albâtre, brocatelle, calcaire, carrare, chaux, cipolin, dalle, dolomie, granite, griotte, gypse, jaspe, liais, lumachelle, onyx, ophite, paros, portor, sarrancolin, stuc, table, tarso, terrazo, tuile, zinc.

MARBRER. Barioler, bigarrer, jasper, rayer, strier, veiner, zébrer.

MARBRURE. Bigarrure, jaspure, moirure, rayure, tigré, veiné, zébré.

MARCHAND. Bijoutier, bouquetier, commerçant, crieur, détaillant, diamantaire, disquaire, drapier, forain, fourreur, grossiste, huilier, imagier, lunetier, négociant, opticien, quincaillier, vendeur, zinc.

MARCHANDISE. Article, camelote, cargaison, commande, denrée, écoulement, emplette, étalage, montre, solde, stock, vivres, vrac.

MARCHE. Action, air, aller, allure, course, défilé, degré, démarche, échelon, escalier, fonctionne, go, ira, méthode, mouvement, pas, procession, progression, promenade, rang, retraite, tempo, va.

MARCHÉ. Bazar, boutique, braderie, épicerie, foire, hall, place, souk.

MARCHÉ COMMUN (n. p.). C.É.E.

MARCHER. Aller, arpenter, arquer, avancer, balader, cheminer, clopiner, courir, déambuler, enjamber, errer, flâner, fouler, longer, mener, passer, pavaner, piéter, rôder, suivre, trotter, trottiner.

MARCHEUR. Ambulant, coureur, flâneur, piéton, promeneur, rôdeur.

MARE. Bassin, canardière, eau, étang, flaque, lagon, lagune, marais.

MARÉCAGE. Ciprière, étang, grenouillère, marais, mare, tourbière.

MARÉCHAL. Armée, boutoir, brochoir, chef, ferrant, ferrière, forge, forgeron, général, maréchaussée, renette, sans-gêne, tricoises.

MARÉCHAL ALLEMAND (n. p.). Bock, Göring, Goering, Hindenburg, Keitel, Model, Paulus, Rommel, Von Paulus.

MARÉCHAL ANGLAIS (n. p.). Amherst.

MARÉCHAL AUTRICHIEN (n. p.). Daun.

MARÉCHAL BRITANNIQUE (n. p.). Gort, Montgomery, Raglan, Tedder, Wavell, Wilson.

MARÉCHAL FRANÇAIS (n. p.). Bazaine, Bernadotte, Berthier, Biron, Bosquet, Brune, Choiseul, Cossé, Duras, Fabert, Foch, Forey, Gié, Joffre, Juin, Koenig, Lautrec, Lévis, Monluc, Mortier, Murat, Ney, Niel, Ornano, Pétain, Rais, Randon, Rays, Reille, Retz, Saxe, Serurier, Soult, Tessé, Turenne, Vallée, Villars.

MARÉCHAL IRAKIEN (n. p.). Aref.

MARÉCHAL ITALIEN (n. p.). Balbo, Diaz.

MARÉCHAL JAPONAIS (n. p.). Oku, Oyama.

MARÉCHAL PRUSSIEN (n. p.). Roon.

MARÉCHAL ROUMAIN (n. p.). Antonescu.

MARÉCHAL YOUGOSLAVE (n. p.). Tito.

MARÉCHALERIE. Atelier.

MARÉE. Cotidal, flot, flux, fraîchin, jusant, lagon, lune, mer, morte-eau, plein, raz, reflux, revif, syzygie, torquette, tsunami, vive.

MARGE. Annotation, bord, bordure, délai, différence, écart, espace, facilité, freinte, latitude, margeur, marginal, nota, sursis, temps.

MARGINAL. Accessoire, annexe, asocial, incident, secondaire, skin.

MARGOT. Pie.

MARGOULETTE. Battre, casser, dent, ganache, mâchoire, tête.

**MARGUERITE.** Calistephus, chrysanthème, cordage, cuir, gerbera, leucanthème, pâquerette, reine-marguerite.

**MARGUILLIER.** Fabricien, fabrique, marguillerie.

**MARI.** Beau-frère, beau-père, cocu, conjoint, époux, père, veuve.

**MARIAGE.** Accord, alliance, ban, carte, divorce, dot, épithalame, épousailles, époux, lien, lit, morganatique, nef, noces, oui, union.

**MARIAGE, NOCES, ANNIVERSAIRES ANCIENS.** Papier (1 an), coton (2 ans), cuir (3 ans), fleurs (4 ans), bois (5 ans), sucre ou fer (6 ans), laine ou cuivre (7 ans), bronze ou faïence (8 ans), faïence ou osier (9 ans), fer ou aluminium (10 ans), acier (11 ans), soie ou lin (12 ans), dentelle (13 ans), ivoire (14 ans), cristal (15 ans), porcelaine (20 ans), argent (25 ans), perle (30 ans), corail (35 ans), rubis (40 ans), saphir (45 ans), or (50 ans), émeraude (55 ans), diamant (60 ans), platine (70 ans), diamant (75 ans), chêne (80 ans).

**MARIAGE, NOCES, ANNIVERSAIRES MODERNES.** Horloge (1 an), porcelaine (2 ans), cristal ou verre (3 ans), appareils électriques (4 ans), argenterie (5 ans), bois (6 ans), ensemble de bureau (7 ans), dentelle (8 ans), cuir (9 ans), bijoux en diamant (10 ans), bijoux à la mode (11 ans), perle (12 ans), fourrure ou tissu (13 ans), bijoux en or (14 ans), montre (15 ans), platine (20 ans), argent (25 ans), perle (30 ans), jade (35 ans), rubis (40 ans), saphir (45 ans), or (50 ans), émeraude (55 ans), diamant (60 ans), chêne (70 ans).

**MARIÉ.** Bigame, conjoint, épousé, polygame, polygynie.

**MARIER** Agencer, allier, apparier, assembler, associer, caser, combiner, contracter, convoler, épouser, lier, maire, réunir, unir.

**MARIN.** Ange, animal, bar, batelier, corsaire, flibustier, gabier, loup, luth, marinier, matelot, mer, merle, moco, moussaillon, mousse, nautonier, navigateur, navire, pilote, subrécargue, thon, torpilleur.

**MARIN ALLEMAND** (n. p.). Behaim.

**MARIN ANGLAIS** (n. p.). Baffin, Chancellor, Cook, Dampier, Davis, Drake, Franklin, Frobisher, Hudson, Raleigh, Ross, Vancouver, Willoughby.

**MARIN BRITANNIQUE** (n. p.). McClure, Ross.

**MARIN CARTHAGINOIS** (n. p.). Hannon, Himilcon.

**MARIN CRÉTOIS** (n. p.). Néarque.

**MARIN ESPAGNOL** (n. p.). Alaminos, Alarcon, Cano, Colomb, Elcano, Fernandez, Grijalva, Nunez, Ojeta, Pinzon, Soto, Torrès.

**MARIN FLORENTIN** (n. p.). Vespucci.

**MARIN FRANÇAIS** (n. p.). Bart, Bougainville, Cartier, Champlain, Charcot, Duperrey, Entrecasteaux.

**MARIN GÉNOIS** (n. p.). Colomb.

**MARIN GREC** (n. p.). Canaris, Kanaris, Pythéas.

**MARIN IRLANDAIS** (n. p.). McClintock.

**MARIN ITALIEN** (n. p.). Verrazano, Vespucci.

**MARIN NÉERLANDAIS** (n. p.). Barents, Batentzs.

**MARIN NORMAND** (n. p.). Béthencourt.

**MARIN NORVÉGIEN** (n. p.). Amundsen, Nansen.

MARIN PORTUGAIS (n. p.). Cabral, Cao, Cam, Cunha, Dias, Gama, Magellan, Queiros, Tristam, Tristao.

MARIN RUSSE (n. p.). Kotzebue.

MARIN VÉNITIEN (n. p.). Polo.

MARIN, MAMMIFÈRE. Balaenidae, balaenopteriae, baleine, béluga, cachalot, céphalorhynque, cétacé, dauphin, delphinapterus, delphinidae, dogong, éléphant de mer, eschrichtidae, faux-orgue, gammare, globicéphale, hypéroodon, inie, krill, lagénorhynque, lamantin, léopard de mer, lion de mer, marsoin, mésoplodon, monodontidae, morse, mysticeti, narval, odobenidae, odontocète, orcelle, orgne, otarie, phocidae, phoque, physeteridae, physeter, pinnipedia, pinnipède, platanistidae, rhytine, rorqual, sotalie, souffleur, sténo, tasmacète, veau marin, ziphiidae.

MARINE. Ajust, ajut, capot, coque, écore, espar, falun, funin, gabie, gaffe, gambe, ganse, jauge, louve, lusin, naval, pale, sain, stop, tape.

MARINIER. Batelier, croc, gaffe, marin, nautonier, passeur, pilote.

MARIONNETTE. Fantoche, guignol, mannequin, pantin, polichinelle.

MARIONNETTISTE FÉMININ (n. p.). Adam, Berthiaume, Blais, Brideau, Chevrette, Comtois, Da Silva, De Lorimier, Deslierres, Dufour, Gagnon, Garneau, Gascon, Goyette, Hudon, Lachance, Laplante, Lapointe, Legendre, Leprohon, Lewis, Mercille, Montgrain, Ouellet, Panneton, Perrault, Pilon, Rodrigue, Simard, Trahan, Tremblay, Venne.

MARIONNETTISTE MASCULIN (n. p.). Arsenault, Ayotte, Boisvert, Bourque, Boutin, Châles, Chapleau, Des Lauriers, Duclos, Dufour, Dussault, Fréchette, Gagné, Gagnon, Gélinas, Gilbert, Gladu, Gosley, Hammond, La Barre, Lacombe, Lalancette, Laliberté, Lapointe, Lavallée, Ledoux, Léger, Leroux, Martel, Meunier, Michaud, Paquette, Parenteau, Pellerin, Poitras, Rainville, Ranger, Régimbald, Robitaille, Rochon, Séguin, Tanguay, Tremblay, Trudeau, Umbriaco, Viens.

MARITIME. Abyssal, benthique, côtier, marine, nautique, naval.

MARJOLAINE. Épice, origan.

MARLOU. Estafier, jules, maquereau, pim, proxénète, souteneur.

MARMELADE. Bouillie, capilotage, charpie, compote, confiture, coulis, couscous, crème, gadou, magma, millas, polenta, porridge, purée.

MARMITE. Bouteillon, braisière, cocotte, crémaillère, cuiseur, daubière, faitout, huguenote, marnitée, pot, pot-au-feu.

MARMITON. Cuisinier, cuistot, gâte-sauce, saucier, tournebroche.

MARMOT. Bambin, enfant, galopin, lardon, mioche, môme, moutard.

MARMOTTE. Daman, fanchon, malle, murmel, siffle, siffleux.

MAROC. Alfa, arabe, chérifien, fes, fez, kif, kiff, maghzen, mellah, rif.

MAROTTE. Dada, folie, hobby, manie, tic, travers.

MARQUAGE. Appellation, ceinturage, label, lettrage, nom, sigle.

MARQUE. Bleu, borne, coche, égard, empreinte, flécher, gage, jalon, modèle, pli, pliure, point, preuve, salut, sceau, score, signe, strie, style, tache, témoignage, titre, trace, vestige.

MARQUER. Accentuer, cocher, coter, créner, écrire, empreindre, ferrer, graver, hachurer, insculper, ligner, moucheter, noter, plisser, rire, scorer, signer, tacheter, tatouer, taveler, tomer, tracer, zébrer.

MARQUETÉ. Bariolé, pommelé, moucheté, tacheté, tavelé, truité.

MARQUETERIE. Boule, boulle, mosaïque, placage, zellige.

MARQUEUR. Traceur.

MARQUISE. Antre, asile, auvent, cabane, cagna, casemate, chenil, comtesse, couvert, dais, égide, gare, gîte, guérite, hangar, havre, niche, refuge, retraite, ruche, taud, tente, titre, toit.

MAROQUINERIE. Basane, chèvre, galuchat, peau.

MARRANT. Amusant, comique, drôle, plaisant, rigolo, tordant.

MARRON. Châtaigne, coup, esculine, gnon, havane, maronner.

MARS. Aréographie, arès, guerre, ides, mythologie, planète.

MARSUPIAL. Coloco, coucous, dasyure, kangourou, koala, koola, numbat, opossum, péramèle, opossum, pétrogale, phalanger, phascolome, sarigue, thylacine, wallabie, wallaby, wombat, yapok.

MARTEAU. Angrois, asseau, assette, boucharde, brochoir, ferratier, heurtoir, hie, jet, laie, maillet, mailloche, manche, martinet, masse, massue, merlin, oreille, osselet, picot, rivoir, smille, tille, têtu.

MARTINET. Arbalétrier, fouet, hirondelle, marteau, oiseau.

MARTRE. Belette, murmel, pékan, sable, zibeline.

MARTYR. Ménologe, saint, souffre-douleur, supplice, victime.

MARTYR CANADIEN (n. p.). Brébeuf, Chabanel, Daniel, Garnier, Goupil, Jogues, Lalemant.

MARTYR POLONAIS (n. p.). Stanislas.

MARTYR ROMAIN (n. p.). Genes, Genest.

MARTYRISER. Crucifier, persécuter, supplicier, torturer, tourmenter.

MASCARA. Centrosome, cil, cirre, ensille, rimmel.

MASCARADE. Carnaval, déguisement, masque, momerie, uranien.

MASCULIN. Agnat, fils, garçonnier, grammaire, homme, mâle, viril.

MASQUE. Air, cagoule, casque, chienlit, déguisement, domino, écran, katchina, loup, mascarade, mascaron, touret, vernis, visage, voile.

MASQUER. Cacher, couvrir, déguiser, détourner, occulter, voiler.

MASSACRE. Assassinat, boucherie, carnage, désastre, extermination, gâchis, guerre, hécatombe, sabotage, sac, saccage, tuerie.

MASSACRER. Abîmer, amocher, anéantir, assassiner, bousiller, décimer, défigurer, démolir, détruire, égorger, endommager, exterminer, gâcher, gâter, immoler, saccager, trucider, tuer.

MASSAGE. Friction, masseur, pétrissage, shiatsu, vibromasseur.

MASSE. Amas, bloc, écume, filon, gisement, gramme, grumeau, lingot, marteau, massue, paraison, poids, roc, rocher, volume.

MASSELOTTE. Bavure, jet.

MASSETTE. Masse, roseau, roseau-massue, typha.

MASSICOTER. Ébarber, rogner.

MASSIF. Bois, bosquet, butée, chaîne, compact, corpulent, couvert, ennoyage, énorme, épais, gaulis, gros, emplanture, imposant, lourd, montagne, or, oreillon, orillon, pesant, propagule, solide, statif, trône.

MASSIF AFRIQUE (n. p.). Cristal, Nimba.

MASSIF ALGÉRIE (n. p.). Aurès, Dahra, Ouarsenis, Zab, Zabin.

MASSIF ALLEMAGNE (n. p.). Eifel, Rhön.

MASSIF ALPES (n. p.). Adula, Bego, Cenis, Iseran, Ortler, Saint-Gothard, Tauern.

MASSIF, ARMÉNIE (n. p.). Ararat.

MASSIF, ATLAS SAHARIEN (n. p.). Zab, Ziban.

MASSIF, ASIE (n. p.). Altaï.

MASSIF, AUVERGNE (n. p.). Devès.

MASSIF, BELGIQUE (n. p.). Ardennes.

MASSIF, CÉVENNES (n. p.). Espérou.

MASSIF, ÉCOSSE (n. p.). Grampians.

MASSIF, ESPAGNE (n. p.). Nevada.

MASSIF, FRANCE (n. p.). Ardennes, Othe, Néouvielle.

MASSIF, GABON (n. p.). Belinga.

MASSIF, GRÈCE (n. p.). Pinde.

MASSIF, HONGRIE (n. p.). Matra.

MASSIF, IRAN (n. p.). Elbourz.

MASSIF, ITALIE (n. p.). Appennin.

MASSIF, MAROC (n. p.). Atlas, Rif.

MASSIF, PARIS (n. p.). Othe.

MASSIF, PROVENCE (n. p.). Estérel.

MASSIF, PYRÉNÉES (n. p.). Néouviel, Néouvielles, Rhune.

MASSIF, SAHARA (n. p.). Aïr, Ksour.

MASSIF, SUISSE (n. p.). Aar, Adula, Midi.

MASSIF, RUSSIE (n. p.). Tcherski.

MASSIF, TURQUIE (n. p.). Ararat.

MASSUE. Arme, bâton, décisif, gourdin, indiscutable, irréfutable, marteau, masse, matraque, mil, plombée, tinel, typha.

MASTIC. Ciment, crépit, erreur, futée, galipot, lentisque, mollé.

MASTIQUER. Broyer, chiquer, luter, mâcher, mâchonner, préparer.

MASTURBATION. Onanisme.

MÂT. Amati, antenne, artimon, beaupré, blafard, cacatois, corne, dépoli, espar, fade, fané, gui, livide, mestre, misaine, perche, perroquet, phare, poteau, sourd, support, terne, vergue, voile.

MATAF. Matelot.

MATAMORE. Bravache, fanfaron, hâbleur, rodomont, vantard.

MATCH. Combat, compétition, partie, rencontre, round, tournoi.

MATÉ. Amérique du Sud, jésuites, thé.

MATELAS. Coite, couche, couette, coussin, duvet, drap, duvet, futon, grabat, matelassier, matelassure, plume, sommier.

MATELASSER. Bourrer, capitonner, rembourrer.

MATELOT. Batelier, calier, gabier, hamac, lascar, loup, marin, mataf, moussaillon, mousse, pilotin, soutier, timonier, vaisseau, vigie.

MATER. Abattre, assujettir, calmer, dompter, dresser, épier, étouffer, gagner, humilier, mortifier, réprimer, surmonter, vaincre.

MATERNITÉ. Accouchement, génération, hôpital, maternel, mère.

MATÉRIALITÉ. Existence, objectivisme, réalité.

MATÉRIAU. Béton, engin, gravois, grès, outil, maçonnerie, matière.

MATÉRIEL. Charnel, concret, corporel, engin, équipement, outil, palpable, physique, tangible, temporel, terrestre, train, visible.

MATHÉMATICIEN. Actuaire, logisticien, professeur, statisticien.

MATHÉMATICIEN ALEXANDRIE (n. p.). Pappus, Pappos.

MATHÉMATICIEN ALLEMAND (n. p.). Artin, Cantor, Dedekind, Dirichlet, Eilenberg, Einstein, Frege, Fuchs, Gauss, Hausdorff, Hilbert, Klein, Kronecker, Kummer, Leibniz, Lindemann, Lipschitz, Möbius, Plücker, Regiomontanus, Riemann, Schwarz, Siegel, Steinitz, Titius, Weierstrass, Weyl, Zermelo.

MATHÉMATICIEN AMÉRICAIN (n. p.). Carnap, Dunford, Fisher, Gödel, Neumann, Quine, Russell, Shannon, Steenrod, Whitehead, Wiener, Zorn.

MATHÉMATICIEN ANGLAIS (n. p.). Austin, Babbage, Barrow, Boole, Carroll, Cayley, Galton, Heaviside, Moivre, Newton, Simpson, Sylvester, Thomson, Turing.

MATHÉMATICIEN ANTIQUITÉ (n. p.). Archimède.

MATHÉMATICIEN ARABE (n. p.). Hazin.

MATHÉMATICIEN BELGE (n. p.). Quételet.

MATHÉMATICIEN BRITANNIQUE (n. p.). Russell.

MATHÉMATICIEN ÉCOSSAIS (n. p.). Gregory, Maclaurin, Napier, Neper, Stirling.

MATHÉMATICIEN FLAMAND (n. p.). Stevin.

MATHÉMATICIEN FRANÇAIS (n. p.). Alembert, Baire, Bertrand, Bézout, Bordat, Borel, Bottin, Bourbaki, Boussinesq, Cartan, Cauchy, Cavaillès, Chasles, Chuquet, Clairaut, Condorcet, Coriolis, Cournot, Delsarte, Denjoy, Desargues, Descartes, Dieudonné, Dupin, Fermat, Fourier, Fréchet, Galois, Gerbillon, Germain, Goursat, Grothendieck, Hadamard, Hermite, Jordan, Julia, Koenigs, Lagrange, Lambert, Laplace, Legendre, Leray, L'Hospital, Lichnerowicz, Liouville, Maupertuis, Monge, Montel, Painlevé, Picard, Poincarré, Poinsot, Poisson, Poncelet, Puiseux, Ramus, Roberval, Rolle, Schwartz, Serre, Sturm, Thom, Vandermonde, Varignon, Viète, Weil.

MATHÉMATICIEN GREC (n. p.). Anaxagore, Diophante, Ératosthène, Euclide, Héron, Hipparque, Hypatie, Pythagore, Thalès.

MATHÉMATICIEN HOLLANDAIS (n. p.). Metius.

MATHÉMATICIEN HONGROIS (n. p.). Riesz.

MATHÉMATICIEN IRLANDAIS (n. p.). Hamilton.

MATHÉMATICIEN ISRAÉLIEN (n. p.). Fraenkel.

MATHÉMATICIEN ITALIEN (n. p.). Beltrami, Cardan, Galilée, Inaudi, Levi-Civita, Pacioli, Peano, Riemann, Severi, Tartaglia.

MATHÉMATICIEN LITUANIEN (n. p.). Minkowski.

MATHÉMATICIEN MUSULMAN (n. p.). Khwarizmi.

MATHÉMATICIEN NÉERLANDAIS (n. p.). Huygens.

MATHÉMATICIEN NORVÉGIEN (n. p.). Abel, Guldberg, Lie, Skolem.

MATHÉMATICIEN PERSAN (n. p.). Khayyam.

MATHÉMATICIEN POLONAIS (n. p.). Kuratowski, Lukasiewicz, Sierpinski.

MATHÉMATICIEN PORTUGAIS (n. p.). Nonius.

MATHÉMATICIEN RUSSE (n. p.). Khintchine, Kovalevskaïa, Lobatchevski, Markov, Ostrogradski, Tchebychev.

MATHÉMATICIEN SOVIÉTIQUE (n. p.). Egorov, Guelfand, Kolmogorov, Legorov.

MATHÉMATICIEN SUÉDOIS (n. p.). Fredholm.

MATHÉMATICIEN SUISSE (n. p.). Bernoulli, Cramer, Euler.

MATHÉMATICIEN TCHÈQUE (n. p.). Bolzano.

MATHÉMATIQUE. Absolu, géométrique, inévitable, logique, math.

MATIÈRE. Colle, corps, crème, dépôt, élément, fond, lave, matériau, matériel, nife, objet, semoule, substance, suie, sujet, teinture, terre.

MATIN. Aube, avant-midi, aurore, crépuscule, début, matinal, rosée.

MATOIS. Ficelle, finaud, hypocrite, madré, malin, retors, roué, rusé.

MATOU. Chat.

MATRAQUE. Bâton, bidule, casse-tête, gourdin, trique.

MATRICAIRE. Anthémis, camomille, pyrethrum.

MATRICE. Estampe, étampe, forme, frappe, génération, matriciel, médaille, moule, transposée, utérus.

MATRICULE. Immatriculer, inscription, liste, numéro, registre, rôle.

MATTHIOLE. Giroflée, quarantaine, violier.

MATURATION. Âge, aoûtement, coction, mûrir, mûrissage, véraison.

MATURE. Agrès, boute-hors, drome, enfléchure, mât, tripode, vigie.

MATURITÉ. Coction, déhiscent, fruit, valve, véraison, verdeur.

MAUDIRE. Blâmer, damner, détester, exécrer, haïr, huer, pester.

MAUDIT. Damné, détestable, exécrable, fichu, sacré, sale, satané.

MAUGRÉER. Blâmer, détester, exécrer, haïr, jurer, maudire, pester.

MAUSOLÉE. Catafalque, cénotaphe, monument, sépulcre, stèle, tombe, tombeau, türbe, turbeh.

MAUSSADE. Acariâtre, acrimonieux, aigri, boudeur, bourru, chagrin, désabusé, désagréable, ennuyeux, grognon, insipide, insupportable, massacrant, morne, morose, renfrogné, revêche, rit, terne, triste.

MAUVAIS. Cabotin, déveine, funeste, grabat, mal, malheur, malin, méchant, pétoire, piquette, rafiot, rosse, sévice, tocard, vaurien.

MAUVE. Bleu, lie-de-vin, lilas, musc, parme, pourpre, violet.

MAUVIETTE. Alouette, couard, froussard, lâche, peureux, poltron.

MAXIME. Adage, ana, axiome, devise, dit, dogme, règle, sentence.

MAXIMUM. Amplitude, apogée, comble, comyingent, limite, mieux, période, phase, plafond, pointe, port, summum, valence, virulence.

MAYONNAISE. Remoulade, tartare.

MAZDÉISTE. Parsi, Zarathoustra, Zoroastre.

MAZOUT. Fioul, fuel, gasoil, gazole, mazouter.

MÉANDRE. Bayou, coude, courbe, dédale, détour, labyrinthe, lacet, maquis, méandrique, sinuosité, zigzag.

MÉAT. Canal, clitoris, orifice, ouverture, trou.

MEC. Gars, gonze, gus, gusse, homme, pote.

MÉCANICIEN. Chauffeur, conducteur, diéséliste, machiniste, mécano, réparateur, wattman.

MÉCANICIEN (n. p.). Vidie.

MÉCANISER. Automatiser, industrialiser, motoriser, robotiser.

MÉCANISME. Appareil, détente, embrayage, façon, rouage, truc.

MÉCHANCETÉ. Aigreur, cruauté, dureté, félonie, fureur, malice, malignité, malveillance, noirceur, perfidie, perversité, scélératesse.

MÉCHANT. Acariâtre, acerbe, affreux, agressif, amer, bienveillant, bon, brutal, cruel, dangereux, diabolique, dur, excellent, fielleux, haineux, malfaisant, malicieux, malin, mauvais, pervers, rossard.

MECHE. Barre, bombe, cordeau, couette, épi, fraise, guiche, séton.

MÉCONNAISSANCE. Dépréciation, ignorance, négligeance, oubli.

MÉCONNAITRE. Ignorer, méjuger, mésestimer, moquer, tromper.

MÉCONNU. Épave, ignoré, incompris, inconnu, inédit, obscur, oublié.

MÉCONTENT. Fâché, geignard, grognard, grognon, hargneux, plaintif.

MÉCONTENTEMENT. Bile, chagrin, colère, contrariété, déception, déplaisir, ennui, fureur, ire, insatisfaction, moue, plainte, reproche.

MÉCONTENTER. Agacer, contrarier, décevoir, déplaire, fâcher, irriter.

MÉCRÉANT. Athée, impie, incroyant, irréligieux, païen.

MÉDAILLE. Argent, avers, cuivre, ectype, fétiche, insigne, listel, médaillon, monnaie, obvers, or, pièce, plaque, revers, scapulaire.

MÉDECIN. Aliéniste, allopathe, anesthésiste, auriste, cardiologue, charlatan, chiropraticien, chirurgien, clinicien, dermatologue, docteur, externe, généraliste, gériatre, hématologiste, hématologue, interne, major, obstétricien, oculiste, oto-rhino-laryngologiste, pathologiste, pédiatre, phoniatre, phtalmologiste, phtisiologue, pneumologue, praticien, psychiatre, radiologue, spécialiste, stomatologiste, thérapeute, toubib, urologue.

MÉDECIN (n. p.). Esculape, Hippocrate.

MÉDECIN ALLEMAND (n. p.). Alzheimer, Dippel, Eberth, Ehrlich, Fliess, Gall, Hahnemann, Koch, Krafft-Ebing, Kretschmer, Mesmer, Nicolaier, Stahl.

MÉDECIN AMÉRICAIN (n. p.). Adrian, Cournand, Cushing, Erlanger, Guillemin, Hench, Huggins, Quincke, Richards, Sabin, Sperry, Spitz.

MÉDECIN ANGLAIS (n. p.). Bright, Browne, Cheselden, Cooper, Dale, Fleming, Florey, Harvey, Havers, Hodgkin, Huxley, Jackson, Jenner, Lister, Pott, Prout, Ross, Sydenham, Winnicott, Young.

MÉDECIN ANTIQUITÉ (n. p.). Hippocrate.

MÉDECIN ARABE (n. p.). Avenzoar, Averroès, Avicenne.

MÉDECIN ARGENTIN (n. p.). Houssay.

MÉDECIN AUSTRALIEN (n. p.). Eccles.

MÉDECIN AUTRICHIEN (n. p.). Adler, Freud, Reich.

MÉDECIN BELGE (n. p.). Bordet, Decroly, Heymans.
MÉDECIN BRITANNIQUE (n. p.). Adrian, Dale, Katz, Pott, Ross.
MÉDECIN CANADIEN (n. p.). Selye.
MÉDECIN CATALAN (n. p.). Sabunde.
MÉDECIN CUBAIN (n. p.). Che, Finlay.
MÉDECIN DANOIS (n. p.). Dam, Finsen, Jerne.
MÉDECIN ÉCOSSAIS (n. p.). Arbuthnot, Hope, Laing.
MÉDECIN ESPAGNOL (n. p.). Servet.
MÉDECIN FLAMAND (n. p.). Vésale.
MÉDECIN FRANÇAIS (n. p.). Antonmarchi, Arsonval, Babinski, Baudelocque,
    Bernard, Bichat, Binet, Boubakeur, Bouillaud, Bretonneau, Broca, Broussais,
    Cabanis, Carrel, Chantemesse, Charcot, Colot, Corvisart, Dausset, Delay, Desault,
    Dupuytren, Esquirol, Fallot, Guillotin, Guyon, Halpern, Hamburger, Heuyer, Itard,
    Jamot, Janet, Laborit, Lacan, Laennec, Larrey, Lasègue, Laveran, Lejeune, Lépine,
    Leriche, Mardrus, Marat, Mondor, Montagnier, Nélaton, Orfila, Paré, Pasteur,
    Patin, Péan, Pinel, Poiseuille, Portal, Portier, Pravaz, Rabelais, Richet, Roussy,
    Roux, Ruffié, Schweitzer, Tarnier, Trousseau, Velpeau, Villermé, Vulpian, Widal.
MÉDECIN GREC (n. p.). Akakia, Asclépiade, Galien, Oribase.
MÉDECIN HONGROIS (n. p.). Ferenczi, Semmelweis.
MÉDECIN ITALIEN (n. p.). Bonaviri, Cardan, Césalpin, Fallope, Galvani, Golgi,
    Lombroso, Malpigni, Rolando.
MÉDECIN JAPONAIS (n. p.). Ogino.
MÉDECIN JUIF (n. p.). Mailmonide.
MÉDECIN NÉERLANDAIS (n. p.). Boerhaave, Eijkman.
MÉDECIN NORVÉGIEN (n. p.). Hansen.
MÉDECIN POLONAIS (n. p.). Zamenhof.
MÉDECIN PORTUGAIS (n. p.). Moniz.
MÉDECIN PRUSSIEN (n. p.). Virchow.
MÉDECIN QUÉBÉCOIS (n. p.). Rochon.
MÉDECIN ROMAIN (n. p.). Celse.
MÉDECIN RUSSE (n. p.). Pavlov.
MÉDECIN SUD-AFRICAIN (n. p.). Barnard, Theiler.
MÉDECIN SUÉDOIS (n. p.). Gullstrand, Munthe.
MÉDECIN SUISSE (n. p.). Bleuler, Forel, Jung, Paracelse, Rorscach.
MÉDECINE. Acupuncture, chiropratique, chirurgie, cure, faculté, gériatrie, hippiatrie,
    hygiène, médical, néré, pédiatrie, purge.
MÉDIAN. Abduction, adduction, ethmoïde, mésocarpe, milieu.
MÉDIATEUR. Arbitre, conciliateur, intercesseur, intermédiaire, interposé,
    négociateur, pacificateur, truchement.
MÉDIATION. Conciliation, entremise, intervention, négociation.
MÉDIATOR. Plectre.
MÉDICAMENT. Acologie, adjuvant, antipyrire, aspirine, baume, collutoire,
    électuaire, élixir, eupeptique, gargarisme, glycérole, idopa, kermès, laudanium,
    liniment, médecine, mellite, onguent, opodeldoch, panacée, pilule, purge, remède,

résolutif, saccharolé, sinapisme, sirop, stupéfiant, tranquillisant, trochisque, vésicatoire.

MÉDIRE. Arranger, attaquer, babiller, cancaner, commérer, dauber.

MÉDIOCRE. Fade, humble, mauvais, moyen, nul, ordinaire, vulgaire.

MÉDIRE. Cancaner, commérer, déblatérer, jaser, potiner, ragoter.

MÉDISANCE. Accusation, anecdote, atrocité, attaque, bavardage, calomnie, cancan, clabaudage, commérage, discréditation, mal, ragot.

MÉDITATIF. Absorbé, contemplatif, pensif, préoccupé, recueilli, rêveur, songeur, soucieux.

MÉDITATION. Cogitation, comtemplation, pensée, réflexion, rêverie.

MÉDITER. Approfondir, combiner, contempler, échafauder, mûrir, penser, préparer, projeter, proposer, réfléchir, rêver, spéculer.

MÉDIUM. Astrologue, ectoplasme, extralucide, télépathe, voyant.

MÉDIUS. Majeur.

MÉDUSE. Aurélie, ébahi, interdit, lucernaire, ombrelle, rhizostome.

MÉDUSER. Confondre, ébahir, interloquer, pétrifier, sidérer, stupéfier.

MÉFIANCE. Crainte, défiance, doute, paranoïa, soupçon, suspicion.

MÉFIANT. Cauteleux, circonspect, défiant, farouche, ombrageux, réservé, sceptique, soupçonneux, sournois, suspicieux.

MÉGALITHE. Cromlech, mégalithisme, menhir.

MÉGAPTÈRE. Baleine, cétacé, jubarte.

MÉGÈRE. Bacchante, chipie, furie, harpie, poison, sorcière, virago.

MEILLEUR. As, choix, crème, élite, fleur, gratin, mieux, premier, tête.

MÉLAMPYRE. Hémiparasite, rougeole, scrofulariacée.

MÉLANCOLIE. Cafardeux, chagrin, ennui, humeur, morne, morose, neurasthénique, nostalgie, peine, pessimiste, tristesse, spleen.

MÉLANCOLIQUE. Cafardeux, nostalgique, pessimiste, ténébreux.

MÉLANGE. Accouplement, alliage, alliance, amalgame, amas, assemblage, association, brassage, cacophonie, composé, compost, confusion, émeri, fusion, mâtiné, métis, mixtion, neutre, pâtée.

MÉLANGER. Allier, associer, brouiller, confondre, étourdir, emmêler, fondre, fusionner, incorporer, mêler, mixer, mixtionner.

MÊLÉ. Âne, bâtard, bigarré, composite, métis, mulâtre, quarteron.

MÊLÉE. Bagarre, bataille, cohue, combat, conflit, confusion, échauffourée, lutte, maul, mélange, querelle, rixe, ruée, talonnage.

MÊLER. Allier, battre, brasser, brouiller, combiner, croiser, immiscer, ingérer, joindre, malaxer, mélanger, mettre, mixtionner, touiller.

MELLIFÈRE. Abricotier, acacia, ail, amandier, asclépiades, aster, bourrache, bruyère, cardère, carotte, céleri, centaurée, cerisier. châtaignier, chou, citronnier, courge, érable, fenouil, glycine, grande astrance, haricot, héliotrope, hellébore, houx, hysope, lavande, lavandin, lierre, lotier, luzerne, marrube, mélianthe, mélicot, mélisse, melon, menthe, moutarde, oranger, origan, pastèque, phacella, pin, pissenlit, rhododendron, romarin, sapin, sarrazin, sarriette, sauge, thym, tilleul, trèfle.

MÉLISSE. Carmes, mélitte.

MÉLODIE. Air, aria, ariette, arioso, cadence, cantabile, cantilène, chanson, chant, complainte, harmonie, lied, musique, romance.

MÉLODIEUX. Chantant, charmant, doux, harmonieux, musical, suave.

MÉLODRAME. Drame, emphase, mélo, pompeux, ronflant, solennel.

MELON. Brodé, cantaloup, cape, cavaillon, cucurbitacée, d'eau, melonné, melonnière, miel, pastèque, sucrin.

MEMBRANE. Amnios, aponévrose, basal, cire, choroïde, cloison, endocarde, enveloppe, épendyme, épiderme, fibre, filet, gaine, gangster, hymen, iris, méninge, opercule, peau, pellicule, périoste, péritoine, plèvre, rétine, scérotique, tissu, tympan, volve, zeste.

MEMBRE. Agent, aile, anabaptiste, ars, baptiste, bras, claviste, congressiste, cuisse, drus, druze, eudiste, frère, jambe, juré, mage, moine, mormon, nageoire, nazi, oblat, ordre, pair, patte, pauliste, pénis, peton, roue, scout, sénateur, servite, thug, tory, verge, vit.

MÊME. Ainsi, analogue, aussi, auto, avec, égal, ibidem, idem, instar, itou, monotone, pareil, répétition, semblable, synonyme, suite.

MÉMENTO. Abrégé, agenda, aide-mémoire, bloc-notes, carnet, commémoration, compendium, épitomé, guide, manuel, mémorandum, résumé, sommaire, synopsis, vade-mecum.

MÉMOIRE. Aide, amnésie, commentaire, dire, mémo, mnémosyne, muses, note, rancunier, remâche, ressasse, rumine, tête, traité.

MÉMORABLE. Fameux, faste, glorieux, historique, important, ineffaçable, inoubliable, marquant, mémorial, remarquable.

MENAÇANT. Agressif, dangereux, fulminant, imminent, provocant.

MENACE. Alerte, danger, fureur, injure, nuage, outrage, ultimatum.

MENACER. Avertir, braquer, braver, défier, effrayer, fulminer, gronder, injurier, intimider, provoquer, réprimander, sommer.

MÉNAGÉ. Avare, chiche, économe, grippe-sou, pingre, radin, serré.

MÉNAGEMENT. Brutal, économie, égard, épargne, sec, soin.

MÉNAGER. Conserver, épargner, préparer, respecter, secouer.

MENDÉLÉVIUM. Md.

MENDIANT. Chemineau, clochard, gueux, hère, indigent, mendigot, miséreux, nécessiteux, quêteux, pauvre, robineux, truand, vagabond.

MENDIER. Demander, quémander, quêter, solliciter, vagabonder.

MENER. Aller, amener, diriger, emmener, finir, guider, réussir, vivre.

MÉNESTREL. Bateleur, chanteur, fou, jongleur, poète, troubadour.

MÉNESTREL (n. p.). Muset.

MENEUR. Agitateur, chef, démagogue, leader, maître, tête, tribun.

MÉNINGE. Arachnoïde, cerveau, cervelle, dure-mère, pie-mère.

MENOTTE. Attaches, bracelet, chaînes, entraves, liens, main.

MENSONGE. Blague, craque, feinte, histoire, imposture, menterie.

MENSTRUATION. Dysménorrhée, époques, flux, jours, mois, règles.

MENTAL. Cérébral, intellectuel, moral, psychique, psychisme.

MENTION. Citation, commémoraison, décoration, dire, endos, énonciation, indication, inscription, précision, rappel, signalement.

MENTIONNER. Attester, citer, consigner, distinguer, enregistrer, indiquer, inscrire, rappeler, renseigner, signaler, stipuler.

MENTIR. Abuser, berner, broder, duper, fabuler, inventer, tricher.

MENTON. Barbe, barbiche, duvet, fanchon, galoche, jugulaire.

MENTOR. Chef, cicérone, conducteur, conseiller, cornac, directeur, gouverneur, guide, péon, phare, pilote, rêne, sherpa.

MENU. Bricole, carte, chétif, délicat, délié, élancé, épais, fagot, faible, filiforme, fin, fluet, fragile, frêle, fretin, gracile, grêle, haché, léger, mièvre, mince, négligaeble, petit, plat, rabougri, subtil, ténu, volet.

MENUET (n. p.). Boccherini, Bolzoni, Mozart.

MENUISERIE. About, bâti, boiserie, cérat, croisée, devis, ébénisterie, filet, hêtre, lambrissage, marqueterie, menuisier, nothofagus, sipo.

MENUISIER. Bédane, bois, bricoleur, charpentier, ébéniste, gouge, parqueteur, pestum, rabot, râpe, scie, tabletier, valet, varlope.

MÉNURE. Oiseau-lyre, passériforme.

MÉPRIS. Arrogance, cynisme, dédain, discrédit, fi, impiété, injure, irréligion, litière, misandrie, misérable, moue, vilipender.

MÉPRISABLE. Abject, arrogant, bas, canaille, crétin, cynique, dégoûtant, détestable, fumier, gredin, honteux, ignoble, indigne, infâme, lâche, malfamé, malheureux, paria, salaud, vil, vilain.

MÉPRISE. Bévue, errata, erreur, inattention, malentendu, quiproquo.

MÉPRISER. Affronter, avilir, braver, dédaigner, défier, déprécier, désintéresser, discréditer, honnir, lutter, menacer, narguer, snober.

MER. Azur, bouée, bras, canal, corail, côte, croisière, eau, fiord, fjord, flux, golfe, houle, iode, jetée, lame, large, littoral, marée, marin, maritime, morse, morue, naviguer, océan, onde, outremer, péninsule, rade, raie, raz, reflux, sel, sterne, thalassothérapie, vive, voyage.

MER D'AMÉRIQUE (n. p.). Antilles, Sargasses.

MER D'ARCTIQUE (n. p.). Barents, Beaufort, Kara, Sibérie, Tchoiugotsk.

MER D'ASIE (n. p.). Aral, Azov, Bering, Caspienne, Chine, Japon, Kara, Lapnev, Noire, Okhotsk, Oman, Sibérie.

MER D'EUROPE (n. p.). Adriatique, Baltique, Blanche, Crète, Égée, Ionienne, Irlande, Ligurie, Marmara, Méditerranée, Myrto, Noire, Nord, Norvège, Tyrrhénienne.

MER, LUNE (n. p.). Australe, Crisès, Fécondité, Froid, Humbolt, Humeurs, Moscou, Nectar, Nuées, Pluies, Régionales, Rêve, Sérénité, Tempêtes, Tranquillité, Vagues, Vapeurs.

MER D'OCÉANIE (n. p.). Arafoura, Banda, Celèbes, Corail, Céram, Florès, Java, Molusques, Savoe, Soulou, Tasmanie, Timor.

MER PAYS-BAS (n. p.). Nord.

MER POLOGNE (n. p.). Baltique.

MERCENAIRE. Stipendié, vénal.

MERCENAIRE ALLEMAND (n. p.). Lansquenet.

MERCI. Approbation, discrétion, grâce, miséricorde, pitié, remercier.

MERCURE. Hg, vif-argent.

MERCURIALE. Admonestation, discours, foirolle, mercurialiser, remontrance, réprimande, reproche, semonce.

MERCURIEL. Hydrargyrique.

MERE. Cause, dabesse, dabuche, doche, famille, maman, marâtre, nombreuse, nourrice, patrie, pie, poule, source, supérieure, utérin.

MÈRE D'ABEL (n. p.). Ève.

MÈRE D'ACHILLE (n. p.). Thétis.

MÈRE D'ANTÉE (n. p.). Gaïa, Gê.

MÈRE D'APOLLON (n. p.). Latone, Léto.

MÈRE D'ARTÉMIS (n. p.). Latone, Léto.

MÈRE DE BENJAMIN (n. p.). Rachel.

MÈRE DE CAÏN (n. p.). Ève.

MÈRE DE CASTOR (n. p.). Léda.

MÈRE DE CONSTANTIN VI (n. p.). Irène.

MÈRE DES CYCLOPES (n. p.). Gaïa, Gê.

MÈRE DES DIEUX (n. p.). Nammu.

MÈRE D'ISAAC (n. p.). Sara, Sarah.

MÈRE D'ISMAËL (n. p.). Agar.

MÈRE DE MARIE (n. p.). Anne.

MÈRE DE MÉLUSINE (n. p.). Fée.

MÈRE DE MINOS (n. p.). Europe.

MÈRE DE MUSES (n. p.). Mnémosyne.

MÈRE DE PERSÉE (n. p.). Danaé.

MÈRE DE PHILIPPE AUGUSTE (n. p.). Alix.

MÈRE DE POLLUX (n. p.). Léda.

MÈRE DE SETH (n. p.). Ève.

MÈRE DES TITANS (n. p.). Gê.

MÈRE DE LA VIERGE (n. p.). Anne.

MÈRE DE ZEUS (n. p.). Rhéa.

MERGUEZ. Saucisse.

MÉRIDIENNE. Canapé, sieste, sommeil.

MERISIER. Cerisier, merise, prunus, putier, putiet.

MÉRITE. Avantage, juste, justifié, légitime, nul, prix, qualité, valeur.

MÉRITER. Attirer, demander, digne, donner, écoper, encourir, exiger, gagner, obtenir, réclamer, remporter, risquer, valoir, voler.

MÉRITOIRE. Digne, enviable, équitable, estimable, fier, louable.

MERLE. Amérique, bleu, collier, grive, marron, montagnes, rouge.

MERLUCHE. Colin, merlu, morue.

MERVEILLE. Bijou, joyau, miracle, phénomène, prodige, trésor.

MERVEILLEUX. Admirable, beau, céleste, divin, éblouissant, épatant, étonnant, excellent, extraordinaire, féerique, splendide, superbe.

MÉSANGE. Arlequin, bridée, brune, buissonnière, caroline, grise, huppée, lapone, mazette, meunière, noire, nonnette, zinziguler.

MÉSAVENTURE. Aventure, déconvenue, malchance, malheur, tuile.

MÉSENTENTE. Brouille, désaccord, désunion, discorde, dispute, froid.

MÉSINTELLIGENCE. Brouille, désunion, discorde, division, rupture.

MÉSOPOTAMIE (n. p.). Irak, Our, Ur.

MESQUIN. Avare, chiche, méchant, médiocre, pauvre, petit, piètre.

MESSAGE. Annonce, cryptogramme, discours, fax, lettre, missive, monème, mot, pneu, SOS., sans-fil, télécopie, télégramme, télex.

MESSAGER. Agent, ambassadeur, ange, chasseur, commissionnaire, courrier, délégué, émissaire, envoyé, estafette, facteur, hérault.

MESSAGÈRE DES DIEUX (n. p.). Iris.

MESSE. Agnus, amict, autel, biner, canon, célébration, cérémonie, chant, culte, eucharistie, kyrie, ite, laudes, liturgie, musique, obit, offertoire, office, paix, pale, prône, rite, rituel, sanctus, service.

MESSIE. Christ, envoyé, libérateur, rédempteur, sauveur.

MESSIEURS. Mm.

MESURAGE. Aréage, aunage, comparaison, métrage, stère, test.

MESURE. Acre, aire, an, archine, are, arobe, arpent, aune, brasse, chopine, erg, gallon, gon, hectare, li, lieue, litre, mètre, mille, muid, ohm, picotin, pied, pinte, pouce, sanction, stère, verste, yu, watt.

MESURE ANGLO-SAXONNE. Yard.

MESURE CHINOISE. Fen, hao, hou, pou, li, mastite, yu.

MESURÉ. Calculé, circonspect, modéré, prudent, réglé, régulier, sage.

MESURER. Apprécier, arer, arpenter, auner, cadastrer, calculer, calibrer, chaîner, compter, corder, cuber, doser, évaluer, jauger, juger, métrer, niveler, palper, peser, raser, régler, stérer, toiser.

MET. Place, pose.

MÉTABOLISME. Adénosine, cortisone, créatine, lépotrope, porphyrie.

MÉTAIRIE. Borde, borderie, closeau, closerie, ferme, métayer.

MÉTAL (2 lettres). Or.

MÉTAL (3 lettres). Clé, fer, fil, tub, vis.

MÉTAL (4 lettres). Aloi, armé, bore, broc, cent, clef, flan, gong, inox, iode, lame, lime, mine, plot, scie, seau, sous, tain, tôle, zinc.

MÉTAL (5 lettres). Acier, balle, bardé, boîte, burin, câble, capot, carde, culot, drain, écrou, émeri, étain, fiche, fonte, forge, fusil, gaffe, grille, jante, jeton, lance, matir, patin, plomb, poids, rivet, sabot.

MÉTAL (6 lettres). Argent, baryum, cérium, césium, chrome, cobalt, cuivre, erbium, indium, lingot, nickel, sodium, titane.

MÉTAL (7 lettres). Bismuth, cadmium, caesium, gallium, iridium, lithium, mercure, minerai, nionium, platine, radium, rhénium, rhodium, terbium, thorium, thulium, uranium, yttrium.

MÉTAL (8 lettres). Actinium, blindage, europium, fonderie, francium, holmium, lanthane, limaille, lutécium, médaille, pointeau, polonium, rubidium, samarium, scandium, thallium, vanadium.

MÉTAL (9 lettres). Aluminium, antimoine, béryllium, colombium, ferraille, germanium, glucimium, jaquemart, magésium, manganèse, molybdène, palladium, plutonium, potassium, ruthénium, solénoïde, strontium, tungstène, ytterbium, zirconium.

MÉTAL (10 lettres). Gadolium, métallique, métalliser, platinoïde, praséodyme, prométhéum, sidérolite, toreutique.

MÉTAL (11 lettres). Ferronnerie, métallifère, métallurgie.

MÉTALLISER. Argenter, dorer, métalliseur.

MÉTALLOÏDE. Bore, brome, grenaille, sélénium, silicium, soufre.

MÉTALLURGISTE. Aciériste.

MÉTAMORPHOSE. Avatar, changement, évolution, forme, histogenèse, imago, métabol, modification, mutation, stryge, transformation, transmutation, virescence.

MÉTAPHYSIQUE. Déduction, doctrine, intuition, ontologie, système.

MÉTATHÈSE. Interversion, permutation, transposition.

MÉTAYER. Bordier, closier, colon, fermier, métairie, métayage.

MÉTÉORE. Aurore, bolide, comète, éclair, feu, étoile, halo, perséides.

MÉTÉORITE. Astroblème, sidérite, sidérolite, sidérolithe.

MÉTÈQUE. Étranger.

MÉTHODE. Art, asepsie, démarche, dispositif, exhaustion, façon, ignipuncture, jiu-jitsu, karaté, marche, mode, ordre, pédagogie, procédé, recette, rééducation, règle, secourisme, shiatsu, technique.

MÉTHODIQUE. Cartésien, dialecticien, ordonné, réglé, zootaxie.

MÉTICULEUX. Appliqué, attentif, consciencieux, exigeant, fidèle, minutieux, précis, rigide, scrupuleux, sévère, soigné, soigneux, strict.

MÉTIER. Appareil, art, boulot, fonction, maîtrise, profession, travail.

MÉTIS. Amérasien, bâtard, corneau, corniaud, créole, espèce, eurasien, hybride, mâtiné, mélange, mêlé, métissage, mulard, mulâtre, mule, mulet, octavon, quarteron, tierceron, zambo.

MÈTRE. Mesure, métrique, mille, pièze, rythme, stère, toise.

MÉTROPOLE. Capitale, évêque, métro, patrie, séminaire, ville.

METS. Aliments, brouet, cannelloni, carte, chère, civet, cuisine, darne, entrée, épice, fondue, fricot, galantine, gratin, lasagne, lie, macaroni, macédoine, manger, matelote, menu, miroton, nourriture, oignonade, paella, plat, provisions, ravioli, régal, repas, reste, ris, risotto, rôti, salade, sauce, soupe, spaghetti, table, victuailles, vivres.

METTEUR. Cinéaste, imprimerie.

METTEUR EN SCÈNE FÉMININ (n. p.). Aubin, Baillargeon, Beaulne, Bourque, Cloutier, Corbeil, Côté, Courchesne, Cousineau, Danis, Desgroseillers, Dion, Drolet, Dutil, Faucher, Fichaud, Filiatrault, Gagnon, Gallant, Guimond, Laberge, Lanctôt, Lantagne, Lapierre, Léger, Le Guerrier, Lepage, Leriche, Magdelaine,

Magny, Malacort, Mercure, Mouffe, Nadeau, Notebaert, Pelletier, Prégent, Prévost, Raymond, Ronfard, Rossignol, Simard, Tremblay.

METTEUR EN SCÈNE MASCULIN. (n. p.). Alacchi, Babin, Barbeau, Bastien, Belleau, Bergeron, Bernard, Bienvenue, Bilodeau, Binet, Blay, Boilard, Borges, Boucher, Boutet, Brass, Brassard, Bromilow, Buissonneau, Cameron, Canac-Marquis, Canuel, Caron, Chapdelaine, Charest, Cloutier, Collin, Comar, Cormier, Cyr, Da Silva, Daviau, Deguisne, Delisle, Denis, Desgranges, Desjarlais, Doucet, Drolet, Dumas, Duparc, Dupuis, Filion, Forgues, Fortin, Gagnon, Gariepy, Gaudreault, Gaumond, Gélinas, Gélineau, Gosselin, Gouin, Grégoire, Guay, Hébert, Hlady, Ilial, Jalbert, Jean, Kotto, Labrosse, Lafortune, Lagrandeur, Laprise, Laroche, Lavallée, Leblanc, Leduc, Legault, Lelièvre, Lepage, Leroux, Lessard, Létourneau, Maheu, Marsolais, Maurac, Mc Gill, Meilleur, Ménard, Millaire, Miller, Mondy, Monty, Nadeau, Neufeld, Niquette, Ovadis, Poirier, Poissant, Poulain, Quenneville, Quintal, Retamal, Reviv, Ricard, Richard, Ronfard, Roussel, Roy, Sabourin, Saucier, St-André, Simard, Soldevila, Spensley, Tassé, Thibodeau, Tremblay, Vincent, Wiriot.

METTRE (4 lettres). Fier, mise, tuer.

METTRE (5 lettres). Aérer, armer, caler, caser, clore, dater, faire, fixer, garer, gêner, hâter, jouer, lever, lotir, mâter, plier, polir, poser, rimer, roder, semer, tarir, taxer, tomer, vêler, vêtir, viser, vouer.

METTRE (6 lettres). Araser, bouter, camper, cesser, claver, couler, égarer, étaler, ficher, former, foutre, friser, ganter, isoler, lancer, lister, livrer, mécher, moudre, ombrer, pendre, pétrir, placer, ranger, relier, rouler, seller, signer, sommer, tenter, terrer, tester.

METTRE (7 lettres). Abaisser, abouter, abriter, allumer, anneler, arrêter, asseoir, cercier, coincer, défaire, dépecer, écraser, écrouer, élargir, émettre, emmêler, empiler, encager, enfouir, enrôler, épuiser, espérer, établir, exercer, guêtrer, initier, irriter, lacérer, libérer, mariner, menacer, obliger, opposer, planter, remiser.

METTRE (8 lettres). Abaisser, aboucher, accorder, alléguer, attarder, enfermer, ensacher, entasser, entraver, inculper, numéroter, préparer. relâcher, remettre, résilier, retarder, saccager, terminer.

METTRE (9 lettres). Accoucher, accoupler, approcher, effectuer, émanciper, instruire, provoquer, rationner, remplacer, renverser.

METTRE (10 lettres). Accommoder, apostiller, bâillonner, confronter, contraster, ébouriffer, entreposer, environner, sanctifier, stabiliser.

METTRE (11 lettres). Agenouiller, contraindre, interrompre.

METTRE (12 lettres). Compromettre, entreprendre, marginaliser.

MEUBLE. Armoire, bahut, banc, buffet, bureau, cabine, cabinet, case, chaise, classeur, coffre, commode, console, crédence, desserte, discothèque, divan, dressoir, étagère, fauteuil, fichier, foi, lit, mobilier, paravent, prie-dieu, pupitre, sétailier, siège, table.

MEUBLER. Ameublir, démeubler, emplir, garnir, remplir, semer.

MEUGLER. Beugler, brailler, brâmer, crier, hurler, meuglant, mugir.

MEULE. Affiloir, aiguiser, aiguisoir, aléseuse, barge, broyeur, concasseur, émoudre, gerbier, moyette, pailler, ribler, ripe, sabler.

MEUNIER. Able, chevaine, chevesne, farine, mésange, minotier.

MEURTRE. Assassinat, crime, déicide, égorgement, empoisonnement, étranglement, fratricide, hécatombe, homicide, régicide, suicide, tuerie.

MEURTRI. Avari, blessure, confus, coti, fané, foulure, noir, talé, tallé.

MEURTRIER. Assassin, criminel, homicide, inculpé, parricide, tueur.

MEURTRIER (n. p.). Othello.

MEURTRIR. Blesser, contusionner, cotir, endolorir, navrer, taler.

MEURTRISSURE. Blessure, bleu, contusion, noir, plaie, taler, talure.

MEUTE. Armada, armée, bande, bataillon, clique, cohorte, curée, essaim, flopée, flot, foule, gang, horde, kyrielle, quête, tribu, troupe.

MEXICAIN. Amblystome, chicano, xiphophore, salsepareille, sisal.

MEXIQUE (n. p.). Anahuac, Aztèque, Inca, Mariachi.

MEZZANINE. Balcon, corbeille, entresol, galerie, loggia.

MEZZO-SOPRANO, CHANTEUSE (n. p.). Amos, Aubé, Beaudry, Beaulieu, Beaupré, Bédard, Bergeron, Boucher, Bovet, Brehmer, Brodeur, Cartier, Chaput, Chartier, Chiocchio, Choinière, Clavet, Comtois, Corbeil, Couture-Joachim, Dansereau, Dind, Dion, Dufour, Duguay, Dumont, Dumontet, Duval, Fay, Ferland, Fillion-Biro, Fleury, Flibotte, Gaudreau, Girard, Girouard, Guyot, Harbour, Keklikian, Laferrière, Lamarche, Lambert, Lapointe, Lavigne, Leblanc, Lemelin, Lessard, Levac, Marchand, Martin, Martineau, Matteau, Mayer, Mizera, Murray, Nelson, Novembre, Ouellet-Gagnon, Paltiel, Paquet, Pavelka, Pelletier, Poulain, Poulin Parizeau, Racine, Rioux, Robert, Rose, Roy, St-Jean, Samson, Sanders, Senécal, Sevadjian, Tardif, Vachon, Vaillancourt, Verschelden.

MICA. Biotite, clivable, granulite, lépidolite, lépidolithe, tuffeau.

MICMAC. Écheveau, embrouillamini, imbroglio, maquis, méli-mélo.

MICROBE. Acétobacter, amibe, amylobacter, arsine, aseptie, bacille, bactérie, brucella, coque, entérocoque, ferment, germe, glossine, gonocoque, gram, microbien, microcoque, nain, spirochète, spirille, stomose, streptocoque, typhose, vibrion, virgule, virus, zooglée.

MICROBIOLOGISTE (n. p.). Frappier, Pasteur.

MICRO-ORGANISME. Adénovirus, bactérie, lentivirus, leptospire, mycoplasme, myxovirus, papillomavirus, provirus, virus.

MICROPROCESSEUR. Puce.

MIDI. Adret, après-midi, austral, butor, cade, déjeuner, dîner, garou, grau, mante, mas, matin, méridien, mollé, oc, seps, sexte, sud, têt.

MIDINETTE. Apprentie, arpette, cousette, couturière, modiste.

MIE. Amie, chapelure, dame, goutte, miton, pain, panure, pas, rien.

MIEL, PLANTE MELLIÈRE. Abricotier, acacia, ail, amandier, asclépiades, aster, bourrache, bruyère, cardère, carotte, céleri, centaurée, cerisier. châtaignier, chou, citronnier, courge, érable, fenouil, glycine, grande astrance, haricot, héliotrope, hellébore, houx, hysope, lavande, lavandin, lierre, lotier, luzerne, marrube, mélianthe, mélicot, mélisse, melon, menthe, moutarde, oranger, origan, pastèque, phacella, pin, pissenlit, rhododendron, romarin, sapin, sarrazin, sarriette, sauge, thym, tilleul, trèfle.

MIELLEUX. Doucereux, mièvre, onctueux, patelin, sucré.

MIETTE. Atome, bribe, brin, brisure, débris, morceau, once, pièce.

MIEUX. Bien, élite, meilleur, perle, plus, plutôt, supérieur, suprême.

MIGNON. Adorable, charmant, craquant, délicat, gentil, gracieux, joli.

MIGRAINE. Céphalalgie, céphalée, hémicrânie, migraineux.

MIGRATION. Changement, déplacement, diapèse, estivage, invasion.

MIJOTER. Combiner, cuire, cuisiner, fricoter, manigancer, mitonner.

MILICE. Armée, bataillon, brigade, cohorte, colonne, corps, troupe.

MILIEU. Alto, âme, aura, axe, céans, centre, dans, élément, emmi, en, entourage, entre, intérieur, midi, naturel, parmi, sein, société, vif.

MILITAIRE. Armée, artilleur, cadet, casernier, civil, déserteur, estafette, fantassin, galon, gendarme, général, gi, goumier, grade, guerrier, légionnaire, martial, milicien, officier, ost, rata, recrue, serval, service, soldat, soldatesque, stratégique, supplétif, troupier.

MILITANT. Adepte, allié, fidèle, guerrier, partisan, syndicaliste.

MILITER. Agir, combattre, engager, lutter, parler, participer, plaider.

MILLE. Date, kilo, majorité, mil, millefeuille, millage, millénaire, millésime, milli, milliard, millième, millier, million, retraite.

MILLE-PATTES. Anténatte, géophile, gloméris, iule, lithobie, myriapode, scolopendre.

MILLÉSIME. Année, bouche, cuvée, date, majorité, millésimer, retraite, vin, vintage, yeux.

MILLET. Blé, doura, maïs, mil, moha, panic, panicum, sorgho.

MILLIGRAMME. Mg.

MILLILITRE. Ml.

MILLIMÈTRE. Mm.

MILLITHERMIE. Kilocalorie, mth.

MILLIVOLT. Mv.

MIME. Contorsion, expression, gestes, mimique, pantomime, signes.

MIME FÉMININ (n. p.). Alepin, Belleau, Moisan, Paré, Sylvain.

MIME MASCULIN (n. p.). Arbour, Benoît, Boissé, Bolduc, Carez, Dagenais, Diamond, Gendreau, Lorrain, Morneau, Sauvageau, Talbot, Trudel.

MIMOSA. Acacia, amourette, légumineuse, mimosée, néré, sensitif.

MINABLE. Déguenillé, étriqué, gueux, hère, lamentable, loqueteux, minus, misérable, miteux, pauvre, piètre, piteux, pitoyable, vil.

MINARET. Islam, mosquée, tour.

MINAUDERIE. Grimace, mine, moue, pitrerie, simagrée, singerie.

MINCE. Aigu, allongé, barde, bâton, bible, délicat, délié, effilé, élancé, épais, étroit, fil, filiforme, fin, fluet, folié, fragile, frêle, fuselé, gracile, grêle, gros, lame, large, latte, léger, maigre, médiocre, menu, négligeable, petit, piètre, pincé, pruine, ru, svelte, ténu, tôle, tulle.

MINCEUR. Finesse, gracilité, sveltesse.

MINE. Air, apparence, bouille, carrière, complexion, contenance, expression, figure, génie, houillère, or, mineur, physionomie, visage.

MINER. Caver, creuser, déduire, détruire, ronger, saper, subversif.

MINERAI (4 lettres). Gîte, mine, stot.

MINERAI (5 lettres). Fluor, fonte, spath, tutie, veine.

MINERAI (6 lettres). Albite, lavoir, pellet, sinter, speiss, tuthie.

MINERAI (7 lettres). Alunite, bauxite, caliche, ferrite, schlich.

MINERAI (8 lettres). Limonite, mâchefer, roselier.

MINERAI (10 lettres). Pechblende.

MINÉRAL (2 lettres). Or.

MINÉRAL (3 lettres). Fer.

MINÉRAL (4 lettres). Azur, gîte, mica, mine, talc.

MINÉRAL (5 lettres). Ambre, béryl, borax, fibre, géode, gypse, nitre, opale, plomb, règne, sable, spath, trona, uvite, veine.

MINÉRAL (6 lettres). Acmite, albite, argent, augite, blende, caliche, cénite, cuivre, galène, halite, haüyne, kaolin, illite, pyrite, pyrope, quartz, rutile, soufre, speiss, sphène, topaze, yénite, zircon.

MINÉRAL (7 lettres). Adamine, adamite, alunite, amiante, anatase, apatite, archise, arsenic, asbeste, axinite, azurite, bauxite, belgite, bézoard, biotite, bismuth, boléite, bornite, brucite, calcite, cinabre, cristal, cuprite, desmine, diamant, dolomie, dravite, elbaite, épidote, euclase, exitède, ferrite, gahnite, granite, hopeite, ilvaïte, inesite, jadéite, kaïnite, kernite, kinoite, kyanite, leifite, leucite, mercure, okenite, orthite, orthose, pennine, platine, réalgar, ricéite, stibine, sylvine, thorite, tronite, ulexite, wardite, wolfram, zincite, zoïsite.

MINÉRAL (8 lettres). Acerdèse, actinote, adulaire, aegirine, aérolite, akontite, allanite, almandin, alurgite, analcime, anapaite, andesine, argyrose, artinite, augelite, autunite, barytine, bavénite, bétafite, binarite, bixbyite, bronzite, brookite, calamine, cérusite, chabasie, charoite, chiléite, chlorite, chromite, corindon, creedite, crocoïse, cryolite, cubanite, datolite, diallage, diaspore, digenite, diopside, dioptase, disthène, énargite, epsomite, erionite, eugénite, eumanite, euxenite, fassaïte, fluorine, fluorite, fuchsite, gibbsite, giuffite, goethite, graphite, gyrolite, hanksite, hauérite, hématite, hépatite, idocrase, ilménite, kulanite, lazulite, lazurite, limonite, linarite, linnéite, lyellite, mesolite, milarite, mimétite, monazite, nouméite, oligiste, olivines, orpiment, péridots, pétalite, prehnite, rhodoïse, rosasite, sanidine, sélénite, sédérite, sidérose, sodalite, sommaïte, spinelle, stellite, stilbite, sugilite, titanite, towanite, triphane, tyrolite, unionite, vogénite, whiteite, wolfeite, wurtzite, xenotime, yanolite, zippeite.

MINÉRAL (9 lettres). Aimantine, amphibole, andradite, anglésite, anhydrite, anorthite, antimoine, antlerite, aragonite, argentite, atacamite, bénitoïte, beraunite, berlinite, bytownite, cajuelite, carlosite, carnotite, cavansite, célestine, célestite, churchite, cinnamite, cliachite, cobaltite, columbite, copiapite, cornetite, covelline, covellite, cuprifère, danburite, devilline, dialogite, dufrenite, dundasite, enstatite, érythrite, eudialyte, euthalite, feldspath, ferberite, glaucodot, glaucomie, gmelinite, gormanite, gratonite, grenatite, harmotome, herderite, hilairite, kermesite, kolwezite, kottigite, magnétite, malachite, manganite, marcasite, margarite, marionite, mélitites, millérites, mispickel, mordenite, mullanite, murianite, muscovite, natrolite, néphéline, neptunite, nickéline, nickélite, nitratine, olivénite, omphazite, ottrélite, pargasite, pectolite, périclase, phacolite, phénacite, phénakite, platine, proustite, purpurite, pyrauxite, rhodizite, rhodonite, scolécite, scorodite, sépiolite, simarlite, sinhalite, sobralite, sodaniter, spodumène, stichtite, strengite, succinnite, sylvanite, taaffeite, tellurium, tétartine, tinkalite, tombazite, trémolite, tridymite, tsumebite, turnérite, turquoise, uraninite, uvarovite, variscite, vivianite, wavellite, whitérite, willémite, wulfénite.

MINÉRAL (10 lettres). Actinolite, aeschynite, alumobéryl, antimonite, arsénolite, baratovite, berthonite, bismuthine, bittersalz, bournonite, calaverine, calcédoine, carnallite, chalcolite, chalcosine, chalcosite, chessylite, chizeulite, chrysolite, colémanite, collinsite, cordiérite, cylindrite, emplectite, eosphorite, érubescite, eytlantite, gadolinite, giobertite, glaubérite, heulandite, hornblende, kimberlite, kirghizite, kupaphrite, lépidolite, liroconite, lollingite, mégabasite, mottramite, oligoclase, orthoclase, phosgénite, polubasite, sanbornite, sapphirine, spartalite, sphalérite, stannolite, sturmanitetorbernite, vanadinite, whewellite.

MINÉRAL (11 lettres). Amblygonite, bindheimite, bitterspath, chloritoïde, descloïzite, labradorite, molybdénite, sillimanite, strontianite, vésuvianite, zinnwaldite.

MINÉRAL (12 lettres). Arsénoppyrite, bismuthinite, calvonigrite, henimorphite, pyromorphite, strontianite, zincoferrite.

MINERVE. Bouclier, chouette.

MINERVE (n. p.). Acropole, Athena, Cariatide, Erechthéion, Jupiter, Parthénon, Propylée.

MINEUR. Asie, borin, coron, fourneau, galibot, génie, haveur, impubère, jeune, majorité, moindre, petit, porion, rivelaine, saper.

MINEUSE. Arpenteuse, henille, défoliatrice, fileuse, géomètre, processionnaire, terricole.

MINI. Court, miniature, petit.

MINIATURE. Dessin, enluminure, peinture, portrait, réduction.

MINIME. Dérisoire, minuscule, modique, nain, petit, ridicule, trace.

MINIMISER. Amortir, atténuer, diluer, diminuer, réduire, voiler.

MINISTÈRE. Cabinet, charge, entremise, fonction, portefeuille.

MINISTRE. Député, lévite, pasteur, prêtre, sous-ministre, vizir.

MINOIS. Binette, bouille, faciès, figure, frimousse, museau, visage.

MINORITÉ. Élite, frange, mineur, opposition, quantité, visible.

MINOTIER. Meunier, minoterie.

MINUSCULE. Exigu, infime, minime, modique, nain, petit, trace.

MINUTE. Acte, copie, étude, heure, instant, min, minuter, minuterie, moment, note, original, seconde.

MINUTER. Chiffrer, compter, copier, écrire, estimer, nombrer, tabler.

MINUTIE. Application, argutie, attention, conscience, contiguïté, détail, diligence, exactitude, importance, lésinerie, mesquinerie, méticulosité, parcimonie, poussé, précision, protocolaire, purisme, regardant, rien, soin, sollicitude, scrupule, valeur, vigilance.

MINUTIEUX. Délicat, exigeant, mesquin, puriste, raffiné, subtil.

MIOCÈNE. Hipparion, mollasse, oligocène, pliocène, rhinocéros.

MIRACLE. Merveille, mystère, prodige, surnaturel, thaumaturge.

MIRADOR. Belvédère, tour.

MIRAGE. Attrait, chimère, eau, illusion, imagination, lumière, mensonge, merveille, mirement, rêve, rêverie, séduction, vision.

MIRE. Apothicaire, but, butte, cible, jalon-mire, médecin, niveau, œilleton, stadia.

MIRER. Contempler, examiner, mireur, observer, regarder, viser.

MIRIFIQUE. Beau, colossal, ébouriffant, épatant, époustouflant, extraordinaire, fabuleux, faramineux, mirobolant, phénoménal.

MIRLITON. Bigophone, flûte, flûteau, turlututu.

MIROIR. Espion, focal, foyer, glace, image, leurre, peinture, piège, psyché, réflecteur, reflet, représentation, reproduction, rétroviseur.

MIROITEMENT. Brillance, chatoiement, éblouissement, éclat, fascination, flamboiement, mirage, reflet, scintillement, séduction.

MIROITER. Briller, chatoyer, éblouir, mirer, réfléchir, renvoyer.

MISAINE. Fortune, mât, minot, trinquet, trinquette.

MISANTHROPE. Asocial, atrabilaire, bourru, farouche, insociable, pessimiste, pleurnicheur, sauvage, solitaire, sombre, triste.

MISE. Assemblage, cave, citation, contribution, élargissement, émise, émission, enjeu, gageure, investiture, martingale, massacre, masse, part, placement, poule, refonte, recyclage, salut, sommation, titre.

MISER. Caver, compter, gager, jouer, parier, risquer.

MISÉRABLE. Chétif, gueux, hère, miteux, pauvre, sordide, truand, vil.

MISÈRE. Besoin, dèche, dénuement, détresse, épave, famine, indigence, malheur, mistoufle, mouise, nécessité, peine, pépin, ruine.

MISERERE. Iléus, psaume, vulgate.

MISÉREUX. Assisté, chétif, claquepatin, dénué, épave, fauché, gueux, hère, ilote, misérable, pauvre, quêteux, mendiant, robineux, ruiné.

MISÉRICORDE. Charité, clémence, indulgence, merci, pardon, pitié.

MISSILE. Engin, fusée, missilier, projectile, trajectographie.

MISSION. Ambassade, apostolat, charge, commission, délégation, députation, devoir, église, émissaire, évangélisation, fonction, guetteur, légat, mandat, organisation, patrouille, sortie, travail.

MISSIONNAIRE. Évangéliste, messager, patrouille, prêtre, religieux.

MISSIONNAIRE FRANÇAIS (n. p.). Huc, Laure.

MISSIONNAIRE NORVÉGIEN (n. p.). Égède.

MISSIVE. Billet, dépêche, épître, lettre, message, mot, pétition, pli.

MISTIGRI. Cartes, chat, jeu, minou.

MITAINE. Gant, marionnette, miton, moufle.

MITE. Miter, teigne.

MITONNER. Combiner, cuire, cuisiner, fricoter, manigancer, mijoter.

MITOSE. Anaphase, caryocinèse, métaphase, mitotique, prophase.

MITRAILLE. Canon, mitraillette, obus, tir.

MITRAILLER. Assaillir, bombarder, fusiller, mitraillage, tirer.

MITRE. Évêque, fanon, mitral, tiare.

MIXER. Brouiller, confondre, étourdir, emmêler, mélanger, mêler.

MOBILE. Agité, ambulant, amovible, cause, changeant, fugitif, gouvernail, inconstance, index, motif, mouvant, nomade, volant.

MOBILIER. Ameublement, bazar, décoration, ménage, meuble.

MOBYLETTE. Cyclomoteur, mob, vélomoteur.

MOCHE. Affreux, atroce, grossier, hideux, horrible, laid, vilain.

MODALITÉ. Aléthique, condition, manière, qualité, solidarité.

MODE. Armure, aviation, avion, bateau, branché, camion, camionnage, coutume, cri, étouffée, étuvée, façon, fantaisie, genre, goût, habitude, hérédité, in, maritime, mitose, moissonnage, mœurs, potentiel, régie, rétro, style, usage, verbe, vogue, voie, viviparisme.

MODÈLE. Archétype, canon, échantillon, essai, étalon, exemple, gabarit, idéal, forme, mannequin, nature, nu, original, paradigme, parangon, patron, prototype, règle, spécimen, standard, type.

MODELER. Céroplastique, emboîter, former, plastique, sculpter.

MODÉRATION. Circonspection, diète, discernement, limite, mesure, pondération, raison, réserve, retenue, sagesse, sobriété, tempérance.

MODÉRÉ. Abordable, calme, discret, doux, frugal, mesuré, modeste, modique, raisonnable, retenu, sage, sobre, tempérant, tempéré.

MODÉRER. Freiner, mesurer, ralentir, réserver, retenir, tempérer.

MODERNE. Actuel, branché, contemporain, neuf, nouveau, récent.

MODERNISER. Actualiser, adapter, rajeunir, renouveler, rénover.

MODESTE. Chaste, convenable, correct, décent, discret, humble, limité, modéré, petit, pudique, raisonnable, réservé, sage, simple.

MODESTIE. Décence, décorum, discrétion, fatuité, humilité, orgueil, pudeur, réserve, retenue, simplicité, suffisance, vanité, vertu.

MODIFICATION. Altération, amendement, changement, correction.

MODIFIER. Altérer, amender, changer, corriger, décaler, défaire, déguiser, dévier, manier, métamorphoser, minéraliser, rectifier, remanier, réviser, toiletter, transformer, varier.

MODILLON. Corniche, mutule.

MODIQUE. Banal, bas, commun, dérisoire, faible, inférieur, insuffisant, médiocre, mince, minime, misérable, peu, petit, ridicule.

MODULATION. Accent, am, fm, ma, mf.

MŒLLE. Amourette, colonne, crâne, os, myélite, palmite, sagou.

MŒLLEUX. Doux, fondant, mou, onctueux, souple, tendre, velouté.

MŒURS. Caractère, conduite, débauche, habitude, moral, moralité.

MOHAWK. Amérindien, indien, iroquois.

MOI. Âme, bibi, ego, empathie, je, me, mien, Pascal, vous.

MOINDRE. Amoindrir, contracter, diminuer, inférieur, mineur, petit.

MOINE. Acier, bouillotte, cénobite, chaufferette, défroqué, église, froc, lama, monastère, prêtre, religieux, thérapeute, toupie, vœu.

MOINE ANGLAIS (n. p.). Bede.

MOINE ANTIOCHE (n. p.). Nestorius.

MOINE BOUDDHISTE (n. p.). Lama.

MOINE BYZANTIN (n. p.). Eutyches.

MOINE IRLANDAIS (n. p.). Colomban.

MOINE SYRIEN (n. p.). Baradai, Barabee.

MOINEAU. Domestique, friquet, oiseau, passereau, piaf, piaffe, pierrot, gailletin, passerau, plocéidé, type.

MOIRE. Étoffe, lustrer, moirage, ondé, parque, reflet, soie, varié.

MOIS. Août, avril, bimestriel, brumaire, décembre, février, floréal, frimaire, fructidor, germinal, janvier, juillet, juin, lunaison, mai, mars, mensuel, messidor, mensualité, nivôse, novembre, octobre, pluviôse, prairial, semestre, septembre, thermidor, trimestre, vendémiaire, ventôse.

MOÏSE. Berceau, couffin.

MOISIR. Chancir, croupir, gâter, pourrir, rancir, séjourner, stagner.

MOISISSURE. Acide, aspergille, empuse, fleur, monilie, mucor, pénicillium, sporotriche, trichophyton, vert, zygomycètes.

MOISSON. Août, cueillage, coupage, coupe, cueillette, fenaison, gains, glanage, glanures, lauriers, masse, ramassage, récolte, saison.

MOISSONNER. Abattre, accumuler, amasser, couper, cueillir, décimer, faucher, gagner, multiplier, ramasser, récolter, recueillir, tuer.

MOITE. Halitueux, humecté, humide, imbibé, moiter, mouillé.

MOITIÉ. Abricot, as, casseau, demi, éco, épouse, époux, hémi, légitime, longe, mi, mi-temps, pamplemousse, pêche, régulier, semi.

MOL. Canton, faible, flou, inerte, lâche, molet, mou, souple, sybarite, tendre, veule.

MÔLE. Brise-lames, digue, embarcadère, jetée, musoir, poisson-lune.

MOLAIRE. Carnassier, dent, prémolaire.

MOLÉCULE. Atome, corpuscule, élément, flavine, peptide, particule.

MOLESTER. Battre, bousculer, brusquer, brutaliser, importuner, lyncher, malmener, maltraiter, rabrouer, rudoyer, tourmenter.

MOLLASSE. Apathique, faible, flasque, inconsistant, indolent, mou.

MOLLESSE. Abandon, apathie, atonie, cagnardise, faiblesse, indolence, lâcheté, langueur, morbidesse, nonchalance, paresse, somnolence, souplesse, vélocité, vigueur, volonté, volupté.

MOLLUSQUE (3 lettres). Mye.

MOLLUSQUE (4 lettres). Clam, cône, lime, test.

MOLLUSQUE (5 lettres). Arche, bulle, coque, donax, doris, harpe, moule, murex, nasse, olive, pinne, sépia, solen, taret, vénus, violet.

MOLLUSQUE (6 lettres). Actéon, anomie, buccin, calmar, casque, cérite, chiton, cirrhe, conque, cyprée, donace, fuseau, hélice, huître, limace, lymnée, mactre, natice, peigne, physie, poulpe, praire, rocher, seiche, triton, troche, troque, vermet, volute.

MOLLUSQUE (7 lettres). Aplysie, bivalve, calamar, cérithe, couteau, dentale, gravier, gryphée, itiérie, limaçon, limette, mulette, nautile, patelle, philine, pholade, pieuvre, pourpre, pulmone, rudiste, strombe, telline, trialle.

MOLLUSQUE (8 lettres). Acéphale, ammonite, anodonte, bénitier, bernique, coquille, encornet, escargot, haliotis, isocarde, ostréide, paludine, pétoncle, planorbe, spondyle, tricarne, univalve.

MOLLUSQUE (9 lettres). Argonaute, bélemnite, bigorneau, casquette, crépidula, haliotide, lithodome, littorine, néopilina, pantoufle, ptéropode, xylophage.

MOLLUSQUE (10 lettres). Amphineure, coquillage, gastropode, jambonneau, pélécypode, porcelaine, scaphopode, testacelle, turritelle.

MOLLUSQUE (11 lettres). Céphalopode, gastéropode, hémocyanine, malacologie, nudibranche, trochophore, vénéricarde.

MOLLUSQUE (12 lettres). Prosobranche, saint-jacques, tectibranche.

MOLLUSQUE (14 lettres). Lamellibranche, opisthobranche.

MOLTO. Beaucoup, très.

MOLY. Ail.

MOLY (n. p.). Circé, Odyssée, Ulysse.

MOLYBDÈNE. Mo, stellite.

MOMENT. Agonie, brune, crise, date, déjà, éclair, époque, étale, halte, heure, ici, instant, intervalle, jour, minute, soir, spin, temps, seconde.

MOMENTANÉ. Accalmie, armistice, bref, brusque, congé, court, éphémère, passager, pause, précaire, provisoire, subit, temporaire.

MOMIE. Dessécher, embaumer, fossille, natron, racornir, sclérose.

MOMIFIER. Dessécher, embaumer, fossiliser, racornir, scléroser.

MONACAL. Ascétique, austère, dépouillé, nu, rigoureux, spartiate.

MONACO (n. p.). Grimaldi, Monégasque.

MONARCHIQUE. Dynastie, régalien, royal, rayauté, souveraineté.

MONARQUE. Autocrate, César, chef, despote, dynaste, empereur, kaiser, khan, majesté, potentat, prince, reine, ras, roi, seigneur, souverain.

MONASTÈRE. Abbaye, bonzerie, cloître, communauté, couvent, lamaserie, laure, lavra, moine, moutier, prieuré, séculier, tour.

MONASTIQUE. Claustral, conventuel, monacal, monial, régulier.

MONCEAU. Accumulation, amas, amoncellement, fichoir, masse, noyau, nuage, paquet, pile, ramas, tas, taupinée, tertre.

MONDE. Cosmos, création, foule, gens, globe, humanité, ici-bas, infini, lieu, milieu, nature, peuples, planète, réunion, société, terre, univers.

MONDIAL. Général, international, mondialiser, planétaire, universel.

MONNAIE. Agnelle, aspre, cruzeiro, darique, deutsche, devise, écu, espèces, face, gulden, inti, khmer, krona, kyat, kwacha, leone, lire, lunaire, markost, numismate, or, pape, para, pièce, pistule, reis, richesse, statère, sicle, singe, sucre, tala, talent, tughrik, tulden, yen.

MONNAIE, AFGHANISTAN. Abaze, abbasi, afghani, amania, pul, riyal, rupee.

MONNAIE, AFRIQUE CENTRALE. Centime, franc.

MONNAIE, AFRIQUE DU SUD. Cent, daalder, florin, krugerand, livre, rand.

MONNAIE, ALBANIE. Franc, lek, qintar, quintar.

MONNAIE, ALGÉRIE. Centime, dinar.

MONNAIE, ALLEMAGNE. Deutsche, mark, ostmark, pfennig.

MONNAIE, ANDORRE. Franc, peseta.

MONNAIE, ANGLETERRE. Achey, couronne, florin, guinée, livre, noble, ora, pence, penny, pound, rial, shilling, sixpence, tuppence.

MONNAIE, ANGOLIE. Angolar, centavo, escudo, kwanza, macuta, macute.

MONNAIE, ARABIE SAOUDITE. Riyal.

MONNAIE, ARGENTINE. Argentino, austral, centavo, peso.

MONNAIE, ARMÉNIE. Ruble.

MONNAIE, AUSTRALIE. Dollar, dump, livre, schilling, tray, zack.

MONNAIE, AUTRICHE. Albertin, couronne, ducat, florin, groschen, guiden, heller, kreutzer, krone, lire, schilling, zehner.

MONNAIE, AZERBAIDJAN. Manat.

MONNAIE, BAHREIN. Dinar.

MONNAIE, BANGLADESH. Paisa, Taka.

MONNAIE, BELGIQUE. Belga, brabant, centime, crocard, franc.

MONNAIE, BÉNIN. Centime, franc.

MONNAIE, BOLIVIE. Boliviano, centavo, peso.

MONNAIE, BOSNIE-HERZÉGOVINE. Dinar.

MONNAIE, BOTSWANA. Pula, rand.

MONNAIE, BRÉSIL. Centara, cruzeiro, dobra, demi-jœ, jœ, milréal, réal.

MONNAIE, BULGARIE. Lei, lev, stotinki.

MONNAIE, BURKINA-FASO. Centime, franc.

MONNAIE, BURUNDI. Centime, franc.

MONNAIE, CAMBODGE. Piastre, puttan, riel, sen.

MONNAIE, CAMEROUN. Centime, franc.

MONNAIE, CANADA. Cent, dollar, piastre.

MONNAIE, CAP-VERT. Centavo, escudo.

MONNAIE, CHILI. Condor, escudo, libra, peso.

MONNAIE, CHINE. Cash, cent, fen, fyng, mace, nin, piao, pu, sycee, taël, tiao, yuan.

MONNAIE, COLOMBIE. Centavo, condor, peseta, peso, réal.

MONNAIE, COMORES. Centime, franc.

MONNAIE, CONGO. Centime, franc.

MONNAIE, CORÉE. Chon, woh, won.

MONNAIE, COSTA RICA. Centimo, colon, colone.

MONNAIE, CROATIE. Dinar, kuna, lipa.

MONNAIE, CUBA. Centavo, cuarenta, peso.

MONNAIE, DANEMARK. Couronne, frederik, fyrk, krone, one, ora, ore, rigsdaler, skilling.

MONNAIE, DJIBOUTI. Centime, franc.

MONNAIE, ÉCOSSE. Écu, demy, doit, folles, lion, mark, rial, ryal

MONNAIE, ÉGYPTE. Ahmadi, asper, dinar, dirham, fils, fodda, gersh, girsh, kees, livre, medin, millième, para, piastre, riyal.

MONNAIE, HÉBREU. Sicle.

MONNAIE, ÉQUATEUR. Centavo, sucre.

MONNAIE, ESPAGNE. Alfonso, centimo, cob, cuarto, dinero, dobla, doublon, duro, escudo, peseta, peso, pistole, réal.

MONNAIE, ESTONIE. Couronne, kroon, lat, sent.

MONNAIE, ÉTATS-UNIS. Dollar.

MONNAIE, ÉTHIOPIE. Amole, besa, birr, dollar, girsh, harf, kharaf, levant, paraca, talari.

MONNAIE, EUROPE. Écu, euro.

MONNAIE, EXTRÊME-ORIENT. Sen, yen.

MONNAIE, FINLANDE. Mark, markka, penni.

MONNAIE, FRANCE. Centime, franc, louis, napoléon.

MONNAIE, GABON. Centime, franc.

MONNAIE, GHANA. Ackey, cédi.

MONNAIE, GRÈCE. Drachme, lepte.

MONNAIE, GUATEMALA. Centavo, peso, quetzal.

MONNAIE, GUINÉE. Centimo, ekuele, iliy, peseta, syli.

MONNAIE, HAÏTI. Centime, gourde.

MONNAIE, HONDURAS. Centavo, lempira, peso.

MONNAIE, HONGRIE. Balas, filler, forint, gara, gulden, pengo.

MONNAIE, INDE. Abidi, anna, crore, fels, lac, paisa, pice, pie, roupie, tara.

MONNAIE, INDONÉSIE. Roupia, rupiah, sen.

MONNAIE, IRAN. Asar, bisti, daric, dinar, gran, lari, larin, pahlavi, pul, rial, shahi, toman.

MONNAIE, IRAQ. Dinar, fils.

MONNAIE, IRLANDE. Pence, livre, rap, real, shilling, turney.

MONNAIE, ISLANDE. Aurar, eyrir.

MONNAIE, ISRAËL. Agora, agorot, livre, mil, pruta, shekel.

MONNAIE, ITALIE. Centesini, grano, lire, paoli, scudo, séquin, soldo, testone, zecchino.

MONNAIE, JAMAÏQUE. Dollar, quattie.

MONNAIE, JAPON. Bu, cash, ichebu, koban, mibu, mon, oban, rin, rio, sen, shu, tempo, yen.

MONNAIE, JORDANIE. Dinar, fils.

MONNAIE, KENYA. Livre, schilling.

MONNAIE, KOWEIT. Dinar, fils.

MONNAIE, LAOS. At, att, kipp.

MONNAIE, LIBYE. Dinar.

MONNAIE, LIECHTENSTEIN. Franc, franken, rappen.

MONNAIE, LETTONIE. Lats.

MONNAIE, LIBÉRIA. Dollar.

MONNAIE, LITHUANIE. Centas, fennig, lit, litas, marka, ostmark, skatiku.

MONNAIE, LUXEMBOURG. Centime, franc.

MONNAIE, MACAO. Avo, pataca, pataco.

MONNAIE, MACÉDOINE. Denar.

MONNAIE, MADAGASCAR. Centime, franc.

MONNAIE, MALAWI. Kwacha, tambala.

MONNAIE, MALAISIE. Ringgit, sen, tampang, taro, tra, trah.

MONNAIE, MALI. Centime, franc.

MONNAIE, MAROC. Dirham.

MONNAIE, MEXIQUE. Adobe, astèque, centavo, claco, cuarto, dinero, onza, peso, piastre, tiaco.

MONNAIE, MONACO. Centime, franc.

MONNAIE, MONGOLIE. Mongo, tugrik.

MONNAIE, MONTÉNÉGRO. Dinar, florin, para, perpera.

MONNAIE, MOZAMBIQUE. Centavo, escudo, kobo, metical.

MONNAIE, NÉPAL. Anna, mohar, paisa, pice, roupie.

MONNAIE, NICARAGUA. Centavo, corbora, peso.

MONNAIE, NIGER. Centime, franc.

MONNAIE, NIGERIA. Kobo, naira.

MONNAIE, NORVÈGE. Ore.

MONNAIE, OUGANDA. Schilling.

MONNAIE, PAKISTAN. Anna, paisa, pice, roupie.

MONNAIE, PANAMA. Balboa, cent, centesimo.

MONNAIE, PARAGUAY. Centimo, guarani, peso.

MONNAIE, PAYS-BAS. Florin.

MONNAIE, PÉROU. Centavo, dinero, libra, reseta, sol.

MONNAIE, PHILIPPINES. Centavo, conant, peseta, peso.

MONNAIE, POLOGNE. Zloty.

MONNAIE, PORTUGAL. Avo, conto, couronne, dobra, escudo, indio, jœ, justo, macuta, octave, pataca, peca, réal, roupie, testad.

MONNAIE, QATAR. Dirham, riyal.

MONNAIE, RÉPUBLIQUE DOMINICAINE. Franco, peso, oro.

MONNAIE, ROMAINS. Sesterce.

MONNAIE, ROUMANIE. Ban, bani, lei, leu, lev, ley, triens, uncia.

MONNAIE, RUSSIE. Abassi, altin, bisti, copec, genga, grosh, kopek, rouble, shaur.

MONNAIE, SALVADOR. Centavo, colon, peso.

MONNAIE, SÉNÉGAL. Centime, franc.

MONNAIE, SLOVANIE. Tolar.

MONNAIE, SLOVAQUIE. Couronne.

MONNAIE, SOMALIE. Besa, centemisi, schilling.

MONNAIE, SOUDAN. Livre, piastre.

MONNAIE, SUÈDE. Couronne, ore.

MONNAIE, SUISSE. Centime, franc.

MONNAIE, SYRIE. Lire, livre, piastre, talent.

MONNAIE, TAIWAN. Dollar, yuan.

MONNAIE, TANZANIE. Cent, schilling.

MONNAIE, TCHAD. Centime, franc.

MONNAIE, TCHÉCOSLOVAQUIE. Couronne, ducat, heller, koruna.

MONNAIE, THAÏLANDE. At, att, baht, cutty, fuang, satang, tical.

MONNAIE, TIBET. Tanga.

MONNAIE, TOGO. Centime, franc.

MONNAIE, TUNISIE. Dinar, dollar, millime.

MONNAIE, TURQUIE. Akcha, asper, aspre, attun, kurus, lire, livre, para, piastre, séquin.

MONNAIE, UKRAINE. Grivna, hryvnia, karbovanet.

MONNAIE, URUGUAY. Centesimo, centisimo, peso.

MONNAIE, VENEZUELA. Bolivar, centimo, fuerte, medio, morocota, peso, réal, venezolano.

MONNAIE, VENISE. Séquin.

MONNAIE, VIETNAM. Dong, hao, piastre, xu.

MONNAIE, YÉMEN. Dinar, fils, rial.

MONNAIE, YOUGOSLAVIE. Dinar, fils.

MONNAIE, ZAÏRE. Makuta, zaire.

MONNAIE, ZAMBIE. Kwacha, ngwee.

MONNAIE-DU-PAPE. Lunaire.

MONNAYER. Accorder, négocier, payer, régler, traiter, vendre.

MONOGRAMME. Abrégé, chrisme, ichtys, ihs, lettre, signature.

MONOLOGUE. Aparté, discours, monodie, radotage, soliloque, tirade.

MONOPOLE. Asiento, cartel, duopole, oligopole, privilège, régie, trust.

MONOPOLISER. Accaparer, centraliser, privilégier, truster.

MONOSACCHARIDE. Ose.

MONOTONE. Continu, endormant, ennuyeux, grisaille, fade, monocorde, régulier, répétitif, semblable, terne, traînant, uniforme.

MONSEIGNEUR. Mgr.

MONSIEUR. Homme, M, Mr, personnalité, sahib, senor, sieur, sir.

MONSTRE. Avorton, basilic, chimère, cyclope, démentiel, dragon, fée, géant, génie, gorgone, harpie, hippogriffe, hydre, lamie, léviathan, licorne, mauvais, minotaure, monstrueux, nain, phénix, phénomène, phocomèle, pygmée, scélérat, sirène, sphinx, tarasque, tératologie.

MONSTRUEUX. Affreux, bizarre, bossu, bot, bote, colossal, difforme, énorme, excessif, forme, hideux, laid, phénoménal, tératologique.

MONSTRUOSITÉ. Abomination, anencéphalie, anomalie, atrocité, difformité, horreur, ignominie, malformation, polydactylie.

MONT. Butte, colline, massif, montagne, monticule, mt, pic, sommet.

MONTAGNARD. Alpiniste, clephte, filibeg, gavache, gavot, gavotte, girondin, highlander, kéfir, képhir, kilt, klephte, varappeur.

MONTAGNE. Aiguille, alpin, butte, chaîne, cime, colline, élévation, éminence, obstacle, massif, mont, moraine, quantité, piton, sierra.

MONTAGNE, AFRIQUE CENTRALE (n. p.). Karre, Kayagangiri, Mongos, Tinga.

MONTAGNE, AFRIQUE DU SUD (n. p.). Aux, Drakensberg, Injasuti, Kathkin, Kop, Sneeuwberg, Stormberg, Table, Witwatersrand.

MONTAGNE, ALASKA (n. p.). Bear, Bona, Elias, Michalson, Redoubt, Sanford, Spurr.

MONTAGNE, ALBANIE (n. p.). Koritnjk, Pindus, Shala.

MONTAGNE, ALGÉRIE (n. p.). Ahaggar, Aissa, Atlas, Aures, Chelia, Dahra, Djurjura, Kabylia, Mouydir, Onk, Tahat, Zab.

MONTAGNE, ALLEMAGNE (n. p.). Alpes, Bavaroise, Brocken, Erzgebirge, Feldgerg, Fichtelberg, Forêt Noire, Harz, Ore, Rhoen, Zugspitze.

MONTAGNE, ALPES (n. p.). Lure, Meije, Viso.

MONTAGNE, ANDORRE (n. p.). Cataperdis, Estanyo, Pyrénées.

MONTAGNE, ANGLETERRE (n. p.). Black, Cambrian, Cumbrian, Pennine, Snowdon.

MONTAGNE, ANGOLA (n. p.). Chela, Loviti, Moco.

MONTAGNE, ARABIE SAOUDITE (n. p.). Razih, Tuwayq.

MONTAGNE, ARGENTINE (n. p.). Aconcagua, Andes, Chato, Conico, Copahue, Domuyo, Famatina, Laudo, Longavi, Murallon, Olivares, Payun, Peteroa, Pissis, Potro, Rincon, Toro, Tronador.

MONTAGNE, ARMÉNIE (n. p.). Aladagh, Ararat, Karabekh, Taurus.

MONTAGNE, AUSTRALIE (n. p.). Augustus, Bartie, Béal, Bongong, Brockman, Bruce, Cradle, Cuthbert, Doreen, Garnet, Gawler, Gregory, Herbert, Isa, Jusgrave, Kosciusko, Magnet, Morgan, Mulligan, Murchison, Olga, Ord, Ossa, Round, Surprise, Vermon, Wooddroffe, Zeil.

MONTAGNE, AUTRICHE (n. p.). Alpes, Dolomites, Eisenerz, Kitzbuhel, Rhatikon, Stubai, Tyrols, Tyroliennes.

MONTAGNE, AZERBAIDJAN (n. p.). Caucase.

MONTAGNE, BANGLADESH (n. p.). Chittagong, Keokradong.

MONTAGNE, BARBADE (n. p.). Chalky, Hiliaby.

MONTAGNE, BELGIQUE (n. p.). Ardenne, Condroz.

MONTAGNE, BÉNIN (n. p.). Atakora.

MONTAGNE, BIRMANIE (n. p.). Arakan, Chin, Dawna, Kachin, Karenni, Lushai, Manipur, Naga, Nattaung, Patkai, Pegu, Peguyoma, Popa, Saramati, Tenasserim, Victoria.

MONTAGNE, BOLIVIE (n. p.). Ancohuma, Andes, Cordillières, Cusco, Cuzco, Huascane, Illampu, Illimani, Jara, Ollague, Mururata, Potosi, Sajama, Sansimon, Santiago, Sorata, Sunsas, Tocorpuri, Zapaleri.

MONTAGNE, BORNÉO (n. p.). Iran, Kapuas, Kinabalu, Kinibalu, Muller, Nijaan, Raja, Saran, Schwaner, Tebang.

MONTAGNE, BOSNIE-HERZÉGOVINE (n. p.). Alpes, Dinaric.

MONTAGNE, BRÉSIL (n. p.). Acarai, Amambai, Bandeira, Carajas, Geral, Gradaus, Gurupi, Itatiaia, Mar, Neblina, Oragaos, Organ, Pacaraima, Parima, Piaui, Roncador, Roraima, Tombador, Urucum.

MONTAGNE, BRUNEI (n. p.). Teraja, Tutong, Ulu.

MONTAGNE, BULGARIE (n. p.). Balkan, Botev, Kom, Musala, Musallah, Pirin, Rila, Sapka, Sredna, Vikhren.

MONTAGNE, BURKINA-FASO (n. p.). Nakourou, Tema, Tenakourou, Tenekourou.

MONTAGNE, BURUNDI (n. p.). Nyamisana, Nyarwana.

MONTAGNE, CAMBODGE (n. p.). Cardamom, Dangrek, Éléphant, Pan.

MONTAGNE, CAMEROUN (n. p.). Bambuto, Batandji, Cameroun, Kapsiki, Mandara, Mbabo.

MONTAGNE, CANADA (n. p.). Assiniboine, Caribou, Cascade, Columbia, Hazelton, Laurentides, Jacques-Cartier, Logan, Mackenzie, Nelson, Purcell, Richardson, Rocheuses, Shickshock, Tremblant.

MONTAGNE, CAP-VERT(n. p.). Cano, Fogo.

MONTAGNE, CHILI (n. p.). Apiwan, Arenal, Burney, Chado, Chaltel, Cochrane, Conico, Copiapo, Fitzroy, Hudson, Isluga, Jervis, Maca, Maipo, Maipu, Paine, Palpana, Poquis, Potro, Pular, Rincon, Toro, Torre, Tronador, Tupungato, Valentin, Velluda, Yanteles, Yogan.

MONTAGNE, COLOMBIE (n. p.). Abibe, Andes, Ayapel, Baudo, Chamusa, Chita, Cocuy, Cordillère, Cristobal, Huila, Lina, Oriengal, Pasto, Perija, Purace, Sotara, Tolima, Tunahi.

MONTAGNE, CORÉE (n. p.). Chiri, Diamond, Halla, Kwanmo, Kyebang, Nangnim, Paektu, Sobaek, Taebaek, Wang.

MONTAGNE, COSTA RICA (n. p.). Barba, Blanco, Central, Gongora, Guanacaste, Irazu, Poas, Talamanca, Turrialba.

MONTAGNE, CRÈTE (n. p.). Dikte, Ida, Juktas, Lasithi, Madaras, Phino, Psiloriti, Théodore, Thriphte.

MONTAGNE, CROATIE (n. p.). Alpes, Julian, Styrian.

MONTAGNE, CUBA (n. p.). Camaguey, Copper, Cristal, Maestra, Organos, Trinidad, Turquino.

MONTAGNE, DANEMARK (n. p.). Bavnehoj, Ejer, Himmebjaerget, Skovhoj, Yding.

MONTAGNE, DJIBOUTI (n. p.). Gouda.

MONTAGNE, ÉCOSSE (n. p.). Attow, Cheviot, Grampian, Highlands, Ochil, Sidlaw, Trossachs.

MONTAGNE, ÉQUATEUR (n. p.). Andes, Antisana, Cayambe, Chimborazo, Condor, Cotocachi, Cotopaxi, Picchincha, Sangay.

MONTAGNE, ÉGYPTE (n. p.). Gharib, Katerina, Katherina, Sinai, Uekia.

MONTAGNE, ESPAGNE (n. p.). Albarracin, Alcaraz, Almanzoe, Aneto, Asturies, Banuelo, Cantabrian, Catalan, Cerredo, Cuenca, Demanda, Estats, Europa, Gata, Gredos, Guadarrama, Iberian, Magina, Moncayo, Morena, Mulhacen, Nethou, Nevada, Penalara, Perdido, Pyrénées, Rouch, Teide, Teleno, Toledo, Torrecilla.

MONTAGNE, ÉTATS-UNIS (n. p.). Aix, Alaska, Antero, Appalaches, Bedford, Brooks, Bross, Capitol, Cascade, Catskill, Chugach, Davidson, DeLong, Elbert, Endicott, Essex, Evans, Foraker, Grizzly, Harvard, Helena, Hood, Jack, Katahdin, Kenai, Kilauea, Lincoln, Logan, Massive, McKinley, Mesabi, Mitchell, Muir, Olympic, Olympus, Ouachita, Ozark, Pocono, Rainier, Rocky, Russel, Shasta, Spokane, Washington, Whitney, Wrangell, Yale.

MONTAGNE, ÉTHIOPIE (n. p.). Amba, Batu, Choke, Guge, Guna, Rasdashan, Talo.

MONTAGNE, FINLANDE (n. p.). Haldetsokka, Haltia, Laltiva, Saari, Selka.

MONTAGNE, FRANCE (n. p.). Alpes, Ardennes, Blanc, Jura, Noir, Or, Pelat, Pyrénées, Saint-Michel, Vosges.

MONTAGNE, GABON (n. p.). Balaquri, Birougou, Chaillu, Cristal, Iboundji, Mikongo.

MONTAGNE, GÉORGIE, EUROPE (n. p.). Caucase.

MONTAGNE, GHANA (n. p.). Afadjato, Akwapim.

MONTAGNE, GIBRALTAR (n. p.). Misery, Tariq.

MONTAGNE, GRÈCE (n. p.). Athos, Grammos, Helicon, Hymette, Ida, Idhi, Lthome, Oeta, Olympe, Ossa, Pamassus, Peleon, Pélion, Pentélique, Pinde, Rhodope, Smolikas, Targetos.

MONTAGNE, GUATEMALA (n. p.). Acatenango, Agua, Atitlan, Cuchumatanes, Fuego, Madre, Mico, Pacaya, Tacana, Tajamulco, Tajumuko, Toliman.

MONTAGNE, HAÏTI (n. p.). Cahos, Lahotte, Laselle, Macaya, Noires, Troudeau.

MONTAGNE, HONDURAS (n. p.). Agalta, Celaque, Cordillère, Esperanza, Pija.

MONTAGNE, HONG-KONG (n. p.). Castle, Victoria.

MONTAGNE, HONGRIE (n. p.). Alpes, Bakony, Borzsony, Bukk, Carpates, Cserhat, Gerecse, Kekes, Korishegy, Matra, Mecsek, Tatra, Vetes, Zempleni.

MONTAGNE, INDE (n. p.). Aravalli, Distaghil, Gasherbrum, Himalayas, Karakoram, Masherbrum, Nanga, Rakaposhi.

MONTAGNE, ISLAND (n. p.). Askja, Hekla, Hvannadalshnukur, Joku, Katia, Laki, Orafajokul, Suntsey.

MONTAGNE, IRAK (n. p.). Halgurd, Kurdistan, Qaarade, Qalate, Zagros.

MONTAGNE, IRAN (n. p.). Demavend, Elburz, Zagros.

MONTAGNE, IRLANDE (n. p.). Benna, Beola, Carrantuohill, Comeragh, Croagh, Errigal, Galty, Moume, Muckish, Patrick, Wicklow.

MONTAGNE, ISRAËL (n. p.). Atzmon, Carmel, Harif, Hatira, Meiron, Meron, Nafh, Ramon, Sagi, Tabor.

MONTAGNE, ITALIE (n. p.). Alpes, Amaro, Apennines, Blanc, Cassin, Cimone, Como, Dolomites, Etna, Maritimes, Ortles, Rosa, Somma, Stroboli, Vésuve, Viso, Vulcano.

MONTAGNE, JAMAÏQUE (n. p.). Blue.

MONTAGNE, JAPON (n. p.). Akan, Asahi, Asama, Aso, Asosan, Enasan, Fuji, Fujisan, Fujiyama, Haku, Hakusan, Hiuchi, Hondo, Kiusiu, Kujusan, Tokachi, Uso, Yari, Yariga, Yesso, Zao.

MONTAGNE, JAVA (n. p.). Amat, Gede, Lawoe, Murjo, Prahu, Raoeng, Semeroe, Semuru, Slamet, Soembing.

MONTAGNE, JORDAN (n. p.). Jabal, Jebel, Ramm.

MONTAGNE, KENYA (n. p.). Aberdare, Elgon, Kenya, Kinyaa, Kirinyaga, Kulai, Logonot, Matian, Nyira, Nyiru.

MONTAGNE, LAOS (n. p.). Atwat, Bia, Copi, Khat, Khoung, Lai, Loi, San, Tiubia.

MONTAGNE, LESOTHO (n. p.). Central, Drakensberg, Injasuti, Machache, Maloti, Maluti.

MONTAGNE, LIBAN (n. p.). Liban.

MONTAGNE, LIBÉRIA (n. p.). Bong, Niete, Nimba, Putu, Uni, Wutivi.

MONTAGNE, LIBYE (n. p.). Bettle Peak, Green, Tibesti.

MONTAGNE, LIECHTENSTEIN (n. p.). Alpes, Naafkopf, Rhatikon, Vordergrauspitz.

MONTAGNE, LITHUANIE (n. p.). Juozapine, Samogitian.

MONTAGNE, LUNE (n. p.). Alembert, Altai, Apennins, Caucase, Carpathes, Doerfel, Jura, Leibniz, Pyrénées, Taurus.

MONTAGNE, LUXEMBOURG (n. p.). Ardennes, Burgplatz, Huldange, Wemperhardt.

MONTAGNE, MADAGASCAR (n. p.). Ankaratra, Boby, Maromokotro, Tsaratanana, Tsiafajavona.

MONTAGNE, MALAWI (n. p.). Livingstone, Mianje, Mulanje.

MONTAGNE, MALAISIE (n. p.). Binaija, Blumut, Brassey, Bulu, Crocker, Hose, Iban, Iran, Kapuas, Kinabalu, Leuser, Main, Mulu, Murjo, Niapa, Ophir, Raja, Rindjani, Slamet.

MONTAGNE, MALI (n. p.). Iforas, Manding, Mina.

MONTAGNE, MAROC (n. p.). Abyla, Anti-Atlas, Atlas, Bani, Djebel, Haut-Atlas, Moyen-Atlas, Rif, Sarro, Toubkal, Tidiguin.

MONTAGNE, MEXIQUE (n. p.). Chiapas, Citlaltepetl, Colima, Ixtacihuati, Orizaba, Paricutin, Popocatepetl, Tacana, Tocula.

MONTAGNE, MONGOLIE (n. p.). Altaï, Cast, Edrengijn, Ich, Kentei, Khangaï, Khentei, Lablonovyï, Orog, Ovoo, Saïan, Sevrej.

MONTAGNE, MONTÉNÉGRO (n. p.). Dinariques, Durmitor.

MONTAGNE, MOZAMBIQUE (n. p.). Binga, Lebombo.

MONTAGNE, NAMIBIE (n. p.). Brandberg, Khomas, Koakoveld.

MONTAGNE, NÉPAL (n. p.). Annapurna, Cho-Oyu, Churia, Dhaulagiri, Everest, Gosainthan, Himalaya, Himalchuli, Kanchenjunga, Lhotse, Mahabharat, Makalu, Manaslu, Siwalik.

MONTAGNE, NICARAGUA (n. p.). Leon, Madera, Managua, Mogoton, Momotombo, Negro, Saslaya, Telica, Viejo.

MONTAGNE, NIGER (n. p.). Aïr, Bagzane, Greboun.

MONTAGNE, NORVÈGE (n. p.). Blodfjel, Dovrefjell, Galdhoepig, Galdhopiggen, Glitretind, Harteigen, Jotunheim, Kjolen, Langfjell, Myrdalfjell, Numedal, Ramnanosi, Snohetta, Sogne, Telemark, Ustetind, Vbmesnosi.

MONTAGNE, NOUVELLE-ZÉLANDE (n. p.). Allen, Aorangi, Aspiring, Cameron, Chope, Coronet, Cook, Eden, Egmont, Ernslaw, Flat, Huiarau, Lyall, Messenger, Mitre, Murchison, Ngauruhoe, Ohope, Otari, Owen, Pihanga, Raukumara, Remarkables, Richmond, Ruahine, Ruapehu, Stokes, Tasman, Tauhera, Tauranga, Tongariro, Tutamee, Tyndall, Young.

MONTAGNE, OMAN (n. p.). Hafit, Harim, Nakhl, Qara, Tayin, Verte.

MONTAGNE, OUGANDA (n. p.). Elgon, Oboa, Margherita, Mufumbiro, Ruwenzori, Virunga.

MONTAGNE, PAKISTAN (n. p.). Broad Peak, Gasherbrum, Himalaya, K2, Karakoram, Kirthar, Makran, Pab, Pub, Salt, Sulaiman.

MONTAGNE, PALESTINE (n. p.). Nebo.

MONTAGNE, PANAMA (n. p.). Baru, Chico, Chiriqui, Columan, Cordillère, Darien, Gandi, Maje, Santiago, Tabasara, Veragua.

MONTAGNE, PÉROU (n. p.). Andes, Cordillère, Coropuna, Huamina, Huascaran.

MONTAGNE, PHILIPPINES (n. p.). Albay, Apo, Askja, Banahao, Canlaon, Hibok, Iba, Mayo, Mayon, Pagsan, Pulog, Taal.

MONTAGNE, POLOGNE (n. p.). Beshchady, Beskid, Carpates, Pieniny, Rysy, Sudeten, Tatra.

MONTAGNE, PORTUGAL (n. p.). Acor, Bornes, Caldeirao, Caramulo, Gerez, Lapa, Larouco, Marao, Monchique, Mousa, Peneda.

MONTAGNE, PORTO RICO (n. p.). Cayey, Cordillère, Guilarte, Luquilla, Punta, Toro, Torrecilla, Yunque.

MONTAGNE, QUÉBEC (n. p.). Adstock, Albert, Appalaches, Assem, Brome, Chics-Chocs, Cônes, Garceau, Gosford, Iberville, Jacques-Cartier, Jacques-Rousseau, Laurentides, Logan, Orford, Otish, Richardson, Royal, Sainte-Anne, Saint-Sauveur, Shefford, Table, Torngat, Tremblant.

MONTAGNE, RÉPUBLIQUE DOMINICAINE (n. p.). Baoruco, Centrale, Duarte, Gallo, Neiba, Orientale, Septentrionale, Tina.

MONTAGNE, ROUMANIE (n. p.). Apuseni, Balkan, Banat, Bihor, Caliman, Carpates, Codrul, Fagaras, Moldavian, Moldoveanu, Negoi, Pietrosu, Rodnei, Transylvanie.

MONTAGNE, RUSSIE (n. p.). Altai, Anadyr, Belukha, Caucase, Crimée, Dzhughur, Elbrus, Khibiny, Koryak, Lenin, Narodnaïa, Oural, Pamirs, Pobedy, Sayan, Stanovi, Stanovoi, Zhiguli.

MONTAGNE, RWANDA (n. p.). Karisimbi, Mitumba, Muhavura, Virunga.

MONTAGNE, SALVADOR (n. p.). Izalco, Santa Ana.

MONTAGNE, SAMOA (n. p.). Alava, Fito, Matafao, Silisili, Vaea.

MONTAGNE, SÉNÉGAL (n. p.). Gounou.

MONTAGNE, SIERRA LEONE (n. p.). Bintimani, Loma.

MONTAGNE, SICILE (n. p.). Aetna, Apennines, Atlas, Erei, Erici, Etna, Hybla, Iblei, Ibrei, Moro, Nebrodi, Peloritani, Sori, Stromboli, Vulcano.

MONTAGNE, SIKKIM (n. p.). Darjeeling, Dongkya, Donkhya, Himalaya, Kanchenjunga, Singalili.

MONTAGNE, SINGAPOUR (n. p.). Mandai, Panjang.

MONTAGNE, SLOVAQUIE (n. p.). Carpates, Sudetes.

MONTAGNE, SOMALIE (n. p.). Guban, Surud Ad, Migiurtinia.

MONTAGNE, SOUDAN (n. p.). Darfour, Dongotona, Imatong, Kinyeti, Nuba.

MONTAGNE, SRI LANKA (n. p.). Adams, Pedro, Pidurutalagala.

MONTAGNE, SUÈDE (n. p.). Ammar, Helags, Kebne, Kebnekaise, Kjolen, Ovniks, Sarjek, Sarv.

MONTAGNE, SUISSE (n. p.). Adula, Alpes, Balmhom, Bermina, Beverin, Blanc, Burgenstock, Cenis, Diablerets, Dom, Dufourspitze, Eiger, Finsteraarhorn, Genis, Grimsel, Jungfrau, Jura, Karpf, Linard, Matterhorn, Pilate, Pizela, Rheinwaldhorn, Righi, Rigi, Rotondo, Rosa, Sentis, Todi, Weisshom, Wetterhorn.

MONTAGNE, SURINAM (n. p.). Emma, Guyannes, Julianatop, Kayser, Orange, Wilhelmina.

MONTAGNE, SWAZILAND (n. p.). Drakensberg, Emlembe, Highveld.

MONTAGNE, SYRIE (n. p.). Alawite, Ansariyyah, Carmel, Hermon, Liban, Nusairiyya.

MONTAGNE, VOSGES (n. p.). Alsace.

MONTAGNE, TADJIKISTAN (n. p.). Zaravchan.

MONTAGNE, TAIWAN (n. p.). Morrison, Taitung, Tatun, Tzukao.

MONTAGNE, TANZANIE (n. p.). Kibo, Kilimandjaro, Meru, Ngorongoro, Uhuru, Usambara.

MONTAGNE, TCHAD (n. p.). Tibesti, Touside.

MONTAGNE, TCHÉCOSLOVAQUIE (n. p.). Carpathian, Gerlach, Gerlachovka, Grant, Krkonose, Ore, Sudeten, Sumava, Tatra.

MONTAGNE, THAÏLANDE (n. p.). Bilauktaung, Dwana, Inthanon, Khieo, Maelamun, Phanom.

MONTAGNE, THESSALIE (n. p.). Olympe, Oeta, Ossa, Pinde.

MONTAGNE, TIBET (n. p.). Bandala, Everest, Himalaya, Kailas, Kamet, Karakoram, Kunlun, Sajum.

MONTAGNE, TOGO (n. p.). Atakora, Baumann, Koronga, Togo.

MONTAGNE, TUNISIE (n. p.). Atlas, Chambi, Mrhila, Tebessa, Zaghouan.

MONTAGNE, TURQUIE (n. p.). Ak, Ala, Aladagh, Alai, Ararat, Bingol, Bolgar, Dagh, Erciyas, Hasan, Hinis, Honaz, Kara, Karacali, Murat, Murit, Pontic, Suphan, Taurus.

MONTAGNE, UKRAINE (n. p.). Carpathes, Crimée.

MONTAGNE, URUGUAY (n. p.). Animas, Cuchilla, Mirado.

MONTAGNE, VANUATU (n. p.). Lopeti, Tabwemasana.

MONTAGNE, VENEZUELA (n. p.). Andes, Bolivar, Concha, Cordillère, Cuneva, Duida, Gurupira, Icutu, Imutaca, Masalti, Merida, Pacaraima, Pao, Parima, Pava, Roraima, Sierra, Turimiquire, Yair, Yumari.

MONTAGNE, VIETNAM (n. p.). Annamese, Badinh, Badink, Cordillère, Fansipan, Knontran, Nindhoa, Ninhhoa, Ngoklinh, Ngoklink, Tchepone, Tclepore.

MONTAGNE, YÉMEN (n. p.). Djehaff, Shuayb, Thamir.

MONTAGNE, YOUGOSLAVIE (n. p.). Alpes, Balkan, Dinaric, Karawanken, Karst, Rhodope.

MONTAGNE, ZAÏRE (n. p.). Crystal, Margherita, Mitumba, Nyaragongo, Ruwenzori, Virunga.

MONTAGNE, ZAMBIE (n. p.). Mafinga, Muchinga.

MONTAGNE, ZIMBABWE (n. p.). Chimanimani, Inyanga, Inyangani, Manica, Matopo, Vumba.

MONTANT. Arrérages, chiffre, nombre, pot, prix, somme, tarif, taux.

MONTÉE. Ascension, côte, diapir, élévation, escalade, escalier, flux, grimpée, marchepied, montaison, monte-pente, raidillon, rampe.

MONTER. Ascensionner, augmenter, dresser, élever, embarquer, franchir, gravir, grimper, hausser, hisser, lever, marcher, voler.

MONTICULE. Baseball, butte, cairn, dune, montagne, œsar, tertre.

MONTRE. Apparat, cadran, coucou, démonstratif, devanture, effet, étalage, étale, exhibition, exposition, horloger, léontine, oignon, ostentation, parade, remontoir, salle, savonnette, tocante, vitrine.

MONTRER. Arborer, ceci, déballer, découvrir, déployer, désigner, empresser, étaler, exhiber, exposer, guider, offrir, indiquer, oser, ostensible, présenter, produire, signaler, surclasser, trahir, voir.

MONTURE. Assemblage, cheval, coursier, montage, selle, sertissage.

MONUMENT. Bâtiment, colonne, construction, cromlech, dolmen, obélisque, odéon, marbre, mausolée, menhir, monolithe, pyramide, souvenir, stèle, stoupa, stupa, tombe, tombeau, totem, tour.

MONUMENTAL. Colossal, démesuré, énorme, gigantesque, immense.

MOQUER. Blaguer, chiner, goberger, mépriser, railler, taquiner.

MOQUERIE. Blague, ironie, parodie, raillerie, risée, sarcasme, satire.

MOQUETTE. Carpette, jeu, mise, natte, paillasson, tapis, tenture.

MOQUEUR. Breneux, caustique, chat, chineur, goguenard, gouailleur, ironique, narquois, persifleur, railleur, ricaneur, rieur, sarcastique.

MORAL. Bien, bon, immoral, intellectuel, juste, mal, mental, mentalité, mœurs, probe, psychique, psychologique, sain, vertueux.

MORALE. Admonestation, capucinade, déontologie, devoir, éthique, homélie, latitudinaire, leçon, maxime, parénèse, probité, vertu.

MORALISTE. Catholique, décideur, épicuriste, intellectuel, prêcheur, sermoneur, prédicateur.

MORALISTE FRANÇAIS (n. p.). Joubert.

MORALITÉ. Ascétisme, conclusion, conduite, conscience, crime, enseignement, intégrité, honnêteté, leçon, mœurs, morale.

MORBIDE. Impur, insalubre, malsain, pourri, souffreteux.

MORCEAU. Ana, as, bois, bloc, coin, émier, étude, fragment, hacher, lambeau, lange, lotir, miette, partie, piler, ris, tapon, tison, triturer.

MORCELER. Émietter, fragmenter, incomplet, parcellaire, partager.

MORDANT. Acerbe, acéré, acide, âcre, aigre, âpre, caustique, collant, corrosif, cuisant, grinçant, incisif, piquant, ronger, satirique, sur, vif.

MORDRE. Appât, broyer, gruger, mâcher, mordiller, percer, perdre.

MORDU. Enragé, fanatique, fervent, fou, passionné, toqué.

MORGUE. Altier, arrogance, athanée, hautain, institut, mort, orgueil.

MORNE. Abattu, atone, cafardeux, ennuyeux, éteint, gris, maussade, mélancolique, monotone, morose, plat, sombre, taciturne, terne.

MOROSE. Abattu, affecté, affligé, aigri, altéré, amer, angoissé, assombri, attristé, cafardeux, chagrin, douloureux, ennui, maussade, mélancolique, morosité, pensif, plaintif, sombre, taciturne, triste.

MORPHINE. Apomorphine, encéphaline, dextromoramide, enképhaline, héroïne, méthadone, morphinique, morphinisme.

MORPHOLOGIE. Andrologie, gynécologie, tjäle, typologie.

MORPION. Phtirius.

MORS. Bride, bridon, cheval, filet, frein, guide, rêne, têtière.

MORSE. Rohart, SOS, télégraphie.

MORT. Bridge, cadavre, cartes, coma, décédé, décès, défunt, dépouille, dernier, deuil, disparu, éteint, étranglé, euthanasie, fatigué, feu, fin, glas, héritage, jeu, létal, macchabée, mat, noyade, noyer, obit, obituaire, occis, perte, posthume, rage, restes, séjour, testament, tombe, tombeau, trépas, trépassé, trucidé, victime.

MORTALITÉ. Disparition, fatalité, létalité, mortinatalité, néomortalité, surmortalité.

MORT-AUX-RATS. Pesticide, raticide.

MORTEL. Ennuyeux, fatal, homme, létal, meurtrier, mortifère, péché.

MORTIER. Bauge, boue, boiloir, canon, chaux, ciment, coiffure, coulis, crépi, égrugeoir, gâchis, maçon, plâtre, pilon, rabot, ruilée, torchis.

MORTIFÈRE. Létal, mortel.

MORTIFICATION. Abstinence, affront, ascèse, austérité, cilice, continence, discipline, gangrène, haire, jeûne, macération, nécrose.

MORTIFIÉ. Affligé, conscrit, discipliné, humilié, penaud, ordonné.

MORTUAIRE. Deuil, funèbre, glas, lugubre, macabre, obsèques, triste.

MORT-VIVANT. Zombie.

MORUE. Acra, aiglefin, aurin, barbot, barbudos, blennie, brandade, brotulide, cabillaud, carapidé, colin, doris, estomac, gade, gadidé, grenadier, lieu, lingue, loquette, lotte, merlan, merlu, merluche, morutier, poutassou, prostitué, stockfisch, tacaud, tork.

MOSQUÉE. Caaba, islam, iwan, kaaba, minbar, temple, zaouïa.

MOT. Croisés, dicton, dit, écho, épithète, expression, glossaire, grille, lapsus, maxime, monème, néologisme, nom, parole, passe, phrase, rhétorique, rime, sentinelle, synonyme, terme, usage, verbe, vers.

MOTEL. Auberge, cambuse, caravansérail, crèche, hall, hôtel, logis, lupanar, maison, palace, pension, rambouillet, relais, taule.

MOTEUR. Action, agent, âme, animateur, artisan, auteur, cause, diesel, éolien, instigateur, motivateur, moulin, nerf, promoteur.

MOTIF. Ajour, ajourer, attendu, bêtise, cause, comment, considérant, considération, décision, dessein, excuse, explication, figue, fin, finalité, fondement, grief, intention, justification, leitmotiv, mobile, objet, ove, prétexte, propos, raison, si, sujet, sur, thème, torsade, uni, vain.

MOTIVER. Causer, conduire, décider, entraîner, mener, proposer.

MOTOCYCLETTE. Bicyclette, chopper, motard, moto, scooter, vélo.

MOTTE. Émotté, émotteuse, glèbe, roulage, terre, tontine, vason.

MOU. Amolli, blèche, blet, chair, cire, détendu, doux, ductile, faible, flasque, flexible, flou, herbe, lâche, loque, inerte, lent, mol, mollet, paresseux, pâte, pâteux, poumon, pulpe, souple, tendre, tiède, veule.

MOUCHARD. Cafard, délateur, espion, indic, indicateur, sycophante.

MOUCHARDER. Balancer, cafarder, dénoncer, donner, rapporter.

MOUCHE. Asticot, brûlot, carte, cheval, chevreuil, chiure, collant, diptère, domestique, éristale, hématobie, insecte, lucilie, manne, muscidé, noire, œstre, panorpe, police, psilopa, stomox, stomoxe, stratiome, syrphe, tachina, tachine, taon, tsé-tsé, volucelle.

MOUCHETÉ. Fleuret, marqueté, sabre, tacheté, tavelé, tigré, truite.

MOUCHETER. Bigarrer, garnir, marqueter, tacheter, taveler, tigrer.

MOUCHOIR. Anguillade, fichu, foulard, kleenex, linge, pochette, tissu.

MOUDRE. Broyer, écraser, piler, pulvériser, remoudre, triturer.

MOUE. Bouderie, grimace, lippe.

MOUETTE. Bonaparte, goéland, mauve, phalarope, pygmée, rieuse, rosée, stercoraire, sterne, tridactyle.

MOUFFETTE. Conepatus, scons, sconse, spilogale.

MOUFLE. Gant, mitaine, miton.

MOUILLÉ. Ancre, eau, canard, détrempé, humide, ruisselant, trempé.

MOUILLER. Arroser, asperger, baigner, délaver, détremper, doucher, éclabousser, humecter, inonder, rade, sécher, suer, touer, tremper.

MOUILLETTE. Trempette.

MOULANT. Ajusté, collant, serré.

MOULE. Abaisse, anodonte, bouchot, byssus, calibre, caseret, empreinte, exemple, faisselle, forme, huître, lingotière, matrice, mère, modèle, mollusque, mytiliculture, original, patron, type.

MOULER. Adapter, calligraphier, couler, dessiner, épouser, fondre, former, gainer, remouler, reproduire, serrer, surmouler, tirer.

MOULIN. Abée, aile, aileron, ante, bée, bief, buse, joc, meunerie, minoterie, moulinette, noix, reillère, roue, trémillon.

MOULINET. Crécelle, dévidoir, rabatteur, touret, tourniquet.

MOULT. Assez, bien, bigrement, drôlement, excessivement, extra, extrêmement, fort, fortement, furieusement, grand, hyper, infiniment, invraisemblable, joliment, particulièrement, prodigieusement, remarquablement, super, sur, tantinet, terriblement, très.

MOULU. Brisé, claqué, courbatu, éreinté, esquinté, fourbu, rompu.

MOULURE. Anglet, astragale, bague, bande, bourseau, cadre, cimaise, filet, gorge, nervure, ove, pestum, profil, scotie, stéréobate, tore.

MOURANT. Agonisant, déclinant, expirant, moribond, subclaquant.

MOURIR. Agoniser, caner, clore, crever, décéder, disparaître, éteindre, expirer, finir, payer, périr, succomber, tomber, trépasser.

MOURON. Morgeline, primulacée, samole, souci.

MOUSQUETAIRE (n. p.). Aramis, Artagnan, Athos, Porthos.

MOUSSE. Bulles, crème, écume, flocon, hypne, lichen, matelot, marin, monie, moussaillon, muscinée, neige, soda, sphaigne, urne, usnée.

MOUSSELINE. Fontange, gaze, giselle, jabot, moustiquaire, organdi.

MOUSSER. Moussoir, pétiller, rocher, valoir.

MOUSTIQUE. Anophèle, chevreuil, cousin, diptère, insecte, maringouin, mouche noire, puceron, simulie, stégomie, tipule.

MOÛT. Chaptaliser, cuve, glucomètre, mistelle, reversoir, viner.

MOUTARDE. Douce, forte, ravenelle, sanve, sénevé, tartare, ypérite.

MOUTON. Agneau, agnelle, astrakan, bé, bélier, brebis, caracul, champignon, gigot, houle, humeur, hydne, laine, mérinos, mouflon, mousse, or, ovin, parc, peau, poussière, robin, suiveux, vague.

MOUTURE. Blutage, fleurage, grain, gruau, issue, minoterie, moudre.

MOUVANT. Agité, ambulant, animé, changeant, erratique, flottant, fluctueux, fluide, fugitif, instable, mobile, remuant, sable, volant.

MOUVEMENT. Abattée, abduction, acte, action, activité, agitation, animation, attaque, clignotement, clin, contorsion, coup, cours, cri, déplacement, ébat, ébranlement, effet, élan, émersion, envolée, évolution, flux, frétillement, geste, haussement, houle, impulsion, jet, lacet, marche, marée, manœuvre, mû, nastie, ondoiement, onde, pas, pesade, recul, remous, revif, révolution, roulis, ruade, ruée, sursaut, tactisme, tangage, tentation, tour, va, vie, vitesse, vol, volte.

MOUVEMENTÉ. Accidenté, agité, animé, houleux, tourmenté.

MOUVOIR. Actionner, agiter, aller, animer, avancer, bouger, circuler, danser, errer, manœuvrer, marcher, pousser, ramer, tirer, tourner.

MOYEN. Acceptable, aide, alibi, armure, avec, biais, chemin, combinaison, commun, convenable, correct, courant, détour, demi-mesure, échappatoire, entremise, façon, faux-fuyant, filon, fin, formule, honnête, intermédiaire, irrecevable, issue, joint, levier, manière, médian, médiocre, modéré, par, passable, pouvoir, quelconque, rêne, savoir, secret, soin, sous, train, truc, voie.

MUCOSITÉ. Glaire, humeur, mouchure, mucus, muqueux, pituite.

MUCUS. Glaire, morve, mucine, pituité, sécrétion, suc, suint.

MUE. Dépouille, ecdysone, exuvie, puberté.

MUER. Actionner, changer, peau, perdre, transformer.

MUET. Amuir, aphone, caché, coi, comparse, discret, fermé, interdit, interloqué, mutisme, parole, secret, silencieux, taciturne, taire, voix.

MUFLE. Butor, goujat, grossier, malapris, malotru, malpoli, rustre.

MUFLIER. Antirrhinum, asarina, gueule-de-loup, maurandella, maurandya, scrophulariacée.

MUGIR. Beugler, brailler, brâmer, crier, hurler, meugler, rugir.

MUGUET. Amourette, aspérule, convallaria, heuchera, liliacée, muguette, terpinéol, terpinol.

MULÂTRE. Bâtard, corneau, corniaud, créole, espèce, eurasien, hybride, mâtiné, mélange, mêlé, métis, mulard, mule, mulet, octavon, zambo.

MULET. Âne, bardeau, bardot, cabot, cheval, métis, muge, poisson.

MULOT. Champs, chouette, hibou, rat, ville.

MULTIPLE. Abondant, divers, maint, nombreux, pluriel, varié.

MULTIPLET. Octet.

MULTIPLICATION. Clone, déca, division, essaimage, fois, règle, table.

MULTIPLICITÉ. Beaucoup, multitude, nombre, pluralisme, quantité.

MULTIPLIER. Augmenter, entasser, peupler, propager, répéter.

MULTITUDE. Amas, armée, cohue, essaim, flopée, flot, foison, foule, légion, luxe, masse, marée, nombre, nuée, quantité, tas, univers.

MULTIVOIE. Multiplex.

MUNI. Bastionné, bômé, équipé, ergoté, fourni, garni, pourvu.

MUNICIPAL. Adjoint, conseiller, curie, décurion, édile, jurat, maire.

MUNICIPALITÉ. Capitale, cité, commune, métropole, village, ville.

MUNICIPALITÉ DU QUÉBEC (n. p.). Acton Vale, Alma, Amos, Ancienne-Lorette, Anjou, Arthabaska, Arvida, Asbestos, Amqui, Ascot, Aylmer, Bagotville, Baie-Comeau, Batiscan, Beaconsfield, Beauceville, Beauharnois, Beauport, Bécancour, Bellefeuille, Belœil, Bernières, Berthierville, Blainville, Boisbriand, Bois-des-Filions, Boucherville, Brossard, Buckingham, Candiac, Cap-de-la-Madeleine, Cap-Rouge, Carignan, Cartierville, Causapscal, Coaticook, Chambly, Charlemagne, Charlesbourg, Charny, Châteauguay, Chelsea, Chibougamau, Chicoutimi, Coaticook, Contrecœur, Côte-Saint-Luc, Cowansville, Daveluyville, Delson, Deux-Montagnes, Dolbeau, Dollard-des-Ormeaux, Donnacona, Dorion, Dorval, Drummondville, East Angus, Farnham, Fleurimont, Gaspé, Gatineau, Granby, Grand-Mère, Greenfield Park, Hampstead, Hemmingford, Hull, Huntingdon, Iberville, Île-Perrot, Joliette, Jonquière, Kahnawake, Kénogami, Kirkland, La Baie, L'Acadie, Lachenaie, Lachine, Lachute, Lac-Mégantic, Lac-Noir, Lac-Saint-Charles, Lafontaine, La Pêche, La Plaine, La Prairie, La Sarre, LaSalle, L'Assomption, La Tuque, Lauzon, Laval-des-Rapides, Laval, Le Gardeur, LeMoyne, Lennoxville, Lévis, L'Islet, Longueuil, Loretteville, Lorraine, Louiseville, Macamic, Magog, Marieville, Mascouche, Masson-Angers, Matane, Mégantic, Mercier, Mirabel, Mistassini, Montebello, Mont-Joli, Mont-Laurier, Montmagny, Mont-Royal, Mont-Saint-Hilaire, Montréal, Montréal-Nord, Neuville, New-Carlisle, Nicolet, Noranda, Notre-Dame-de-l'Île-Perrot, Notre-Dame-des-Prairies, Otterburn Park, Outremont, Papineauville, Pierreville, Pincourt, Pintendre, Plessisville, Pointe-Claire, Pointe-aux-Trembles, Pointe-du-Lac, Port-Alfred, Port-Cartier, Portneuf, Prévost, Princeville, Québec, Rawdon, Repentigny, Richmond, Rigaud, Rimouski, Rivière-du-Loup, Roberval, Rock Forest, Roquemaure, Rosemère, Rouyn, Roxboro, Saint-Amable, Saint-Antoine, Saint-Athanase, Saint-Augustin-Desmaures, Saint-Basile-le-Grand, Saint-Césaire, Saint-Charles-Borromée, Saint-Bruno-de-Montarville, Saint-Chrysostôme, Saint-Constant, Saint-Émile, Saint-Étienne-de-Lauzon, Saint-Eustache, Saint-Félicien, Saint-François-du-Lac, Saint-Georges, Saint-Hubert, Saint-Hyacinthe, Saint-Jean-sur-Richelieu, Saint-Jean-Deschaillons, Saint-Jérôme, Saint-Joseph-d'Alma, Saint-Joseph, Saint-Joseph-de-Sorel, Saint-Jovite, Saint-Lambert, Saint-Lazare, Saint-Léonard, Saint-Lin, Saint-Louis-de-France, Saint-Luc, Saint-Nicéphore, Saint-Nicolas, Saint-Ours, Saint-Pierre-aux-Liens, Saint-Raphaël-de-l'Île-Bizard, Saint-Rédempteur, Saint-Rémi, Saint-Romuald, Saint-Timothée, Saint-Tite, Saint-Vincent-de-Paul, Sainte-Agathe-des-Monts, Sainte-Anne-de-Beaupré, Sainte-Anne-de-Bellevue, Sainte-Anne-de-la-Pérade, Sainte-Anne-de-la-Pocatière, Sainte-Anne-des-Monts, Sainte-Anne-des-Plaines, Sainte-Catherine, Sainte-des-Plaines, Sainte-Julie, Sainte-Julienne, Sainte-Foy, Sainte-Marie, Sainte-Marthe-sur-le-Lac, Sainte-Marthe-du-Cap, Sainte-Rose, Sainte-Sophie, Sainte-Thérèse, Salaberry-de-Valleyfield, Senneterre, Sept-Îles, Shawinigan, Sherbrooke, Sillery, Sorel, Stanstead, Sweetsburg, Témiscamingue, Terrebonne, Thetford-Mines, Tracy, Trois-Pistoles, Trois-Rivières, Val-Bélair, Val-des-Monts, Val-d'Or, Valleyfield, Vanier, Varennes, Vaudreuil, Verchères, Verdun, Victoriaville, Waterloo, Westmount, Windsor.

MUNIFICENT. Don, généreux, large, libéral, magnifique, prodigue.

MUNIR. Armer, garnir, gréer, lotir, monter, nantir, outiller, pourvoir.

MUON. Mu.

MUQUEUSE. Albican, aphte, caduque, chyle, coruza, endomètre, gencive, mucus, muguet, œstrus, rhinite, rhume, toux, ulite.

MUR. Blet, brique, cloison, clos, clôture, dame, enceinte, étai, murer, obstacle, pan, parapet, paroi, précoce, prêt, rempart, saillant, son.

MÛRE. Framboise, fruit, mûron, noir, rocher.

MURAILLE. Archière, bouchain, enceinte, fortification, fruit, hourd, meurtrière, mur, paroi, quai, rempart, trébuchet, vibor, vibord.

MURER. Aveugler, boucher, camoufler, condamner, dissimuler.

MÛRI. Aoûté, approfondi, digéré, jeune, mijoté, préparé, vert.

MURIDÉ. Rat.

MÛRIR. Affiner, aoûter, approfondir, blé, cuire, digérer, dorer, épi, étudier, grandir, jeune, méditer, mijoter, préparer, réfléchir, vert.

MURMEL. Marmotte.

MURMURE. Bourdonnement, bruissement, chuchotement, chucotis, gazouillis, gémissement, grognement, plainte, soupir, susurre.

MURMURER. Bougonner, chuchoter, geindre, gémir, grogner, gronder, marmonner, maugréer, râler, ronchonner, susurrer.

MUSARDER. Badauder, baguenauder, balader, déambuler, errer, flâner, musardise, promener, traîner, vadrouiller.

MUSC. Castor, cerf, covette, musqué, ondatra, ovibos, parfum, rat.

MUSCADE. Épice, garus, macis, muscadier, muscadin, snob.

MUSCLE (3 lettres). Bot, tic.

MUSCLE (4 lettres). Long, nerf, rond.

MUSCLE (5 lettres). Chair, cœur, droit, fibre, force, gaine, myome, nodal, psoas, tonus.

MUSCLE (6 lettres). Anconé, biceps, clonie, clonus, radial, souris, tarzan, tendon, tenseur, thénar.

MUSCLE (7 lettres). Cubital, dentelé, fessier, frontal, jambier, musculo, myalgie, oblique, palatin, pectine, pédieux, pelvien, poplité, scalène, tenseur, tétanos, trapèze, triceps, vigueur.

MUSCLE (8 lettres). Agoniste, brachial, ciliaire, claquage, clonique, deltoïde, dystonie, glossien, ligament, lombaire, masséter, membrane, myocarde, myocarpe, myologie, palmaire, paupière, peaucier, pectoral, péronier, releveur, risorius, rotateur, soléaire, splénius, temporal, tonicité.

MUSCLE (9 lettres). Abaisseur, abducteur, adducteur, couturier, élévateur, extenseur, glycogène, hypotonie, mâchelier, musculeux, myographe, myopathie, pectoraux, puissance, rhomboïde, sphincter, staphylin, surcotal, tétanisme.

MUSCLE (10 lettres). Abdominaux, aponévrose, diaphragme, expirateur, hypertonie, mastoïdien, mésoblaste, musculaire, myasthénie, obturateur, pathétique, pharyngien, polysarcie, quadriceps, sourcilier, supinateur, thyroïdien volontaire.

MUSCLE (11 lettres). Amyotrophie, contraction, fléchisseur, musculature, orbiculaire, sarcoplasme, trémulation, zygomatique.

MUSCLE (12 lettres). Constricteur, fibrillation, ptérogoïdien, triangulaire, vermiculaire.

MUSCLE (13 lettres). Horripilateur, sacro-lombaire.

MUSCLE (14 lettres). Coracobrachial, proprioception.

MUSCLE (15 lettres). Intermusculaire, intramusculaire.

MUSCLÉ. Autoritaire, brutal, droit, énergique, fort, nerveux, tarzan.

MUSE. Égérie, fleuve, fontaine, inspiration, montagne, musée, poésie.

MUSE (n. p.). Apollon, Calliope, Clio, Érato, Euphémé, Euterpe, Hélicon, Hippocrène, Melpomène, Mnémosyne, Musagète, Polymnie, Tanit, Terpsichore, Thalie, Uranie.

MUSEAU. Groin, mufle, narine, nez, proboscidien, trompe, visage.

MUSÉE. Art, collection, conservatoire, galerie, pinacothèque, salon.

MUSELER. Attacher, bâillonner, brider, caveçon, contenir, dompter, enchaîner, garroter, juguler, muselière, refréner, réprimer, retenir.

MUSETTE. Bal, chevrette, cornemuse, gibecière, musaraigne, sac, sacoche.

MUSICAL. Artistique, chantant, dolce, doux, harmonieux, mélodieux.

MUSICIEN. Altiste, artiste, aulète, chanteur, choriste, compositeur, cor, coryphée, flûtiste, guitariste, luthiste, maestro, mélomane, ménétrier, musicastre, pianiste, saxophoniste, sitariste, soliste, timbalier, trio, trombone, tubiste, violoneux, violoniste, virtuose.

MUSICIEN GREC (n. p.). Arion.

MUSICOLOGUE ALLEMAND (n. p.). Adorno.

MUSICOLOGUE FRANÇAIS (n. p.). Emmanuel.

MUSIQUE. Art, canon, chant, charivari, disco, duo, étude, euphonie, harmonie, interlude, jazz, kyrie, lied, mélodie, mirliton, morceau, motet, nouba, ode, opéra, opus, pop, prologue, rap, requiem, ricercare, ritardando, rock, sérielle, swing, solo, trio, yéyé.

MUSIQUE, INSTRUMENT. Alto, baryton, basse, binjo, bois, bombard, buccin, bugle, cabrette, cithare, clairon, clarinette, clavecin, cor, cornemuse, cornet, cuivre, cymbale, diaule, flûte, gong, guimbarde, guitare, harpe, luth, lyre, pandore, piano, piccolo, scie, saxophone, tamtam, triangle, trompe, tuba, violon, violoncelle, xylophone.

MUSSOLINI (n. p.). Benito, Duce.

MUSULMAN. Aga, agha, alcoran, alem, aman, arabe, arch, bey, cadi, chiite, coran, émir, fakir, hadj, harem, hégire, iman, islamique, kadi, mahométan, mudejar, raïa, raya, ramadan, religion, sultan, sunnite.

MUSULMAN (n. p.). Ayatollah, Calife, Charia, Chiite, Coran, Djihäd, Émir, Hadj, Hégire, Imam, La Mecque, Mahomet, Mollah, Muezzin, Ramadan, Soufi, Sourate, Sunna, Turc, Uléma, Vizir.

MUTATION. Changement, mélanisme, muter, nasard, transmettre.

MUTILER. Amputer, blesser, briser, casser, châtrer, couper, diminuer, écharper, écouer, émasculer, enlever, estropier, tronquer.

MUTIN. Coquin, espiègle, luron, lutin, malicieux, peste, polisson.

MUTINERIE. Insurrection, rébellion, révolte, sédition, soulèvement.

MUTISME. Arrêt, bâillon, calme, celé, chut, coi, paix, pause, motus, mystère, omis, pause, réticence, secret, silence, taire, temps, tu.

MUTUEL. Bilatéral, couple, dépendant, partage, réciproque, solidaire.

MYCOSE. Candida, candidose, nystatine, sporotrichose.

MYGALE. Arachnide, araignée, aranéide, argyronède, épeire, faucheur, faucheux, galéole, latrodecte, lycose, malmignate, ségestrie, tarentule, tégénaire, terrier, théridion, thomise.

MYOCARDE. Cœur, infarctus, myocardie.

MYOPE. Bigle, borné, miraud, miro, myopie, perspicace, voir.

MYRIAPODE. Arthropode, iule, mille-pattes, segments.

MYRTACÉE. Cajeput, eucalyptus, giroflier, goyavier, grenadier.

MYRTILLE. Airelle, bleuet.

MYSTÈRE. Arcane, cachotterie, doctrine, dogme, énigme, inconnu, magie, obscurité, ombre, prudence, secret, trinité, vérité, voile.

MYSTÉRIEUX. Caché, étrange, obscur, occulte, secret, ténébreux.

MYSTIFIER. Avoir, fumiste, moquer, rouler, tourmenter, tromper.

MYSTIQUE. Analogie, croyant, enragé, exalté, fanatique, hassidisme, illuminé, inspiré, rasta, religion, soufisme, transverbérer.

MYTHE. Allégorie, chimère, conte, fable, légende, récit, utopie.

MYTHIQUE. Fabuleux, illusoire, imaginaire, irréel, légendaire.

MYTHOLOGIE. Croyances, fable, légende, panthéon, récits, tradition.

MYTHOLOGIE, CRÉATURE FANTASTIQUE (n. p.). Basilic, Centaures, Cerbère, Cyclope, Dragon, Griffon, Harpie, Licorne, Minotaure, Pégase, Satyre, Sphynx, Sirène, Triton.

MYTHOLOGIE, DIEU ÉGYPTIEN (n. p.). Ammon, Anubis, Hathor, Horus, Isis, Osiris, Ptah, Râ, Seth, Thôt.

MYTHOLOGIE, DIEU DE L'OLYMPE (n. p.). Aphrodite, Apollon, Arès, Artémis, Athéna, Cronos, Dianynos, Hadès, Héphaïstos, Héra, Hermès, Hestia, Poséidon, Zeus.

MYTHOLOGIE, DIEU NORDIQUE (n. p.). Ases, Balder, Freyja, Freyr, Frigg, Heimdal, Holder, Loki, Odin, Thor, Walkyrie.

MYTHOLOGIE, HÉROS GREC (n. p.). Achille, Bellérophon, Hercule, Héraclès, Jason, Œdipe, Persée, Thèbes, Thésée, Ulysse.

MYTHOLOGIE, LÉGENDE GRECQUE (n. p.). Antigone, Delphes, Érinye, Œdipe, Mégère, Prométhée, Tantale.

MYTHOLOGIE, LÉGENDE ROMAINE (n. p.). Curiace, Horace, Rémus, Romulus.

MYTHOMANE. Caractériel, fabulateur, menteur, simulateur, voleur.

MYXOMYCÈTES. Champignon, fuligo, myxamibe.

MYXOVIRUS. Grippe, influenza, oreillons, pneumonie.

# N

N. Azote, tilde.

NABAB. Aisé, capitaliste, gouverneur, officier, riche, sultan, trésor.

NABOT. Avorton, freluquet, gnome, homuncule, nain, petit, trapu.

NACELLE. Barque, cabine, canot, esquif, habitacle, lest, nef, suspente.

NACRÉ. Burgau, burgaudine, chromatisé, irisé, moiré, opalin, perle.

NAEVUS. Envie, fraise, grain de beauté, lentigo, lentille, signe.

NAGE. Brasse, crawl, libre, manière, nageoire, natation, papillon, papillonneur, planche, suer, transpirer, trudgeon.

NAGEOIRE. Aileron, aviron, caudale, cycloptère, diptérygien, hétérocerque, homocerque, macropode, palme, pectoral, pinniforme, ptéro, sépiole, uropode, vessie.

NAGER. Brasse, émerger, flotter, fluctuer, natation, ramer, renflouer.

NAGEUR. Baigneur, brasseur, dossiste, grenouille, rameur, salpe.

NAGUÈRE. Anciennement, antan, autrefois, jadis, passé, récemment.

NAÏADE. Déesse, dryade, hamadryade, hyade, naïadacée, napée, neek, néreide, nike, nymphe, océanide, oréade.

NAÏF. Bête, candide, crédule, dupe, gille, gobeur, ingénu, innocent, jobard, niais, pigeon, poire, puéril, serin, simplet, spontané, zozo.

NAIN. Avorton, freluquet, génie, gnome, lutin, nabot, petit, pygmée.

NAISSANCE. Apparition, atavisme, berceau, création, début, don, généalogie, genèse, hérédité, infus, inné, issu, jour, légitime, natif, naturel, né, noble, origine, pedigree, retombée, souche, source.

NAÎTRE. Apparaître, commencer, éclore, percer, sortir, venir, voir.

NAÏVETÉ. Bonhomie, candeur, foi, fraîcheur, ingénuité, spontanéité.

NAJA. Cobra, serpent, uraeus.

NANA. Femme, fille, maîtresse, nénette, pépé, poupée.

NANTIR. Armer, doter, garnir, monter, pourvoir, procurer, saisir.

NAOS. Cella, église, tabernacle, temple.

NAPOLÉON (n. p.). Austerlitz, Bonaparte, Léna.

NAPPE. Couche, eau, linge, marais, napperon, phréatique, senne.

NAPPERON. Longe, nappe, serviette, set, sous-verre.

NARCISSE. Amaryllidacée, corbularia, coucou, hermione, jeannette, jonquille, porillon, trompette.

NARCOSE. Anesthésie, assoupissement, coma, hypnose, léthargie, sommeil, sopor.

NARCOTIQUE. Crack, drogue, hypnotique, opium, somnifère, soporeux.

NARGUER. Affronter, attaquer, braver, défier, lutter, menacer.

NARINE. Errhin, évent, morve, museau, naseau, nez, vibrisse.

NARQUOIS. Badineur, chineur, malin, moqueur, railleur, rieur, rusé.

NARRATEUR. Auteur, cénacle, conteur, écrivain, journaliste, lettre, nègre, poète, raconteur, réciteur, romancier, scribouilleur.

NARRATION. Conte, histoire, lai, nouvelle, récit, rédaction, roman.

NARRER. Conter, décrire, dire, raconter, rappeler, réciter, relater.

NASAL. Morfondure, morve, rhinologie, rhinite, trompe, voûte.

NASEAU. Narine, nase, nez, piton, truffe.

NATATION. Brasse, crawl, libre, nage, papillon, planche.

NATIF. Aborigène, autochtone, habitant, inné, naissance, originaire.

NATION. Allégeance, cité, collectivité, communauté, état, gens, gent, nationalité, panthéon, patrie, pays, peuple, pile, population, race.

NATIONALISATION. Collectivisation, étatisation, socialisation.

NATIONALISER. Collectiviser, déposséder, étatiser, exproprier.

NATIONALISME. Attachement, doctrine, impérialisme, patriotisme.

NATIONALISTE. Chauvin, cocardier, impérialiste, partisan, patriote.

NATIONS UNIES (n. p.). ONU.

NATIVITÉ. Astral, naissance, Noël, thème.

NATTAGE. Tressage.

NATTE. Cheveux, couffin, estère, paillasson, tapis, torchon, tresse.

NATTER. Corder, entrecroiser, entrelacer, tapisser, tordre, tresser.

NATURALISTE. Authentique, botaniste, empailleur, erpétologiste, minéralogiste, nature, réaliste, taxidermiste, zoologiste, zoologue.

NATURALISTE ALLEMAND (n. p.). Chamisso.

NATURALISTE ANGLAIS (n. p.). Banks, Darwin, Davis, Hales, Owen, Ray.

NATURALISTE FRANÇAIS (n. p.). Belon, Buffon, Daubenton, Grandidier, Lacépède, Lamarck, Monod.

NATURALISTE IRLANDAIS (n. p.). Heafey.

NATURALISTE ITALIEN (n. p.). Césalpin.

NATURALISTE NÉERLANDAIS (n. p.). Boerhaave.

NATURALISTE ROMAIN (n. p.). Pline.

NATURALISTE SUÉDOIS (n. p.). Linne, Nordenskjold.

NATURALISTE SUISSE (n. p.). Agassiz, Bonnet.

NATURE. Acabit, aloi, brut, cause, création, écologie, entité, esprit, essence, existence, foncier, force, genre, indigène, inné, luxuriante, monde, principe, pur, qualité, quiddité, réalité, univers, vert, vrai.

NATUREL. Aborigène, aisé, ambiance, autochtone, brut, commun, élément, espèce, étoffe, habitant, humanité, indigène, ingénu, inné, naïf, naissance, natif, normal, ordinaire, pur, rationnel, univers.

NATURISTE. Culturiste, nudiste.

NAUFRAGE. Avarie, désastre, échec, échouage, effondrement, épave, faillite, fiasco, malheur, perdition, perte, ruine, sinistre, submersion.

NAUSÉABOND. Abject, cochon, dégeulasse, dégoûtant, écœurant, empesté, empuanti, grossier, fétide, horrible, ignoble, infect, malodorant, nauséeux, puant, rebutant, répugnant, sale, vireux.

NAUSÉE. Écœurant, haut-le-cœur, mal de cœur, vomissement.

NAUTONIER. Barreur, capitaine, conducteur, directeur, guide, lamaneur, locman, mentor, nocher, pilote, responsable, timonier.

NAVET. Brassica, mauvais, napus, navau, rabiole, rave, tornep.

NAVIGABLE. Innavigable, kayakable, passe.

NAVIGATEUR. Aiguilleur, bourlingueur, caboteur, découvreur, marin, pilote, voyageur.

NAVIGATEUR ALLEMAND (n. p.). Behaim.

NAVIGATEUR ANGLAIS (n. p.). Baffin, Chancellor, Cook, Dampier, Davis, Franklin, Frobisher, Hudson, Raleigh, Vancouver, Willoughby.

NAVIGATEUR BRITANNIQUE (n. p.). McClure, Ross.

NAVIGATEUR CARTHAGINOIS (n. p.). Hannon, Himilcon.

NAVIGATEUR CRÉTOIS (n. p.). Néarque.

NAVIGATEUR ESPAGNOL (n. p.). Alaminos, Alarcon, Cano, Colomb, Elcano, Fernandez, Grijalva, Nunez, Ojeta, Pinzon, Soto, Torrès.

NAVIGATEUR FLORENTIN (n. p.). Vespucci.

NAVIGATEUR FRANÇAIS (n. p.). Bougainville, Cartier, Champlain, Charcot, Duperrey, Entrecasteaux.

NAVIGATEUR GÉNOIS (n. p.). Colomb.

NAVIGATEUR GREC (n. p.). Pythéas.

NAVIGATEUR IRLANDAIS (n. p.). McClintock.

NAVIGATEUR ITALIEN (n. p.). Verrazano, Vespucci.

NAVIGATEUR NÉERLANDAIS (n. p.). Barents, Batentzs.

NAVIGATEUR NORMAND (n. p.). Béthencourt.

NAVIGATEUR NORVÉGIEN (n. p.). Amundsen, Nansen.

NAVIGATEUR PORTUGAIS (n. p.). Cabral, Cao, Cam, Cunha, Dias, Gama, Magellan, Queiros, Tristam, Tristao.

NAVIGATEUR RUSSE (n. p.). Kotzebue.

NAVIGATEUR VÉNITIEN (n. p.). Polo.

NAVIGATION. Aérienne, astronautique, cabotage, circumpolaire, éclaireur, haut-fond, hauturière, marine, nautique, périple, yachting.

NAVIGUER. Boulinier, bourlinguer, caboter, cingler, croiser, filer, louvoyer, nager, piloter, sillonner, voguer, voile, voyager.

NAVIRE. Argo, argonaute, aviso, bac, baladeur, bateau, bau, ber, brick, brûlot, butanier, câblier, caravelle, cargo, céréalier, corsaire, croiseur, drague, dromon, éclaireur, galère, galion, galiote, lof, nef, paquebot, patrouilleur, rafiot, ravitailleur, roof, roulier, sacoléva, sacolève, senau, sloop, tanker, torpilleur, tramp, transbordeur, traversier, trière, trirème, vaisseau, vedette, vraquier, yacht.

NAVRÉ. Affecté, affligé, attristé, chagriné, déçu, désappointé, peiné.

NAZI. Hitlérien, SS.

NÉ. Apparu, berceau, cadet, cré, dernier-né, éclos, fils, habitant, indigène, issu, naissance, natif, noble, nouveau-né, origine, part, prématuré, puine, tardillon.

NÉANMOINS. Cependant, nonobstant, pourtant, toujours, toutefois.

NÉANT. Absence, chimère, erreur, fatuité, fumée, futilité, illusion, inexistant, nirvanâ, nul, rien, vacance, vacuité, vanité, vide, zéro.

NÉBULEUSE. Abscoms, amphigourique, étoile, hermétique, voilé.

NÉCESSAIRE. Absolu, essentiel, fatal, important, inconditionné, indispensable, ingéniosité, papeterie, premier, primordial, urgent.

NÉCESSITÉ. Besoin, contrainte, devoir, inéluctable, malade, urgence.

NÉCESSITER. Commander, demander, exiger, impliquer, réclamer,

NÉCESSITEUX. Besogneux, famélique, gueux, impécunieux, indigent, malheureux, mécréant, mendiant, misérable, miséreux, pauvre.

NÉCROPOLE. Cimetière, ossuaire.

NÉCROPSIE. Autopsie, colombarium.

NÉCROSE. Eschare, gangrène, infarci, mortification, nécrotique.

NEF. Bâtiment, bateau, chevet, jubé, narthex, navire, vaisseau.

NÉFASTE. Défavorable, déplorable, désastreux, dommageable, fâcheux, fatal, funeste, malsain, mauvais, mortel, nuisible.

NÉGATIF. Anion, guère, machiavélisme, moins, ne, ni, non, pas.

NÉGATION. Guère, in, ne, nenni, ni, nihilisme, non, pas, point, refus.

NÉGLIGÉ. Abandonné, débraillé, délaissé, déshabillé, lâché, malpropre, omis, perdant, relâché, relâchement, sale, tu.

NÉGLIGEABLE. Accessoire, dérisoire, insignifiant, presque, vétille.

NÉGLIGENCE. Abandon, incurie, lâcheté, malfaçon, omission, oubli.

NÉGLIGENT. Appliqué, désordonné, lâche, paresseux, soigneux.

NÉGLIGER. Abandonner, abstenir, bâcler, dédaigner, délaisser, désintéresser, louper, méconnaître, omettre, oublier, saboter.

NÉGOCIANT. Acheteur, bilan, commerçant, consignataire, exportateur, galas, marchand, nt, place, tenue, trafiquant.

NÉGOCIATEUR. Agent, arbitre, conciliateur, diplomate, médiateur.

NÉGOCIATION. Conciliation, conversation, discussion, échange, marchandage, neutre, pourparler, préalable, tractation, transaction.

NÉGOCIER. Accorder, arranger, convenir, débattre, dialoguer, discuter, parlementer, régler, traiter, transmettre, vendre, virage.

NÈGRE. Africain, créole, mélanoderne, négrier, noir, réécriveur.

NEIGE. Avalanche, blanc, blizzard, came, charrue, chenu, congère, glacier, grêle, héroïne, névé, obier, perce-neige, poudrerie, viorne.

NEGUNDO. Érable.

NÉMATODE. Ascaride, ascaris, filaire, strongle, trichine, tylenchus.

NÉNUPHAR. Jaunet, lotos, lotus, nénufar, nuphar, nymphaea, nymphéa, nymphéacée.

NÉO. Nouveau.

NÉODYME. Didyme, nd.

NÉON. Lampe, ne.

NEPTUNIUM. Np.

NERF. Adrénergique, auditif, axiliaire, concision, connectif, cubital, dynamisme, efférent, énergie, force, gustatif, hypoglosse, lombaire, muscle, neurone, névrite, optique, pneumogastrique, rachidien, ressort, sciatique, spinal, tendon, trijumeau, vigueur.

NERPRUN. Alaterne, bourdaine, rhamnacée.

NERVEUX. Convulsif, émotif, énervé, fébrile, filet, hypernerveux.

NERVI. Bandit, porteur, sbire, tueur, vaurien.

NERVOSITÉ. Agacement, agitation, énervement, exaspération, excitation, fébrilité, hystérie, irritation, névrose, surexcitation.

NERVURE. Arête, carde, feuille, filet, lierre, ligne, moulurc, nerf, ogive, pli, réticule, saillie, tierceron, veine, veinure, voûtain.

NET. Blanc, brut, clair, distinct, formel, frais, franc, intact, précis, probe, prononcé, propre, pur, réel, sale, tranché, vide, visible.

NETTEMENT. Articulé, caractérisé, clairement, hautement.

NETTOYER. Abraser, approprier, astiquer, balayer, briquer, caréner, curer, décaper, décrasser, décrotter, déterger, écumer, écurer, émonder, énouer, épousseter, faire, fourbir, laver, lessiver, ôter, polir, purger, racler, ramoner, ratisser, récurer, relaver, rincer.

NETTOYEUR. Balayeur, blanchisseur, émondeur, laveur, ramoneur.

NEUF. Créé, débutant, flambant, inconnu, inédit, IX, moderne, néophyte, neuvain, nouveau, novice, original, pur, récent, vierge.

NEUROLOGIE. Dyslexie, neurologue, neurologiste, névrologie.

NEUROPHYSIOLOGUE BRITANNIQUE (n. p.). Head.

NEUTRALISER. Absorber, enrayer, étouffer, maîtriser, paralyser.

NEUTRE. Aseptisé, fade, impartial, indifférent, morne, noyau, terne.

NEVEU. Arrière-neveu, filleul, népotisme, postérité.

NEVEU D'ABRAHAM (n. p.). Loth.

NÉVRALGIE. Brachialgie, douleur, migraine, nerf, sciatique, sensible.

NÉVROSE. Folie, hystérie, neurasthénie, névropathie, psychogenèse.

NEZ. Antilope, appendice, avant, blair, blase, camus, clairvoyance, épistaxis, fanal, flair, goûter, intuition, narine, nase, odorat, perspicacité, pif, pifomètre, piton, renifler, sagacité, tarin, truffe.

NEZ (n. p.). Cléopâtre, Cyrano.

NI. Égal, équilibre, impartial, indifférent, neutre, tiède.

NIAIS. Ballot, balourd, benêt, bêta, bête, calino, cave, dadais, fada, godiche, habens, inepte, jobard, minus, naïf, nigaud, serin, sot.

NIAISERIE. Ânerie, bêtise, cucul, fadaise, naïveté, rien, sottise.

NICHE. Attrape, cavité, chien, enfeu, facétie, farce, maison, saint.

NICHÉE. Couvée, mue, nid, nitée.

NICKEL. Ni.

NID. Abri, aire, bauge, béjaune, couvée, couvoir, demeure, dénicher, foyer, gîte, guêpier, habitation, logement, maison, niais, nichée, nichoir, nida, nidifier, nité, repaire, retraite, termitière, toit.

NIÈCE. Arrière-nièce, filleule, petite-nièce.

NIELLE. Blé, brouillard, gerzeau, gravure, lychnis, niellure, pluie.

NIER. Contester, contredire, défendre, démentir, dénier, négateur.

NIGAUD. Ballot, balourd, benêt, bêta, bête, calino, cave, dadais, fada, godiche, habens, inepte, jobard, minus, naïf, niais, serin, sot.

NIGELLE. Poivrette, renonculacée, toute-épice.

NIMBE. Aura, auréole, cercle, cerne, couronne, diadème, gloire, halo, nuage.

NIMBER. Auréoler, baigner, entourer, envelopper.

NIMBUS. Nuage.

NIMBUS (n. p.). Daix.

NIO. Ios.

NIOBIUM. Nb.

NIPPER. Accoutrer, fagoter, habiller, nippes, saper, vêtir.

NIPPON. Japonais.

NIRVANA. Béatitude, djaïnisme, félivité, hinayana, paradis, sérénité.

NITRATE. Ammonal, azote, caliche, iode, nitre, nitrite, salpêtre.

NITRIQUE. Azotique, eau-forte, nitroglycérine, pentrite.

NITROGÈNE. Azote.

NITROGLYCÉRINE. Diatomite, dynamite, trinitrine, tripoli.

NIVEAU. Cote, degré, échelle, échelon, égal, étage, étiage, flottaison, hauteur, luxe, mire, palier, plan, ressaut, sorte, standing, taux, type.

NIVELÉ. Aplati, arasé, égal, plat, uni, uniforme.

NIVELER. Aplanir, araser, déniveler, égaliser, polir, tempérer, unir.

NIVELEUSE. Grader, motorgrader.

NOBEL, PRIX DE CHIMIE (n. p.). Alder, Anfinsen, Arrhenius, Aston, Barton, Berg, Bosch, Boyer, Brown, Buchner, Butenandt, Calvin, Chu, Cornforth, Crowfoot, Curie, Curl, Debye, Diels, Eigen, Fischer, Flory, Giauque, Gilbert, Grignard, Haber, Hahn, Harden, Haworth, Herzberg, Hevesy, Heyrovsky, Hinshelwood, Hoffman, Fischer, Joliot-Curie, Karrer, Kendrew, Kroto, Kuhn, Langmuir, Leloir, Libby, Lipscomb, Martin, McMillan, Mitchell, Moissan, Moore, Mulliken, Natta, Nernst, Norrish, Northrop, Onsager, Ostwald, Pauling, Porter, Pregl, Prelog, Prigogine, Ramsay, Richards, Robinson, Ruzicka, Sabatier, Sanger, Seaborg, Skou, Soddy, Smalley, Stanley, Staudinger, Stein, Summer, Svedberg, Synge, Tiselius, Todd, Urey, Van't Hoff, Vigneaud, Virtanen, Von Baeyer, Von Euler-Chelpin, Walker, Wallach, Werner, Wieland, Wilkinson, Willstätter, Windaus, Wittig, Woodward, Ziegler, Zsigmondy.

NOBEL, PRIX DE LITTÉRATURE (n. p.). Agnon, Aleixandre, Anderson, Andric, Asturias, Beckett, Below, Benavente, Bergson, Bjornson, Böll, Bounine, Broglie, Buck, Camus, Carducci, Chadwick, Cholokhov, Churchill, Compton, Davisson, Deledda, Dirac, Echegaray, Eliot, Elytis, Eucken, Faulkner, France, Franck, Galsworthy, Gide, Gjellerup, Hamsun, Hauptmann, Heisenberg, Hemingway, Hertz, Hess, Hesse, Jensen, Jiménez, Johnson, Karlfeldt, Kawabata, Kipling, Lagerkvist, Lagerlôf, Laxness, Lewis, Maeterlinck, Mann, Martin du Gard, Martinson, Mauriac, Mistral, Mommsen, Montale, Neruda, O'Neill, Pasternak, Perrin, Pirandello, Pontoppidan, Quasimodo, Raman, Reymont, Richardson, Rolland, Russel, Sachs, Saint-John-Perse, Sartre, Seferis, Shaw, Sienkiewick, Sillanpaa, Singer, Soljenitsyne, Spitteler, Steinbeck, Sully-Prudhomme, Szymborska, Tagore, Thomson, Undset, Von Heidenstam, Von Heyse, White, Wilson, Yeats.

NOBEL, PRIX DE PAIX (n. p.). Addams, Angell, Arnoldson, Asser, Bajer, Balch, Beernaert, Borlaug, Boyd-Orr, Bourgeois, Brandt, Branting, Briand, Buisson, Bunche, Cassin, Cecil, Chamberlain, Cremer, Croix-Rouge, Dawes, Ducommun, Dunant, Estournelles, Fried, Gobat, Hammarskjôld, Henderson, Hull, Jouhaux, Kellogg, King, Kissinger, Lafontaine, Lange, Luthuli, Marshall, Moneta, Mott, Nansen, Nœl-Baker, Ossietzky, Passy, Pauling, Pearson, Pire, Quidde, Ramoz-Horta, Renault, Roosevelt, Root, Saavedra, Sadate, Sakharov, Satô, Schweitzer, Sôderblom, Stresemann, Sûttner, Teresa, Wilson.

NOBEL, PRIX DE PHYSIOLOGIE-MÉDECINE (n. p.). Adrian, Arber, Axelrod, Baltimore, Banting, Bavany, Beadle, Bekesy, Bloch, Blumberg, Bordet, Bovet,

Burnet, Carrel, Chain, Claude, Cori, Cormack, Cournand, Crick, Dale, Dam, Delbruck, Doherty, Doisy, Domagk, Dulbecco, Duve, Eccles, Edelman, Ehrlich, Eijkman, Einthoven, Enders, Erlanger, Euler, Fibiger, Finsen, Fleming, Florey, Forssmann, Frisch, Gajdusek, Gasser, Golgi, Granit, Guillemin, Gullstrand, Hartline, Hench, Hershey, Hesse, Heymans, Hill, Hodgkin, Holly, Hopkins, Hounsfield, Houssay, Huggins, Huxley, Jacob, Katz, Khorana, Koch, Kocher, Kornberg, Kossel, Krebs, Krogh, Landsteiner, Laveran, Lipmann, Loewi, Lorenz, Luria, Lynen, Lwoff, Medawar, Meyerhof, Minot, Monod, Morgan, Muller, Murphy, Nathan, Nicolle, Nirenberg, Ochoa, Palade, Pavlov, Porter, Ramôn Y Cajal, Reichstein, Richards, Richet, Ross, Rous, Schally, Sherrington, Smith, Spemann, Sutherland, Szent-Gyôrgyl, Tatum, Temin, Theiler, Theorell, Tinbergen, Von Behring, Wagner-Jauregg, Waksman, Wald, Warburg, Watson, Weller, Whipple, Wilkins, Yalow, Zinkernagel.

NOBEL, PRIX DE PHYSIQUE (n. p.). Anderson, Alvarez, Appleton, Bardeen, Barkla, Bassov, Becquerel, Bethe, Blackett, Bloch, Bohr, Born, Bragg, Brattain, Bridgman, Broglie, Chadwick, Chamberlain, Chen Ning-Yang, Cockcroft, Compton, Cooper, Dalén, Davisson, Dirac, Einstein, Esaki, Fermi, Feynman, Franck, Frank, Gabor, Gell-Mann, Giaever, Glaser, Glashow, Goeppert-Mayer, Guillaume, Heisengerg, Hess, Hofstadter, Jensen, Josephson, Kamerlinghonnes, Kapitza, Kastler, Kusch, Landau, Lawrence, Lee, Lenard, Lippmann, Lorentz, Marconi, Michelson, Millikan, Môssbauer, Mott, Néel, Osheroff, Pauli, Penzias, Perrin, Planck, Powell, Prokhorov, Rabi, Raman, Rayleich, Richardson, Richter, Rôntgen, Ryle, Salam, Schrieffer, Schwinger, Segré, Shockley, Siegbahn, Stark, Stern, Tamm, Tcherenkov, Thomson, Ting, Tomonaga, Townes, Tsung Dao-Lee, Van Der Waals, Vleck, Von Laue, Weinberg, Wien, Wigner, Wilson, Zernike.

NOBEL, PRIX DE SCIENCE ÉCONOMIQUE (n. p.). Friedman, Frish, Hayek, Hicks, Kantorovitch, Koopmans, Kuznets, Leontieff, Lewis, Mead, Mirrlees, Ohlin, Samuelson, Schultz, Simon, Vickrey.

NOBÉLIUM. No.

NOBLE. Aristocrate, chevalier, courageux, digne, duc, élevé, fief, fier, généreux, hidalgo, hobereau, magnanime, majestueux, né, olympien, praticien, racé, relevé, respectable, roturier, sublime, titré, varlet.

NOBLESSE. Aristocratie, beauté, dignité, distinction, élégance, élévation, estime, fierté, générosité, gentry, grandeur, hauteur, honorabilité, magnanimité, majesté, nom, pompe, style, tiers.

NOCE. Bamboche, débauche, excès, mariage, nouba, réjouissance.

NOCES. Cana, dot, épousailles, hymen, mariage.

NOCES, ANNIVERSAIRES ANCIENS. Papier (1 an), coton (2 ans), cuir (3 ans), fleurs (4 ans), bois (5 ans), sucre ou fer (6 ans), laine ou cuivre (7 ans), bronze ou faïence (8 ans), faïence ou osier (9 ans), fer ou aluminium (10 ans), acier (11 ans), soie ou lin (12 ans), dentelle (13 ans), ivoire (14 ans), cristal (15 ans), porcelaine (20 ans), argent (25 ans), perle (30 ans), corail (35 ans), rubis (40 ans), saphir (45 ans), or (50 ans), émeraude (55 ans), diamant (60 ans), platine (70 ans), diamant (75 ans), chêne (80 ans).

NOCES, ANNIVERSAIRES MODERNES. Horloge (1 an), porcelaine (2 ans), cristal ou verre (3 ans), appareils électriques (4 ans), argenterie (5 ans), bois (6 ans), ensemble de bureau (7 ans), dentelle (8 ans), cuir (9 ans), bijoux en diamant (10 ans), bijoux à la mode (11 ans), perle (12 ans), fourrure ou tissu (13 ans), bijoux en or (14 ans), montre (15 ans), platine (20 ans), argent (25 ans), perle (30 ans), jade (35 ans), rubis (40 ans), saphir (45 ans), or (50 ans), émeraude (55 ans), diamant (60 ans), chêne (70 ans).

NOCHER. Capitaine, nautonier, pilote.

NOCHER (n. p.). Charon.

NOCIF. Asphyxiant, contaminé, mauvais, nuisible, toxique, virulent.

NOCTURNE. Duc, fêtard, hibou, minuit, nuit, nuitée, obscurité, rapace.

NODOSITÉ. Excroissance, loupe, nodule, nœud, nouure, renflement.

NOÉ. Arche, biblique, cham, déluge, île, japhet, sem, vin.

NOÉ (n. p.). Cham, Japhet, Sem.

NOËL. Avant, cantique, ellébore, fête, hellébore, nativité.

NŒUD. Articulation, attache, bifurcation, boucle, centre, chaîne, cocarde, collet, coulant, difficulté, fond, hic, intrigue, issurtille, lacet, lacs, lasso, lien, malandre, œil, os, péripétie, point, rose, rosette.

NOIR. Afrique, café, canaque, carbone, charbon, deuil, ébène, enivré, houille, ivre, magie, messe, nègre, or, radis, ténébreux, titane, triste.

NOIRÂTRE. Basané, bronzer, ombre, nègre, négrillon, nocturne, sépia.

NOIRCIR. Barbouiller, biser, charbonner, discréditer, enfumer, estomper, fumer, mâchurer, maculer, obscurcir, salir, teindre.

NOISE. Bagarre, bisbille, combat, débat, dispute, lutte, querelle, rixe.

NOISETIER. Arachide, areca, avellana, avelinier, colurna, corylacée, corylus, coudraie, coudre, coudrier, maxima, noisette, noix.

NOISETTE. Amande, aveline, beurre, brun-roux, casse-noisettes, coco, coquerelle, dragée.

NOIX. Anacarde, arec, betel, brou, cajou, cerneau, coco, coir, écale, enveloppe, fessier, grenoble, kola, muscade, noyer, moulin, muscade.

NOLISER. Affréter, fréter, louer.

NOM. Apparence, appellation, attribut, connu, dénomination, désignation, famille, illusion, label, lignage, lignée, marque, mot, patronyme, pseudonyme, prénom, prête-nom, qualificatif, réputation, sobriquet, substantif, surnom, terme, titre, vocable.

NOMADE. Ambulant, aventurier, changeant, errant, forain, horde, instable, itinérant, mobile, robineux, rôdeur, vagabond, voyageur.

NOMBRE. Algèbre, âge, beaucoup, chiffre, compte, effectif, entier, multiplicité, numéro, quantité, quorum, score, tant, tirage, vie.

NOMBRIL. Ombilic.

NOMMÉ. Datif.

NOMMER. Appeler, choisir, citer, créer, élire, épeler, placer, voter.

NON. Aucunement, négation, nenni, ni, niet, oui, pas, refus.

NONCHALANCE. Apathie, indolence, léthargie, négligence, paresse.

NORD. Arctique, bise, boréal, boussole, nordique, pôle, septentrion.

NORDIQUE. Arctique, ase, dieu, féroïn, langue, légende, mer, polaire.

NORDIQUE (n. p.). Lagerlöf, Québec, Scandinave, Suède.

NORIA. Air, chapelet, défilé, godet, sakièh, va-et-vient.

NORMAL. Attendu, classique, commun, compréhensible, correct, courant, habituel, légitime, logique, naturel, ordinaire, régulier.

NORMALISER. Codifier, homogénéiser, rationaliser, réglementer, régulariser, standardiser, systématiser, unifier, uniformiser.

NORME. Adage, base, canon, code, convention, credo, critère, esprit, loi, moyenne, principe, raison, règle, règlement, standard, vérité.

NOS. Notre, nous.

NOTA BENE. Nb, note.

NOTABLE. Appréciable, considérable, estime, figure, gloire, important, insigne, marquable, personnalité, remarquable, sensible.

NOTAIRE. Adjudication, dataire, étude, loi, maître, sis, tabellion.

NOTATION. Annotation, neume, observation, pensée, rudiment.

NOTE. Anacrouse, anacruse, annotation, aperçu, apostille, blanche, canard, croche, facture, finale, mémorandum, musique, nb, nota, notule, pédale, remarque, renvoi, scolie, syncope, ton, tonique, ut.

NOTE DE MUSIQUE. Do, fa, la, mi, noir, noire, ré, ronde, si, sol, ton, ut.

NOTER. Album, annoter, calepin, coter, écrire, marquer, obèle.

NOTIFICATION. Avis, commandement, dénonciation, signification.

NOTIFIER. Annoncer, aviser, commander, dire, intimer, signifier.

NOTION. Abstraction, base, concept, connaissance, conscience, doctrine, élément, idée, principe, sens, sentiment, vernis.

NOTOIRE. Avéré, célèbre, certain, clair, manifeste, patent, public, su.

NOTRE. Nos, nous.

NOTRE-DAME. Nd.

NOTRE-SEIGNEUR. Ns.

NOUBA. Clique, cors, cuivres, fête, harmonie, lyre, orchestre, trompes.

NOUER. Attacher, boucler, établir, joindre, lacer, lier, renouer, tordre.

NOUNOU. Nourrice.

NOURRICE. Assistante, berceuse, bidon, gardienne, nounou, nurse.

NOURRICIER. Lait, nourrissant, pourvoyeur, sang, sève, suc.

NOURRIR. Alimenter, allaiter, amplifier, élever, enfler, enrichir, entretenir, étoffer, fortifier, feu, gaver, gorger, grossir, instruire, manger, rassasier, ravitailler, régaler, soutenir, sustenter, tir.

NOURRIT. Détritivore, limivore, planctophage, suralimenté.

NOURRITURE. Aliment, ambroisie, avoine, becquetance, bouffe, boustifaille, céréale, chère, comestible, foin, manne, nutrition, os, pain, pâtée, pâture, pitance, repas, soupe, victuailles, vivres.

NOUVEAU. Actuel, ancien, antique, bleu, différent, frais, inaccoutumé, inédit, inhabituel, inouï, insolite, jeune, mode, moderne, né, néo, neuf, novice, original, part, récent, vert, vieux.

NOUVEAUTÉ. Inaccoutumé, inattendu, inédit, inhabituel, insolite, inusité, jeunesse, mode, moderne, neuf, primeur, récent, tendance.

NOUVELLE. Actualité, anecdote, annonce, bruit, canard, cancan, conte, écho, événement, fable, potin, récit, roman, rumeur.

NOUVELLE-ÉCOSSE (n. p.). Acadie.

NOUVELLEMENT. Depuis, fraîchement, jeunement, néophyte, récemment, récent, renouvellement.

NOVICE. Apprenti, aspirant, commençant, débutant, ignorant, inexpérimenté, jeune, néophyte, neuf, nouveau, recrue, stagiaire.

NOYAU. Âme, atome, centre, drupe, graine, groupe, haploïde, hélion, neutron, nèfe, nifé, œuf, olive, origine, pépin, proton, siploïde.

NOYAUTAGE. Entrisme, infiltration, noyauter.

NOYER. Drupe, grenoble, inonder, juglandacée, juglans, perdre, tuer.

NU. Découvert, dégarni, dénudé, déplumé, dépouillé, désert, déshabillé, dévêtu, dévoilé, impudique, pauvre, ver, vérité, vide.

NUAGE. Altocumulus, altostratus, brouillard, brume, cirrocumulus, cirrostratus, cirrus, cumulus, ennui, nébulosité, nimbostratus, nimbus, nue, nuée, obnubiler, panne, stratus, vapeurs, voile.

NUANCE. Assortiment, brin, coloration, couleur, degré, différence, distinguo, finesse, gradation, grain, modération, nuer, once, pointe, soupçon, subtilité, teint, teinte, ton, tonalité, valeur, virer.

NUANCER. Adoucir, assortir, atténuer, colorer, différencier, diversifier, mélanger, mesurer, modérer, nuer, teinter, varier, virer.

NUCLÉIQUE. Cytosine, purique, thymine, xanthine.

NUÉE. Armada, beaucoup, multitude, nuage, nue, peu, tapisserie.

NUIRE. Abîmer, causer, compromettre, contrarier, contrecarrer, déconsidérer, desservir, gêner, léser, malheur, médire, salir, tort.

NUISIBLE. Dangereux, funeste, malsain, mauvais, néfaste, nocif.

NUIT. Guet, loup, minuit, nocturne, nuitée, obscurité, phare, tort.

NUL. Aucun, caduc, ignare, incapable, incompétent, inefficace, inexistant, lamentable, néant, pas, pat, point, sans, valeur, zéro.

NULLEMENT. Aucunement, pas.

NUMÉRIQUE. Coefficient, corrélateur, intensité, statistique.

NUMÉRO. Attraction, comédie, exhibition, farceur, folio, gaillard, lascar, loustic, no, nombre, quantième, série, show, spectacle, suite.

NUMÉROTER. Chiffrer, coter, folioter, marquer, matriculer, paginer.

NUMISMATE. Médaille, médailliste, monétairiste, timbre.

NUMISMATE FRANÇAIS. Peiresc.

NUMMULITIQUE. Éocène, paléogène.

NUPTIAL. Conjugal, hyménéal, matrimonial, poêle.

NURSE. Bonne, gouvernante, infirmière, nourrice.

NUTRITIF. Consistant, nourrissant, riche, roboratif, substantiel.

NUTRITION. Alibile, atrophie, nourricier, nutritif, hypotrophie.

NYCTALOPE. Nyctalopie, voir.

NYLON. Adipique, plastique, soie.

NYMPHE. Atlantide, atlas, chenille, chrysalide, daphné, dryade, écho, grâce, hamadryade, hespéride, hyades, muse, naïade, napée, néréide, nixe, nymphal, océanide, ondine, oréade, pléiade, pupe, satyre, syrinx, triton.

NYMPHE (n. p.). Dioné, Égerie, Océanide, Oréade.

NYMPHÉACÉE. Lotus, nénuphar, nélombo, nélumbo, victoria.

NYMPHÉE. Bain.

NYMPHETTE. Ingénue, mignonne, minette, petite, tendron.

NYMPHOMANE. Obsédée, sexuelle.

NYSTAGMUS. Affection, mouvements, nerveux, oculaire.

# O

OAHU. Hawaii, Pearl Harbor, Honolulu.

OASIS. Abri, adrar, asben, asile, désert, eau, havre, igli, îlot, jardin, mery, mzab, oasien, oued, refuge, repos, retraite.

OASIS (n. p.). Aioun, Amia, Awi, Badia, Baka, Brak, Chât, Delger, Dib, Douz, Elet, Gafsa, Kaija, Menia, Minia, Obo, Oued, Ouki, Richa, Sada, Sakha, Sebha, Siouah, Zabran, Zilfi.

OBÉDIENCE. Dépendance, église, obéissance, ordre, permission.

OBÉIR. Accepter, accomplir, acquiescer, admettre, céder, conformer, déférer, désobéir, écouter, esclave, fléchir, gouverner, incliner, inféoder, observer, obtempérer, patrie, plier, respecter, suivre.

OBÉISSANCE. Allégeance, assujettissement, aveugle, dépendance, discipline, docilité, fidélité, joug, libre, obédience, observance, passivité, servilité, soumission, subordination, sujétion, vœu.

OBÉISSANT. Attaché, dépendant, docile, sage, soumis, souple, têtu.

OBÉLISQUE. Aiguille, carature, carrelet, clocher, dard, orphie, pin, pinacle, pyramidion, saperde, tarière, telson, tourillon.

OBÉSITÉ. Adiposité, bedaine, panse, ventrosité.

OBÉRER. Accabler, alourdir, charger, endetter, grever, surcharger.

OBÈSE. Bedonnant, corpulent, énorme, gras, gros, pansu, ventru.

OBI. Ceinture, costume, soie.

OBI (n. p.). Ob, Sibérie.

OBIER. Boule de neige, laurier-tin, viburnum, viorne.

OBJECTER. Dire, discuter, exciper, infirmer, opposer, réfuter, rejeter.

OBJECTIF. But, cible, final, juste, lentille, obturateur, subjectif, vrai.

OBJECTION. Contestation, difficulté, estoppel, mais, observation.

OBJET. Amer, amulette, article, bidule, but, cause, chef, chose, dessein, dinanderie, épave, fin, ivoire, onde, outil, machin, maroquinerie, motif, stérilet, talisman, trésor, truc, ulve, ustensile.

OBLAT-MARIE. Om.

OBLAT-MARIE-IMMACULÉE. Omi.

OBLATION. Offrande, messe.

OBLIGATION. Astreinte, bien, boulet, commandement, contrainte, dette, devoir, dîme, exigence, impôt, loi, nécessité, responsabilité.

OBLIGATOIRE. Fatal, forcé, formalité, impératif, rigoureux, vital.

OBLIGÉ. Dû, fatal, forcé, formel, immanquable, impératif, impérieux, indispensable, nécessaire, obligatoire, redevable, rigoureux, tenu.

OBLIGEANT. Affable, brave, complaisant, prévenant, secourable.

OBLIGER. Astreindre, condamner, contraindre, forcer, lier, servir.

OBLIQUE. Biais, corne, détour, dévié, gauche, incliné, indirect, infléchi, lien, louche, scalène, serge, suspect, tortueux, torve, travers.

OBLIQUITÉ. Déclinaison, inclinaison, infléchissement, pente.

OBLITÉRATION. Embolie, effacement, obstruction, obturation, occlusion, opilation, tamponnement.

OBLONG. Allongé, aubergine, bidet, long, moule.

OBREPTICE. Dissimulé, furtif, inventé, mensonger, omis, subreptice.

OBSCÈNE. Cochon, érotique, impur, indécent, ordurier, sale, vicieux.

OBSCUR. Abscon, amphigourique, assombri, brumeux, caché, chargé, confus, couvert, embrumé, énigmatique, enténébré, épais, foncé, hermétique, ignoré, nébuleux, noir, nuageux, obscurci, ombreux, opaque, secret, sombre, ténébreux, terne, vague, vaseux, voilé.

OBCURCIR. Assombrir, brouiller, embrumer, ombrager, opacifier.

OBSCURCISSEMENT. Assombrissement, effacement, inconnu, nébulosité, noircissement, occultation, vaporeusement, voilement.

OBSCURITÉ. Ambiguïté, chaos, confusion, doute, incertitude, noir, noirceur, nuage, nuit, ombre, opacité, pénombre, ténèbres, vague.

OBSÉDANT. Hantise, lancinant, poursuite, préoccupation, tourmente.

OBSÉDÉ. Érotomane, érotomaniaque, hanté, maniaque, tourmenté.

OBSÉDER. Assiéger, hanter, poursuivre, préoccuper, tourmenter.

OBSERVATEUR. Attentif, critique, curieux, épieux, guetteur, historien, mirador, scrutateur, spectateur, témoin, vigie, vigilant.

OBSERVATION. Analyser, attention, avertissement, considération, critique, étude, examen, expérience, météo, minutieuse, note, obéissance, pensée, réflexion, remarque, réprimande, reproche.

OBSERVER. Accomplir, acquitter, analyser, avertir, conformer, considérer, critiquer, épier, étudier, examiner, garder, mirer, noter, obéir, pratiquer, réfléchir, regarder, remarquer, remplir, rendre, réprimander, suivre, tâter, tenir, toiser, veiller, vigie, voir.

OBSESSION. Ennui, hantise, fixe, idée, manie, psychose, souci, tracas.

OBSOLÈTE. Démodé, dépassé, désuet, périmé, suranné, vieilli, vieux.

OBSTACLE. Abattis, barricade, blocage, brook, difficulté, dirimant, écueil, empêchement, entrave, frein, gêne, oxer, mur, résistance.

OBSTINATION. Acharnement, constance, entêtement, insistance, opiniâtreté, persévérance, persistance, résistance, ténacité.

OBSTINÉ. Buté, endurci, entêté, mule, opiniâtre, tenace, têtu.

OBSTINER. Acharner, entêter, insister, résister, soutenir, persister.

OBSTRUCTION. Atrésie, congestion, embolie, engorgement, engouement, iléus, oblitération, obstacle, occlusion, résistance.

OBSTRUER. Barrer, bloquer, boucher, embarrasser, embouteiller, encombrer, encrasser, engorger, fermer, oblitérer, opiler, remplir.

OBTEMPÉRER. Céder, exécuter, incliner, obéir, soumettre.

OBTENIR. Accrocher, acheter, acquérir, arracher, avoir, capter, conquérir, décrocher, extorquer, gagner, glaner, impétrer, sortir.

OBTENU. Eu.

OBTURATION. Bouchage, colmatage, fermeture, plombage.

OBTURER. Aurifier, boucher, fermer, obstruer, photographier.

OBUS. Bombe, boulet, canon, marmite, mortier, ogive, projectile.

OCCASION. Aubaine, brocante, cas, cause, chance, circonstance, conjoncture, éventualité, facilité, fois, hasard, heure, incidence, lieu, moment, occurrence, opportunité, piège, possibilité, temps, terrain.

OCCASIONNEL. Accidentel, contingent, dispendieux, épisodique, exceptionnel, incident, occasionnalisme, sporadique.

OCCASIONNER. Amener, appeler, apporter, attirer, causer, créer, donner, engendrer, entraîner, faire, fournir, motiver, porter, prêter.

OCCIDENT. Alliés, couchant, ouest, océan, ponant, soleil.

OCCIRE. Assassiner, tuer.

OCCLUSION. Atrésie, fermer, fermeture, iléus, opilation, vovulus.

OCCULTISME. Alchimie, ésotérisme, gnose, hermétisme, illumination, kabbale, magie, mystère, psychomancie, radiesthésie, spiritisme.

OCCUPATION. Activité, affaire, besogne, dada, distraction, emploi, état, fonction, giron, hobby, loisir, ouvrage, place, tâche, travail.

OCCUPÉ. Absorbé, accablé, accaparé, actif, affairé, assujetti, chargé, désoccupé, écrasé, employé, engagé, indisponible, pris, tenu.

OCCUPER. Affairer, agir, assiéger, mener, réoccuper, tenir, vaquer.

OCÉAN. Abîme, abondance, abysse, flots, gouffre, immensité, mer.

OCÉAN (n. p.). Antarctique, Arctique, Atlantique, Indien, Pacifique.

OCELLE. Œil, tache.

OCTROI. Attribution, concession, contribution, don, douane, ronde.

OCTROYER. Accorder, allouer, attribuer, concéder, consentir, donner.

OCULAIRE. Cornée, glaucome, sclérotique, spectateur.

OCULISTE. Ophtalmologiste, ophtalmologue, optométriste.

ODE. Anacréontique, cantique, chant, épode, hymne, poème.

ODEUR. Argent, arôme, bouche, bouquet, brûlé, effluve, évent, fétidité, fragrance, fumet, graillon, parfum, fragrance, goût, pestilence, ranci, relent, roussi, sainteté, sauvagine, senteur.

ODORAT. Antenne, flair, fumet, odeur, olfaction, pif, nez, roussi, sens.

ODORIFÉRANT. Aromatisant, baume, odorant, parfumant, puant.

ŒDÈME. Anasarque, asystolie, myxœdème, quincke, tumeur.

ŒDIPE (n. p.). Antigone, Étéocle, Ismène, Jocaste, Laïus, Polynice, Sphinx.

ŒIL. Achromatopsie, anchylop, atone, bigle, bourgeon, bouton, calot, cil, cornée, cristallin, cyclope, emmétrope, espion, glaucome, globe, greffe, iris, judas, larme, loucher, magique, mirette, ocelle, ophtalmie, orbite, organe, pousse, prunelle, pupille, quinquet, regard, rétine, stemmate, taie, talion, torve, uvée, vision, voir, vue, yeux.

ŒIL-DE-BŒUF. Fenêtre, lucarne, oculus.

ŒIL-DE-PERDRIX. Cor.

ŒILLET. Anneau, barbatus, boutonnière, deltoïde, dianthus, grenadin, inde, lacet, mignardise, mignonnette, tagète, tagette.

ŒNOTHÉRACÉE. Onagracée, onagrariacée.

ŒNOTHÈRE. Œnothéracée, onagre.

ŒSOPHAGE. Gosier, jabot, régurgitation.

ŒSTRUS. Estrogène, œstrogène, rut.

ŒUF. Caviar, coco, coque, coquille, couvain, couvée, couvi, frai, germe, graine, incubation, larve, lente, omelette, oosphère, oospore, origine, ovale, ové, ovocyte, ovotide, ovule, nichet, rogue, seiche.

ŒUVRE. Anthologie, art, berquinade, carène, création, dessin, fable, film, livre, nouvelle, opéra, opérette, opus, ouvrage, page, pochade, poème, récit, roman, sculpture, sonatine, tâche, travail, unité.

OFFENSANT. Amer, blessant, choquant, injurieux, insultant, vexant.

OFFENSE. Affront, attaque, atteinte, attentat, avanie, blessure, coup, désobéissance, faute, injure, insolence, insulte, outrage, péché.

OFFENSER. Blesser, injurier, léser, outrager, outrer, piquer, vexer.

OFFENSIF. Agressif, bagarreur, batailleur, brutal, football, violent.

OFFERT. Donné, votif.

OFFICE. Charge, culte, devoir, domestique, emploi, fonction, liturgie, messe, none, nouveauté, offrande, religion, salut, service, titre.

OFFICIANT. Célébrant, diacre, épistolier, prêtre, sous-diacre.

OFFICIEL. Arbitre, authentique, certificat, commissaire, juge, public.

OFFICIER. Adjudant, agha, agréé, amiral, avoué, bey, capitaine, caporal, colonel, coroner, élu, général, greffier, héraut, huissier, icoglan, licteur, lieutenant, maire, major, maréchal, notaire, rang, sénéchal, serdeau, sergent, shérif.

OFFICIER ALLEMAND (n. p.). Münchhausen, Röhm, Stauffenberg.

OFFICIER ANGLAIS (n. p.). Falstaff, Lawrence.

OFFICIER CORSE (n. p.). Arena.

OFFICIER ESPAGNOL (n. p.). Cortés.

OFFICIER FRANÇAIS (n. p.). Adrets, Artagnan, Assas, Bange, Bayard, Bournazel, Dreyfus, Duquesne, Épernon, Esterhazy, Frenay, Garnier, Grasse, Kersaint, Laclos, Lamy, Laussedat, Lauzun, Loti, Maisonneuve, Montbrun, Morin, Rossel, Soubise, Sourdis, Vigny.

OFFICIER HOLLANDAIS (n. p.). Tromp.

OFFICIER ITALIEN (n. p.). Carmagnola, Colleoni.

OFFICIER OTTOMAN (n. p.). Aga, Bey.

OFFICIER YOUGOSLAVE (n. p.). Mihajlovic.

OFFICINE. Boutique, laboratoire, pharmacie.

OFFRANDE. Adresse, aumône, bienvenue, cadeau, charité, dédicace, denier, don, donation, envoi, holocauste, hommage, immolation, oblation, obole, offre, opisthodome, sacrement, sacrifice, vœu, votif.

OFFRE. Avance, enchère, objet, offrande, offreur, opa, place, présentation, proposition, rebus, soumission, surenchère.

OFFRIR. Acheter, consacrer, dédicacer, dédier, donner, enchérir, fournir, immoler, montrer, payer, porter, présenter, procurer, produire, proposer, recevoir, régaler, sacrifier, vendre, vouer.

OFLAG. Camp, officier, offlag.

OFFUSQUER. Blesser, choquer, déplaire, injurier, insulter, ulcérer.

OGIVE. Arcade, arceau, cintre, gable, lancette, tierceron, voûte.

OGRE. Anthropophage, croquemitaine, géant, goule, lamie, vampire.

OIE. Ansé, ansériforme, barnache, bécassine, bernache, blanche, cacarder, civet, jars, oiselle, oison, outarde, palme, rillons, rosière.

OIGNON. Ail, bulbe, caïeu, ciboule, ciboulette, cor, échalote, montre.

OINDRE. Baume, bénir, consacrer, crémer, enduire, frictionner, frotter, graisser, huiler, oing, oint, onguent, lubrifier, sacrer.

OISEAU (3 lettres). Aix, ani, coq, duc, glu, oie, nid, pic, pie, vol.

OISEAU (4 lettres). Alca, alle, anas, buse, cane, cire, dodo, émeu, grue, ibis, jars, lacs, œuf, olor, paon, râle, rets, rock, tohi.

OISEAU (5 lettres). Aigle, ajaia, alque, argas, babil, barge, butor, cagou, chama, circé, colin, cygne, duvet, eider, essor, filet, gluau, grèbe, grive, guano, harle, héron, hibou, huart, junco, labbe, merle, milan, noddi, pioui, pipit, poule, rémiz, serin, tarin, tyran, viréo.

OISEAU (6 lettres). Aethia, alauda, alcidé, autour, bécard, bruant, bulcus, busard, caille, canard, canari, cincle, condor, cui-cui, dindon, dur-bec, jacana, jaseur, martin, oriole, pétrel, pigeon, pinson, pivert, puffin, rapace, saphir, sterne, tétras, toucan, trogon, vacher, verdin.

OISEAU (7 lettres). Actitis, amazili, anatidé, anatiné, anhinga, apodidé, aramidé, ardéidé, bécasse, bec-scie, carouge, cigogne, colibri, corbeau, courlan, courlis, échasse, effraie, élanion, flamant, frégate, garrot, geai, gerfaut, gode, goéland, goglu, faisan, faucon, gros-bec, guiraca, harelde, harfang, havelde, ictérie, keskidi, linotte, mainate, mergule, mésange, milouin, moineau, moqueur, mouette, nyctale, outarde, pélican, perdrix, pintade, pluvier, roselin, sitelle, sizerin, spatule, sucrier, tangara, traquet, vanneau, vautour.

OISEAU (8 lettres). Acanthis, aegolius, agelaius, aigrette, alaudidé, albatros, alouette, amazilia, ansériné, appelant, avocette, bendirei, bernache, bihoreau, caracara, cardinal, carinate, chevêche, chouette, colombin, cormoran, coulicou, épervier, épyornis, fauvette, foulque, fournier, fuligule, grand-duc, gravelot, grivette, guifette, huîtrier, lagopède, macareux, macreuse, marmette, martinet, maubèche, morillon, naucière, ortalide, paruline, petit-duc, pingouin, plongeon, pouillot, pygargue, quiscale, récollet, roitelet, sarcelle, sylvette.

OISEAU (9 lettres). Accipiter, aeronaute, aimophila, alectoris, ammoapiza, balbuzard, bécasseau, bécassine, bec-croisé, casse-noix, cathartidé, certhiidé, chamaéidé, chemineau, chevalier, colombine, couroucou, dénicheur, diablotin, échassier, étourneau, gallinule, gélinotte, géocoucou, gorge-bleu, guignette, guillemot, marouette, merle bleu, milouinan, passereau, passerine, perroquet, phalarope, rossignol, sansonnet, solitaire, sturnelle, tourdelle, tyranneau.

OISEAU (10 lettres). Aegithalos, alcédinidé, ammodramus, amphispiza, apodiforme, ardéiforme, carougette, crécerelle, dickcissel, érismature, grimpereau, hirondelle, phénopèple, pie-grièche, rouge-gorge, spatule, sporophile, troglodyte.

OISEAU (11 lettres). Accipitridé, acridothère, chanterelle, charadriidé, chevêchette, dendrocygne, engoulevent, épouvantail, fou de bassan, moucherolle, pyrrhuloxia, succenturié, tourterelle.

OISEAU (12 lettres). Aechmophorus, aigle-pêcheur, archéoptéryx, bec-en-ciseaux, bombycillidé, caprimulgidé, chardonneret, ornithologie, ornithologue, plectrophane, tourne-pierre.

OISEAU (13 lettres). Bergeronnette, gobe-moucheron, martin-pêcheur, paille-en-queue, pélécaniforme.

OISEAU (14 lettres). Charadriiforme, colombigalline.

OISEAU (15 lettres). Caprimulgiforme.

OISEUX. Épineux, futile, inactif, inutile, musard, oisif, paresseux, stérile, superflu, vain, vide.

OISIF. Désœuvré, fainéant, inactif, indolent, inoccupé, musard.

OISIVETÉ. Congé, détente, inertie, loisir, paresse, répit, repos.

OLAV (n. p.). Olaf.

OLÉACÉE. Forsythia, frêne, jasmin, lilas, olivier, orne, troène.

OLÉFINE. Alcène.

OLFACTION. Dysosmie, flair, fumet, odeur, odorat, pif, nez, odorat, roussi, sens.

OLIBRIUS. Bravache, excentrique, fantaisiste, hâbleur, original, phénomène, type.

OLIFANT. Corne, trompe.

OLIGARCHIE. Argyrocratie, aristocratie, ploutocratie, synarchie.

OLIGO-ÉLÉMENT. Aluminium, argent, arsenic, calcium, chrome, cobalt, cuivre, fer, fluor, iode, lithium, magnésium, manganèse, molybdène, nickel, or, phosphore, potassium, sélénium, silicium, sodium, soufre, zinc.

OLIVÂTRE. Bistre, cireux, plombé, terreux, verdâdre, vert.

OLIVE. Actinote, couleur, donace, donax, huile, maillotin, maye, olivacée, olivâtre, olivette, picholine, scouffin, tue-diable.

OLIVIER. Caducée, élaeagnus, oléastre, oléiculteur, olivaie, olivastre, oliveraie, osmanthus.

OLYMPIEN. Auguste, hiératique, imposant, majestueux, solennel.

OMBELLIFÈRE. Ache, aethusa, anet, aneth, anis, berce, carotte, carvi, céleri, chervis, ciguë, crithme, cumin, éthuse, fenouil, férule, livêche, maceron, oénanthe, opopanax, panais, persil, rave, sison, sium.

OMBILIC. Épigastre, funiculaire, nombril, ombilical.

OMBRE. Apparence, couvert, estompe, fantôme, noir, nuage, ocre, obscurité, opacité, pénombre, secret, soupçon, trace, trait, versant.

OMELETTE. Baveuse, piperade.

OMETTRE. Cacher, escamoter, négliger, oublier, passer, sauter, taire.

OMISSION. Absence, bourdon, ellipse, faute, inattention, lacune, manque, négligence, oubli, prétérition, restriction, trou, vide.

OMNIPOTENCE. Domination, hémémonie, souveraineté, suprématie.

OMOPLATE. Acromion, caracoïde, clavicule, paleron.

ON. Autre, gens, quelqu'un.

ONANISME. Masturbation.

ONCE. Atome, brin, centime, doigt, goutte, grain, gramme, gros, marc, miette, oz, sou, soupçon.

ONCLE. Avunculaire, avunculat, case, parent, tante, tonton.

ONCLE (n. p.). Sam, Tom.

ONCLE DE MAHOMET (n. p.). Abbas.

ONCOGÈNE. Cancérigène, cancérogène.

ONCTION. Crème, douceur, huile, larme, liniment, pépin, suint.

ONCTUEUX. Doucereux, mielleux, mœlleux, patelin, sucré, velouté.

ONDE. Antenne, eau, écho, flot, hertz, houle, lame, maser, mer, nœud, ondée, ondomètre, radar, son, train, ultrason, vague.

ONDÉE. Averse, giboulée, grain, pluie.

ON-DIT. Bruit, cancan, commérage, potin, racontar, ragot, rumeur.

ONDOYANT. Changeant, flamboyant, flottant, houle, ondulant, varié.

ONDOYER. Baptiser, flotter, onduler, voleter.

ONDULATION. Agitation, cran, flottement, frémissement, frisson, lancement, onde, ondoiement, oscillation, pli, repli, ride, sinuosité.

ONDULER. Calamistrer, flotter, friser, ondoyer, papillonner, spirale.

ONÉREUX. Cher, coûteux, dispendieux, écrasant, lourd, ruineux.

ONGLE. Corne, coupe-ongles, éperon, ergot, griffe, rubis, sabot, serre.

ONGUENT. Baume, cérat, crème, embrocation, emplâtre, épithème, liniment, miton, oindre, parfum, pommade, populéum.

ONGULÉ. Artiodactyle, daman, onagre, périssodactyle, rhinocéros.

ONOMATOPÉE. Ah, aïe, bah, bip, boum, chut, clac, clic, cocorico, couic, euh, flac, hi, paf, patata, pif, plouf, tac, teuf-teuf, tic, tictac, toc, zest.

ONZE. Hendécagone, novembre, saphique, thermidor, XI.

OPACITÉ. Cataracte, néphélion, obscurité, ombre.

OPALE. Girasol, hyalite, opalescent, opalin, opaline, silex.

OPAQUE. Abstrus, clair, couvrant, diaphane, émail, épais, grès, impénétrable, incompréhensible, eux, jaspe, mystérieux, obscur, ombre, opacité, sibyllin, sombre, ténébreux, transparent, voilé.

OPE. Trou.

OPÉRA. Bouffe, comique, danse, drame, final, lyrique, opérette, oratorio, ouverture, parolier, poème, rat, spectacle, vaudeville.

OPÉRA, AUTEUR (n. p.). Absil, Beethoven, Bellini, Berlioz, Charpentier, Cherubini, Indy, Mendelssohn, Mozart, Puccini, Rossini, Schubert, Smetana, Tchaïkovski, Verdi, Wagner.

OPÉRA D'ASIL (n. p.). Peau d'âne.

OPÉRA DE BEETHOVEN (n. p.). Fidelio.

OPÉRA DE BELLINI (n. p.). Norma.

OPÉRA DE BERG (n. p.). Lulu, Woyzeck.

OPÉRA DE BERLIOZ (n. p.). Cellini, Troyens.

OPÉRA DE BIZET (n. p.). Carmen.

OPÉRA DE CAVELLI (n. p.). Didon.

OPÉRA DE CHERUBINI (n. p.). Médée.

OPÉRA DE CHOSTAKOVITCH (n. p.). Nez.

OPÉRA DE DELIBES (n. p.). Lakmé.

OPÉRA DE GERSHWIN (n. p.). Summertime.

OPÉRA DE GLUCK (n. p.). Alceste.

OPÉRA DE GOUNOD (n. p.). Faust.

OPÉRA DE LEONCAVALLO (n. p.). Paillasse.

OPÉRA DE MASSENET (n. p.). Hérodiade, Manon, Salomé.

OPÉRA DE PIAVE (n. p.). Rigoletto.

OPÉRA DE PLANQUETTE (n. p.). Rip.

OPÉRA DE PUCCINI (n. p.). Bohème, Madame Butterfly, Tosca, Turandot.

OPÉRA DE ROSSINI (n. p.). Barbier de Séville, Guillaume Tell, Otello.

OPÉRA DE SAINT-SAENS (n. p.). Samson.

OPÉRA DE STRAUSS (n. p.). Arianne, Hérodiade, Hérodias.

OPÉRA DE THOMAS (n. p.). Mignon.

OPÉRA DE VERDI (n. p.). Aïda, Othello, Traviata.

OPÉRA DE VINCENT D'INDY (n. p.). Fervaal.

OPÉRA DE WAGNER (n. p.). Tannhäuser.

OPÉRA DE ZIMMERMANN (n. p.). Soldats.

OPÉRATEUR. Cadreur, conducteur, guérisseur, interne, manipulateur.

OPÉRATION (3 lettres). Cal, tri.

OPÉRATION (4 lettres). Agio, moto, test.

OPÉRATION (5 lettres). Lever, opéré, purge, rafle, règle, siège.

OPÉRATION (6 lettres). Action, assaut, calcul, change, cuvage, érigne, frappe, nouage, preuve, report, sortie, suture, trépan, virage.

OPÉRATION (7 lettres). Diérèse, enquête, exérèse, greffon, occlure.

OPÉRATION (8 lettres). Ablation, addition, bouclage, calculer, centrage, curetage, cuvaison, division, drainage, ligature, recoudre.

OPÉRATION (9 lettres). Arbitrage, chirurgie, clavetage, diversion, expertise, formalité, hémostase, lobotomie, matricage, vagotomie.

OPÉRATION (10 lettres). Amputation, anaplastie, anastomose, arthrodèse, autogreffe, césarienne, colectomie, colostomie, entreprise, lobectomie, ostéotomie, vasectomie, xénogreffe.

OPÉRATION (11 lettres). Arrestation, autoplastie, carburation, cardiotomie, dévaluation, gastrotomie, kératoplastie, laparotomie, mammectomie, paracentèse, répartement, sorcellerie, vivisection.

OPÉRATION (12 lettres). Amalgamation, angioplastie, arthroplastie, circoncision, colpoplastie, distillation, entérostomie, hystérotomie, intervention, mammoplastie, néphrectomie, ostéoplastie, ovariectomie, rhinoplastie, soustraction, trachéotomie.

OPÉRATION (13 lettres). Arthroplastie, caprification, hystérectomie, laryngectomie, plasmaphérèse, prostatectomie.

OPÉRATION (14 lettres). Amygdalectomie, dépolarisation, multiplication, stomatoplastie, thoracoplastie,

OPÉRATION (15 lettres). Appendicectomie, clitoridectomie.

OPÉRER. Accomplir, agir, cuire, effectuer, exécuter, faire, muter, piller, pratiquer, procéder, recouper, réopérer, résorber, saisir.

OPHTALMOLOGIE. Contactologie, oculiste, optométrie, orthoptie.

OPINEL. Couteau.

OPINER. Accepter, acquiescer, adhérer, adopter, choisir, consentir, croire, déclarer, émettre, estimer, exprimer, juger, oui, raviser.

OPINIÂTRE. Acharné, accrocheur, déterminé, entêté, inébranlable, obstiné, persévérant, raide, résolu, tenace, têtu, volontaire.

OPINIÂTREMENT. Âprement, farouchement, fermement, mordicus, obstinément, résolument, tenacement.

OPINION. Appréciation, avis, blâme, conviction, credo, dogme, école, erreur, estimé, goût, hérésie, idée, imagination, impression, paradoxe, position, préjugé, rang, renom, sens, sentiment, thèse.

OPIUM. Codéine, diacode, élixir, laudanum, méconine, morphine, narcéine, narcotique, opiacé, opiat, papavérine, pavot, stupéfiant.

OPPORTUN. Attentisme, convenable, inopportun, intempestif, utile.

OPPOSÉ. Adverse, antipode, contraire, derrière, différent, divergent, envers, extrême, inverse, pôle, résistant, rétrograde, revers, veto.

OPPOSER. Alléguer, comparer, confronter, contrer, dédire, désunir, diviser, exclure, nier, obvier, objecter, réagir, réfuter, séparer.

OPPOSITION. Combat, conflit, contraste, dissension, dissentiment, duel, guerre, litige, lutte, non, refus, résistance, verso, veto, vs.

OPPRESSEUR. Despote, dictateur, dominateur, envahisseur, occupant, persécuteur, potentat, tortionnaire, tyran, usurpateur.

OPPRIMER. Accabler, asservir, courber, fouler, soumettre, subjuguer.

OPTION. Alternative, choix, dilemme, élection, préférence, stellage.

OPTIQUE. Biaxe, lunette, oculaire, œil, verre, viseur, vue, yeux.

OPULENT. Abondant, aisé, ample, cossu, fort, généreux, gros, riche.

OPUNTIA. Cactacée, figuier, nopal, raquette.

OPUS. Op.

OPUSCULE. Brochure, livre, livret.

OR. Au, aurifère, carat, claim, clinquant, doré, dorure, lingot, métal, monnaie, noces, orfèvre, oripeau, paillette, richesse, veau, vermeil.

OR (n. p.). Midas, Pactole, Saturne.

OR NOIR. Pétrole.

ORACLE. Devin, divination, opinion, prédiction, prophète, vérité.

ORAGE. Averse, calamité, cyclone, dégât, fureur, mistral, ouragan, pluie, revers, tempête, tourmente, trompe, trouble, typhon, vent.

ORAGEUX. Agité, colère, déchaîné, nuageux, tempétueux, tourmenté.

ORAISON. Discours, éloge, invocation, méditation, orémus, pater, postcommunion, prière, secrète.

ORAL. Buccal, dire, écrire, parlé, plaidoirie, verbal.

ORANG-OUTANG. Jocko.

ORANGE. Agrume, bichof, bigarade, bergamote, clémentine, jaune, mandarine, napel, navel, sanguine, sardoise, tango, valence, zeste.

ORANGER. Bigaradier, choisya, citrus, maclura, naffe, néroli.

ORATEUR. Avocat, baratineur, causeur, cicéron, conférencier, débatteur, défenseur, discoureur, diseur, foudre, harangueur, parleur, péroreur, prêcheur, prédicateur, rhéteur, tribun, verve.

ORATEUR ATHÉNIEN (n. p.). Lysias.

ORATEUR GREC (n. p.). Démosthène, Isée.

ORBITE. Abside, aphélie, apolsélène, écliptique, périastre, périgée.

ORCHESTRE. Ensemble, fanfare, gamelan, harmonie, musique, opéra.

ORCHESTRER. Amplifier, arranger, composer, divulguer, diriger, harmoniser, instrumenter, organiser, réorchestrer.

ORCHIDACÉE. Cattleya, liparis, pollinie, vanda, vanillier, zygopétale.

ORCHIDÉE. Ada, aéricole, irène, liparis, monandre, néottie, ophis, ophrys, orchis, rhizotome, sabot-de-vénus, salep, zygopétale.

ORDINAIRE. Banal, commun, connu, moyen, normal, pauvre, usuel.

ORDINATEUR. Bug, clone, computeur, dédié, IBM, lecteur, Mac, PC.

ORDINATION. Conférer, ordinant, recevoir, sacre, sacrement.

ORDONNANCE. Capulaire, décret, édit, jugement, loi, mander, ordre, plan, prescription, proportion, règle, règlement, rescrit, soldat.

ORDONNÉ. Exigé, intimé, organisé, mandé, prêtre, réglé, statué.

ORDONNER. Classer, commander, consigner, décerner, dire, disposer, harmoniser, imposer, mander, obliger, organiser, prescrire, sommer.

ORDRE. Agencement, alignement, arrangement, chronologie, classe, classement, commandement, consigne, disposition, firman, harmonie, injonction, jarretière, loi, mandat, méthode, nature, ordonnance, rang, rit, structure, stop, suite, système, va, vœu.

ORDRE INSECTE. Archiptère, coléoptère, diptère, hyménoptère, lépidoptère, névroptère, odonate, orthoptère, rhynchote, thysanoure.

ORDRE RELIGIEUX, HOMME (n. p.). Assomptionniste, Bénédictin, Capucin, Carme, Clerc de Saint-Viateur, Dominicain, Eudiste, Franciscain, Frère de l'Instruction chrétienne, Frère de la Charité, Frère du Sacré-Cœur, Frère des Écoles chrétiennes, Frère Mariste, Jésuite, Oblat, Missionnaire d'Afrique, Père Blanc d'Afrique, Père du Saint-Sacrement, Père Mariste, Prêtre de Saint-Sulpice, Rédemptoriste, Trappiste.

ORDRE RELIGIEUX, FEMME (n. p.). Augustine, Bénédictine, Carmélite, Clarisse, Fille du Calvaire, Fille de la Charité, Fille Réparatrice du Divin-Cœur, Petite fille de Saint-Joseph, Petite Franciscaine de Marie, Petite Sœur des Pauvres, Religieuse du Sacré-Cœur, Sœur adoratrice du Précieux-Sang, Sœur de la Divine Providence, Sœur de la Providence, Sœur de l'Assomption de la Sainte-Vierge, Sœur de la Miséricorde, Sœur de Notre-Dame de Charité du Bon-Pasteur, Sœur de Notre-Dame-du-Bon-Conseil, Sœur de Notre-Dame-du-Perpétuel-Secours, Sœur Grise, Sœur missionnaire de l'Immaculée Conception, Sœur de Notre-Dame des Anges, Sœur missionnaire du Christ-Roi, Sœur Oblate, Ursuline.

ORDURE. Boue, bourre, caca, charogne, chiure, crasse, débris, déchets, détritus, excrément, fange, fiente, fumier, gadoue, ignominie, immondice, infamie, merde, pourriture, poussière, rebut, saleté.

ORDURIER. Bas, épicé, gras, graveleux, grivois, grossier, honteux, ignoble, immonde, infâme, obscène, sale, saloperie, trivial.

OREILLE. Âne, aqueduc, asaret, audition, caisse, cérumen, confiance, enclume, escalope, étrier, eustache, faveur, hélix, limaçon, labyrinthe, lobe, manette, marteau, otite, ouïe, ourlet, paracentèse, pavillon, poignée, rocher, tempe, trompe, tympan, vestibule.

OREILLE-DE-MER. Haliotide, haliotis, ormeau, ormier.

OREILLE-DE-SOURIS. Myosotis, ne-m'oubliez-pas.

OREILLER. Chevet, coussin, polochon, taie, traversin.

OREILLONS. Abricot, ourle, ourlien, parotide, pêche.

ORFÈVRE. Argent, art, bijou, bijoutier, burin, ciseau, ciselet, ciseleur, dé, échoppe, éloi, filigrane, or, orfévré, recingle, résingle, saie, sautoir, surtout, tracelet, turc.

ORFÈVRE (n. p.). Éloi.

ORFRAIE. Aigle de mer, chouette, pygargue.

ORGANE (3 lettres). Bec, nez, toc, vue.

ORGANE (4 lettres). Aile, dent, foie, hile, lobe, nerf, œil, peau, pied, poil, rein, roue, sens, sexe, tête, yeux.

ORGANE (5 lettres). Bulbe, butée, bysse, caduc, canal, cœur, corne, corps, corti, fleur, fruit, gaine, pénis, plume, revue, spore, verge.

ORGANE (6 lettres). Cupule, fundus, glande, gliome, gosier, graine, induit, langue, membre, muscle, oogone, pétale, plante, poumon, racine, sétacé, siphon, stylet, suçoir, syrinx, utérus, volant, vrille.

ORGANE (7 lettres). Acuminé, antenne, ascidie, bisexué, crampon, étamine, feuille, journal, induvie, limaçon, oreille, stipité, urcéole, viscère.

ORGANE (8 lettres). Adventif, amygdale, androcée, apothèse, appareil, bisexuel, branchie, carapace, clitoris, coulisse, endogène, flotteur, ombrelle, placenta, prothèse, ventouse, vésicule.

ORGANE (9 lettres). Amplectif, apothécie, appendice, archégone, atrophier, collapsus, déhiscent, enveloppe, flagellum, follicule, involucre, marsupial, médulleux, protonéma, vicariant.

ORGANE (10 lettres). Angiologie, émonctoire, marcescent.

ORGANE (11 lettres). Biloculaire, nématocyste, succenturie.

ORGANIQUE. Embolie, physiologique, physique, somatique, stase.

ORGANISATION. BBC, CIA, FAO, NASA, OCDE, OEA, OIT, OMS, ONU, OPEP, OTAN.

ORGANISER. Agencer, aménager, arranger, axer, classer, combiner, composer, créer, fixer, monter, nouer, planifier, préparer, régler.

ORGANISME. Anticorps, central, embryon, microorganisme, service.

ORGANITE. Chondriosome, lysosome, nitrosé, plaste, suc, vibratile.

ORGASME. Éjaculation, extase, jouissance, paradis, spasme, volupté.

ORGE. Bière, blé, céréale, cervoise, drêche, écourgeon, escourgeon, froment, grain, malt, méat, paumelle, scotch, seigle, whisky.

ORGELET. Chalaze, furoncle, hordéole, tumeur.

ORGIE. Bacchanale, débauche, excès, overdose, prodigalité, profusion.

ORGUE. Basson, laie, lomonaire, pédale, point, récit, soupape, tuyau.

ORGUEIL. Arrogance, dignité, égoïsme, fatuité, fermeté, fierté, futile, gloire, gloriole, hauteur, infatuation, morgue, superbe, vanité.

ORGUEILLEUX. Altier, arrogant, avantageux, bouffi, crâneur, dédaigneux, empesé, faraud, fat, fier, flambard, glorieux, guindé, hautain, infatué, outrecuidant, paon, poseur, sot, vain, vanité.

ORIENT. Aga, agha, arabe, Asie, eau, Égypte, est, haïk, hindou, khôl, kief, levant, lustre, maçon, oriental, pal, pierrerie, soleil, turc, ur.

ORIENTATION. Aiguillage, axe, direction, engagement, exposition, ligne, position, sens, situation, tendance, trajectoire, voie.

ORIENTER. Aiguiller, axer, canaliser, centrer, conduire, diriger, disposer, exposer, guider, lieu, reconnaître, repérer, tourner.

ORIFICE. Anus, astrésie, blastropore, bouche, cathéter, cratère, entrée, glotte, ombilic, méat, narine, naseau, nombril, œillard, ombilic, ostiole, ouverture, pore, pupille, pylore, trou, vulve.

ORIGAN. Amaracus, bâtarde, Dictame de crète, marjolaine.

ORIGINAIRE. Aborigène, autochtone, génération, habitant, indigène, inné, issu, natif, naturel, primitif, sorti, venu, vernaculaire.

ORIGINAL. Archétype, bizarre, différent, distinct, drôle, excentrique, inclassable, inédit, initial, insolite, manuscrit, minute, modèle, neuf, nouveau, olibrius, originel, prototype, rare, source, texte, type.

ORIGINALITÉ. Audace, bizarrerie, cachet, étrangeté, excentricité, fantaisie, fraîcheur, hardiesse, indépendance, innovation, invention, loufoquerie, nouveauté, personnalité, singularité, type.

ORIGINE. Base, berceau, cause, commencement, création, début, départ, formation, genèse, germe, habitant, naissance, né, noble, premier, principe, provenance, souche, source, tête, type.

ORIGINEL. Congénital, initial, inné, maternel, natal, natif, naturel, originaire, original, naturel, premier, primitif.

ORIGNAL. Cerf, élan.

ORLE. Trêcheur, trescheur.

ORME. Aloum, attente, homeau, lapin, loupe, ormaie, ormeau, ormille, ptelea, torpillard, ulmacée, ulmus, ypréau, zelkova.

ORMEAU. Haliotide, haliotis.

ORNÉ. Brodé, décoré, étoilé, gemmé, lauré, paré, tarabiscoté.

ORNEMENT. Aiguilette, arc, bande, bracelet, chamarrure, chasuble, cimier, cœur, collier, cordon, dorure, enjolivement, épaulette, épi, étoile, étole, feston, fleuron, fanfreluche, jabot, mitre, orle, ors, ove, paon, parure, raide, revers, rosace, ruban, tiare, urne, vermiculure.

ORNEMENTATION. Amazonite, décor, décoration, parure, rococo.

ORNEMENTER. Agrémenter, décorer, embellir, orner, parer.

ORNER. Adorner, agrémenter, ajouter, assaisonner, barder, border, broder, chamarrer, colorer, dorer, embellir, enluminer, illustrer, imager, moulurer, nieller, nimber, parer, tapisser, tarabiscoter.

ORNIÈRE. Cartayer, creux, fondrière, habitude, routine, trace, trou.

ORPAILLEUR. Or, orpaillage, pailleteur, vin.

ORPHELIN. Abandonné, frustré, orphelinat, privé, pupille.

ORPIN. Anacampseros, byrnesia, gormania, graptopetalum, perruque, rhodiola, sedastrium, sédum, verniculaire.

ORQUE. Épaulard.

ORSEILLE. Lichens, roccella, rocelle.

ORTHODOXIE. Catholicisme, conformiste, doctrine, hésychasme, higoumène, ligne, norme, prêtre, règle, sunna, vérité, vrai, uniate.

ORTHOGRAPHIER. Cacographier, calligraphier, composer, consigner, dactylographier, écrire, griffonner, homographier, marquer, noter, paronymer, rédiger, taper, tester, tracer.

ORTHOPTÈRE. Acridien, bacille, blatte, campode, cancrelat, coquerelle, empuse, mante, phasme, phyllie, podure, pou, psoque.

ORTIE. Actinie, anémone, belle-dame, dioïca, formique, lamier, lamium, urens, urtica, urticacée.

ORYZA. Riz.

ORYX. Antilope.

OS (4 lettres). Côte, dent, ossu.

OS (5 lettres). Arête, atlas, calus, canon, carie, carpe, crâne, crête, fémur, genou, glène, ilion, joint, jugal, luxer, moule, ozone, pubis, sépia, sinus, tarse, tibia, vomer.

OS (6 lettres). Coccyx, hyoïde, manche, osseux, péroné, radius, rotule, sacrum, unguis, zygoma.

OS (7 lettres). Attelle, coronal, cubitus, cuboïde, engrais, frontal, humérus, iliaque, lunette, malaire, osselet, ostéité, ostéome, régloir, sternum, tschion, wormien.

OS (8 lettres). Apophyse, carcasse, croupion, désosser, diaphyse, épiphyse, esquille, éthmoïde, exostose, fracture, hyoïdien, ligament, mâchoire, malléose, mastoïde, olécrane, omoplate, ossature, ossement, pariétal, périoste, phalange, tympanal, vertèbre.

OS (9 lettres). Astragale, calcanéum, cartilage, charpente, clavicule, impaction, métacarpe, métaphyse, métatarse, occipital, ossements, ostéogène, pisiforme, scaphoïde, sésamoïde, spnénoïde, squelette, structure, synostose.

OS (10 lettres). Cunéiforme, épiphysite, fontanelle, fourchette, maxilliaire, ostéolithe, ostologie, trapézoïde.

OS (11 lettres). Dislocation, ostéoblaste, ostéopathie, ostéopore.

OSCILLATION. Balancement, bercement, dodelinement, fluctuation, hésitation, larsen, libration, mouvement, roulis, tangage, variation.

OSCILLER. Balancer, baller, branler, dodeliner, hésiter, incertain.

OSÉ. Audacieux, aventureux, cru, épicé, hardi, hasardé, leste, libre, licencieux, pimenté, poivré, risqué, salé, scabreux, téméraire.

OSEILLE. Acide, aigrette, argent, oxalique, patience, purée, rumex, surelle, vinette.

OSER. Affronter, avant, aventurer, aviser, chercher, efforcer, encourir, entreprendre, essayer, goûter, risquer, tenter, venir.

OSIER. Banne, ciste, obier, saule, saulaie, van, viorne, vime.

OSMIUM. Os.

OSSATURE. Armature, canevas, charpente, longeron, os, pan, squelette, structure.

OSSELET. Enclume, étrier, marteau.

OSSEMENT. Carcasse, cendres, os, relique, restes, squellette.

OSTENSOIR. Custode, montre, orgueil, reliquaire.

OSTRACISER. Bannir, boycotter, éliminer, quarantaine, repousser.

OSTROGOTH. Barbare, bourru, grossier, inconvenant, malapris.

OTAGE. Caution, esclave, gage, garant, prisonnier, répondant.

ÔTER (4 lettres). Tuer.

ÔTER (5 lettres). Lever, limer, parer, peler, raser, ravir, rayer, tirer, vider, voler.

ÔTER (6 lettres). Abolir, abroger, barrer, biffer, casser, couper, écaler, élider, énouer, épiler, épucer, épurer, érater, étêter, exiler, glaner, guérir, isoler, plumer, priver, radier, rogner, sevrer, ternir.

ÔTER (7 lettres). Abroger, annuler, aplanir, châtier, déduire, dégager, dénuder, dépolir, dépoter, dérater, dévêtir, écrémer, effacer, égrener, émonder, enlever, entamer, essuyer, évincer, exclure, libérer, mutiler, prendre, retirer, sarcler, séparer.

ÔTER (8 lettres). Arracher, aveugler, cueillir, débâcler, déballer, débander, déblayer, déboiser, déboîter, débonder, déborder, débotter, débrider, déclouer, déferrer, défibrer, défoncer, dégainer, déganter, dégarnir, dégommer, dégrafer, délester, démancher, dénicher, déplumer, dépocher, désaérer, désarmer, désosser, détacher, détrôner, dévisser, éborgner, éliminer, emporter, éplucher, équeuter, expurger, extirper, prélever, ramasser.

ÔTER (9 lettres). Chaponner, débarquer, décapiter, décharner, décrotter, défalquer, déraciner, déshériter, destituer, extorquer.

ÔTER (10 lettres). Confisquer, déposséder, dépouiller, déshabiller, écheniller, effeuiller, épousseter, exproprier, retrancher, soustraire.

ÔTER (11 lettres). Débarrasser, déshabiller, excommunier.

ÔTER (12 lettres). Désincruster, ébourgonner.

OTO-RHINO-LARYNGOLOGIE. O.R.L.

OU. Alias, soit.

OUANANICHE. Saumon.

OUAOUARON. Grenouille.

OUBLI. Absence, amnésie, codidille, égarement, erreur, faute, ingratitude, lacune, manque, négligence, omission, pardon.

OUBLIER. Abandonner, délaisser, désapprendre, lâcher, laisser, manquer, négliger, omettre, passer, perdre, sauter, sortir, taire.

OUBLIEUX. Distrait, étourdi, indifférent, ingrat, insouciant, négligent.

OUEST. Alliés, couchant, est, levant, occident, orient, ponant.

OUI. Absolument, accord, agrément, assentiment, assurément, aveu, bien, bon, certainement, certes, entendu, évidemment, ja, mariage, merci, oc, oil, opiner, parfait, parfaitement, si, soit, volontiers.

OUÏE. Auditif, audition, branchies, entendre, inaudible, oreille, oyant, sens, sourd, surdité.

OUÏR. Écouter, entendre, ouïe, ouï-dire.

OUR. Ur.

OURAGAN. Bourrasque, cyclone, orage, tempête, tornade, trouble.

OURDIR. Arranger, brasser, combiner, comploter, machiner, manigancer, monter, nouer, organiser, préparer, tisser, tracer, tramer, tresser.

OURS. Arctique, brun, busserole, callisto, ermite, grizzli, grissly, kodiak, misanthrope, noir, otarie, oursin, ourson, panda, plantigrade, sauvage, septentrion, solitaire, ursidé.

OURSIN. Châtaigne, hérisson, melon, pédicellaire, spatangue, test.

OUSTE. Oust.

OUTARDE. Bernache, canepetière, cravant, empereur, nonnette, oie.

OUTIL (2 lettres). Dé.

OUTIL (3 lettres). Clé, fer, hie, pic.

OUTIL (4 lettres). Aide, buis, clef, croc, dame, étau, faux, houe, lime, main, râpe, ripe, saie, saye, scie, truc.

OUTIL (5 lettres). Alène, bêche, burin, drège, écan, écope, engin, foret, fusil, gâche, gouet, moyen, pelle, plane, râble, rabot, serpe.

OUTIL (6 lettres). Archet, asseau, bédane, biseau, bouvet, ciseau, doleau, égoïne, fraise, gratte, machin, oiseau, pioche, rodoir, vrille.

OUTIL (7 lettres). Alésoir, assette, bêchoir, binette, équerre, filière, jabloir, machine, marteau, racloir, râteau, rénette, truelle, varlope.

OUTIL (8 lettres). Affiloir, affinoir, aissette, allumoir, appareil, ébauchoir, faucille, matériel, plantoir, raclette, résingle, trusquin.

OUTIL (9 lettres). Aiguisoir, arrachoir, tournevis, ustensile.

OUTIL (10 lettres). Brunissoir, débouchoir, instrument, ouvre-boîtes, serfouette.

OUTIL (11 lettres). Coupe-papier, cure-oreille, décapsuleur, pied-de-biche, taillandier, vilebrequin.

OUTRAGE. Affront, attaque, atteinte, ans, avanie, coup, délit, fouet, humiliation, infamie, injure, insulte, invective, offense, tort.

OUTRAGER. Attenter, bafouer, conspuer, contrevenir, cracher, écharper, huer, injurier, insulter, maudire, offenser, violer.

OUTRANCE. Démesure, enflure, exagération, excès, exubérance.

OUTRE. Excessif, fort, indigné, par-dessus, plus, révolté, utricule.

OUTREPASSER. Abuser, dépasser, excéder, franchir, passer.

OUVERT. Accessible, accueillant, béant, déclaré, délabré, éclos, entamé, entrouvert, épanoui, évasé, fendu, fente, franc, inauguré, large, libéral, libre, percé, tolérant, troué, stomatoscope.

OUVERTURE. Abée, angle, baie, béer, commencer, cratère, créneau, écoutille, écubier, esse, évasure, fenêtre, fente, fermeture, gueulard, hublot, inauguration, laparotomie, lucarne, méat, narine, nocturne, orifice, ouïe, panneau, pore, prélude, soupirail, trou, troué, tubulure.

OUVRAGE. Annuaire, atlas, bible, bijou, brochure, copie, corvée, dais, devis, digue, écluse, écrit, émail, essai, étude, fort, four, guide, iconographie, implexe, labeur, livre, môle, monument, mur, opéra, oriel, peine, plan, poème, production, ravelin, redan, redent, relief, roman, statue, tableau, tâche, traité, travail, treillis, usuel, voûte.

OUVRIER. Canut, claviste, débardeur, ébéniste, éboueur, foreur, homme, leveur, lissier, maçon, mineur, nattier, péon, praticien, repasseur, scieur, sellier, tanneur, terrassier, tisserand, tourneur.

OUVRIÈRE. Abeille, cheville, fourmi, laineuse, nattière.

OUVRIR. Aérer, canaliser, clé, clef, crever, débarrer, déverrouiller, éclore, entrouvrir, éventrer, forcer, percer, pratiquer, soutirer.

OVAIRE. Adhérent, épigyne, lutéal, lutéine, ovarite, ovule, supère.

OVALE. Circuit, courbe, écu, ellipsoïde, football, oblong, œuf, ové.

OVATION. Acclamation, applaudissement, hourra, ola, triomphe, vivat.

OVE. Échine, orle, ornement, ovale, ovoïde.

OVIN. Antenais, bélier, bœuf, bouc, bouquetin, bovidé, brebis, chèvre, moufflon, mouton, ovidé.

OVULE. Anatrope, cellule, chalaze, embryon, funicule, germe, graine, micropyle, nucelle, œuf, oosphère, ovaire, placantat, vitellus.

OXALIDE. Acétoselle, alléluia, oxalis, oxalidacée.

OXYCHLORURE. Algaroth.

OXYDATION. Acrylique, étain, oxygène, ozone, patine, térébique.

OXYDE. Aétite, alumine, baryte, bioxyde, chaux, émail, erbine, étain, éther, glucine, litharge, lithine, magétite, massicot, métal, rouille, rutile, safre, silice, smalt, tutie, urane, ytterbium, yttria, zircone.

OXYDER. Brûler, détériorer, détruire, ronger, rouiller.

OXYGÈNE. Air, anoxie, borique, gaz, o, oxygéner, ozone, sang.

OXYTÉTRACYLINE. Terrafungine.

OYAT. Dune, gourbet, graminée, herbacée.

OZONE. Air, assainisseur, couche, gaz.

# P

PACAGE. Bestiaux, herbage, paissance, patis, pâturage, pâture, pré.

PACHA. Ali, commandant, oisif, paresseux.

PACHYDERME. Éléphant, hippopotame, ongulé, porc, rhinocéros.

PACIFIER. Adoucir, apaiser, arranger, calmer, retenir, tranquilliser.

PACIFIQUE. Belliqueux, calme, débonnaire, doux, paisible, placide.

PACTE. Accord, alliance, arrangement, contrat, convenance, convention, engagement, entente, marché, paix, traité.

PAF. Ivre, rond, saoul.

PAGAYER. Avironner, ramer.

PAGE. Destin, encart, feuille, feuillet, folio, forme, garçon, garde, marge, nota, paginer, papier, passage, recto, rôle, signet, une, verso.

PAGEOT. Lit.

PAGINER. Coter, folioter, marquer, numéroter.

PAGNE. Java, paréo, rein, sarong.

PAIE. Appointements, cachet, commission, cotise, droit, émoluments, gages, gain, guelte, honoraires, indemnité, jeton, loyer, mensualité, paiement, prêt, prime, profit, pourboire, rémunération, rétribution, salaire, service, solde, traitement, vacation, versement, virement.

PAIEMENT. Acompte, acquittement, à-valoir, annuité, avance, émoluments, règlement, rémunération, rétribution, versement.

PAÏEN. Agnostique, athée, hérétique, idolâtre, impie, incrédule, incroyant, infidèle, irréligieux, mécréant, néophyte, polythéiste.

PAILLARD. Cochon, coquin, égrillard, gaulois, grivois, libertin.

PAILLASSON. Abrivent, brise-vent, carpette, natte, tapis.

PAILLE. Brie, chalumeau, chaume, empailleur, épi, fétu, fourrage, glu, glui, humus, intermédiaire, litière, natte, poutre, ruiné.

PAILLON. Tontine.

PAIN. Azyme, baguette, bis, biscotte, brie, bun, chanteau, chapelure, croissant, croûte, fesse, flûte, four, gressin, havi, hostie, maïs, miche, mie, miette, oba, œil, pané, pita, porteuse, sagou, salignon, sec, toast.

PAIR. As, collègue, deux, égal, hors, lord, noble, premier, sénat.

PAIRE. Apparier, couple, deux, full, joindre, lunette, tandem.

PAISIBLE. Agité, aimable, béat, bon, calme, coi, cool, débonnaire, doux, inoffensif, luette, modéré, pacifique, pantouflard, pénard, perturbé, placide, posé, serein, soumis, tranquille, troublé.

PAÎTRE. Alpage, brouter, envoyer, gagner, herbager, herbeiller, manger, pacager, pâtis, pâtre, pâturer, promener, viander.

PAIX. Bonheur, calme, entente, harmonie, repos, sérénité, union.

PAL. Croix, équipolé, équipollé, flanc, palée, pieu, vergette.

PALAIS. Bouche, casbah, casino, castel, château, cour, couronne, demeure, édifice, goût, hôtel, justice, luette, manoir, monument, musée, palace, salle, sérail, tribunal, ulite, vatican, voile, voûte.

PALAIS (n. p.). Alcazar, Bagello, Bruhl, Buckingham, Bourbon, Chaillot, Dam, Doges, Élysée, Évêché, Kremlin, Médicis, Pitti, Prado, Sérail, Vatican, Verdala, Versailles, Westminster, Zappelon.

PALAN. Bigue, caliorne, palanquer, pantoire.

PÂLE. Blafard, blanc, blême, bleu, cireux, éteint, fade, fané, gris, hâve, livide, maladif, mauve, plat, plombé, terne, terreux, vert.

PALEFROI. Cheval, coursier, destrier, monture.

PALÉOLITHIQUE. Atérien, capsien, clactonien, moustérien, solutréen.

PALETTE. Aube, bat, battoir, choix, couchoir, férule, pale, paleron.

PALIER. Carré, étage, phase, rampe, recette, rez-de-chaussée, volée.

PALINODIE. Changement, désaveu, rétractation, revirement.

PÂLIR. Blêmir, changer, décolorer, éteindre, flétrir, ternir, verdir.

PALISSADE. Barrière, clôture, enclos, fortification, lice, mur, palis.

PALLADIUM. Pd.

PALLIER. Adoucir, affaiblir, amoindrir, atténuer, cacher, calmer, déguiser, mitiger, modérer, pourvoir, remédier, sauver, voiler.

PALME. Apothéose, décoration, gloire, honneurs, triomphe.

PALMIER. Arec, cocotier, cycas, dattier, doum, élaeis, éléis, élœis, kentia, latanier, nipa, palmiste, phœnix, raphia, rotang, tallipot.

PALMIPÈDE. Albatros, anatidé, canard, cane, chien, cormoran, cygne, flamant, fou, frégate, fuligule, goéland, grèbe, harle, hirondelle, oie, manchot, mergule, mouette, pélican, pétrel, pingouin, puffin, sterne.

PALOMBE. Biset, colombin, pigeon, ramereau, ramier.

PALOURDE. Clam, clovisse, pinnothère.

PALPABLE. Apparent, clair, concret, évident, manifeste, matériel, patent, perceptible, positif, réel, sensible, tangible, visible.

PALPER. Empocher, encaisser, manifeste, sensible, tâter, toucher.

PALPITANT. Bouleversant, émouvant, intéressant, passionnant.

PALPITER. Battre, éprouver, frémir, ressentir, scintiller, vibrer.

PALUCHE. Main.

PALUDISME. Anophèle, chloroquine, impaludation, malaria.

PAMPHLET. Blason, brochure, diatribe, écho, encart, factum, feuille, libellé, livre, mazarinade, pasquinade, placard, satire, tract.

PAMPLEMOUSSE. Agrume, grapefruit, grappe, pomelo.

PAN. Aégipan, colombage, côté, enrayure, face, filet, flanc, giron, lupercale, morceau, mur, panique, partie, syringe, syrinx, veste.

PANACÉE. Catholiçon, guérir, médicament, remède, solution.

PANACHE. Allure, bariolé, culbuter, lustre, mélange, mêlé, plumet.

PANARIS. Abcès, paronyme, tourniole.

PANAX. Aralia, ginseng.

PANCARTE. Affiche, écriteau, enseigne, panneau, placard.

PANCRÉAS. Fagoue, glucagon, insuline, sécrétine, trypsine.

PANÉGYRIQUE. Apologie, compliment, éloge, félicitations, louange.

PANIC. Mil, millet, moha.

PANICULE. Épi, épillet, phlox.

PANIER. Banne, bourriche, cabas, casse, cloyère, corbeille, corbillon, couffin, dépensier, dilapidateur, élite, flein, gabion, gaspilleur, gouffre, hotte, manne, nacelle, nasse, rasse, ruche, scouffin, van.

PANIQUE. Affolement, effroi, épouvante, peur, psychose, terreur.

PANIQUER. Affoler, angoisser, effrayer, épouvanter, terrifier.

PANNE. Accident, accroc, arrêt, barde, boucherie, couenne, coupure, ennui, graisse, lard, incident, interruption, poutre, suspens, voile.

PANNEAU. Banche, cadre, carte, claie, écran, enseigne, filet, métope, pancarte, piège, stop, table, tableau, tympan, vantail, vitre, volet.

PANNONCEAU. Affiche, carte, écriteau, écusson, enseigne, placard.

PANORAMA. Paysage, perspective, site, spectacle, tableau, vue.

PANSE. Abdomen, bedaine, bide, crépine, estomac, rumen, ventre.

PANSEMENT. Bandage, crêpe, compresse, gaze, ouate, sparadrap.

PANSER. Adoucir, apaiser, bander, brosser, calmer, étriller.

PANTALON. Braie, culotte, froc, pantin, knicker, quadrille, sarouel.

PANTELER. Agiter, essouffler, haleter, respirer, suffoquer, trembler.

PANTHÈRE. Léopard.

PANTIÈRE. Pantène, pantenne.

PANTIN. Arlequin, bamboche, bouffon, clown, guignol, jouet, joujou, mannequin, margotin, marionnette, pantalon, polichinelle, poupée.

PANTOUFLE. Charentaise, chausson, mocassin, mule, savate.

PAON. Gallinacé, orgueilleux, paonne, paonneau, saturnie.

PAPAL. Intégriste, papalin, papimane, papiste, ultramondain.

PAPAVÉRACÉE. Chélidoine, coquelicot, œillette, pavot, sanguinaire.

PAPE. Ablégat, bref, chef, concile, conclave, encyclique, légat, nonce, œcuménique, père, pontif, Saint-Siège, serviteur, tiare, vicaire.

PAPE (n. p.). Adrien, Agapit, Agathon, Alexandre, Anaclet, Anicet, Anastase, Anthère, Benoit, Boniface, Caius, Calixte, Célestin, Clément, Conon, Constantin, Corneille, Damase, Dieudonné, Dionysius, Donus, Éleuthère, Étienne, Eugène, Eusèbe, Eutychien, Évariste, Fabien, Félix, Formose, Gélase, Grégoire, Hilaire, Honorius, Hormisdas, Hygin, Innocent, Jean, Jean-Paul, Jules, Landon, Léon, Libère, Lin, Lucius, Marc, Marcel, Marcellin, Martin, Melchiade, Nicolas, Pascal, Paul, Pélage, Pie, Pontien, Romain, Sabinien, Serge, Séverin, Silvère, Simplice, Sirice, Sisinnius, Sixte, Soter, Sylvestre, Symnaque, Télesphore, Théodore, Urbain, Valentin, Victor, Vigile, Vitalien, Zacharie, Zéphirin, Zozime.

PAPELARD. Doucereux, faux, hypocrite, mielleux, papier, tartufe.

PAPIER. Argent, assiette, bande, bible, billet, buvard, carton, chute, coupe, cuve, document, effet, émeri, encre, épair, espèces, essuie-tout, feuille, filigrane, forme, journal, main, noces, oignon, page, papelard, paperasse, papillote, parchemin, pâte, pièce, pile, plan, pontuseau, rame, serviette, tenture, titre, vélin, vergé.

PAPILIONACÉE. Arachide, ers, fayot, fève, haricot, légumineuse, lentille, lupin, luzerne, pois, réglisse, soja, soya, trèfle, ulex, vesce.

PAPILLON. Acidalie, adonis, aglossa, agrotide, alucite, argus, argynne, cache, carpocapse, cocon, conelle, danaïde, eudémis, gonelle, leucanie, lycène, machaon, manne, mars, mite, morio, noctuelle, phalène, piéride, pyrale, saturnie, satyre, sépiole, sphinx, teigne, uranie, vanesse, vulcain, xanthie, zeuzère, zygène.

PAPILLONNER. Agiter, butiner, débattre, flirter, folâtrer, voltiger.

PAPILLONNANT. Agité, batifolant, clignotant, flottant, folâtrant, instable, miroitant, mobile, mouvant, scintillant, virevoltant.

PAPOTAGE. Bavardage, cancan, caquetage, commérage, ragot.

PAPRIKA. Piment.

PAQUEBOT. Bateau, liner, navire, transat, transatlantique, vaisseau.

PAQUET. Bagage, balle, ballot, ballotin, baluchon, balluchon, bêtise, caisse, colis, emballage, liasse, masse, pile, quantité, sachet, tas.

PAR. Via.

PARABOLE. Allégorie, apologie, apoliogue, comparaison, courbe, fable, histoire, image, ladre, morale, parabolique, récit, symbole.

PARACHEVER. Achever, ciseler, compléter, conclure, couronner, fignoler, finir, lécher, limer, parfaire, peaufiner, polir, terminer.

PARACHUTISTE. Para, sauteur, stick.

PARADE. Crédence, carrousel, défilé, montre, revue, riposte, tenue.

PARADIS. Balcon, céleste, ciel, éden, élysée, havre, nirvana, oasis, olympe, pigeonnier, poulailler, royaume, sein, séjour, Walhalla.

PARADOXE. Absurdité, bizarrerie, contradiction, énormité, illogisme, incohérence, inconséquence, originalité, singularité, sophisme.

PARAFFINE. Alcane, chandelle, ozocérite, stencil.

PARAGRAPHE. Alinéa, développement, intertitre, passage, verset.

PARAÎTRE. Aspect, briller, naître, poindre, sembler, simuler, surgir.

PARALLÈLE. Correspondant, semblable, similaire, symétrique.

PARALYSÉ. Engourdi, immobile, impotent, infirme, perclus, sidéré.

PARALYSER. Annihiler, arrêter, bloquer, immobiliser, neutraliser.

PARALYSIE. Anesthésie, ankylose, asthénie, atonie, atrophie, béribéri, catalepsie, dysarthrie, hémiplégie, monoplégie, paraplégie, parésie, prostration, rage, sclérose, sidération, strychnine.

PARAPET. Abri, balustrade, banquette, berme, mur, muraille, muret.

PARAPHER. Apostiller, contresigner, griffer, signature, signer, viser.

PARAPHRASE. Amplification, commentaire, développement, explication, fantaisie, glose, imitation, traduction, targum.

PARAPHRASER. Amplifier, commenter, éclaircir, expliquer, imiter.

PARAPLUIE. Marquise, ombrelle, parasol, pébroc, pépin, riflard.

PARASITAIRE. Ascaridiase, axène, dysenterie, piroplasmose.

PARASITE. Acarus, amibe, argas, champignon, douve, écornifleur, ectoparasite, gale, gui, insecte, ixode, larve, lente, œstre, oxyure, pou, puce, superflu, taenia, teigne, ténia, tique, urédo, varron, ver.

PARASITOSE. Lambliase, myiase, onchocercose, oxyurose.

PARASOL. Abri, ombrelle, parapluie.

PARC. Clayère, jardin, marenne, ménagerie, pâturage, tortille, zoo.

PARCELLE. Copeau, étincelle, grain, limaille, lopin, miette, partie.

PARCHEMIN. Cosse, diplôme, écrou, garde, juif, manuscrit, palimpseste, papier, phylactère, queue, titre, vélin.

PARCIMONIEUX. Avaricieux, chiche, court, économe, favorable, insuffisant, jeune, ladre, marchandeur, mesquin, mesuré, modeste.

PARCOURIR. Arpenter, battre, courir, couvrir, dévaler, examiner, explorer, feuilleter, franchir, inspecter, lire, monter, peser, regarder, scruter, sillonner, suivre, tour, traverser, visiter, voir.

PARCOURS. Chemin, étape, itinéraire, link, ronde, route, tour, tracé.

PARDESSUS. Imperméable, jaquette, manteau, outre, surtout, veste.

PARDON. Absolution, excuse, grâce, miséricorde, oubli, rémission.

PARDONNABLE. Excusable, graciable, oubliable, réparable, tolérable.

PARDONNER. Absoudre, condamner, excuser, expier, gracier, oublier, reprendre, remettre, réprimander, réprouver, souffrir, stigmatiser.

PARÉ. Doté, nanti, pareur, pourvu, prêt.

PARE-BRISE. Essuie-glace, grattoir, lave-glace, vignette.

PAREIL. Adéquat, ainsi, analogue, aussi, conforme, congénère, égal, équivalent, ibidem, id, idem, identique, ita, itou, même, pair, réciproque, semblable, sic, similaire, synonyme, tel, uniforme.

PAREILLEMENT. Aussi, avenant, également, idem, identiquement, mêmement, parallèlement, semblablement, uniformément.

PAREMENT. Décoration, ornement, parure, rabat, revers, surface.

PARENCHYME. Carnisation, hépatique, lacuneux, palissadique, pancréatique, pneumonie, rénal.

PARENT. Agnat, aïeul, aïeux, aîné, allié, analogue, ancêtre, apparenté, ascendant, bru, cadet, cognat, colatéral, consanguin, consort, cousin, cousine, dabe, époux, famille, frère, gendre, géniteurs, germain, mari, mère, neveu, nièce, oncle, père, proche, procréateur, sang, siens, sœur, tante, utérin, voisin.

PARENTÉ. Adoption, affinité, alliance, analogie, classificatoire, consanguinité, degré, famille, liaison, lien, parentèle, rapport, union.

PARENTHÈSE. Disgression, écart, épisode, incise, parabase, placage.

PARÉO. Pagne, Tahiti.

PARER. Adoniser, afistoler, arrêter, attifer, diaprer, éluder, embellir, esquiver, éviter, orner, parure, pigeonner, pomponner, remédier.

PARESSE. Apathie, fainéantise, flemme, inertie, lenteur, mollesse.

PARESSER. Buller, fainéanter, flâner, flemmarder, glander, traîner.

PARESSEUX. Aboulique, ai, indolent, cancre, fainéant, flâneux, inerte, lambin, larve, mou, négligent, nonchalant, oisif, singe, unau.

PARFAIRE. Arranger, châtier, ciseler, enjoliver, fignoler, finir, lécher, limer, parachever, peaufiner, perler, polir, raboter, raffiner, soigner.

PARFAIT. Absolu, accompli, achevé, admirable, adorable, bien, complet, conjugaison, consommé, divin, élite, excellent, fignolé, fin, idéal, impeccable, incomparable, infini, irréprochable, magistral, mûr, perfection, perle, prétérit, peaufiné, rare, réussi, saint.

PARFOIS. Quelquefois, rarement, tantôt.

PARFUM. Anis, aromate, arôme, baume, bouquet, eau, effluve, émanation, encens, essence, exhalaison, extrait, fragrance, fumet, haleine, huile, iris, musc, nard, odeur, onguent, rose, senteur, thym.

PARFUMER. Ambrer, anis, aromatiser, dégager, embaumer, odorer.

PARIER. Caver, défier, enjeu, gager, jouer, miser, ponter, risquer.

PARKING. Autoport, box, garage, parc, parcage, stationnement.

PARLE. Créolophone, dialectisant, hispanophone, taiseux.

PARLEMENT. Assemblée, chambre, député, douma, sénateur, urne.

PARLEMENTAIRE. Délégué, député, élu, émissaire, envoyé, orléanisme, représentant, représentatif, sénateur.

PARLEMENTER. Argumenter, débattre, discuter, négocier, palabrer.

PARLER. Aborder, annoncer, bafouiller, baragouiner, bléser, causer, claironner, crier, dauber, débiter, dire, discourir, évoquer, exposer, exprimer, haranguer, hurler, jacter, jargonner, jaser, joual, nasiller, patois, péronier, placoter, prononcer, tarir, tonner, trahir, vociférer.

PARLEUR. Causeur, conférencier, crieur, diseur, gueuleur, jaseur, pie.

PARMI. Avec, chez, dans, de, emmi, en, entre, milieu, sur, trier.

PARODIE. Calque, caricature, charge, contrefaçon, copie, glose, imitation, moquer, pastiche, simulacre, singerie, travestissement.

PARODIER. Caricaturer, contrefaire, imiter, pasticher, singer.

PAROI. Aile, à-pic, bajoyer, cadre, claustra, cloison, contre-marche, dalot, dosse, éponte, mur, muraille, ptôse, séparation, voûte.

PAROISSE. Clocher, commune, cure, église, feu, hameau, village.

PAROISSIEN. Eucologe, fidèle, messe, missel, ouaille, prière.

PAROLE. Aménité, ânerie, annotation, aparté, aphasie, apophtegme, assurance, bâtise, blasphème, compliment, discours, élocution, éloge, énormité, expression, gaffe, gentillesse, grimoire, impiété, injure, jactance, juron, langage, langue, malentendu, maxime, menace, merci, mot, objurgations, ordure, propos, sésame, sottise, verbe.

PAROLIER. Auteur, chansonnier, librettiste, poète.

PAROLIER (n. p.). Plamondon.

PAROXYSME. Accès, acmé, apothéose, colère, comble, crise, culminant, exacerbation, extrême, faîte, maximum, perfection, redoublement, sommet, summum, survolté.

PARPAILLOT. Agnostique, anticlérical, athée, calviniste, protestant.

PARQUER. Confiner, enfermer, entasser, garer, stationner.

PARQUET. Carrelage, chevron, foyer, justice, moquette, mosaïque, parqueterie, plancher, sol, tapis, tribunal, tuile.

PARRAIN. Caution, compère, garant, introducteur, témoin, tuteur.

PARSEMER. Brillancer, consteller, couvrir, disperser, disséminer, émailler, étendre, étoiler, recouvrir, répandre, saupoudrer, semer.

PART. Aller, contingent, départ, déplace, écot, lopin, lot, partage, participe, particule, partie, quota, quirat, ration, ristourne, va.

PARTAGE. Absolu, découpage, démembrement, dichotomie, division, exclusif, fractionnement, partition, répartition, séparation, total.

PARTAGÉ. Commun, dépecé, divisé, embarrassé, favorisé, gradué, hésitant, loti, mutuel, perplexe, réciproque, segmenté, séparé.

PARTAGER. Assoler, débiter, découper, dépecer, diviser, fragmenter, graduer, liquider, lotir, morceler, partir, répartir, séparer, ventiler.

PARTANCE. Appareillage, début, départ, embarquement, exode.

PARTENAIRE. Acolyte, adjoint, affidé, aide, allié, ami, associé, cavalier, coéquipier, collègue, compagnon, complice, copain, correspondant, danseur, équipier, interlocuteur, joueur, second.

PARTERRE. Corbeil, massif, pelouse, planche, plate-bande, public.

PARTHÉNOGÉNIQUE. Agame, fécondation.

PARTI. Ami, bannière, barré, brigue, cabale, camp, cause, clan, coalition, commencé, coterie, éméché, ému, engagé, faction, famille, gai, gris, groupe, inféodé, ivre, opte, part, partie, partisan, secte.

PARTICIPANT. Adhérent, compétiteur, concurrent, intervenant, membre, relayeur.

PARTICIPATION. Aide, apport, assistance, collaboration, concours, collusion, contribution, coopération, implication, intéressement.

PARTICIPE. Bu, dû, eu, lu, mû, né, part, plu, prend, pu, su, tu, vu.

PARTICIPER. Aider, appartenir, apporter, assister, associer, collaborer, concourir, contribuer, coopérer, dépendre, éprouver, militer, partager, procéder, relever, ressortir, tenir, tremper.

PARTICULARITÉ. Anecdote, anomalie, caractéristique, modalité, originalité, propriété, qualité, rareté, singularité, spécificité.

PARTICULE. Atome, boson, corpuscule, da, de, di, du, électron, épisome, gluon, ion, ka, kaon, lepton, méson, micelle, morceau, mu, muon, neutrino, neutron, nucléon, oc, oui, poudre, van, vice, von.

PARTICULIER. Bizarre, caractéristique, distinct, distinctif, individu, individuel, intime, local, original, personnel, privé, propre, rare, respectif, séparé, spécial, spécifique, subjectif, typique, unique.

PARTIE. Fraction, hémi, justice, lopin, lot, manche, mat, mi, miette, moitié, morceau, parcelle, part, particule, portion, rob, semi, set.

PARTIEL. Acompte, à-valoir, démixtion, diète, limité, manie.

PARTIR. Abandonner, aller, barrer, battre, casser, cavaler, décamper, défiler, dégager, déguerpir, déloger, départ, détaler, disparaître, émigrer, exiler, filer, fuir, quitter, rogner, sortir, venir.

PARTISAN. Acolyte, adepte, adhérent, admirateur, affidé, affilié, aide, allié, ami, associé, attaché, dévoué, disciple, élitiste, fan, fanatique, favorable, féal, fidèle, libertaire, lige, membre, militant, orienté, parti, partial, pro, recrue, sectaire, séide, tenant, vériste.

PARTITION. Indépendance, musique, reprise, séparation, tableur.

PARU. Éclos, né, paraître, publié, semblé, sorti.

PARURE. Ajustement, atour, bijou, coquetterie, décoration, diadème, garniture, joyau, ornement, nippe, parer, parement, toilette.

PARVENIR. Arriver, obtenir, réussir, sauter, succéder, tomber, venir.

PARVENU. Agioteur, arriviste, figaro, pu, rasta, rastaquouère, réussi.

PAS. Allure, andain, appui, aucun, clerc, col, danse, démarche, enjambée, étape, foulée, goutte, jalon, marche, mie, négation, nul, nullement, peu, point, préséance, progrès, promenade, prose, seuil.

PASCAL. Pa.

PASSABLE. Acceptable, admissible, médiocre, mettable, potable.

PASSADE. Amourettte, aventure, béguin, caprice, fantaisie, flirt, liaison, tocade.

PASSAGE. Allée, berme, brèche, canal, circulation, citation, col, corridor, couloir, coursive, défilé, détroit, élan, endroit, extrait, franchissement, galerie, gorge, gué, issue, pas, passe, pertuis, pont, porte, ras, rue, saut, seuil, texte, traboule, trait, traversée, verset.

PASSAGER. Durable, éphémère, évanescent, fugitif, précaire, rapide.

PASSE. Canal, chenal, circonstance, circulation, circule, coup, défilé, détroit, état, goulet, histoire, issue, jadis, moment, passage, passe-partout, période, position, rétrospection, révolu, situation, veille.

PASSE (n. p.). Aa, Agout, Adour, Ain, Allier, Ariège, Aron, Aude, Dniepr, Elbe, Escant, Eure, Iding, Iènisseï, Ill, Indre, Isar, Isère, Isle, Iton, Leine, Loir, Moselle, Oise, Orb, Orne, Saône, Tarn, Vienne.

PASSÉ. Accompli, ancien, antan, aoriste, autrefois, conjugaison, décoloré, défraîchi, défunt, dernier, devenu, écoulé, ex, hier, jadis, mort, omis, précédent, prétérit, rétroactif, révolu, tradition, tu.

PASSÉ COMPOSÉ. Alibi, verbe.

PASSE-DROIT. Avantage, faveur, illégalité, prérogative, privilège.

PASSE-MONTAGNE. Cagoule.

PASSE-PASSE. Attrape, illusion, magie, prestidigitation, repos, tour.

PASSE-PARTOUT. Clé, clef.

PASSE-TEMPS. Agrément, amusement, distraction, jeu, plaisir.

PASSEMENT. Agrément, aiguillette, broderie, chenille, chou, cordon, crêpe, crépine, dentelle, dragonne, épaulette, filet, frange, galon, ganse, gland, houppe, lacet, laisse, motif, natte, nœud, picot, ruban.

PASSEMENTERIE. Brandebourg, broderie, dentelle, frange, passepoil.

PASSER. Aller, conclure, couler, couper, cribler, croiser, devancer, devenir, dissiper, écouler, effleurer, enfuir, entrer, énumérer, étendre, évoluer, excéder, filtrer, fixer, franchir, fusiller, herser, hiverner, lécher, loger, moduler, mourir, omettre, pardonner, pourlécher, raser, ratatiner, ratiner, refiler, rincer, rouler, sasser, sortir, tamiser, tirer, transmettre, traverser.

PASSEREAU (3 lettres). Pie.

PASSEREAU (4 lettres). Geai, lyre, pipi.

PASSEREAU (5 lettres). Agace, calao, grive, huppe, linot, merle, pipit, serin, shama, tarin, tyran, veuve, viréo.

PASSEREAU (6 lettres). Aronde, bec-fin, bruant, bulbul, canari, chama, cincle, jaseur, loriot, malure, margot, mauvis, ménure, oriole, paridé, pinson, quelea.

PASSEREAU (7 lettres). Bengali, carouge, colibri, corbeau, corvidé, cotinga, friquet, gros-bec, guêpier, jacasse, mésange, moineau, moqueur, rollier, tangara, traquet, turdidé, verdier.

PASSEREAU (8 lettres). Alouette, becfigue, cardinal, farlouse, fauvette, fournier, grenadin, martinet, plocéidé, quiscale, roitelet, rupicole, sittelle, sturnidé, tisserin.

PASSEREAU (9 lettres). Accenteur, bec-croisé, corneille, étourneau, mauviette, monticole, passerine, phragmite, sansonnet, trogonidé, troupiale.

PASSEREAU (10 lettres). Grimpereau, hirondelle, lavandière, pie-grièche, tichodrome, trochilidé, troglodyte.

PASSEREAU (11 lettres). Engoulevent, fringillidé, gobe-mouches, moucherolle, rousserolle.

PASSEREAU (12 lettres). Chardonneret, passériforme.

PASSERELLE. Escalier, kiosque, passage, pont, rambarde, relation.

PASSIF. Actif, bilan, engourdi, grammaire, perte, supporter, verbe.

PASSION. Adoration, affection, amour, ardeur, attachement, avidité, béguin, désir, élan, faible, joie, obsession, rage, rêve, sentiment, vice.

PASSIONNANT. Affolant, attachant, captivant, électrisant, émouvant, empoignant, enivrant, excitant, impressionnant, palpitant, saisissant.

PASSIONNÉ. Aficionado, amoureux, ardent, brutal, chaud, enflammé, enthousiaste, épris, exalté, féru, fervent, fou, mordu, véhément.

PASSIVITÉ. Amorphe, apathique, atone, éteint, inaction, inertie, yin.

PASSOIRE. Crible, égouttoir, filtre, tamis, trépied, trier, ustensile.

PASTEL. Cocagne, coraigne, couleur, guède, isatis, pastelier.

PASTEUR. Berger, ministre, missionnaire, pâtre, prêtre, révérend.

PASTEUR ALLEMAND (n. p.). Bonhoeffer.

PASTEUR AMÉRICAIN (n. p.). Channing, King, Penn.

PASTEUR ANGLAIS (n. p.). Wesley.

PASTEUR CANADIEN (n. p.). Vroom.

PASTEUR FRANÇAIS (n. p.). Boegner, Stewart.

PASTEUR NÉERLANDAIS (n. p.). Gomar, Gomarus.

PASTEUR NORVÉGIEN (n. p.). Egede.

PASTEUR SUD-AFRICAIN (n. p.). Malan.

PASTEUR SUISSE (n. p.). Zwingli.

PASTICHER. Caricaturer, contrefaire, copier, imiter, parodier.

PASTORALE. Agreste, bergerette, bergerie, bucolique, champêtre, églogue, idylle, idyllique, rural, rustique, spirituel, symphonie.

PASTOUREAU. Berger, pastourelle.

PATATE. Pomme de terre, roseval, stupide.

PATAUGER. Barboter, gadouiller, patouiller, patrouiller, piétiner.

PÂTE. Abaisse, barbotine, beigne, beignet, cannelloni, colle, croûte, lasagne, macaroni, mortier, nouille, pâté, pâtisserie, ravioli, spaghetti, spaghettini, tagliatelle, tortellini, vermicelle, vol-au-vent.

PATELIN. Doucereux, faux, flatteur, hypocrite, mielleux, onctueux.

PATELLE. Bernicle, bernique.

PATENTE. Attitré, autorisation, avéré, brevet, contribution, diplôme, impôt, licence, notoire, patenter, reconnu.

PATER. Prière.

PATHOLOGIQUE. Acidose, andrologie, gynécologie, hépatologie, ictus, maladif, mastologie, morbide, ophtalmologie, pus, tétanie, urémie.

PATHOS. Affectation, boursouflure, emphase, galimatias, mélodrame.

PATIBULAIRE. Gibet, inquiétant, menaçant, sinistre.

PATIENCE. Attente, calme, constance, courage, douceur, flegme, impatience, indulgence, longanimité, persévérance, réussite.

PATIN. Glisse, hockey, ski, traîneau.

PATINEUR (n. p.). Brasseur, Lambert.

PÂTIR. Endurer, éprouver, languir, péricliter, ressentir, souffrir.

PÂTISSERIE. Baba, biscuit, brioche, chou, coulis, éclair, friand, gâteau, gaufre, gougère, macaron, meringue, nanan, pâté, pet, plaisir, religieuse, rissole, tarte, tartelette, viennoiserie.

PATOCHE. Main.

PATOIS. Argot, charabia, dialecte, idiome, langue, parlure, sabir.

PATRAQUE. Anémité, égrotant, faible, fatigué, fichu, malade.

PATRIARCHE. Ancestral, biblique, chef, prophète, tribu, vieillard.

PATRIARCHE (n. p.). Abraham, Cham, Isaac, Jacob, Japhet, Job, Mathusalem, Moïse, Noé, Sem, Seth,

PATRICE. Dignitaire, patricial, patriciat, romain.

PATRICE (n. p.). Constantin, Crescent, Crescentius.

PATRIE. Apatride, berceau, civisme, contrée, état, expatrié, foyer, milieu, nation, patriote, pays, natal, rapatrier.

PATRIE D'ABRAHAM (n. p.). Our, Ur.

PATRIE DE BLANQUI (n. p.). Nice.

PATRIE DE DAUDET (n. p.). Nîmes.

PATRIE D'AMPÈRE (n. p.). Lyon.

PATRIE D'ANACRÉON (n. p.). Grèce, Téos.

PATRIE D'ANGUIER (n. p.). Eu.

PATRIE D'ANSERMET (n. p.). Suisse, Vevey.

PATRIE D'AVED (n. p.). Douai.

PATRIE D'AVEDON (n. p.). New York.

PATRIE DE DUNANT (n. p.). Genève, Suisse.

PATRIE D'EINSTEIN (n. p.). Ulm.

PATRIE D'HIPPOCRATE (n. p.). Cos, Thessalie.

PATRIE DE BEETHOVEN (n. p.). Bonn.

PATRIE DE BEMBO (n. p.). Venise.

PATRIE DE BERNADOTTE (n. p.). Pau, Stockholm.

PATRIE DE BOISROBERT (n. p.). Caen.

PATRIE DE BORDA (n. p.). Dax, Paris.

PATRIE DE CHAMPLAIN (n. p.). Brouage.
PATRIE DE CORTOT (n. p.). Nyon.
PATRIE DE CUECO (n. p.). Corrèze.
PATRIE DE DANIEL-ROPS (n. p.). Épinal.
PATRIE DE DARLAN (n. p.). Nérac.
PATRIE DE DARU (n. p.). Montpellier.
PATRIE DE FOCH (n. p.). Tarbes.
PATRIE DE FONTENELLE (n. p.). Rouen.
PATRIE DE FOOTTIT (n. p.). Manchester.
PATRIE DE GAMBETTA (n. p.). Cahors.
PATRIE DE GARIBALDI (n. p.). Montevideo, Nice.
PATRIE DE HAFIZ (n. p.). Chiraz.
PATRIE DE GARY (n. p.). Vilna, Vilnius.
PATRIE DE JACQUART. (n. p.). Lyon.
PATRIE DE LALO (n. p.). Lille.
PATRIE DE LAMARTINE (n. p.). Mâcon.
PATRIE DE MALET (n. p.). Dole.
PATRIE DE MALHERBE (n. p.). Caen.
PATRIE DE MASSÉNA (n. p.). Nice
PATRIE DE MASSENET (n. p.). Montaud.
PATRIE DE NICOT (n. p.). Nîmes.
PATRIE DE NIEDERMEYER (n. p.). Nyon.
PATRIE DE NIN (n. p.). Neuilly.
PATRIE DE PARMÉNIDE (n. p.). Élée.
PATRIE DE PASTEUR (n. p.). Dole.
PATRIE DE PÉGUY (n. p.). Orléans.
PATRIE DE REMBRANDT (n. p.). Leyde.
PATRIE DE TELLIER (n. p.). Amiens.
PATRIE DE TENCIN (n. p.). Grenoble.
PATRIE DE TOURGUENIEV (n. p.). Orel.
PATRIE DE TURENNE (n. p.). Sedan.
PATRIE DE VALENTINO (n. p.). Castellaneta.
PATRIE DE VALÉRY (n. p.). Sète.
PATRIE DE VARIGNON (n. p.). Caen.
PATRIE DE VILAR (n. p.). Frontignac, Sète.
PATRIE DE VILLAURUTIA (n. p.). Mexico.
PATRIE DE VOLTA (n. p.). Côme.
PATRIE DE VOLTAIRE (n. p.). Paris.
PATRIE DE ZÉNON (n. p.). Cition, Cittium, Élée.
PATRIE DE ZETKIN (n. p.). Wiederau.
PATRIE DE ZÉVACO (n. p.). Ajaccio.
PATRIE DE ZINOVIEV (n. p.). Pakhtino.
PATRIMOINE. Bien, héritage, mobilier, part, propriété, succession.
PATRIOTE. Chauviniste, civisme, cocardier, nationaliste, séparatiste.

PATRIOTE (n. p.). Bouchette, Cardinal, Cartier, Chénier, Decoigne, Delorimier, Duquet, Hamelin, Narbonne, Nelson, Papineau, Perrault, Portneuf, Sanguinet, Simard, Viger.

PATRON. Boss, chef, maître, modèle, protecteur, saint, tenancier.

PATRON DE L'ALSACE (n. p.). Odile.

PATRON DE L'ÉCOSSE (n. p.). André.

PATRON DE L'IRLANDE (n. p.). Patrice, Patrick.

PATRON DE LA POLOGNE (n. p.). Stanislas.

PATRON DE LA RUSSIE (n. p.). Nicolas.

PATRONYME. Nom, surnom.

PATTE. Adresse, carrefour, cuissot, épaulette, ergot, habileté, jambe, jarret, main, pied, pince, ride, sabot, serre, tarse, technique.

PÂTURAGE. Alpage, auge, parc, pacage, pâture, prairie, pré, terre.

PÂTURE. Affenage, aliment, appât, asticot, becquée, engrais, herbage, nourriture, pacage, pâtée, pâtis, pitance, vairon, ver.

PÂTURER. Pacager, paître, pâturage, viander.

PAUMÉ. Égaré, gantelet, paumier, perdu, thétar.

PAUPÉRISME. Dénuement, indigence, manque, misère, pauvreté.

PAUPIÈRE. Blépharite, cil, clin, clignement, conjonctivite, orgelet.

PAUSE. Arrêt, attente, battement, chant, délassement, entracte, halte, interruption, intervalle, mi-temps, point, récréation, relâche, répit, repos, silence, soupir, stagnation, suspension, trêve, station.

PAUVRE. Aisé, appauvri, chétif, clochard, cossu, démuni, gueux, fortuné, hère, indigent, job, ladre, minable, miséreux, riche, ruiné.

PAUVRETÉ. Besoin, disette, famine, misère, pénurie, pétrin, stérilité.

PAVER. Briqueter, carreler, couvrir, daller, damer, décarreler, demoiselle, joncher, macadam, recouvrir, repaver, revêtir.

PAVILLON. Abri, aile, bannière, belvédère, berne, bungalow, chalet, cor, cottage, drapeau, étendard, gloriette, guérite, guidon, kiosque, maison, muette, oreille, rotonde, tente, tonnelle, tourelle, villa.

PAVOT. Calmant, capsule, coquelicot, huile, laudanum, morphine, œillette, olivette, opium, papaver, ponceau, somnifère.

PAYE. Impayé, paiement, péage, rétribution, salaire, solde, terme.

PAYER. Appointer, casquer, corrompre, débourser, décaisser, raquer, régler, rembourser, rémunérer, rétribuer, salarier, soudoyer.

PAYS. Bled, bourg, bourgade, campagne, coin, contrée, état, lieu, nation, patelin, patrie, province, région, rivage, territoire, zone.

PAYS, AFRIQUE (n. p.). Afrique du Sud, Algérie, Angola, Bénin, Botswana, Burundi, Cabinda, Cameroun, Cap, Congo, Djibouti, Égypte, Éthiopie, Gabon, Gambie, Ghana, Guinée, Kenya, Lesotho, Libéria, Libye, Madagascar, Mali, Maroc, Mauritanie, Mozambique, Namibie, Natal, Niger, Nigéria, Orange, Ouganda, Rhodésie, Rwanda, Sénégal, Somalie, Soudan, Swaziland, Tanganie, Tchad, Togo, Transvaal, Tunisie, Zaïre, Zambie, Zimbabwe.

PAYS, AMÉRIQUE CENTRALE (n. p.). Bahamas, Costa Rica, Cuba, Haïti, Honduras, Mexique, Nicaragua, Panama, République dominicaine.

PAYS, AMÉRIQUE LATINE (n. p.). Argentine, Bolivie, Brésil, Chili, Colombie, Costa Rica, Cuba, Équateur, Salvador, Guatemala, Haïti, Honduras, Mexique, Nicaragua, Panama, Paraguay, Pérou, Uruguay, Venezuela, République dominicaine.

PAYS, AMÉRIQUE DU NORD (n. p.). Canada, États-Unis, Mexique.

PAYS, AMÉRIQUE DU SUD (n. p.). Argentine, Bolivie, Brésil, Chili, Colombie, Costa Rica, Cuba, Équateur, Grenade, Guatemala, Guyane, Nicaragua, Panama, Paraguay, Pérou, République dominicaine, Salvador, Surinam, Uruguay, Venezuela.

PAYS, ARABIE (n. p.). Arabie Saoudite, Bahreïn, Émirats, Katar, Koweit, Oman, Qatar, Séoudite, Yémen.

PAYS, ASIE (n. p.). Afghanistan, Arabie, Cachemire, Cambodge, Ceylan, Chine, Corée, Inde, Indonésie, Ionie, Irak, Iran, Israël, Iturée, Japon, Kazakhstan, Kurdistan, Laos, Liban, Mésopotamie, Mongolie, Pakistan, Palestine, Perse, Philippines, Russie, Syrie, Thaïlande, Tibet, Turquie, Vietnam.

PAYS, ASIE CENTRALE (n. p.). Kazakhstan, Kirghizstan, Mongolie, Ouzbékistan, Tadjikistan, Turkménistan, Xinjiang.

PAYS, ASIE SUD-EST (n. p.). Birmanie, Brunei, Cambodge, Indonésie, Laos, Malaisie, Philippines, Singapour, Thaïlande, VietNam.

PAYS, BALKANS (n. p.). Afghanistan, Arabie, Birmanie, Bornéo, Cambodge, Ceylan, Chine, Corée, Inde, Indonésie, Irak, Iran, Iraq, Japon, Laos, Malésie, Mésopotamie, Mongolie, Népal, Pakistan, Palestine, Perse, Russie, Syrie, Taiwan, Thaïlande, Turquie, Vietnam.

PAYS, EUROPE (n. p.). Albanie, Allemagne, Angleterre, Autriche, Baltes, Belgique, Bulgarie, Croatie, Danemark, Eire, Espagne, Estonie, Finlande, France, Grande-Bretagne, Grèce, Hongrie, Irlande, Islande, Italie, Lettonie, Luxembourg, Norvège, Pologne, Portugal, Roumanie, Russie, Slovaquie, Suède, Suisse, Tchécoslovaquie, Turquie, Yougoslavie.

PAYS, PROCHE-ORIENT (n. p.). Égypte, Israël, Liban, Syrie, Turquie.

PAYS, OCÉANIE (n. p.). Australie, Nouvelle-Guinée, Nouvelle-Zélande.

PAYSAGE. Cadre, décor, horizon, panorama, perspective, site, vue.

PAYSAGISTE. Architecte, décorateur, dessinateur, jardinier, peintre.

PAYSAGISTE (n. p.). Corot, Huet.

PAYSAN. Agricole, agriculteur, campagnard, cultivateur, fellah, fermier, habitant, laboureur, manant, pecmot, péon, péquenot, poète, rural, rustaud, rustique, rustre, terrien.

PEAU. Acné, basane, bolbos, croupon, couenne, cuir, dépouille, épiderme, gourme, impétigo, galuchat, kératose, lèpre, lupus, maroquinerie, mue, naevus, outre, pelage, pellagre, pellicule, pelure, pityriasis, prurigo, psoriasis, rubéfaction, suède, vélin.

PEAUFINER. Astiquer, ciseler, fignoler, lécher, parachever, parfaire, perfectionner, polir, soigner.

PECCADILLE. Bêtise, bricole, faute, misère, péché, rien, vétille.

PÊCHE. Aiche, ansière, esche, filet, halieutique, oreillons, poisson.

PÊCHE, (fruit). Nectarine, peau, pêcher.

PÉCHÉ. Avarice, capital, colère, débauche, envie, faible, faiblesse, faute, gourmandise, impénitence, impiété, ire, luxure, mal, mortel, orgueil, paresse, stupre, tache, travers, vice, véniel.

PÊCHER. Découvrir, dégoter, dénicher, draguer, prendre, trouver.

PÊCHERIE. Gord.

PÉCORE. Animal, bête, cheptel, pecque, pimbèche, pintade, sot.

PÉDAGOGIE. Didactique, éducation, enseignement, instruction, maître, pédant, pédagogue, scolaire.

PÉDAGOGIQUE. Didactique, éducatif.

PÉDAGOGUE. Didacticien, éducateur, enseignant, maître, professeur.

PÉDAGOGUE (n. p.). Montessori, Neill.

PÉDALE. Cyclisme, levier, manivelle, palonnier, pédalier, sang-froid.

PÉDANT. Bonze, censeur, cuistre, doctoral, fat, sot, us, vaniteux.

PÉDICULOSE. Phtiriase, poux.

PÉDONCULE. Bractée, cyme, ombilical, pédicelle, réceptacle, queue.

PEIGNE. Affinoir, carde, démêloir, ébauchoir, garde, drège, grège, mollusque, pecten, râteau, ros, séran, sourdine, stoff.

PEIGNER. Arranger, babichonner, brosser, carder, coiffer, démêler, dénouer, houpper, soigner, testoner.

PEIGNOIR. Déshabillé, robe, saut-de-lit, sortie de bain.

PEINDRE. Peinturlurer, poser, repeindre, ripoliner, spatuler, veiner.

PEINE. Affliction, ahan, amende, bannissement, calamité, châtiment, dam, déportation, difficulté, fatigue, guillotine, mal, misère, mort, pendaison, prison, punition, purger, ronce, supplice, tracas, travail.

PEINER. Affliger, ahaner, chagriner, débattre, déplaire, émouvoir, fâcher, fatiguer, lutter, remuer, sévir, suer, toucher, trimer, troubler.

PEINTRE. Animalier, aquarelliste, artiste, badigeonneur, barbouilleur, chevalet, coloriste, fauvisme, figuratif, fresquiste, imagier, pastelliste, portraitiste, paysagiste, rapin, veinette.

PEINTRE ALLEMAND (n. p.). Altdorfer, Baldung, Beckmann, Beuys, Burgkmair, Cranach, Dix, Dürer, Ernst, Friedrich, Grünewald, Heckel, Holbein, Klee, Leibl, Liss, Macke, Marc, Mengs, Nolde, Richter, Schwitters, Winterhalter, Wols.

PEINTRE ALSACIEN (n. p.). Schongauer.

PEINTRE AMÉRICAIN (n. p.). Albers, Allston, Bolton, Calder, Cassatt, Chase, Cole, Davis, Drake, Eakins, Feininger, Francis, Freeman, Fuller, Gorky, Grosz, Hart, Heaffy, Healy, Hopper, Hunt, Johns, Kline, Kosuth, Lichtenstein, Muller, Morse, Moses, Motherwell, Newman, Nicoll, Oldenburg, Overbeck, Page, Pascin, Patchen, Peale, Pollock, Rauschenberg, Ray, Rosenquist, Sargent, Shahn, Steele, Stella, Sully, Tanguy, Tobey, Volk, Warhol, Weir, Wesselmann, West, Whistler, Wood.

PEINTRE ANGLAIS (n. p.). Beachey, Beardsley, Blake, Bonington, Brown, Constable, Cooper, Etty, Fenton, Foster, Gainsborough, Gibson, Henry, Hockney, Hogarth, Holbein, Hoppner, Hunt, Kokoschka, Lawrence, Lely, Lewis, Millais, Morris, Murray, Nicholson, Pettie, Raeburn, Reynolds, Romney, Rossetti, Sisley, Turner.

PEINTRE ARMÉNIEN (n. p.). Carzou.

PEINTRE AUTRICHIEN (n. p.). Hundertwasser, Klimt, Schiele.

PEINTRE BELGE (n. p.). Alechinsky, Delvaux, Ensor, Khnopff, Magritte, Meunier, Navez, Permeke, Rops, Wiertz.

PEINTRE BRITANNIQUE (n. p.). Bacon, Greenaway, Hunt, Turner.

PEINTRE CANADIEN (n. p.). Bolduc, Bonnet, Borduas, Eaton, Gagnon, Leduc, Lemieux, Krieghoff, Fortin, Leduc, Massicotte, Morrice, Pellan, Riopelle, Russell, Villeneuve.

PEINTRE CHILIEN (n. p.). Matta.

PEINTRE CHINOIS (n. p.). Che-T'ao, Lü Ji, Liu Ki, Ma Yuan, Mi Fei, Mi Fu, Muqi, Ni Tsan, Ni Zan, Shitao.

PEINTRE COLOMBIEN (n. p.). Botero.

PEINTRE CUBAIN (n. p.). Lam.

PEINTRE DANOIS (n. p.). Jorn.

PEINTRE ESPAGNOL (n. p.). Alvarez, Arroyo, Berruguete, Borrassa, Cano, Dali, Goya, Greco, Gris, Herrera, Miro, Moralès, Murillo, Pacheco, Pareja, Picasso, Ribalta, Ribera, Sanchez, Tapies, Vélasquez, Zurbaran.

PEINTRE FLAMAND (n. p.). Bellegambe, Brœderlam, Brouwer, Bruegel, Campin, Christus, David, Eyck, Flémalle, Fyt, Gossaert, Gossart, Jordaens, Mabuse, Matsys, Memling, Moro, Patinir, Rubens, Vaenius, Van Dyck, Vos.

PEINTRE FLORENTIN (n. p.). Buontalenti, Gaddi.

PEINTRE FRANÇAIS (n. p.). Aillaud, Arp, Atlan, Bailly, Balthus, Barye, Bauchant, Bazaine, Bazille, Beauneveu, Bellechose, Bellmer, Bérard, Bernard, Bissière, Bombois, Bonheur, Bonnard, Bonnat, Boucher, Boudin, Bouguereau, Boullongne, Bourdichon, Bourdon, Bracquemond, Braque, Brauner, Buffet, Buren, Cabanel, Caillebotte, Carmontelle, Caron, Carpeaux, Carrière, Cassandre, Cézanne, Chagall, Champaigne, Chardin, Chassériau, Cheret, Colin, Corot, Courbet, Cousin, Coypel, Cueco, Daubigny, Daumier, David, Debré, Debucourt, Decamps, Degas, Degottex, Delacroix, Delaunay, Denis, Derain, Desportes, Dévéria, Deyrolle, Domergue, Doré, Dubuffet, Duchamp, Dufy, Dutuit, Eisen, Ernst, Erté, Estève, Étex, Faivre, Fautrier, Flandrin, Forain, Foujita, Fouquet, Fragonard, Friesz, Froment, Fromentin, Garouste, Gaugin, Gavarni, Gérard, Géricault, Gleizes, Goerg, Granet, Greuze, Gromaire, Gros, Guérin, Guide, Guillaumin, Guys, Hantaï, Harpignies, Hartung, Hélion, Herbin, Huet, Ingres, Isabey, Jacob, Jacquemart, Johannot, Jourdain, Jouvenet, Julian, Klein, Labisse, Latour, Kisling, Klingsor, Lancret, Lanskoy, Largillière, Larionov, Laurencin, Laurens, Léger, Legros, Lenain, Lhote, Limbourg, Limosin, Lorjou, Lorrain, Lurçat, Maillot, Malaval, Manessier, Manet, Manguin, Marcoussis, Marquet, Masson, Mathieu, Matisse, Meissonier, Messagier, Metzinger, Michaux, Mignard, Millet, Monet, Monnoyer, Monory, Moreau,

Morisot, Natoire, Nattier, Oudry, Ozenfant, Perronneau, Pevsner, Picabia, Pignon, Pissarro, Poliakoff, Poussin, Prud'hon, Quarton, Raffet, Ranson, Raysse, Rebeyrolle, Redon, Renoir, Réquichot, Rigaud, Robert, Rouault, Rousseau, Sérusier, Seurat, Signac, Sima, Soulages, Soutine, Staël, Steinlen, Subleyras, Tal-Coat, Toulouse-Lautrec, Trouille, Utrillo, Valadon, Vasarely, Vien, Vignon, Villon, Vivin, Vlaminck, Vouet, Vuillard, Waroquier, Watteau.

PEINTRE GREC (n. p.). Antiphile, Apelle, Greco, Polygnote, Protogénès, Timanthe, Zeuxis.

PEINTRE HOLLANDAIS (n. p.). Avercamp, Backhuysen, Bol, Bosch, Bouts, Brauwer, Claesz, Cuyp, Doesburg, Hals, Hobbema, Hooghe, Jongkind, Maas, Mondrian, Potter, Rembrandt, Ruisdael, Ruysdael, Saenredam, Steen, Terborch, Terbrugghen, Weenix.

PEINTRE ISRAÉLIEN (n. p.). Agam.

PEINTRE ITALIEN (n. p.). Abbate, Adami, Angelico, Arcimboldo, Baciccio, Baldovinetti, Balla, Baroccio, Bartolomeo, Bassano, Beccafumi, Bellini, Boccioni, Boldini, Botticelli, Bramante, Bronzino, Canaletto, Caranche, Caravage, Caravaggio, Carpaccio, Carra, Carrache, Cavallini, Cimabue, Corrège, Cremonini, Crivelli, Dominiquin, Fini, Francia, Garofalo, Ghirlandaio, Giordano, Giorgione, Gozzoli, Guardi, Guerchin, Lippi, Longhi, Lorenzetti, Lotto, Luini, Magnasco, Magnelli, Mantegna, Martini, Masaccio, Michel-Ange, Modigliani, Morandi, Moretto, Music, Orcagna, Palma, Parmesan, Pérugin, Peruzzi, Pinturicchio, Pisanello, Pontormo, Pordenone, Primatice, Raphael, Reni, Romain, Rosa, Rosselli, Rosso, Sarto, Sassetta, Savinio, Severini, Signorelli, Sodama, Solimena, Spada, Tiepolo, Tintoret, Tisi, Titien, Tura, Uccello, Vasari, Véronèse, Verrocchio, Vinci, Vivarini, Zuccaro, Zucchi.

PEINTRE JAPONAIS (n. p.). Basho, Harunobu, Hiroshige, Hokusai, Kiyonaga, Kiyonobu, Moronobu, Okyo, Sharaku, Sotatsu, Tessais, Utamaro.

PEINTRE MEXICAIN (n. p.). Orozco, Rivera, Siqueiros, Tamayo.

PEINTRE NÉERLANDAIS (n. p.). Appel, Corneille, Cornelisz, Dou, Hals, Steen, Van Gogh, Vermeer.

PEINTRE NORVÉGIEN (n. p.). Munch.

PEINTRE POLONAIS (n. p.). Kantor, Witkiewicz.

PEINTRE PORTUGAIS (n. p.). Gonçalves.

PEINTRE QUÉBÉCOIS (n. p.). Bolduc, Bonnet, Borduas, Gagnon, Leduc, Lemieux, Krieghoff, Fortin, Massicotte, Morrice, Pellan, Riopelle, Villeneuve.

PEINTRE RUSSE (n. p.). Bakst, Gherassimov, Gontcharova, Kandinsky, Levitane, Lissitzky, Malevitch, Répine, Rodtchenko, Rothko, Roublev, Tatline, .

PEINTRE SIENNOIS (n. p.). Lorenzetti.

PEINTRE SOUABE (n. p.). Witz.

PEINTRE SUD-AFRICAIN (n. p.). Breytenbach.

PEINTRE SUÉDOIS (n. p.). Zorn.

PEINTRE SUISSE (n. p.). Ben, Bill, Böcklin, Füssli, Gessner, Giacometti, Holdler, Kirchner, Klee, Liotard, Robert.

PEINTRE TCHÈQUE (n. p.). Kupka, Mucha.

PEINTRE VÉNÉZUÉLIEN (n. p.). Soto.

PEINTRE VÉNITIEN (n. p.). Tintoret, Vivarini.

PEINTURE. Aquarelle, art, cadre, couleur, fresque, gouache, grisaille, image, lavis, marine, pastel, portrait, paysage, ripolin, tableau, vue.

PELAGE. Fourrure, isatis, livrée, manteau, peau, poil, robe, toison.

PELÉ. Aride, chauve, dégarni, dénudé, déplumé, nu.

PELER. Dégarnir, dépouiller, dérober, desquamer, écailler, écorcer, écorcher, éplucher, excorier, exfolier, muer, ôter, racler, rober.

PÈLERIN. Coquille, dévot, fidèle, requin, touriste, visiteur, voyageur.

PÈLERINAGE. Culte, défilé, dévotion, jubilé, liesse, pardon, voyage.

PÈLERINE. Berthe, camail, cape, capuchon, collet, mozette, veste.

PELISSE. Fourrure, manteau, touloupe.

PELLE. Bêche, drague, écope, épuisette, étrier, godet, houlette, palette, palon, grattoir, râble, raille, ramassoire, sasse, spatule.

PELLICULE. Bande, bobine, cellophane, cliché, couche, cuticule, écaillure, écalure, enveloppe, envie, épaisseur, épiderme, film, lamelle, membrane, oiseau, parcelle, peau, pépie, rouleau.

PELOTE. Balle, boule, manoque, maton, peloton, rebot, sphère.

PELOTER. Caresser, dévider, effleurer, flatter, tripoter.

PELOUSE. Gazon, herbe, prairie, vertugadin.

PELUCHE. Pilou, pluche, poilu, toutou, velu.

PÉNALISATION. Destitution, pénalité, punition, sanction.

PÉNALITÉ. Amende, astreinte, peine, punition, sanction, surtaxe.

PÉNATES. Abri, demeure, foyer, habitation, logis, maison, refuge.

PENAUD. Confus, contrit, déconcerté, déconfit, embarrassé, gêné.

PENCHANT. Amour, aptitude, attirance, attrait, béguin, caprice, couché, désir, disposition, facilité, faible, faiblesse, génie, goût, inclinaison, obligeance, malice, méchanceté, passion, pente, prédisposition, sympathie, tendance, tendresse, vocation, volonté.

PENCHER. Abaisser, baisser, chanceler, coucher, décliner, descendre, déverser, favoriser, incliner, obliquer, porter, pousser, trébucher.

PENDAISON. Coupable, damner, gibet, hart, pendu, potence.

PENDANT. Ballan, ballant, correspondant, de, double, durant, en, lâche, lorsque, pendeloque, pendentif, pour, puisque, quand, réplique, semblable, symétrie, symétrique, tandis, tombant.

PENDOUILLER. Pendiller, pendre.

PENDRE. Accrocher, assassiner, balancer, fixer, pendiller, repentir, retenir, retomber, soutenir, suspendre, tomber, traîner, tuer.

PENDULE. Balancier, barillet, cartel, coucou, horloge, montre, pendillon, pendulette, régulateur, réveil, sourcier, trotteuse.

PÉNÉTRANT. Délié, divinateur, incisif, mordant, obtus, subtil, vif.

PÉNÉTRATION. Finesse, infection, infusion, mixtion, osmose, percée.

PÉNÉTRÉ. Confit, convaincu, imbu, imprégné, rempli, touché, trempé.

PÉNÉTRER. Accéder, aller, aventurer, embarquer, enfoncer, engager, entrer, imbiber, larder, lire, mêler, percer, piquer, transir, trou.

PÉNIBLE. Amer, âpre, ardu, cassant, difficile, dur, effort, éprouvant, épuisant, éreintant, exténuant, fâcheux, fatigant, fort, honte, laborieux, lourd, malaisé, pesant, poignant, rude, triste, tuant, vide.

PÉNICHE. Barge, bateau, batellerie, chaland, embarcation, molusson.

PÉNINSULE. Avancée, langue, presqu'île.

PÉNINSULE D'ASIE (n. p.). Arabie, Inde, Indochine, Malaisie.

PÉNINSULE D'EUROPE (n. p.). Ibérique.

PÉNINSULE DU MEXIQUE (n. p.). Yucatan.

PÉNINSULE DU QUÉBEC (n. p.). Gaspésie.

PÉNINSULE DE RUSSIE (n. p.). Kola.

PÉNIS. Membre, pénien, phallus, sexe, masculin, verge, zizi.

PÉNITENCE. Absolution, abstinence, ascétisme, austérité, carême, châtiment, contrition, discipline, expiation, jeûne, mortification, pardon, punition, regret, repentir, résipiscence, sacrement.

PÉNITENCIER. Bagne, confesseur, geôle, prison, salut.

PÉNITENT. Ascète, ermite, flagellant, jeûneur, pèlerin, repentant.

PÉNITENTIAIRE. Auburnien, carcéral.

PENNE. Aile, aileron, empennage, halbrené, plume, rectrice, rémige.

PENSÉ. Calculé, étudié, mûri, réfléchi.

PENSÉE. Adage, âme, axiome, but, cauchemar, cœur, compréhension, concept, dogme, entendement, esprit, idée, intelligence, méditation, ionisme, raison, réflexion, rêvasserie, rêverie, rhétorique, sentiment.

PENSER. Aviser, cogiter, concevoir, croire, espérer, évoquer, imaginer, juger, méditer, raisonner, réfléchir, rêver, revoir, songer.

PENSEUR. Libertin, libre, méditatif, philosophe, rêveur, sage.

PENSIF. Absent, absorbé, abstrait, attentif, contemplatif, méditatif, occupé, philosophe, préoccupé, rêveur, songeur, soucieux.

PENSION. Internat, institution, logement, maison, rente, retraite.

PENSIONNAIRE. Élève, hôte, interne, locataire, pupille.

PENSIONNAT. Collège, cours, couventin, école, institution, internat, lycée, pension, retraite.

PENSIONNÉ. Rentier, retraité.

PENSIONNER. Arrenter, entretenir, octroyer, pourvoir, renter, retraiter.

PENSIVEMENT. Contemplativement, rêveusement, songeusement.

PENTE. Côte, descente, égout, escarpement, rampe, talus, versant.

PÉNURIE. Absence, besoin, carence, crise, défaut, disette, embarras, indigence, insuffisance, manque, misère, pauvreté, rareté.

PÉPÈRE. Calme, grand-papa, tranquille.

PÉPÉRIN. Tuf.

PÉPIEMENT. Cri, gazouillement, gazouillis, ramage.

PÉPIER. Chanter, crier, gazouiller, jacasser, jaser, piauler.

**PÉPIN.** Complication, difficulté, écueil, ennui, érucique, graine, hic, obstacle, os, parapluie, problème.

**PÉPINIÈRE.** Arboriculture, arbre, couvent, école, fleur, horticulture, plante, jardinage, mine, origine, séminaire, source, syviculture.

**PÉPINIÉRISTE.** Arboriculteur, cultivateur.

**PÉPITE.** Nugget, or, poussière.

**PERÇANT.** Aigu, pénétrant, piquant, pointu, taraudant, térébrant.

**PERCÉE.** Ajouré, brèche, déchirure, ouverture, réussite, succès, troué.

**PERCE-NEIGE.** Galantine, nivéole, violette de la chandeleur, violier.

**PERCEPTIBLE.** Audible, inaudible, insaisissable, sensible, visible.

**PERCEPTION.** Audition, fisc, gustation, levée, œil, sensation, vision.

**PERCER.** Aléser, creuser, crever, cribler, enferrer, fenestrer, forer, larder, ouvrir, perforer, piquer, réussir, saborder, saigner, trouer.

**PERCEUSE.** Foreuse.

**PERCEVABLE.** Discernable, recouvrable.

**PERCEVOIR.** Apercevoir, discerner, distinguer, entrevoir, empocher, entendre, lever, ouïr, recevoir, retirer, saisir, sentir, toucher, voir.

**PERCHE.** Âge, bar, gaffe, juchoir, mât, pieu, rame, tendeur, tuteur.

**PERCHER.** Accrocher, brancher, coucher, demeurer, grimper, habiter, jucher, loger, monter, nicher, placer, poser, résister, trouver.

**PERCHOIR.** Juchoir, promontoire.

**PERCLUS.** Ankylosé, engourdi, gourd, impotent, inerte, infirme, noué.

**PERÇU.** Démotivé, droit, dû, inouï, ouï, reçu, senti, touché, vu.

**PERCUSSION.** Auscultation, batterie, bongo, choc, collision, coup, exploration, fusil, heurt, impact, impulsion, maracas, marteau.

**PERCUTER.** Frapper, heurter, percuteur, tamponner, télescoper.

**PERDRE.** Adirer, baguenauder, capoter, changer, décliner, défleurir, démâter, égarer, faiblir, flâner, fondre, gâter, mourir, muer, niaiser, oublier, pâtir, peler, périmer, périr, ravir, ruiner, tomber, user.

**PERDREAU.** Bartavelle, chanterelle, ganga, grouse, lagopède, pouillard.

**PERDRIX.** Bartavelle, chukar, gélinotte, glaréole, grise, tétras.

**PERDU.** Abîmé, adiré, avis, avertissement, condamné, cuit, désert, détourné, disparu, écarté, égaré, éloigné, introuvable, isolé, fichu, foutu, gâché, incurable, lointain, ôté, paumé, reculé, retiré, ruiné.

**PERE.** Aïeul, assassin, auteur, beau-père, compositeur, consanguin, créateur, fondateur, géniteur, papa, parent, patrimoine, sénateur.

**PÈRE D'ACHILLE** (n. p.). Thétis.

**PÈRE D'AGAMEMNON** (n. p.). Atrée.

**PÈRE D'AJAX** (n. p.). Oïlée, Télamon.

**PÈRE D'AMPHION** (n. p.). Zeus.

**PÈRE D'AMPHITRYON** (n. p.). Alcée.

**PÈRE D'APOLLON** (n. p.). Zeus.

**PÈRE D'ARAM** (n. p.). Sem.

**PÈRE D'ARTÉMIS** (n. p.). Zeus.

PÈRE DE CHAM (n. p.). Noé.

PÈRE DE CRONOS (n. p.). Ouranos.

PÈRE D'ÉNÉE (n. p.). Anchise.

PÈRE DE HÉRACLÈS (n. p.). Zeus.

PÈRE DE HERMÈS (n. p.). Zeus.

PÈRE D'IOLE (n. p.). Eurytos.

PÈRE DE JAPHET (n. p.). Noé.

PÈRE DE JASON (n. p.). Éson.

PÈRE DE MATHUSALEM (n. p.). Énoch.

PÈRE DE MNÉMOSYNE (n. p.). Ouranos.

PÈRE DES MUSES (n. p.). Jupiter, Zeus.

PÈRE DE NAUSICAA (n. p.). Alcinoos.

PÈRE DE NOÉ (n. p.). Lamech.

PÈRE DES NÉRÉIDES (n. p.). Nérée.

PÈRE D'ORPHÉE (n. p.). Œagre.

PÈRE DE SEM (n. p.). Noé.

PÈRE DE SISYPHE (n. p.). Éole.

PÈRE DE TÉLÉMAQUE (n. p.). Ulysse.

PÈRE DE THÉSÉE (n. p.). Égée.

PÈRE D'ULYSSE (n. p.). Laërte.

PÉRÉGRINATION. Aventure, odyssée, voyage.

PÉREMPTOIRE. Absolu, autoritaire, cassant, catégorique, concluant, coupant, décisif, indiscutable, irréfutable, réplique, tranchant.

PÉRENNISER. Durabiliser, éterniser, perpétuer.

PERFECTION. Absolu, achèvement, amélioration, beau, beauté, bijou, bonté, couronnement, divinement, entéléchie, excellence, fin, fini, idéal, joyau, maturité, merveille, parfait, perle, qualité, summum.

PERFECTIONNER. Améliorer, amender, bonifier, compléter, corriger, élaborer, évoluer, parachever, parfaire, retoucher, sophistiquer.

PERFECTIONNISTE. Pluriste.

PERFIDE. Cauteleux, déloyal, fourbe, hypocrite, inconstant, infidèle, méchant, rusé, scélérat, sournois, traître, trompeur, volage.

PERFIDIE. Déloyauté, droiture, fausseté, fourberie, franchise, infidélité, loyauté, noirceur, ruse, scélératesse, sincérité, traîtrise.

PERFORER. Cavité, forer, larder, pénétrer, percer, poinçonner, térébrer, transpercer, traverser, trouer, vriller.

PÉRIL. Danger, détresse, écueil, hasard, menace, piège, récif, risque.

PÉRILLEUX. Alarmant, audacieux, brûlant, critique, dangereux, délicat, difficile, hardi, hasardeux, menaçant, osé, risqué, scabreux.

PÉRIMÉ. Annulé, arriéré, attardé, caduc, démodé, dépassé, désuet, expiré, inactuel, invalide, nul, obsolète, rétrograde, suranné.

PÉRIMÈTRE. Bord, circonférence, contour, distance, enceinte, périphérie, pourtour, quadrant, tour, zone.

PÉRIODE. Âge, an, année, automne, avent, coda, congé, cueillette, cycle, décade, décours, degré, durée, époque, ère, étape, été, heure, hiver, intervalle, néogène, nuaison, octave, œstrus, phase, printemps, revif, rut, saros, semailles, session, stade, stage, temps.

PÉRIODIQUE. Alternatif, cyclique, fixe, fréquent, habituel, journal, magazine, publication, régulier, revue, successif.

PÉRIPÉTIE. Aléa, avatar, catastrophe, crise, dénouement, épisode, événement, imprévu, incident, nœud, rebondissement, trouble.

PÉRIR. Anéantir, couler, crouler, décimer, disparaître, expirer, faucher, finir, immoler, mourir, noyer, tomber, trépasser, tuer.

PÉRISSABLE. Altérable, caduc, corruptible, court, éphémère, fragile, fugace, incertain, instable, mortel, passager, précaire, putrescible.

PÉRISSOIRE. As, barque, canoë, canot, kayak, pirogue, yole.

PÉRITOINE. Ascite, cœlioscopie, péritonite, ratelle.

PERLE. Bijou, boule, eau, erreur, goutte, gouttelette, grain, œil, orient, lapsus, mil, noces, olivette, phénix, pintadine, semence.

PERMANENCE. Constance, monotonie, poste, psalmodie, veille.

PERMANENT. Constant, continu, durable, endémique, éternel, fixe, immobile, inaltérable, incessant, persistant, stable, toujours.

PERMETTRE. Accepter, accorder, acquiescer, admettre, agréer, approuver, autoriser, concéder, consentir, endurer, hasarder, laisser, octroyer, oser, passer, risquer, souffrir, supporter, tolérer.

PERMIS. Approbation, droit, légal, légitime, licence, licite, loisible.

PERMISSION. Acceptation, accord, acquiescement, agrément, approbation, autorisation, dispense, droit, habilitation, passe.

PERNICIEUX. Dangereux, dommageable, fatal, funeste, malin, malsain, mauvais, nocif, nuisible, préjudiciable, sinistre, subversif.

PERPENDICULAIRE. Aplomb, apothème, droit, flèche, hauteur, horizontal, jas, lisse, orthogonal, pied, sinus, théorème.

PERPÉTUEL. Constant, continu, continuel, éternel, fréquent, habituel, immuable, impérissable, incessant, ininterrompu, permanent.

PERPLEXE. Agité, incertain, indécis, embarrassé, soupçonneux.

PERQUISITION. Descente, enquête, fouille, recherche, visite.

PERRON. Degré, entrée, escalier, galerie, montoir, seuil.

PERROQUET. Ara, cacatoès, cire, conure, euphème, foc, jacot, jacquot, jaser, lariquet, lori, mélopsitte, paléonis, perruche, rosalbin.

PERRUCHE. Inséparables.

PERRUQUE. Cheveux, coiffure, moumoute, postiche, tignasse.

PERSAN (n. p.). Farsi, Iranien.

PERSE. Chah, iran, islam, mazdéisme, satrape, shah, zend, zoroastre.

PERSÉCUTER. Martyriser, obséder, poursuivre, torturer, tourmenter.

PERSÉPHONE. Coré, koré.

PERSÉVÉRANCE. Acharnement, assiduité, constance, courage, endurance, entêtement, obstination, opiniâtreté, patience, ténacité.

PERSÉVÉRER. Acharner, continuer, demeurer, entêter, insister, obstiner, opiniâtrer, patienter, persister, poursuivre, tenir.

PERSIENNE. Battant, battement, jalousie, loqueteau, volet.

PERSIL. Apiol, condiment, épice, éthuse, persicot, persillade.

PERSISTANCE. Constance, continuité, durée, éternel, fixe, longévité, néoténie, obstination, réverbération, ténacité, stroboscopie, vitalité.

PERSISTANT. Continu, entêté, fixe, gravé, immuable, permanent

PERSISTER. Continuer, demeurer, durer, persévérer, subsister.

PERSONNAGE. Dignitaire, fat, héros, individu, nom, rôle, scène, type.

PERSONNAGE BIBLIQUE (n. p.). Aaron, Abdias, Abner, Abraham, Adam, Aggée, Amnon, Amos, André, Anne, Antéchrist, Apocalypse, Assuérus, Balthazar, Barabbas, Barthélemy, Daniel, David, Déborah, Deutéronome, Élie, Élisée, Esther, Ézéchiel, Goliath, Habacuc, Hérodiade, Holopherne, Isaïe, Jephté, Jérémie, Jéroboam, Jésus, Joachim, Job, Joël, Jonas, Joseph, Josué, Judas, Jude, Marc, Mardochée, Marie, Mathias, Michée, Moïse, Nahum, Nathan, Néhémie, Osée, Paul, Pierre, Thomas.

PERSONNALITÉ. Connu, ego, légume, notable, quelqu'un, sommité.

PERSONNE (2 lettres). As, on.

PERSONNE (3 lettres). Ami, âne, ego, mec, moi, nul, oie, pie, qui, vif, vip.

PERSONNE (4 lettres). Ange, cave, coco, être, gens, hère, hôte, juge, ogre, raté, rôle, type, zani.

PERSONNE (5 lettres). Allié, amant, clown, élève, émule, évadé, extra, grand, héros, homme, idole, ladre, luron, monde, nabot, otage, parti, pendu, poire, sosie, tiers, titan.

PERSONNE (6 lettres). Adulte, agrégé, ascète, bohème, client, crétin, crieur, dandin, député, ermite, espion, fidèle, intrus, leader, légume, limace, maître, mécène, médium, membre, mignon, mortel, noceur, numéro, pédant, poison, quidam, raseur, recrue, renard, ribaud, rieuse, salaud, somité, statue, teigne, tuteur, videur, vipère, zigoto.

PERSONNE (7 lettres). Adjoint, arbitre, artiste, boiteux, brigand, détenue, économe, étranger, fauteur, inculpé, lauréat, meunier, notable, nouille, orateur, patient, peintre, penseur, preneur, prévenu, renégat, rentier, soldeur, sorcier, vandale, vaurien.

PERSONNE (8 lettres). Assassin, chaperon, délateur, dresseur, écervelé, échalote, électeur, élégante, emplâtre, étudiant, hôtelier, individu, manucure, mécréant, miséreux, receveur, saligaud, seigneur, sophiste, souillon, touriste, vigneron.

PERSONNE (9 lettres). Agitateur, annonceur, arriviste, défendeur, girouette, locataire, négociant, numismate, tacticien, tenancier.

PERSONNE (10 lettres). Apiculteur, aventurier, cleptomane, iconolâtre, libérateur, moutardier, secrétaire, signataire, usurpateur.

PERSONNE (11 lettres). Chorégraphe, cofondateur, compatriote, marionnette, naturaliste, thaumaturge, unijambiste.

PERSONNE (12 lettres). Attributaire, croisiériste, personnalité, prescripteur, propriétaire, tortionnaire, vinificateur.

PERSONNE (13 lettres). Diététicienne, personnaliser.

PERSONNEL. Effectif, employés, exclusif, individuel, domestiques.

PERSONNIFIER. Incarner, symboliser.

PERSPECTIVE. Angle, aspect, côté, horizon, potique, panorama, vue.

PERSPICACE. Avisé, clairvoyant, fin, futé, éveillé, intelligent, judicieux, lucide, malin, pénétrant, perçant, sagace, sensé, subtil.

PERSPICACITÉ. Discernement, flair, observation, sagacité, vue.

PERSUADER. Amadouer, attirer, capter, captiver, convaincre, décider, déterminer, éblouir, émouvoir, endoctriner, enjôler, entraîner, exciter, exhorter, gagner, graver, inculquer, insinuer, inspirer, parler, saisir, séduire, suggérer, tenter, toucher.

PERSUASION. Ascendant, captation, charme, éloquence, séduction.

PERTE. Aliénation, amnésie, analgésie, analgie, anorexie, anosmie, aphasie, aphémie, apraxie, coma, coulage, déchéance, décès, déperdition, deuil, échec, évanouissement, héméralopie, hémorragie, ire, mal, manque, mue, naufrage, privation, ruine, surdité, syncope.

PERTINENT. Approprié, compétent, congru, convenable, distinctif, judicieux, juste, justifié, opportun.

PERTUIS. Détroit, ouverture, trou.

PERTURBATION. Apraxie, dérangement, lésion, orage, trouble.

PERTURBER. Bouleverser, choquer, déranger, déstabiliser, émotionner, gêner, parasiter, stresser, traumatiser, troubler.

PERVERS. Corrompu, débauché, dénaturé, dépravé, déréglé, dévoyé, diabolique, licence, méchant, noir, sadique, sournois, tordu, vicieux.

PERVERSION. Abjection, altération, anomalie, avarice, corruption, débauche, dépravation, dérèglement, déviance, déviation, égarement, folie, masochisme, méchanceté, sadisme, stupre, vice.

PERVERTIR. Altérer, corrompre, débaucher, déformer, dépraver, dévoyer, empoisonner, fausser, gâter, infecter, pourrir, vicier.

PESANT. Accablant, charge, écrasant, encombrant, épais, gênant, gras, gros, grossier, important, indigeste, lourd, massif, mastoc, oppressant, pénible, poids, pondéreux, stupide, surchargé.

PESANTEUR. Apesanteur, attraction, densité, fardeau, gravitation, gravité, inertie, lourdeur, malaise, masse, poids, utricule, violence.

PESER. Apprécier, approfondir, appuyer, balancer, calculer, charger, coûter, estimer, jauger, juger, mesurer, presser, soupeser, tarer.

PESETA. Pta.

PESSIMISTE. Alarmiste, atrabilaire, défaitiste, hypocondriaque, inquiet, maussade, mélancolique, misanthrope, négatif, optimiste.

PESTE. Chameau, démon, empester, gale, mégère, mongol, pesteux, pestiféré, pestilent, poison, streptomycine, teigne, virago.

PESTER. Colère, enrager, fumer, invectiver, maronner, rager, rogner.

PESTICIDE. Fongicide, herbicide, insecticide, raticide.

PESTILENTIEL. Contagieux, délétère, écœurant, épidémique, fétide, infect, irrespirable, malsain, méphitique, nauséabond, puant.

PET. Flatuosité, gaz, pétarade, péter, vent.

PÉTALE. Aile, corolle, étendard, feuille, fleur, labelle, labile, limbe.

PÉTANT. Juste, pile, précis, sonnant, tapant.

PÉTARD. Bombe, bruit, fessier, pistolet, scandale, sensation, tapage.

PÉTILLANT. Brillant, bruit, effervescent, éveillé, étincelant, flamboyant, fringant, gazeux, moussant, scintillant, sémillant, vif.

PÉTILLER. Briller, chatoyer, craquer, craqueter, crépiter, éclater, étinceler, grésiller, jaillir, mousser, péter, rayonner, scintiller.

PÉTIOLE. Conjugué, décurrent, feuille, gaine, penne, queue.

PETIT. Ample, atome, bambin, bas, bébé, chétif, considérable, court, courtaud, élevé, exigu, faible, fluet, gnome, grand, haut, limité, mioche, minime, minuscule, nain, petiot, peu, pygmée, rabougri.

PETITESSE. Bassesse, défaut, exiguïté, mesquinerie, modicité.

PETIT-LAIT. Kéfir, képhir, lactosérum, puron.

PÉTITION. Demande, instance, placet, prière, requête, sollicitation.

PÉTOCHE. Peur.

PÉTOIRE. Fusil.

PETON. Pied.

PÉTRI. Façonné, formé, imbu, infatué, modelé, pénétré, plein, rempli.

PÉTRIFIÉ. Cloué, ébahi, foudroyé, immobile, interdit, médusé, paralysé, saisi, sidéré, statufié, stupéfait, suffoqué, tétanisé.

PÉTRIFIER. Clouer, ébahir, éclair, effrayer, figer, fixer, fossiliser, foudroyer, glacer, incruster, lapidifier, méduser, paralyser, pierre, river, saisir, sédérer, statufier, suffoquer, tétaniser, tonnerre.

PÉTRIN. Embarras, maie, mait, mée, pain.

PÉTRIR. Assouplir, broyer, façonner, fouler, fraiser, gâcher, gonfler, malaxer, manipuler, masser, mélanger, modeler, presser, remplir.

PÉTROLE. Essence, fuel, gaz, gazoline, kérosène, naphte, vaseline.

PÉTULANT. Action, ardeur, badin, brio, fol, fou, geste, turbulent, vif.

PEU. Atome, bagatelle, bref, brin, broutille, élémentaire, élite, guère, goutte, grain, guère, larme, lueur, maille, médiocre, miette, mince, passager, petit, pointe, quantité, rare, rien, succinct, tantinet, zeste.

PEUPLADE. Collectivité, ethnie, groupe, horde, peuple, race, tribu.

PEUPLE. Commun, foule, gent, habitant, horde, masse, monde, multitude, nation, peuplade, plèbe, populace, population, populo, prolétariat, public, racaille, race, sous-peuplé, tribu, vulgaire.

PEUPLE, AFRIQUE AUSTRALE (n. p.). Bochiman, Boschiman, Xhosa, Zoulous.

PEUPLE, AFRIQUE OCCIDENTALE (n. p.). Haoussa, Kru, Sarakholés, Sarakollés, Soninkés, Yoruba.

PEUPLE, AFRIQUE MÉRIDIONALE (n. p.). Hottentots.

PEUPLE, AFRIQUE NOIRE (n. p.). Dogons, Sénoufo.

PEUPLE, AFRIQUE DU NORD (n. p.). Berbères.

PEUPLE, AFRIQUE DU SUD (n. p.). Cafres, Xhosa.

PEUPLE, ALGÉRIE (n. p.). Touareg.

PEUPLE, AMAZONIE (n. p.). Jivaro.
PEUPLE, ARABIE (n. p.). Bédouins.
PEUPLE, ARABIE DU SUD (n. p.). Himyarite.
PEUPLE, ASIE CENTRALE (n. p.). Avars.
PEUPLE, ASIE ORIENTALE (n. p.). Aïnous.
PEUPLE, AZERBAIDJAN (n. p.). Azeri, Azeris.
PEUPLE, BÉNIN (n. p.). Éoué, Fon.
PEUPLE, BIRMANIE (n. p.). Chan, Kachin, Karen, Shan.
PEUPLE, BOLIVIE (n. p.). Aymara, Chiquitos.
PEUPLE, BORNÉO (n. p.). Dayak.
PEUPLE, BRÉSIL (n. p.). Bororo, Chiquitos, Gé.
PEUPLE, BURKINA FASO (n. p.). Bobo, Lobi, Mossi, Sarakholés, Sarakollés, Soninkés, Touareg.
PEUPLE, BURUNDI (n. p.). Hutu, Tutsi, Twa.
PEUPLE, CAMEROUN (n. p.). Moum.
PEUPLE, CANADA (n. p.). Abénaquis, Agnier, Algonquins, Apache, Assiniboins, Attikameks, Cri, Esquimaux, Etchemin, Goyogouin, Huron, Inuit, Iroquois, Malécite, Micmac, Mohack, Onneyout, Onnontagué, Outagami, Outaouais, Sioux, Souriquois, Tsonnontouan.
PEUPLE, CAUCASE (n. p.). Ossètes, Tchétchènes.
PEUPLE, CELTIQUE (n. p.). Gaels.
PEUPLE, CHINE (n. p.). Dong, Méo, Miao.
PEUPLE, CÔTE-D' IVOIRE (n. p.). Agni, Gourou, Lobi.
PEUPLE, ÉCOSSE ANCIENNE (n. p.). Pictes.
PEUPLE, ESPAGNE (n. p.). Celtibères.
PEUPLE, ÉTATS-UNIS (n. p.). Acolaopissas, Apache, Atakapas, Catawbas, Cherokees, Cheyenne, Chinook, Chitimachas, Choctaw, Comanche, Creek, Hidatsas, Illinois, Mandan, Mohawk, Navabo, Nez Percé, Paiute, Pawnee, Pieds-Noir, Pomo, Séminole, Seneca, Shoshone, Sioux, Tête-Plate.
PEUPLE, ÉTHIOPIE (n. p.). Galla, Oromo.
PEUPLE, GABON (n. p.). Fan, Fang.
PEUPLE, GAULOIS (n. p.). Cadurci, Cadurques, Calètes, Éduens, Ligures, Lingons, Senones, Séquanais, Séquanes, Séquaniens, Voconces, Volces, Volques.
PEUPLE, GERMANIQUE (n. p.). Goths, Saxons, Teutons, Visigoths, Wisigoths.
PEUPLE, GHANA (n. p.). Agni, Éoué, Fanti.
PEUPLE, GRÈCE (n. p.). Doriens, Éoliens.
PEUPLE, INDE (n. p.). Garo, Ho, Jat, Munda, Tamoul.
PEUPLE, INDOCHINE (n. p.). Khmers.
PEUPLE, IRAN (n. p.). Mèdes.
PEUPLE, ITALIE (n. p.). Étrusques, Sabins, Samnites.
PEUPLE, KENYA(n. p.). Kamba, Masai, Massaï.
PEUPLE, LIBYE (n. p.). Touareg.
PEUPLE, MALI (n. p.). Dogon, Sarakholés, Sarakollés, Songhaï, Soninkés, Sonrhaïs, Touareg.

PEUPLE, MEXIQUE (n. p.). Aztèques, Chichimèques, Chickasaw, Choctaw, Hopis, Mayas, Mimbre, Mohave, Natchez, Pueblos, Totonaques, Yumas, Zapotèques.

PEUPLE, MOZAMBIQUE (n. p.). Tsonga.

PEUPLE, NAMIBIE (n. p.). Herero.

PEUPLE, NIGER (n. p.). Touareg.

PEUPLE, NIGÉRIA (n. p.). Ibo, Tiv, Yorouba, Yoruba.

PEUPLE, NOUVELLE-CALÉDONIE (n. p.). Canaque, Kanak.

PEUPLE, NOUVELLE-GUINÉE (n. p.). Papoua, Papous.

PEUPLE, NOUVELLE-ZÉLANDE (n. p.). Maoris.

PEUPLE, OUGANDA (n. p.). Ganda.

PEUPLE, PAKISTAN (n. p.). Jat.

PEUPLE, PARAGUAY (n. p.). Chiquitos, Gé, Guarani.

PEUPLE, PÉROU (n. p.). Aymara, Chimu, Incas.

PEUPLE, PHILIPPINES (n. p.). Igorot, Moro, Tagal, Tagalog.

PEUPLE, RUSSIE (n. p.). Oudmourtes, Tchouvaches, Votiaks.

PEUPLE, RWANDA (n. p.). Hutu, Tutsi.

PEUPLE, SAHARA (n. p.). Toubou.

PEUPLE, SÉNÉGAL (n. p.). Diola, Sarakholés, Sarakollés, Sérères, Soninkés, Toucouleur, Wolof.

PEUPLE, SIBÉRIE (n. p.). Bouriate, Tchouktches.

PEUPLE, SIERRA LEONE (n. p.). Mendé, Temné, Timné.

PEUPLE, SOMALIE (n. p.). Issa.

PEUPLE, SOUDAN (n. p.). Nuer, Zandé.

PEUPLE, SRI LANKA (n. p.). Vedda.

PEUPLE, TANZANIE (n. p.). Masai, Massaï

PEUPLE, THAÏLANDE (n. p.). Karen.

PEUPLE, TIBET (n. p.). Sherpa.

PEUPLE, TOGO (n. p.). Éoué.

PEUPLE, TURC (n. p.). Tujue, Turcomans, Turkmènes..

PEUPLE, VIETNAM (n. p.). Hmong, Méo.

PEUPLE, ZAÏRE (n. p.). Kuba, Luba, Zandé.

PEUPLE, ZAMBIE (n. p.). Lozi.

PEUPLÉ. Colonisé, fourni, fréquenté, habité, surpeuplé, vivant.

PEUPLIER. Aloyard, argenté, aubrelle, balsamier, baumier, blanc, Canada, Caroline, faux-tremble, gris, grisard, Hollande, Italie, liard, Lombardie, noir, palmer, pible, pivou, pyramidal, salicoside, sargent, tremble, velu, Virginie, ypréau.

PEUR. Anxiété, crainte, effroi, émoi, frayeur, frousse, fuite, phobie, poltronnerie, souleur, suée, terreur, trac, transe, trouille, veinette.

PEUREUX. Audacieux, anxieux, brave, couard, courageux, craintif, froussard, fuyard, héros, poltron, trouillard, vaillant, valeureux.

PEUT-ÊTRE. Éventuellement, possible, possiblement, probablement.

PHALANGE. Phalangette, phalangine, forme, troupe.

PHALLUS. Ithyphallique, membre, pénis, sexe, verge, zizi.

PHARAON. Chef, empereur, mage, monarque, pectorat, pharaonien, pharaonique, prince, roi, souverain, tsar.

PHARE. Balise, fanal, feu, flambeau, guide, lanterne, sémaphore.

PHARMACEUTIQUE. Apothicaire, guérison, médicinale, officine, opiat, plante, thériaque.

PHARMACIE. Comprimé, drugstore, médicament, officine, pilule.

PHARMACIEN. Apothicaire, herboriste, ordonnancier, potard.

PHARMACOLOGISTE (n. p.). Bovet.

PHARYNX. Angine, gosier, œsophage, pharyngite.

PHASE. Anaphase, apparence, aspect, avatar, changement, crise, degré, échelon, épisode, étape, exploitation, finition, forme, lune, palier, partie, période, quartier, stade, succession, transition.

PHASIANIDE. Argus, caille, coq, dinde, faisan, galliforme, paon, perdreau, perdrix, pintade, poularde, poule, poulet, poussin, tétra.

PHÉNIX. Aigle, as, fleur, génie, idéal, modèle, nec, perle, prodige.

PHÉNOL. Crésol, dioxine, naphtol, phénate, resorcine, thymol.

PHÉNOMÈNE. Arc-en-ciel, as, cycle, événement, excentrique, merveille, météore, mirage, personnage, phase, prodige, réalité.

PHILANTHROPE. Bienfaisant, bob, charitable, donnant, généreux.

PHILOSOPHE. Cynique, éléate, empiriste, humaniste, idéologue, métaphysicien, penseur, sage, sophiste, spinosiste.

PHILOSOPHE ALLEMAND (n. p.). Adorno, Bauer, Baumgarten, Bloch, Boehme, Böhme, Brentano, Cassirer, Eberhard, Eckart, Eckhart, Engels, Eucken, Fechner, Feuerbach, Fichte, Habermas, Hamann, Hegel, Heidegger, Herbart, Horkheimer, Husserl, Jaspers, Kant, Kautsky, Leibniz, Lotze, Otto, Marx, Mendelssohn, Nietzsche, Reichenbach, Reuchlin, Rosenkranz, Scheler, Schelling, Schleiermacher, Schopenhauer, Spengler, Stirner, Strauss.

PHILOSOPHE AMÉRICAIN (n. p.). Arendt, Carnap, Emerson, Marcuse, Peirce, Searle, Whitehead.

PHILOSOPHE ANGLAIS (n. p.). Austin, Bentham, Bradley, Burton, Clarke, Coleridge, Hobbes, Locke, Mill, Spencer.

PHILOSOPHE ARABE (n. p.). Averroès, Avicenne, Biruni, Farabi.

PHILOSOPHE AUTRICHIEN (n. p.). Mach, Steiner.

PHILOSOPHE BRITANNIQUE (n. p.). Hume, Mill, Popper, Prior, Reid, Russell, Ryle, Spencer, Wittgenstein.

PHILOSOPHE CATALAN (n. p.). Lulle, Sabunde.

PHILOSOPHE CHINOIS (n. p.). Confucius, Lao-Tseu, Mencius, Mengzi, Tchou Hi, Zhu Xi, Zhuangzi.

PHILOSOPHE DANOIS (n. p.). Kierkegaard.

PHILOSOPHE ÉCOSSAIS (n. p.). Erigène, Hamilton, Hume, Reid.

PHILOSOPHE ESPAGNOL (n. p.). Ors, Suarez.

PHILOSOPHE FRANÇAIS (n. p.). Abélard, Alain, Alembert, Alquié, Althusser, Aron, Bachelard, Bayle, Bergson, Berr, Blondel, Bodin, Bonald, Boutroux, Brunschvicg, Buchez, Budé, Buridan, Cabanis, Camus, Canguilhem, Cavaillès,

Cioran, Comte, Condillac, Condorcet, Cournot, Cousin, Deleuze, Derrida, Desanti, Descartes, Diderot, Duhem, Ey, Foucault, Fourier, Gassendi, Goldmann, Gratry, Guénon, Guitton, Hamelin, Helvétius, Holbach, Jankélévitch, Jouffroy, Koyré, Lefebvre, Lefort, Leroux, Levinas, Littré, Mably, Maistre, Malebranche, Marcel, Maritain, Mersenne, Montesquieu, Mounier, Parain, Politzer, Quicherat, Ramus, Rauh, Renan, Renouvier, Ribot, Ricœur, Sartre, Serres, Taine, Volney, Wahl, Weil.

PHILOSOPHE GREC (n. p.). Anacharsis, Anaxagore, Anaximène, Antisthène, Archelaos, Aristote, Arrien, Athénée, Bias, Callisthène, Carnéade, Celse, Chilon, Cléobule, Cratippe, Chrysippe, Démocrite, Diogène, Eleates, Eleatiques, Empedocle, Épicure, Épiménide, Eratosthene, Gorgias, Heraclite, Hypatie, Jamblique, Leucippe, Ménippe, Myson, Parménide, Phédon, Phérécyde, Philon, Pittacos, Platon, Plotin, Plutarque, Porphyre, Proclus, Prodicos, Protagoras, Pyrrhon, Pythagore, Socrate, Solon, Thalès, Themistios, Théophraste, Timon, Tyrtamos, Xénophane, Zénon, Zoïle.

PHILOSOPHE HOLLANDAIS (n. p.). Érasme, Spinoza.

PHILOSOPHE HONGROIS (n. p.). Lukacs.

PHILOSOPHE INDIEN (n. p.). Aurobindo, Gandhi, Krishnamurti.

PHILOSOPHE INDONÉSIEN (n. p.). Alisjahbana.

PHILOSOPHE IRLANDAIS (n. p.). Erigene.

PHILOSOPHE ISLAMIQUE (n. p.). Algazel, Ghazali.

PHILOSOPHE ISRAÉLIEN (n. p.). Buber.

PHILOSOPHE ITALIEN (n. p.). Bruno, Campanella, Croce, Ficin, Gentile, Gioberti, Gramsci, Guarini, Vanini, Vico.

PHILOSOPHE JUIF (n. p.). Avicébron.

PHILOSOPHE LATIN (n. p.). Apulée, Boèce, Sénèque.

PHILOSOPHE NÉERLANDAIS (n. p.). Boerhaave, Gravesande.

PHILOSOPHE POLONAIS (n. p.). Lukasiewicz.

PHILOSOPHE RUSSE (n. p.). Berdiaeff, Berdiaev, Chestov, Dobrolioubov, Tchernychevski.

PHILOSOPHE STOÏCIEN (n. p.). Épictète.

PHILOSOPHE SUÉDOIS (n. p.). Swedenborg.

PHILOSOPHE SUISSE (n. p.). Bonnet.

PHILOSOPHIE. Doctrine, dogme, dualisme, école, équanimité, gnose, idée, idéologie, loi, mythe, objet, pensée, péripatétisme, philo, principes, sagesse, sens, sérénité, sujet, système, théorie, thèses.

PHILTRE. Amour, aphrodisiaque, breuvage, décoction, élixir, magie.

PHLOX. Aida, albo-roséa, aquarelle, bijou, blue eyes, brigadier, caroline, Van den berg, Charles Curtiss, charlotte, daisy hill, dépressa, Élisabeth Arden, Elisabeth, ensifolia, grandiflora, hilda, Jacqueline Maille, Jules Sandeau, Kathe, lilacina, malmaison, marianne, marjerie, orange, Rembrandt, signal, Cambell, sophie, spitfire, starfire, turandot.

PHOBIE. Aversion, crainte, dégoût, haine, horreur, peur, terreur.

PHONÈME. Aperture, consonnantique, orthophonie, phonique.

PHOQUE. Alaska, barbu, capuchon, crabier, cystiphore, gris, loup, marbré, marin, moine, otarie, pinnipède, rubans, selle, Weddell.

PHOSPHATE. Apatite, autunite, laxulite, monozite, turquoise, uranite.

PHOSPHORE. P.

PHOT. Ph.

PHOTOGRAPHE ALLEMAND (n. p.). Krull.

PHOTOGRAPHE ANGLAIS (n. p.). Beaton, Cameron, Fenton, Muybridge.

PHOTOGRAPHE AMÉRICAIN (n. p.). Adams, Arbus, Avedon, Brady, Capa, Curtis, Fairchild, Friedlander, Gibson, Horst, Kertész, Klein, Mapplethorpe, Meatyard, Michals, Outerbridge, Ray, Steichen, Stieglitz, Strand.

PHOTOGRAPHE FRANÇAIS (n. p.). Atget, Boudat, Brassaï, Clergue, Depardon, Disdéri, Doisneau, Freund, Lartigue, Nadar, Nori, Plossu, Roni, Sieff.

PHOTOGRAPHE ITALIEN (n. p.). Giacomelli.

PHOTOGRAPHE JAPONAIS (n. p.). Shiraoka.

PHOTOGRAPHE PÉRUVIEN (n. p.). Chambi.

PHOTOGRAPHE SUISSE (n. p.). Franck.

PHOTOGRAPHE TCHÈQUE (n. p.). Koudelka, Sudek.

PHOTOGRAPHIE. Achrome, album, description, diaphragme, écran, film, image, instantané, microfilm, peinture, photo, photocopie, photostat, portrait, pose, posemètre, représentation, tirage, vue.

PHRASE. Allusion, bribe, exemple, expression, neume, période, style.

PHTIRIUS. Morpion.

PHTISIE. Consomption, étisie, thionine, pneumonie, tuberculose.

PHYSICIEN. Atomiste, chimiste.

PHYSICIEN ALLEMAND (n. p.). Abbe, Aepinus, Bednorz, Braun, Bunsen, Clausius, Einstein, Fahrenheit, Fraunhofer, Gauss, Geiger, Geissler, Gerlach, Guericke, Heisenberg, Helmholtz, Hertz, Hittorf, Jensen, Kirchhoff, Kundt, Laue, Lenard, Linde, Mayer, Mössbauer, Nernst, Ohm, Planck, Plücker, Poggendorff, Prandtl, Roentgen, Röntgen, Schottky, Schwarzschid, Seebeck, Sommerfeld, Stark, Wehnelt, Weizsäcker, Wien.

PHYSICIEN AMÉRICAIN (n. p.). Anderson, Bardeen, Bell, Bethe, Bloembergeb, Bridgman, Chandrasekhar, Coolidge, Cooper, Cormack, Cronin, Davisson, Debye, Edison, Esaki, Feynman, Fitch, Franck, Franklin, Gamow, Gell-Mann, Gibbs, Glaser, Glashow, Goddard, Goudsmit, Henry, Hofstadter, Hughes, Kusch, Lamb, Langmuir, Lawrence, McMillan, Michelson, Millikan, Morse, Mulliken, Oppenheimer, Pauli, Pound, Pupin, Purcell, Rabi, Richter, Rowland, Rumford, Schawlow, Schrieffer, Schwinger, Segrès, Shockley, Spitzer, Stern, Szilard, Tesla, Ting, Townes, Uhlenbeck, Weinberg, Wigner, Wilson, Wood, Yalow.

PHYSICIEN ANGLAIS (n. p.). Appleton, Aston, Atwood, Barkla, Barlow, Barrow, Blackett, Born, Bragg, Cavendish, Cockcroft, Compton, Crookes, Dalton, Davy, Dirac, Faraday, Gray, Heaviside, Hooke, Jeans, Joule, Maxwell, Mosely, Newton, Nicholson, Rayleigh, Richardson, Stokes, Thomson, Wheatstone, Wollaston.

PHYSICIEN ANTIQUITÉ (n. p.). Archimède.

PHYSICIEN AUTRICHIEN (n. p.). Boltzmann, Doppler, Hess, Loschmidt, Mach, Meitner, Schrödinger, Stefan.

PHYSICIEN BELGE (n. p.). Melsens.

PHYSICIEN BRITANNIQUE (n. p.). Aston, Born, Chadwick, Dirac, Ewing, Gabor, Hewish, Josephson, Kerr, Nicol, Powell, Ramsden, Rankine.

PHYSICIEN CANADIEN (n. p.). Herzberg.

PHYSICIEN DANOIS (n. p.). Bohr, Oersted.

PHYSICIEN ÉCOSSAIS (n. p.). Baird, Brewster, Brown, Dewar, Gregory, Kerr.

PHYSICIEN FLAMAND (n. p.). Stevin.

PHYSICIEN FRANÇAIS (n. p.). Abragam, Ampère, Arago, Arsonval, Auger, Barthélemy, Becquerel, Bélin, Biot, Borda, Bose, Boussinesq, Branly, Bravais, Broglie, Cailletet, Carnot, Castaing, Charles, Charpak, Chrétien, Clapeyron, Claude, Cotton, Coulomb, Curie, Deprez, Duclaux, Dulong, Fabry, Fizeau, Foucault, Fourier, Fresnel, Gennes, Guinier, Holweck, Janssen, Joliot-Curie, Kastkler, Koenigs, Lambert, Langevin, Laplace, Ledru, Lippmann, Malus, Mariotte, Néel, Niepce, Nollet, Papin, Pascal, Peltier, Perey, Perrin, Planté, Poiseuille, Pouillet, Raoult, Réaumur, Roberval, Sauveur, Savart, Thévenin, Vidie, Villard.

PHYSICIEN GÉORGIEN (n. p.). Ambartsoumian.

PHYSICIEN INDIEN (n. p.). Bose, Raman.

PHYSICIEN IRLANDAIS (n. p.). Andrews, Boyle, Hamilton, Larmor, Stoney, Tyndall.

PHYSICIEN ITALIEN (n. p.). Avogadro, Fermi, Galilée, Giorgi, Marconi, Melloni, Nobili, Rubbia, Torricelli, Volta.

PHYSICIEN JAPONAIS (n. p.). Yukawa.

PHYSICIEN NÉERLANDAIS (n. p.). Gravesande, Huygens, Lorentz, Zeeman, Zernike.

PHYSICIEN NORVÉGIEN (n. p.). Wideröe.

PHYSICIEN PAKISTANAIS (n. p.). Salam.

PHYSICIEN ROUMAIN (n. p.). Coanda.

PHYSICIEN RUSSE (n. p.). Bassov, Joukovski, Lenz, Lomonossov, Tsiolkovski.

PHYSICIEN SOVIÉTIQUE (n. p.). Kapitsa, Landau, Prokhorov, Sakharov, Tcherenkov, Veksler.

PHYSICIEN SUÉDOIS (n. p.). Alfven, Angström, Celsius, Rydberg.

PHYSICIEN SUISSE (n. p.). Balmer, Bernoulli, Guillaume, Guye, Müller, Pauli, Piccard, Pictet.

PHYSIOLOGISTE ALLEMAND (n. p.) Helmholtz, Langerhans, Lotze.

PHYSIOLOGISTE ANGLAIS (n. p.) Carlisle, Sherrington.

PHYSIOLOGISTE AMÉRICAIN (n. p.) Erlanger, Gasser.

PHYSIOLOGISTE CANADIEN (n. p.) Selye.

PHYSIOLOGISTE ÉCOSSAIS (n. p.) Macleod.

PHYSIOLOGISTE FRANÇAIS (n. p.) Bernard, Bert, Broussais, Flourens, Lapicque, Marey, Quinton, Ranvier.

PHYSIOLOGISTE RUSSE (n. p.) Pavlov.

PHYSIOLOGISTE SUÉDOIS (n. p.) Euler.

PHYSIOLOGISTE SUISSE (n. p.) Hess.

PHYSIONOMIE. Air, allure, apparence, aspect, attitude, expression, caractère, expression, faciès, figure, mine, physique, traits, visage.

PHYSIQUE. Charnel, corporel, corps, formes, intime, matériel, mathématique, mil, organique, physionomie, plastique, sexe.

PIAFFER. Bouillir, piétiner, trépigner.

PIAILLER. Brailler, cacarder, couiner, criailler, crier, jaboter, jaser, piauler, protester, râler.

PIANISTE. Accompagnateur, musicien.

PIANISTE ALLEMAND (n. p.). Bülow, Gieseking, Hummel. Kempff.

PIANISTE AMÉRICAIN (n. p.). Brubeck, Copland, Evans, Garner, Horowitz, Jarrett, Lewis, Monk, Peterson, Rubinstein, Serkin, Solal, Tatum, Taylor.

PIANISTE AUTRICHIEN (n. p.). Brendel, Czerny.

PIANISTE CANADIEN (n. p.). Gould.

PIANISTE CHILIEN (n. p.). Arrau.

PIANISTE ESPAGNOL (n. p.). Albéniz, Turina.

PIANISTE FRANÇAIS (n. p.). Alkan, Casadesus, Cortot, Cziffra, François, Long, Nat.

PIANISTE HONGROIS (n. p.). Liszt.

PIANISTE IRLANDAIS (n. p.). Field.

PIANISTE ISRAÉLIEN (n. p.). Barenboïm.

PIANISTE ITALIEN (n. p.). Benedetti, Busoni, Pollini.

PIANISTE POLONAIS (n. p.). Chopin, Paderewski.

PIANISTE ROUMAIN (n. p.). Haskil, Lipatti.

PIANISTE RUSSE (n. p.). Rachmaninov, Rubinstein, Scriabine, Skriabine.

PIANISTE SOVIÉTIQUE (n. p.). Richter.

PIANISTE TCHÈQUE (n. p.). Dussek, Dusik.

PIANO. Clavecin, crapaud, épinette, queue, virginal.

PIASTRE. Dollar, gourde.

PIC. Aiguille, escarpe, ger, midi, mont, oiseau, picot, rivelaine, têt.

PIC, OISEAU. Arlequin, de Californie, calotte rouge, des chênes, chevelu, à cocarde, à dos barré, à dos brun, à dos noir, à dos rayé, à face blanche, flamboyant, à front doré, grand, de Lewis, maculé, mineur, à moustaches rouges, à poitrine rouge, rosé, des saguaros, à tête blanche, à tête rouge, tridactyle, à ventre jaune, à ventre rose, à ventre roux, de Williamson.

PICCOLO. Octavin, picrate, vin.

PICHET. Broc, cruche, pot.

PICHOLINE. Olive.

PICOTE. Variole.

PICOTEMENT. Chatouillement, démangeaison, fourmillement, prurit.

PIE. Agace, agasse, avocette, bavard, boréale, cheval, épeichette, méninge, passereau, phraseur, piat, pie-grièche, pieux, vêtement.

PIE-GRIÈCHE, Boréale, grise, migratrice.

PIÈCE. Alaise, boudoir, cabinet, canon, caractère, division, échecs, élément, espèce, filière, fragment, fût, jeton, monnaie, morceau, organe, part, partie, prélude, salle, théâtre, titre, tonneau, unité.

PIÈCE DE BOIS. Age, arêtier, bâcle, barre, billot, chevron, enter, épar, épart, espar, étai, étrésillon, gui, hie, joug, linteau, mât, pieu, pilot, poteau, poutre, rame, sep, seuil, solive, taquet, timon, tin, tréteau.

PIÈCE D'ÉCHEC. Blanche, cavalier, dame, fou, noire, pion, reine, roi, tour.

PIÈCE DE MUSIQUE. Barcarolle, berceuse, impromptu, motet, sonate.

PIÈCE D'UN NAVIRE. Ancre, bastingage, étambot, foc, mât, pont, timon.

PIÈCE DE THÉÂTRE. Comédie, féérie, pastorale, revue, rôle, tragédie.

PIED. Anapeste, arpion, astragale, bas, bot, calcanéum, cap, cep, chaussure, griffe, jambe, métatarse, myriapode, orteil, pas, patte, peton, piédestal, pince, plante, serre, support, tarse, vers.

PIED-DE-VEAU. Arum, gouet.

PIÉDESTAL. Admiration, base, piédouche, prestige, socle, support.

PIÈGE. Aiche, appât, appeau, attrape, cage, esche, filet, gluau, leurre, nasse, panneau, ratière, rets, souricière, syllabe, trappe, traquet.

PIÉGER. Attraper, colleter, enlacer, piper, tendre, trapper.

PIERRE. Adulaire, aétite, aigue-marine, améthyste, brique, caillou, calcul, camée, castine, claveau, corindon, diamant, émeraude, galet, gemme, gravelle, grenat, grès, gypse, hépatite, intaille, jade, lapis, liais, marbre, malachite, margelle, menhir, mica, morganite, obélisque, œil-de-chat, œil-de-tigre, olivine, opale, pendeloque, péridot, perle, pierrerie, ponce, roc, roche, rubis, sanguine, saphir, silex, tombe, topaze, tourmaline, turquoise, voûte, zircon.

PIERRE DE NAISSANCE. Grenat (janvier), améthyste (février), aigue-marine (mars), diamant (avril), émeraude (mai), perle (juin), rubis (juillet), péridot (août), saphir (septembre), opale (octobre), topaze (novembre), turquoise (décembre).

PIERROT. Drôle, individu, masque, moineau, pantin, zig, zigoto.

PIÉTÉ. Affection, amour, attachement, croix, culte, dévotion, édification, ferveur, recueillement, religion, respect, sainteté.

PIÉTINER. Agiter, fouler, frapper, patauger, piaffer, taper, trépigner.

PIÈTRE. Chétif, dérisoire, faible, insignifiant, médiocre, mesquin, minable, misérable, miteux, pauvre, petit, rudicule, singulier, triste.

PIEU. Balise, bâton, duit, échalas, épi, épieu, pal, palée, palis, perche, pilori, pilot, pilotin, piquet, poteau, rame, tuteur, vouge.

PIEUSE. Archiconfrérie, fervente, mystique, pie.

PIEUSEMENT. Dévotement, religieusement, respectueusement.

PIEUVRE. Poulpe.

PIEUX. Ascète, béat, bigot, bouchot, cagot, complainte, croyant, dévot, dévotion, échalas, édifiant, pal, pie, pratiquant, religieux.

PIÈZE. Pz.

PIGE. An, année, pigiste, tâche, tige.

PIGEON. Biset, capucin, carme, cave, cire, colombin, dindon, dupe, eu, fuie, gogo, goura, naïf, palombe, ramier, tarte, tourte, tourterelle.

PIGER. Comprendre, hasard, sort, tirer.

PIGMENT. Bêta-carotène, bétanine, chlorophylle, couleur, flavonoïde, grain, lutéine, lycopène, phycocyanine, quercétine, tache, urobiline.

PIGMENTÉ. Achrome, agrémenté, coloré, fleuri, foncé, orné, tacheté.

PIGNON. Amortisseur, donace, donax, lanterne, tympan.

PILAF. Épice, riz.

PILASTRE. Antre, colonne, montant, pile, pilier, soutien, support.

PILCHARD. Sardine.

PILE. Accu, amas, assiette, bac, défaite, dépôt, ensemble, exact, face, générateur, insuccès, pont, revers, solaire, tablier, tas, volée.

PILER. Broyer, concasser, corroyer, piétiner, pulvériser, triturer.

PILIER. Ante, appui, balustre, colonne, défenseur, étai, familier, habitué, jambe, partisan, pilastre, poteau, pylône, soutien, support.

PILLAGE. Dévastation, invasion, rapine, ravage, razzia, sac, saccage.

PILLARD. Bandit, brigand, détrousseur, écumeur, saccageur, voleur.

PILLARD (n. p.). Viking.

PILLER. Abîmer, détruire, envahir, plagier, ravager, ruiner, voler.

PILOSELLE. Épervière.

PILON. Battre, bourroir, broyeur, cuisse, destruction, jambe.

PILONNER. Bombarder, cogner, détruire, écraser, frapper, marteler.

PILORI. Carcan, clouer, flétrir, mépris, poteau, signaler, vindicte.

PILOTE. Aviateur, barreur, capitaine, chasseur, chauffeur, cicérone, conducteur, cornac, copilote, lamaneur, ligne, locman, marin, nautonier, nocher, requin, responsable, skipper, timonier, ulmiste.

PILULE. Bol, boule, boulette, cachet, comprimé, dragée, gélule, pellet.

PIMBÊCHE. Bêcheuse, caillette, chichgiteuse, chipie, mijaurée, pécore.

PIMENT. Aromate, cari, carive, cary, corail des jardins, curry, harissa, paprika, poivre d'Espagne, poivron.

PIMPRENELLE. Rosacée, sanguisorbe.

PIN. Albicaule, argenté, aristé, arole, autriche, balfour, blanc, chihuahua, cône, coulter, elliot, englemann, épicéa, épineux, gemme, glabre, gomme, gris, jeffrey, marais, mélèze, monterey, muriqué, pinède, pignons, pinastre, piquant, pive, ponderosa, rigide, rouge, sapin, sables, souple, sucre, sylvestre, tardif, torrey, virginie, vrillé.

PINACLE. Apogée, comble, faîte, haut, pignon, sommet, vantardise.

PINACOTHÈQUE. Musée, peinture.

PINARD. Aligoté, alsace, anjou, asti, ayse, beaujolais, blanc, blanquette, bordeau, brouilly, cellier, chablis, chais, champagne, château, chianti, clairet, crémant, cru, déci, dive, falerne, fruité, ginguet, ivre, larme, mâcon, madère, malaga, médoc, moselle, moût, muscadet, muscat, nectar, pineau, pinot, piquette, pomerol, pommard, porto, pouilly, retsina, rioja, rond, rosé, rouge, rouquin, sancerre, sauterne, sève, sherry, tocane, vendange, vermouth, vigne, vin, vinaigre, xérès.

PINCE. Barrette, bigoudi, casse-noix, clamp, clip, davier, épiloir, épingle, frisoir, fronce, outil, pincette, pli, tenaille, trétoire.

PINCÉ. Affecté, coincé, étudié, guindé, maniéré, mince, prise.

PINCEAU. Ante, barbichette, blaireau, brosse, élancé, ente, faisceau, hampe, pénicille, putois, repique, style, touffe.

PINCEMENT. Pinçade, pinçage, serrement.

PINCER. Arrêter, mordre, piquer, prendre, presser, saisir, serrer.

PINGOUIN. Guillemot, macareux, manchot, mergule, palmipède.

PINGRE. Avare, chiche, grippe-sou, lésineur, radin, serré, tire-sou.

PINGRERIE. Avarice, ladrerie, lésine, radinerie.

PINNIPÈDE. Moine, morse, otarie, phoque.

PINTE. Chope, chopine, demi, fillette, lait, litre, pot, roquille, setier.

PIOCHE. Bigot, bine, binette, creuser, houe, hoyau, pic, piémontaise.

PIOCHER. Besogner, bûcher, creuser, étudier, fouiller, fouir, peiner.

PION. Awalé, dame, damer, échec, loto, pi, pièce, soldat, surveillant.

PIONNIER. Bâtisseur, créateur, découvreur, défricheur, promoteur.

PIONNIER, NOUVELLE-FRANCE (n. p.). Isabel, Magnan, Rinfret.

PIPE. Bouffarde, cachotte, calumet, chibouque, cigarette, houka, jacob, kalioun, narguilé, pipette, tabac, trompe, truque.

PIPELINE. Conduite, oléoduc.

PIPER. Attraper, crier, frouer, glousser, leurrer, tromper, tricher.

PIPERADE. Omelette.

PIPI. Anurie, urine.

PIQUANT. Acerbe, acéré, acide, âcre, aigre, aigu, aiguillon, amer, caustique, cuisant, épicé, épine, fort, froid, incisif, mordant, pénétrant, perforant, piment, pointu, relief, satirique, sel, vif.

PIQUE. Âcre, as, brocard, carte, dame, dard, dépit, épine, javelot, lance, moquerie, piqûre, pointe, quolibet, raillerie, rosserie, vanne.

PIQUÉ. Allumé, braque, cinglé, dingue, fêlé, fou, frappé, givré, jeté, marteau, moucheté, parsemé, piqueté, ravagé, tacheté, timbré.

PIQUE-ASSIETTE. Écornifleur, parasite.

PIQUE-FEU. Fourgon, râble, ringard, tisonnier.

PIQUE-NIQUE. Barbecue, déjeuner, dîner.

PIQUER. Chiper, coudre, darder, démanger, dérober, foncer, fondre, gratter, larder, mordre, percer, pincer, plonger, tatouer, voler.

PIQUET. Bâton, coin, garde, pal, perche, pic, pieu, rame, tuteur.

PIQUETER. Borner, jalonner, manifester, marquer, piquer, tracer.

PIQUETTE. Boisson, boîte, buvande, criquet, leçon, pile, rossée, volée.

PIQÛRE. Blessure, couture, dé, injection, mouche, moustique, poindre, point, scorpion, seringue, stupéfiant, venin, vermoulure.

PIRATE. Aigrefin, aventurier, bandit, brigand, boucanier, contrebandier, corsaire, écumeur, escroc, filou, flibustier, forban, fripouille, intrigant, pillard, pirater, requin, voleur.

PIRATE (n. p.). Barberousse.

PIRATER. Démarquer, imiter, plagier, repiquer, voler.

PIROGUE. Bateau, canoë, canot, embarcation, pinasse, uba, yole.

PIROUETTE. Acrobatie, cabriole, danse, dérobade, échappatoire, galipette, moulinet, palinodie, plaisanterie, retournement, revirement, toupie, tour, tourbillon, virevolte, volteface.

PIS. Mamelle, pire, sein, tétine, trayon.

PISCINE. Baignoire, bain, bassin, nager, plonger, patogeuse, thermes.

PISCINE (n. p.). Siloé.

PISSENLIT. Barabant, bédane, chiroux, dent-de-lion, salade, taracanum.

PISSER. Anurie, couler, évacuer, fuir, pipi, pissoter, pissotière, rédiger, suinter, uriner, urinoire.

PISTACHE. Arachide, cacahuète, lentisque, pistachier, staphylier.

PISTE. Autodrome, chemin, circuit, corde, cynodrome, empreinte, foulée, hors-piste, marque, passage, sentier, terrain, trace, voie.

PISTER. Dépister, épier, filer, guetter, racoler, suivre, surveiller, tracer.

PISTIL. Carpelle, dard, fleur, fruit, gynécée, ovaire, reproduction.

PISTOLET. Arme, arquebuse, browning, calibre, colt, feu, flinge, flingot, flingue, fusil, luger, mitraillette, mitrailleur, parabellum, pétard, pétoire, pistoleur, pommeau, revolver, rigolo, seringue.

PISTOLET (n. p.). Browning, Colt, Mauser.

PISTON. Appui, bugle, intervention, parrainage, patronage, pompe, cylindre, pistonner, protection, recommandation, soutien.

PITANCE. Aliment, gage, manger, nourriture, pâtée, ration, repas.

PITEUX. Affligeant, confus, contrit, déplorable, honteux, lamentable, médiocre, minable, misérable, miteux, navrant, piètre, pitoyable.

PITIÉ. Apitoyer, bonté, charité, clémence, cœur, commisération, compassion, dur, merci, miséricorde, plainte, sentiment, sympathie.

PITON. Aiguille, clou, neck, pic, pionnier, sommet, vis.

PITOYABLE. Compatissant, déplorant, funeste, généreux, mal, médiocre, méprisable, minable, misérable, moche, navrant, triste.

PITRE. Acrobate, baladin, bouffon, clown, comédien, comique, rigolo.

PITTORESQUE. Beau, cachet, coloré, couleur, original, site, typique.

PITUITE. Flegme, humeur.

PIVERT. Pic, pic-vert.

PIVOT. Appui, axe, base, centre, origine, racine, soutien, support.

PIVOTER. Axer, changer, organiser, pirouetter, tourner, virer.

PLACARD. Affiche, armoire, avis, buffet, cagibi, criteau, écriteau, épreuve, feuille, pancarte, penderie.

PLACE. Agencement, alésia, arrangement, barreau, billet, château, citadelle, disposition, emplacement, emploi, endroit, entrée, espace, fauteuil, ferté, fonction, fort, gîte, halle, job, lieu, ordre, parc, parvis, position, poste, rang, rôle, siège, site, situation, sur, terrain, volume.

PLACEMENT. Action, ajustage, bourse, commission, constitution, fixation, installation, investissement, orientation, rente.

PLACENTA. Axile, chalaze, faix, ombilical, prolan, trophoblaste.

PLACER. Aposter, armer, arranger, asseoir, caler, caser, centrer, déplacer, déposer, disposer, espacer, établir, fixer, fourrer, insérer, installer, interposer, loger, mettre, poser, positionner, poster, rajuster, ranger, remiser, serrer, servir, situer.

PLACIDE. Calme, cool, décontracté, doux, flegmatique, froid, impassible, imperturbable, modéré, paisible, serein, tranquille.

PLAFOND. Caisson, lambris, limite, plancher, soffite, solive, voûte.

PLAGIER. Approprier, copier, imiter, piller, prendre, puiser, voler.

PLAIDER. Défendre, intenter, irrecevabilité, postuler, suspicion.

PLAIDOIRIE. Action, apologie, défense, plaidoyer, réquisitoire.

PLAIE. Blessure, bleu, brûlure, coupure, lésion, morsure, ulcère.

PLAIE (n. p.). Égypte.

PLAINDRE. Accuser, crier, geindre, gémir, lamenter, pleurer, pleurnicher, protester, râler, réclamer, récriminer, rouspéter.

PLAINE. Bassin, campagne, delta, étendue, pampa, prairie, steppe.

PLAINTE. Cri, grief, lamentation, murmure, pétition, pleur, reproche.

PLAINTIF. Dolent, geignant, gémissant, grincheux, plaignant.

PLAIRE. Agréer, amuser, attirer, charmer, ravir, satisfaire, séduire.

PLAISAMMENT. Agréablement, délicieusement, joliment.

PLAISANT. Agréable, aimable, amusant, attrayant, beau, bon, captivant, charmant, cocasse, comique, drolatique, drôle, engageant, gai, gentil, gracieux, joli, piquant, plaisantin, réjouissant, riant, rigolo, risible, séduisant, spirituel, sympathique, turlupin.

PLAISANTER. Amuser, badiner, batifoler, blaguer, charrier, galéjer, gausser, jouer, moquer, railler, rigoler, rire, spirituel, taquiner.

PLAISANTERIE. Astuce, attrape, badinage, bagatelle, bêtise, blague, bouffonnerie, boutade, canular, dérision, espièglerie, facétie, farce, fin, frime, gag, galéjade, jeu, lazzi, moquerie, mystification, pitrerie, quolibet, raillerie, rire, rocambole, satire, sel, tour, turlupinade.

PLAISANTIN. Bouffon, farceur, fin, joueur, mystificateur, rieur.

PLAISIR. Agrément, aise, amitié, amusement, bien-être, bonheur, charme, contentement, délectation, délice, désir, distraction, divertissement, ébats, gaieté, gré, hédonisme, jeu, joie, jouissance, passe-temps, récréation, régal, rire, sadisme, satisfaction, volupté.

PLAN. Abrégé, cadre, canevas, carte, compas, croquis, dessin, diagramme, égal, épure, équerre, esquisse, étalon, idée, plane, plat, poli, projet, règle, schéma, stratégie, surface, tir, té, topo, traçoir, uni.

PLANCHE. Ayde, ais, aises, alaise, alèse, appui, arbre, couche, dessin, dosse, dur, écoin, image, latte, madrier, merrain, plinthe, recours, reproduction, ressource, scène, secours, selle, soutien, support, tableau, tablette, théâtre, tremplin, tuile, vaigre, voilure, volige.

PLANCHER. Étage, parquet, plafond, plate-forme, pont, sol, solive.

PLANCHETTE. Abaque, aisseau, bardeau, claquette, escarlopette, latte, panneau, patience, pistolet, plioir, taloche, tirette.

PLANER. Dominer, flotter, rêvasser, rêver, soutenir, survoler, voler.

PLANÈTE. Apex, ascendant, astre, astrologie, décan, ellipse, étoile, globe, lune, monde, orbite, satellite, sectil, soleil, terre, trine.

PLANÈTE (n. p.). Achille, Cérès, Hector, Hermès, Junon, Jupiter, Lune, Mars, Mercure, Neptune, Pallas, Patrocle, Pluton, Saturne, Terre, Uranus, Vénus, Vesta.

PLANIFIER. Agencer, arranger, calculer, combiner, composer, organiser, prévoir, régler.

PLANISPHÈRE. Mappemonde.

PLANT. Cep, cépage, ormille, pépinière, pied, pousse, semis, tige.

PLANTATION. Amandaie, aunaie, bananeraie, boisement, boulaie, orangeraie, oseraie, peuplement, reboisement, repiquage, rizière.

PLANTE d'APPARTEMENT. Abutilon, adiantum, aechmea, agave, alœ, aloès, ananas, anthurium, aphelandra, aralia, arum, asparagus, asplenium, aspidistra, azalée, begonia, billbergia, blechnum, cactus, caladium, cereus, chamaedorea, cissus, clivia, cocos, codiaeum, cordyline, dracaena, échinocactus, échinopsis, épiphyllum, eucalyptus, fatshedera, fatsia, ficus, fittonia, fuchsia, géranium, gloxinia, hédera, hibiscus, kentia, maranta, nephrolépis, nidularium, opuntia, pandanus, pédéromia, philodendron, phœnix, platycerium, primula, pteris, violette, vriesia, xeranthenum, yucca, zéa.

PLANTE ANNUELLE. Absinthe, acroclinium, ageratum, alyssum, amarante, ancolie, anémone, asclépiade, aster, balsamine, basilic, bégonia, bouton d'or, bugrane, capucine, cassolette, célosie, centaurée, chirette, chrysanthème, clarkia, cobée, coléus, coquelicot, coréopsis, cosmos, cyclamen, dahlia, dimorphotheca, douve, épiaire, fuchsia, gaillarde, gazania, géranium, gesse, gessette, girarde, giroflée, gloire-du-matin, godétia, gueule de loup, gypsophile, immortelle, impatiens, ipomée, jarosse, laiteron, lamier, lathyrus, lavatère, lin, lotier, lupin, lunaire, luzule, maceron, malope, matricaire, mauve, mignardise, millet, mimulus, morelle, mouron, muflier, némésie, nigelle, œillet, ononide, pâquerette, passiflore, pavot, pensée, pétunia, philodendron, phlox, pied-d'alouette, pourpier, renoncule, réséda, ricin, rudbeckia, salpiglossis, sauge, scabieuse, silène, soleil, souci, tabac, tagette, thlaspi, tournesol, verveine, volubilis, waitzia, zinnia.

PLANTE AQUATIQUE. Châtaigne, cornuelle, faux aloès, jacinthe d'eau, jaunet, jonc, lentille d'eau, limnocharis, lis des étangs, lotus, lysichitum, macre, massette, ményanthe, myriophyllum, nénuphar, orontium, peltandra, pistia, pontederia, pontédérie, rose d'eau, roseau, sagittaire, saluinia, saururus, scirpe, souchet, stratiotes, typha, utricularia, victoria, villarsia.

PLANTE AROMATIQUE. Ail, aneth, anis, aspic, barigoule, basilic, bipinelle, bourrache, cerfeuil, ciboulette, coriandre, cranson, cumin, dictame, estragon, farigoule, fenouil, frigoule, laurier, lavande, lavandin, marjolaine, mélisse, menthe, mignotise, monarde, moutarde, myrrhis, origan, persil, pimprenelle, pote, pouilleux, raifort, romarin, safran, saladette, sanguisorbe, sarriette, sauge, savourée, serpolet, spic, thym.

PLANTE BISANNUELLE. Buglosse, campanule, digitale, giroflée, lunaire, myosotis, œillet, pâquerette, pavot, pensée.

PLANTE FLOTTANTE. Aponogeton, azolla, elodea, hottonia, jacinthe, lotus, myriophyllum, nénuphar.

PLANTE GRASSE (CACTÉE). Agave, artichaut, bougie, cactier, cactus, cierge, échinocactus, épiphyllum, euphorbe, ficoïde, figuier, joubarbe, kalanchoe, lithops, lobivia, lophocereus, mamillopsis, mamillaire, matucana, melocactus, mesem, mila, monanthès, monvillea, nopal, nopalea, oponce, opuntia, oreille d'éléphant, orpin, pâquerette, parodia, pattes de lapin, pectinaria, perruque, peyotl, pfeiffera, piaranthus, poivre de muraille, pourpier, pouya, princesse de la nuit, puya, raquette, rebutia, rhipsalis, rochea, rosularia, sarcocaulon, sedum, seticereus, solisia, sorcière, stapelia, stapelie, stetsonia, titanopsis, verniculaire, zygocactus.

PLANTE GRIMPANTE. Betel, clochette, jasmin, kadsura, kennedia, lierre, liseron, luffa, margose, maurandya, menispermum, mikania, momordica, papareh, poivrier, pomme, pyrostegis.

PLANTE INSECTIVORE. Drosera, grassette, pinguicula, rossolis, utricularia.

PLANTE MÉDICINALE. Barbotine, bonne-femme, espergonte, grapelle, gratteron, herbe aux chats, lampourde, mélisse, moutarde, oreille de lièvre, orvale, plantain, romarin, rue, sauge, sclarée, serve, tanacée, tanaisie, tête-noire, toute-bonne, valériane, xanthium.

PLANTE MELLIFÈRE. Abricotier, acacia, ail, amandier, asclépiades, aster, bourrache, bruyère, cardère, carotte, céleri, centaurée, cerisier, châtaignier, chou, citronnier, courge, érable, fenouil, glycine, grande astrance, haricot, héliotrope, héllébore, houx, hysope, lavande, lavandin, lierre, lotier, luzerne, marrube, mélianthe, mélicot, mélisse, melon, menthe, moutarde, oranger, origan, pastèque, phacella, pin, pissenlit, rhododendron, romarin, sapin, sarrazin, sarriette, sauge, thym, tilleul, trèfle.

PLANTE VIVACE. Achée, aconit, amaryllis, ansérine, arnica, aspergette, auricule, berlue, bleuet, bouton d'or, bugrane, cassolette, cataire, cerisier d'amour, chirette, chrysanthème, cinéaire, clandestine, coquelicot, coucou, crocus, dentelaire, douve, ellèbore, éplaire, faux-buis, faux-lis, fenouil, fougère, fuschia, galantine, gesse, gessette, ginseng, girarde, grassette, gremil, gueule-de-loup, hellebore, herbe aux chats, inule, ixia, jacinthe, jarosse, jeannette, jonc, jonquille, joubarbe, julienne, kochia, laiche, laiteron, lamier, lantana, lanterne, lathyrus, leucosum, liatris, libertia, lilas, limaguère, lin, linaire, linnée, liriope, lis, lobelia, lopezia, lotier, lunaire, lupin, luzerne, luzula, luzule, lychnis, lycopode, lycoris, lys, lysimaque, lythrum, maianthème, marabout, marguerite, marrube, martagon, matricaire, mauve, mélisse, meum, mignardise, mil, millet, mimule, molinia, monnaie du pape, monnayère, muflier, muguet, muscari, myosotis, naegelia, narcisse, nemesia, némésie, nepeta, nérine, nivéole, nummulaire, œillet, ononide, ononis, orchidée, orge, ortie, orvale, osmonde, ourisia, oxalis, panax, pâquerrette, passerose, pavot, pédiculaire, pensée, perce-neige, persicaire, pervenche, pétunia, phlox, phytolaque, pigamon, pivoine, plumet, porillon, potentille, pourpier, primerolle, primevère, pulsatile, pyrole, renouée, résida, rudbeckia, salicaire, sauge, scille, sclarée, sénécon, serve, sidalcée, silène, solanum, spirée, statice, stipa, tabac, trèfle, trille, trolle, tulipe, valériane, véronique, verveine, violette, violier, voilier, wulfenia.

PLANTER. Abandonner, arborer, boiser, camper, cultiver, dresser, élever, enfoncer, enraciner, ensemencer, ficher, fourvoyer, gourer, piquer, placer, plaquer, quitter, semer, transplanter, tromper.

PLANTIGRADE. Blaireau, digitigrade, ours.

PLANTOIR. Pal, repiquer, semer, taravelle.

PLAQUE. Armure, crapaudine, croûte, dalle, disque, écran, écusson, feuille, fourrure, glome, halo, inscription, lame, naüve, nève, pancarte, pose, repère, sabot, sole, somme, stèle, table, taque, typon.

PLAQUER. Abandonner, aplatir, appliquer, balancer, coller, lâcher.

PLAQUETTE. Brochure, couche, disque, éclisse, feuille, frein, globulin, livraison, livret, magazine, revue, sabot, stèle, tessère.

PLASMA. Albumine, alexine, créatine, hydrémie, lipidémie, sérum.

PLASTE. Leucite, organite, modeler, plastie.

PLASTIQUE. Beauté, corps, flexible, forme, influençable, malléable, maniable, mou, nylon, physique, plastic, souple, téflon, vinyle.

PLAT. Assiette, assortiment, banal, baratiner, courtiser, draguer, morceau, égal, entrée, entremets, escargotière, gnocchi, lisse, moussaka, paella, pièce, plan, poli, potée, ragoût, ravier, risotto, service, spécialité, tagine, tian, turbotière, uni, usé, vaisselle.

PLATEAU. Mesa, montagne, palette, planèze, scène, set, table, tampon, tassali, théâtre, tourne-disque, tassili, tréteau, veld.

PLATEAU, AFRIQUE (n.p). Adamaoua.

PLATEAU, AFRIQUE DU SUD (n.p). Veld.

PLATEAU, AUVERGNE (n.p). Cézallier.

PLATEAU, BELGIQUE (n.p). Fagnes.

PLATEAU, CACHEMIRE (n.p). Ladakh.

PLATEAU, CAMEROUN (n.p). Adamaoua.

PLATEAU, CÉVENNES (n.p). Coiron.

PLATEAU, CHINE (n.p). Ordos.

PLATEAU, FRANCE (n.p). Albion, Lannemezan.

PLATEAU, INDE (n.p). Deccan, Dekkan, Ladakh.

PLATEAU, ISRAËL (n.p). Golan.

PLATEAU, KASAKHSTAN (n.p). Oust-Ourt.

PLATEAU, LIBYE (n.p). Fezzan.

PLATEAU, MASSIF CENTRAL (n.p). Gévaudan, Larzac, Méjean, Méjan, Millevaches, Ségala.

PLATEAU, MASSIF ARMORICAIN (n.p). Choletais, Mauges.

PLATEAU, NIGÉRIA (n.p). Adamaoua.

PLATEAU, SAHARA ALGÉRIEN (n.p). Tademaït.

PLATEFORME. Balcon, belvédère, échafaud, estrade, étage, galerie, hune, palier, plancher, plateau, ponton, programme, quai, ras, tablier, terrasse.

PLATINE. Pt.

PLATITUDE. Banalité, bassesse, cliché, courbette, évidence, fadaise, fadeur, généralité, inconsistance, insignifiance, insipidité, médiocrité, monotonie, pâleur, pauvreté, servilité, sottise, vilenie.

PLATONIQUE. Chaste, éthéré, formel, pur, théorique.

PLÂTRE. Chaux, coquille, couvert, crépi, déguisé, dissimilé, fardé, faux, gypse, maçon, mortier, pierre, plâtrier, simulé, solin, statue.

PLAUSIBLE. Acceptable, admissible, apparent, bien, concevable, crédible, croyable, possible, prétexte, probable, trompeur, valable, visible, vrai, vraisemblable.

PLÈBE. Client, commun, foule, lie, peuple, plébéen, populace, populaire, populo, prolétariat, racaille, roturier, tribun.

PLÉBISCITER. Choisir, confirmer, élire, référendum, voter.

PLECTRE. Baguette, lyre, médiator.

PLÉIADE. Aréopage, constellation, étoile, foule, groupe, mythologie, nombre, nymphe.

PLEIN. Abondant, absolu, ample, animé, bondé, bourré, chargé, comble, complet, couvert, débordant, dense, dodu, entier, étoffé, farci, fort, gras, gros, imbu, imprégné, infatué, ivre, massif, nourri, pénétré, pétri, potelé, ras, rempli, replet, rond, saturé, seul, vidé.

PLEINEMENT. Animé, bondé, bourré, délié, étoffé, rassasié, saturé.

PLEISTOCÈNE. Dinornis, glyptodon, mégacéros, ours.

PLÉNIPOTENTAIRE. Agent, ambassadeur, envoyé, ministre.

PLÉNIPOTENTAIRE (n. p.). Nesselrode.

PLÉONASME. Battologie, cheville, datisme, grammaire, tautologie.

PLÉTHORE. Abondance, excès, obésité, réplétion, saturation, surplus.

PLEUR. Hi, jérémiades, larme, plaintes, pleurs, sanglots.

PLEURER. Chialer, gémir, lamenter, miauler, pleurnicher, sangloter.

PLEURÉSIE. Inflammation, pleurite, plèvre.

PLEURNICHER. Brailler, braire, chialer, chigner, gémir, lamenter, larmoyer, miauler, plaindre, pleurer, sangloter, vagir, zerver.

PLEUTRE. Couard, dégonflé, froussard, lâche, peureux, poltron, pusillanisme, trouillard, veule.

PLEUVOIR. Arroser, bruiner, couler, dégringoler, flotter, inonder, pisser, pleuvasser, pleuviner, pleuvoter, pluvioter, tomber, tremper.

PLI. Aine, billet, boudin, bouillon, bourrelet, corne, couture, creux, étiré, fanon, friser, fronce, lettre, levée, manie, message, missive, mot, pliure, poche, repli, revers, ride, routine, saignée, sillon.

PLIANT. Accommodant, articulé, berthon, complaisant, diptyque, docile, facile, faible, flexible, malléable, soufflet, souple, transat.

PLIE. Alèse, carrelet, équitant.

PLIER. Arquer, céder, corner, couder, courber, doubler, enrouler, fausser, fermer, fléchir, plisser, ployer, mourir, succomber, tordre.

PLISSER. Boucler, chiffonner, crêper, friper, friser, froisser, froncer, gaufrer, gercer, goder, godronner, onduler, plier, ployer, rider.

PLOMB. Fusible, Pb, saturne, sceau.

PLONGER. Abîmer, baigner, couler, échauder, endeuiller, tremper.

PLONGEUR. Baigneur, cormoran, fuligule, homme-grenouille, océanaute, perle, pingouin, scaphandrier.

PLONGEUSE QUÉBÉCOISE (n. p.). Bernier, Pelletier.

PLOYER. Accoutumer, assujettir, courber, fléchir, plier, recourber.

PLUIE. Abat, averse, bruine, crachin, déluge, eau, embrun, flopée, giboulée, grain, grêle, grésil, nuée, ondée, orage, rincée, saucée.

PLUMAGE. Camail, livrée, maillé, manteau, pennage, plumes.

PLUMARD. Lit.

PLUME. Auteur, calame, camail, couteau, duvet, écriture, huppe, penne, plumule, poil, ptéryle, rémige, style, stylo, tectrice, vibrisse.

PLUPART. Généralité, majorité, ordinairement, presque, tous.

PLURIEL. Pl.

PLUS. Beaucoup, bis, davantage, encore, excès, item, maximum, mieux, outre, piu, prime, rab, supérieur, surplus, surtout, sus, trop.

PLUSIEURS. Macédoine, maint, mainte, moult, multitude, polygame, polyglotte, polyvalent, quelques, total, tmèse, union, versicolore.

PLUTONIUM. Pu.

PLUTÔT. Assez, passablement, préférence, relativement.

PNEU. Bandage, bleu, boudin, boyau, dépêche, enveloppe, exprès, jante, pneumatique, pompe, télégramme.

PNEUMATIQUE. Bandage, bleu, boudin, boyau, dépêche, enveloppe, exprès, pneu, pompe, télégramme.

PO. Éridan, fontanili, padan, pasdus, transpadan.

POCHARD. Buveur, débauché, ivrogne, poivrot, soûlard, soûlon.

POCHE. Abajoue, bâche, bourse, caillette, cerne, chausse, civette, cuiller, estomac, filet, fonte, gésier, gousset, jabot, kangourou, musc, panse, pochette, psautier, sac, sachet, valise, vessie, violon.

POCHETÉE. Âne, béjaune, bête, borné, buse, con, crétin, dadais, fat, idiot, ignorance, imbécile, naïf, niais, nigaud, pochée, poire, sot, stupide, valeur.

POCHOTÈQUE. Librairie.

PODIUM. Estrade, honneur, médaille, muret, tribune.

POÊLE. Brûleur, calorifère, chaleur, crêpe, crêpière, cuisinière, dais, feu, four, fourneau, hypocauste, prose, réchaud, salamandre.

POÊLON. Caquelon, casse, casserole.

POÈME. Acrostiche, ballade, bucolique, cantate, églogue, élégie, énéide, épique, épître, épopée, geste, huitain, lai, node, ode, poésie, quatrain, rime, sonnet, stance, strophe, tenson, vers, virelai.

POÈME D'HOMÈRE (n. p.). Iliade.

POÈME DE VIRGILE (n. p.). Énéide.

POÉSIE. Fable, lyrisme, ode, poème, rime, sonnet, strophe, vers.

POÈTE. Auteur, barde, chantre, cigale, écrivain, rimeur, versificateur.

POÈTE AFRICAIN (n. p.). Griot.

POÈTE ALGÉRIEN (n. p.). Yacine.

POÈTE ALLEMAND (n. p.). Arndt, Aue, Benn, Brecht, Büchner, Bürger, Chamisso, Enzensberger, Fischart, George, Gryphius, Hagedorn, Härtling, Hebbel, Heine, Hesse, Hölderlin, Holz, Kleist, Klopstock, Körner, Liliencron, Mörike, Novalis,

Opitz, Rückert, Sachs, Schiller, Storm, Tannhäuser, Uhland, Unruth, Voss, Wackenroder.

POÈTE ALSACIEN (n. p.). Brandt, Brant.

POÈTE AMÉRICAIN (n. p.). Agee, Ashbery, Auden, Barlow, Berryman, Bishop, Brodsky, Bryant, Burroughs, Carroll, Corso, Crane, Dickinson, Ferlinghetti, Frost, Ginsberg, Jarrell, Lindsay, Longfellow, Lowell, Macleish, Masters, Olson, Patchen, Pound, Roethke, Shapiro, Snyder, Viereck, Whitman, Wilbur.

POÈTE ANGLAIS (n. p.). Abercrombie, Aldington, Arnold, Barker, Beddoes, Betjeman, Blake, Brooke, Browning, Butler, Byron, Chatterton, Chaucer, Coleridge, Collins, Cowley, Cowper, Crabbe, Crashaw, Cynewulf, Donne, Drayton, Drinkwater, Dryden, Empson, Enright, Fuller, Gascoigne, Gascoyne, Gay, Goldsmith, Gray, Herbert, Herrick, Hulme, Keats, Keble, Langland, Lovelace, Lydgate, Marlowe, Marston, Masefield, Meredith, Milton, Phillips, Pope, Rossetti, Sassoon, Shakespeare, Shelley, Sillitoe, Southey, Spender, Spenser, Surrey, Swinburne, Tennyson, Treece, Wordsworth, Wyat.

POÈTE ANGLO-NORMAND (n. p.). Béroul, Wace.

POÈTE ANGOLAIS (n. p.). Neto.

POÈTE ANTILLAIS (n. p.). Césaire, Walcott.

POÈTE ARABE (n. p.). Antar, Djarir, Mutanabbi.

POÈTE ARGENTIN (n. p.). Andrade, Hernandez, Lugones, Yupanqui.

POÈTE AUTRICHIEN (n. p.). Bachmann, Celan, Grün, Hofmannsthal, Lenau, Trakl.

POÈTE BELGE (n. p.). Elskamp, Gezelle, Ghil, Norge, Rodenbach, Verhaeren.

POÈTE BRÉSILIEN (n. p.). Durao.

POÈTE BRITANNIQUE (n. p.). Collins, Eliot, Gray, Milton, White, Wyatt, Young.

POÈTE BULGARE (n. p.). Botev, Vazov.

POÈTE CANADIEN (n. p.). Crémazie, Desrochers, Nelligan.

POÈTE CATALAN (n. p.). Lulle.

POÈTE CHILIEN (n. p.). Huidobro, , Mistral, Neruda.

POÈTE CHINOIS (n. p.). CaoCao, DuFu, LiBaï, LiBo, LiPo, QuYuan, SouChe, SuDongpo, SuShi, WangWei.

POÈTE CROATE (n. p.). Gundulic.

POÈTE CUBAIN (n. p.). Marti.

POÈTE DANOIS (n. p.). Ewald, Grundtvig, Oehlenschläger.

POÈTE ÉCOSSAIS (n. p.). Burns, Cernuda, Dunbar, MacDiarmid, Macpherson, Muir, Ossian.

POÈTE ÉGYPTIEN (n. p.). Chawqi, Chedid.

POÈTE ESPAGNOL (n. p.). Alberti, Balbuena, Bécquer, Castillejo, Encina, Espriu, Garcia, Garcilaso, Jiménez, Machado, Manrique, March, Quintana, Rivas, Unamuno, Villena.

POÈTE FINLANDAIS (n. p.). Lönnrot, Runeberg.

POÈTE FLAMAND (n. p.). Second.

POÈTE FRANC (n. p.). Flodoard.

POÈTE FRANÇAIS (n. p.). Apollinaire, Aragon, Arp, Artaud, Arvers, Assouci, Aubanel, Aubigné, Baïf, Banville, Barbier, Bartas, Bataille, Baudelaire, Bellay,

Belleau, Benserade, Béranger, Bertaut, Bertrand, Boileau, Boisrobert, Bonnefoy, Bouilhet, Bousquet, Brizeux, Cadou, Chapelain, Char, Chartier, Chaulieu, Chênedollé, Chenier, Collerye, Colletet, Corbière, Corneille, Cotin, Cros, Daumal, Delavigne, Derème, Déroulède, Deschamps, Desnos, Desportes, Dierx, Duchamp, Duhamel, Éluard, Emmanuel, Faret, Fargue, Follain, Fort, France, Garnier, Géraldy, Ghil, Gilbert, Glissant, Gombauld, Gras, Gréban, Gresset, Gringore, Guérin, Guillevic, Heredia, Hugo, Isou, Jabès, Jammes, Jasmin, Jodelle, Jouve, Kahn, Klingsor, Labé, Laforgue, Lamartine, Larbaud, Latouche, Lautréamont, Magny, Mainard, Maynard, Malherbe, Mallarmé, Marmontel, Marot, Médicis, Michaux, Milosz, Mistral, Moréas, Noël, Nouveau, Obaldia, Orléans, Péguy, Peletier, Péret, Pichette, Piron, Polignac, Pompignan, Ponge, Ponsard, Prévert, Quinault, Racan, Racine, Régnier, Reverdy, Rimbaud, Robin, Ronsard, Rostand, Rotrou, Rousseau, Rutebeuf, Scève, Segalen, Seghers, Sponde, Tailhade, Tzara, Vacquerie, Valéry, Vaughan, Verlaine, Viau, Vicaire, Vigny, Vitrac, Villon, Vivien, Voiture, Voltaire.

POÈTE GALLOIS (n. p.). Watkins.

POÈTE GREC (n. p.). Aède, Alcée, Alcman, Anacréon, Archiloque, Arion, Aristophane, Avienus, Bacchylide, Callinos, Diphile, Elytis, Eschyle, Euripide, Hésiode, Homère, Ménandre, Ménippe, Mimnerme, Nonos, Palamas, Phrynichos, Pindare, Quintus, Rangabê, Rangabês, Rangavis, Ritsos, Sapho, Sappho, Séféris, Solomos, Sophocle, Stace, Stésichore, Théocrite, Théognis, Thespis, Tyrtée.

POÈTE GUATÉMALTÈQUE (n. p.). Asturias.

POÈTE HOLLANDAIS (n. p.). Hooft.

POÈTE HONGROIS (n. p.). Ady, Arany, Jozsef, Kisfaludy, Vörösmarty.

POÈTE INDIEN (n. p.). Ausone, Bhartrihari, Ghalib, Iqbal, Jayadeva, Kalidasa, Tagore, Tulsidas.

POÈTE INDONÉSIEN (n. p.). Alisjahbana.

POÈTE IRLANDAIS (n. p.). Joyce, Moore, Yeats.

POÈTE ISRAÉLIEN (n. p.). Guilboa, Shlonsky.

POÈTE ITALIEN (n. p.). Alfieri, Arioste, Berchet, Berni, Boccace, Boiardo, Bonaviri, Borgese, Campana, Carducci, Caro, Cavalcanti, Dante, Fiumi, Folengo, Foscolo, Froissard, Gaeta, Giusti, Govoni, Gozzano, Guinizelli, Leopardi, Marinetti, Marino, Métastase, Montale, Monti, Parini, Pavese, Pétrarque, Pulci, Quasimodo, Rosa, Saba, Tasse, Ungaretti.

POÈTE JAPONAIS (n. p.). Basho.

POÈTE JUIF (n. p.). Avicébron.

POÈTE LATIN (n. p.). Accius, Ausone, Catulle, Ennius, Ennodius, Fortunat, Horace, Juvénal, Lucain, Lucrèce, Martial, Naevius, Ovide, Perse, Properce, Prudence, Stace, Tibule, Virgile.

POÈTE LIBANAIS (n. p.). Gibran, Schéhadé.

POÈTE MEXICAIN (n. p.). Cruz, Gorostiza, Paz, Reyes, Villaurutia.

POÈTE NÉERLANDAIS (n. p.). Vestdijk.

POÈTE NICARAGUAYEN (n. p.). Dario.

POÈTE NIGÉRIEN (n. p.). Soyinka.

POÈTE NORVÉGIEN (n. p.). Bull, Welhaven, Wergeland.

POÈTE PERSAN (n. p.). Attar, Djami, Ferdousï, Khayyam, Nizami, Rüdakï, Saadi, Sadi.

POÈTE PÉRUVIEN (n. p.). Chocano.

POÈTE PLÉIADE (n. p.). Baïf, Bellay, Belleau, Dorat, Jodelle, Peletier du Mans, Pontus de Tyard, Ronsard.

POÈTE POLONAIS (n. p.). Iwaszkiewicz, Kochanowski, Krasicki, Krasinski, Mickiewicz, Mitosz, Morsztyn.

POÈTE PORTUGAIS (n. p.). Camoëns, Camoes, Pessoa.

POÈTE QUÉBÉCOIS (n. p.). Blais, Crémazie, Desrochers, Ferland, Fréchette, Garneau, Grandbois, Lavallée, Leclerc, Miron, Morin, Narrache, Nelligan, Saint-Denis-Garneau, Savard, Vigneault.

POÈTE ROUMAIN (n. p.). Arghezi, Eminescu, Petöfi.

POÈTE RUSSE (n. p.). Akhmatova, Annenski, Blok, Derjavine, Essenine, Goumiliev, Ivanov, Joukovski, Kamenski, Kheraskov, Khlebnikov, Kouzmine, Lessenine, Mandelstam, Nekrassov, Pouchkine, Ryleïev, Sologoub, Toutchev, Trediakovski, Tsvetaïeva.

POÈTE SCANDINAVE (n. p.). Scalde.

POÈTE SÉNÉGALAIS (n. p.). Senghor.

POÈTE SOVIÉTIQUE (n. p.). Bagritski, Chercheníevitch, Evtouchenko, Maïakovski, Pasternak, Tvardovski, Voznessenski.

POÈTE SUD-AFRICAIN (n. p.). Breytenbach.

POÈTE SUÉDOIS (n. p.). Ekelöf, Ekelund, Euripide, Hallström, Ling, Rudbeck, Stiernhielm, Tegner.

POÈTE SUISSE (n. p.). Gessner, Spitteler.

POÈTE TCHÈQUE (n. p.). Holan, Kohout, Kollar, Seifert.

POÈTE TURC (n. p.). Baki, Fuzuli, Hikmet, Holan.

POÈTE UKRAINIEN (n. p.). Chevtchenko.

POÈTE VÉNÉZUÉLIEN (n. p.). Bello.

POIDS. As, carat, charge, densité, drachme, épaisseur, étalon, faix, fardeau, force, frai, grain, gramme, importance, last, livre, lourdeur, marc, masse, mesure, mine, once, ort, pesanteur, pesée, poussée, quintal, remords, responsabilité, sicle, souci, statère, tare, tonne.

POIGNANT. Douloureux, émouvant, empoignant, navrant, piquant.

POIGNARD. Arme, baïonnette, coutelas, crid, criss, dague, épée, fer, kandjar, kriss, lame, manche, navaja, scramasaxe, stylet, surin.

POIGNARDER. Blesser, darder, égorger, frapper, harponner, piquer.

POIGNÉE. Crémone, espagnolette, grain, groupe, manche, manette.

POGNON. Argent.

POGROM. Émeute.

POIGNARD. Arme, couteau, dos, stylet.

POIL. Barbe, bourre, brosse, chevelure, cheveu, cil, crin, duvet, foin, fourrure, hérissé, hirsute, jarre, laine, mantelure, mohair, moustache, mue, nu, ongle, peigne, pelage, pinceau, plume, robe, selle, soie, sourcil, tif, tisonné, toison, vibrisse.

POILU. Barbu, chevelu, moustachu, pelu, pubescent, velu, villeux.

POINÇON. Alène, ciseau, coin, épissoir, estampille, faîteau, mandrin, marque, pointeau, style, titre, trait, trocart.

POINÇONNER. Estampiller, frapper, percer, perforer, trouer.

POINT. Abscisse, cap, cardinal, chalaze, commissure, culmen, direction, emplacement, endroit, est, goutte, ouest, lieu, mûr, négation, nord, pas, pointe, pleurodynie, sommet, sud, vue.

POINT CARDINAL. Est, nord, ouest, sud.

POINTE. Acéré, acuminé, aigu, apex, ardillon, aube, barbe, bec, bout, brocard, cap, cime, clou, corne, cuspide, échoppe, ergot, estoc, extrémité, faîte, haut, pic, picot, piton, rivet, rostre, sommet, tôt.

POINTER. Ajuster, apparaître, arriver, braquer, cocher, contrôler, diriger, émerger, enregistrer, jaillir, marquer, mirer, naître, noter, orienter, paraître, régler, relever, tirer, tendre, venir, vérifier, viser.

POINTU. Acéré, acuminé, affecté, affiné, affûté, aigu, appointé, contracté, effilé, élevé, fin, mince, perçant, piquant, spécialisé.

POIRE. Bergamote, bési, blanquette, bonasse, catillac, cidre, coing, crassane, doyenne, duchesse, énéma, glane, guyot, hâtiveau, liard, louise-bonne, marquise, muscadelle, naïf, poirier, rousselet.

POIREAU. Allium, attendre, mérite, poirette, porette, porreau.

POIREAUTER. Attendre, différer, espérer, languir, retarder, traîner.

POIRIER. Aigrin, brindille, dard, poire, tigre.

POIS. Chiche, gesse, hâtiveau, mange-tout, pisolithe, soja, soya.

POISEUILLE. Pi.

POISON. Aconitine, antiar, appât, apprêt, arsenic, chameau, ciguë, curare, datura, démon, digitaline, mégère, peste, strychnine, tanghin, teigne, toxine, toxique, upas, venin, virago, virus.

POISSER. Arrêter, attraper, coller, couvrir, déveine, encrasser, enduire, engluer, prendre, salir.

POISSEUX. Agglutinant, collant, gluant, gras, sali, visqueux.

POISSON (3 lettres). Ayu, bar, ide, nid, sar, zee.

POISSON (4 lettres). Able, ange, doré, épée, féra, flet, frai, gade, gril, hotu, lieu, lote, lump, lune, mafé, môle, muge, nase, opah, parc, pâté, plie, raie, rets, sole, thon, tian, vase, vive.

POISSON (5 lettres). Alose, cabot, carpe, colin, danio, darne, devon, digon, fanon, gobie, guppy, labre, loche, lotte, merlu, mérou, morue, mulet, omble, ombre, pagre, plie, scare, sprat, tétra, torsk, tourd.

POISSON (6 lettres). Alevin, anabas, aurins, barbue, brème, chabot, crapet, cyprin, exocet, flétan, gadidé, gardon, goujon, hareng, lançon, lingue, marlin, médaka, merlan, minque, murène, myxine, orphie, pégase, perche, requin, rouget, sandre, saumon, sciène, silure, squale, tacaud, tanche, tarpon, truite, turbot, vairon, zangle.

POISSON (7 lettres). Ablette, achigan, allache, anchois, angelet, aurélie, baliste, barbeau, béloaga, blennie, brochet, capelan, clarias, colombo, daurade, dormeur, églefin, éperlan, équille, espadon, friture, girelle, gourami, grondin, grunion, lampris, limande, menuise, meunier, nasique, ombrine, picarel, piranha, quinnat, sardine, sébaste, spatule, sterlet, tambour, tringle, vieille, voilier.

POISSON (8 lettres). Anguille, bachotte, banneton, barbotte, baudroie, bondelle, carassin, chevesne, corégone, grenadier, lamproie, merluche, murénidé, opercule, poulamon, rascasse, scalaire, sciénide, surmulet, tétrodon, torpille, turbotin, vandoise.

POISSON (9 lettres). Barracuda, dipneuste, estabèche, esturgeon, harenguet, holostéen, koulibiac, lépisoste, loricaire, macropode, maquereau, ouitouche, perchaude, pharillon, poutassou, squawfish,

POISSON (10 lettres). Cyclostome, malachigan, maskinongé, ouananiche, placoderme, pisciforme, uranoscope, xiphophore.

POISSON (11 lettres). Blanchaille, coelacanthe, menuisaille.

POISSON (12 lettres). Chondrostéen, crapet-soleil, pisciculture.

POISSON (13 lettres). Anacanthinien, chondrichtyen, poisson-castor.

POITRAIL. Barde, bricole, buste, encolure, poitrine.

POITRINE. Buste, carrure, cœur, coffre, corsage, côte, décolleté, estomac, gorge, hampe, jabot, pectoral, poumon, sein, thorax, torse.

POIVRÉ. Assaisonné, épicé, grossier, licencieux, salé.

POIVRIER. Bétel, cubèbe, cubeda, kava, nigrum, piper, pipéracée.

POIX. Calfat, colle, couret, galipot, goudron, ligneul, résine, sapin.

POKER. As, brelan, carré, dés, quinte, paire, royal, séquence, zanzi.

POLAIRE. Antarctique, arctique, austral, boréal, étoile, nordique.

POLAR. Film, roman.

POLÉMIQUE. Apologétique, controverse, débat, discussion, dispute.

POLI. Affable, aimable, bienséant, châtié, civil, correct, courtois, éclat, galant, glacé, honnête, lisse, mat, net, plan, plat, ras, terne, uni.

POLICE. Assurance, commissariat, cop, FBI, flic, gendarme, gestapo, milice, MP, policier, poilet, poste, PP, RCMP, SQ, SS, vingt-deux.

POLICIER. Agent, ange, bobby, chien, cogne, condé, constable, détective, flic, garde, gardien, gendarme, îlotier, inspecteur, limier, poulet, ripou, roman, roussin, sbire, sûreté.

POLIR. Cirer, dégrossir, égriser, limer, lisser, poncer, retoucher, unir.

POLISSAGE. Aiguisage, brunissage, cirage, fignolage, fourbissage, frottage, léchage, limage, peaufinage, ponçage, rodage, usure.

POLISSON. Canaille, coquin, croustillant, égrillard, fripon, gamin, gaulois, graveleux, grivois, libertin, libre, licencieux, paillard.

POLITESSE. Affabilité, agréer, amabilité, aménité, cérémonie, civilité, correction, courtoisie, décence, manières, respect, tact, urbanité.

POLITICIEN ALBANAIS (n. p.). Hodja, Hoxha, Zog.

POLITICIEN ALGÉRIEN (n. p.). Abbas, Ben Bella, Boudiaf, Boumediene, Chadli, Zeroual.

POLITICIEN ALLEMAND (n. p.). Abetz, Bebel, Brandt, Ebert, Führer, Goring, Heilein, Heinemann, Herzog, Hess, Heuss, Hindenburg, Hitler, Honecker, Köhl, Lübke, Neurath, Papen, Pieck, Scheel, Stein, Stoph, Ulbricht, Weizsäcker.

POLITICIEN AMÉRICAIN (n. p.). Adams, Arthur, Bush, Carter, Cleveland, Clinton, Coolidge, Eisenhower, Filmore, Ford, Garfield, Grant, Harding, Harrison, Hayes, Hoover, Hull, Jackson, Jay, Jefferson, Johnson, Kennedy, Lincoln, McKinley, Madison, Monroe, Nixon, Polk, Reagan, Roosevelt, Taft, Taylor, Truman, Tyler, Washington, Wilson.

POLITICIEN ANGLAIS (n. p.). Churchill, Peel.

POLITICIEN ANGOLAIS (n. p.). Neto.

POLITICIEN ARGENTIN (n. p.). Avellaneda, Menem, Pern, Peron, Sarmiento, Videla.

POLITICIEN ATHÉNIEN (n. p.). Solon.

POLITICIEN AUTRICHIEN (n. p.). Adler, Figl, Raab, Renner, Waldheim.

POLITICIEN BANGLADAIS (n. p.). Rahman.

POLITICIEN BELGE (n. p.). Beernaert, Destree, Eyskens, Lebeau, Spaak.

POLITICIEN BIRMAN (n. p.). Thant.

POLITICIEN BOSNIAQUE (n. p.). Izetbegovic.

POLITICIEN BRÉSILIEN (n. p.). Cardoso, Dutra, Fonseca, Goulart, Peixoto, Vargas.

POLITICIEN BRITANNIQUE (n. p.). Acton, Bagot, Bevan, Bevin, Churchill, Cripps, Fox, Grey, Heath, Peel, Pitt, Pym, Snowden, Webb.

POLITICIEN BULGARE (n. p.). Dimitrow, Stambolijski, Zivkov.

POLITICIEN CAMEROUNAIS (n. p.). Ahidjo, Biya.

POLITICIEN CANADIEN (n. p.). Abbott, Bennett, Borden, Bowell, Chrétien, Clark, King, Lapointe, Laurier, Macdonald, Mackenzie, Meighen, Mulrony, Papineau, Pearson, Saint-Laurent, Thompson, Trudeau, Tupper.

POLITICIEN CHILIEN (n. p.). Allende, Bello, Frei, Montt, Pinochet.

POLITICIEN CHINOIS (n. p.). Gnomorno, Mao.

POLITICIEN CHYPRIOTE (n. p.). Makarios.

POLITICIEN CONGOLAIS (n. p.). Lumumba, Mobutu, Naouabi, Youlou.

POLITICIEN CORÉEN (n. p.). Rhee.

POLITICIEN CROATE (n. p.). Tudjman.

POLITICIEN CUBAIN (n. p.). Castro, Guevara.

POLITICIEN DANOIS (n. p.). Struensée.

POLITICIEN ÉGYPTIEN (n. p.). Moubarak, Nasser, Sadate.

POLITICIEN ÉQUATORIEN (n. p.). Flores, Olmedo.

POLITICIEN ESPAGNOL (n. p.). Calvosotelo, Caudillo, Franco, Lerma, Perez.

POLITICIEN FINLANDAIS (n. p.). Kekkonen, Koivisto, Mannerheim, Paasikivi.

POLITICIEN FRANÇAIS (n. p.). Arena, Auriol, Barbes, Barnave, Bert, Briand, Birague, Blum, Caillaux, Chirac, Coty, Déat, Debré, De Gaule, Deroulede, Deschanel, Doumer, Doumerque, Fallières, Faure, Favre, Fould, Garat, Gay, Gensonne, Grévy, Guadet, Hébert, Herriot, Isambert, Jaures, Larocque, Laval, Lebrun, Loubet, Marat, Maret, Millerand, Mitterrand, Molé, Mollien, Mun, Pache, Péri, Pétain, Poher, Poincaré, Pompidou, Ribot, Rochet, Sartine, Sée, Tallien, Tardien.

POLITICIEN GABONAIS (n. p.). Bongo, M'ba.

POLITICIEN GÉORGIEN (n. p.). Chevarnadzé.

POLITICIEN GHANÉEN (n. p.). Nkrumah, Rawlings.

POLITICIEN GREC (n. p.). Capodistria, Caramanlis, Papadhopoulos, Papadopoulos.

POLITICIEN GUINÉEN (n. p.). Cabral, Touré.

POLITICIEN HAÏTIEN (n. p.). Aristide, Duvalier, Lonverrure, Pétion.

POLITICIEN HOLLANDAIS (n. p.). Witt.

POLITICIEN HONGROIS (n. p.). Deak, Göncz, Magy, Tisza.

POLITICIEN INDIEN (n. p.). Dessai, Gandhi, Nehru.

POLITICIEN INDONÉSIEN (n. p.). Suharto, Sukarno.

POLITICIEN IRAKIEN (n. p.). Aref, Hussein, Husayn.

POLITICIEN IRANIEN (n. p.). Kassem, Mossadegh, Rafsandjani.

POLITICIEN IRLANDAIS (n. p.). Butt, Griffith, O'brien, Ormonde.

POLITICIEN ISRAÉLIEN (n. p.). Begin, Eban, Eshkol, Meir, Peres, Shekel, Weizmann.

POLITICIEN ITALIEN (n. p.). Azeglio, Calvosotelo, Ciano, Cinaudi, Cipriani, Dini, Duce, Einaudi, Giano, Giolitti, Ginaudi, Gramsci, Gronchi, Longo, Matteotti, Moro, Mussolini, Nenni, Orlando, Pertini, Rienzo, Rossi, Saragat, Scalfaro, Sturzo, Turati.

POLITICIEN JAPONAIS (n. p.). Nobunaga, Sato.

POLITICIEN KÉNYEN (n. p.). Kenyatta.

POLITICIEN LAOTIEN (n. p.). Souphanouvong

POLITICIEN LIBANAIS (n. p.). Chamoun, Joumblatt, Gemayel.

POLITICIEN LIBÉRIEN (n. p.). Tubman.

POLITICIEN LIBYEN (n. p.). Kadhafi.

POLITICIEN MALGACHE (n. p.). Ratsiraka, Tsiranana.

POLITICIEN MALIEN (n. p.). Keita.

POLITICIEN MEXICAIN (n. p.). Cardenas, Diaz, Juarez, Sapasa, Zapata, Zedillo.

POLITICIEN NÉERLANDAIS (n. p.). Drees, Kok.

POLITICIEN NICARAGUAYEN (n. p.). Ortega, Somoza.

POLITICIEN NIGÉRIEN (n. p.). Diori.

POLITICIEN NORVÉGIEN (n. p.). Quisling.

POLITICIEN OTTOMAN (n. p.). Pasa, Talatpasa.

POLITICIEN PAKISTANAIS (n. p.). Bhutto, Ziau.

POLITICIEN PANAMÉEN (n. p.). Noriega.

POLITICIEN PARAGUAYEN (n. p.). Lopez, Stroessner.

POLITICIEN PÉRUVIEN (n. p.). Fujimori, Perez-de-Cuellar.

POLITICIEN PHILIPPIN (n. p.). Marcos.

POLITICIEN POLONAIS (n. p.). Gierek, Jaruzelski, Walesa.

POLITICIEN PORTUGAIS (n. p.). Braga, Carmona, Eanes, Saldanha, Soares, Spinola.

POLITICIEN ROMAIN (n. p.). Caton, César, Milon, Rufin.

POLITICIEN ROUMAIN (n. p.). Alecsandri, Bratianu, Ceausescu, Iliescu, Iorga.

POLITICIEN RUSSE (n. p.). Andropov, Beria, Brejnev, Doudaïev, Eltsine, Gorbatchev, Khrouchtchev, Lenine, Nep, Staline.

POLITICIEN SALVADORIEN (n. p.). Duarte.

POLITICIEN SÉNÉGALAIS (n. p.). Diouf, Senghor.

POLITICIEN SERBE (n. p.). Milosevic.
POLITICIEN SOVIÉTIQUE (n. p.). Beria, Tchernenko.
POLITICIEN SUD-AFRICAIN (n. p.). Botha, Smuts.
POLITICIEN SUD-AMÉRICAIN (n. p.). Bolivar.
POLITICIEN SUÉDOIS (n. p.). Palme.
POLITICIEN SUISSE (n. p.). Ador, Kruger, Motta, Ochs.
POLITICIEN SYRIEN (n. p.). Assad, Asad.
POLITICIEN TANZANIEN (n. p.). Nyerere.
POLITICIEN TCHADIEN (n. p.). Habré, Tombalbaye.
POLITICIEN TCHÉCOSLOVAQUE (n. p.). Benes, Gottwald, Hacha, Husak, Masaryk, Menderes, Novotny, Svoboda.
POLITICIEN TUNISIEN (n. p.). Bourguiba.
POLITICIEN TURC (n. p.). Evren, Gürsel, Inönü, Kemal, Ozal.
POLITICIEN UKRAINIEN (n. p.). Petlioura.
POLITICIEN VÉNÉZUÉLIEN (n. p.). Betancourt, Paez.
POLITICIEN VIETNAMIEN (n. p.). Hô Chi Minh.
POLITICIEN YOUGOSLAVE (n. p.). Tito.
POLITICIEN ZAÏROIS (n. p.). Kasavubu, Mobutu.
POLITICIEN ZAMBIEN (n. p.). Kaunda.
POLITICIEN ZIMBABWE (n. p.). Mugabe.
POLITIQUE. Anarchie, campagne, doctrine, nep, parlementaire, tract.
POLLEN. Allogamie, anthère, entomophilie, fleur, pollinose, tétrade.
POLLINISATEUR. Allogamie, reproducteur.
POLLINISATION. Anémophilie, entomophilie.
POLLUER. Altérer, contaminer, corrompre, crotter, empoisonner, infecter, maculer, noircir, profaner, salir, souiller, tacher, vicier.
POLOCHON. Bataille, traversin.
POLONIUM. Po.
POLTRON. Capon, couard, craintif, foireux, froussard, gille, lâche, péteux, peureux, pleutre, pusillanime, taffeur, trouillard.
POLTRONNERIE. Couardise, lâcheté, pleutrerie, pusillanimité.
POLYARTHRITE. Rhumatisme.
POLYCHLORURE DE VINYLE. P.V.C.
POLYÈDRE. Dodécaètre, face, heptaèdre, icosaèdre, polyédrique, polygone, tétraèdre.
POLYGLOTTE. Multilingue, plurilingue, trilingue.
POLYGONACÉE. Bistorte, oseille, persicaire, rhubarbe, sarrasin.
POLYGONE. Apothème, décagone, dodécagone, ennéagone, hendécagone, heptagone, hexagone, octogone, pentadécagone, pentagone, pentédécagone, quadrilatère, transversale, tulle.
POLYMÈRE. Acrylique, isoprène, métaldéhyde, polyvinyle.
POLYNÉSIEN. Hawaïen, kava, kawa.
POLYPE. Acétabule, alvéole, bras, coelentéré, corne, sac, tubipore.
POLYPEPTIDE. Albumose, molécule, protamine.
POLYPHÈME (n. p.). Acis, Cyclope, Poséidon.

POLYPIER. Anthozoaire, squelette, tubipore.

POLYPODIACÉE. Adiante, asplénium, capillaire, cheveu-de-vénus.

POMMADE. Baume, crème, embrocation, gale, gomina, lanoline, liniment, onguent, pommader, populéum, rosat, uve.

POMME. Api, atalante, calville, capendu, châtaigne, cidre, lobo, patate, paradis, pépin, pigne, pommier, macintosh, reinette, tomate.

POMME (n. p.). Adam, Ève, Tell.

POMME DE TERRE. Chips, patate, porc, rata, ratte, roseval, vitelotte.

POMMETTE. Api, gai, zygoma.

POMMIER. Aigrin, baccata, coronaria, doucain, doucin, malus, pathos, prunifolia, pumila, sirène, solennel, surin, sylvestri, tailleur.

POMPE. Apparat, calandre, canon, cérémonial, cérémonie, cylindre, éclat, emphase, étalage, faste, grandeur, lance, luxe, magnificence, majesté, ostentation, seringue, solennité, somptuosité, splendeur.

POMPER. Absorber, aspirer, attirer, épuiser, soutirer, sucer.

POMPETTE. Amboulé, éméché, gai, ivre, joyeux.

POMPEUX. Déclamatoire, emphatique, fastueux, solennel, somptueux.

POMPIER. Fellation, pinpon, sapeur, sirène, solennel, pathos, tailleur.

POMPONNÉ. Endimanché, paré, soigné.

POMPONNER. Attifer, bichonner, mignoter, parer, toiletter.

PONANT. Couchant, levant, océan, occident, ouest, vent.

PONCER. Bourriquet, décaper, frotter, gréser, grésir, polir.

PONCIF. Banalité, bateau, cliché, idée, lieu, ordinaire, stéréotype, topique, truisme, vieillerie.

PONCTION. Adénogramme, liposuccion, thoracenthèse, trigone.

PONCTUALITÉ. Assiduité, exactitude, fidélité, régularité.

PONCTUATION. Comma, exclamation, interrogation, point, virgule

PONCTUEL. Assidu, exact, fidèle, régulier, religieux, scrupuleux.

PONCTUELLEMENT. Assidûment, localement, recta, régulièrement.

PONCTUER. Accentuer, corriger, diviser, marquer, phraser, virguler.

PONDÉRATION. Agitation, balancement, déséquilibre, équilibre, fébrilité, harmonie, mesure, modération, nervosité, retenue.

PONDÉRÉ. Calme, équilibré, mesuré, modéré, posé, rangé, sage.

PONEY. Mérens, ponette, pottock.

PONT. Arc, arche, bac, butée, culée, entrepont, gué, jetée, passerelle, péage, pont-levis, pile, ponton, tablier, tillac, trigone, viaduc, voûte.

PONT DE PARIS (n. p.) Alexandre III, Alma, Archevêché, Arcole, Austerlitz, Bercy, Bir-Hakeim, Concorde, Garigliand, Grenelle, Iéna, Invalides, Mandela, Marie, Mirabeau, National, Nelson, Neuf, Royal, Sully, Tolbiac, Tournelle.

PONT DU QUÉBEC (n. p.). Champlain, Jacques-Cartier, Lafontaine, Laviolette, Mercier, Pierre-Laporte, Québec, Victoria.

PONTIFE. Bonze, évêque, pédant, légat, pape, prélat, prêtre, vicaire.

POOL. Communauté, consortium, entente, équipe, groupe, groupement, staff, syndicat.

POPULACE. Canaille, écume, foule, lie, masse, multitude, pègre, peuple, plèbe, populo, prolétariat, racaille, roture, tourbe, vulgaire.

POPULAIRE. Célébrité, gloire, légendaire, peuple, plébéien, prolétaire.

POPULATION. Collectivité, gens, habitants, peuple, public, renom.

PORC. Cochon, cochonnet, épic, goret, glouton, grogne, ladre, laie, marcassin, pécari, pachyderme, phacochère, porcelet, potamochère, pourceau, sabiroussa, sanglier, soie, solitaire, truie, verrat.

PORCELAINE. Bibelot, biscuit, caraque, céladon, chine, faïence, magot, mollusque, noces, parian, potiche, saxe, sèvres, tasse.

PORCELET. Cochonnet, goret.

PORCHER (n. p.). Eumée.

PORCHERIE. Auge, bauge, boiton, écurie, étable, porcher, soue.

PORE. Fissure, interstice, intervalle, lenticelle, orifice, oscule, trou.

POREUX. Gargoulette, perméable, porosité, spongieux, tuf.

PORT. Abri, attache, bassin, havre, jetée, maintien, posture, rade.

PORT, AFRIQUE (n. p.). Bata.

PORT, ALBANIE (n. p.). Vlora, Vloré.

PORT, ALGÉRIE (n. p.). Alger, Annaba, Arzeu, Bône, Bougie, Delly, Oran.

PORT, ALLEMAGNE (n. p.). Altona, Brême, Emdem, Hambourg, Kiel, Peenemunde, Wismar.

PORT, ANGLETERRE (n. p.). Bristol, Birkenhead, Chatham, Douvres, Exeter, Grimsby, Hull, Lancaster, Liverpool, Londres, Newcastle, Plymouth, Preston, Truro.

PORT, ATHÈNES (n. p.). Pirée.

PORT, AUSTRALIE (n. p.). Albert, Augusta, Darwin, Geelong, Hobart, Sydney, Weipa.

PORT, BALÉARES (n. p.). Mahon.

PORT, BALTIQUE (n. p.). Helsinki, Memel, Riga.

PORT, BANGLADESH (n. p.). Chittagonci.

PORT, BELGIQUE (n. p.). Anvers, Gand, Nieuport, Zeebrugge.

PORT, BRÉSIL (n. p.). Arcaju, Manaus, Natal, Niteroi, Recife, Rio, Santos.

PORT, BRETAGNE (n. p.). Brest, Lorient.

PORT, BULGARIE (n. p.). Varna.

PORT, CAMBODGE (n. p.). Kompongsom, Sihanoukville.

PORT, CANADA (n. p.). Aklavik, Amherts, Brest, Cacouna, Canso, Caraquet, Darmouth, Digby, Fogo, Gaspé, Halifax, Kingston, Louisbourg, Oshawa, Owensound, Plaisance, Sarnia, Shédiac, Sydney, Toronto, Trenton, Trinity, Vancouver, Windsor, Yarmouth.

PORT, CHILI (n. p.). Antofagasta, Aranco, Arauco, Arenas, Arica, Caldera, Coquimbo, Iquique, Punta, Valparaiso.

PORT, CHINE (n. p.). Amoy, Canton, Dairen, Hong-Kong, Macao, Shanghai, Swatow, Taku, Tsingtao, Xiamen, Yental.

PORT, CHYPRE (n. p.). Limassol.

PORT, COLOMBIE (n. p.). Buenaventura, Cienaga.

PORT, CORÉE DU NORD (n. p.). Nampo.

PORT, CORÉE DU SUD (n. p.). Masan, Pusan, Ulsan.

PORT, COSTA RICA (n. p.). Limon.

PORT, CROATIE (n. p.). Split, Zadar.

PORT, CUBA (n. p.). Gibara, Havane, Nuevitas, Preston, Santiago.

PORT, DANEMARK (n. p.). Aarhus, Alborg, Arhus, Elseneur, Halborg, Odense, Nyborg, Randers.

PORT, ÉCOSSE (n. p.). Aberdeen, Ayr.

PORT, ÉGYPTE (n. p.). Suez.

PORT, ÉRYTHRÉE (n. p.). Assab.

PORT, ESPAGNE (n. p.). Algésiras, Alicante, Alméria, Aviles, Barcelone, Bilbao, Cadix, Carthagène, Centa, Dundee, Ferrol, Gijon, Huel Va, Magala, Mataro, Porbou, Tarragone, Valence, Vigo.

PORT, ÉTATS-UNIS (n. p.). Baltimore, Erié, Los Angeles, Milwaukie, Mobile, New Haven, Newport, New York, Norfolk, Oakland, Portland, Tampa, Townssend.

PORT, ÉTHIOPIE (n. p.). Assab.

PORT, FINLANDE (n. p.). Abo, Oulu, Pori, Reykjavik, Turku, Vaasa.

PORT, FRANCE (n. p.). Antibes, Auray, Belz, Brest, Caen, Calais, Ciotat, Dieppe, La Rochelle, Le Havre, Maeseille, Mèze, Nantes, Nices, Palais, Rochefort, Saint-Malo, Strasbourg, Toulon.

PORT, GABON (n. p.). Owendo.

PORT, GHANA (n. p.). Sekondi, Tema.

PORT, GRANDE-BRETAGNE (n. p.). Exeter.

PORT, GRÈCE (n. p.). Eleusis, Pirée, Volos.

PORT, GUATEMALA (n. p.). Ocos.

PORT, GUINÉE ÉQUATORIALE (n. p.). Bata.

PORT, HONDURAS (n. p.). Téla.

PORT, INDE (n. p.). Bombay, Diu, Goa, Surat.

PORT, INDONÉSIE (n. p.). Cirebon, Manado, Medan, Palembang, Tjirebon.

PORT, IRAN (n. p.). Abadan.

PORT, IRAK (n. p.). Basta, Fao.

PORT, IRLANDE (n. p.). Belfast, Calway, Cobh, Cork, Fastnet, Londonderry.

PORT, ISRAËL (n. p.). Acre, Akko, Ashdod, Eilat, Elath, Haifa, Goteborg, Netanya.

PORT, ITALIE (n. p.). Acieale, Amalfi, Ancône, Anzio, Bari, Barletta, Brindisi, Catane, Cefalu, Cefaw, Gaète, Gela, Gênes, Naples, Orties, Palerme, Rialto, Spezia, Tarente, Trieste.

PORT, JAPON (n. p.). Aomori, Antonio, Beppu, Chiba, Hiroshima, Kagoshima, Kobe, Kuré, Moji, Mozi, Muroban, Nagasaki, Nagoya, Niigata, Oita, Osaka, Otaru, Sasebol, Takamatsu, Tokio, Ube, Yokohama, Yokosuma.

PORT, LIBAN (n. p.). Tripoli.

PORT, LUXEMBOURG (n. p.). Mertert.

PORT, MADAGASCAR (n. p.). Tuléar.

PORT, MAROC (n. p.). Agadir, Casablanca, Essaouira, Kenitra, Larache, Lyautey, Mohammedia, Safi, Tanger.

PORT, MEXIQUE (n. p.). Acapulco, Campêche, Mazatlan, Progreso, Tampico, Veracruz.

PORT, MOZAMBIQUE (n. p.). Beira.

PORT, NORVÈGE (n. p.). Narvik.

PORT, NOUVELLE-CALÉDONIE (n. p.). Nouméa.

PORT, PAYS-BAS (n. p.). Rotterdam, Vlaardingen.

PORT, PÉROU (n. p.). Callao, Chimbote, Iquitos, Talara.

PORT, PHILIPPINES (n. p.). Bacolod, Batangas, Davao, Iloilo, Luçons, Negros.

PORT, PORTUGAL (n. p.). Faro, Porto, Setubal.

PORT, QUÉBEC (n. p.). Baie-Comeau, Cacouna, Gaspé, Montréal, Québec, Sept-Îles, Sorel, Trois-Rivières.

PORT, ROME ANTIQUE (n. p.). Ostie.

PORT, RUSSIE (n. p.). Gorki, Kirov, Leningrad, Oufa, Rostov, Saratov.

PORT, SICILE (n. p.). Catane.

PORT, SRI LANKA (n. p.). Galle.

PORT, SUÈDE (n. p.). Gävle, Göteborg, Lulea, Malmö, Norreping, Pitea, Umea.

PORT, SUISSE (n. p.). Bâle.

PORT, TAHITI (n. p.). Papeete, Vaiété.

PORT, TAIWAN (n. p.). Tainan.

PORT, TANZANIE (n. p.). Dares, Salaam, Salam, Tanga.

PORT, TERRE-NEUVE (n. p.). Bonavista, Botwood, Marystown, Placentia, St-John.

PORT, TOGO (n. p.). Lomé.

PORT, TUNISIE (n. p.). Gabès, Sfax, Sousse.

PORT, TURQUIE (n. p.). Adalia, Anc, Antalya, Dnieppropetrovsk, Iskenderun, Istanbul, Izmir, Sinop.

PORT, UKRAINE (n. p.). Ievpatoria, Odessa.

PORT, URUGUAY (n. p.). Salto.

PORT, VIETNAM (n. p.). Camranh, Danang, Nhatrang.

PORT, YÉMEN (n. p.). Aden.

PORT, YOUGOSLAVIE (n. p.). Kotor, Rijeka, Split, Zadar.

PORT, ZAÏRE (n. p.). Matadi.

PORTE. Accès, barrière, chasseur, entrée, guichet, hayon, hec, herse, huis, introduction, issue, moyen, ouverture, passage, pêne, porche, portail, poterne, portière, portillon, seuil, sortie, vantail, verrou.

PORTE (n. p.). Jérusalem, Rome, Thèbes, Trézène, Turquie.

PORTÉ. Assené, attiré, champ, conduit, degré, disposé, élément, élu, enclin, hauteur, mis, niveau, rayon, sphère, soutien, support, tendance.

PORTÉE. Champ, clavier, degré, hauteur, niveau, rayon, sphère.

PORTE-BONHEUR. Amulette, fétiche, grigri, mascotte, talisman.

PORTE-DOCUMENTS. Attaché-case, mallette, serviette.

PORTEFAIX. Bricole, coltineur, crocheteur, faquin, phrygane, porteur.

PORTEFEUILLE. Bourse, buvard, carton, classeur, maroquin, patte, porte-monnaie, serviette, trousse.

PORTER. Aller, arborer, asséner, barder, blesser, décider, descendre, élever, encliner, entraîner, étendre, étrenner, inscrire, lever, outrer, puer, rendre, retirer, scandaliser, subordonner, tendre, transporter.

PORTEUR. Ânée, bagagiste, coltineur, commissionnaire, coolie, courrier, coursier, débardeur, décharcheur, déménageur, détenteur, estafette, facteur, laptot, livreur, messager, nervi, portefaix.

PORTE-VOIX. Gueulard, mégaphone.

PORTIER. Bignole, cerbère, chasseur, concierge, gardien, geôlier, gorille, guichetier, huissier, piploque, suisse, tourier, veilleur.

PORTION. Arc, champ, corps, division, dose, estran, fraction, fragment, lopin, lot, main, morceau, mot, nappe, parcelle, part, pièce, quotité, rampe, ration, section, segment, travée, tronçon, zone.

PORTIQUE. Péristyle, porche, porte, tambour, torana, torii, vestibule.

PORTRAIT. Album, buste, description, effigie, figure, gravure, image, peinture, représentation, signalement, tableau, visage.

PORTRAITISTE. Caricaturiste, imagier, figuriste, graveur, peintre.

PORTRAITISTE (n. p.). Apelle, Aved, Ghirlandaio, Lely, Nadar, Nos, Vandyck.

PORTUGAIS (n. p.). Lusitanien.

PORTUGAL (n. p.). Açores, Escudo, Lisbonne, Lusitanie, Madère.

POSE. Affection, application, attitude, calme, exposition, froid, grave, installation, instantané, position, posture, rassis, réfléchi, sage.

POSÉMENT. Calmement, paisiblement, tranquillement.

POSER. Agir, appliquer, apposer, appuyer, asseoir, atterrir, déposer, engluer, enlier, installer, mettre, miner, placer, situer, soulever.

POSEUR. Affecté, apprêté, artificiel, bêcheur, compassé, fat, maniéré, minaudier, pédant, prétentieux, snob, vaniteux.

POSITIF. Absolu, assuré, authentique, bon, certain, concret, évident, exact, formel, manifeste, orgue, oui, précis, réel, sérieux, sûr, vrai.

POSITION. Attitude, cas, condition, coordonnées, disposition, emplacement, estime, gisement, guêpier, inclinaison, lieu, localisation, place, point, sis, site, situation, stable, tête-bêche.

POSSÉDA. Eut.

POSSÉDÉ. Démoniaque, dominé, ensorcelé, envoûté, eu, furieux.

POSSÉDER. Ai, aie, ait, as, avoir, bénéficier, connaître, démoniaque, détenir, disposer, eu, jouir, ont, pourvu, propriété, situer, vaincre.

POSSESSIF. Abusif, captatif, exclusif, intolérant, jaloux, leur, ma, mes, miens, mon, nos, notre, sa, ses, son, ta, tes, ton, vos, votre.

POSSESSION. Actif, chose, désir, garde, monopole, prise, propriété.

POSSIBILITÉ. Cas, chance, croyance, débouché, embauche, éventualité, faculté, force, hypothèse, loisir, moyen, occasion, opportunité, permission, pouvoir, probabilité, sursis, virtualité.

POSSIBLE. Admissible, applicable, compétitif, compréhehsible, concevable, douteux, espérance, éventuel, exécutable, facile, facultatif, faisable, hasardeux, incertain, libre, loisible, plausible, potentiel, pouvoir, praticable, probable, réalisable, virtuel, vraisemblable.

POST-SCRIPTUM. P.-S.

POSTE. Charge, émetteur, emplacement, emploi, essencerie, fonction, garde, observatoire, place, radio, situation, télévision, vigie.

POSTER. Adresser, affiche, affût, aposter, camper, embusquer, envoyer, établir, expédier, installer, loger, mettre, placer, planter.

POSTÉRIEUR. Après, arrière, avenir, consécutif, croupe, cul, derrière, fesses, fessier, futur, nuque, séant, siège, suivant, ultérieur.

POSTÉRITÉ. Avenir, descendant, enfant, fils, génération, progéniture.

POSTICHE. Ajouté, artificiel, factice, faux, moumoute, perruque.

POSTULANT. Aspirant, candidat, demandeur, impétrant, poursuivant, prétendant, quémandeur, solliciteur.

POSTULER. Briguer, demander, quémander, revendiquer, solliciter.

POSTURE. Allure, asana, attitude, condition, contenance, état, maintien, pose, position, situation, station.

POT. Chance, coup, cruche, godet, jacquelin, jacqueline, jarre, marmite, pichet, poterie, potiche, récipient, terrine, verre, vase.

POTABLE. Acceptable, bon, buvable, passable, possible, pur, sain.

POTAGE. Bisque, bouillie, bouillon, brouet, chaudrée, cille, clair, consommé, crème, coulis, julienne, lavasse, lavure, louche, minestrone, oille, panade, philtre, pistou, soupe, velouté.

POTAGER. Ail, asperge, betterave, cardon, carotte, céleri, chou, courge, échalote, endive, épinard, estragon, fève, haricot, jardin, laitue, oignon, navet, panais, persil, poireau, pois, radis, tomate.

POTASSIUM. K.

POTE. Ami, camarade, collègue, confrère, copain, intime, mec.

POTEAU. Colonne, mât, pièce, pieu, pilori, sabot, tournisse.

POTELÉ. Charnu, dodu, gras, grassouillet, gros, joufflu, plein, poupard, poupin, rebondi, replet, rond, rondelet.

POTENCE. Corde, croix, estrapade, gibet, gibier, girafe, patibulaire, portemanteau, victime.

POTENTIEL. Évolution, force, possible, prospect, tension, virtuel.

POTENTILLE. Ansérine, atrosanguinea, aurea, fruticosa, nepalensis, quintefeuille, tormentille.

POTERIE. Céramique, faïence, figurine, grès, porcelaine, terre.

POTIN. Boucan, bruit, cancan, causer, commérage, jaser, médisance, on-dit, racontar, raffut, ragot, ramdam, tapage, tintamarre, vacarme.

POTION. Boire, breuvage, élixir, guérir, looch, magie, médicament.

POTIRON. Carabaça, citrouille, courge, cuje, poutiron.

POT-POURRI. Cocktail, compilation, mélange, mosaïque, patchwork.

POU. Borréliose, calige, lécanie, lente, mélophage, morpion, phtiriase, phtirius, pouilleux, ricin, tique, toto, typhus, vermine.

POUCE. Chiquenaude, doigt, empan, index, ligne, po, pied.

POUDRE. Came, cannelle, détergent, détersif, égrisée, kif, iris, malt, perlimpinpin, plâtre, poussière, pulvérin, sciure, talc, vermoulure.

POUDRER. Broyer, enfariner, maquiller, moudre, sabler, saupoudrer.

POUDRERIE. Blizzard, rafale, tempête, tourbillon.

POUFFÉ. Ri.

POUFFER. Amuser, badiner, éclater, esclaffer, glousser, marrer, moquer, pâmer, ricaner, rire, tordre.

POUILLEUX. Clochard, gueux, hère, loqueteux, misérable, miséreux.

POULAILLER. Cabane, cage, galerie, mue, paradis, volière.

POULAIN. Antenais, crack, pouliche, suitée.

POULE. Agami, caqueter, cave, cocotte, coq, enjeu, fille, foulque, froussard, gallinacée, gallinule, géline, gélinotte, glousser, houdan, jeu, lâche, mise, œuf, pleutre, poltron, poularde, poulette.

POULET. Barbecue, chapon, coq, lettre, policier, poulette, poussin.

POULICHE. Cheval, jument, poulain.

POULIE. Agrès, bigue, brin, chape, cône, corde, galoche, gerseau, gorge, gréement, gréer, moufle, palan, réa, roue, rouet.

POULINIÈRE. Cheval, jument, pouliche.

POULIOT. Treuil.

POULPE. Kraken, mollusque, pieuvre.

POULS. Battement, cadence, diastole, dicrote, pulsation, systole.

POUMON. Aspirer, expirer, haleine, mou, poitrine, rejeter, respirer.

POUPÉE. Baigneur, bébé, catin, étoupe, figurine, filasse, mâchoire, mandrin, mannequin, pansement, poupard, poupon, sparadrap.

POUPON. Bambin, bébé, enfance, enfant, nourrisson, poupée.

POUR. Afin, but, contre, intention, faveur, pendant, pro, vouloir.

POURBOIRE. Bakchic, dringuelle, gratification, pièce, récompense, tip.

POURCEAU. Cochon, épicurien, hédoniste, jouisseur, porc, verrat.

POURCENTAGE. Adjudication, degré, guelte, probabilité, proportion, quota, rapport, surremise, tantième, taux, teneur.

POURCHASSER. Chasser, courir, courser, hanter, poursuivre, talonner, traquer.

POURPRE. Amarante, bordeaux, cardinal, cramoisi, dignité, grenat, murex, pavée, pourprin, purpurin, rocher, rouge, royal, tyr, violine.

POURQUOI. Ainsi, aussi, cause, comment, intention, motif, raison.

POURRI. Abîmé, avarié, corrompu, décomposé, faisandé, gangrené, gâté, humide, moisi, perverti, piqué, pluvieux, putride, tourné.

POURRIR. Avarier, chancir, corrompre, croupir, décomposer, dégénérer, dégrader, gâter, moisir, putréfier, tourner, ulcérer.

POURSUITE. Accusation, action, après, assignation, chasse, course, demande, justice, lièvre, persécution, procès, recherche, retraite.

POURSUIVRE. Aspirer, briguer, cerf, chasser, continuer, courir, courre, courser, ester, foncer, forcer, harceler, importuner, intenter, justice, lièvre, pourchasser, presser, rechercher, talonner, traquer.

POURTANT. Autant, cependant, mais, néanmoins, toutefois.

POURTOUR. Bord, circonférence, circuit, entourer, périmètre, tour.

POURVOIR. Armer, attitrer, dédicacer, don, doter, douer, fenêtrer, garnir, gréer, légender, monter, munir, nantir, orner.

POURVU. Armé, doua, espérons, muni, nanti, posséder, puisse.

POUSSE. Bourgeon, bouton, bouture, branche, brin, croissance, drageon, germe, greffe, plumule, poussée, revenue, scion, talle.

POUSSÉE. Accès, bourrade, charge, choc, coup, crise, éclos, élan, enclin, épaulée, éruption, force, grandi, impulsion, jet, montée, mû, née, poids, point, pression, propulsion, refrain, tendance.

POUSSER. Acculer, animer, bousculer, boutonner, chasser, couiner, crier, croître, développer, éloigner, émettre, étendre, exciter, forcir, grandir, huer, hurler, inciter, induire, jeter, lever, mener, mouvoir, mugir, piauler, propulser, réduire, refouler, rugir, sortir, vagir.

POUSSIÈRE. Anéantir, atome, balayure, boue, bouillie, broutilles, capilotage, cendre, charpie, débris, détritus, efflorescence, escarbille, miette, misères, moudre, pollen, poudre, riens, sable, scorie, stuc.

POUSSOIR. Bouton.

POUTRE. Ais, bau, boulin, chevêtre, étai, étambot, hec, jas, longeron, madrier, paille, pieu, planche, poutrelle, soffite, solive, sapine.

POUVOIR. Action, autorisation, capacité, choix, dictature, droit, évoquer, faculté, force, habileté, latitude, liberté, moyen, munir, ordre, possibilité, pu, puissance, règne, thaumaturgie, trône.

PRAIRE. Lamellibranche, mollusque, vénus, verrucosa.

PRAIRIE. Alpage, champ, embouche, engane, herbage, lande, noue, pacage, pampa, pâtis, pâturage, pelouse, pré, savane, steppe, vallée.

PRAIRIE SUISSE (n. p.). Grütli, Rütli

PRASÉODYME. Didyme, pr.

PRATICIEN. Docteur, médecin, professionnel, spécialiste, technicien.

PRATIQUE. Achalandé, acheteur, acquis, adapté, aisé, art, astucieux, commode, concret, efficace, émérite, facile, fonctionnel, maniable, matériel, possible, positif, pragmatique, routine, usage, usuel, utile.

PRATIQUER. Acquérir, boycotter, castrer, charcuter, déboucher, éprouver, essayer, exécuter, exercer, expérimenter, faire, miner, occuper, perforer, piper, skier, sodomiser, tâter, vasectomiser.

PRÉ. Agrostide, agrostis, alpage, brome, cardamine, champ, colchique, embouche, engane, herbage, lande, nard, noue, pacage, pampa, patis, pâturage, pelouse, prairie, savane, steppe, vallée.

PRÉAMBULE. Avertissement, commencement, exorde, introduction, préface, prélude, prémices, présentation, prolégomènes.

PRÉCAIRE. Aléatoire, éphémère, fragile, fugace, incertain, instable.

PRÉCARITÉ. Brièveté, caducité, évanescence, fragilité, fugacité.

PRÉCAUTION. Défense, garantie, méfiance, prudence, soin, sûreté.

PRÉCÉDENT. Antécédent, antérieur, avant, avant-garde, dernier, ouverture, passé, pré, préalable, préambule, prénatal, unique.

PRÉCÉDER. Annoncer, antérieur, anticiper, ci, dépasser, devancer, diriger, distancer, émaner, marcher, passer, placer, préluder, prénatal, prendre, préparer, prévenir, primitif, prodrome, prologue.

PRÉCEPTE. Aphorisme, apophtegme, commandement, conseil, dogme, formule, leçon, loi, maxime, norme, principe, règle, sentence, soutra.

PRÊCHER. Annoncer, catéchiser, conseiller, convertir, discourir, enseigner, évangéliser, exhorter, instruire, sermonner, vanter.

PRÉCIEUX. Avantageux, beau, bon, cher, parfait, rare, riche, utile.

PRÉCIPICE. Abîme, anfractuosité, aven, cavité, crevasse, danger, désastre, gouffre, malheur, ravin, ruine.

PRÉCIPITATION. Affolement, bousculade, brusquerie, empressement, fondre, fougue, frénésie, grêle, hâte, impatience, impétuosité, irréflexion, lenteur, longueur, palpitation, pluie, précipité, promptitude, rapidité, ruer, vitesse, vivacité.

PRÉCIPITER. Brusquer, courir, élancer, foncer, jeter, presser, tomber.

PRÉCIS. Abrégé, absolu, bref, catégorique, certain, clair, concis, conforme, distinct, exact, fin, juste, net, pile, réel, rigoureux, traité.

PRÉCISER. Clarifier, définir, délimiter, détailler, déterminer, développer, établir, expliciter, fixer, souligner, spécifier, stipuler.

PRÉCISION. Clarté, concision, exactitude, justesse, minutie, rigueur.

PRÉCOCE. Anticipé, avancé, hâtif, prématuré, pressé, sénilisme.

PRÉCOMPTE. Retenue.

PRÉCONISER. Conseiller, indiquer, louer, recommander, prêcher, prôner, recommander, vanter.

PRÉCURSEUR. Ancêtre, annonciateur, devancier, fourrier, initiateur, inventeur, messager, novateur, pionnier, prédécesseur, prophète.

PRÉCURSEUR (n. p.). Adam, Icare.

PRÉDICATEUR (n. p.). Bossuet.

PRÉDICATION. Chaire, discours, mission, oracle, prophétie, sermon.

PRÉDICTION. Astrologie, horoscope, présage, prophétie, révélation.

PRÉDIRE. Annoncer, augurer, dire, présager, pronostic, prophétiser.

PRÉDISPOSÉ. Enclin, penchant, porté.

PRÉDISPOSER. Amadouer, amener, disposer, incliner, influencer, penchant, porter, pousser, préadapter, préparer, tendance.

PRÉFACE. Avant-propos, avertissement, avis, canon, introduction, notice, préambule, prélude, présentation, proème, prolégomènes.

PRÉFÉRÉ. Attiré, choisi, chéri, chouchou, favori, fétiche, privilégié.

PRÉFÉRENCE. Goût, option, partialité, penchant, plutôt, prédilection.

PRÉFÉRER. Adopter, aimer, chérir, choisir, élire, incliner, pencher.

PRÉFIXE. Ab, abs, ad, aer, anté, anti, archi, auto, bi, co, déca, deuto, di, dia, éco, épi, éso, ex, extra, géo, hect, hémi, hyper, im, in, infra, inn, inter, intra, ir, iso, juxta, kilo, me, meg, mes, méso, méta, mi, micro, milli, mono, nano, nécro, néo, ob, oct, octo, para, per, phil, pico, post, pré, pseudo, re, rétro, semi, simili, sub, super, supra, syn, télé, tétra, thermo, trans, ultra.

PRÉFIXE MULTIPLICATEUR. Atto, centi, déca, giga, hecto, meg, méga, nano, peta, pico, téra.

PRÉHOMONIDÉ. Sinanthrope.

PRÉHISTOIRE. Ancien, archéologie, fossile, géologie, paléontologie.

PRÉJUDICE. Atteinte, baraterie, dam, dommage, gêner, perte, tort.

PRÉJUGÉ. Erreur, habitude, idée, œillère, opinion, parti pris, passion, préoccupation, présomption, routine, snob, supposition, tradition.

PRÉLAT. Cardinal, exarque, monsignore, pape, pontife, primat.

PRÉLAT ANGLAIS (n. p.). Lanfranc, Laud, Newman, Pole, Wolsey.

PRÉLAT BRITANNIQUE (n. p.). Manning, Wiseman.

PRÉLAT CANADIEN (n. p.). Roy.

PRÉLAT CROATE (n. p.). Strosmajer.

PRÉLAT ESPAGNOL (n. p.). Albornoz, Balbuena, Cisneros.

PRÉLAT FRANÇAIS (n. p.). Balue, Bossuet, , Bourbon, Briçonnet, Daniélou, Darboy, Dupanloup, Expilly, Fauchet, Fesch, Fillastre, Freppel, Lacordaire, Laval, Lavigerie, Lubac, Lustiger, Massillon, Suhard, Sully, Tisserant, Tournon, Villot.

PRÉLAT GALLO-ROMAIN (n. p.). Avit, Avitus.

PRÉLAT GREC (n. p.). Athênagoras, Damaskinos, Dhamaskinos.

PRÉLAT HONGROIS (n. p.). Mindszenty.

PRÉLAT ITALIEN (n. p.). Cajetan, Caprara, Cauchon, Gasparri.

PRÉLAT MILANAIS (n. p.). Birague.

PRÉLAT POLONAIS (n. p.). Wyszynski.

PRÉLAT SUD-AFRICAIN (n. p.). Tutu.

PRÉLAT TANZANIEN (n. p.). Rugambwa.

PRÉLÈVEMENT. Amortissement, biopsie, coupe, ponction, saignée.

PRÉLEVER. Enlever, exiger, extraire, lever, ôter, percevoir, prendre, puiser, retenir, retirer, retrancher, soustraire, soutirer, zester.

PREMIER. Abc, aîné, ancêtre, as, aube, capital, chef, créateur, début, dominant, ébauche, entame, étrenne, genèse, initial, liminaire, origine, original, maire, meilleur, patron, pionnier, précurseur, prime, primitif, princeps, prochain, roi, supérieur, têtard, tête, un.

PREMIER (n. p.). Adam, Épiméthée, Icare.

PREMIER MINISTRE DU CANADA (n. p.). Abbott, Bennett, Borden, Bowell, Chrétien, King, Laurier, Macdonald, Mackenzie, Meighen, Mulroney, Pearson, Saint-Laurent, Thompson, Trudeau, Tupper, Turner.

PREMIER MINISTRE DU QUÉBEC (n. p.). Barrette, Bertrand, Bouchard, Bourassa, Boucherville, Chapleau, Chauveau, Duplessis, Flynn, Godbout, Gouin, Johnson, Joly, Lesage, Marchand, Mercier, Mousseau, Ouimet, Parent, Ross, Tachereau, Taillon.

PREMIÈRE. Avant, début, pandore, inédit, générale, reine.

PREMIÈREMENT. Avant, primo.

PREMIER-NÉ. Aîné.

PRÉMISSE. Amorce, embryon, germe, mineur, origine, racine, source.

PRÉMONITION. Intuition, prescience, pressentiment.

PRENANT. Absorbant, attirant, captivant, intéressant, palpitant, passionnant, séduisant.

PRENDRE. Aborder, accaparer, adopter, affréter, agripper, aimer, apponter, assumer, attester, attraper, boire, capter, capturer, cesser, coincer, conspirer, courir, décamper, dérober, dîner, écrémer, déjeuner, dîner, emparer, empoigner, emprunter, engager, enlever, épouser, imiter, intercepter, jouer, lire, louer, mouler, naître, noter, obvier, ôter, parer, partir, pêcher, peser, piger, pincer, prélever, puiser, ramasser, rapiner, ravir, relever, respirer, rire, saisir, servir, souper, soustraire, succéder, surprendre, tergiverser, voler.

PRENEUR À BAIL. Amodiataire, bailleur, emphytéote.

PRÉNOM. Antécédent, apôtre, évangéliste, nom, pape, saint.

PRÉNOM FÉMININ (3 lettres) (n. p.). Éva, Ève, Ida, Léa, Lia, Mia, Zoé.

PRÉNOM FÉMININ (4 lettres) (n. p.). Alma, Anne, Emma, Irma, Lyne, Lise, Luce, Nora, Olga, Rita, Rose.

PRÉNOM FÉMININ (5 lettres) (n. p.). Adèle, Agnès, Alice, Aline, Anita, Chloé, Diane, Doris, Édith, Élise, Irène, Josée, Julie, Laura, Laure, Liane, Lucie, Manon, Marie, Maude, Mégan, Ninon, Noémi, Odile, Olive, Paule, Renée, Sarah.

PRÉNOM FÉMININ (n. p.). (6 lettres) Agathe, Amélie, Andrée, Angèle, Ariane, Aurore, Audrey, Berthe, Carine, Carmen, Carole, Cécile, Céline, Claire, Claude, Cécile, Céline, Daphné, Denise, Éliane, Élodie, Éloïse, Émélie, Émilie, Esther, France, Gemma, Gisèle, Hélène, Ingrid, Jeanne, Judith, Karine, Léonie, Lolita, Louise, Lyanne, Muriel, Nicole, Noëlla, Odette, Pamela, Régine, Sandra, Simone, Sophie, Sylvie, Ursule, Yvette, Yvonne.

PRÉNOM FÉMININ (n. p.). (7 lettres) Abeille, Adéline, Alberte, Aufélie, Barbara, Blanche, Camille, Chantal, Colette, Colombe, Corinne, Danièle, Dolorès, Estelle, Eulalie, Éveline, Gaétane, Ginette, Jessica, Josette, Justine, Liliane, Lucille, Martine, Mélanie, Michèle, Monique, Pascale, Rachèle, Rolande, Rosalie, Solange, Suzanne, Thérèse, Valérie, Vanessa, Viviane, Yolande.

PRÉNOM FÉMININ (n. p.). (8 lettres) Adrienne, Béatrice, Brigitte, Clémence, Danielle, Dorothée, Fabienne, Fernande, Florence, Francine, Gilberte, Huguette, Isabelle, Jacinthe, Jocelyne, Lorraine, Marcelle, Marianne, Mathilde, Mireille, Murielle, Nathalie, Raymonde, Sandrine, Violette, Virginie.

PRÉNOM FÉMININ (n. p.). (9 lettres) Alexandra, Angélique, Armandine, Catherine, Célestine, Charlotte, Dominique, Christine, Constance, Élisabeth, Ernestine, Françoise, Gabrielle, Geneviève, Georgette, Géraldine, Ghislaine, Henriette, Joséphine, Madeleine, Micheline, Stéphanie, Véronique.

PRÉNOM FÉMININ (n. p.). (10 lettres) Antoinette, Bernadette, Christiane, Emmanuelle, Frédérique, Jacqueline, Marguerite.

PRÉNOM MASCULIN (3 lettres) (n. p.). Guy, Luc, Max.

PRÉNOM MASCULIN (4 lettres) (n. p.). Aimé, Éloi, Éric, Érik, Igor, Ivan, Jean, Joël, Léon, Marc, Noël, Omer, Paul, Réal, Rémi, René, Régis, Roger, Yann, Yvan, Yves, Yvon.

PRÉNOM MASCULIN (5 lettres) (n. p.). Alain, André, Benoît, Bruno, David, Denis, Donat, Émile, Henri, Hervé, Jules, Louis, Oscar, Ovide, Raoul, Serge, Simon.

PRÉNOM MASCULIN (6 lettres) (n. p.) Adrien, Albert, Alexis, Amédée, Armand, Arsène, Arthur, Aubert, Cédric, Claude, Damase, Damien, Daniel, Edmond, Ernest, Eudore, Gaétan, Gaston, Gérald, Gérard, Gilles, Hector, Hubert, Hugues, Ignace, Irénée, Jérôme, Joseph, Julien, Justin, Lionel, Lucien, Marcel, Pierre, Robert, Roland, Romain, Marius, Martin, Maxime, Michel, Odéric, Odilon, Pascal, Ronald, Samuel, Thomas, Trista, Valère, Victor, Xavier.

PRÉNOM MASCULIN (7 lettres) (n. p.). Anatole, Antoine, Auguste, Bernard, Charles, Clément, Édouard, Émilien, Étienne, Fernand, Florent, Gabriel, Georges, Gilbert, Hilaire, Jacques, Jérémie, Jocelyn, Lambert, Laurent, Laurier, Léopold, Médéric, Nicolas, Normand, Olivier, Patrice, Patrick, Raphaël, Sylvain, Raymond, Richard, Romuald, Rosaire, Rosario, Sébastien, Séverin, Vincent, Wilfrid, Yannick.

PRÉNOM MASCULIN (8 lettres) (n. p.). Alphonse, Benjamin, Bertrand, Emmanuel, François, Frédéric, Valentin, Ghislain, Grégoire, Mathias, Mathieu, Maurice, Philippe, Stéphane.

PRÉNOM MASCULIN (9 lettres) (n. p.). Alexandre, Christian, Dominique, Guillaume.

PRÉNOM MASCULIN (10 lettres) (n. p.). Christophe.

PRÉOCCUPATION. Angoisse, ennui, soin, souci, tourment, tracas.

PRÉOCCUPÉ. Absorbé, anxieux, chagriné, ennuyé, inquiet, libre, pensif, polard, songeur, soucieux, tendu, tracassé.

PRÉPARATIF. Apprêt, appareil, armement, branle-bas, confection, dispositif, élaboration, organisation, préparation.

PRÉPARATION. Apprentissage, calcul, conception, cosmétique, émulsion, entraînement, gestation, hachis, jus, marinade, mégie, organisation, pain, pâte, projet, recette, saumure, tablette, vin.

PRÉPARÉ. Accommodé, arrangé, brut, disposé, écru, improvisé, ort.

PRÉPARER. Accommoder, aménager, apprêter, arranger, comploter, concocter, couver, cuire, disposer, doser, dresser, élaborer, façonner, infuser, planifier, praliner, réorganiser, rober, tramer, trousser.

PRÉPOSÉ. Agent, bibliothécaire, chargé, commis, délégué, employé, guichetier, pompiste, représentant, responsable, tourier, voyer.

PRÉPOSITION. Après, avant, avec, chez, contre, dans, de, deçà, delà, depuis, dès, en, entre, envers, fors, hormis, hors, malgré, négation, par, parmi, pendant, pour, sans, sauf, selon, sous, suivant, sur, trans, vers.

PRÉROGATIVE. Attribut, attribution, avantage, dignité, don, droit, faculté, honneur, juridiction, pouvoir, préséance, privilège.

PRÈS. Adjacent, attenant, contigu, contre, court, limitrophe, loin, mitoyen, proche, ras, récent, tangente, touchant, voici, voisin.

PRÉSAGE. Annonce, augure, horoscope, menace, signe, symptôme.

PRÉSAGER. Annoncer, augurer, prévoir, promettre, pronostiquer.

PRESBYTÈRE. Abbé, couvent, cure, curiale, maison, puritain.

PRESCIENCE. Intuitif, intuition, prémonition, pressentiment.

PRESCRIPTION. Arrêté, commandement, décision, décret, édit, loi, observation, ordonnance, péremption, règlement, rite, usucapion.

PRESCRIRE. Annuler, commander, décréter, demander, dicter, disposer, édicter, enjoindre, fixer, observer, ordonner, régler.

PRÉSÉANCE. Avantage, pas, pouvoir, prérogative, privilège.

PRÉSENCE. Absence, alibi, assiduité, disparition, éloignement, essence, existence, infestation, omniprésence, régularité, supporter.

PRÉSENT. Actuel, aujourd'hui, assistant, cadeau, contemporain, courant, don, dot, étrenne, existant, immédiat, legs, oblation, offrande, omniprésent, moderne, réalité, témoin, verbe.

PRÉSENTABLE. Acceptable, convenable, montrable, potable, sortable.

PRÉSENTATEUR. Animateur, commentateur, démonstrateur.

PRÉSENTATION. Exhibition, offre, maquette, représentation, tenue.

PRÉSENTEMENT. Actuellement, aujourd'hui, maintenant, nouvellement, ores, récemment.

PRÉSENTER. Aligner, amener, arranger, avoir, dessiner, diriger, disposer, donner, étaler, exciter, exhiber, expliquer, exposer, importer, intéresser, mériter, minimiser, montrer, offrir, plaire, porter, poser, posséder, produire, proposer, sembler, voir.

PRÉSERVER. Abriter, aider, aile, assurer, dé, défendre, épargner, éviter, garantir, garer, égide, éviter, garantir, garder, mécène, obombrer, protéger, providence, sauver, secourir, toit.

PRÉSIDENT. Coprésident, chef, conseiller, directeur, pdg, septennat.

PRÉSIDENT, AFRIQUE DU SUD (n. p.). Botha.

PRÉSIDENT, ALBANIE (n. p.). Zog, Zogu.

PRÉSIDENT, ALGÉRIE (n. p.). Boumediene, Chadli.

PRÉSIDENT, ALLEMAGNE (n. p.). Heinemann, Herzog, Heuss, Hindenburg, Honecker, Lübke, Pieck, Scheel, Ulbrick.

PRÉSIDENT, ANGOLA (n. p.). Neto.

PRÉSIDENT, ARGENTINE (n. p.). Menem, Peron, Sarmiento, Videla.

PRÉSIDENT, AUTRICHE (n. p.). Renner.

PRÉSIDENT, BOSNIE-HERZÉGOVINE (n. p.). Izetbegovic.

PRÉSIDENT, BRÉSIL (n. p.). Cardoso, Dutra, Fonseca, Vargas.

PRÉSIDENT, CAMEROUN (n. p.). Ahidjo, Biya.

PRÉSIDENT, CHILI n.p.). Allende, Pinochet.

PRÉSIDENT, CHYPRE (n. p.). Makarios.

PRÉSIDENT, CORÉE DU SUD (n. p.). Rhee.

PRÉSIDENT, CROATIE (n. p.). Tudjman.

PRÉSIDENT, CUBA (n. p.). Castro.

PRÉSIDENT, ÉGYPTE (n. p.). Moubarak, Nasser, Sadate.

PRÉSIDENT, ÉQUATEUR (n. p.). Flores.

PRÉSIDENT, ESPAGNE (n. p.). Caudillo, Franco.

PRÉSIDENT, ÉTATS-UNIS (n. p.). Adams, Arthur, Buchanan, Bush, Carter, Cleveland, Clinton, Coolidge, Eisenhower, Fillmore, Ford, Garfield, Grant, Harding, Harrison, Hayes, Hoover, Jackson, Jefferson, Jonhson, Kennedy, Lincoln, Madison, McKinley, Monroe, Nixon, Pierce, Polk, Quincy, Reagan, Roosevelt, Taft, Taylor, Truman, Tyler, Van Buren, Washington, Wilson.

PRÉSIDENT, FINLANDE (n. p.). Kekkonen, Koivisto, Paasikivi.

PRÉSIDENT, FRANCE (n. p.). Auriol, Chirac, Coty, Deschanel, Doumer, Doumerque, Fallières, Faure, Gaule, Giscard d'Estaing, Grévy, Lebrun, Loubet, Millerand, Mitterand, Pétain, Poincarré, Pompidou, Thiers.

PRÉSIDENT, GABON (n. p.). Bongo.

PRÉSIDENT, GÉORGIE (n. p.). Chevarnadzé.

PRÉSIDENT, GRÈCE(n. p.). Caramanlis, Papadhopoulos.

PRÉSIDENT, GUINÉE (n. p.). Cabral, Macias.

PRÉSIDENT, HAÏTI (n. p.). Aristide, Duvalier, Pétion.

PRÉSIDENT, HONGRIE (n. p.). Göncz.

PRÉSIDENT, INDONÉSIE (n. p.). Suharto, Sukarno.

PRÉSIDENT, IRAK (n. p.). Aref.

PRÉSIDENT, IRAN (n. p.). Rafsandjani.

PRÉSIDENT, IRLANDE (n. p.). Devalera.

PRÉSIDENT, ITALIE (n. p.). Badoglio, Dini, Duce, Einaudi, Gronchi, Leone, Mussolini, Pertini, Saragat, Scalfaro, Segni.

PRÉSIDENT, KENYA (n. p.). Kenyatta.

PRÉSIDENT, LIBAN (n. p.). Chamoun, Gemayel.

PRÉSIDENT, LIBYE (n. p.). Kadhafi.

PRÉSIDENT, MALI (n. p.). Keita.

PRÉSIDENT, MEXIQUE (n. p.). Cardenas, Diaz, Zedillo.

PRÉSIDENT, NICARAGUA (n. p.). Ortega, Somoza.

PRÉSIDENT, NIGER (n. p.). Diori.

PRÉSIDENT, OLP (n. p.). Arafat.

PRÉSIDENT, PAKISTAN (n. p.). Bhutto.

PRÉSIDENT, PANAMA (n. p.). Noriega.

PRÉSIDENT, PÉROU (n. p.). Fujimori.

PRÉSIDENT, PHILIPPINES (n. p.). Aquino, Marcos.

PRÉSIDENT, POLOGNE (n. p.). Jaruzelski, Watesa.

PRÉSIDENT, PORTUGAL (n. p.). Braga, Carmona, Eanes, Soares, Spinola.

PRÉSIDENT, ROUMANIE (n. p.). Ceausescu.

PRÉSIDENT, RUSSIE (n. p.). Eltsine, Lénine.

PRÉSIDENT, SÉNÉGAL (n. p.). Diouf.

PRÉSIDENT, SERBIE (n. p.). Milosevic.

PRÉSIDENT, SUISSE (n. p.). Kruger.

PRÉSIDENT, SYRIE (n. p.). Asad, Assad.

PRÉSIDENT, TANZANIE (n. p.). Nyerere.

PRÉSIDENT, TCHAD (n. p.). Habré, Tombalbaye.

PRÉSIDENT, TCHÉTCHÉNIE (n. p.). Doudaïev, Svoboda.

PRÉSIDENT, THÉCOSLOVAQUIE (n. p.). Benes, Gottwald, Hacha, Husak, Masaryk, Novotny.

PRÉSIDENT, TUNISIE (n. p.). Bourguiba.

PRÉSIDENT, TURQUIE (n. p.). Gürsel, Inönü, Kemal.

PRÉSIDENT, UNION SOVIÉTIQUE (n. p.). Brejnev, Gorbatchev, Khrouchtchev, Staline.

PRÉSIDENT, VENEZUELA (n. p.). Betancourt, Gallegos, Paez.

PRÉSIDENT, YOUGOSLAVIE (n. p.). Tito.

PRÉSIDENT, ZAMBI (n. p.). Kaunda.

PRÉSIDENT ZIMBABWE (n. p.). Mugabe.

PRESLEY (n. p.). Aron, Elvis, Gladys, Graceland, Lisa-Marie, Memphis, Mississippi, Pelvis, Priscilla, Tupelo, Vermon.

PRÉSOMPTION. Charge, conjoncture, hypothèse, prévision, témérité.

PRÉSOMPTUEUX. Ambitieux, fat, humble, modeste, réservé, simple.

PRESQUE. Approximativement, négligeable, peu, quasi, quasiment.

PRESQU'ÎLE. Isthme, péninsule.

PRESQU'ÎLE (n. p.). Apchéron, Avalon, Cotentin, Crimée, Giens, Melville, Taïmyr, Tehuantepec.

PRESSANT. Appuyé, ardent, impérieux, important, instant, urgent.

PRESSÉ. Compact, comprimé, dépêché, étreint, gêné, hâté, hâtif, impatient, lent, serré, touffu, urgent.

PRESSENTIMENT. Demande, futur, intelligence, intuition, prédiction.

PRESSENTIR. Demander, deviner, douter, flairer, prédire, présager, prévoir, sentir.

PRESSER. Accélérer, appliquer, appuyer, broyer, comprimer, dépêcher, écraser, étreindre, exciter, hâter, imprimer, peser, pétrir, pousser, repasser, serrer, talonner, tasser, urger, vendanger.

PRESSION. Compression, influence, pesée, poussée, sollicitation.

PRESSOIR. Cave, cellier, fouloir, hec, maillotin, oppression, vigne, vin.

PRESTANCE. Air, allure, aspect, carrure, maintien, mine, tenue.

PRESTATAIRE. Bénéficiaire.

PRESTATION. Aide, allocation, apport, assermentation, contribution, discours, fourniture, indemnité, laïus, performance, revenu.

PRESTE. Actif, agile, diligent, habile, prompt, souple, urgent, vif, vite.

PRESTEMENT. Agilement, lentement, promptement, rapidement.

PRESTESSE. Agilité, célérité, promptitude, rapidité, vivacité.

PRESTIDIGITATEUR. Acrobate, artiste, escamoteur, illusionniste, jongleur, magicien, manipulateur, physicien, truqueur.

PRESTIGE. Aura, auréole, charisme, charme, crédit, gloire, illusion, influence, magie, poids, pouvoir, rayonnement, renom, séduction.

PRÉSUMER. Accroire, augurer, censer, conjecturer, croire, estimer, penser, présager, présumable, soupçonner, supposer.

PRESTO. Vite.

PRET. Avance, créance, dette, emprunt, location, mûr, paré, subside.

PRÉTENDRE. Affirmer, alléguer, aspirer, avancer, déclarer, dire, entendre, exiger, fiancé, flatter, garantir, lorgner, prétendant, prétexter, réclamer, revendiquer, soutenir, viser, vouloir.

PRÉTENDU. Faux, fiancé, magie, supposé.

PRÉTENDUMENT. Faussement, soi-disant.

PRÉTENTIEUX. Arrogant, crâneur, fat, fier, morveux, orgueilleux, péteux, présomptueux, snob, snobinard, sot, vain, vaniteux.

PRÉTENTION. Ambition, crânerie, dandysme, orgueil, présomption.

PRÊTER. Accorder, aider, avancer, attribuer, confier, créditer, écouter, entendre, imputer, louer, ouïr, porter, reconnaître.

PRÊTEUR. Bailleur, commanditaire, créancier, usurier, vautour.

PRÉTEXTE. Allégation, alibi, apparence, argument, cause, couleur, échappatoire, excuse, faux-fuyant, masque, motif, robe, ruse, voile.

PRÉTEXTER. Alléguer, arguer, excuser, justifier, objecter, opposer.

PRÉTOIRE. Audience, salle, tribunal.

PRÊTRE. Abbé, archevêque, aumônier, bonze, célébrant, chamoine, curé, druide, ecclésiastique, évêque, lama, mage, missionnaire, monseigneur, pape, pasteur, pope, sacrificateur, séculier, vicaire.

PRÊTRE ANGLAIS (n. p.). Ball.

PRÊTRE ALEXANDRIE (n. p.). Arius.

PRÊTRE ARIENS (n. p.). Arius.

PRÊTRE ORIENTAL (n. p.). Papas, pope.

PRÊTRE ESPAGNOL (n. p.). Orose.

PRÊTRE FRANÇAIS (n. p.). Eudes.

PRÊTRE HÉRÉSIARQUE (n. p.). Montan, Montanus.

PRÊTRE ITALIEN (n. p.). Neri.

PRÊTRE ROMAIN (n. p.). Épulon.

PRÊTRE . Bacchante, druidesse, pythie, pythonisse, vestale.

PRÊTRE (n. p.). Io.

PREUVE. Adminicule, affirmation, alibi, argument, charge, copie, critère, gage, indice, logique, motif, raison, reçu, témoignage, témoin.

PRÉVALOIR. Dominer, emporter, prédominer, primer, supplanter.

PRÉVENANT. Affable, agréable, aimable, avenant, complaisant, poli.

PRÉVENIR. Alerter, annoncer, anticiper, avertir, aviser, devancer, empressement, éviter, informer, parer, remédier, signaler.

PRÉVISION. Alerter, anticipation, attente, avertissement, avis, budget, conjecture, indexation, météo, météorologie, pronostic.

PRÉVOIR. Alerter, anticiper, augurer, avertir, aviser, conjecturer, deviner, entrevoir, flairer, indexer, prédire, présager, sentir.

PRÉVOT. Baile, escrimeur, magistrat.

PRÉVOT DES MARCHANDS (n. p.). Marcel.

PRIE-DIEU. Agenouilloir, genou.

PRIER. Adorer, adjurer, appeler, conjurer, convier, demander, engager, enjoindre, implorer, inviter, invoquer, solliciter, supplier.

PRIÈRE. Absoute, acte, anamnèse, angélus, appel, avé, bénédicité, canon, crédo, cri, demande, gloria, introït, laudes, libera, litanie, oraison, orate, orémus, pater, requête, requiem, salve, salut.

PRIEUR. Abbé, bénéficier, cloître, doyen, oblat, religieux, supérieur.

PRIMATE. Apelle, avahi, aye-aye, babouin, bonobo, cébidé, chimpanzé, chirogale, colobe, douc, drill, échidné, entelle, éroïde, galago, gelada, gibbon, gorille, guéréza, hocheur, homme, hoolock, hurleur, indri, lagotriche, lémuridé, lémurien, lémur, lémurien, loris, macaque, magot, maki, mandrill, mirza, mongo, moustac, nasique, orang-outan, ouakari, ouistiti, papion, pinché, sajou, saki, sapajou, simien, singe, talapoin, tamarin, tarsien, tarsier, totis, toupaye.

PRIME. Assurance, boni, escompte, report, récompense, surprime.

PRIMEVÈRE. Auricule, coucou, fleur de printemps, primerolle.

PRIMEUR. Commencement, étrenne, fraîcheur, nouveauté, prémices.

PRIMITIF. Ancien, archaïque, brut, initial, originaire, premier, tribu.

PRIMO. Premier, premièrement.

PRIMOGÉNITURE. Aînesse, priorité, succession.

PRIMORDIAL. Capital, décisif, essentiel, fondamental, majeur, vital.

PRIMULACÉE. Coucou, cyclamen, mouron, primevère, samoie.

PRINCE. A.R., altesse, archiduc, audience, calife, consort, daïmio, émir, héritier, kan, khan, magnat, monarque, nabab, noble, page, prêtre, radjah, rajah, ras, raz, règne, roi, royal, sultan, tyran, vizir.

PRINCE ALBANAIS (n. p.). Ghika, Scanderbeg.

PRINCE ARGIEN (n. p.). Argos.

PRINCE CAPÉTIEN (n. p.). Alphonse de France, Dunois.

PRINCE DÉMONS (n. p.). Satan.

PRINCE ÉGYPTE (n. p.). Néchao, Nékao.

PRINCE GALILÉE (n. p.). Tancrède.

PRINCE HONGROIS (n. p.). Arpad.

PRINCE IRAN (n. p.). Hulabu.

PRINCE JUDA (n. p.). Zorobabel.

PRINCE JUTLAND (n. p.). Hamlet.

PRINCE LOMBARD (n. p.). Adalgis.

PRINCE MOLDAVIE (n. p.). Cantemir, Sturdza.

PRINCE MONACO (n. p.). Rainier.

PRINCE MONGOL (n. p.). Hulagu.

PRINCE MOSCOU (n. p.). Ivan.

PRINCE MOSKOVA (n. p.). Ney.

PRINCE OTTOMAN (n. p.). Djem.

PRINCE PALMYRE (n. p.). Odenath.

PRINCE PERSE (n. p.). Bardiya, Smerdis

PRINCE POLOGNE (n. p.). Mieszko.

PRINCE PORTUGAIS (n. p.). Henri.

PRINCE PRUSSIEN (n. p.). Blücher.

PRINCE SAIS (n. p.). Nekao.

PRINCE SAXE-COBOURG-GOTHA (n. p.). Ferdinand.

PRINCE TRANSYLVANIE (n. p.). Bethlen.

PRINCE TROIE (n. p.). Énée.

PRINCESSE. Beauté, rani, reine.

PRINCESSE (n. p.). Édith, Édithe, Ursins.

PRINCIPAL. Âme, axe, capital, cardinal, central, centre, clé, clef, centre, décisif, directeur, dominant, essentiel, fondamental, grand, important, maître, nerf, pivot, prédominant, premier, primordial.

PRINCIPAUTÉ (n. p.). Monaco.

PRINCIPE. Agent, âme, archétype, auteur, axe, axiome, base, cause, clé, clef, commencement, créateur, credo, critère, essence, germe, idée, loi, maxime, mœurs, nature, norme, origine, pensée, postulat, règle, sève, source, soutien, suc, tao, théorie, unité, vérité, vie, virus.

PRINTANIER. Frais, gai, jeune, léger, neuf, nouveau, vernal.

PRINTEMPS. Jeunesse, printanier, renouveau.

PRIORITÉ. Aîné, aînesse, antériorité, avant, droit, pré, précellence, préséance, prima, primauté, prioritaire.

PRIS. Affairé, bu, débordé, épris, eu, isolé, louable, occupé, repris.

PRISE. Butin, capture, conquête, dispute, emprise, enlèvement, gel, levée, moyen, proie, querelle, râfle, saisie, scène, unité, vêture.

PRISÉ. Apprécié, estimé.

PRISE DE LUTTE. Ciseau, clé, clef.

PRISME. Coin, dispersion, nicol, orgue, orthorhombique, parallélépipède, polyèdre, réfraction, spectre, tuyau.

PRISON. Cabane, cachot, cage, carcéral, cellule, écrou, ergastule, forçat, forteresse, geôle, ham, pénitencier, taule, trou, tôle, violon.

PRISONNIER. Bagnard, captif, cep, condamné, déporté, détenu, enfermé, esclave, forçat, galérien, interné, lien, otage, reclus, relégué, séquestré, transporté, taulard.

PRIVATION. Anorexie, anoxie, besoin, captivité, défaut, emprisonnement, entrave, faim, famine, inanition, jeûne, manque, perte, rareté, retenue, retrait, sans, servage, sevrage, surdité, vide.

PRIVÉ. Apprivoisé, caché, dépourvu, froid, incognito, individuel, intérieur, intime, libre, muet, particulier, personnel, sec, sevré.

PRIVER. Affamer, démunir, déposséder, dépouiller, déshériter, étioler, frustrer, interner, ôter, refuser, sevrer, spolier, sourd.

PRIVILEGE. Apanage, attribution, avantage, bénéfice, caste, concession, dispense, droit, faveur, licence, monopole, prérogative.

PRIVILÉGIÉ. Avantagé, chanceux, choisi, élu, exceptionnel, favori, favorisé, fortuné, gâté, idéal, nanti, parfait, pourvu, riche, unique.

PRIX. Change, cher, cote, cours, coût, devis, estimation, inconvénient, loyer, marché, montant, rançon, récompense, tarif, taux, valeur.

PRIX NOBEL DE CHIMIE (n. p.). Alder, Anfinsen, Arrhenius, Aston, Barton, Bosch, Boyer, Brown, Buchner, Butenandt, Calvin, Chu, Cornforth, Crowfoot, Curie, Curl, Debye, Diels, Eigen, Fischer, Flory, Giauque, Grignard, Haber, Hahn, Harden, Haworth, Herzberg, Hevesy, Heyrovsky, Hinshelwood, Fischer, Joliot-Curie, Karrer, Kendrew, Kroto, Kuhn, Langmuir, Leloir, Libby, Lipscomb, Martin, McMillan, Mitchell, Moissan, Moore, Mulliken, Natta, Nernst, Norrish, Northrop, Onsager, Ostwald, Pauling, Phillips, Porter, Pregl, Prelog, Prigogine, Ramsay,

Richards, Robinson, Ruzicka, Sabatier, Sanger, Skou, Seaborg, Soddy, Smalley, Stanley, Staudinger, Stein, Summer, Svedberg, Synge, Tiselius, Todd, Urey, Van't Hoff, Vigneaud, Virtanen, Von Baeyer, Von Euler-Chelpin, Walker, Wallach, Werner, Wieland, Wilkinson, Willstätter, Windaus, Wittig, Woodward, Ziegler, Zsigmondy.

PRIX NOBEL DE LITTÉRATURE (n. p.). Agnon, Aleixandre, Anderson, Andric, Asturias, Beckett, Below, Benavente, Bergson, Bjornson, Böll, Bounine, Broglie, Buck, Camus, Carducci, Chadwick, Cholokhov, Churchill, Compton, Davisson, Deledda, Dirac, Echegaray, Eliot, Elytis, Eucken, Faulkner, France, Franck, Galsworthy, Gide, Gjellerup, Hamsun, Hauptmann, Heisenberg, Hemingway, Hertz, Hess, Hesse, Jensen, Jiménez, Johnson, Karlfeldt, Kawabata, Kipling, Lagerkvist, Lagerlôf, Laxness, Lewis, Maeterlinck, Mann, Martin du Gard, Martinson, Mauriac, Mistral, Mommsen, Montale, Neruda, O'Neill, Pasternak, Perrin, Pirandello, Pontoppidan, Quasimodo, Raman, Reymont, Richardson, Rolland, Russel, Sachs, Saint-John-Perse, Sartre, Seferis, Shaw, Sienkiewick, Sillanpaa, Singer, Soljenitsyne, Spitteler, Steinbeck, Sully-Prudhomme, Szymborska, Tagore, Thomson, Undset, Von Heidenstam, Von Heyse, White, Wilson, Yeats.

PRIX NOBEL DE PAIX (n. p.). Addams, Angell, Arnoldson, Asser, Bajer, Balch, Beernaert, Borlaug, Boyd-Orr, Bourgeois, Brandt, Branting, Briand, Buisson, Bunche, Cassin, Cecil, Chamberlain, Cremer, Croix-Rouge, Dawes, Ducommun, Dunant, Estournelles, Fried, Gobat, Hammarskjôld, Henderson, Hull, Jouhaux, Kellogg, King, Kissinger, Lafontaine, Lange, Luthuli, Marshall, Moneta, Mott, Nansen, Noel-Baker, Ossietzky, Passy, Pauling, Pearson, Pire, Quidde, Ramoz-Horta, Renault, Roosevelt, Root, Saavedra, Sadate, Sakharov, Satô, Schweitzer, Sôderblom, Stresemann, Sûttner, Teresa, Wilson.

PRIX NOBEL DE PHYSIOLOGIE-MÉDECINE (n. p.). Adrian, Arber, Axelrod, Baltimore, Banting, Bavany, Beadle, Bekesy, Bloch, Blumberg, Bordet, Bovet, Burnet, Carrel, Chain, Claude, Cori, Cormack, Cournand, Crick, Dale, Dam, Delbruck, Doherty, Doisy, Domagk, Dulbecco, Duve, Eccles, Edelman, Ehrlich, Eijkman, Einthoven, Enders, Erlanger, Euler, Fibiger, Finsen, Fleming, Florey, Forssmann, Frisch, Gajdusek, Gasser, Golgi, Granit, Guillemin, Gullstrand, Hartline, Hench, Hershey, Hesse, Heymans, Hill, Hodgkin, Holly, Hopkins, Hounsfield, Houssay, Huggins, Huxley, Jacob, Katz, Khorana, Koch, Kocher, Kornberg, Kossel, Krebs, Krogh, Landsteiner, Laveran, Lipmann, Loewi, Lorenz, Luria, Lynen, Lwoff, Medawar, Meyerhof, Minot, Monod, Morgan, Muller, Murphy, Nathan, Nicolle, Nirenberg, Ochoa, Palade, Pavlov, Porter, Ramôn Y Cajal, Reichstein, Richards, Richet, Ross, Rous, Schally, Sherrington, Smith, Spemann, Sutherland, Szent-Gyôrgyl, Tatum, Temin, Theiler, Theorell, Tinbergen, Von Behring, Wagner-Jauregg, Waksman, Wald, Warburg, Watson, Weller, Whipple, Wilkins, Yalow, Zinkernagel.

PRIX NOBEL DE PHYSIQUE (n. p.). Anderson, Alvarez, Appleton, Bardeen, Barkla, Bassov, Becquerel, Bethe, Blackett, Bloch, Bohr, Born, Bragg, Brattain, Bridgman, Broglie, Chadwick, Chamberlain, Chen Ning-Yang, Cockcroft,

Compton, Cooper, Dalén, Davisson, Dirac, Einstein, Esaki, Fermi, Feynman, Franck, Frank, Gabor, Gell-Mann, Giaever, Glaser, Glashow, Goeppert-Mayer, Guillaume, Heisengerg, Hess, Hofstadter, Jensen, Josephson, Kamerlinghonnes, Kapitza, Kastler, Kusch, Landau, Lawrence, Lee, Lenard, Lippmann, Lorentz, Marconi, Michelson, Millikan, Môssbauer, Mott, Néel, Osheroff, Pauli, Penzias, Perrin, Planck, Powell, Prokhorov, Rabi, Raman, Rayleich, Richardson, Richter, Rôntgen, Ryle, Salam, Schrieffer, Schwinger, Segré, Shockley, Siegbahn, Stark, Stern, Tamm, Tcherenkov, Thomson, Ting, Tomonaga, Townes, Tsung Dao-Lee, Van Der Waals, Vleck, Von Laue, Weinberg, Wien, Wigner, Wilson, Zernike.

PRIX NOBEL DE SCIENCE ÉCONOMIQUE (n. p.). Friedman, Frish, Hayek, Hicks, Kantorovitch, Koopmans, Kuznets, Leontieff, Lewis, Mead, Mirrlees, Ohlin, Samuelson, Schultz, Simon, Vickrey.

PROBABILITÉ. Apparence, certitude, croyance, fiabilité, hypothèse.

PROBABLE. Acceptable, admissible, apparent, éventuel, plausible, possible, présumer, prévisible, putatif, rationnel, vraisemblable.

PROBANT. Certain, concluant, décisif, éloquent, évident, logique.

PROBE. Droit, équitable, honnête, impartial, intègre, juste, loyal.

PROBITÉ. Conscience, délicatesse, droiture, fidélité, honnêteté, incorruptibilité, intégrité, justice, loyauté, morale, rectitude, vertu.

PROBLÈME. Clé, colle, conflit, difficulté, doute, énigme, ennui, faim, hic, mystère, os, question, souci, thème.

PROBOSCIDIEN. Dinothérium, éléphant, mammouth.

PROCÉDÉ. Allure, attitude, cinérama, conduite, détrempé, dispositif, façon, fonderie, formule, méthode, moyen, offset, phototypie, queue, recette, simili, similigravure, sténo, taxe, typographie, variation.

PROCÉDER. Agir, balancer, découler, émaner, faire, relever, tâtonner.

PROCÉDURE. Assignation, audit, avoué, chicane, dire, mécanisme, méthode, poursuite, référé, stratégie, tactique, technique, urgence.

PROCÈS. Action, affaire, cas, cause, crime, débat, démarche, fond, frais, instance, instruction, justice, litige, poursuite, procédure.

PROCESSION. Cérémonie, cortège, défilé, file, marche, pardon, suite.

PROCESSUS. Algorithme, cours, déroulement, haplologie, maturation.

PROCÈS-VERBAL. Constat, contravention, dire, rapport, relation.

PROCHAIN. Direct, imminent, proche, rapproché, suivant, voisin.

PROCHAINEMENT. Autre, avant-coureur, bientôt, immédiat, imminence, incessamment, près, proche, rapproché, sous peu.

PROCHE. Adjacent, approchant, attenant, auprès, avoisinant, contigu, environnant, immédiat, imminent, jouxte, juxtaposé, limitrophe, parent, près, rapproché, ressemblant, semblable, sur, voici, voisin.

PROCLAMATION. Annonce, avis, ban, communiqué, déclaration, décret, divulgation, édit, propagation, publication, rescrit.

PROCLAMER. Affirmer, annoncer, claironner, clamer, confesser, crier, déclarer, dévoiler, divulguer, manifester, propager, publier.

PROCRÉER. Accoucher, créer, enfanter, engendrer, former, régénérer.

**PROCURER.** Apporter, assurer, attirer, avoir, caser, causer, donner, engendrer, fournir, loger, livrer, nantir, pourvoir, sauver, trouver.

**PROCUREUR.** Accusateur, avocat, défenseur, magistrat, substitut.

**PRODIGE.** Aigle, as, bollé, crack, étonnement, génie, magie, merveille, miracle, perfection, phénix, phénomène, prestige, surdoué, virtuose.

**PRODIGIEUX.** Admirable, beaucoup, colossal, considérable, épatant, étonnant, extraordinaire, fabuleux, fantastique, fou, génial, inouï, merveilleux, miraculeux, mirobolant, phénoménal, prestigieux.

**PRODIGUE.** Avare, bon, charitable, économe, généreux, large, libéral.

**PRODIGUER.** Consumer, dépenser, dilapider, dissiper, gaspiller.

**PRODUCTEUR.** Agriculteur, auteur, créateur, fabricant, hyménium, industriel, initiateur, inventeur, maraîcher, réalisateur, trust.

**PRODUCTION.** Accord, apparition, création, cru, fantasme, ouvrage, produit, récolte, rendement, sidérurgie, suppuration, surproduction.

**PRODUIRE.** Agacer, agir, alliage, arriver, causer, citer, créer, crier, donner, écrire, élaborer, élancer, émettre, faire, fructifier, générer, grener, grincer, jeter, léser, mousser, opérer, pondre, racer, rapporter, résonner, rider, ronfler, rouiller, siffler, soutenir.

**PRODUIT.** Acier, blé, carré, cirage, crème, cru, cuvée, effet, fruit, fumé, gel, grésille, héroïne, huile, légume, lessive, mascara, miel, nouveauté, œuf, ovaire, porcelaine, recette, récolte, savon, soie, tofu, tôle, travail, usure.

**PROÉMINENT.** Apparent, arcade, bossu, bouton, gros, haut, saillant.

**PROFANATION.** Abus, avilissement, dégradation, outrage, pollution, sacrilège, souillure, viol, violation.

**PROFANE.** Civil, ignorant, laïc, mondain, novice, séculier, temporel.

**PROFANER.** Avilir, contaminer, déflorer, dégrader, déshonorer, gâter, pervertir, polluer, salir, souiller, ternir, vicier, violer.

**PROFÉRER.** Dire, émettre, jeter, prononcer, rugir, vociférer, vomir.

**PROFESSER.** Afficher, déclarer, enseigner, manifester, proclamer.

**PROFESSEUR.** Enseignant, instituteur, instructeur, lecteur, maître, moniteur, pédagogue, prof, professoral, régent, toge, universitaire.

**PROFESSEUR (n. p.).** Isée.

**PROFESSION.** Art, boulot, carrière, déclaration, emploi, état, gagne-pain, job, métier, proclamation, programme, projet, robe, travail, vie.

**PROFESSIONNEL.** Architecte, avocat, chirurgien, comptable, dentiste, herboriste, ingénieur, journaliste, médecin, notaire, pro, spécialiste.

**PROFIL.** Aubaine, bénéfice, contour, côté, dessin, gain, galbe, parti.

**PROFILER.** Découper, dessiner, détacher, esquisser, galber.

**PROFIT.** Acquêt, aubaine, avantage, bénéfice, bien, boni, butin, casuel, compte, émolument, enrichissement, faveur, fruit, gain, intérêt, lucre, parti, pour, produit, rente, revenu, utilité, vide.

**PROFITABILITÉ.** Rentabilité.

PROFITABLE. Avantageux, bénéfique, bon, efficace, enrichissant, fécond, fertile, fructueux, intéressant, juteux, lucratif, payant, précieux, productif, rémunérateur, rentable, salutaire, utile.

PROFITEUR. Bénéficiaire, exploitant, souteneur, sybarite.

PROFOND. Abîme, abstrait, bas, creux, haut, impénétrable, obscur.

PROFONDEUR. Abîme, abysse, creux, hauteur, intensité, pénétration.

PROFUSION. Abondance, déborder, prodigalité, pulluler, rare, luxe.

PROGESTÉRONE. Lutéal, lutéine.

PROGRAMMATION. Algol, basic, pascal, fortran, lisp, prolog.

PROGRAMME. Calendrier, dessein, émission, plan, prospectus.

PROGRÈS. Amélioration, amendement, augmentation, avancement, bond, cheminement, degré, essor, étape, mieux, montée, pas, succès.

PROGRESSER. Améliorer, avancer, cheminer, élever, gagner, monter.

PROGRESSIF. Consomption, crescendo, croisssance, fondu, lent, sape.

PROGRESSION. Acheminement, avance, bond, évolution, gradation.

PROHIBER. Admettre, arrêter, autoriser, censurer, condamner, défendre, empêcher, exclure, inhiber, interdire, permettre, prévenir.

PROIE. Aigle, butin, capture, dépouille, faucon, prise, rapace, victime.

PROJECTEUR. Lampe, limière, passerelle, phare, réflecteur, spot.

PROJECTILE. Balle, bombe, boulet, cartouche, flèche, fusée, grenade, missile, mitraille, obus, pruneau, roquette, torpille, trait.

PROJECTION. Anaglyphe, cinémascope, composant, diaporama, éjaculation, épidiascope, film, jet, kinétoscope, lapilli, spot, vidéo.

PROJET. Bill, but, canevas, carton, désir, dessein, dessin, devis, fin, ébauche, esquisse, étude, idée, intention, loi, maquette, menée, plan, programme, rêve, schéma, si, topo, trame, utopie, visée, vue.

PROJETER. Bâtir, combiner, éjaculer, envisager, envoyer, jeter, lancer, méditer, mûrir, nébuliser, passer, penser, rêver, songer.

PROLÉTAIRE. Indigent, ouvrier, pauvre, paysan, plébéien, salarié.

PROLIFÉRATION. Adénoïde, kahler, lymphosarcome, ostéophyte.

PROLIFIQUE. Fécond, fertile, lapin, productif.

PROLIXE. Abondant, bavard, copieux, diffus, disert, long, verbeux.

PROLONGATION. Allongement, continuation, dédain, délai, poursuite, prolongement, prorogation, retard, suite, supplément, sursis, survie.

PROLONGEMENT. Appendice, axone, cône, pourtour, procès, queue.

PROLONGER. Abréger, accroître, allonger, augmenter, continuer, diminuer, durer, écourter, étendre, éterniser, perpétuer, persister, poursuivre, pousser, prororer, raccourcir, survivre, tenir, traîner.

PROMENADE. Avenue, balade, cavalcade, chevauchée, circuit, cours, course, croisière, échappée, errance, excursion, flâner, mail, parc, pas, randonnée, tour, tournée, vadrouille, virée, voyage.

PROMENER. Balader, conduire, randonner, traîner, transporter.

PROMENEUR. Badaud, flâneur, glaneur, passant, randonneur.

PROMESSE. Acceptation, annonce, assurance, ban, billet, contrat, convention, engagement, expectative, fiançailles, fidélité, foi, gageure, honneur, obligation, offre, otage, oui, parole, prometteur, primission, protestation, réservat, serment, signe, singe, vent, vœu.

PROMÉTHÉUM. Pm.

PROMETTEUR. Aguichant, blé, encourageant, engageant, si, suborneur.

PROMETTRE. Affirmer, annoncer, assurer, certifier, déclarer, donner, engagement, espérer, fiancer, jurer, obliger, offrir, prédire, vouer.

PROMISE. Condamnée, destinée, fiancée, future, voué.

PROMONTOIRE. Avancée, belvédère, cap, éminence, éperon, falaise.

PROMOTEUR. Animateur, auteur, cause, centre, créateur, réalisateur.

PROMOTION. Accession, année, avancement, classe, concours, cuvée, élévation, nomination, promo, réclame, stimulation, triomphe.

PROMOUVOIR. Bombarder, élever, ériger, nommer, porter, pousser.

PROMPT. Actif, alerte, brusque, coléreux, colérique, diligent, hâtif, immédiat, instantané, irascible, lent, preste, rapide, soudain, vif.

PROMPTEMENT. Dare-dare, immédiatement, prestement, rapidement, rondement, tôt, sitôt, soudainement, vite.

PROMPTITUDE. Activité, célérité, dextérité, diligence, entrain, fougue, hâte, lenteur, rapidité, vélocité, vitesse, vivacité.

PROMULGUER. Décréter, divulguer, édicter, émettre, savoir, publier.

PRONER. Affirmer, assurer, célébrer, glorifier, louer, prêcher, préconiser, proclamer, recommander, vanter.

PRONOM DÉMONSTRATIF. Celle, celles, celle-ci, celle-là, celles-ci, celles-là, celui, celui-ci, celui-là, ceux, ceux-ci, ceux-là.

PRONOM FAMILIER. Te, toi, tu.

PRONOM INDÉFINI. Aucun, autre, autrui, chacun, nul, on, personne, plusieurs, quelqu'un, quiconque, rien, tel, tout, un, une, unes, uns.

PRONOM PERSONNEL. Elle, elles, en, eux, il, ils, je, la, le, les, leur, lui, me, moi, nous, se, soi, te, toi, tu, vous, y.

PRONOM POSSESSIF. Leur, leurs, mien, mienne, miennes, miens, nôtre, nôtres, sien, sienne, siennes, siens, tien, tienne, tiennes, tiens, vôtre, vôtres.

PRONOM RÉFLÉCHI. Soi.

PRONOM RELATIF. Auquel, auxquelles, auxquels, desquelles, desquels, dont, duquel, laquelle, lequel, lesquelles, lesquels, que, quel, qui, quoi.

PRONONCÉ. Accentué, accusé, arrêté, déclaré, dit, ferme, formel, fort, marqué, perceptible, rendu, résolu, souligné, visible.

PRONONCER. Accentuer, appuyer, articuler, détacher, dicter, dire, écrier, émettre, énoncer, exprimer, formuler, juger, jurer, marteler, nasaliser, nommer, parler, proférer, réciter, rendre, scander.

PRONONCIATION. Accent, bégaiement, blésité, débit, dystomie, élocution, fricatif, grasseyement, iotacisme, lallation, lambdacisme, logopédie, nez, orthophonie, parole, phrasé, rhotacisme, synalèphe.

PRONOSTIC. Annonce, apparence, conjecture, jugement, prophétie.

PROPADIÈNE. Allène.

PROPAGANDE. Battage, campagne, croisade, persuasion, publicité.

PROPAGATEUR. Colporteur, diffuseur, divulgateur, semeur.

PROPAGATION. Avancement, développement, diffusion, expansion, extension, métastase, multiplication, rayonnement, reproduction.

PROPAGER. Colporter, courir, circuler, diffuser, disséminer, divulguer, multiplier, œilletonner, populariser, répandre, semer, voler.

PROPENSION. Dipsomanie, disposition, penchant, tendance, vocation.

PROPERGOL. Diergol, ergol, lithergol, monergol.

PROPHÈTE. Augure, bible, devin, gourou, hadith, malheur, nabi, patriarche, prédicateur, pythonisse, starets, vaticinateur, voyant.

PROPHÈTE (n. p.). Amos, Cassandre, Élie, Élisée, Élisse, Eubage, Isaïe, Jérémie, Mahomet, Nabi, Nathan, Omar, Oracle, Osée, Protée, Sibylle.

PROPHÈTE BIBLE (n. p.). Amos, Daniel, Élie, Élisée, Ézéchiel.

PROPHÈTE CELTE (n. p.). Eubage.

PROPHÈTE HÉBREU (n. p.). Élie, isaïe, Moïse, Nabi.

PROPHÈTE ISRAËL (n. p.). Élie, Isaïe, Jérémie, Moïse, Nabi.

PROPHÈTE JUIF (n. p.). Abdias, Aggée, Amos, Élie, Élisée, Habacuc, Haggaï, Isaïe, Jérimie, Joël, Jonas, Michée, Nahum, Nathan, Obadya, Osée.

PROPHÈTE IRANIEN (n. p.). Mahomet.

PROPHÈTE ISLAM (n. p.). Mahomet, Mohammed.

PROPHÉTESSE ISRAËL (n. p.). Déborah.

PROPHÉTISER. Annoncer, deviner, fiction, futur, patriarche, prédire.

PROPICE. Ami, bon, commode, contraire, favorable, néfaste, utile.

PROPORTION. Aloi, comparaison, dimension, dosage, équilibre, harmonie, moyen, pièce, pourcentage, rapport, sur, titre, vaste.

PROPORTIONNER. Convenir, doser, évaluer, mesurer, moyenner.

PROPOS. Baliverne, bave, but, dessein, duo, gaudriole, intention, mièvrerie, radotage, ragots, résolution, ritournelle, vantardise.

PROPOSANT. Demandant, offrant.

PROPOSER. Avancer, compter, dire, exposer, formuler, inviter, libeller, négocier, offrir, présenter, soumettre, suggérer.

PROPOSITION. Assertion, avances, axiome, énoncé, incise, lemme, loi, marché, motion, offre, ouverture, phrase, prémisse, projet, théorème, thèse, toast, tautologie, théorème, thèse, ultimatum.

PROPRE. Annexe, apte, blanc, bon, clair, crasse, distinct, essentiel, intrinsèque, luisant, net, nettoyer, nom, pur, sain, sale, style, taille.

PROPRETÉ. Clarté, décence, élégance, fraîcheur, netteté, pureté.

PROPRIÉTAIRE. Actionnaire, châtelain, maître, possesseur, seigneur.

PROPRIÉTÉ. Bien, capital, domaine, efficacité, faculté, jouissance, maison, posséder, possessif, pouvoir, qualité, titre, usage, vertu.

PROPULSER. Bombarder, catapulter, envoyer, lancer, projeter.

PROPULSEUR. Action, effort, élan, force, moteur, poussée, réacteur.

PROSAÏQUE. Banal, commun, matérialiste, ordinaire, quelconque.

PROSCRIRE. Abolir, bannir, blâmer, chasser, exiler, expulser, rejeter.

PROSE. Auteur, langage, poème, poésie, prosaïque, roman, séquence.

PROSPECTUS. Affiche, annonce, avis, brochure, dépliant, feuille, promotion, tract.

PROSPÉRER. Aller, fleurir, gagner, grandir, grossir, marcher, réussir.

PROSPÉRITÉ. Abondance, argent, bonheur, gloire, richesse, succès.

PROSTITUÉE. Call-girl, catin, cocotte, courtisane, fille, garce, grue, hétaïre, micheton, morue, péripatéticienne, pétasse, poule, poupée, putain, pute, racoleuse, radeuse, ribaude, roulure, traînée.

PROSTITUTION. Charnel, corruption, débauche, dégradation, proxénétisme, racolage, tapin, trafic, traite, trottoir, vice.

PROSTRATION. Abattement, accablement, affaissement, anéantissement, apathie, dépression, effondrement, torpeur.

PROTACTINIUM. Pa.

PROTECTEUR. Aide, ange, appui, armure, asile, cuirasse, défenseur, garde, gardien, gorille, mécène, patron, père, saint, soutien, tuteur.

PROTECTION. Abri, aile, appui, égide, patronage, sauvegarde, tutelle.

PROTÉGÉ. Assuré, carapace, chouchou, favori, sauvegardé.

PROTÉGER. Abriter, aider, barder, breveter, convoyer, cuirasser, défendre, escorter, garantir, garder, patronner, sauvegarder, sur.

PROTÉINE. Alanine, aleurone, alexine, amine, caséine, gélatine, globine, globuline, gluten, histone, hordéine, leucine, myosine, oncotique, ovalbumine, scatol, scatole, sérine, zéine.

PROTESTANT. Anglican, baptiste, calviniste, conformiste, darbysme, évangéliste, fondamentaliste, hérétique, huguenot, luthérien, mennonite, méthodiste, morave, mormon, orangiste, pentecôtiste, piétiste, presbytérien, puritain, quaker, réformé, revival.

PROTESTANT (n. p.). Socin.

PROTESTER. Affirmer, arguer, assurer, attaquer, clabauder, contester, crier, désapprouver, grogner, indigner, objecter, opposer, plaindre, promettre, râler, réclamer, récriminer, rouspéter, ruer.

PROTIDE. Caséine, fibrine, gluten, légumine, protéase, protéine.

PROTISTE. Algue, coccolithophore, prégarine, péridinien, stigma.

PROTOCOLE. Accord, bienséance, convention, décorum, traité.

PROTOTYPE. Étalon, kilogramme, métre, modèle, original.

PROTOXYDE. Litharge, massicot.

PROTOZOAIRE. Acanthaire, actinopode, amibe, amibien, cilié, coccidie, euglène, flagellé, foraminifère, hématozoaire, infusoire, leishmania, leishmanie, leptospire, noctiluque, nummulite, paramécie, plasmodium, radiolaire, rhizopode, sporozaire, stendor, trichomonas, tripanosome, volvoce, volvox, vorticelle.

PROTUBÉRANCE. Apophyse, apostume, bosse, côte, élévation, éminence, excroissance, gibbosité, mamelon, maniement, mésencéphale, monticule, piton, saillie, tubérosité.

PROUE. Avant, bateau, cap, nez, poue, poupe, vaisseau, yacht.

PROUESSE. Bravoure, exploit, performance, record, vaillance.

PROUVER. Arguer, attester, avérer, confirmer, déduire, démontrer, dénoter, établir, illustrer, justifier, laver, montrer, réfuter, révéler.

PROVENANCE. Cause, germe, influence, origine, racine, source.

PROVENIR. Découler, émaner, issu, naître, partir, sortir, tenir, venir.

PROVERBE. Adage, aphorisme, apophtegme, bible, dicton, maxime, pensée, pièce, précepte, réflexion, saynète, scène, sentence, tel.

PROVERBIAL. Connu, gnomique, sentencieux, traditionnel, typique.

PROVINCE. Canton, comté, département, duché, état, principauté.

PROVINCE D'AFRIQUE DU SUD (n. p.). Natal.

PROVINCE DE L'ARABIE SAOUDITE (n. p.). Asir, Hasa, Nedjd, Nedjed.

PROVINCE DE BELGIQUE (n. p.). Anvers, Brabant, Flandre, Hainaut, Hesbaye, Liège, Limbourg, Luxembourg, Namur.

PROVINCE DU CANADA (n. p.). Alberta, Colombie-Britannique, Île-du-Prince-Édouard, Manitoba, Nouveau-Brunswick, Nouvelle-Écosse, Ontario, Québec, Saskatchewan, Terre-Neuve.

PROVINCE DE CHINE (n. p.). An-Houel, Anhui, Anhwei, Chekiang, Chensi, Fukien, Gansu, Hebel, Heilungkiang, Henan, Honan, Hopei, Hubel, Hunan, Hupe, Hupei, Kansu, Kiangsi, Kiaangsu, Kirin, Kwangsi-Chuang, Kwangtung, Kwiechow, Shansi, Shensi, Shantung, Sinkiang, Szechwan, Tibet, Tsinghai, Yunan.

PROVINCE D'ESPAGNE (n. p.). Alava, Albacete, Alicante, Almeria, Avila, Bacelona, Badajoz, Basques, Biscaye, Burgos, Caceres, Cadiz, Castellon, Ciudad-Real, Cordoba, Cuenca, Gerona, Guadalajara, Guipuzcoa, Huelva, Huesca, Jaen, La Coruna, Lerida, Lugo, Madrid, Magala, Murcia, Navarra, Orense, Oviedo, Palencia, Pontevedra, Salamanca, Santander, Saragosse, Séville, Soria, Tarragona, Teruel, Toledo, Valladolid, Valencia, Vascongadas, Vizlaya, Zamoro.

PROVINCE D'ÉTHIOPIE (n. p.). Choa.

PROVINCE DE FRANCE (n. p.). Ain, Aisne, Allier, Alpes-de-Haute-Provence, Alpes-Maritime, Ardèche, Ardennes, Ariège, Aubes, Aude, Aveyron, Bas-Rhin, Béarn, Belfort, Bouche-du-Rhône, Calvados, Cantal, Charente, Charente-Maritime, Cher, Corrèze, Corse-du-Sud, Côte-d'Or, Côtes-du-Nord, Creuse, Deux-Sèvres, Dordogne, Doubs, Drôme, Essonne, Eure, Eure-et-Loir, Finistère, Gard, Gers, Gironde, Haut-Rhin, Hauts-de-Seine, Haute-Alpes, Haute-Corse, Haute-Garonne, Haute-Loire, Haute-Marne, Haute-Saône, Haute-Savoie, Haute-Vienne, Hautes-Pyrénées, Hérault, Ille-et-Vilaine, Indre, Indre-et-Loire, Isère, Jura, Landes, Loir-et-Cher, Loire, Loire-Atlantique, Loiret, Lot, Lot-et-Garonne, Lozère, Maine-et-Loire, Manche, Marne, Mayenne, Meurthe-et-Moselle, Meuse, Morbihan, Moselle, Nièvre, Nord, Oise, Orne, Paris, Pas-de-Calais, Puy-de-Dome, Pyrénées-Atlantiques, Pyrénées-Orientales, Rhône, Saint-Denis, Saône-et-Loire, Sarthe, Savoie, Seine, Seine-et-Marne, Seine-Maritime, Somme, Tarn, Tarn-et-Garonne, Val-d'Oise, Val-de-Marne, Var, Vaucluse, Vendée, Vosges, Vienne, Yonne, Yvelines.

PROVINCE D'IRLANDE (n. p.). Leinster, Munster, Ulster.

PROVINCE DE L'INDE (n. p.). Agra, Aoudh, Andhra, Bengale, Berar, Bihar, Bombay, Gujarat, Katch, Kerala, Madhya, Madras, Maharastra, Mysope, Oriss, Penjab, Pradesh, Rajasthan, Utar.

PROVINCE DE L'ITALIE (n. p.). Abruzze, Emilie, Latium, Ligurie, Lombardie, Lucanie, Marches, Molise, Ombrie, Piémont, Sicile, Toscane, Trentin, Tridentine, Vénétie.

PROVINCE DES PAYS-BAS (n. p.). Drenthe, Limbourg.

PROVINCE DE PALESTINE (n. p.). Judée.

PROVINCE DE PERSE (n. p.). Satrapie.

PROVINCE DE QUÉBEC (n. p.). P.Q.

PROVINCE DE SAOUDIENNE (n. p.). Asir.

PROVINCIALISME. Régionalisme.

PROVISION. Amas, approvisionnement, avance, chèque, denrées, dépôt, encas, munition, provende, réserve, stock, victuailles.

PROVISOIRE. Bref, court, intérim, passager, temporaire, transitoire.

PROVOCANT. Affriolant, agressif, aguichant, batailleur, belliqueux.

PROVOCATEUR. Agitateur, agresseur, attaquant, boutefeu, duelliste.

PROVOCATION. Agacerie, agression, attaque, cartel, cause, défi, duel, excitation, incitateur, inspiration, irritation, suggestion, tentation.

PROVOQUE. Anémiant, cariant, givrant, lytique, purge, salivant.

PROVOQUER. Agacer, allumer, amener, amorcer, braver, causer, convier, défier, émouvoir, entraîner, exciter, irriter, naître, tenter.

PROXÉNÈTE. Entremetteur, gigolo, jules, mac, pim, souteneur.

PROXIMITÉ. Analogie, approche, avoisiner, confins, contiguïté, degré, imminence, mitoyenneté, parenté, pour, près, voisinage.

PRUCHE. Sapin.

PRUDE. Affecté, bégueule, chaste, honnête, modeste, pruderie, pudibond, pudique, puritain.

PRUDEMMENT. Précautionneusement, raisonnablement, sagement.

PRUDENCE. Attention, cautèle, circonspection, défiance, minutie, précaution, prévoyance, réflexion, réserve, sagesse, vigilance.

PRUDENT. Avisé, calme, circonspect, mesuré, sage, timide, timoré.

PRUNE. Agen, cerisette, damas, diapré, ente, madeleine, mirabelle, moyeu, pruneau, prunelle, prunus, quetsche, reine-claude.

PRUNIER. Dominotier, laurier-cerise, marmottier, mirabellier, prunelaie, prunellier, prunus, ximénia, ximénie.

PRUNUS. Abricotier, amandier, cerasus, cerisier, laurier, merisier, myrobolan, pêcher, persica, prunier, ximénia, ximénie.

PRURIT. Démangeaison, désir, irritation, picotement.

PRUSSIATE. Bleu-de-prusse, cyanhydrique, cyanure, prussique.

PRUSSIK. Nœud.

PSALETTE. Maîtrise.

PSALLIOTE. Agaric, rosé-des-prés.

PSAUME. Antienne, cantique, chant, complies, laudes, médiante, misere, motet, pénitentiaux, psautier, sacré, verset, versicule.

PSEUDONYME. Anagramme, cryptonyme, nom, plume, surnom.

PSYCHANALYSE. Analyse, ça, caractère, ego, étude, mental, pénétration.

PSYCHANALYSTE ALLEMAND (n. p.). Abraham, Groddeck.

PSYCHANALYSTE AMÉRICAIN (n. p.). Alexander, Bettelheim, Devereux, Fromm, Horney, Kardiner, Reich, Spitz.

PSYCHANALYSTE ANGLAIS (n. p.). Winnicott.

PSYCHANALYSTE AUTRICHIEN (n. p.). Adler, Rank.

PSYCHANALYSTE BRITANNIQUE (n. p.). Balint, Klein.

PSYCHANALYSTE FRANÇAIS (n. p.). Bonaparte, Dolto, Guattari, Kristeva, Lacan, Manoni.

PSYCHANALYSTE HONGROIS (n. p.). Ferenczi, Roheim.

PSYCHÉ. Ego, miroir, psychisme, psychologie.

PSYCHIATRE. Aliéniste.

PSYCHIATRE ALLEMAND (n. p.). Freud, Kretschmer.

PSYCHIATRE AMÉRICAIN (n. p.). Skinner, Spitz.

PSYCHIATRE ANGLAIS (n. p.). Cooper, Laing.

PSYCHIATRE AUTRICHIEN (n. p.). Breuer, Freud.

PSYCHIATRE BRITANNIQUE (n. p.). Balint, Laing.

PSYCHIATRE ÉCOSSAIS (n. p.). Laing.

PSYCHIATRE FRANÇAIS (n. p.). Delay, Esquirol, Ey, Heuyer, Pinel.

PSYCHIATRE MARTINIQUAIS (n. p.). Fanon.

PSYCHIATRE SUISSE (n. p.). Bleuler, Jung.

PSYCHIQUE. Conscient, intellectuel, mental, moral, spirituel.

PSYCHOLOGIE. Âme, amour, behaviorisme, caractère, feed-back, génétisme, mental, nativisme, pédologie, pénétration, prégnance.

PSYCHOLOGIQUE. Influence, intellectuel, psychique.

PSYCHOLOGUE ALLEMAND (n. p.). Brentano, Ebbinghaus, Wertheimer, Wundt.

PSYCHOLOGUE AMÉRICAIN (n. p.). Dewey, Hull, Koffka, Köhler, Lewin, Skinner, Watson.

PSYCHOLOGUE AUTRICHIEN (n. p.). Adler.

PSYCHOLOGUE CANADIEN (n. p.). Hebb.

PSYCHOLOGUE FRANÇAIS (n. p.). Coué, Ribot.

PSYCHOLOGUE SUISSE (n. p.). Piaget.

PSYCHOSE. Confusion, délire, démence, folie, obsession, paranoïa.

PUANT. Chanceux, dédaigneux, empesté, empuanti, fétide, hirsin, infect, impudent, malodorant, nauséabond, pestentiel, répugnant.

PUBLIC. Agora, assemblée, assistance, audience, auditeur, auditoire, café, chambrée, collectivité, foire, forum, foule, galirie, huis clos, ivresse, lecteur, parterre, privé, salle, scandale, spectateur.

PUBLICATION. Annonce, apparition, ban, dénonciation, digest, divulgation, édition, gazette, hebdomadaire, isbn, issn, journal, lancement, livre, ouvrage, magazine, mensuel, parution, proclamation, recueil, rédactionnel, revue, sortie, tabloïd, tirage.

PUBLICISTE FRANÇAIS (n. p.). Cabet, Carrel.

PUBLICISTE QUÉBÉCOIS (n. p.). Bouchard.

PUBLICITÉ. Affichage, battage, néon, propagande, réclame, slogan.

PUBLIÉ. Paru, émis, imprimé, isbn, issn, sorti.

PUBLIER. Afficher, annoncer, avertir, aviser, colporter, crier, donner, édicter, éditer, faire, imprimer, lancer, réimprimer, tirer, voir.

PUCE. Chique, daphnie, talitre.

PUCELLE. Puceau, vierge.

PUCERON. Aleurode, chermès, coccinelle, cochenille, kermès, lanifère, lanigère, phylloxéra, rhynchote.

PUCIER. Lire, lit.

PUDEUR. Chasteté, décence, honneur, honte, pureté, réserve, vertu.

PUDIBOND. Bégueule, prude, pudique, puritain, timide.

PUDIQUE. Chaste, décent, délicat, honte, prude, pur, sage, vergogne.

PUER. Empester, empuantir, infecter, sentir, renfermé, sentir.

PUÉRIL. Dérisoire, enfantillage, enfantin, frivole, futile, gaminerie, immature, infantile, inutile, naïf, neutre, stérile, vain.

PUGILAT. Boxe, catch, ceste, combat, judo, lutte, pancrace, rixe.

PUGILISTE. Athlète, batailleur, boxeur, catcheur, judoka, lutteur.

PUIS. Alors, après, ensuite, outre, subséquemment.

PUISARD. Égout, fosse, puits.

PUISER. Baqueter, emprunter, extraire, glaner, pêcher, pomper, prélever, prendre, pucher, puisette, seau, tirer, urne.

PUISQUE. Attendu, dès, parce que.

PUISSANCE. Acuité, autorité, capacité, effet, efficacité, empire, énergie, étoile, faculté, force, grandeur, impérium, intensité, loi, magie, marine, possibilité, pouvoir, sthénie, trône, vigueur, watt.

PUISSANT. Capable, efficace, énergique, fort, grand, haut, influent, marquant, omnipotent, prépondérant, redoutable, riche, violent.

PUITS. Artésien, aven, bure, cavité, citerne, coffrage, excavation, fontaine, igue, mine, puisard, raval, réservoir, sonde, source, trou.

PULPE. Bouillie, casse, chair, luffa, tamar, tamarin, tourteau.

PULVÉRISATION. Ionoplastie, vaporisation.

PULVÉRISER. Atomiser, broyer, détruire, fixer, moudre, vaporiser.

PUMA. Couguar, cougouar, guépard, eyra.

PUNAISE. Acanthe, actée, bigote, cimex, cimicaire, gendarme, naucore, nèpe, pentatome, pyrocose, réduve, rhynchotes, vélie.

PUNIR. Battre, châtier, coller, condamner, corriger, dompter, énerver, expier, fesser, flétrir, frapper, gifler, infliger, mater, payer, redresser, réduire, réprimer, saler, sanctionner, sévir, venger.

PUNITION. Amende, châtiment, condamnation, correction, expiation, leçon, peine, pénalité, pensum, répression, retenue, sanction, talion.

PUPILLE. Atropine, enfant, lire, myopie, œil, orphelin, prunelle.

PUPITRE. Aigle, ambon, bureau, clavier, console, lutrin, table.

PUR. Blanc, chaste, clair, droit, fin, franc, inaltéré, innocent, intact, irréprochable, limpide, naturel, net, saint, serein, vertueux, vierge.

PURÉE. Aligot, bouillie, coulis, estoufade, garbure, misère, pauvreté.

PURETÉ. Blancheur, candeur, chasteté, clarté, continence, droiture, eau, fraîcheur, idéal, innocence, innocent, intégrité, limpidité, netteté, propreté, pudeur, pur, virginité, vertu.

PURGATIF. Cathartique, dépuratif, drastique, évacuant, hydragogue.

PURGATION. Catharsis, dépuratif, laxatif, purgatif, purge.

PURGER. Curer, débarrasser, dégager, évacuer, expulser, purifier.

PURGEUR. Reniflard.

PURIFICATION. Ablution, aération, affinage, baptême, catharsis, dépuration, épuration, lavement, lustration, purgation, rectification.

PURIFIER. Absterger, affiner, assainir, balayer, baptiser, bluter, clarifier, décanter, déféquer, dépurer, désinfecter, déterger, épurer, filtrer, laver, nettoyer, purger, raffiner, rectifier, sasser.

PURITAIN. Austère, chaste, étroit, janséniste, prude, protestant.

PURPURA. Hémogénie, pétéchie.

PUR-SANG. Yearling.

PURULENT. Ichor, pus, sanie, pyodermite, sanieux.

PUS. Abcès, boue, chassie, collection, drain, écoulement, empyème, gourme, humeur, ichor, pyurie, sanie, suppurer, vomique.

PUSTULE. Abcès, adénite, apostème, apostume, bouton, bube, budon, chancre, clou, confluence, dépôt, écrouelle, élevure, éruption, impétigo, lèpre, psora, psore, pustuleux, tumeur.

PUTOIS. Brosse, fourrure, furet, kolinski, mustélidés, vison.

PUTRÉFIER. Décomposer, empester, gâter, infecter, moisir, pourrir.

PYGARGUE. Aigle, mer, orfraie.

PYGMÉE. Homuncule, myrmidon, nabot, nain, négrille, riquiqui.

PYLÔNE. Colonne, pilier, portail, support, tour, trinôme.

PYRALE. Carpocapse, chenille, maladie, papillon.

PYRAMIDE. Aiguille, amas, apothème, cairn, camelle, cheminée, chéops, chéphren, escalade, mastaba, mykérinos, tas, tronc.

PYRÉNÉIDE. Grenat.

PYREX. Verre.

PYRITE. Chapcopyrite, sulfure, thallium.

PYROMANE. Incendiaire.

PYRRHONISME. Incrédulité, scepticisme.

PYTHAGORISME. Ascétisme, hermétisme, métempsychose.

PYTHON. Boa, diasis, molure, morélia, réticulé, serpent, royal, tigre.

PYTHONISSE. Astrologue, devin, magicien, oracle, sorcier, voyant.

PYURIE. Ulcère, urine.

PYXIDE. Boîte, capsule, couvercle, hostie.

# Q

QAT. Hallucinogène, kat, kath, plante.

QUADRAIN. Couplet, épigramme, impromptu, pièce, poème, strophe.

QUADRANGULAIRE. Carré, obélisque, pyramidion, trinquet.

QUADRANT. Arc, cercle, circonférence, grade.

QUADRATURE. Angle, calcul, carré, cercle, contradiction, faux, gageure, impossibilité, problème, réduction.

QUADRILATÈRE. Carré, losange, parallélogramme, quadrangle, rectangle, trapèze.

QUADRILLAGE. Carreaux, carroyage, grille, investissement, moustiquaire, trame.

QUADRILLE. Carrousel, équipe, figure, peloton, reprise, troupe.

QUADRUMANE. Indri, singe.

QUADRUPÈDE. Âne, axis, bélier, bison, bœuf, bouc, caribou, castor, cerf, chacal, chameau, chat, cheval, chien, daim, furet, girafe, hyène, lama, lapin, lion, mulet, mulot, rat, renne, singe, tigre, vache, zèbre.

QUADRUPLER. Accroître, augmenter, développer, multiplier, valoriser.

QUAKER (n. p.). Penn.

QUAI. Appontement, cale, débarcadère, dock, embarcadère, gare.

QUALIFICATIF. Adjectif, appellation, dénomination, désignation, nom, nos, notre, vos, votre, titre.

QUALIFICATION. Appellation, compétence, nom, qualité, titre.

QUALIFIÉ. Autorisé, capable, compétent, diplômé, finaliste.

QUALIFIER. Appeler, caractériser, classer, dénommer, désigner, déterminer, épithète. nommer, onduler, tenir, titrer, traiter.

QUALITÉ. Acabit, actualité, acuité, agilité, aloi, âme, attrait, authenticité, automaticité, bonté, don, dose, douceur, éclat, égal, espèce, esprit, eutocie, facilité, goût, hauteur, ingéniosité, inné, légalité, léger, mérite, mode, mutabilité, noblesse, nocivité, nom, paternité, permutabilité, plus, promptitude, pureté, sévérité, simplicité, solidité, tant, tare, tendreté, timbre, titre, unité, vertu.

QUAND. Comme, lorsque, moment, pour.

QUANTITÉ. Airée, bouchée, carat, cuillerée, dose, duite, excès, flopée, fournée, inconnue, kyrielle, nombre, masse, montant, multitude, myriade, pierre, ponte, rhumb, somme, stère, tétée, trinôme, unité.

QUARANTAINE. Boycottage, confinement, index, interdit, isolement.

QUARANTE. Carême.

QUART. Bord, garde, gobelet, pinte, récipient, service, timbale, veille.

QUART DE CENT. Quarteron.

QUARTIER. Blason, camp, croissant, district, faubourg, fraction, ghetto, morceau, partie, pâté, périphérie, phase, pièce, portion, région, secteur, tambour, tranche, trompette, voisinage, zone.

QUARTZ. Agate, améthyste, aventurine, cristal, grès, hyalin, gneiss, granit, grès, jaspe, œil-de-chat, œil-de-tigre, rubicelle, rubis, silex.

QUATERNAIRE. Glyptodon, holocène, mammouth, mégacéron.

QUATORZE. XIV.

QUATRE. IV.

QUATRE-VINGT. Huitante, octante, octogénaire.

QUATRE-VINGT-DIX. Nonante.

QUASI. Comme, cuisse, pratiquement, près, presque, quasiment.

QUÉBEC. Qc, Qué.

QUÉBÉCOIS. Joual, péquiste.

QUELCONQUE. Banal, commun, courant, gemme, gus, insignifiant, médiocre, objet, ordinaire, personnage, plat, tissu, trêve, vague.

QUELQUE. Certain, divers, environ, on, quantité, si, tout, un.

QUELQUEFOIS. Fois, occasion, parfois, rarement.

QUELQU'UN. Grand, important, magnat, notable, on, personne, tel, un.

QUÉMANDER. Demander, importuner, mendier, quêter, solliciter.

QUENELLE. Godiveau, gnocchi.

QUENOTTE. Dent.

QUENOUILLE. Fuseau, rouet, typha.

QUERELLE. Affaire, algarade, altercation, bagarre, bisbille, chamaillerie, bataille, débat, démêlé, engueulade, esclandre, grabuge, lutte, maille, noise, rixe, scène.

QUERELLER. Agacer, bagarrer, braver, chicaner, narguer, tempêter.

QUERELLEUR. Acariâtre, agressif, batailleur, chicanier, tracassier.

QUESTION. Affaire, charade, colle, comment, controverse, demande, devinette, difficulté, énigme, épreuve, information, interrogation, items, où, problème, qui, quoi, réflexion, sujet, supplice, torture.

QUESTIONNER. Demander, enquérir, interroger, poser, rechercher.

QUESTIONNEUR. Curieux, enquêteur, interrogatif, sondeur.

QUÊTE. Butin, furet, chasse, collecte, recherche, téléthon.

QUÊTER. Chercher, demander, mandier, rechercher, solliciter, suivre.

QUEUE. Anus, appendice, balai, billard, caudal, couette, conclusion, crin, extrémité, file, fin, fouet, léonure, leu, magot, pan, paon, pédoncule, pétiole, piano, sortie, tige, traîne, traînée, vêtement.

QUEUE-DE-ARONDE. Tenon, trapèze.

QUEUE-DE-CHEVAL. Coiffure, émouchoir, faisceau.

QUEUE-DE-MORUE. Pinceau.

QUEUE-DE-PIE. Frac, habit, jaquette, pinceau.

QUEUE-DE-RAT. Lime.

QUEUE-DE-RENARD. Amarante, ciseau, pin.

QUIET. Apaisé, béat, benoît, calme, coi, paisible, rassuré, reposé.

QUIÉTUDE. Ataraxie, béatitude, calme, repos, sérénité, tranquillité.

QUILLE. Abat, boule, brion, dalot, grosse, petite, réserve, sole, tin.

QUINQUET. Lampe, œil.

QUINTESSENCE. Essentiel, principal, substantifique, suc.

QUINZIÈME. Ides, pentadécagone, pentédécagone.

QUIPROQUO. Bêtise, bévue, confusion, équivoque, erreur, gaffe, imbroglio, intrigue, malentendu, méprise.

QUITTANCE. Acquit, apurement, décharge, patente, reçu, récépissé.

QUITTE. Débarrassé, délivré, dispensé, exempt, exonéré, libre.

QUITTER. Abandonner, appareiller, débarquer, déloger, émigrer, essaimer, lâcher, laisser, obliquer, partir, renoncer, semer.

QUOI. Autrement, laquelle, lequel, quel, quelle, raison, sinon, sujet.

QUOLIBET. Huée, injure, ironie, moquerie, plaisanterie, raillerie, rire.

QUOTA. Contingent, part.

QUOTE-PART. Apport, contribution, cotisation, écot, part, prorata, quotité, tantième.

QUOTIDIEN. Accoutumé, banal, continuel, jour, journal, journalier.

QUOTIENT. Capacité, densité, masse, pression, quantité, QI.

QUOTITÉ. Lot, montant, quantité, quota, quote-part, part, somme.

# R

RABÂCHER. Ennuyer, parler, radoter, redire, répéter, ressasser.

RABAIS. Adjudication, baisse, bonification, dégrèvement, diminution, escompte, moindre, réduction, remise, ristourne, solde.

RABAISSER. Abaisser, abattre, amoindrir, avilir, baisser, dégrader, déprécier, dévaluer, diminuer, écraser, humilier, mépriser, ravaler.

RABAN. Amarre, cordage, tresse.

RABAT. Pli, plissure, rabat-joie, rabatteur, volet.

RABAT-JOIE. Bougon, éteignoir, pisse-vinaigre, triste, trouble-fête.

RABATTRE. Abaisser, baisser, coucher, déchanter, décompter, déduire, diminuer, ôter, rabaisser, racoler, relâcher, retenir, river.

RABIBOCHER. Raccommoder, réconcilier, renouer, réparer.

RABIOT. Boissons, excédent, rab, supplément, surplus, vivres.

RABOT. Bouvet, colombe, doucine, feuilleret, gorget, guillaume, guimbarde, menuisier, mouchette, pestum, riflard, sabot, varlope.

RABOTEUX. Âpre, cahot, écorché, inégal, rêche, rude, rugueux.

RABOUGRI. Chétif, contracté, court, difforme, petit, rachitique, ténu.

RABOUTER. Aboucher, assembler, coudre, épisser, joindre, raboutir, raccorder, rattacher, réunir.

RACAILLE. Canaille, fripouille, lie, plèbe, populace, rebut, vermine.

RACCOMMODAGE. Rhabillage, rapiéçage, reprisage, reprise, stoppage.

RACCOMMODER. Arranger, rafistoler, rapetasser, rapiécer, ravauder, recoudre, remailler, réparer, repriser, retaper, rhabiller, stopper.

RACCOMPAGNER. Conduire, escorter, flanquer, guider, reconduire.

RACCORD. Durit, enchaînement, épissure, joint, liaison, transition.

RACCORDER. Accorder, assembler, écimer, embrancher, épissurer, joindre, rabouter, rattacher, recheter, relier, réunir, ruiler, unir.

RACCOURCIR. Abréger, contracter, couper, détour, diminuer, écimer, écourter, élaguer, émonder, guillotiner, résumer, rétracter, rogner.

RACCOURCISSEMENT. Abrègement, contraction, diminution, embuvage, etc., extraction, réduction, retirement, rétraction.

RACE. Ancêtres, bâtard, dynastie, ethnie, famille, filiation, gens, gent, lignée, métis, nation, origine, sang, souche, xanthoderme.

RACE BLANCHE. Leucoderme.

RACE JAUNE. Xanthoderme

RACE NOIRE. Mélanoderme.

RACE DE BOVIN. Durham, jersiais, normand, salers.

RACE DE LAMAS. Guanaco.

RACE DE PORC. Piétrain.

RACE DE POULE. Houdan, wyandotte.

RACHAT. Expiation, merci, rançon, rédemption, réméré, salut.

RACHITIQUE. Chétif, débile, héliothérapie, maigre, noué, rabougri.

RACINE. Alizari, arbre, base, bulbe, caïeu, colombo, émule, estoc, euphorbe, ipéca, ipécacuana, griffe, povotante, ricin, séné, traçante.

RACINE COMESTIBLE. Carotte, ginseng, navet, radicelle, radis, raifort.

RACLAGE. Crissement, grattage, toux.

RACLÉE. Correction, déculottée, dégelée, dérouillée, rossée, volée.

RACLER. Curer, cureter, écharner, écocher, enlever, érafler, frayer, frotter, gratter, limer, nettoyer, raboter, ramoner, râper, râteler, ratisser, riper, ruginer, sarcler.

RACLEUR. Gratteur.

RACLOIR. Curette, étrille, racle, raclette, strigile.

RACOLER. Accoster, embrigader, engager, enrôler, recruter, tapiner.

RACONTAR. Bavardage, cancan, commérage, conte, médisance, ragot.

RACONTER. Baratiner, conter, débiter, décrire, dépeindre, détailler, dire, exposer, narrer, peindre, rapporter, réciter, relater, retracer.

RACORNÉ. Coriace, desséché, dur, durci, rabougri, ratatiné, sec.

RAD. Rd.

RADAR. Antiradar, radarastronomie, radioaltimètre, radôme.

RADEAU. Bateau, brelle, raft, rafting, ras, train.

RADIAN. Rad.

RADIATION. Atomisé, infrarouge, radiologie, rayon, ultraviolet.

RADICAL. Absolu, aryle, catégorique, complet, définitif, draconien, entier, foncier, fondamental, rationnel, révolutionnaire, sec, strict.

RADIER. Barrer, biffer, démarquer, effacer, gommer, gratter, rayer.

RADINERIE. Avarice, ladrerie, lésine, pingrerie.

RADIO. CBF, CFCF, CHRS, CIEL, CITÉ, CJAD, CJMS, CKAC, CKOI, CKMF, CKVL, T.S.F.

RADIOCOBALT. Isotope.

RADIOGRAPHIE. Angiographie, anglographie, cholécystographie, cystographie, discographie, hystérographie, myélographie, négatoscopie, pelvigraphie, tomographie, urographie.

RADIOSCOPIE. Rayon x, scopie.

RADIS. Altise, rave, ravenelle, sou.

RADIUM. Niton, ra.

RADIUS. Avant-bras, carpe, cubitus, genou, humérus, os, radial.

RADON. Rn.

RADOTER. Divaguer, extravaguer, rabâcher, répéter, ressasser.

RADOUCIR. Adoucir, alléger, apaiser, calmer, limer, modérer, polir.

RAFALE. Bourrasque, poudrerie, tempête, tornade, tourbillon.

RAFFINÉ. Affecté, affiné, alambiqué, brut, délicat, distingué, élégant, épuré, étudié, fin, gracieux, habile, parfait, pur, recherché, sucre.

RAFFINEMENT. Élégance, finesse, grâce, minutie, recherche, subtilité.

RAFFINERIE. Alambique, raffineur, usine.

RAFLE. Arrestation, descente, râpe.

RAFLER. Accaparer, approprier, enlever, gagner, prendre, ratiboiser, voler.

RAFFOLER. Adorer, aduler, aimer, emballer, engouer, enticher, épris.

RAFISTOLER. Arranger, raccommoder, réparer, retaper.

RAFRAÎCHIR. Aérer, frapper, ranimer, raviver, refroidir, réparer.

RAGAILLARDIR. Ranimer, ravigoter, réchauffer, régénérer, retaper.

RAGE. Agitation, agressivité, animosité, colère, crise, fièvre, frénésie, fureur, furie, hydrophobie, ire, irritation, passion, tollé, violence.

RAGEUR. Acrimonieux, coléreux, hargneux, irritable, violent.

RAGOT. Cancan, commérage, médisance, potin, racontar, sanglier.

RAGOÛT. Blanquette, bourguignon, cassoulet, civet, colombo, fricassée, fricot, gibelotte, goulache, hochepot, mafé, mets, navarin, pot-pourri, rata, ratatouille, salmis, salpicon, tambouille, yassa.

RAIDE. Affecté, ankylosé, austère, dur, empesé, engourdi, ferme, fixe, fort, guindé, inébranlable, inflexible, rigide, rigoureux, tendu.

RAIDEUR. Fermeté, intransigeance, force, rogue, roideur, tension.

RAIDIR. Amurer, bander, border, contracter, crisper, durcir, empeser, engourdir, étarquer, fixer, rider, roidir, tendre, tirer.

RAIE. Bande, canal, ligne, lisière, onde, onyx, pontuseau, rayé, rayon, rayure, sillon, spectre, strie, striure, tiret, trace, trait, zébrure.

RAIFORT. Cran de Bretagne, cranson, moutarde des moines, radis.

RAIL. Aiguillage, dérailler, métro, monorail, patin, train, voie.

RAILLER. Bafouer, blaguer, brocarder, chiner, critiquer, ironiser, moquer, persifler, plaisanter, ridiculiser, rire, satiriser.

RAILLERIE. Caricature, dérision, insinuation, ironie, lazzi, moquerie, plaisanterie, persiflage, plaisanterie, quolibet, sarcasme, satire.

RAILLEUR. Blagueur, caustique, chineur, facétieux, goguenard, gouailleur, impertinent, ironique, ironiste, moqueur, mordant, narquois, persifleur, ricaneur, sarcastique, sardonique, satirique.

RAINURE. Adent, cannelure, coche, costière, coulisse, coupure, cran, creux, crevasse, échancrure, encoche, entaille, fente, glissière, gorge, jable, noix, râblure, raie, rayure, strie, striure, vergeture.

RAIRE. Bramer, raller, réer.

RAISIN. Cépage, chasselat, cramique, cuve, grappe, granache, malagat, merlot, mistelle, morillon, muscat, olivette, pineau, pinot, rafle, râpe, suc, treille, uval, vendange, véraison, verjus, vigne, vin.

RAISON. Argument, cause, équilibre, fol, fou, jugement, logique, modération, motif, philosophie, pondération, preuve, rime, vain.

RAISONNABLE. Argument, compréhensif, équilibré, intelligent, judicieux, juste, légitime, logique, modéré, normal, pensant, preuve, probable, prudent, rationnel, réaliste, réfléchi, sage, sensé.

RAISONNABLEMENT. Logiquement, modérément, probablement, prudemment, rationnellement, sagement, sensément.

RAISONNEMENT. Abstraction, absurde, argument, argutie, avent, déduction, dilemme, donc, lectique, logique, principe, raison, sens.

RAISONNÉ. Calculé, discuté, logique, pensé, rationnel, réfléchi.

RAISONNER. Inférer, penser, philosopher, prouver, réfuter, spéculer.

RAJEUNIR. Actualiser, dépoussiérer, moderniser, raviver, rénover.

RÂLE. Agonie, marouette, râlement, stertoreux.

RALENTIR. Arrêter, décélérer, diminuer, entonnoir, étrangloir, freiner, inhibitif, modérer, parachute, ralentisseur, retarder.

RALENTISSEMENT. Acrocyanose, bradykinésie, décélération, dépression, diminution, récession, relâchement, retard, stase.

RALLIER. Adhérer, adopter, approuver, assembler, gagner, grouper, rassembler, réformer, regagner, regrouper, rejoindre, réunir.

RALLONGER. Accroître, allonger, ajouter, augmenter, déployer, tirer.

RAMAGE. Chant, gazouillement, gazouillis, pépiement.

RAMASSAGE. Collecte, cueillette, gladage, glanage.

RAMASSÉ. Blotti, court, courtaud, pelotonné, recroquevillé, resserré.

RAMASSER. Amasser, assembler, charger, collecter, collectionner, enlever, gagner, glaner, rafler, râteler, récolter, relever, tapir.

RAMASSEUR. Chargeur, collecteur, glaneur.

RAMASSIS. Amas, assemblage, bande, canaille, collection, fatras.

RAMBARDE. Balustrade, batayole, garde-corps, lisse, rampe.

RAME. Aviron, branche, godille, liesse, pagaie, pale, papier, ramette.

RAMEAU. Arçon, branche, brindille, chimère, dard, écot, greffon, osier, mère, pampre, pleyon, provin, ramification, ramille, ramure.

RAMENER. Amener, apaiser, centrer, mener, prendre, raccompagner, ranimer, rapatrier, réanimer, ressusciter, rétablir, retirer, tirer.

RAMER. Avironner, canoter, déramer, godiller, nager, pagayer.

RAMEUR. Canotier, chiourme, espalier, galérien, godilleur, skiff.

RAMIER. Colombin, palombe, pigeon, ramereau, ramerot.

RAMIFICATION. Branche, cor, embranchement, étendre, subdivision.

RAMOLLIR. Amollir, avachir, carie, diffluent, ostéomalacie, sénile.

RAMPE. Balustrade, montée, passerelle, pilastre, reptile, serpent.

RAMPER. Abaisser, agenouiller, aplatir, glisser, humilier, traîner.

RANCISSEMENT. Gâter, moisissure, pourriture, rance, rancissure.

RANCŒUR. Aigreur, amertume, dépit, rancune, ressentiment.

RANCUNE. Animosité, dent, haine, rancœur, rancunier, ressentiment, vengeance.

RANG. Avant, catégorie, classe, condition, degré, échelon, égal, file, grade, haie, ligne, ordre, place, rangée, série, suite, tête, titre, tour.

RANGÉ. Convenable, mis, posé, réglé, sage, sérieux, vertueux.

RANGÉE. Andain, clavier, colonnade, balustrade, espalier, file, haie, ligne, ordre, orne, palée, quine, rampe, rang, saulée, tire, travée.

RANGER. Aligner, classer, combiner, garer, mettre, placer, soumettre.

RANGOON. Birmanie.

RANIMER. Attiser, exciter, guérir, ragaillardir, rajeunir, rallumer, raviver, recréer, refaire, renaître, ressusciter, revivre, tisonner.

RAPACE. Aegypiidé, aquilidé, bubonidé, falcinidé, strigidé, vulturidé.

RAPACE DIURNE. Aigle, autour, balbuzard, bondrée, busaigle, busard, buse, circaète, condor, crécerelle, écoufle, émerillon, émouchet, épervier, faucon, gerfaut, griffon, gypaète, harpie, hobereau, laneret, lanier, milan, orfraie, pandion, percnoptère, sarcoramphe, secrétaire, serpentaire, spizaète, uraète, urubu, vautour.

RAPACE NOCTURNE. Bubo, chat-huant, chevêche, chouette, duc, effraie, harfang, hibou, hulotte, scops, strix.

RAPATRIER. Exfiltrer, rapatriable, rapatriement.

RÂPE. Chapelure, lime, rafle, râper, usé.

RÂPER. Égruger, limer, peler, pulvériser, racler, rafler, user.

RAPETISSER. Abaisser, amenuiser, amincir, décroître, diminuer, écourter, étrécir, raccoucir, ratatiner, réduire, restreindre, rétrécir.

RÂPEUR. Rugueux.

RAPHAËL. Archange, ange, raphaélique.

RAPHAËL (n. p.). Tobie.

RAPIAT. Acare, avide, chiche, cupide, gain, mesquin, pingre, radin.

RAPIDE. Abrupt, accéléré, actif, agile, alerte, atalante, bref, brusque, cascade, cursif, diligent, empressé, fulgurant, hâtif, impétueux, léger, lent, leste, long, preste, prompt, raide, traînard, véloce, vif, vite.

RAPIDEMENT. Hâtivement, prestement, promptement, rapido, vite.

RAPIDITÉ. Activité, agilité, boutade, célérité, diligence, hâte, prestesse, promptitude, vélocité, vitesse, vivacité, volubile.

RAPIÉCÉ. Raccommodé, rafistolé, ravaudé, réparé, reprisé, retapé.

RAPIÈRE. Épée.

RAPINE. Brigandage, concussion, déprédation, larcin, pillage, vol.

RAPPEL. Acclamation, appel, évocation, commémoration, mémento, mémoire, mention, mobilisation, retour, souvenance, souvenir.

RAPPELER. Acclamer, appeler, avertir, citer, commémorer, destituer, évoquer, mobiliser, raconter, redire, remémorer, retracer, souvenir.

RAPPORT. Accord, affinité, analogie, aspect, bulletin, calibre, causalité, connexion, connexité, cote, densité, dossier, droit, équin, fruit, impôt, indice, intervalle, juger, latitude, lien, méridien, modal, natalité, parenté, pi, pour, produit, ratio, relation, revenu, terme.

RAPPORTER. Capitaliser, citer, colporter, donner, fructifier, produire, profiter, ramener, référer, remettre, rendre, répéter, restituer.

RAPPORTEUR. Cafard, espion, mouchard, subrogateur.

RAPPROCHEMENT. Alliance, comparaison, flirt, frai, parallèle, ralliement, rapport, recoupement, réunion, serrage, voisinage.

RAPPROCHER. Associer, attiser, joindre, pincer, rallier, réunir.

RAPT. Détournement, enlèvement, kidnapping, ravissement.

RAQUETTE. Palette, paume, ping-pong, squash, tennis, timbale.

RARE. Abondant, accidentel, ami, anormal, bizarrerie, cher, clair, clairsemé, cœrcible, commun, courant, étrange, exceptionnel, extraordinaire, fréquent, inaccoutumé, inouï, insolite, inusité, inusuel, or, ordinaire, peu, rarissime, surprenant, unique.

RAREMENT. Exceptionnellement, guère, peu.

RARETÉ. Curiosité, défaut, disette, insuffisance, manque, pénurie.

RAS. Court, égal, étoffe, lisse, pelé, plan, plat, poli, rader, raser, uni.

RASCASSE. Piquant, poisson, scorpène, sébaste, uranoscope.

RASER. Barbifier, couper, démanteler, démolir, détruire, effleurer, ennuyer, friser, frôler, ennuyer, passer, peler, tondre, tonsurer.

RASSASIÉ. Bourré, content, contenté, gavé, plein, repu, saoul, saturé.

RASSASIER. Apaiser, assouvir, bourrer, calmer, combler, contenter, donner, gaver, gorger, nourrir, repaître, satisfaire, saturer, soûler.

RASSEMBLEMENT. Affluence, assemblée, attroupement, cohue, concentration, émeute, manifestation, ralliement, réunion, union.

RASSEMBLER. Agglomérer, ameuter, assembler, attrouper, grouper, joindre, masser, rallier, rameuter, recruter, regrouper, réunir, unir.

RASSEMBLEUR. Centralisateur, groupeur, unificateur.

RASSURER. Apaiser, calmer, consoler, rassurant, tranquilliser.

RASTAQUOUÈRE. Étranger, intrigant, rasta.

RAT. Campagnol, cave, chandelle, chiche, danseuse, ondatra, mulot, musqué, ondatra, potorou, queue, rongeur, souris, surmulot, xérus.

RATAGE. Échec, faillite, fiasco, insuccès, loupage, loupé.

RATAFIA. Eau-de-vie, liqueur, rossolis.

RATATINÉ. Contracté, déformé, desséché, flétri, noué, pelotonné, plissé, rabougri, racorni, ramassé, rapetissé, replié, ridé, tassé.

RÂTELER. Ratisser.

RATER. Avorter, chouer, esquinter, foirer, gâcher, glisser, louper, manquer, omettre, oublier, perdre.

RATIBOISER. Approprier, lessiver, plumer, rafler, ratisser, ruiner, tuer.

RATIFICATION. Agréation, approbation, autorisation, confirmation, consécration, entérinement, homologation, sanction, validation.

RATIFIER. Approuver, avaliser, avouer, autoriser, confirmer, consacrer, entériner, homologuer, plébisciter, sanctionner, valider.

RATION. Bout, division, dose, fraction, fragment, lot, morceau, part.

RATISSER. Gratter, lessiver, plumer, racler, râteler, retiboiser, riper, ruiner.

RATITE. Aptéryx, autruche, casoar, émeu, kiwi, nandou.

RATTACHEMENT. Annexion, branchement, incorporation, jonction.

RATON. Chat sauvage, laveur, racoon.

RAT-TAUPE. Spalax.

RATTACHER. Brancher, indexer, joindre, rapporter, rejoindre.

RATTRAPER. Attraper, indexation, raccrocher, regagner, rejoindre.

RATURE. Biffe, biffure, correction, enlève, rectification, trait.

RATURER. Barrer, biffer, corriger, effacer, gommer, gratter, rayer.

RAUQUE. Âpre, enroué, éraillé, guttural, rocailleux, rude, sauvage.

RAUQUER. Enrouer, feuler, gronder, tigre.

RAVAGER. Détruire, dévaster, infester, piller, ruiner, saccager, sévir.

RAVAUDER. Raccommoder, rapetasser, réparer, rectifier, repriser.

RAVI. Charmé, comblé, content, enchanté, épanoui, fier, satisfait.

RAVIGOTER. Ranimer, ravigotant, réanimer, remonter, revigorer.

RAVIN. Baranco, cavité, précipice, ravine, vallée.

RAVINÉ. Buriné, cavité, creusé, lit, marqué, plissé, ravin.

RAVIR. Arracher, charmer, emmener, emparer, emporter, enchanter, enlever, ôter, plaire, prendre, séduire, transporter.

RAVISSANT. Agréable, aimable, attirant, beau, captivant, charmant, enchanteur, enivrant, fascinant, gracieux, kleptomane, séduisant.

RAVISSANTE. Belle, superbe.

RAVISSEMENT. Bonheur, délectation, enchantement, extase, rapt.

RAVIVER. Aviver, rafraîchir, ranimer, ragaillardir, réanimer.

RAYER. Abîmer, annuler, barrer, biffer, effacer, entamer, érafler, hachurer, miel, radier, rai, raie, régler, strier, tracer, zébrer.

RAY-GRASS. Ivraie.

RAYON. Degré, diamètre, distance, espace, étagère, jet, lueur, lumière, miel, radiation, rai, segment, sillon, stand, trait, uv.

RAYONNEMENT. Émanation, émission, infrarouge, radiation, reflet.

RAYONNER. Briller, darder, diffuser, irradier, jeter, lancer, luire.

RAZ-DE-MARÉE. Cataclysme, déferlement, tempête, tsunami.

RAZZIA. Attaque, détruire, entourer, incursion, invasion, pillage.

RAZZIER. Accaparer, approprier, piller, rafler, saccager, voler.

RÉA. Poulie, roue.

RÉACTION. Allergie, autodéfense, catalyser, conséquence, divergence, effet, propulsion, réflexe, répulsif, turbo, urtification.

RÉACTIVER. Ranimer, régénérer, réveiller, revitaliser, revivifier.

RÉAGIR. Bouder, braver, irriter, lutter, résister, sceller, sensibiliser.

RÉALISABLE. Accessible, exécutable, faisable, possible, praticable.

RÉALISATEUR. Cinéaste, concepteur, créateur, exécuteur, metteur, producteur, vidéaste.

RÉALISATION. Accomplissement, création, effet, production.

RÉALISER. Accomplir, achever, assoler, comprendre, concrétiser, créer, effectuer, exécuter, faire, liquider, sintériser, vendre.

RÉALISTE. Apparence, cru, pragmatique, utilitaire, vérité, vrai.

RÉALITÉ. Authenticité, certitude, exactitude, réel, véracité, vérité.

RÉAPPARAÎTRE. Récidiver, recommencer, renaître, reprendre.

RÉAPPARITION. Abréaction, atavisme, émersion, rechute, récidive, recrudescence, regain, répétition, résurgence, résurrection, retour.

RÉARRANGER. Isomérase, isomère, réorganiser, reprendre.

RÉASSORTIR. Commander, rapatrier, réapprovisionner.

REBAPTISER. Renommer.

RÉBARBATIF. Acariâtre, aride, hargneux, ingrat, rebutant, revêche.

REBÂTIR. Reconstruire, réédifier, relever, réparer.

REBELLE. Désobéissant, dissident, gréviste, hérétique, indocile, insoumis, insurgé, mutin, résistant, rétif, révolté, révolutionnaire.

RÉBELLION. Émeute, grève, guerre, jacquerie, révolte, sédition.

REBOND. Amorti, demi-volée, lift, retour, ricochet.

REBORD. Bande, bord, bordure, ganache, garde, jatte, margelle, orée, orle, ourlet.

REBOUCHER. Refermer.

REBUFFADE. Abandonner, gifle, mépris, refus, résistance, vexation.

REBUT. Balayure, débris, déchet, dépotoir, détritus, écume, effiloche, étoupe, excrément, grenaille, lie, lin, maculature, ordure, racaille, rancart, refus, résidu, reste, rogation, rognure, soie, strasse, vrac.

REBUTER. Choquer, contrarier, décourager, dégoûter, déplaire, déprimer, effrayer, ennuyer, harasser, lasser, rejeter, solder.

RÉCALCITRANT. Désobéissant, docile, entêté, factueux, fermé, indocile, insoumis, mutin, obéissant, rétif, séditieux, souple.

RECALER. Ajourner, blackbouler, buser, coller, moffler, refuser.

RÉCAPITULER. Analyser, bordereau, exposer, répéter, résumer.

RÉCEMMENT. Émoulu, fraîchement, naguère, nouvellement.

RÉCENT. Actuel, chaud, dernier, frais, hier, holocène, inédit, jeune, moderne, naguère, néophyte, neuf, nouveau, novice, présent.

RÉCEPTEUR. Allocutaire, destinataire, interlocuteur, tuner.

RÉCEPTION. Acceptation, accueil, approbation, cocktail, diffa, fête, gala, lancement, partie, reçu, soirée, thé, vérification, vernissage.

RECETTE. Bénéfice, fruit, gain, méthode, procédé, produit, profit.

RECEVOIR. Abriter, accepter, accueillir, admettre, adopter, agréer, avoir, capter, cuir, écoper, émarger, encaisser, essuyer, gagner, héberger, hériter, initier, loger, obtenir, palper, prendre, réceptionner, récolter, sentir, souffrir, subir, toucher, voir.

RÉCHAPPER. Guérir, sauver.

RÉCHAUD. Cassolette, lampe, pharillon.

RÉCHAUFFEMENT. Amélioration, préchauffage.

RÉCHAUFFER. Attiédir, chauffer, décongeler, dégeler, guérir, raffermir, ranimer, ravigoter, rebrûler, recuire, revenu, tiédir.

RÊCHE. Aigre, âpre, calleux, râpeux, revêche, rogue, rude, rugueux.

RECHERCHE. Enquête, étude, exploration, fouille, investigation, onanisme, prospection, quête, revue, sondage, spéculation, travail.

RECHERCHÉ. Adinisé, affecté, aimé, apprêté, couru, désiré, étudié, examen, manière, précieux, primé, raffiné, rare, soigné, travaillé.

RECHERCHER. Briguer, chercher, courir, enquérir, étudier, examiner, explorer, mendier, pourchasser, prospecter, quêter, sonder, viser.

RECHIGNER. Bouder, murmurer, renâcler, renifler, répugner.

RÉCIPIENT (3 lettres). Bol, fût, pot, têt.

RÉCIPIENT (4 lettres). Auge, bain, bock, cuve, plat, roui, seau, test, urne, vase.

RÉCIPIENT (5 lettres). Baste, bidon, bocal, boîte, chope, godet, jatte, jauge, lampe, marli, moque, panse, tasse, verre.

RÉCIPIENT (6 lettres). Ballon, bassin, gourde, matras, moufle, ravier, saloir, seille, tagine, taline, touque, tourie.

RÉCIPIENT (7 lettres). Baraque, braséro, burette, creuset, cruchon, cuvette, encrier, germoir, gobelet, lampion, marmite, piscine, salière, terrine, théière, thermos, tinette, tonneau.

RÉCIPIENT (8 lettres). Arrosoir, assiette, bénitier, beurrier, cendrier, chaudron, conserve, crachoir, estagnon, fontaine, fromager, jerrycan, potiquet, poubelle, puisette, ramequin, saladier, saucière, soupière.

RÉCIPIENT (9 lettres). Autoclave, bain-marie, calebasse, chaudière, contenant, enveloppe, faisselle, réservoir, tisanière, ustensile.

RÉCIPIENT (10 lettres). Bouilloire, bouillotte, lessiveuse, macérateur, paludarium, réceptacle, sorbetière, turbotière, yaourtière.

RÉCIPIENT (12 lettres). Chocolatière, vaporisateur.

RÉCIPROCITÉ. Alternance, échange, entraide, interaction, ré.

RÉCIPROQUE. Accord, aide, alliance, alterné, bilatéral, corrélatif, démixtion, échange, entraide, entre, marché, mutuel, osmose, pacte, pareille, protocole, respectif, solidaire, traité, transaction.

RÉCIPROQUEMENT. Inversement, mutuellement, vice versa.

RÉCIT. Anecdote, comptine, conte, chronique, épopée, exposé, fable, histoire, historiette, légende, mémoire, mythe, narration, nouvelle, parabole, rapport, relation, roman, saga, tableau, version.

RÉCITAL. Aubade, audition, concert, sérénade.

RÉCITER. Ânonner, débiter, déclamer, dire, lire, mémoriser, monologuer, prier, prononcer, psalmodier, raconter, rapporter.

RÉCLAMANT. Demandeur, nécessitant, plaignant, revendicateur.

RÉCLAMATION. Appel, demande, dû, grève, plainte, requête, tollé.

RÉCLAME. Affichage, annonce, battage, bruit, propagande, publicité.

RÉCLAMER. Appeler, crier, demander, dû, exiger, implorer, invoquer, nécessiter, protester, redemander, revendiquer, vouloir.

RECLUS. Cloîtré, détenu, emprisonné, enfermé, isolé, retiré, solitaire.

RECOIN. Angle, coin, encoignure, réduit, renfoncement, repli.

RÉCOLTE. Annone, arrachage, butin, cueillette, fenaison, glandée, moisson, olivaison, produit, rendement, semence, vendange, vinée.

RÉCOLTER. Cueillir, glaner, moissonner, ramasser, recueillir.

RECOMMANDÉ. Conseillé, indiqué, judicieux, opportun, prôné.

RECOMMANDER. Conseiller, exhorter, préconiser, prôner, soutenir.

RECOMMENCER. Dito, ibidem, idem, réapparaître, récidiver, réitérer, refaire, remettre, renouveler, rentamer, répéter, reprendre, revenir.

RÉCOMPENSE. Bénéfice, cadeau, citation, compensation, diplôme, don, excitation, faveur, félix, gratification, loyer, médaille, oscar, pourboire, prime, prix, rémunération, salaire, travail, tribut.

RÉCOMPENSE MÉDIATIQUE. César, félix, Génie, Grammy, Métro Star, Oscar, Olivier, Ours.

RÉCOMPENSER. Compenser, couronner, décerner, gratifier, payer.

RÉCONCILIER. Absolution, accord, aimer, approbation, convention, grâce, harmonie, médiation, pardon, rémission, transiger, union.

RECONDUCTIBLE. Prorogé, reconduit, renouvelable.

RECONDUIRE. Accompagner, chasser, conduire, éconduire, escorter, expulser, raccompagner, ramener, réintégrer, renouveler, repousser.

RÉCONFORTER. Aider, conforter, consoler, encourager, ravigoter, réanimer, remonter, restaurer, rétablir, retaper, secourir, soutenir.

RECONNAISSANCE. Acquit, aveu, découverte, examen, gnosie, gratitude, gré, obligation, perception, recherche, reçu, résipiscence.

RECONNAÎTRE. Admettre, arraisonner, avérer, avouer, connaître, discerner, ensaisiner, explorer, identifier, punir, sonder, voir.

RECONNU. Agréé, avéré, avoué, connu, constat, convention, examen, fondé, indiscuté, nié, notoire, public, récognitif, représentatif.

RECONSTITUER. Réarmer, rebâtir, reconstruire, recréer, réédifier, refaire, réformer, régénérer, remailler, réorganiser, restaurer.

RECONSTITUTION. Autoplastie, bruitage, néoblaste, repeuplement.

RECONSTRUCTION. Anastylose, redressement, réédification, relèvement, rétablissement.

RECOPIER. Reporter, reproduire, retranscrire, transcrire.

RECOUPE. Griot.

RECOUPEMENT. Comparaison, liaison, parallèle, parangon, rapport.

RECOUPER. Coïncider, concorder, retailler, retondre, vérifier.

RECOURBÉ. Aquilin, arqué, bourbonien, busqué, crochu, houe, serpe.

RECOURIR. Employer, appeler, refaire, tergiverser, utiliser, venir.

RECOURS. Appel, demande, pourvoi, ressource, servir, user, voie.

RECOUSU. Suturé.

RECOUVERT. Argenté, bimétal, capsulé, déguisé, enterré, fermé, laqué, pané, parqueté, parsemé, plaqué, saburral, téflonisé, verni.

RECOUVREMENT. Crédit, facture, perception, rachat, rentrée.

RECOUVRER. Aciérer, avoir, dorer, enduire, enrober, ensabler, étamer, mettre, paver, percevoir, rattraper, ravoir, reconquérir, récupérer, regagner, renaître, revêtir, tapisser, toucher, vernir.

RECOUVRIR. Aluminer, cacher, chromer, coiffer, couvrir, dorer, enduire, engraver, enrober, entoiler, étamer, laquer, masquer, napper, nickeler, plaquer, paver, revêtir, tuiler, voiler, zinguer.

RÉCRÉATION. Agrément, amusement, détente, distraction, divertissement, école, fête, jeu, jouissance, partie, pause, plaisir.

RÉCRÉER. Amuser, divertir, ébaubir, égayer, jouer, recommencer.

RÉCRIMINER. Accuser, crier, huer, injurier, lamenter, protester, réclamer, rejeter, répondre, reprocher, rétorquer, riposter.

RECRU. Accablé, avachi, brisé, courbatu, fatigué, las, rendu,

RECRUDESCENCE. Accroissement, aggravation, augmentation, exacerbation, hausse, progrès, progression, regain, reprise.

RECRUE. Adepte, adhérent, conscrit, nouveau, partisan, soldat.

RECRUTER. Attirer, embaucher, embrigader, employer, engager, enrégimenter, enrôler, incorporer, lever, mobiliser, racoler.

RECTA. Exactement, ponctuellement.

RECTANGLE. Angle, droit, figure, parallélépipède, quadrilatère.

RECTEUR. Amplissime, directeur, intrant, rectoral, rectorat.

RECTIFIER. Aléser, améliorer, châtier, corriger, distiller, étamper, exact, modifier, redresser, réformer, rétablir, revoir, tuer.

RECTILIGNE. Direct, directionnel, droit, figure, ligne.

RECTITUDE. Droiture, fermeté, honnêteté, justesse, justice, logique.

RECTO. Endroit, envers, feuille, page, papier, verso.

REÇU. Accueilli, acquit, baptisé, bulletin, état, eu, décharge, primé, quittance, quitus, récépissé, reconnaissance, tonsuré, warrant.

RECUEIL. Album, ana, analectes, anthologie, atlas, bible, bouquin, brochure, cartulaire, catalogue, chrestomathie, code, dictionnaire, écrit, edda, florilège, formulaire, hadith, livre, psautier, rituel, sermonnaire, silves, solfège, spicilège, spicule, varia, ysopet.

RECUEILLEMENT. Chrestomathie, ferveur, pitié, prière, retrouvaille.

RECUEILLIR. Amasser, choisir, gagner, glaner, hériter, lever, pêcher, penser, obtenir, rassembler, recevoir, récolter, réunir, subir, tirer.

RECUL. Décrochage, reflux, régression, repli, repliement, retrait.

RECULÉ. Creux, distant, écarté, éloigné, haut, isolé, lointain, temps.

RECULER. Avancer, battre, caler, caner, céder, culer, décaler, distancer, éloigner, perdre, plier, régresser, reléguer, replier.

RÉCUPÉRER. Cannabaliser, ravoir, recouvrer, recycler, reprendre.

RÉCURER. Assainir, astiquer, balayer, blanchir, brosser, cirer, curer, nettoyer.

RÉDACTEUR. Actuaire, auteur, échotier, écriveur, journaliste, nègre, scénariste.

RÉDACTION. Article, blanc, écrire, libellé, narration, résumé, texte.

REDÉCOUVRIR. Reconnaître, ressourcer, retrouver, revoir.

REDEVANCE. Annate, auteur, cens, charge, débit, dette, dîme, droit, impôt, lods, obligation, pourcentage, rente, royauté, taxe, tribut.

REDEVENIR. Rajeunir, refleurir, reprendre, ressaisir, reverdir.

RÉDIGER. Composer, construire, dresser, écrire, élaborer, exprimer, formuler, grossoyer, libeller, récrire, réécrire, répéter.

REDINGOTE. Carrick, habit, lévite, manteau, soutane, soutanelle.

REDIRE. Bégayer, blâmer, censurer, rabâcher, radoter, rappeler, rapporter, récapituler, réitérer, répéter, ressasser, rimer, seriner.

REDONNER. Rafraîchir, ranimer, ravigoter, réanimer, rembourser, remettre, remonter, rendre, restituer, rétablir, rétrocéder.

REDOUBLER. Accroître, augmenter, doubler, recommencer.

REDOUTABLE. Dangereux, grave, inquiétant, rude, sérieux, terrible.

REDOUTE. Appréhension, bal, crainte, fête, fortification.

REDOUTER. Apeurer, appréhender, craindre, effrayer, fêter, fortifier.

REDRESSER. Améliorer, cambrer, corriger, défausser, dégauchir, dévoiler, dresser, lever, quiller, rectifier, réformer, relever, réparer.

REDRESSEUR. Diode, justicier, phanatron, releveur, réparateur.

RÉDUCTION. Analyse, bonus, chirurgie, correction, diminution, net, rabais, remise, restreint, rétrécir, simplification, transformation.

RÉDUIRE. Abaisser, abréger, affaiblir, aléser, amoindrir, amortir, atomiser, atténuer, baisser, broyer, changer, clochardiser, comprimer, diminuer, émietter, forcer, grainer, grener, gruger, incinérer, léviger, limer, limiter, minimiser, moudre, râper, ristourner, surbaisser, tasser, triturer, unifier, user.

RÉDUIT. Annihilé, élémentaire, gamelan, râpé, soupente, volière.

RÉEL. Actuel, admis, assuré, authentique, certain, concret, congru, démontré, effectif, établi, évident, exact, existant, fait, fondé, matériel, net, positif, précis, solide, sûr, vain, véritable, vrai.

RÉELLEMENT. Effectivement, véritablement, vraiment.

RÉEMBAUCHER. Engager, enrôler, racoler, recruter, rengager.

RÉÉMETTEUR. Relais.

RÉENSEMENCER. Ressemer.

REÉR. Épargne, raire, régime.

REFAIRE. Recommencer, réformer, rempiéter, réparer, restaurer.

RÉFECTION. Anaplastie, digitoplastie, raccommodage, refonte, rénovation, réparation, restauration.

RÉFECTOIRE. Cafétéria, cambuse, cantine, cène, mess, popote, salle.

RÉFÉRENDUM. Consultation, élection, plébiscite, séparation, scrutin.

REFILER. Céder, donner, doter, léguer, livrer, passer, porter, rendre.

RÉFLÉCHI. Délibéré, mesuré, mûr, pondéré, posé, prudent, sage.

RÉFLÉCHIR. Calculer, cogiter, combiner, luire, méditer, miroiter, penser, peser, poser, observer, refléter, réfracter, renvoyer, repenser, répéter, rêver, réverbérer, ruminer, scintiller, songer.

RÉFLECTEUR. Abat-jour, catadioptre, cataphote, miroir, réverbère.

REFLET. Brillant, chatoiement, chatoyant, écho, éclat, flamboyant, irisation, miroitement, moirage, opale, réflexion, réfraction, satiné.

RÉFLÉTER. Briller, citer, dicter, dire, exposer, mirer, narrer, publier.

RÉFLEXE. Automatisme, inconscient, instinctif, machinal, réaction.

RÉFLEXION. Aparté, attention, commentaire, pensée, réaction, reflet.

RÉFORMATEUR. Corrigeur, innovateur, protestant, redresseur, réformiste, régénérateur, rénovateur, hus.

RÉFORMATEUR ALLEMAND (n. p.). Luther, Melanchthon.

RÉFORMATEUR ANGLAIS (n. p.). Owen, Wyclif, Wycliffe.

RÉFORMATEUR ANGLO-SAXON (n. p.). Alcuin.

RÉFORMATEUR ÉCOSSAIS (n. p.). Knox.

RÉFORMATEUR FRANÇAIS (n. p.). Calvin, Farel.

RÉFORMATEUR ITALIEN (n. p.). Socin.

RÉFORMATEUR SUISSE (n. p.). Viret, Zwingli.

RÉFORMATEUR TCHÈQUE (n. p.). Hus.

RÉFORME. Amélioration, amendement, annulation, changement, correction, croisade, élimination, innovation, progrès, protestant.

RÉFORMER. Améliorer, amender, changer, corriger, rayer, régénérer.

REFOULER. Bannir, chasser, comprimer, contenir, éloigner, pousser, refluer, renfermer, rentrer, renvoyer, repousser, retenir, vaincre.

REFRAIN. Chant, flonflon, répétition, ritournelle, turlutte, turlurette.

REFRÉNER. Arrêter, brider, contenir, empêcher, endiguer, étouffer, freiner, maîtriser, modérer, refouler, rentrer, réprimer, retenir.

RÉFRIGÉRER. Frigorifier, geler, glacer, rafraîchir, refroidir.

REFROIDIR. Air, attiédir, calmer, congeler, frapper, frigorifier, froid, glacer, mécontenter, rafraîchir, réchauffer, réfrigérer, tiédir, tuer.

REFUGE. Abri, aile, asile, cabane, ermitage, fuite, gîte, halte, havre, oasis, port, recours, ressource, retraite, sanctuaire, secours, toit.

REFUS. Abstention, défaut, déni, négation, acceptation, nier, niet, non, rébellion, rebuffade, rebut, rejet, renvoi, résistance, veto.

REFUSER. Ajourner, coller, contester, couler, débouter, décliner, dédaigner, dénier, disqualifier, écarter, éconduire, étendre, évincer, exclure, nier, priver, rebeller, rebiffer, rebuter, recaler, récuser, régimber, rejeter, renier, renvoyer, repousser, résister, retaper.

RÉFUTER. Attaquer, confondre, nier, renvoyer, répliquer, répondre.

REGAGNER. Rallier, rattraper, recrudescence, récupérer, retrouver.

RÉGAL. Bienvenue, délectation, délice, festin, friandise, gastronomie, gourmandise, joie, jouissance, manger, os, plaisir, volupté.

RÉGALER. Amuser, déguster, délecter, malmener, savourer, traiter.

REGARD. Atone, attention, ci-contre, clin d'œil, inaperçu, œil, œillade, ouverture, perception, vis-à-vis, vue, vision, vue, yeux.

REGARDER. Admirer, considérer, contempler, dévisager, envisager, épier, fixer, lorgner, loucher, mirer, narguer, observer, piger, remarquer, repaître, toiser, viser, visionner, voir, zieuter.

REGARNIR. Remeubler.

RÉGÉNÉRER. Purifier, réactiver, reconstituer, rénover, retaper.

RÉGENTER. Commander, conduire, diriger, dominer, gérer, gouverner, manier, mener, régir, régner.

REGIMBEMENT. Cabrement, protestation, rébellion, ruade.

REGIMBER. Cabrer, entêter, indocile, rebiffer, résister, ruer.

RÉGIME. Administration, autarcie, bananier, conduite, constitution, curatelle, cure, démocratie, diète, direction, état, fascisme, gouvernement, jeûne, monarchie, oligarchie, règle, terrorisme.

RÉGIMENT. Armée, corps, dépôt, escadron, ligne, meistre, troupe.

RÉGION. Aire, antipode, canton, circonscription, contrée, district, espace, lieu, marais, pays, province, terre, territoire, terroir, zone.

RÉGION, AFRIQUE ORIENTALE (n. p.). Érythrée, Rhodésie.

RÉGION, ALGÉRIE (n. p.). Macta.

RÉGION, ALLEMAGNE (n. p.). Bade, Bavière, Saxe,

RÉGION, ASIE CENTRALE (n. p.). Pamir.

RÉGION, ASIE MÉRIDIONALE (n. p.). Inde.

RÉGION, ASIE MINEURE (n. p.). Ionie.

RÉGION, CHAMPAGNE (n. p.). Der.

RÉGION, CHILI (n. p.). Atacama.

RÉGION, CHINE (n. p.). Tibet.

RÉGION, CROATIE (n. p.). Istrie.

RÉGION, ÉCOSSE (n. p.). Lowlands.

RÉGION, ESPAGNE (n. p.). Andalousie, Aragon, Catalogne, Léon.

RÉGION, FRANCE (n. p.). Alsace, Aquitaine, Auvergne, Basse-Normandie, Bourgogne, Bretagne, Centre, Champagne-Ardenne, Corse, Franche-Comté, Haute-Normandie, Île-de-France, Languedoc-Roussillon, Lorraine, Limousin, Loire, Lorraine, Midi-Pyrénées, Nord, Picardie, Poitou-Charentes, Provence-Côte d'Azur, Rhône-Alpes.

RÉGION, GRÈCE (n. p.). Étolie, Laconie, Magne, Maïna.

RÉGION, ITALIE (n. p.). Maremme, Piémont, Tirol, Tyrol, Vénétie.

RÉGION, LOIRE (n. p.). Sologne.

RÉGION, NIGÉRIA. (n. p.). Biafra.

RÉGION, NOUVELLE-FRANCE (n. p.). Acadie.

RÉGION, PALESTINE (n. p.). Samarie.

RÉGION, POLOGNE (n. p.). Poméranie.

RÉGION, QUÉBEC (n. p.). Beauce, Charlevoix, Estrie, Gaspésie, Gatineau, Lanaudière, Laurentides, Montérégie.

RÉGION, ROUMANIE (n. p.). Oltenie.

RÉGION, UKRAINE (n. p.). Podolie.

RÉGION, YOUGOSLAVIE (n. p.). Istrie.

RÉGION, ZIMBABWE (n. p.). Matabele.

RÉGIR. Administrer, déterminer, diriger, gérer, gouverner, régler.

REGISTRE. Agenda, album, archives, cadastre, cahier, calepin, chiffrier, journal, livre, matrice, minutier, obituaire, olim, plumitif, répertoire, rôle, sommier, terreur, tessiture, ton, tonalité, voix.

RÈGLE. Canon, cérémonial, code, commandement, coutume, édit, équerre, formalité, formule, leçon, lignomètre, loi, mire, norme, odontomètre, ordre, rite, talon, taux, té, toise, traçoir, vernier.

RÈGLEMENT. Accord, arrêté, ban, canon, charte, code, consigne, décret, discipline, édit, loi, ordonnance, principe, solde, statue, talon.

RÉGLER. Ajuster, arrêter, caler, décider, disposer, établir, liquider, mesurer, pater, ranger, rayer, régulariser, solder, statuer, tracer.

RÉGNANT. Dominant, prédominant, prépondérant, souverain.

RÉGNER. Dynastie, empire, époque, gouverner, reine, roi, trôner.

REGRET. Chagrin, déplaisir, expiation, nostalgie, remords, repentir.

REGRETTER. Déplorer, excuser, plaindre, raccommoder, reprocher.

REGROUPER. Rallier, ramasser, rassembler, réattrouper, réunir.

RÉGULARISATION. Alésage, assiduité, autorégulation, ponctualité.

RÉGULATEUR. Contrôle, épi, fixer, limite, règle, rivière, tune, vitesse.

RÉGULIER. Authentique, bien, cadencé, continu, convention, correct, égal, époux, exact, géométrique, habituel, harmonieux, homogène, juste, légal, normal, ordre, parfait, religieux, rituel, séculier, vérité.

RÉHABILITER. Blanchir, couvrir, décharger, disculper, laver, rétablir.

REHAUSSER. Assaisonner, augmenter, aviver, élever, embellir, louer, monter, orner, ranimer, relever, remonter, souligner, surélever.

REIN. Dos, éreinter, lombes, pierre, pyramide, rénal, rognon, urine.

REINE. Abeille, candace, dame, ménagère, miss, roi, rose, souveraine.

REINE, ANGLETERRE (n. p.). Anne, Catherine, Elisabeth, Isabelle de France, Jeanne Gray, Jeanne Seymour, Marguerite, Marie, Victoria.

REINE, ARABIE (n. p.). Saba.

REINE, ASSYRIE (n. p.). Sémiramis.

REINE, BABYLONIE (n. p.). Sémiramis.

REINE, BELGIQUE (n. p.). Astrid, Fabiola.

REINE, CASTILLE (n. p.). Isabelle, Jeanne, Urraca, Urraque.

REINE, ÉCOSSE (n. p.). Marie.

REINE, ESPAGNE (n. p.). Isabelle.

REINE, FRANCE (n. p.). Anne d'Autriche, Anne de Bretagne, Catherine de Médicis, Isabeau de Bavière, Jeanne, Marie-Antoinette, Marie d'Anjou, Marie de Médicis, Marie Leczinska, Marie-Thérèse d'Autriche.

REINE, ÉGYPTE (n. p.). Cléopâtre, Hatchepsout, Hatshepsout, Nefertiti, Nitakrit, Nitokris, Saba.

REINE, ESPAGNE (n. p.). Isabelle.

REINE, GRANDE-BRETAGNE (n. p.). Victoria.

REINE, ICÉNIENS (n. p.). Boadicée, Boudicca.

REINE, IRLANDE (n. p.). Victoria.

REINE, PHRYGIE (n. p.). Niobé.

REINE, JÉRUSALEM (n. p.). Isabelle d'Anjou.

REINE, JUDAS (n. p.). Athalie.

REINE, MADAGASCAR (n. p.). Rasoherina.

REINE, MASSAGÈTES (n. p.). Thomyris, Tomyris.

REINE, NAPLES (n. p.). Jeanne.

REINE, NAVARRE (n. p.). Jeanne, Marguerite.

REINE, PAYS-BAS (n. p.). Beatrix, Juliana, Wilhelmine.

REINE, PHRYGIE (n. p.). Niobé.

REINE, PORTUGAL (n. p.). Marie.

REINE, RUSSIE (n. p.). Catherine, Clary.

REINE, SUÈDE (n. p.). Christine.

REINE, THÈBES (n. p.). Niobé.

REINE-DES-PRÉS. Spirée, ulmaire.

RÉINSÉRER. Réemboîter, réencadrer, réencastrer, réintroduire.

RÉINTÉGRER. Associer, entrer, incorporer, rentrer, rétablir, revenir.

RÉINTRODUIRE. Accéder, conduire, recevoir, recycler, réinsérer.

RÉITÉRATION. Fois, ré, recommencement, refaire, répétition.

REÎTRE. Brutal, cavalier, grossier, mercenaire, soudard.

REJAILLIR. Bondir, éclabousser, jaillir, mouvement, retomber.

REJAILLISSANT. Gicleur, retombant.

REJAILLISSEMENT. Bond, conséquence.

REJET. Contre-rejet, cyclosporine, débouté, éjection, enjambement, évacuation, mal-aimé, paria, pousse, recrû, refus, rejeton, spirée.

REJETER. Chasser, cracher, débouter, éjecter, éloigner, éructer, expectorer, honnir, jeter, nier, rebuter, recracher, reculer, refuser, relancer, repousser, réprouver, répudier, renvoyer, vomir.

REJETON. Accru, bille, bion, bourgeon, bouton, bouture, cépée, cosson, courson, descendant, drageon, enfant, fils, gourmand, greffe, jet, marcotte, œilleton, pousse, provin, scion, stolon, surgeon, talle.

REJOINDRE. Rallier, rattraper, regagner, retrouver, revenir, réunir.

RÉJOUI. Amusé, content, enchanté, épanoui, gai, guilleret, heureux, hilare, jovial, joyeux, radieux, riant, rieur.

RÉJOUIR. Amuser, charmer, chanter, égayer, féliciter, jubiler, ravir.

RÉJOUISSANCE. Agapes, fête, gai, gaudir, jubilation, liesse, noce, ris.

RELÂCHE. Arrêt, cessation, détente, escale, hivernage, intermittence, interruption, pause, purge, répit, repos, suspension, trêve.

RELÂCHEMENT. Abattement, écart, indifférence, license, ptôse.

RELÂCHER. Décomprimer, décontracter, défaire, délacer, délasser, desserrer, détendre, élargir, lâcher, laisser, libérer, relaxer, respirer.

RELAIS. Attitrer, course, halte, hôtel, mansion, poste, thalamus.

RELATER. Citer, conter, dire, exposer, narrer, raconter, rapporter.

RELATIF. Degré, dont, poids, proportionnel, que, quel, qui, quoi.

RELATION. Connexion, contact, corrélation, équipollence, flirt, inceste, liaison, narration, rapport, récit, synonymie, témoignage.

RELAXANT. Calmant, délassant, jacuzzi, massage, reposant.

RELAXATION. Décontraction, délassement, détente, relâchement.

RELAXER. Détendre, élargir, innocenter, libérer, relâcher, reposer.

RELÉGATION. Bannissement, déportation, exil, rétrogradation.

RELÉGUER. Bannir, confiner, déporter, éloigner, enfermer, exiler.

RELEVÉ. Abrupt, bordereau, compte, élite, épicé, fade, révoqué, salé.

RELÈVEMENT. Amendement, compte, dévers, rajustement.

RELEVER. Ennoblir, épicer, lever, monter, noter, ramasser, rebâtir, rebrousser, redresser, rehausser, retrousser, soulever, souligner.

RELIEF. Bosse, crête, creux, enflure, lier, œil, modelé, mont, saillie.

RELIER. Assembler, attacher, brocher, cartonner, chaîner, coudre, couvrir, entrelacer, joindre, lier, marbrer, raccorder, reste, unir.

RELIGIEUSE. Augustine, béguine, carmélite, clarisse, couventine, dominicaine, escot, grise, mante, mère, moniale, nonne, nonnette, pauline, odile, pâtisserie, sœur, tanka, ursuline, visitandine.

RELIGIEUX. Bénédictin, bouddhiste, bonze, carme, cloître, congréganiste, croyant, dévot, ermite, eudiste, foi, frère, jésuite, juif, juste, moine, mystique, oblat, pape, père, pieux, pratiquant, prêtre, rabbin, récollet, sacré, saint, séculier, sulpicien, trinitaire.

RELIGIEUX FRANÇAIS (n. p.). Lacordaire.

RELIGION. Anglicanisme, bible, brahmanisme, canon, catholicisme, confession, croyance, culte, dévotion, doctrine, dogme, férié, ferveur, foi, hindouisme, impie, islam, islamisme, judaïsme, laïque, liturgie, loi, protestantisme, rite, shintoïsme, taoïsme, théologie, vaudou.

RELIGION. (n. p.). Adventiste du Septième Jour, Anglicanisme, Armée du Salut, Baha'isme, Bouddhisme, Catholique, Confucianisme, Hindouisme, Islamique, Jaïnisme, Judaïsme, Mazdéisme, Mormon, Protestant, Quaker, Science Chrétienne, Sikhisme, Shintoïsme, Taoïsme, Témoin de Jéhovah, Zoroastrisme.

RELIGION CATHOLIQUE. Abbé, amen, archevêque, archidiocèse, auréole, bedeau, bible, bulle, canon, canoniser, cardinal, clergé, couvent, curé, diocèse, encyclique, évangéliste, évêque, hérésie, indulgence, I.N.R.I., latin, maronite, moine, nonne, pape, pasteur, pontife, relique, révérend, romain, vicaire.

RELIGION ISLAMIQUE (n. p.). Ayatollah, Calife, Charia, Chiite, Coran, Djihäd, Émir, Hadj, Hégire, Imam, La Mecque, Mollah, Muezzin, Ramadan, Soufi, Sourate, Sunna, Sunnite, Uléma, Vizir.

RELIGION PROTESTANTE (n. p.). Adventiste, Anglican, Baptiste, Calviniste, Luthérien, Mennotite, Méthodiste, Pentecôtiste, Presbytérien, Quaker.

RELIQUAIRE. Châsse, coffret, fierté, monstrance, relique, to.

RELIQUAT. Dysembryome, redevoir, restant, reste, solde.

RELIURE. Alude, alute, caisse, endossure, garde-livre, maroquin.

RELU. Revu.

RELUIRE. Astiquer, brasiller, briller, chatoyer, éblouir, éclairer, éclater, étinceler, flamboyer, illuminer, luire, rayonner, rutiler.

REMÂCHER. Remastiquer, repenser, répéter, ressasser, ruminer.

REMANIEMENT. Colluvion, correction, histogenèse, modification.

REMANIER. Arranger, changer, corriger, modifier, refondre, relooker, remodeler, reprendre, restructurer, revoir, transformer.

REMARQUABLE. As, brillant, distinct, éclatant, émérite, éminent, épatant, ère, étonnant, extraordinaire, formidable, frappant, important, marquant, mémorable, notable, note, notule, particulier, rare, saillant, scolie, signalé, supérieur, unique.

REMARQUE. Apostille, dire, note, notice, observation, pensée, scolie.

REMARQUER. Constater, discerner, distinguer, noter, observer, voir.

REMBALLER. Emballer, remballage, rencaisser.

REMBLAVER. Emblaver, réensemencer.

REMBOURSER. Amortir, couvrir, défrayer, dépenser, payer, restituer.

REMÈDE. Antidote, antirabique, baume, béchique, calmant, carminatif, drogue, électuaire, médecine, médicament, népenthès, nervin, onguent, orviétan, panacée, potion, sérum, tisane, vermifuge.

REMÉDIER. Arranger, corriger, guérir, obvier, pallier, parer, sauver.

REMERCIER. Bénir, chasser, congé, congédier, gratifier, louer, merci.

REMETTRE. Absoudre, atermoyer, délier, délivrer, différer, expier, guérir, livrer, payer, raccommoder, rafraîchir, ramener, ravigoter, reconnaître, recorder, redistribuer, redresser, relâcher, ravigoter, relever, remémorer, remémoriser, rendre, renflouer, réparer, reprise, ressemeler, restaurer, restituer, rétablir, retaper, retarder, rétrocéder, réviser.

REMISE. Abri, cabanon, dépôt, garage, grâce, hangar, nivet, trêve.

REMISER. Cacher, caser, différer, garer, ranger, serrer, transférer.

RÉMISSION. Absolution, amnistie, expiation, indulgence, pardon.

REMONTER. Affermir, consoler, encourager, ravigoter, retremper.

REMONTRANCE. Blâme, réprimande, reproche, semonce, sermon.

REMORQUER. Câble, charrier, dépanner, dépanneuse, entraîner, haler, remorqueur, tirer, touer, tracter, traîner, trimbaler.

REMOUS. Agitation, battement, cadence, cahot, frisson, houle, vague.

REMPART. Bouclier, enceinte, escarpement, fortification, muraille.

REMPLACE. Adjoint, aide, double, doublure, intérim, vicaire, vice.

REMPLACEMENT. Épigénie, intérim, mutation, régent, relève, repiquage, repiquement, roulement, subrogation, substitution.

REMPLACER. Changer, déloger, doubler, hériter, relayer, suppléer.

REMPLI. Accompli, bondé, bourré, comble, complet, dense, enflammé, enflé, farci, garni, gavé, gorgé, gros, imbu, mine, occupé, plein, pénétré, pétri, rassasié, repu, saturé, tenu, terminé.

REMPLIR. Bourrer, caser, charger, combler, compléter, emplir, enfler, enfumer, farcir, fourrer, garnir, gorger, liaisonner, occuper, ouiller, pénétrer, plomber, rengréner, saturer, truffer, verser.

REMPORTER. Emporter, enlever, gagner, obtenir, rapporter, vaincre.

REMUER. Agir, agiter, balancer, ballotter, battre, bouger, brandiller, brandir, branler, brasser, broncher, bercer, bouger, clignoter, démener, déplacer, déranger, émouvoir, fouiller, frétiller, gigoter, grouiller, malaxer, mouvoir, piétiner, piocher, secouer, touiller.

RÉMUNÉRATION. Agio, appointements, cachet, casuel, émoluments, fret, gages, gain, honoraires, indemnité, pige, salaire, traitement.

RENAISSANCE. An, incarnation, métempsychose, palingénésie, progrès, régénération, renouveau, résurrection, retour, réveil.

RENARD. Amarante, argenté, fennec, fox, glapir, goupil, isatis, malin, manœuvrier, renardeau, renarder, renardière, roué, roux, terrier.

RENCHÉRIR. Ajouter, amplifier, augmenter, dépasser, élever, enchérir, exagérer, exalter, hausser, majorer, monter, pousser.

RENCONTRE. Blason, choc, duel, entrevue, heurt, hiatus, réunion.

RENCONTRER. Aborder, accoster, apercevoir, contacter, croiser, hanter, interviewer, joindre, réunir, tomber, trouver, visiter, voir.

RENDEMENT. Abondance, fécondité, productivité, rapport, récolte.

RENDEZ-VOUS. Assignation, audience, entrevue, lapin, réceptacle.

RENDRE (4 lettres). Suer, voir.

RENDRE (5 lettres). Adorer, aérer, céder, cuire, fixer, hâter, jeter, matir, mûrir, obéir, orner, payer, polir, porter, râler, salir, vomir.

RENDRE (6 lettres). Abêtir, abrutir, adorer, adoucir, aigrir, aléser, amatir, animer, aviver, bleuir, bomber, bruire, donner, durcir, égayer, élever, épurer, griser, lisser, poncer, servir, sonner, ternir.

RENDRE (7 lettres). Affiner, aliéner, alléger, allumer, amender, amollir, anémier, annuler, anoblir, aplanir, assagir, assurer, aveulir, élargir, enivrer, enrouer, exciter, fausser, fourbir, grossir, hébéter, lustrer, moiteur, niveler, noircir, onduler, ranimer, visiter.

RENDRE (8 lettres). Aciduler, aggraver, alourdir, annoncer, assainir, atténuer, attiédir, blanchir, calfater, délivrer, ébruiter, écourter, égaliser, élaborer, enlaidir, ennoblir, épaissir, épanouir, étriquer, radoucir, raréfier, rassurer, réaliser, rélargir, renvoyer, rétrécir.

RENDRE (9 lettres). Accélérer, assimiler, assouplir, attendrir, autoriser, camoufler, canaliser, clarifier, divulguer, éclaircir, émanciper, engourdir, entériner, habiliter, humaniser, ignifuger, illustrer, immuniser, légaliser, rectifier, remercier, restituer.

RENDRE (10 lettres). Alambiquer, alanguiser, consolider, nécessiter, normaliser, rapetisser, sanctifier, simplifier, stériliser, vulgariser.

RENDRE (11 lettres). Apprivoiser, approfondir, généraliser, neutraliser, rationaliser, régulariser, séculariser, titulariser.

RENDRE (12 lettres). Authentifier, immortaliser, enorgueillir.

RENDRE (13 lettres). Déshumidifier, universaliser.

RENDU. Accablé, allé, assommé, avachi, brisé, fatigué, fourbu, recru.

RENÉGAT. Apostat, déloyal, déserteur, félon, hérétique, infidèle, laps, parjure, perfide, schismatique, traître.

RENFERMÉ. Enveloppe, obituaire, ozoné, remugle, salifère, secret.

RENFERMER. Cacher, comporter, confiner, contenir, enfermer, emprisonner, entourer, inclure, receler, séquestrer, serrer.

RENFLÉ. Arrondi, bombé, bulbe, convexe, courbé, enflé, épais, galbé, gibbeux, gonflé, pansu, rond, urcéole, ventru.

RENFLEMENT. Ballon, bombement, bosse, bulbe, galbe, ganglion, glome, jabot, nodosité, pomme, proéminence, rondeur, urcéole.

RENFORCER. Accentuer, affermir, armer, augmenter, consolider, doubler, étayer, fortifier, garnir, grossir, jumeler, ressercer.

RENFORT. Aide, appui, assistance, rescousse, secours, soutien.

RENGAINE. Antienne, banalité, chaîne, chansonnette, rabâchage, redite, refrain, reprise, répétition, tirade, scie, série, suite.

RENIER. Abjurer, changer, désavouer, déserter, renoncer, répudier.

RENIFLEMENT. Snif, sniff.

RENIFLER. Aspirer, flairer, humer, priser, renâcler, répugner, sentir.

RENIFLEUR. Flaireur, senteur.

RENNE. Caribou, chevreuil, orignal.

RENOM. Aura, célébrité, cote, crédit, gloire, nom, réputation.

RENOMMÉE. Cancan, célébrité, considération, crédit, estime, gloire, illustre, nom, notoriété, popularité, réputation, réputé, vogue, voix.

RENOMMER. Réélire.

RENONCEMENT. Abandon, abstention, cession, démission, sacrifice.

RENONCER. Abandonner, abdiquer, abjurer, abstenir, aliéner, céder, défaire, démissionner, départir, dépouiller, désister, renier, résigner.

RENONCIATION. Abandon, abdication, cessation, découragement, démission, désistement, finir, modération, quittance, résignation.

RENONCULACÉE. Aconit, actée, adonis, ancolie, anémone, clématite, delphinium, dicotylédone, ficaire, hellébore, napel, nigelle, pivoine.

RENOUVEAU. Éveil, printemps, renaissance, reprise, retour, réveil.

RENOUVELABLE. Réutilisable.

RENOUVELER. Changer, moderniser, nover, rafraîchir, rajeunir, ranimer, redoubler, refaire, réitérer, rénover, répéter, revivre.

RENOUVELLEMENT. Changement, reconduction, regain, renaissance.

RÉNOVATION. Changement, réforme, réparation, transformation.

RENSEIGNEMENT. Avis, communication, confidence, document, fait, fiche, guide, indication, indice, information, message, tuyau.

RENSEIGNER. Avertir, aviser, brancher, dire, documenter, éclairer, édifier, fixer, indiquer, informer, initier, instruire, sonder, tuyauter.

RENTE. Annuité, bénéfice, loyer, mense, pension, revenu, tontine.

RENTRÉE. Classe, encaissement, littéraire, perception, recette, retour.

RENTRER. Couvre-feu, emboîter, enfoncer, entrer, pénétrer, rappeler, recouvrer, refouler, réintégrer, retirer, retourner, revenir.

RENVERSE. Abat, chute, culbute, intersection, marche-arrière.

RENVERSEMENT. Anastrophe, ectropion, entropion, éversion, ruine.

RENVERSER. Abattre, chasser, culbuter, éculer, épater, intervertir, inverser, jeter, retourner, saccager, transposer, verser, vider.

RENVOI. Ajournement, astérisque, balle, cassation, congé, congédiement, destitution, exclusion, expulsion, ite, licenciement, marque, note, référence, remise, report, révocation, rot, sursis.

RENVOYER. Ajourner, couper, rapatrier, réexpédier, refuser, relancer, remercier, remettre, rendre, retentir, retourner, traduire.

REPAIRE. Abri, antre, asile, bauge, cachette, caverne, fort, gîte, habitation, litée, logement, nid, retraite, tanière, terrier, trou.

RÉPANDRE. Agrainer, arroser, couvrir, déverser, disperser, disséminer, émaner, émerger, emplir, envahir, épandre, éparpiller, épartir, essaimer, étaler, étendre, exhaler, fluer, paver, pleurer, ressemer, semer, sentir, sortir, surgir, verser, universaliser.

RÉPANDU. Accrédité, connu, courant, diffus, dominant, épars, étendu, notoire, populaire, profus, public, semé, su, versé.

RÉPARATEUR. Bricoleur, mécanicien, reposant, rhabilleur.

RÉPARATION. Dépannage, radoub, rafistolage, raison, réfection.

RÉPARER. Améliorer, arranger, bricoler, dépanner, erratum, expier, obturer, raccommoder, radouber, rafistoler, rafraîchir, rajuster, ramender, rapiécer, refaire, rentrayer, replâtrer, restaurer.

REPARLER. Recauser.

RÉPARTIE. Argument, boutade, drôlerie, gag, mot, pique, réplique, réponse, riposte, saillie, spirituel, trait.

RÉPARTIR. Allotir, assoler, reprendre, sectoriser, trier, zoner.

RÉPARTITION. Attribution, cession, contingentement, distribution, horaire, ordre, partage, péréquation, quote-part, taxe, tri.

REPAS. Agape, banquet, brunch, buffet, casse-croûte, cène, collation, déjeuner, dîner, dînette, encas, festin, frugal, gala, goûter, gueuleton, lippée, lunch, médianoche, menu, orgie, pique-nique, popote, réfection, régal, reste, réveillon, ripaille, soupe, souper, tétée, thé.

REPASSER. Affiler, affûter, aiguiser, défriper, émorfiler, émoudre, fer, gendarme, lisser, planche, mémoriser, relire, retourner, revenir.

REPÊCHER. Aider, choisir, dépanner, jeune, recrue, soutenir, tendre.

REPENTANT. Confus, contrit, mari, marri, pénitent, résipiscence.

REPENTIR. Componction, contribution, contrition, honte, regret, regretter, remords, repentance, reprocher, résipiscencer, vouloir.

REPÈRE. Amer, apercu, cardinal, corne, curseur, décan, degré, échelon, empreinte, grillé, jalon, marque, mire, signe.

RÉPÉTER. Bisser, double, écho, itératif, leitmotiv, pléonasme, rabâcher, radoter, redire, ressasser, scier, seriner, tautologie, trisser.

RÉPÉTITIF. Fréquentatif, itératif, rabâchage, radotage, redite, scie.

RÉPÉTITION. Allitération, assonance, bi, bis, chaîne, écho, écholalie, fois, fréquence, ibidem, id, idem, itération, pléonasme, rechute, redite, redondance, refrain, rengaine, reprise, resucée, retour, révision, scie, série, suite, sur, tautologie, tirade, trémolo.

RÉPIT. Accalmie, armistice, cesse, délai, dilatoire, interruption, latence, pause, rémission, repos, sieste, tranquillité, trêve.

REPLACER. Rasseoir, recaser, remboîter, remettre, rétablir.

RÉPLÉTION. Abondance, charnu, corpulence, dodu, empâté, excès, gras, grassouillet, plantureux, plein, plénitude, pléthore, satiété.

REPLI. Arète, autisme, barbillon, déroute, faux, hélix, mésentère, nœud, ourlet, pli, rebord, rempli, retraite, revers, ride, sinuosité.

REPLIÉ. Rabattu, retroussé, ridé.

REPLIEMENT. Autisme, dépression, introversion, reploiement.

REPLIER. Abaisser, blottir, border, courber, friser, froncer, gercer, plier, plisser, ployer, rabattre, reployer, retrousser, rider, trousser.

RÉPLIQUER. Argumenter, pérempter, raisonner, répartir, répondre.

REPLOIEMENT. Invagination, repliement.

REPLOYER. Recourber, réfléchir, replier.

RÉPONDANT. Argumentant, caution, écho, endosseur, garant, garantie, otage, parrain, porte-parole, responsable.

RÉPONDRE. Affirmer, clouer, dire, façon, garantir, muet, objecter, raisonner, récriminer, réfuter, répliquer, rétorquer, riposter, tac.

RÉPONSE. Boutade, dis, explication, justification, non, oracle, oui, répartie, réplique, rescrit, riposte, saillie, solution, verdict.

REPORTÉ. Réélu.

REPORTER. Ajourner, décalquer, imprimer, journaliste, proroger, rapporter, réélire, rejeter, reléguer, retarder, retourner, revenir.

REPOS. Arrêt, campo, cessation, cesse, césure, congé, convalescence, couché, délassement, détente, distraction, entracte, étape, halte, inaction, kief, lit, loisir, oasis, paix, port, répit, sieste, sûr, vacances.

REPOSÉ. Délassé, détendu, dispos, frais, paresseux.

REPOSER. Arrêter, cesser, délasser, détendre, dormir, giser, souffler.

REPOSOIR. Autel, pied.

REPOUSSANT. Dégoûtant, écœurant, effroyable, exécrable, fétide, hideux, infect, laid, nauséabond, rébarbatif, répugnant, sale.

REPOUSSER. Bannir, chasser, déloger, écarter, éconduire, éloigner, excuser, rabrouer, reculer, refouler, rejeter, refuser, résister.

RÉPRÉHENSIBLE. Blâmable, condamnable, critiquable, délictueux.

REPRENDRE. Ôter, continuer, rattraper, rembarrer, renaître, renouer, rentrer, réoccuper, repenser, ressaisir, retirer, retaper, tancer.

REPRÉSENTANT. Agent, commis, commissionnaire, correspondant, envoyé, épigone, légat, nonce, vendeur, vidame, voyageur, type.

REPRÉSENTATION. Ambassade, buste, description, dessin, effigie, emblème, figure, idée, idéographie, image, imitation, logo, peinture, personnification, pièce, plan, proportionnelle, reproduction, rêve, scène, sigle, signe, spectacle, statue, symbole, théâtre, trace, vue.

REPRÉSENTER. Décrire, dépeindre, désigner, dessiner, évoquer, exposer, exprimer, figurer, idéaliser, imaginer, imiter, jouer, mimer, peindre, personnifier, rappeler, reproduire, symboliser, tracer.

RÉPRESSIF. Absolu, arbitraire, correctif, ferme, punitif, tyrannique.

RÉPRIMANDE. Blâme, leçon, menace, morale, savon, semonce, tance.

RÉPRIMANDER. Admonester, avertir, blâmer, chicaner, condamner, engueuler, étriller, gronder, mater, menacer, moraliser, morigéner, moucher, prêcher, savonner, semoncer, sermonner, tancer.

REPRIS. Ressaisi.

REPRISE. Gong, raccommodage, rapiéçage, rattrapage, ravaudage, reconquête, relance, réouverture, répété, retour, round, volée.

REPRISER. Raccommoder, rapiécer, ravauder, rempiéter, stopper.

RÉPROBATION. Anathème, animadversion, blâme, condamnation, critique, damnation, désapprobation, malédiction, opprobre.

REPROCHE. Accusation, admonestation, avertissement, blâme, censure, compliment, correction, critique, diatribe, éloge, grief, louange, plainte, remarque, remords, reproche, savon, semonce.

REPRODUCTIBLE. Bourgeon, étalon, imitable.

REPRODUCTION. Copie, étalon, fécondation, génération, imitation, lithographie, multiplication, pollen, reflet, spore, sporulation, sosie.

REPRODUIRE. Calquer, copier, dessiner, doubler, imiter, peindre, produire, répéter, reprendre, ronéoter, ronéotyper, singer, tirer.

RÉPROUVÉ. Condamné, damné, maudit, paria.

RÉPROUVER. Anathématiser, blâmer, comdamner, rejeter, repousser.

REPTILE. Alligator, amphisbène, atlantosaure, caméléon, céraste, chélonien, crocodile, crotale, diplodocus, élaps, gavial, gecko, hattéria, ichtyosaure, iguane, iguanodon, lézard, moloch, ophidien, orvet, ptéranodon, python, saurien, scinque, seps, serpent, stégosaure, tyrannosaure, tortue, varan, vipère, zonure.

REPU. Assouvi, bourré, dégoûté, rassasié, saturé, soûl, sursaturé.

RÉPUBLIQUE. Calendrier, état, oiseau, nation, président, sénat, tisserin.

RÉPUBLIQUE, AFRIQUE AUSTRALE (n. p.). Swaziland, Zambie, Zimbabwe.

RÉPUBLIQUE, AFRIQUE CENTRALE (n. p.). Burundi, Rwanda, Tchad.

RÉPUBLIQUE, AFRIQUE DU NORD (n. p.). Algérie, Éthiopie, Tunisie.

RÉPUBLIQUE, AFRIQUE OCCIDENTALE (n. p.). Bénin, Gambie, Ghana, Guinée, Liberia, Mali, Niger, Nigéria, Sénégal, Togo.

RÉPUBLIQUE, AFRIQUE ORIENTALE (n. p.). Kenya, Malawi, Mozambique, Ouganda, Somalie, Soudan, Tanzanie.

RÉPUBLIQUE, AMÉRIQUE DU SUD (n. p.). Argentine, Bolivie, Brésil, Chili, Colombie, Équateur, Guatemala, Guyana, Honduras, Nicaragua, Paraguay, Pérou, Surinam, Uruguay, Venezuela.

RÉPUBLIQUE, ARABE UNI (n. p.). Rau.

RÉPUBLIQUE, ASIE (n. p.). Chine, Géorgie, Inde, Indonésie, Kirghizstan, Liban, Sri Lanka, Turquie.

RÉPUBLIQUE, EUROPE (n. p.). Allemagne, Croatie, Estonie, Finlande, France, Grèce, Hongrie, Irlande, Islande, Italie, Lituanie, Moldavie, Pologne, Portugal, Roumanie.

RÉPUBLIQUE, IRLANDE (n. p.). Eire.

RÉPUBLIQUE, ISLAMIQUE (n. p.). Afghanistan, Comores, Iran, Irak, Iraq, Mauritanie, Pakistan, Tchécoslovaquie.

RÉPUGNANCE. Antipathie, aversion, dégoût, haine, nausée, répulsion.

RÉPUGNANT. Dégoûtant, écœurant, exécrable, infect, malpropre.

RÉPUGNER. Déplaire, rebuter, rechigner, refuser, renâcler, renifler.

RÉPULSION. Attraction, attrait, aversion, dédain, dégoût, écœurement, haine, horreur, nausée, opposition, répugnance.

RÉPUTATION. Aura, célébritté, considération, cote, crédit, gloire, honneur, notoriété, popularité, prestige, renom, renommée, vertu.

RÉPUTÉ. As, célèbre, connu, considéré, coté, éminent, estimé, fameux, illustre, prestigieux, regardé, renommé, signalé, vogue.

REQUÉRIR. Contraindre, interpeller, invitation, réclamer, sommer.

REQUÊTE. Appel, demande, démarche, instance, invitation, pétition, placet, prière, quête, réquisition, rogaton, service, supplication.

REQUIEM. Prière.

REQUIN. Aiguillat, ange de mer, baleine, blanc, brochet, chien, dormeur, émissole, griset, laimargue, lamie, léopard, lézard, lutin, marteau, pèlerin, perlon, pilote, remorqueur, renard de mer, roussette, scie, sélacien, squale, squatine, tapis, taupe, tigre.

RÉQUISITION. Angarie, conclusion, demande, hypothèse.

RESCAPÉ. Indemne, miraculé, réchappé, sauf, sauvé, survivant.

RESCINDANT. Amputation, annulation, rescisoire.

RESCRIT. Bref, iradé.

RÉSEAU. Canalisation, encercler, enchevêtrement, ensemble, filet, labyrinthe, lacis, nanoréseau, organisation, serveur, station, trame.

RÉSECTION. Amputation, laminectomie, ostéotomie, vasectomie.

RÉSÉDA. Dialypétale, dicotylédone, teinturiers.

RÉSERVE. Abajou, cartouche, économie, exception, distant, impertinence, impudence, indiscrétion, insolence, modeste, nuée, piste, privé, prudence, pudique, retenu, sauf, simple, stock, trésor.

RÉSERVE AMÉRINDIENNE (n. p.). Kahnawake, Maliotenam, Pilogan.

RÉSERVER. Assurer, conserver, destiner, économiser, épargner, garder, laisser, louer, ménager, prédestiner, préparer, retenir.

RÉSERVOIR. Aquarium, bac, ballast, barrage, bassin, cellier, citerne, cuve, étang, lac, retenue, silo, timbre, vase, vessie, vivier.

RÉSIDENCE. Aire, consulat, cour, cure, demeure, domicile, élysée, habitation, maison, néolocal, palais, presbytère, séjour, siège.

RÉSIDER. Consister, demeurer, habiter, loger, occuper, siéger, tenir.

RÉSIDU. Babeurre, boue, brai, cendre, charrée, copeau, débris, déchet, dépôt, détritus, drêche, escarbille, fond, lie, limaille, marc, mélasse, ordure, rebut, reste, rillons, saburre, scorie, sédiment, tartre, vase.

RÉSIGNER. Abandonner, abdiquer, accepter, avaler, céder, consoler, démettre, démissionner, endurer, plier, quitter, renoncer, subir.

RÉSILIATION. Abrogation, annulation, congé, renon, renonciation.

RÉSILLE. Entrelacement, filet, labyrinthe, lacis, réseau, réticule, tissu.

RÉSINE. Aloès, ambre, arcanson, ase, assa, bakélite, baume, benjoin, brai, calfat, cire, colphane, copal, encens, galipot, gemme, glu, gomme, goudron, haschisch, laque, oliban, mastic, myrrhe, oribus, phénoplaste, pin, poix, sandaraque, sapin, térébenthine, thuya.

RÉSIPISCENCE. Attrition, contrition, désespoir, pénitence, regret.

RÉSISTANCE. Défense, difficulté, dureté, endurance, fermeté, force, immunité, inertie, lutte, ohm, mou, mutinerie, obstacle, obstruction, opposition, rénitence, rhéostat, sédition, solidité, ténacité, volt.

RÉSISTANT. Consistant, coriace, endurant, fort, increvable, infatigable, inusable, rénitent, robuste, rustique, solide, tenace.

RÉSISTER. Affermir, braver, cabrer, chicaner, combattre, débattre, défendre, désobéir, durer, fixer, lutter, maintenir, maugréer, opposer, raidir, réagir, refuser, regimber, supporter, survivre, tenir.

RÉSOLU. Brave, constant, décidé, déterminé, gonflé, hardi, prêt.

RÉSOLUTION. Complot, décision, dessein, division, indécision, lâcheté, parti, projet, réduction, séparation, transformation, vœu, volonté.

RÉSONANCE. Bruit, écho, retentissement, son, sonorité, syntonie.

RÉSONNER. Bruire, entendre, marteler, retentir, sonner, tinter.

RÉSORBER. Abolir, absorber, avaler, boire, calculer, comprimer, dénouer, dissoudre, éponger, happer, manger, solutionner, trancher.

RÉSOUDRE. Décider, deviner, exécuter, finir, juger, liquider, régler.

RESPECT. Considération, culte, déférence, égard, estime, piété, politesse, pudeur, révérence, ritualisme, tolérance, vénération.

RESPECTABLE. Auguste, digne, dignitaire, estimable, honorable, important, imposant, majesté, patriarche, sacré, vénérable.

RESPECTER. Considérer, craindre, déférer, épargner, estimer, garder, honorer, imposer, ménager, obéir, révérer, saluer, tenir, vénérer.

RESPECTUEUX. Courtois, déférent, humble, poli, révérencieux.

RESPIRATION. Anhélation, apnée, asphyxie, aspiration, bouffée, expiration, haleine, inhalation, râle, râlement, souffle, soupir.

RESPIRER. Aspirer, bâiller, époumonner, étouffer, exhaler, expirer, haleter, inhaler, inspirer, poumon, pousser, souffler, soupirer.

RESPLENDIR. Brasiller, briller, chatoyer, éblouir, éclater, rayonner.

RESPLENDISSANT. Florissant, grandiose, somptueux, splendide.

RESPONSABILITÉ. Culpabilité, endossé, garantie, participation.

RESPONSABLE. Auteur, chef, comptable, condamnable, conscient, coupable, dirigeant, engagé, fautif, garant, pendable, punissable.

RESSAISIR. Raccrocher, rattraper, recouvrer, reprendre, retrouver.

RESSASSER. Insister, rebâcher, redire, remâcher, répéter, runiner.

RESSAUT. Larmier, redan, redent, ressauter, saillie.

RESSEMBLANCE. Affinité, air, analogie, connexion, désaccord, différence, disparité, image, parenté, portrait, semblable, similitude.

RESSEMBLER. Apparenter, penser, rappeler, rapprocher, tenir.

RESSENTI. Eu, senti.

RESSENTIMENT. Animosité, dépit, haine, ire, rancune, vengeance.

RESSENTIR. Affecter, avoir, connaître, dévorer, donner, endurer, éprouver, feeling, goûter, inspirer, sentir, souffrir, subir.

RESSERRÉ. Aigu, aminci, canal, étroit, fin, menu, mince, serré, silo.

RESSERREMENT. Contraction, constriction, étranglement, étreinte, raideur, rétrécissement, rigidité, sphincter, striction, trisme.

RESSERRER. Amincir, comprimer, contracter, diminuer, emprisonner, étouffer, étrangler, presser, refermer, rétrécir, serrer, tasser.

RESSORT. Activité, amortisseur, ardeur, audace, bravoure, cœur, courage, cran, déclic, énergie, force, moteur, spiral, suspension.

RESSORTIR. Dépendre, dessiner, détacher, éprouver, trancher.

RESSOURCE. Adresse, aisance, alibi, appui, aptitude, défense, excuse, expérience, ingéniosité, mine, moyen, opulence, prospérité, richesse.

RESSUSCITER. Animer, guérir, réanimer, réapparaître, relever, remettre, renaître, reprendre, rétablir, réveiller, revenir, revivre.

RESTANT. Chicot, débris, fond, rebut, résidu, reste, solde, trace.

RESTAURANT. Auberge, bistrot, brasserie, brassette, buffet, buvette, cabaret, cafétéria, cantine, carte, gargote, mess, pizzéria, popote, réfectoire, relais, restoroute, rôtisserie, serveur, taverne.

RESTAURATION. Anasplastie, ostéoplastie, réfection, réhabilitation, rénovation, réparation, rétablissement, stomatoplastie, uranoplastie.

RESTAURER. Manger, nourrir, reconstruire, refaire, réparer, rétablir.

RESTE. Chicot, déblai, débris, décharge, déchet, décombres, demeure, épave, fossile, if, issue, miette, relief, résidu, rogaton, vert, vestige.

RESTER. Attarder, attendre, bride, demeurer, domicilié, durer, éterniser, fatiguer, habiter, immortaliser, loger, maintenir, pourrir, relief, résider, séjourner, stationner, subsister, tenir, traînasser.

RESTES. Bribes, complément, décombres, fragments, reliefs, traces.

RESTITUER. Redonner, régurgiter, remettre, rendre, rétablir, vomir.

RESTREINDRE. Abréger, adoucir, amoindrir, borner, comprimer, contingenter, contraindre, diminuer, limiter, renfermer, rétrécir.

RESTREINT. Borné, diminué, étroit, limité, petit, réservé, rétréci.

RESTRICTIF. Diminutif, limitatif, prohibitif, répressif, strict.

RESTRICTION. Compression, critique, diminution, doute, économie, équivoque, limitation, rationnement, réduction, réserve, réticence.

RÉSULTAT. Aboutissement, apparoir, appert, bilan, but, conclusion, décision, effet, fin, fruit, gelure, issue, œuvre, portée, produit, quotient, reste, score, somme, stérile, suite, tentative, vain, vie.

RÉSULTER. Découler, dépendre, ensuivre, entraîner, issu, naître, procéder, provenir, ressortir, sortir, suivre, tenir, trouver, venir.

RÉSUMÉ. Abrégé, analyse, aperçu, bref, catéchisme, concis, condensé, court, cursif, digest, diminution, épiphonème, épitomé, exposé, extrait, mémento, notice, petit, précis, relevé, sommaire, synopsis.

RÉSUMER. Abréger, condenser, écrire, exposer, récapituler, réduire.

RÉSURGENCE. Ecmnésie, mer, réapparition, regain, renaissance, retour, réveil, revival, vauclusien.

RÉTABLIR. Arranger, colmater, décoder, guérir, raffermir, ramener, ranimer, reconstituer, refaire, réinstaller, réintégrer, relever, renouveler, réparer, replacer, restaurer, restituer, retaper, sauver.

RÉTABLISSEMENT. Amélioration, convalescence, guérison, recouvrement, régénération, remise, restauration, salut.

RETAPER. Améliorer, arranger, décorer, défroisser, embellir, enjoliver, enrichir, garnir, parer, rafistoler, réparer, taper, tirer.

RETARD. Ajournement, arrêt, atermoiement, décalage, délai, démodé, dysphasie, lenteur, périmé, piétinement, remise, tard.

RETARDEMENT. Attente, délai, recul, renvoi, sursis, suspension.

RETARDER. Ajourner, arrêter, arriérer, atermoyer, attarder, décaler, différer, éloigner, ralentir, reculer, remettre, retenir, tarder.

RETEINDRE. Azurer, brillanter, bruir, chiner, ciseler, friser, gaufrer, glacer, gommer, lustrer, moirer, ocrer, racinette, rocouer, satiner.

RETENIR. Arrêter, contenir, digue, filet, fixer, garder, louer, tenir.

RETENTIR. Frapper, fuser, mugir, remplir, rebondir, résonner, tinter.

RETENTISSANT. Ample, assourdissant, bruyant, éclatant, éminent, fort, fracassant, gros, résonnant, sonore, tonitruant, vibrant.

RETENTISSEMENT. Bruit, contrecoup, écho, éclat, impact, succès.

RETENU. Calme, chaste, collé, consigné, contenu, correct, décent, délicat, digne, discret, distant, empêché, froid, gardé, grave, honnête, loué, mesuré, modéré, modeste, poli, puni, prude, réservé, sobre.

RETENUE. Contrainte, décence, dignité, discrétion, mesure, modération, modestie, pudeur, punition, réserve, sagesse, sobriété.

RETIENT. Amarre, ancrage, ancre, grappin, miséricorde, traversière.

RÉTIF. Difficile, entêté, fronfeur, hargneux, indocile, insoumis, passif, quinteux, ramingue, rebelle, récalcitrant, rêche, regimbant, résistant, rétivé, revêche, révolté, rude, têtu, vicieux, volontaire.

RETIRER. Arracher, curer, dégager, démettre, dépouiller, désiler, dessaisir, dominer, écarter, écrémer, enlever, étriper, isoler, lever, ôter, partir, pêcher, prendre, repêcher, retraiter, seul, tirer, vider.

RETOMBÉE. Conséquence, effet, implication, incidence, relaps.

RETOMBER. Gain, incomber, incliner, pencher, pendre, rabattre, rechuter, récidiver, redescendre, rejaillir, replonger, tomber.

RETORS. Artificieux, astucieux, cauteleux, chafouin, ficelle, fin, finaud, habile, madré, malin, matois, roublard, roué, rusé, tordu.

RETOUCHE. Correction, glacis, modification, rectification, rehaut.

RETOUCHER. Corriger, limer, rectifier, remanier, reprendre, revoir.

RETOUR. Annonce, contre-choc, parousie, périodicité, regain, renaissance, rentrée, renvoi, ressac, résurrection, réveil, rime.

RETOURNÉ. Ému, renversé.

RETOURNEMENT. Cabriole, changement, reniement, renversement.

RETOURNER. Bêcher, biner, éloigner, émouvoir, partir, renverser, renvoyer, repartir, replier, revoler, revoter, tourner.

RETRACER. Conter, débiter, décrire, détailler, développer, évoquer, expliquer, exposer, narrer, peindre, raconter, rappeler, rapporter.

RÉTRACTER. Dédire, nier, reprendre, resserrer, retirer, revenir.

RETRAIT. Abolition, décrochage, éloignement, recul, reflux, repli.

RETRAITE. Abri, bauge, débâcle, décrochage, défense, ermitage, gîte, habitation, marche, pension, préretraite, recul, reculer, reflux, refuge, repli, retiré, revenu, seul, solitude, tanière, vieillesse.

RETRAITER. Aliéner, réformer, remiser, replier, retirer, retourner.

RETRANCHEMENT. Abréviation, abri, apocope, coupure, déduction, front, parapet, réforme, revêtement, talus, terre-plein, tranchée.

RETRANCHER. Abaisser, amputer, couper, déduire, distraire, écrémer, éliminer, émonder, enlever, entamer, épurer, étêter, expurger, mutiler, ôter, rabattre, rogner, supprimer, tailler.

RÉTRÉCI. Borné, contracté, diminué, étranglé, étroit, exigu, resserré.

RÉTRÉCISSEMENT. Col, diminution, étranglement, myosis, sténose.

RÉTRIBUER. Avancer, défrayer, dépenser, financer, honorer, payer, prépayer, régler, rémunérer, soudoyer, subvenir, surpayer, verser.

RÉTROGRADE. Arriéré, obscurantiste, passéiste, réactionnaire.

RÉTROGRADER. Aléser, alléger, arrière, baisser, déchoir, descendre, diluer, diminuer, pâlir, reculer, régresser, remonter, revenir.

RETROUSSER. Découvrir, écarter, ramener, rebiquer, recoquiller, relever, remonter, replier, soulever, trousser.

RETROUVER. Reconquérir, recouvrer, récupérer, reprendre, trouver.

RÉTROVISEUR. Focal, glace, miroir, réflecteur, spéculaire.

RETS. Bricoles, filets, lacs, piège.

RÉUNION. Adjonction, agapes, agrégat, amalgame, anastomose, annexion, anthrax, assemblée, bal, brelan, carillon, claque, collège, colonie, duo, enquête, épissure, escadre, faisceau, flottille, groupe, jamboree, jonction, ligature, litée, meeting, mélange, meute, pléiade, plénum, portée, quatuor, quintette, ramassis, rame, raout, rastel, salade, séance, société, soirée, synthèse, tas, trio, union, zooglée.

RÉUNIR. Agréger, amasser, assembler, attacher, brider, colliger, concentrer, coudre, encercler, enquêter, épisser, fusionner, grouper, joindre, lacer, lier, mêler, ponter, rassembler, rattacher, unir.

RÉUSSI. Exécuté, fadé, venu.

RÉUSSIR. Aboutir, accomplir, arriver, atteindre, avancer, avoir, bonheur, briller, but, couronner, déboucher, marcher, mener, parvenir, percer, plaire, prospérer, réaliser, tourner, trouver.

RÉUSSITE. Bonheur, chance, combine, défaite, échec, gain, insuccès, patience, pu, revers, succès, thème, triomphe, veine, victoire.

REVANCHE. Châtiment, compensation, consolation, dédommagement, Némésis, punition, réparation, représailles, rétorsion, retour, riposte.

RÊVE. Ambition, cauchemar, désir, espérance, évasion, idéal, idée, lit, onirisme, phantasme, rêvasserie, séjour, songe, utopie, vision.

RÉVEIL. Commencement, coq, éruption, éveil, ranimation, revival.

RÉVEILLE-MATIN. Cadran, coq, horloge.

RÉVEILLER. Éveiller, ranimer, raviver, ressusciter, revivre, tirer.

RÉVÉLATION. Communication, divination, divulgation, dévoilement, illumination, indiscrétion, initiation, mystère, religion, vision.

RÉVÉLER. Apprendre, arborer, avérer, cacher, communiquer, déballer, déceler, découvrir, déployer, dire, désigner, étaler, exhiber, lu, moucharder, parler, proclamer, redire, su, trahir, vendre, vu.

REVENANT. Apparition, double, ectoplasme, esprit, fantôme, lémure.

REVENDEUR. Dealer, scalper.

REVENDIQUER. Adresser, attribuer, briguer, demander, réclamer.

REVENIR. Rebrousser, reculer, redescendre, regagner, réintégrer, rejoindre, renaître, rentrer, repasser, ressusciter, revivre, revoir.

REVENU. Arrérage, avantage, denier, dotation, fabrique, fruit, gain, guéri, impôt, intérêt, loyer, mense, nominataire, produit, profit, rapport, réapparu, rente, rentré, ressuscité, synodie, viager.

RÊVER. Convoiter, désirer, divaguer, rêvasser, songer, souhaiter.

RÉVERBÈRE. Ambiophonie, lampadaire, lanterne, lumière, reflet.

REVERCHON. Bigarreau, cerise.

RÉVÉRENCE. Affection, courbette, courtoisie, culte, déférence, égard, estime, honneur, prosternation, respect, salamalec, salut, vénération.

RÉVÉREND PÈRE. R.P.

RÉVÉRER. Adorer, craindre, glorifier, honorer, respecter, vénérer.

REVERS. Accident, défaite, dos, échec, ennui, envers, médaille, verso.

REVÊTEMENT. Béton, carapace, cocoon, couche, dalle, enduit, garniture, linoléum, macadam, pavage, pavé, perré, pilosité, stuc.

REVÊTIR. Couvrir, décorer, garnir, habiller, orner, recouvrir, vêtir.

REVÊTU. Armé, blindé, couvert, cuirassé, défendu, flanqué, protégé.

RÊVEUR. Absent, absorbé, abstrait, imaginatif, irréaliste, méditatif, occupé, pensif, perplexe, romanesque, songeur, soucieux, utopiste.

REVIGORER. Fortifier, ragaillardir, ranimer, ravigoter, réconforter, reconstituer, remettre, remonter, requinquer, restaurer, retaper, revivifier, soutenir, stimuler, tonifier.

REVIREMENT. Changement, crise, nuance, phase, retour, virage.

REVISER. Corriger, réécrire, réparer, repasser, revoir, superviser.

RÉVISEUR. Censeur, correcteur, corrigeur, examinateur, faute, lecteur, superviseur, vérificateur.

REVIT. Métempsycose, réincarnation, transmigration.

REVIVRE. Évoquer, réincarner, renaître, renouveler, ressusciter.

RÉVOCATION. Déchéance, destitution, disgrâce, retrait, suspension.

REVOIR. Améliorer, corriger, examen, examiner, limer, parfaire, polir, potasser, rectifier, relire, remanier, repasser, réviser.

RÉVOLTANT. Bouleversant, choquant, criant, dégoûtant, indigne.

RÉVOLTE. Dissidence, émeute, faction, indigné, insoumission, insurrection, mutin, mutinerie, outré, rébellion, révolutionnaire.

RÉVOLTER. Cabrer, choquer, colère, crier, dégoûter, désobéir, écœurer, fâcher, indigner, insurger, mutiner, rebeller, soulever.

RÉVOLU. Accompli, achevé, complet, défunt, déroulé, dépassé, disparu, écoulé, envolé, évanoui, fini, passé, périmé, sonné, terminé.

RÉVOLUTION. Agitation, an, bagarre, bouleversement, carmagnole, cataclysme, circuit, convulsion, courbe, cycle, ébullition, ecliptique, effervescence, ellipse, orbite, périple, pi, rotation, tourmente.

RÉVOLUTIONNAIRE. Activiste, agitateur, anarchiste, contestataire, cordelier, desperado, émeutier, extrémiste, factieux, futuriste, gauchiste, insurgé, insurrectionnel, militant, nihiliste, novateur, putschiste, rebelle, révolté, séditieux, subversif, terroriste, trublion.

RÉVOLUTIONNAIRE CUBAIN (n. p.). Castro.

RÉVOLUTIONNAIRE HONGROIS (n. p.). Kun.

RÉVOLUTIONNAIRE SYRIEN (n. p.). Asad, Assad.

REVOLVER. Arme, barillet, colt, flingue, fusil, pistolet, rif, rifle.

RÉVOQUER. Annuler, casser, congédier, débarquer, débouter, déchoir, dégommer, dégrader, démettre, démissionner, déposer, destituer, exclure, invalider, limoger, relever, sauter, suspendre.

REVU. Relu.

REVUE. Défilé, inspection, magazine, parade, périodique, rubrique.

RHAPSODIE. Aède, mélange, poète, ramas, rhapsode.

RHÉNIUM. Re.

RHÉSUS. Facteur, macaque, rh, singe.

RHÉTIQUE. Ladin, rétique, rhéto-romane.

RHÉTORIQUE. Argument, crase, éloquence, exemple, grammaire.

RHINOCÉROS. Bareter, barrissement, barrir.

RHIZOME. Colocase, iris, prêle, racine, tige.

RHODIUM. Rh.

RHUM. Alcool, baba, daiquiri, eau-de-vie, ratafia, rhumerie, tafia.

RHUMATISME. Arthrite, arthrose, bétol, coxarthrie, douleur, goutte, lumbago, rhumatoïde, salicylate, sciatique, spondylarthrite.

RHUME. Catarrhe, coryza, grippe, mauve, pharyngite, rhinite, toux.

RHYNCHOTE. Aphidien, cigale, cochenille, hémiptère, puceron.

RIA. Aber, entonnoir, vallée.

RIBAMBELLE. Abondance, avalanche, beaucoup, cascade, chapelet, déluge, flopée, foule, infinité, kyrielle, myriade, nuée, série, suite.

RICANÉ. Ri.

RICANER. Bouffer, fou, glousser, mépriser, pouffer, railler, rire.

RICHE. Abondant, aisé, argenté, argenteux, cossu, Crésus, fertile, fortuné, galetteux, grenu, huppé, ladre, milliardaire, millionnaire, multimillionnaire, nanti, nourri, opulent, or, pactole, parvenu, pauvre, Pérou, possédant, pourvu, rentier, richissime, rupin, samit.

RICHESSE. Abondance, aisance, argent, avoir, bien, butin, capital, écu, finance, fonds, fortune, gêne, luxe, misère, moyen, opulence, or, pactole, pauvreté, prospérité, ressource, somptuosité, trésor.

RICTUS. Contraction, grimace, ris, rire.

RIDE. Creux, crispation, grime, ligne, onde, ondulation, patte d'oie, peau, pli, plissement, rabougri, raie, ratatiné, sillon, strié.

RIDEAU. Arbre, baldaquin, banne, château, cil, conopée, courtine, draperie, galon, moustiquaire, store, tenture, théâtre, toile, vitrage.

RIDER. Froncer, grimacer, marquer, plisser, ratatiner, raviner, strier.

RIDICULE. Absurde, affecté, bouffon, burlesque, cloche, cocasse, comique, grotesque, guignol, loufoque, maniéré, risible, sac, sot.

RIDICULISER. Affubler, bafouer, berner, brocarder, moquer, railler.

RIDULE. Ride.

RIEN. Absence, âne, aucun, bu, cancre, dénué, épuisé, fainéant, frelampier, goutte, intérêt, iota, mais, mie, néant, niaiserie, nib, non, nu, nul, pas, peu, point, sans, sec, seulement, tari, valeur, vide, zéro.

RIEUR. Content, enjoué, épanoui, gai, heureux, moqueur, rigolard.

RIGIDE. Austère, bandé, grave, flexible, mou, raide, règle, souple.

RIGIDITÉ. Consistance, dureté, orthodoxe, raideur, sévérité, solidité.

RIGOLADE. Blague, foutaise, plaisanterie, rire.

RIGOLARD. Content, enjoué, épanoui, gai, heureux, moqueur, rieur.

RIGOLE. Canal, caniveau, cassis, coupure, fossé, lapié, ruisseau, saignée, ségala, seghia, séguia, sillon.

RIGOLER. Amuser, badiner, égayer, marrer, moquer, rire, tordre.

RIGOLO. Amusant, comique, drôle, marrant, plaisant, tordant.

RIGORISTE. Austère, intraitable, intransigeant, janséniste, puritain, rigide, rigoureux, sévère, strict.

RIGOUREUX. Âpre, austère, cruel, draconien, dur, étroit, excessif, froid, mathématique, pénible, raide, rude, serré, sévère, strict.

RIGUEUR. Âpreté, austérité, cruauté, dure, dureté, fermeté, inclémence, jansénisme, netteté, pur, rigidité, rigorisme, sévérité.

RIMAILLEUR. Correspondant, métromane, poète, rimeur, versificateur.

RIME. Assonance, consonance, corbillon, dominante, monorime, vers.

RIMEUR. Poète, rimailleur, versificateur.

RIMMEL. Fard.

RING. Arène, boxeur, coin, estrade, lutteur, planches, piste, podium.

RINGARD. Démodé, dépassé, désuet, fossile, tire-braise, tisonnier.

RIPER. Déraper, évader, glisser, gratter, partir, polir.

RIPOSTE. Défense, parade, repartie, réplique, réponse, représailles.

RIPOSTER. Défendre, objecter, réfuter, répliquer, répondre.

RIQUIQUI. Étriqué, insuffisant, maigre, mesquin, pauvre.

RIRE. Amuser, badiner, éclat, égayer, gai, glousser, hilarité, joie, marrer, moquer, pâmer, pouffer, quolibet, railler, ri, ricaner, rictus, rigoler, rioter, ris, risée, risette, rosorius, sourire, zygomatique.

RIS. Boucherie, jeu, rictus, rire, risée, risette, sourire, veau, voile.

RISETTE. Sourire.

RISIBLE. Amusant, burlesque, cocasse, comique, drôle, farce, ridicule.

RISQUE. Abri, aléa, conséquence, danger, épreuve, essai, éventualité, hasard, péril, possibilité, responsabilité, susceptible, témérité.

RISQUÉ. Aléatoire, audacieux, aventureux, chanceux, cru, dangereux, exposé, failli, frisé, hasardé, imprudent, osé, salé, téméraire, tenté.

RISQUER. Affronter, avancer, aventurer, braver, chercher, défier, efforcer, encourir, engager, frôler, goûter, jouer, oser, tâter, tenter.

RISTOURNE. Diminution, escompte, guelte, prime, rabais, remise.

RITAL. Italien.

RITE. Ablution, cérémonial, cérémonie, culte, habitude, liturgie, magie, ordination, pratique, protocole, règle, rituel, sacrement.

RIVAGE. Anse, baie, berge, bord, cale, canal, contrée, côte, dune, flux, grève, limite, littoral, marée, palot, pays, plage, quai, rive.

RIVAL. Adversaire, amant, antagoniste, candidat, combattant, compétiteur, concurrent, égal, émule, ennemi, prétendant.

RIVALISER. Concourir, concurrencer, défier, disputer, égaler, lutter.

RIVALITÉ. Antagonisme, combat, compétition, conflit, jalousie.

RIVE. Bac, berge, bord, côte, gué, littoral, pont, rivage, riverain.

RIVER. Aplatir, assujettir, attacher, clouer, enchaîner, fixer, immobiliser, lier, mater, rabattre, recourber, rivet, riveter.

RIVETER. Chaudronnier, dériveter, ferrer, mater, pointer, river, turc.

RIVIERE. Affluent, bijou, canal, eau, fleuve, gué, lit, ruisseau, vanne.

RIVIÈRE, AFRIQUE (n. p.). Atbara, Aruwini, Bomu, Congo, Dra, Draa, Kasaï, Logone, Mbomu, Oued, Sangha, Vaal, Zaïre.

RIVIÈRE, AFRIQUE DU SUD (n. p.). Vaal.

RIVIÈRE, ALBANIE (n. p.). Drin, Drini.

RIVIÈRE, ALGÉRIE (n. p.). Chéliff, Dra, Isly, Isser, Massa, Sebou, Sig.

RIVIÈRE, ALLEMAGNE (n. p.). Aller, Eder, Elster, Havel, Haye, Helme, Hunte, Inn, Isar, Jetze, Lahn, Lauter, Lech, Leine, Main, Mein, Mulde, Ohre, Oste, Paar, Peene, Rhin, Rott, Ruhr, Saale, Salzach, Spree, Vils, Wertach.

RIVIÈRE, ALPES FRANÇAISES (n. p.). Arve, Roya.

RIVIÈRE, ALPES AUTRICHIENNES (n. p.). Enns.

RIVIÈRE, ALPES DU NORD (n. p.). Isère.

RIVIÈRE, ALSACE (n. p.). Ill.

RIVIÈRE, AMÉRIQUE DU SUD (n. p.). Negro.

RIVIÈRE, ANGLETERRE (n. p.). Ain, Aire, Auon, Cain, Dee, Exe, Ouse, Ribble, Severn, Swale, Tamas, Tenfi, Test, Till, Trent, Tyne, Usk, Yare.

RIVIÈRE, AQUITAINE (n. p.). Dropt, Hers, Midou, Save.

RIVIÈRE, ARGENTINE (n. p.). Matanza, Negro, Parané, Salado.

RIVIÈRE, AUVERGNE (n. p.). Cère, Dore, Sioule.

RIVIÈRE, ASIE (n. p.). Amur, Araxe, Gide, Ili, Indus, Jayhun, Oxus, Sutlej.

RIVIÈRE, AUBE (n. p.). Morge.

RIVIÈRE, AUSTRALIE (n. p.). Barwon, Culgoa, Daly, Darling, Dawson, Murray, Roper, Yarra.

RIVIÈRE, AUTRICHE (n. p.). Inn, Lech, Salzach.

RIVIÈRE, AUVERGNE (n. p.). Cère, dore.

RIVIÈRE, BASSIN AQUITAIN (n. p.). Gers.

RIVIÈRE, BELGIQUE (n. p.). Beek, Bosch, Dendre, Dyle, Lesse, Masse, Mark, Nethe, Ourthe, Roer, Rupel, Sambre, Senne, Velpe, Vesdre.

RIVIÈRE, BIÉLORUSSIE (n. p.). Boug, Bug.

RIVIÈRE, BOLIVIE (n. p.). Beni.

RIVIÈRE, BRÉSIL (n. p.). Acara, Acu, Almas, Apore, Araca, Balsas, Canoas, Capim, Claro, Coari, Curva, Doce, Iacu, Ica, Ilha, Ijui, Itui, Iva, Jari, Jaue, Negro, Pardo, Paru, Pore, Poti, Purus, Sono, Tapajos, Xingu.

RIVIÈRE, BRETAGNE (n. p.). Oust.

RIVIÈRE, BULGARIE (n. p.). Iskar, Isker.

RIVIÈRE, CAMBODGE (n. p.). Sap, Tonie.

RIVIÈRE, CANADA (n. p.). Albany, Assiniboine, Athabaska, Bow, Churchill, Dubawnt, Esclave, Hay, Klondike, La Paix, Liard, Mackenzie, Nelson, Niagara, Ottawa, Pelly, Porcupine, Red Deer, Saskatchewan, Souris, Saint Jean, Winnipeg, White, Yukon.

RIVIÈRE, CHAMPAGNE (n. p.). Vesle.

RIVIÈRE, CHILI (n. p.). Bio-Bio, Itata, Loa, Maule, Valdivia.

RIVIÈRE, CHINE (n. p.). Baihe, Bei, Dong, Han-K, Huang, Hwang, Hun, Ili, Kiang, Kinlin, Lo-Ho, Miru, Si, Si-ho, Tao-Kiang, Tarim, Tatou, Tatsi, Tsien-Tang, Wei, Xi

RIVIÈRE, COLOMBIE (n. p.). Ariari, Cauca, Feza, Funza, Négro, Sinu.

RIVIÈRE, CROATIE (n. p.). Save.

RIVIÈRE, DANEMARK (n. p.). Stor, Wadi, Waddy.

RIVIÈRE, ÉQUATEUR (n. p.). Esmeraldas, Napo.

RIVIÈRE, ESPAGNE (n. p.). Alagon, Arba, Cea, Cega, Ebro, Esla, Genil, Jabalon, Jucar, Manzanares, Narcea, Navia, Seda, Segre, Segura, Sil, Sorraie, Tage, Tajo, Talund, Ter, Tietar, Yeltes, Zancara.

RIVIÈRE, ÉTATS-UNIS, Alabama (n. p.). Coosa, Perdido, Sipsey, Tensaw.

RIVIÈRE, ÉTATS-UNIS, Alaska (n. p.). Canning, Copper, Happy, Koyukuk, Meade, Noatak, Susitna Utokok.

RIVIÈRE, ÉTATS-UNIS, Arizona (n. p.). Fossil, Verde, Zuni.

RIVIÈRE, ÉTATS-UNIS, Arkansas (n. p.). Bayou, Buffalo, Cache, Missouri, Red, Saline, White.

RIVIÈRE, ÉTATS-UNIS, Californie (n. p.). Benito, Eel, Feather, Fresno, Kem, Kern, Kings, Mad, Merced, Mojave, Pit, Salinas, Salmon, Scott, Shasta, Trinity, Ynez, Yuba.

RIVIÈRE, ÉTATS-UNIS, Caroline (n. p.). Black, Bush, Catawba, Dan, Saluda, Sandy, Tiger.

RIVIÈRE, ÉTATS-UNIS, Colorado (n. p.). Alamosa, Conejos, Cucharas, Gunnison, White, Yampa.

RIVIÈRE, ÉTATS-UNIS, Connecticut (n. p.). Byram, Farmington, Housatonic, Quinnipiac, Mad, Mianus, Middle, Naugatuck, Nepaug, Niantic, Norwalk, Shepaug, Stiill, Thames.

RIVIÈRE, ÉTATS-UNIS, Dakota (n. p.). Deep, Elm, Goose, Knife, Moreau, Owl, Park, Rush, Souris, White.

RIVIÈRE, ÉTATS-UNIS, Delaware (n. p.). Indian, Leipsic, Smyrna.

RIVIÈRE, ÉTATS-UNIS, Floride (n. p.). Apalachicola, Chipola, Kissimee, Mantee, Myakka, Peace, Suwannee.

RIVIÈRE, ÉTATS-UNIS, Georgie (n. p.). Altamaha, Chattahoochee, Etowah, Flint, Ocmulgee, Oconee, Ogeechee.

RIVIÈRE, ÉTATS-UNIS, Idaho (n. p.). Boise, Bruneau, Castle, Clearwater, Lemhi, Lost, Middle, Moose, Pack, Palouse, Raft, Teton.

RIVIÈRE, ÉTATS-UNIS, Illinois (n. p.). Apple, Fox, Green, Illinois, Iroquois, Mackinaw, Mckee, Plum, Wabash.

RIVIÈRE, ÉTATS-UNIS, Indiana (n. p.). Blue, Eel, Iroquois, Lost, Obig, Pigeon, Wabash, White, Whitewater.

RIVIÈRE, ÉTATS-UNIS, Iowa (n. p.). Boyer, Cedar, Floyd, Fork, Iowa, Sioux, Turkey.

RIVIÈRE, ÉTATS-UNIS, Kansas (n. p.). Cimarron, Hill, Marais des Cygnes, Nemaha, Neosho, Pawnee, Saline, Solomom.

RIVIÈRE, ÉTATS-UNIS, Kentucky (n. p.). Barren, Clark, Licking, Little, Salt.

RIVIÈRE, ÉTATS-UNIS, Louisiane (n. p.). Atchafalaya, Grand, Ouachita, Red, Temsas.

RIVIÈRE, ÉTATS-UNIS, Maine (n. p.). Allagash, Aroostook, Dead, Kennebec, Machias, Moose, Penobscot, Pleasant.

RIVIÈRE, ÉTATS-UNIS, Maryland,(n. p.). Agawan, Chester, Ipswick, Monocacy, Nashua, North, Patapsco, Patuxent, Potomac, Taunton, Ware.

RIVIÈRE, ÉTATS-UNIS, Massachusetts (n. p.). Charles, Housatonic, Taunton, Westfield.

RIVIÈRE, ÉTATS-UNIS, Michigan (n. p.). Betsy, Cass, Cheboygan, Detroit, Deer, Flint, Huron, Kalamazoo, Manistee, Muskegon, Pigeon, Pine, Sable, Saginaw, Sturgeon, White, Whitefish.

RIVIÈRE, ÉTATS-UNIS, Minnesota (n. p.). Battle, Bear, Cloquet, Kettle, Lost, Middle, Minnesota, Pelican, Roseau, Tamarac, Thief.

RIVIÈRE, ÉTATS-UNIS, Mississippi (n. p.). Amite, Bogue, Leaf, Noxubee, Pascagoula, Pearl, Skuna, Tallahatchie, Tombigbee, Yazoo.

RIVIÈRE, ÉTATS-UNIS, Missouri (n. p.). Big, Chariton, Current, Meramec, Osage, Platte.

RIVIÈRE, ÉTATS-UNIS, Montana (n. p.). Arrow, Bighorn, Judith, Madison, Poplar, Powder, Smith, Teton, Tongue.

RIVIÈRE, ÉTATS-UNIS, Nebraska (n. p.). Colamus, Dismal, Elkhorm, Loup, Nemaha, Platte, Snake.

RIVIÈRE, ÉTATS-UNIS, Nevada (n. p.). Bruneau, Kings, Marys, Quinn.

RIVIERE ÉTATS-UNIS, New Hampshire (n. p.). Ammonoosuc, Baker, Mohawk, Saco.

RIVIÈRE, ÉTATS-UNIS, New Jersey (n. p.). Batsto, Kill, Maurice, Oswego, Passaic, Rahway, Ramapo, Raritan, Toms, Tuckahoe, Wading.

RIVIÈRE, ÉTATS-UNIS, New York (n. p.). Beaver, Cheming, Chenango, Cohocton, Deer, Delaware, Grass, Hudson, Mohawk, Niagara, Oneida, Oswegatchie, Oswego, Salmon, Saranac, Schroon, Seneca, Susquehanna, Tioga.

RIVIÈRE, ÉTATS-UNIS, Nouveau-Mexique (n. p.). Canadien, Conchas, Conejos, Mancos, Pecos.

RIVIÈRE, ÉTATS-UNIS, Ohio (n. p.). Chagrin, Hocking, Huron, Mohican, Ohio, Scioto, Tiffin, Wabash.

RIVIÈRE, ÉTATS-UNIS, Oklahoma (n. p.). Blu, Canadian, Cimarron, Red, Washita.

RIVIÈRE, ÉTATS-UNIS, Oregon (n. p.). Chetco, Clackamas, Columbia, Day, Deschutes, Lost, Owyhee, Malheur, McKenzie, Rogue, Santiam, Sixes, Umpqua, White, Willamette.

RIVIÈRE, ÉTATS-UNIS, Pensylvanie (n. p.). Lehigh, Schuyikill.

RIVIÈRE, ÉTATS-UNIS, Rhode Island (n. p.). Sakonnet, Seekonk.

RIVIÈRE, ÉTATS-UNIS, Tennessee (n. p.). Buffalo, Clinch, Duck, Emory, Gap, Kelso, Loosahatchie, Sequatchie.

RIVIÈRE, ÉTATS-UNIS, Texas (n. p.). Brazos, Canadian, Devils, Llano, Nauidad, Nueces, Saba, Sabine, Trinity, White.

RIVIÈRE, ÉTATS-UNIS, Utah (n. p.). Green, Jordan, Rafael, Raft, Sevier, Uinta, Weber.

RIVIÈRE, ÉTATS-UNIS, Vermont (n. p.). Barton, Clyde, Coaticook, Mad, Mill, Moose, Olittle, Onion, Trout, Waits, Winooski, White.

RIVIÈRE, ÉTATS-UNIS, Virginie (n. p.). Anna, Appomattox, Cacapan, Chickahominy, Coal, Dan, James, Nansemond, Otter, Pocatalico, Rapidan, Shenandoah, Slate, Stauton, Williams, Willis.

RIVIÈRE, ÉTATS-UNIS, Washington (n. p.). Cascade, Cispus, Kettle, Nooksack, Sanpoil, Skagit, Snake, Soleduck, Twisp, Yakima.

RIVIÈRE, ÉTATS-UNIS, Wisconsin (n. p.). Apple, Chippewa, Flambeau, Jumbo, Kickapoo, Menominee, Namekagon, Oconto, Wolf, Yellow.

RIVIÈRE, ÉTATS-UNIS, Wyoming (n. p.). Bighorn, Cheyenne, Greybull, Gros Ventre, Hoback, Laramie, Platte, Powder, Shoshone, Tongue.

RIVIÈRE, ETHIOPIE (n. p.). Omo, Baro, Dawa.

RIVIÈRE, EUROPE CENTRALE (n. p.). Inn, Neisse, Ohre.

RIVIÈRE, EUROPE ORIENTALE (n. p.). Bug.

RIVIÈRE, FRANCE (n. p.). Aa, Ain, Aire, Aisne, Agout, Arve, Aube, Baise, Cère, Creuse, Cure, Drôme, Erdre, Essonne, Eure, Gartempe, Hers, Iton, Loir, Loue, Lys, Maine, Marne, Midou, Moselle, Nievre, Oise, Ourcq, Pau, Paul, Saône, Sarre, Save, Scarpe, Tarn, Verdon, Vézere.

RIVIÈRE, GHANA (n. p.). Volta.

RIVIÈRE, GRÈCE (n. p.). Aliakmon, Arta, Eurotas, Evinos, Iri, Ladon, Lema, Lerne, Vistritsa.

RIVIÈRE, GUADELOUPE (n. p.). Sens.

RIVIÈRE, GUATEMALA (n. p.). Chiroy, Lyaston, Sarstrin.

RIVIÈRE, GUYANE FRANÇAISE (n. p.). Inini.

RIVIÈRE, HONDURAS (n. p.). Aguan, Patuca, Ulua.

RIVIÈRE, HONGRIE (n. p.). Bodrog, Gyoma, Kapos, Koros, Mures, Tisza.

RIVIÈRE, INDE (n. p.). Banas, Dudna, Hagari, Hydaspe, Jamna, Koel, Luni, Parban, Penner, Sankh, Satiedj, Siller, Sutlej, Taptir, Yamuna.

RIVIÈRE, INDOCHINE (n. p.). Mekong, Salouen.

RIVIÈRE, IRAK (n. p.). Zab.

RIVIÈRE, IRLANDE (n. p.). Barrow, Boyne, Clare, Deel, Emme, Foyle, Lee, Liffey, Shannon, Suir.

RIVIÈRE, , ITALIE (n. p.). Adda, Adige, Agri, Allia, Aniene, Arno, Drave, Este, Liri, Maira, Mincio, Nera, Oglio, Po, Reno, Salso, Sesia, Taro, Trebie.

RIVIÈRE, JAPON (n. p.). Gokâse, Kiso, Mogamigawa, Oirase, Takkiri, Teskio, Umyu.

RIVIÈRE, KENYA (n. p.). Athi, Tana.

RIVIÈRE, LACONIE (n. p.). Eurotas.

RIVIÈRE, LUXEMBOURG (n. p.). Alzette, Chiers.

RIVIÈRE, MALAISIE (n. p.). Terengganu, Trengganu.

RIVIÈRE, MAROC (n. p.). Isly.

RIVIÈRE, MASSIF CENTRAL (n. p.). Jonte, Viaur.

RIVIÈRE, MÉSOPOTAMIE (n. p.). Zab.

RIVIÈRE, MEXIQUE (n. p.). Ameca, Atayac, Culiacan, Grijalva, Mayo, Mixteco, Panuco, Rio Grande, San Pedro, Sonora, Tabasco, Verde.

RIVIÈRE, NICARAGUA (n. p.). Coco, Segovia.

RIVIÈRE, NIGÉRIA (n. p.). Benoue, Benin.

RIVIÈRE, NORMANDIE (n. p.). Avre, Orne, Risle.

RIVIÈRE, NOUVELLE-ÉCOSSE (n. p.). Avon.

RIVIÈRE, PAKISTAN (n. p.). Sind, Sutle.

RIVIÈRE, PANAMA (n. p.). Chagres, Tuira.

RIVIÈRE, PARAGUAY (n. p.). Apa, Pilcomaya.

RIVIÈRE, PÉROU (n. p.). Apurimac, Huallaga, Moranon, Mayo, Mazan, Namay, Ocona, Purus, Rimac, Santa, Tigre, Ucayali, Uritu, Urubamba.

RIVIÈRE, PHILIPPINES (n. p.). Abra, Agno, Cagayan, Cotabato, Mindanao, Pampanga, Pasig.

RIVIÈRE, POLOGNE (n. p.). Boug, Brda, Bug, Bzoura, Dosse, Dunajec, Eider, Mondego, Narew, Neisse, Nida, Odra, Pisa, Rawa, Sado, Stupia, Warta, Wetna.

RIVIÈRE, PORTUGAL (n. p.). Tage.

RIVIÈRE, PYRÉNÉES (n. p.). Neste, Nive.

RIVIÈRE, QUÉBEC (n. p.). Abitibi, Betsiamites, Chamouchouane, Chaudière, Chicoutimi, Coulonge, de La Lièvre, Dumoine, Eastmain, Gatineau, Grande-Baleine, Kaniapiskau, Madawaska, Manicouagan, Marguerite, Matane, Mattawin, Miramichi, Mistassini, Moisie, Natashquan, Outaouais, Outardes, Péribonca, Richelieu, Romaine, Rouge, Rupert, Saguenay, Saint-François, Saint-Maurice, Waswanipi, Yamaska.

RIVIÈRE, ROUMANIE (n. p.). Aiud, Blaj, Ineu, Mures, Olt, Risle, Siret, Somes.

RIVIÈRE, RUSSIE (n. p.). Aldan, Dema, Desna, Don, Dvina, Ilet, Ipou, Kama, Lgov, Meja, Moskova, Nitsa, Ob, Obva, Oka, Om, Ounja, Pripiat, Rouika, Sestra, Soj, Tobol, Ufa, Usa, Vitim, Vop.

RIVIÈRE, SAXE (n. p.). Elster.

RIVIÈRE, SCANDINAVIE (n. p.). Ore, Ume.

RIVIÈRE, SIBÉRIE (n. p.). Aldan, Angara, Irtych, Lena, Tom, Vitim.

RIVIÈRE, SLOVAQUIE (n. p.). Alagon, Aliaga, Almonte, Ariza, Cea, Cega, Cinca, Vah, Vau.

RIVIÈRE, SUISSE (n. p.). Aar, Aare, Banova, Doubs, Inn, Orbe, Reuss, Rhin, Saane, Sarine, Tessin, Thur, Toss.

RIVIÈRE, TCHÉCOSLOVAQUIE (n. p.). Eger, Hornad, Jizera, Neisse, Ohre, Slana, Vah.

RIVIÈRE, UKRAINE (n. p.). Acheron, Alma, Boug, Bug, Cocytus, Styx.

RIVIÈRE, VENEZUELA (n. p.). Aro, Caroni, Caura, Ipiri, Negro, Ortuco, Suata, Tigre, Tocuyo.

RIVIÈRE, VIETNAM (n. p.). Song-Bo, Song-Ca, Song-Chu, Tien-Yen.

RIVIÈRE, YOUGOSLAVIE (n. p.). Cerna, Drave, Piva, Save, Treska.

RIXE. Bagarre, bataille, combat, échauffourée, mêlée, querelle.

RIZ. Arac, arak, blé, céréale, nem, pilaf, pilau, rack, raki, saké, saki.

ROBE. Alezan, arzel, aube, aubère, bai, bringé, cafetan, caftan, chambre, cheval, chiton, cigare, costume, djellaba, épitoge, escoc, fourreau, froc, gandoura, gogot, haik, jupe, lamée, mini, peau, peignoir, péplum, poil, prétexte, rabat, rochet, sari, simarre, soutane, surplis, toge, toilette, traîne, troussis, tunique, vêtement, zain, zèbre.

ROBINET. Bain, chantepleure, col-de-cygne, eau, prise, robinetterie.

ROBOT. Androïde, automate, cerveau, engin, machine, ordinateur.

ROBUSTE. Athlète, costaud, énergique, fort, hercule, infatigable, musclé, puissant, râblé, résistant, solide, valide, vigoureux, vivace.

ROCAILLEUX. Cahotique, caillouteux, dentelaire, dur, graveleux, pierreux, raboteux, râpeux, rauque, rocheux, rude, sain, staphylier.

ROCAMBOLE. Ail, bagatelle, invraisemblable, plaisanterie.

ROCAMBOLESQUE. Abracadabrant, bizarre, curieux, drôle, ébouriffant, étonnant, étrange, exceptionnel, exorbitant, fabuleux, fantastique, formidable, impensable, incroyable, paradoxal.

ROCHE. Agate, albâtre, andésite, aplite, ardoise, argile, bauxite, calcaire, cipolin, craie, diapir, diorite, ectinite, écueil, éluvion, falun, gneiss, granit, granite, granulite, gravier, grès, gypse, houille, jaspe, lignite, limon, lumachelle, marne, pierre, ponce, rétinite, roc, rocher, sable, schiste, serpentine, silex, syénite, tarpeienne, tripoli, tuf.

ROCHER. Banc, bloc, boulder, brisant, caillasse, caillou, écueil, éminence, éperon, estoc, étoc, galet, falaise, massif, mollusque, montagne, murex, pic, pierre, pourpre, récif, roc, roche, rupestre.

ROCHER (n. p.). Tarpéienne.

ROCHEUX. Basse, fjeld, pédiment, pétré.

RÔDER. Errer, flâner, frotter, polir, tournoyer, vagabonder, vaguer.

RÔDEUR. Apache, bandit, chemineau, errant, flâneur, malfaiteur, maraudeur, robineux, tire-laine, vagabond.

ROGATON. Bribe, débris, rebut, reliefs, reste, restes, rognure.

ROGNE. Colère, fureur, ire, rage.

ROGNER. Arrondir, couper, diminuer, échancrer, écourter, éjointer, émarger, éroder, massicoter, pester, retrancher, rager, user.

ROGNON. Abat, bougon, cuisseau, rein, silex, veau.

ROI. Cadeau, chef, échec, despote, empereur, justice, lion, mage, magnat, monarque, pair, pharaon, prince, reine, royal, royaume, schah, seigneur, sire, souverain, sultan, triboulet, tsar, tyran.

ROI, ABOMEY (n. p.). Glé-Glé.

ROI, ALBANIE (n. p.). Zog, Zogu.

ROI, ANGLETERRE (n. p.). Alfred, Athelstan, Canute, Charles, Edgar, Édouard, Edmond, Edouard, Edred, Edwy, Egbert, Etheirer, Ethelbald, Ethelbert, Ethelred, Ethelwulf, Etienne, George, Guillaume, Hardicanute, Harold, Henri, Jacques, Jean, Knud, Richard.

ROI, ANGLO-SAXON (n. p.). Alfred le Grand, Eadred, Edgar, Edmond, Edred.

ROI, AQUITAINE (n. p.). Caribert, Charibert, Pépin.

ROI, ARABIE SAOUDITE(n. p.). Fahd, Faysal, Séoud.

ROI, ARAGON (n. p.). Alphonse, Ferdinand, Jacques, Jean, Ferdinand, Frédéric, Jacques, Pierre.

ROI, ARMÉNIE (n. p.). Tigrane, Tiridate.

ROI, ASSYRIE (n. p.). Asarhaddon, Assourbanipal, Assurbanipal, Salmanasar, Sargon, Sennachérib, Sharroukïn.

ROI, ASTURIES(n. p.). Alphonse, Pélage.

ROI, ATHÈNES (n. p.). Égée, Thésée.

ROI, AUSTRALIE (n. p.). Dagobert.

ROI, AUSTRASIE (n. p.). Childebert, Childéric, Clotaire, Dagobert, Sigebert, Théodebald, Thibaud.

ROI, BABEL (n. p.). Hammourabi.

ROI, BABYLONE (n. p.). Balthazar, Bel-Shar, Hammourabi, Nabonide, Napopolassar, Nabounaïd, Nabuchodonosor.

ROI, BAVIÈRE (n. p.). Louis, Maximilien, Otton.

ROI, BELGIQUE (n. p.). Albert, Baudouin, Léopold.

ROI, BIRMANIE (n. p.). Alaungpaya.

ROI, BITHYNIE (n. p.). Nicomède.

ROI, BOHÈME (n. p.). Charles, Ferdinand, Frédéric, Jean, Louis, Otakar, Ottakar, Rodolphe, Sigismond, Venceslas.

ROI, BOSPHORE CIMMÉRIEN (n. p.). Pharnace.

ROI, BOURGOGNE (n. p.). Boson, Childebert, Clovis, Dagobert, Gontran, Rodolphe, Thierry.

ROI, BRETAGNE (n. p.). Nominoë.

ROI, BRUGONDES (n. p.). Gombaud, Gondebaud, Gondobald.

ROI, BULGARIE (n. p.). Boris, Jean.

ROI, BITHYNIE (n. p.). Prousias, Prusias.

ROI, CAMBODGE (n. p.). Norodom, Yaçovarman.

ROI, CARIE (n. p.). Mausole.

ROI, CASTILLE (n. p.). Alphonse, Ferdinand, Henri, Philippe, Pierre.

ROI, CHYPRE (n. p.). Amaury.

ROI, CLUSIUM (n. p.). Porsenna.

ROI, CRÊTE (n. p.). Minos.

ROI, CROATiE (n. p.). Pierre.

ROI, DAHOMEY (n. p.). Béhanzin, Glélé.

ROI, DANEMARK (n. p.). Canut, Christian, Christophe, Dan, Eric, Erik, Frédéric, Harald, Knud, Olaf, Magnus, Valdemar.

ROI, ÉBURONS (n. p.). Ambiorix.

ROI, ÉCOSSE (n. p.). Ballieul, Baliol, Banco, Babquo, Bruce, Brus, Charles, David, Donald, Duncan, Edgar, Fergus, Guillaume, Jacques, Kenneth, Macbeth, Malcolm, Robert.

ROI, ÉGYPTE (n. p.). Ahmès, Ahmôsis, Amasis, Amenemhat, Amén,ophis, Amménémès, Apriès, Busiris, Chéops, Chephren, Danaos, Farouk, Fouad, Lagides, Ménès, Mykérinos, Nechao, Nectanebo, Neforit, Néphéritès, Osymandias, Ousirtesen, Pharaon, Psammetik, Ptolémée, Ramsès, Sethi, Séti, Thoutmès, Thoutmosis, Toutankhamon.

ROI, ÉPIRE (n. p.). Pyrrhus.

ROI, ESPAGNE (n. p.). Alphonse, Bonaparte, Charles, Ferdinand, Juan Carlos, Philippe.

ROI, ÉTHIOPIE (n. p.). Lalibela.

ROI, FRANC (n. p.). Charlemagne, Childebert, Childéric, Clodomir, Clotaire, Clovis, Dagobert, Louis, Pépin.

ROI, FRANC SALIENS (n. p.). Mérovée, Merowig.

ROI, FRANCE (n. p.). Carloman, Charles, Eudes, François, Henri, Hugues-Capet, Jean, Lothaire, Louis, Louis-Philippe, Philippe, Raoul, Robert, Rodolphe.

ROI, GERMANIE (n. p.). Arnoul, Arnulf, Charles, Conrad, Frédéric, George, Henri, Louis, Otton, Philippe, Rodolphe.

ROI, GRANDE-BRETAGNE (n. p.). George, Guillaume.

ROI, GRÈCE (n. p.). Alexandre, Constantin, Georges, Otton, Paul.

ROI, GRANADE (n. p.). Boabdil.

ROI, HAÏTI (n. p.). Christophe.

ROI, HANOVRE (n. p.). George.

ROI, HÉBREUX (n. p.). David, Saul.

ROI, HEDJAZ (n. p.). Séoud.

ROI, HÉRULES (n. p.). Odoacre.

ROI, HONGRIE (n. p.). Aba, André, Béla, Bethlen, Charles, Corvin, Emery, Étienne, Ladislas, Louis, Mathias, Rodolphe, Sigismond, Venceslas, Zapoly, Zapolya.

ROI, HUNS (n. p.). Attila.

ROI, INDE (n. p.). Harsa, Pôros.

ROI, IRAK (n. p.). Faïcal, Faysal.

ROI, IRAN (n. p.). Chah.

ROI, IRLANDE (n. p.). Charles, Christian, George, Guillaume, Jacques.

ROI, ISRAËL (n. p.). Achab, Achaz, Amri, Asa, Baasa, Baeza, David, Ela, Jéhu, Jéroboam, Joachaz, Joas, Joram, Hoshea, Manahem, Osée, Ochosias, Salomon, Saül.

ROI, ITALIE (n. p.). Bérenger, Bernard, Charles, Humbert, Lothaire, Louis, Pépin, Rodolphe.

ROI, ITHAQUE (n. p.). Laërte.

ROI, JÉRUSALEM (n. p.). Amaury, Baudouin, Conrad, Lusignan, René.

ROI, JORDANIE (n. p.). Husayn, Hussein, Talal.

ROI, JUDA (n. p.). Abia, Achaz, Amon, Asa, Azarias, David, Ézéchias, Joachaz, Joachim, Joas, Joram, Josaphat, Josias, Ochosias, Roboam, Sédécias.

ROI, JUDÉE (n. p.). Aristobule.

ROI, JUIF (n. p.). Antigonos, Hérode.

ROI, LAVINIUM (n. p.). Iule.

ROI, LÉON (n. p.). Alphonse, Ferdinand, Henri, Pierre.

ROI, LIBYE (n. p.). Idris.

ROI, LOTHARINGIE (n. p.). Louis.

ROI, LYDIE (n. p.). Candaule, Crésus.

ROI, LOMBARDS (n. p.). Alboïn, Didier.

ROI, MACÉDOINE (n. p.). Alexandre le Grand, Antigonos, Archélaos, Démétrios, Perdiccas, Persée, Philippe, Ptolémée.

ROI, MADAGASCAR (n. p.). Radama.

ROI, MAROC (n. p.). Hassan.

ROI, MAURITANIE (n. p.). Bocchus, Juba.

ROI, MEDES (n. p.). Astyage, Cyaxare, Cyrus, Ouvakhshatra.

ROI, MÉROVINGIEN (n. p.). Childéric, Clovis, Thierry.

ROI, MONTÉNÉGRO (n. p.). Nicolas, Nikita.

ROI, MYCÈNES (n. p.). Atrée.

ROI, MYSIE (n. p.). Télèphe.

ROI, NAPLES (n. p.). Ladislas, Philippe, René.

ROI, NAVARRE (n. p.). Alphonse, Charles, Henri, Jean, Louis, Pierre, Sanche, Thibaut.

ROI, NEUSTRIE (n. p.). Childebert, Chilpéric, Clotaire, Clovis, Dagobert.

ROI, NORTHUMBRIE (n. p.). Edwin.

ROI, NORVÈGE (n. p.). Christian, Frédéric, Haakon, Harald, Magnus, Olaf, Olav, Oscar.

ROI, NUMIDIE (n. p.). Adherbal, Juba, Jugurtha, Masinissa, Massinissa, Syphax.

ROI, ORLÉANS (n. p.). Childebert

ROI, OSTROGOTHS (n. p.). Athalaric, Baduila, Théodahat, Théodat, Totila, Vitigès.

ROI, PARIS (n. p.). Caribert, Charibert.

ROI, PARTHE (n. p.). Orodès, Phaatès, Tiridate, Vologèse.

ROI, PAYS-BAS (n. p.). Guillaume.

ROI, PERGAME (n. p.). Attale, Eumène, Eumenês.

ROI, PERSE (n. p.). Ardachêr, Ardachir, Ardeschir, Artaxerxès, Assuérus, Cambyse, Cyrus, Darios, Darius, Ismail, Nadir, Pahlavi, Sapor, Xerxès.

ROI, PHRYGIE (n. p.). Midas.

ROI, POLOGNE (n. p.). Alexandre, Auguste, Bathori, Boleslas, Casimir, Charles, Etienne, Jean, Ladislas, Louis, Midas, Mieszko, Sigismond, Sobrieski, Stanislas, Venceslas.

ROI, PORTUGAL (n. p.). Alphonse, Carlos, Charles, Denis, Edouard, Emmanuel, Jean, Joseph, Louis, Manuel, Philippe, Pierre, Sébastien.

ROI, PROVENCE (n. p.). Boson, Louis.

ROI, PRUSSE (n. p.). Frédéric, Guillaume.

ROI, PYLOS (n. p.). Nestor.

ROI, ROMAIN (n. p.). Louis, Rodolphe.

ROI, ROME (n. p.). Ancus Martius, Ferdinand, Guillaume, Numa-Pompilius, Romulus, Servius-Tullius, Tarquin, Tullus-Hostilius.

ROI, ROUMANIE (n. p.). Michel.

ROI, SARDAIGNE (n. p.). Enzio, Enzo.

ROI, SASSANIDE (n. p.). Châhpuhr.

ROI, SÉLEUCIDE (n. p.). Épiphane, Kallinikos, Nikatôr, Philopatôr, Séleucos

ROI, SERBIE (n. p.). Alexandre, Étienne, Pierre.

ROI, SICILE (n. p.). Alphonse, Charles, Conrad, Ferdinand, François, Frédéric, Guillaume, Jacques, Louis, Mainfred, Manfred, Pierre, René, Roger.

ROI, SLOVÈNE (n. p.). Pierre.

ROI, SOISSON (n. p.). Clotaire.

ROI, SPARTE (n. p.). Agésilas, Agis, Archidamos, Cléomène, Leonidas, Léotychidas.

ROI, SUÈDE (n. p.). Adolphe-Frédéric, Canut, Charles, Christian, Christophe, Eric, Erik, Frédéric, Gustave, Harald, Knut, Magnus, Olaf, Oscar, Sigismond.

ROI, SYRACUSE (n. p.). Hiéron.

ROI, SYRIE (n. p.). Alexandre, Antiochos, Démétrios.

ROI, TAHITI (n. p.). Pomaré.

ROI, TRANSOXIANE (n. p.). Tamerlan.

ROI, TYR (n. p.). Hiram.

ROI, VALACHIE (n. p.). Dracula.

ROI, WESSEX (n. p.). Egbert.

ROI, WISIGOTHS (n. p.). Alaric, Amalaric, Ataulf, Ataulphe, Athanagild, Euric, Léovigilde, Recarède, Reccared, Rodéric, Rodrigue, Théodoric.

ROI, YOUGOSLAVIE (n. p.). Alexandre, Pierre.

RÔLE. Acteur, catalogue, clé, comparse, état, fonction, frime, grime, liste, personnage, star, tableau, théâtre, travesti, utilité, vamp.

ROLLIER. Oiseau.

ROMAIN, CHIFFRE. I, II, III, IV, V, VI, VII, VIII, IX, X, XI, XII, XIII, XIV, XV, XVI, XVII, XVIII, XIX, XX, XXI, XXII, XXIII, XXIV, XXV, (autres combinaisons avec:) C, D, L, M.

ROMAIN, EMPEREUR (n. p.). Alexandre, Antonin, Apostolat, Auguste, Aurélien, Balbin, Balbinus, Caligula, Caracalla, Carin, Carus, Claude, Commode, Constance, Constant, Constantin, Decius, Didius, Dioclétien, Domitien, Émilien, Eugène, Florien, Galba, Galère, Gallien, Gallus, Geta, Gordien, Gratian, Hadrien, Héliogabale, Jovien, Julianus, Licinius, Marc-Aurèle, Macrin, Magnence,

Maxence, Maxime, Maximien, Maximin, Néron, Nerva, Numérien, Octave, Othon, Pertinax, Philippe L'Arabe, Probus, Pupien, Septime, Sévère, Tacite, Théodose, Tibère, Titus, Trajan, Valens, Valentinien, Valérien, Vérus, Vespasien, Vittelius.

ROMAN. Action, anecdote, conte, dalmate, détective, feuilleton, histoire, intrigue, ladin, livre, manuscrit, nouvelle, polar, policier, prologue, rêve, romancer, romanesque, scénario, thriller.

ROMANCIER. Auteur, écrivain, nouvelliste, populiste, pseudonyme.

ROMANCIER ALLEMAND (n. p.). Bettelheim, Durrenmatt, Hamsun, Hegel, Hesse, Jung, Jünger, Mann, Marx, Nietzche, Singer, Süskind, Zweig.

ROMANCIER AMÉRICAIN (n. p.). Asimov, Brunner, Cadwell, Capote, Carnegie, Clancy, Clarke, Clavell, Cook, Coonts, Cooper, Crichton, Cussler, Daley, DeMille, Dick, Faulkner, Fitzgerald, Follett, Forsyth, Gray, Greene, Hailey, Hemingway, Higgins, Hitchcock, King, Lawrence, Ludlum, Mailer, Melville, Michener, Miller, Poe, Puzo, Segal, Steinbeck, Twain, Wells, West, Wilde.

ROMANCIER ANGLAIS (n. p.). Collins, Defoe, Dickens, Disraéli, Doyle, Greene, Kipling, Lawrence, Reid, Richardson, Shaw, Stevenson, Wells.

ROMANCIER BRITANNIQUE (n. p.). Lytton.

ROMANCIER CHINOIS (n. p.). Lousiun.

ROMANCIER ÉCOSSAIS (n. p.). Scott.

ROMANCIER ESPAGNOL (n. p.). Cervantès, Garcia Marquez.

ROMANCIER FRANÇAIS (n. p.). Alain-Fournier, Apollinaire, Aristote, Attali, Aymé, Balzac, Bataille, Baudelaire, Bazin, Beaumarchais, Berger, Bernanos, Bodard, Camus, Chateaubriand, Clavel, Cocteau, Corneille, Daninos, Daudet, Descartes, Diderot, Dumas, Exbrayat, Féval, Feydeau, Flaubert, Frossard, Gallo, Gide, Giono, Giraudoux, Green, Hémon, Hugo, Jacquard, Kessel, Laborit, La Fontaine, Leblanc, Leroux, Lévy, Loti, Maupassant, Mauriac, Maurois, Mérimée, Molière, Montaigne, Monteilhet, Montesquieu, Musset, Nourissier, Ohnet, Péguy, Platon, Prévost, Proust, Rabelais, Racine, Radiguet, Renard, Rolland, Romains, Rostand, Rousseau, Sade, Sartre, Stendhal, Sue, Sulitzer, Troyat, Vercors, Verlaine, Verne, Villon, Voltaire, Zola.

ROMANCIER ITALIEN (n. p.). Eco.

ROMANCIER PRUSSIEN (n. p.). Arnim.

ROMANCIER QUÉBÉCOIS (n. p.). Angers, Archambault, Arnau, Assiniwi, Audet, Baillargeon, Baillie, Barcelo, Beauchamp, Beauchemin, Beaudet, Beaudry, Bergeron, Berthiaume, Bessette, Bigras, Blais, Boisvert, Bonenfant, Boulerice, Brassard, Brossard, Brouillette, Bussières, Caron, Charron, Cossette, Daignault, Dansereau, Dion, Dor, Ducharme, Folch-Ribas, Fournier, Garneau, Garon, Godbout, Gravel, Graveline, Grignon, Hébert, Hus, Jasmin, Laberge, Laferrière, Lalonde, Laplante, Lemelin, Major, Malenfant, Miron, Monette, Montmorency, Morissette, Noël, Ohl, Ouellette, Paradis, Plante, Poissant, Poliquin, Poulin, Poupart, Proulx, Roy, Saïa, Soucy, Soulières, Stanké, Thériault, Tremblay, Turgeon, Vadeboncœur, Zumthor.

ROMANCIER RUSSE (n. p.). Boulgakov, Dostoïevski, Gogol, Soljénitsyne, Tchekhov, Tolstoï.

ROMANCIER SUISSE (n. p.). Rod.

ROMANCIÈRE ALLEMANDE (n. p.). Frank.

ROMANCIÈRE AMÉRICAINE (n. p.). Brontë, Chase-Riboud, French, Higgins-Clark, Jong, Kubler-Ross, Lessing, Maclaine, McCullough, Nin, Oates, Rendell, Steel, Susann, Taylor-Bradford, Walters.

ROMANCIÈRE ANGLAISE (n. p.). Austen, Cartland, Christie, Cornwell, Highsmith, James, Westmacott, Woolf.

ROMANCIÈRE ESPAGNOL (n. p.). Allende.

ROMANCIÈRE FRANÇAISE (n. p.). Arnothy, Avril, Boissard, Bourin, Cardinal, Chapsal, Charles-Roux, Colette, Collange, Deforges, Dolto, Dorin, Frain, Groult, Lacamp, Laclos, Le Varlet, Mallet-Joris, Monsigny, Pisier, Rivoyre, Sagan, Sand.

ROMANCIÈRE ITALIENNE (n. p.). Deledda.

ROMANCIÈRE NOUVEAU-BRUNSWICK (n. p.). Maillet.

ROMANCIÈRE QUÉBÉCOISE (n. p.). Allard, Aubry, Baillargeon, Bersianik, Blais, Boisjoli, Boisvert, Brossard, Bussières, Cadieux, Cardinal, Champagne, Claudais, Cousture, Cyr, Ferretti, Ferron, Gauvin, Grisé, Laberge, Loranger, Maillet, Marchessault, Miville-Deschênes, Ouellette-Michalska, Ouvrard, Proulx, Roy, Ruel, Sarfati, Villemaire.

ROMANICHEL. Bohémien, nomade, rom, romani, tsigane.

ROMPRE. Annuler, arracher, briser, casser, céder, claquer, couper, crever, défaire, désaxer, désceller, écorner, édenter, enfoncer, éreinter, fêler, fendre, forcer, fracasser, fracturer, péter, volis.

RONCE. Barbelé, broussaille, épine, framboise, framboisier, mûre, mûrier, mûron, ronceraie, roncier.

RONCEUX. Broussaille, madré.

RONCHONNER. Bougonner, grogner, grognonner, grommeler, gronder, manifester, marmonner, maronner, maugréer, murmurer, râler, rognonner, rouspéter.

RONCHONNEUX. Bougon, bougonneux, grincheux, grognon, râleur, ronchonneur, rouspéteur.

ROND. Balle, ballon, bâton, bombe, boule, cerceau, cercle, cerne, circonférence, circulaire, concentrique, cylindrique, éclisse, étoile, ivre, jeton, lune, miche, orbe, orbiculaire, orbite, saoul, sphérique.

RONDE. Atriau, autour, ballon, chanson, grosse, musique, patrouille.

RONDELLE. Bonde, confetti, disque, procédé, rustine, tranche.

RONDOUILLARD. Dodu, gras, grassouillet, gros, plantureux, potelé.

RONFLEMENT. Bourdonnement, ébrouement, ronron, ronronnement.

RONFLER. Bourdonner, bruire, dormir, respirer, ronronner, vrombir.

RONGER. Altérer, attaquer, brûler, corroder, dévorer, éroder, grignoter, manger, miner, mordiller, mordre, piquer, saper, user.

RONGEUR. Agouti, anomalure, cabiai, campagnol, capybara, castor, caviomorphe, chinchillas, cobaye, écureuil, gaufre, gerbille, gerboise, goundi, hamster, hutia, lemming, léporidé, lièvre, loir, marmotte, milan, mulot, muridé, octodon, pacarana, pacas, porc-épic, ragondin, rat, souris, spalax, suisse, surmulot, tamia, viscache, xérus.

ROOF. Rouf.

ROQUETTE. Prison, rouquette, sisymbre.

ROSACÉE. Abricotier, acné, acore, aigremoine, alisier, alloucher, amandier, aubépine, cerisier, cognassier, cormier, ellébore, fraisier, lobe, merisier, néflier, pêcher, poirier, pommier, potentille, prunellier, prunier, ronce, rose, sorbier, spirée, trémière, vitrail.

ROSE. Béril, béryl, diamant, lilas, morganite, neavi, pompon, rhodinol, rosacé, roseraie, rosette, rosier, saumoné, thé, trémière.

ROSE TRÉMIÈRE. Althaea, passe-rose, primerose.

ROSEAU. Açore, arundo, bambou, calame, canne, chalumeau, férule, gynérium, jonc, massette, mirliton, papyrus, phragmite, pipeau.

ROSÉE. Aiguail, gelée, givration, gouttelette, perle, pleur, rosifère.

ROSIER. Églantier, évelyn, floribunda, grandiflora, grimpant, intrigue, othello, peace, polyantha, sericea, solitude, voodoo.

ROSIER ARBUSTE. Agnes, Bonica, Cuthbert, Hansa, Henry Kelsey, Jens Munk, John Cabot, John Franklin, Martin Frobisher, William Baffin.

ROSIER FLORIBUNDA. Arnaud Delbard, Centennial, Challenger, Deb's Delight, Europeana, Girl Guide, Lilli Marlene, Little Devil, Mounbatten, Rose Marie, Velveteen, V.O.N. Canada, Warrior.

ROSIER GRANDIFLORA. Golden Giant, Jacques Cartier, Jeannine, John A. Macdonald, Queen Elizabeth.

ROSIER GRIMPANT. Altissimo, Campanile, Fluorescent, Golden Showers, Imperial Blaze, New Dawn, Sir Wilfrid Laurier, Snow Drift, White Dawn.

ROSIER HYBRIDE DE THÉ. Apogee, atoll, Audrey Meiklejohn, Black Ruby, Blue Nile, Camera, Can Can, Candid, Champagne, Chicago Peace, Colourama, Crêpe de Chine, Dolce Vita, Double Delight, Epidor, Fragrant Cloud, Grand Mogul, Great Century, Great Nord, Halleluiah, Isobel Champion, John Bradshaw, John Snowball, Lancome, Madame Delbard, Norhern Lights, Northern Gold, Papa Meilland, Parthenon, Peace, Pink Peace, Princess Margaret, Saphir, Summer Sunset, Tiffany, Tourmaline, Tropicana, Versailles, Vienna Charm, Woman.

ROSSE. Bat, carcan, carne, chameau, cheval, dur, haridelle, méchant, mordant, rossinante, teigne, vache, venimeux, vulgaire.

ROSSER. Battre, cogner, étriller, frapper, rouer, tabasser, vaincre.

ROSSERIE. Crasse, cruauté, dureté, hargne, jalousie, malice, méchanceté, noirceur, vacherie, vanne.

ROSSIGNOL. Invendable, passe-partout, philomèle, rouge-queue.

ROT. Éructation, renvoi, roter, rôti.

ROTATION. Charnière, cylindre, effet, gond, manivelle, toupie, tour.

ROTE. Mariage, tribunal.

ROTER. Éructer, renvoyer.

RÔTI. Boucherie, bœuf, cuit, havi, plat, rosbif, rôt, salmis.

RÔTIE. Grillée, havi, pain, rissolé, rissolette, saisi, toasté, torrifié.

RÔTIR. Braiser, brasiller, bronzer, brûler, cuire, frire, griller, hâler, mijoter, réduire, rissoler, roussir, saisir, sauter, torréfier.

ROTULE. Genou, noix, rotulien.

ROUBLARD. Adroit, astucieux, combinard, débrouillard, déluré, farceur, finaud, futé, malin, mariol, mariole, roublardise, rusé.

ROUBLE. Rbl.

ROUE. Aube, boulon, buse, came, engrenage, esse, essieu, jante, moulinet, moyeu, noix, pneu, poulie, rai, rayon, réa, sabot, volant.

ROUER. Battre, cogner, dauber, étriller, rosser, tabasser.

ROUGE. Amarante, andrinople, baie, bordeau, brique, capucine, carmin, carotte, cerise, cinabre, corail, cramoisi, cuivré, écarlate, ire, érubescent, garance, grenat, incarnat, pourpre, puce, rougeâtre, rougeaud, rubicond, rutilant, vermeil, vermillon, violacé, vultueux.

ROUGEÂTRE. Alios, brique, latérite, melon, pétéchie, rosâtre, urubu.

ROUGEUR. Érubescence, érythrose, livedo, pourpre, rubéfaction.

ROUGIR. Écidie, empourprer, limonite, mûrir, regretter, rubéfier.

ROUILLE. Ankylose, brun, champignon, parasite, rouquin, urédinée.

ROULEAU. Bande, bâton, bigoudi, boa, bobine, boucharde, cigare, croskill, cylindre, déchargeoir, ensouple, papier, quenelle.

ROULEMENT. Ban, ra, galet, rataplan, tambour, tournus.

ROULER. Balancer, bouler, charrier, déplacer, duper, emporter, enrouler, entraîner, lover, pédaler, torsader, tourner, tromper.

ROULETTE. Balancine, fraise, galet, molette, patin, ponte, roue.

ROULETTER. Fraiser, ourler.

ROULOTTE. Caravane, maison, motorisé, ourlet, remorque, tente.

ROUPILLER. Dormir, sommeiller.

ROUPILLON. Somme.

ROUQUIN. Roux.

ROUQUINER. Poil-de-carotte, roux.

ROUSPÉTER. Fulminer, grogner, maugréer, pester, plaindre, protester, rager, râler, renauder, ronchonner, rouscailler, résister.

ROUSPÉTEUR. Grincheux, grogneux, grognon, râleur, ronchon.

ROUSSELET. Poire.

ROUSSEROLLE. Acrocephalus, effarvatte, fauvette.

ROUSSETTE. Chauve-souris, requin, sélacien, squale.

ROUSSIN. Âne, cheval, policier.

ROUTE. Amer, artère, autoroute, bord, borne, carrefour, chaussée, chemin, corniche, ellipse, itinéraire, lacet, laie, loxodromie, marche, menée, orbite, passage, piste, rr, rte, via, virage, voie, voyage.

ROUTINE. Bureaucratie, coutume, habitude, ornière, pli, préjugé, us.

ROUX. Baillet, cassonade, fauve, rouquin, tabac, urubu.

ROYAL. Digne, monarchie, noble, princier, régalien, riche, souverain.

ROYALISTE. Chouan, légitimiste, monarchiste, nominataire, roi, ultra.

ROYAUME. Heptarchie, monarchie, nation, principauté, royauté.

ROYAUME, AFRIQUE AUSTRALE (n. p.). Lesotho.

ROYAUME, AFRIQUE DU NORD (n. p.). Maroc.

ROYAUME, ASIE (n. p.). Népal, Thaïlande.

ROYAUME, EUROPE (n. p.). Belgique, Danemark, Espagne, Luxembourg, Monaco, Norvège, Pays-Bas, Suède.

ROYAUME, INDOCHINE (n. p.). Laos.

ROYAUME, PROCHE-ORIENT (n. p.). Jordanie.

ROYAUME, PYRÉNÉES ORIENTALES (n. p.). Andorre.

ROYAUTÉ. Couronne, dignité, légitimité, monarchie, royaliste, sceptre, souveraineté, supériorité, trône.

RUBAN. Bande, bavolet, comète, faveur, galon, jarretelle, lacs, liséré, lisière, padou, penon, rail, rosette, scie, serpentin, soie, sparganier.

RUBESCENT. Rouge, rougeâtre, rubéfiant.

RUBIANCÉE. Caféier, gaillet, garance, ipéca, quinquina, vaillantie.

RUBICON. Audace, congestionné, cramoisi, écarlate, oser, rouge.

RUBIDIUM. Rb.

RUBIS. Balais, ongle, noces, rubicelle, spinelle.

RUBRIQUE. Article, chronique, désignation, genre, manchette, titre.

RUCHE. Abeille, alvéole, cellule, cloche, miel, rayon, reine, ruchée.

RUDBECKIA. Dracopis, hirta, lepachys, ratibida, trloba.

RUDE. Âcre, agreste, amer, âpre, ardu, barbare, brut, cru, dur, fort, frustre, grossier, impoli, rauque, râpeux, rêche, rugueux, sec.

RUDEMENT. Bigrement, brutalement, diablement, drôlement, durement, extrêmement, fameusement, sèchement, très.

RUDESSE. Âpreté, aspérité, brutalité, crudité, grossièreté, raucité.

RUDIMENTAIRE. Adobe, brut, début, embryon, imparfait, simple.

RUDOYER. Abîmer, arranger, bafouer, bourrer, brimer, brusquer, critiquer, éreinter, étriller, frapper, secouer, tarabuster, tyranniser.

RUE. Allée, artère, avenue, boulevard, chaussée, chemin, cours, cul-de-sac, galerie, gone, impasse, mail, passage, pavé, paver, poulbot, ruelle, tournant, traboule, venelle, ville, voie.

RUÉE. Attaque, course, curée, descente, désordre, or, paille, panique.

RUELLE. Alcôve, avenue, boulevard, chat, chaussée, cour, cul-de-sac, galerie, impasse, mail, passage, pavé, rue, traboule, venelle.

RUGINE. Xystre.

RUGOSITÉ. Aspérité, saillie, villosité.

RUGUEUX. Âpre, dur, inégal, raboteux, râpeux, rauque, rêche, rude.

RUINÉ. Cuit, débâcle, faillite, fatal, fauché, fichu, mort, perdu, perte.

RUINE. Banqueroute, décombres, échec, ors, renversement, vestige.

RUINER. Abattre, altérer, anéantir, consumer, démollir, dépouiller, dévaster, laver, miner, nettoyer, perdre, piller, raser, ravager.

RUINEUX. Cher, coûteux, dispendieux, exorbitant, onéreux, prohibitif, salé.

RUISSEAU. Caniveau, cassis, fossé, myriophylle, rigole, rivelet, rivière, rivulaire, ru, ruisseler, ruisselet, ruisson, ruz.

RUISSELET. Caniveau, cassis, fossé, rigole, rivelet, ru, ruisseau, ruz.

RUMEUR. Avis, bourdonnement, brouhaha, bruit, canard, confusion, dire, éclat, esclandre, on, on-dit, opinion, médisance, murmure, nouvelle, potin, ragot, scandale, tapage, transpire, tumulte.

RUMINANT. Alpaga, antilope, bœuf, bézoard, bovidé, camélidé, caprin, capriné, cavicorne, cerf, cervidé, chamois, chèvre, chevreuil, corne, daim, élan, girafe, girafidé, lama, mouton, mufle, okapi, orignal, ovidé, rumen, tragulidé, ure, urus, vache, yack, yak.

RUMINER. Dévorer, mâcher, machiner, méditer, penser, réfléchir, régurgiter, remâcher, repasser, repenser, ressasser, retourner.

RUPIN. Aristo, riche.

RUPTURE. Abattée, arrêt, ban, bris, brisement, brisure, brouille, casser, cassage, cassure, décalage, déchirure, destruction, divorce, écart, fracas, fracture, heurt, impaction, infraction, suspension.

RURAL. Agreste, agricole, bucolique, campagnard, champêtre, ferme, grange, manse, métairie, pastoral, paysan, rustique, terre.

RUSE. Adresse, art, artifice, astuce, calcul, carotte, cautèle, détour, diplomatie, duperie, embûche, feinte, ficelle, finesse, fourberie, fraude, malice, manège, piège, piperie, retors, tour, trame.

RUSÉ. Adroit, artificieux, astucieux, cauteleux, chafouin, combinard, diplomate, dol, filou, fin, finaud, fourbe, futé, habile, hypocrite, intelligent, inventif, machiavélique, madré, malicieux, malin, matois, narquois, normand, perfide, piège, renard, retord, roublard, subtil.

RUSER. Capter, escroquer, feindre, filouter, frauder, tricher, tromper.

RUSSIE. C.C.P., C.E.I., slavophile, S.S.S.R., U.R.S.S.

RUSTIQUE. Agreste, campagnard, champêtre, nature, paysan, simple.

RUSTRE. Brute, fruste, goujat, grossier, malapris, malotru, rustaud.

RUTACÉE. Citronnier, citrus, limettier, oranger, pamplemoussier.

RUTHÉNIUM. Ru.

RUTILANT. Ardent, brasillant, brillant, éclatant, étincelant, rouge.

RYTHME. Accent, accord, allure, arythmie, assonance, cadence, césure, clausule, cycle, danse, eurythmie, harmonie, mesure, mètre, mouvement, nombre, retour, son, succession, tempo, vitesse.

RYTHMER. Accorder, cadencer, harmoniser, marquer, mesurer, régler, scander, souligner.

# S

SABAYON. Aromate, crème, œuf, sucre, vin.

SABBAT. Agitation, assemblée, bacchanale, boucan, bruit, chahut, culte, danse, désordre, repos, samedi, tapage, tumulte, vacarme.

SABELLE. Ver.

SABELLIQUE. Apennin, sabin.

SABLE. Alluvion, arène, banc, béton, calcul, castine, dépôt, dune, erg, falun, galet, gravier, grève, jar, lest, limon, lise, maerl, mouvant, noir, paillette, pierre, roche, rose, ruine, sablon, silicium, silt, tague.

SABLER. Avaler, boire, décaper, dépolir, fêter, ingurgiter, lamper.

SABLONNEUX. Arénophile, vasard.

SABOT. Chaussure, cheval, couronne, fer, fourbure, galoche, glome, maréchal, onglon, patin, rénette, seime, socque, sole, toupie.

SABOT (n. p.). Denver.

SABRE. Batte, bélière, briquet, cimeterre, coutelas, épée, escrime, espadon, glaive, latte, mensur, pommeau, sabreur, tsuba, yatagan.

SAC. Bagage, besace, bissac, bourse, cabas, coussin, duvet, ensiler, enveloppe, gibecière, groupe, havresac, outre, pillage, poche, récipient, taie, sachet, sacoche, scrotum, sporange, vésicule, vessie.

SACCADÉ. Abrupt, brusque, convulsé, intermittent, marche, trépidé.

SACCAGER. Abîmer, bouleverser, démolir, désoler, détruire, dévaster, piller, ravager, razzier, renverser, ruiner, saccage.

SACCHAROSE. Disaccharide, inverti, sucrate, sucre.

SACERDOTAL. Amict, aube, chasuble, étole, lin, liturgie, ordre, ors.

SACHEM. Chef, indien, tribu, vieillard.

SACHET. Amulette, infusette, paquet, poche, pochette, ponce, relais, sac, tisane.

SACOCHE. Bourse, gibecière, musette, sabretache, sac.

SACREMENT. Baptême, communion, confession, confirmation, eucharistie, extrême-onction, mariage, ordre, pénitence, réconciliation, viatique.

SACRIFICE. Abnégation, agneau, aruspice, autel, cène, eucharistie, hécatombe, holocauste, hostie, immolation, ite, libation, lustration, messe, oblation, offrande, propitiation, rite, taurobole, victime.

SACRIFIER. Dévouer, donner, immoler, laisser, renoncer, vendre.

SACRISTAIN. Bedeau, concierge, église, gardien, sacristie.

SACRUM. Colonne, coccyx, iliaque, os, sacré, vertèbre.

SADISME. Cruauté, délectation, manie, perversion, sadomasochisme.

SAFRAN. Colchique, crocus, garus, jaune, parmesan, spigol.

SAGA. Cycle, épopée.

SAGACE. Avisé, clairvoyant, devin, fin, intelligent, lucide, pénétrant, perspicace, prudent, sagesse, subtil.

SAGE. Conseiller, modéré, philosophe, prudent, réglé, savant, sensé.

SAGESSE. Calme, circonspection, connaissance, dent, discernement, docilité, maturité, mesure, modération, philosophie, prudence, raison, réflexion, retenue, sagacité, sapience, sérénité, vérité, vertu.

SAI. Capucin, sajou, sapajou, singe.

SAIGNÉE. Canal, phlébotomie, prélèvement, prise, résinier.

SAIGNEMENT. Hémorragie, épistaxis, menstruation, otorrhagie.

SAIGNER. Ensanglanter, ressaigner, sang, tirer, tuer, vaisseau.

SAILLANT. Aigu, anguleux, avancé, proéminent, protubérant, vif.

SAILLIE. Angle, arête, aspérité, avance, balèvre, bec, bosse, bourrelet, cheville, came, corne, côte, dent, ergot, orillon, prognathisme, relief, solin, sourcil, tenon, thénar, trait.

SAILLIR. Avancer, déborder, dépasser, jaillir, percer, poindre.

SAIN. Aéré, hygiénique, indemne, naturel, profitable, pur, sage, salubre, salutaire, santé, sauf, sensé, tonique, valide, vigoureux.

SAINBOIS. Daphné, garou.

SAINDOUX. Axonge, frire, graisse, porc.

SAINFOIN. Esparcet.

SAINT. Apôtre, béat, béatifié, béni, bienheureux, canonisé, dulie, élu, esprit, évangéliste, glorieux, glorifié, icône, image, juste, martyr, nimbe, parfait, patron, prénom, sacré, san, sanctifier, st, vénéré.

SAINT (2 lettres) (n. p.). Lo.

SAINT (3 lettres) (n. p.). Gui, Guy, Luc, Pie, Zée.

SAINT (4 lettres) (n. p.). Bède, Clet, Éloi, Jean, Jude, Knud, Léon, Loup, Marc, Maur, Néri, Ouen, Paul, Rémi, Roch, Yves.

SAINT (5 lettres) (n. p.). André, Benoît, Bruno, Cloud, Denis, Denys, Edwin, Félix, Hygin, Louis, Pascal, Serge, Simon, Sixte.

SAINT (6 lettres) (n. p.). Agapet, Aignan, Alexis, Anicet, Basile, Damase, Éphrem, Fabien, Gaétan, Gildas, Hubert, Hugues, Ignace, Irénée, Jérôme, Joseph, Julien, Libère, Lucius, Marcel, Martin, Pacôme, Pierre, Robert, Siméon, Sirice, Thomas, Urbain, Victor.

SAINT (7 lettres) (n. p.). Agathon, Anaclet, Anselme, Anthère, Antoine, Antonin, Barnabé, Bénezet, Bernard, Casimir, Célestin, Césaire, Charles, Clément, Cyprien, Cyrille, Édouard, Étienne, Fulbert, Georges, Hilaire, Honorat, Isidore, Jacques, Janvier, Laurent, Martial, Mathias, Méthode, Nicolas, Norbert, Patrick, Pontien, Romuald, Sidoine, Silvère, Vincent.

SAINT (8 lettres) (n. p.). Ambroise, Anastase, Athanase, Augustin, Boniface, Colomban, Épiphane, Ennodius, Évariste, François, Frumence, Fulgence, Grégoire, Hilarion, Hormidas, Innocent, Judicaël, Ladislas, Lalibela, Malachie, Nicodème, Philippe, Simplice, Stanislas, Vitalien, Zéphyrin.

SAINT (9 lettres) (n. p.). Bernardin, Dieudonné, Dominique, Guillaume, Maecellin, Matthieu, Sébastien, Sylvestre, Théophile.

SAINT (10 lettres) (n. p.). Barthélemy.

SAINT (12 lettres) (n. p.). Jean-Baptiste, Scholastique.

SAINTE (n. p.). Adélaïde, Agathe, Angèle, Anne, Bernadette, Blandine, Brigitte, Catherine, Cécile, Claire, Clotilde, Colette, Cunégonde, Élisabeth, Eulalie, Geneviève, Gertrude, Gudule, Hélène, Hildegarde, Louise, Luce, Madeleine, Marguerite, Marie, Marthe, Mathilde, Odile, Pulchérie, Radegonde, Thérèse, Ursule, Vierge, Walpurgis, Zita.

SAISI. Apeuré, confisqué, ému, engourdi, étonné, étourdi, happé, perçu, rôti, tremblant, stupéfié, surpris, transi, tremblant.

SAISIE. Confiscation, enregistrement, frappe, pigée.

SAISIR. Agripper, apeurer, attraper, emparer, empoigner, mordre, moucheronner, percevoir, piger, pincer, prendre, rafler, ravir, tenir.

SAISISSANT. Captivant, émouvant, frappant, impressionnant, inouï, pénétrant, poignant, sidérant, soufflant, stupéfiant, surprenant.

SAISISSEMENT. Admiration, émotion, épatement, frayeur, frisson.

SAISON. Automne, époque, équinoxe, été, hiver, printemps, solstice.

SAJOU. Capucin, saï, sapajou.

SALADE. César, fruits, laitue, mensonge, niçoise, russe, scarole.

SALAIRE. Appointement, cachet, émolument, fixe, gage, gain, honoraire, indirect, journée, mensualité, minimum, paie, paye, rémunération, rétribution, solde, traitement, trésor, vacation.

SALAUD. Baveux, dégueulasse, fumier, goujat, immonde, infâme, malpropre, méchant, saligaud, salopard, vilain, voyou.

SALE. Cochon, crotté, malpropre, négligé, ordure, porc, taché, vilain.

SALÉ. Cru, dessalé, exagéré, fort, mer, note, obscène, océan, pec, pré, relevé, resalé, salaison, saumâtre, saur, sauret, sel, sévère, sor.

SALEMENT. Beaucoup, grandement, immensément, moult, très.

SALETÉ. Boue, cochonnerie, crasse, crotte, excréments, gâchis, malpropreté, merde, ordure, résidu, salissure, saloperie, tache.

SALI. Crotté, déshonoré, entaché, maculé, merdeux, souillé, terni.

SALICACÉE. Osier, pleureur, saule, tremble, ypréau.

SALICYLATE. Bétol, cholagogue, salol, spinal.

SALIÈRE. Saleron.

SALIR. Abîmer, barbouiller, crotter, éclabousser, encrasser, gâcher, gâter, graisser, noircir, polluer, saloper, souiller, tacher, ternir.

SALISSURE. Cochonnerie, crotte, ordure, saleté, souillure, tache.

SALIVE. Amylase, asialie, bave, crachat, écume, humeur, mousse, postillon, ptyalisme, récrément, saburre, sialisme, sialorrhée.

SALLE. Antichambre, auditorium, cabinet, cénacle, chambre, cinéma, classe, dortoir, échaudoir, enceinte, entrée, étude, exèdre, foyer, galerie, hall, loge, mess, naos, odéon, parloir, pièce, planétarium, prétoire, réfectoire, salon, séjour, studio, théâtre, trinquet, vivoir.

SALON. Boudoir, exposition, foire, séjour, studio, tea-room, vivoir.

SALOON. Bar, far west.

SALOPERIE. Cochonnerie, immondice, impureté, salissure, souillure.

SALPÊTRE. Eau-forte, natron, nitrate, nitre, salite.

SALSEPAREILLE. Smilax.

SALSIFIS. Scorsonère.

SALTIMBANQUE. Acrobate, antipodiste, artiste, baladin, bateleur, bouffon, charlatan, clown, farceur, forain, funambule, jongleur, nomade.

SALUBRE. Hygiénique, pur, sain, santé, tonique.

SALUER. Acclamer, accueillir, adorer, applaudir, échanger, honorer, ovationner, présenter, proclamer, respecter, vénérer, visiter.

SALUT. Adieu, ave, courbette, hommage, révérence, salamec, salve.

SALUTAIRE. Avantageux, bienfaisant, profitable, sain, santé, utile.

SALUTATION. Ave, bonjour, bonsoir, geste, révérence, salut, santé.

SALVE. Bordée, décharge, rafale, tir, volée.

SALVIA. Sauge.

SAMARIUM. Sm.

SAMOURAÏ. Bushido, guerrier, rônin, soldat.

SANATORIUM. Cure, hôpital, préventorium, sana, solarium.

SANCTIFIER. Béatifier, bénir, canoniser, consacrer, fêter, sacrer.

SANCTION. Amende, arrêt, blâme, censure, dépens, peine, pénalisation, pensum, punition, réprimande, retenue, suspension.

SANCTIONNER. Adopter, approuver, confirmer, entériner, ratifier.

SANCTUAIRE. Asile, église, izumo, nymphée, refuge, temple, vimana.

SANG. Aorte, cœur, cruel, cruor, hémoglobine, laqué, leucocylose, mononucléose, race, saignée, sanguin, sérum, souche, veine, vie.

SANG-FROID. Aplomb, assurance, audace, calme, cran, fermeté, flegme, froideur, impassibilité, maîtrise, patience, tranquillité.

SANGLE. Bande, courroie, culière, dessangler, sanglon, ventrière.

SANGLIER. Babiroussa, bauge, cochon, défense, groin, laie, marcassin, pécari, phacochère, porc, quartanier, ragot, soie, solitaire.

SANGLOT. Gémir, hoquet, larme, plainte, pleur, soupir, spasme.

SANIE. Ichor, pus, sanieux.

SANS. Absolu, acatène, anodin, aphone, aptère, atone, avachi, bête, chimérique, dépourvu, direct, droit, édenté, entier, éternel, étêté, fade, faible, fin, futile, gratuit, illimité, immédiat, incessamment, inculte, inerte, inodore, insipide, insu, léger, libre, maigre, mauvais, miséreux, mou, naïf, nomade, nu, nul, pâle, piètre, privation, privé, prostré, pur, sauf, sec, seul, sot, terne, tous, unanime, uni, vrac.

SANSCRIT. Brahmanique, devanâgari, nagari.

SANS-GÈNE. Aisé, audacieux, culot, dérangement, désinvolte, effronté, impoli, impolitesse, ingérence, intrusion, poltron, toupet.

SANSONNET. Étourneau, passereau.

SAOUL. Aviné, éméché, émoustillé, enivré, grisé, ivre, noir, soûl.

SAPER. Affouiller, anéantir, attaquer, couler, creuser, démolir, détériorer, détruire, habiler, miner, ravager, ruiner, subversif, user.

SAPIN. Cône, fiacre, conifère, pin, pruche, sapinière, sapinette.

SARCASME. Dérision, ironie, moquerie, raillerie, rire, sardonique.

SARCLER. Biner, échardonner, enlever, extirper, nettoyer, serfouir.

SARCOPHAGE. Cénotaphe, cercueil, monument, sépulcre, tombe.

SARCOPTE. Acare, acarus, gale, sarcoïde.

SARDINE. Allache, alose, boîte, galon, mess, pilchard, rogue, sagax.

SARISSE. Lance.

SARMENT. Accolage, arçon, branche, fagot, liane, moissine, poivrier, rameau, sautelle, tige, vigne.

SARONG. Pagne.

SARRASIN. Blé, blini, crêpe, galette, herse, musulman, sarracénique.

SAS. Blutoir, claie, crible, écluse, tamis, vannelle, vantelle.

SASSER. Bluter, cribler, discuter, étudier, secouer, tamiser, trier.

SATAN. Démon, diable, diabolique, éblis, éden, enfer, infernal.

SATAN (n. p.). Éblis, Lucifer, Méphistophélès.

SATELLITE. Allié, astre, engin, géostationnaire, lune, partisan, tueur.

SATELLITE (n. p.). Amalthée, Ariel, Callisto, Deimos, Dione, Enceladus, Europe, Ganymède, Hypérion, Japet, Lo, Lune, Mimas, Miranda, Nereide, Obéron, Phobos, Phoebe, Rhéa, Spoutnik, Tethys, Thémis, Titan, Titania, Triton, Umbriel.

SATIÉTÉ. Dégoût, nausée, quantité, réplétion, satisfaction, saturation.

SATIRE. Catilinaire, diatribe, épode, esprit, factum, libelle, moquerie.

SATISFACTION. Bonheur, joie, raison, réparation, satiété, vanité.

SATISFAIRE. Apaiser, assez, assouvir, calmer, combler, contenter, désaltérer, ébaucher, exaucer, goûter, payer, plaire, rassasier, servir.

SATISFAIT. Agréable, apaisé, arrangé, arrogant, assouvi, béat, bien, calme, comblé, content, don, fat, heureux, insatisfait, mécontent, prétentieux, rassasié, rassuré, réalisé, repu, soulagé, vainqueur.

SATURATION. Carburateur, engorgement, lassitude, satiété.

SATURÉ. Abondant, écœuré, gavé, plein, rassasié, repu, sursaturé.

SATURER. Dégoûter, écœurer, fatiguer, gaver, gorger, lasser, soûler.

SATURNE. Anneau, plomb.

SATURNIEN. Mélancolique, sombre.

SATYRE. Cochon, faune, obsédé, pervers, phallus, sylvain, vicieux.

SATYRE (n. p.). Silène.

SAUCE. Aillade, béarnaise, béchamel, mayonnaise, mirepoix, mouiller, poivrage, poulette, ravigotte, roux, saupiquet, vinaigrette.

SAUCER. Asperger, baigner, doucher, inonder, macérer, mariner, participer, plonger, tremper.

SAUCISSE. Boutargue, cervelas, coiffe, chipolata, chorizo, crépinette, gendarme, hot-dog, mortadelle, rosette, salami, saucisson, wienerli.

SAUCISSON. Baloné, chorizo, gendarme, mortadelle, rosette, salami.

SAUF. Abstraction, avec, dehors, exception, exclusion, fors, hormis, hors, indemne, intact, ôté, préservé, réserve, sain, sinon, tous, tout.

SAUF-CONDUIT. Amant, laissez-passer, passeport, permis, visa.

SAUGE. Orvale, salvia, sclarée, serve, toute-bonne.

SAUGRENU. Absurde, bizarre, burlesque, étrange, inattendu, inconvenant, insensé, insolite, piquant, ridicule, singulier.

SAULE. Alba, amandier, arroyo, aubier, babylone, bebb, blanc, bonpland, caprea, caroline, daphné, discolore, drapé, feutré, fragile, hastata, hooker, lisse, osier, mackenzie, marsault, noir, osier, pacifique, pêcher, pleureur, pourpre, salix, saulaie, scouler.

SAUMÂTRE. Âcre, amer, déplaisant, désagréable, grau, pénible, salé.

SAUMON. Atlantique, bécard, bosse, colin, féra, fontaine, hure, omble, ouananiche, pacifique, saumoneau, sockeye, tacon, truite.

SAUMURE. Marinade, muire, sauris.

SAUNA. Bain, finlandais.

SAUPOUDRER. Fariner, émailler, givrer, mêler, saler, talquer, verrer.

SAURET. Saur.

SAURIEN. Alligator, amblyrhynque, amphisbène, anolis, caïmen, caméléon, crocodile, scincidé, dragon, gavial, gecko, héloderme, iguane, lacertien, lézard, moloch, orvet, reptile, varan, zonure.

SAUT. Axel, ballon, bond, cabriole, cahot, cascade, culbute, croupade, danse, gambade, jeté, ricochet, salto, soubresaut, sursaut, voltige.

SAUT-DE-LIT. Peignoir.

SAUTE. Bondi, changement, modification, omis, variation, virement.

SAUTER. Bondir, cahoter, cuire, danser, élancer, élever, exulter, omettre, passer, plonger, sautiller, sursauter, tressaillir, tressauter.

SAUTEUR. Acrobate, athlète, bateleur, changeant, pantin, versatile.

SAUTEUSE. Casserole, poêle, scie.

SAUVAGE. Agreste, barbare, bestial, brut, cruel, désert, farouche, fauve, inapprivoisé, indien, inhabité, misanthrope, primitif, solitaire.

SAUVÉ. Guéri, rescapé, saint, sauf.

SAUVER. Conserver, échapper, éluder, enfuir, évader, éviter, fuir, garantir, garder, garer, guérir, libérer, réchapper, renflouer.

SAVANE. Arborée, brûlis, campos, jungle, marécage, veld.

SAVANT. Alem, alma, averti, avisé, calé, clerc, chercheur, cultivé, docte, éclairé, érudit, expert, fort, informé, instruit, lettré, mage, philosophe, sage, savoir, scientifique, spécialiste, versé.

SAVEUR. Acide, aigre, amer, amertume, bouquet, charme, doux, fade, fumet, goût, fumet, ignorance, insipide, parfum, piment, piquant, plat, poivré, rance, salé, sapidité, sel, succulence, sucré.

SAVOIR. Acquérir, acquis, art, bagage, compétence, connaissance, capacité, culture, curiosité, doctrine, éducation, érudition, instruction, lettre, lumière, mander, sagesse, science, su, truc, voir.

SAVOIR-FAIRE. Adresse, art, chic, compétence, dextérité, doigté, entregent, expérience, habileté, pratique, truc.

SAVOIR-VIVRE. Bienséance, civilité, doigté, compétence, décorum, doigté, éducation, expérience, habileté, politesse, protocole, tact.

SAVON. Algarade, remontrance, savonnette, semonce, shampooing.

SAVONNER. Blaireau, blanchir, engueuler, essanger, gourmander, laver, nettoyer, réprimander, tancer.

SAVOURER. Agréable, apprécier, boire, dégoûter, déguster, délecter, glouter, goûter, jouir, manger, régaler, sentir, succulent, tâter.

SAXOPHONE. Saxo, saxophoniste.

SBIRE. Nervi, policier, spadassin.

SCABREUX. Compliqué, corsé, dangereux, délicat, difficile, embarrassant, grossier, libre, licencieux, obscène, osé, périlleux.

SCALE. Requin.

SCALP. Chevelure, trophée.

SCALPEL. Bistouri.

SCANDALE. Actif, algarade, barouf, bruit, choc, déplorable, désordre, éclat, éhonté, émotion, épouvantable, esclandre, étonnement, honte, indignation, léger, légèreté, passif, révoltant, tapage, vilain.

SCANDALEUX. Choquant, déplorable, épouvantable, honteux, inconvenant, indigne, odieux, offensant, outrant, révoltant, tapageur.

SCANDALISER. Blesser, choquer, effaroucher, étonner, formaliser, froisser, heurter, indigner, offusquer, outrer, révolter, suffoquer.

SCANDINAVE. Aquavit, danois, nordique, norvégien, renne, suédois.

SCANDIUM. Sc.

SCARABÉE. Anomale, cétoine, coléoptère, hanneton, scarabéide.

SCAROLE. Chicorée, escarole, salade.

SCEAU. Blason, bulle, cachet, coin, empreinte, estampille, justice, marque, plomb, poinçon, scel, scellé, seing, tamier, timbre, visa.

SCÉLÉRAT. Bandit, coquin, criminel, filou, fripon, infâme, larron.

SCÉNARIO. Canevas, histoire, intrigue, plan, synopsis, script, trame.

SCÈNE. Acte, algarade, avanie, coulisse, décor, parade, plan, planche, plateau, rampe, séance, séquence, sketch, spectacle, tableau, théâtre.

SCEPTICISME. Aporétique, défiance, doute, incertitude, incrédulité, indifférence, méfiance, nihilisme, pyrrhonisme, refus, soupçon.

SCEPTIQUE. Athée, blasé, défiant, douteur, dubitatif, incrédule.

SCHÉMA. Abrégé, canevas, descriptif, dessin, diagramme, ébauche, esquisse, forme, formule, graphique, plan, schème, structure.

SCHIZOPHRÉNIE. Athymie, démence, paranoïde, schizoïde, schizose.

SCIAGE. Coupage, dosse, plot.

SCIE. Air, dosseret, égoïne, godendard, godendart, mouche, musique, refrain, rengaine, sauteuse, sciotte, serrate, trait, vivre.

SCIEMMENT. Délibérément, escient, exprès, insu, savoir, volontaire.

SCIENCE. Aéronautique, agrologie, agronomie, archéologie, arithmétique, art, balistique, biologie, blason, botanique, chimie, climatologie, déontologie, diététique, eugénisme, géodésie, géologie, géométrie, idéologie, mathématique, médecine, minéralogie, numismatique, océanologie, œnologie, onirologie, ornithologie, paléontologie, pathologie, pédagogie, physiologie, physique, scénologie, sociologie, symbolique, urbanisme, zootechnie.

SCIER. Araser, couper, débiter, fendre, refendre, séparer, zigouiller.

SCINTILLANT. Brillant, éclat, étincelant, miroitement, pétillement.

SCINTILLEMENT. Chatoiement, éclat, miroitement, papillotement.

SCINTILLER. Brasiller, briller, chatoyer, clignoter, étinceler, flamboyer, luire, lumière, miroiter, papillonner, papilloter, rutiler.

SCIPION (n. p.). Aemilianus, Africain, Asiatique, Asina, Barbatus, Calvus, Corculum, Lucius, Nasica, Publius, Serapio.

SCLÉREUX. Fibreux, sclérogène, sclérose.

SCLÉROPROTÉINE. Kératine.

SCLÉROSÉ. Encroûté, figé, immobile, inactif, inerte, tabès, vieux.

SCOOTER. Moto, motocycle, vespa.

SCONSE. Mouffette.

SCORIE. Déchet, laitier, lave, mâchefer, porc, résidu, suin, suint.

SCOUT. Cheftaine, éclaireur, guide, louveteau, ranger, routier.

SCRIBE. Bureaucrate, copiste, écrivain, gratteur, greffier, logographe.

SCRIBOUILLEUR. Bureaucrate, écrivain, journaliste.

SCRIPT. Scénario.

SCROFULARIACÉE. Digitale, limoselle, linaire, muflier, véronique.

SCROFULE. Abcès, bubon, écrouelles, ganglion, humeur, scrofulaire, scrofuleux, strume, tumeur.

SCRUCTATEUR. Examinateur, inquisiteur, regarder, spectateur, vote.

SCRUPULE. Délicatesse, doute, exactitude, hésitation, poids, soin.

SCRUPULEUX. Affranchi, attentif, consciencieux, correct, délicat, exact, exigeant, fidèle, honnête, juste, maniaque, méticuleux, minutieux, pointilleux, ponctuel, précis, soigneux, soucieux, strict.

SCRUTATEUR. Examinateur, inquisiteur, inspecteur, vérificateur.

SCULPTER. Assembler, buriner, bustier, ciseler, couler, façonner, figurer, former, fouiller, gouger, graver, modeler, mouler, riper, tailler.

SCULPTEUR. Animalier, artiste, bustier, ciseau, ciseleur, gouge, imager, imagier, imagiste, mannequin, modeleur, musée, ognette, riflard, ripe, statuaire, tailleur.

SCULPTEUR ALLEMAND (n. p.). Barlach, Beuys, Riemenschneider, Schwitters, Stwosz.

SCULPTEUR AMÉRICAIN (n. p.). Archipenko, Arman, Bourgeois, Calder, Christo, Gabo, Johns, Nevelson.

SCULPTEUR ANGLAIS (n. p.). Epstein, Flaxman, Hepworth, Moore.

SCULPTEUR AUTRICHIEN (n. p.). Hausmann.

SCULPTEUR BELGE (n. p.). Bury, Minne.

SCULPTEUR BRÉSILIEN (n. p.). Aleijadinho.

SCULPTEUR BRITANNIQUE (n. p.). Caro, Moore.

SCULPTEUR DANOIS (n. p.). Thorvaldsen.

SCULPTEUR ESPAGNOL (n. p.). Berruguete, Cano, Gargallo, Gonzalez, Miro, Picasso.

SCULPTEUR FLAMAND (n. p.). Faydherbe, Giambologna, Siloe.

SCULPTEUR FLORENTIN (n. p.). Brunelleschi, Buontalenti, Juste.

SCULPTEUR FRANÇAIS (n. p.). Anguier, Arp, Bachelier, Bartholdi, Barye, Beauneveu, Boltanski, Bontemps, Bosio, Bourdelle, Buren, Caffieri, Carpeaux, César, Chaudet, Cheval, Clodion, Colombe, Coysevox, Dalou, Daumier, Desjardins, Despiau, Etex, Falconet, Falquière, Frémiet, Gilioli, Girardon, Goujon, Guillain, Houdon, Ipousteguy, Landowski, Lardera, Laurens, Legro, Lipchitz, Maillol, Messagier, Pajou, Pevsner, Pigalle, Pilon, Pradier, Puget, Raysse, Richier, Rodin, Roty, Rude, Saint-Phalle, Schöffer, Sluter, Stahly, Tubi, Waroquier, Zadkine.

SCULPTEUR GREC (n. p.). Alcamène, Anténor, Lysippe, Myron, Phidias, Polyclète, Praxitèle.

SCULPTEUR HOLLANDAIS (n. p.). Sluter.

SCULPTEUR ITALIEN (n. p.). Algarde, Amadei, Amadeo, Bandinelli, Bernin, Boccioni, Canova, Cellini, Donatello, Filarete, Fontana, Ghiberti, Laurana, Leoni, Martini, Michel-Ange, Michelozzo, Orcagna, Pollaiolo, Primatice, Rastrelli, Rossellino, Rosso, Verrocchio.

SCULPTEUR JAPONAIS (n. p.). Jocho, Nagare, Unkei.

SCULPTEUR NÉERLANDAIS (n. p.). Sluter.

SCULPTEUR POLONAIS (n. p.). Stwosz.

SCULPTEUR ROMAIN (n. p.). Gillebert, Gislebert, Gislebertus.

SCULPTEUR ROUMAIN (n. p.). Brancusi.

SCULPTEUR QUÉBÉCOIS (n. p.). Bonet, Bourgault, Côté, Laliberté, Vaillancourt.

SCULPTEUR SOVIÉTIQUE (n. p.). Rodtchenko, Tatline.

SCULPTEUR SUISSE (n. p.). Bill, Giacometti, Tinguely.

SCULPTURE. Ajouré, armature, bosse, buste, ciselage, dard, décoration, ébauche, figurine, figurisme, gisant, glyptique, gravure, grisaille, image, maquette, modelage, moniment, moulure, plastique, relief, statuaire, statue, statuette, stèle, taille, tête, torse, totem.

SÉANCE. Assemblée, assise, audience, audition, cinéma, concert, pièce, projection, représentation, réunion, session, spectacle, théâtre.

SÉANT. Assis, bien, convenable, décent, derrière, genou, idoine.

SEAU. Chaudière, palanche, récipient, seille, vache.

SEC. Anhydre, aride, déshydraté, desséché, dry, dur, égoutté, épongé, essoré, essuyé, fruit, maigre, privation, stérile, tari, vidé.

SÉCHER. Assécher, déshydrater, dessécher, essorer, privation, priver.

SÉCHERESSE. Aridité, dureté, froideur, indifférence, insensibilité.

SÉCHOIR. Haloir, sèche-cheveux.

SECOND. Aide, allié, bis, cadet, deuxième, lieutenant, sous-chef.

SECONDAIRE. Accessoire, adventice, concomitant, dinosaure, incident, inférieur, insignifiant, mineur, polyvalente, subalterne.

SECONDE. Aide, cadette, éclair, instant, joule, minute, trotteuse.

SECONDER. Aider, assister, collaborer, favoriser, secourir, servir.

SECOUER. Agiter, ballotter, bousculer, branler, brimbaler, cahoter, ébranler, hocher, locher, mouvoir, remuer, rouler, vanner, vibrer.

SECOURIR. Aider, assister, associer, délivrer, obliger, sauver, servir.

SECOURS. Abri, aide, appui, assistance, aumône, facilité, grâce, morse, moyen, renfort, rescousse, ressource, SOS, subside.

SECOUSSE. Agitation, cahot, choc, commotion, coup, ébranlement, heurt, mouvement, période, saccade, séisme, soubresaut, temps.

SECRET. Abscond, anonyme, caché, cachotterie, charade, clandestin, clé, clef, confidentiel, dérobé, discret, dissimulé, énigme, état, furtif, intime, latent, mèche, obscur, professionnel, recette, sceau, truc.

SECRÉTAIRE. Armoire, bureau, copiste, dactylo, dactylographe, écritoire, meuble, notaire, rédacteur, scribe, scribouillard, serpent.

SECRÉTAIRE (n. p.). Balue, Cecil.

SECRÈTEMENT. Clandestinement, catimini, sourdement, tapinois.

SÉCRÉTER. Dégoutter, distiller, élaborer, filer, gicler, saliver, suer.

SÉCRÉTION. Acholie, anurèse, bile, biligenèse, civette, copahu, diurèse, eau, excrétion, glaire, humeur, lactation, lacté, larme, morve, mucus, salive, sébum, sérum, sialorrhée, sueur, urine, venin.

SECTAIRE. Adepte, doctrinaire, fanatique, intolérant, partisan, séide.

SECTE. Association, coryphée, école, méthodiste, parti, puritain, zen.

SECTE (n. p.). Animistes, Cyniques, Cathares, Confucianistes, Méthodistes, Mormons, Ordre du Temple Solaire, Quakers, Sikhs.

SECTEUR. Cercle, division, domaine, fief, partie, quaker, rayon, zone.

SECTION. Cellule, coupure, division, fraction, gestapo, groupe, laisse, névrotomie, paragraphe, partie, portion, tartre, ténotomie, zone.

SECTIONNER. Couper, diviser, scinder, segmenter, séparer, trancher.

SÉCULIER. Civil, laïque, profane, sécularisé, temporel, terrestre.

SÉCURISER. Apaiser, calmer, rassurer, tranquilliser.

SÉCURITÉ. Confiance, défense, protection, sûreté, tranquillité.

SÉDATIF. Amidopyrine, barbiturique, calmant, phénobarbital.

SÉDIMENT. Alluvion, apport, boue, couche, dépôt, féculence, formation, lie, limon, précipité, résidu, roche, tartre, varve.

SÉDIMENTAIRE. Calcaire, diaclase, dolomie, grès, gypse, sable.

SÉDITION. Agitation, complot, désordre, émeute, grève, révolte.

SÉDUCTEUR. Charmeur, corrupteur, enchanteur, enjôleur, débaucheur, galant, gigolo, lovelace, magicien, suborneur, tombeur.

SÉDUCTEUR (n. p.). Don Juan.

SÉDUCTION. Attraction, attrait, charme, coquetterie, enivrement, flatterie, flirt, galanterie, magie, prestige, rapt, tentation.

SÉDUIRE. Abuser, appâter, attirer, charmer, conquérir, convaincre, corrompre, débaucher, décevoir, déshonorer, détourner, éblouir, enjôler, ensorceler, envoûter, fasciner, plaire, suborner, vamper.

SÉDUISANT. Agréable, aimable, alléchant, attirant, attrayant, beau, captivant, charmant, désirable, intéressant, ravissant, tentant.

SÉDUM. Anacampseros, byrnesia, gormania, graptopetalum, orpin, perruque, rhodiola, sedastrium, verniculaire.

SEGMENT. Anneau, article, créneau, diagonale, division, fraction, fragment, médiane, métamère, morceau, portion, somite, vecteur.

SEGMENTER. Découper, diviser, morceler, sectionner, scinder.

SEICHE. Calamar, mollusque, raisin, sépia, sépiole.

SEIGLE. Ergot, glui, grain, méteil, orge, rye, ségala, whisky.

SEIGNEUR. Banneret, barine, baron, cavalier, châtelain, chef, dieu, dîme, écuyer, ellice, félon, fief, gentilhomme, hobereau, lige, maître, marquis, monarque, monsieur, nabab, noble, oint, pacha, page, paladin, prince, satrape, sieur, sir, sire, sultan, suzerain, vicomte.

SEIGNEURIE. Baronnie, châtellenie, domaine, duché.

SEILLE. Bac, chaudière, récipient, seau.

SEIN. Buste, centre, cœur, entrailles, giron, gorge, flanc, mamelle, milieu, néné, nichon, parechoc, poitrine, rotoplot, téton, ventre.

SEING. Acte, reçu, signature, sous-seing, volonté.

SÉJOUR. Arrêt, ciel, demeure, domicile, éden, endroit, enfer, habitation, lieu, maison, nuitée, paradis, parfasse, pause, prison, quarantaine, résidence, schéol, stage, vacances, villégiature.

SEL. Acétate, alun, arséniate, borate, bromate, butyrate, carbonate, chlorate, chlorure, citrate, cyanure, Eno, esprit, ferrate, ferrite, fin, fluorure, halogène, iodate, iodure, muriate, nacl, nitrate, nitrite, oléate, persel, phosphate, picrate, piment, piquant, plaisant, saveur, silicate, spirituel, sulfate, sulfure, uranate, urate, vitriol.

SÉLECTION. Assortiment, choisi, collection, écrémé, élection, élite, espèce, éventail, génération, gratin, recueil, réunion, tri, triage.

SÉLECTIONNER. Adopter, aimer, choisir, distinguer, écrémer, élire, jeter, nominer, trier.

SÉLÉNIUM. Se.

SELLE. Arçon, bât, bidet, bride, bridon, cacolet, diarrhée, épreinte, excrément, fonte, harnachement, pommeau, sangle, sellier, tenue.

SELON. Après, conformément, dépendre, fonction, jouxte, notamment, penser, suivant.

SEMAILLES. Enblavage, ensemencement, épandage, semis.

SEMBLABLE. Analogue, apparenté, approximatif, assorti, autre, commun, comparable, conforme, égal, équivalent, homologue, identique, jumeau, kif-kif, même, ménechme, parallèle, pareil, prochain, proche, ressemblant, similitude, sorte, sosie, tel, voisin.

SEMBLANT. Apparaître, apparence, aspect, feindre, feinte, impression, manière, même, ombre, simulacre, tromperie.

SEMELLE. Crampon, fart, lame, patin, samara, soulier, talon.

SEMENCE. Ensemencement, fécondation, fruit, germe, grain, graine, pépin, reproduction, semailles, sémination, semis, sperme.

SEMER. Cultiver, diaprer, disperser, emblaver, engazonner, épandre, jeter, parsemer, propager, répandre, ressemer, revêtir, sursemer.

SÉMINAIRE. Alumnat, colloque, communauté, conférence, congrès, école, institut, pépinière, réunion, symposium, table.

SÉMITE. Arabe, araméen, israélite, juif, phénicien, sémitique.

SEMONCE. Admonestation, blâme, censure, critique, engueulade, improbation, mercuriale, objurgation, plainte, remarque, reproche.

SEMOULE. Gari, kacha, kache.

SÉNATEUR. Assemblée, conscrit, chambre, conseil, curie, député, légat, pair, parlementaire, questeur, sénatorial, veto.

SÉNEÇON. Cinéraire, jacobée.

SENS. Âme, axe, avis, contresens, côté, direction, externe, face, faculté, goût, intelligence, interprétation, interne, juste, objet, obvié, odorat, opinion, organe, orientation, ouïe, palais, repos, sensé, sentiment, signification, tact, tête, toucher, trope, voie, vue.

SENSATION. Agacement, agnosie, aigreur, aura, chaleur, émoi, émotion, euphorie, excitation, fatigue, froid, hallucination, impression, odeur, oppression, perception, picotement, phosphène, sensibilité, sentiment, son, surprise, tact, tiraillement, vertige.

SENSATIONNEL. Fabuleux, génial, inouï, renversant, stupéfiant.

SENSÉ. Droit, éclairé, intelligent, raisonnable, sage, sain, stupide.

SENSIBILITÉ. Émotivité, esthésie, finesse, sensiblerie, sentiment.

SENSIBLE. Affectif, apparent, charnel, chatouilleux, clair, compatissant, cruel, délicat, distinct, douillet, dur, émotif, fin,

fragile, impitoyable, impressionnable, inhumain, notable, romantique, sensoriel, sentimental, touché, vif, vulnérable.

SENSITIVE. Mimosa.

SENSUALITÉ. Chair, débauche, luxure, passion, plaisir, sexe, volupté.

SENTENCE. Adage, aphorisme, apophtegme, arbitrage, arrêt, axiome, condamnation, décret, devise, dicton, dire, dit, gnomique, interdit, jugement, maxime, mot, parole, pensée, proverbe, slogan, verdict.

SENTEUR. Arôme, bouquet, effluve, émanation, empyreume, exhalaison, fétidité, fragrance, fumet, odeur, parfum, trace, vent.

SENTIER. Avenue, cavée, chemin, coulée, draille, glissoire, laie, layon, lé, passage, piste, raccourci, raidillon, rime, sente, voie.

SENTIMENT. Admiration, âme, amitié, amour, avis, blâme, bonté, colère, cœur, crainte, détresse, émoi, émulation, envie, fiel, foi, froid, goût, haine, honnêteté, honte, indignation, intérêt, mine, muet, œil, orgueil, peur, piété, pitié, rire, sacré, sens, tact, tendresse, vide, voix.

SENTINE. Bourbier, charnier, cloaque, décharge, égout, fagne, voirie.

SENTINELLE. Épieur, garde, gardien, guetteur, veilleur, vigie.

SENTIR. Apprécier, arôme, blairer, comprendre, connaître, dégager, embaumer, éprouver, éventer, exhaler, flairer, fleurer, halener, humer, juger, odeur, odorer, penser, percevoir, prévoir, pifer, puer, remarquer, renifler, respirer, ressentir, sens, subodorer, trouver.

SEOIR. Accommoder, aller, arranger, avantager, coller, convenir.

SÉPALE. Calice, casque, dialysépale, gamosépale, limbe.

SÉPARATION. Adieu, borne, césure, cloison, coupe, coupure, départ, démembrement, désunion, diaphragme, dichotomie, diérèse, dis, disjonction, division, divorce, fente, haie, isolation, mort, mur, perte, plancher, raie, rupture, sas, schisme, scission, tamisage, tmèse, tri.

SÉPARÉ. Absolu, dégagé, distinct, isolé, particulier, pur, seul, unique.

SÉPARER. Abstraire, analyser, arracher, casser, cliver, cloisonner, couper, détacher, disjoindre, disloquer, diviser, écarter, écrémer, éloigner, enlever, épurer, espacer, exfolier, exiler, fendre, isoler, morceler, partager, rompre, scier, scinder, trancher, trier, zester.

SEPT. Arc-en-ciel, chandelier, martyrs, merveilles, notes, péchés, sacrements, sages, septidi, vaches, VII.

SEPTENTRION. Anordir, arctique, boréal, glacial, hyperboréen, nord, nordique, polaire.

SEPTIMO. Septièmement.

SÉPULTURE. Caveau, charnier, cimetière, crypte, fosse, mausolée, monument, nécropole, pyramide, sépulcre, syringe, tombe, tombeau.

SÉQUOIA. Conifère, endl, taxidiacée, wellingtonia.

SÉRAIL. Eunuque, harem, milieu, organisation, palais.

SÉRAPHIQUE. Angélique, céleste, éthéré.

SERGE. Sergette, tissu.

SÉRIE. As, beaucoup, chapelet, cycle, étude, évolution, fibrillation, gamme, groupe, instance, jeu, kyrielle, lacet, note, ontogenèse, quarte, quine, quinte, séquence, suée, suite, tiercé, train, trilogie.

SÉRIEUX. Appliqué, austère, calme, digne, grave, pondéré, posé, raisonnable, rassis, réel, réfléchi, sage, sévère, soigneux, sûr.

SERIN. Bête, canari, étourdi, niais, nigaud, passereau, sot, tapette.

SERMENT. Affidavit, caution, jurer, leude, parjure, promesse, vœu.

SERMON. Avent, discours, exhortation, harangue, homélie, oraison, prêche, prédication, prône, remontrance, réprimande, reproche.

SERMONNER. Admonester, avertir, blâmer, condamner, corriger, critiquer, fustiger, gronder, haranguer, infliger, réprimander, tancer.

SERPE. Ébranchoir, élagueur, fauchard, faucille, faux, gouet, serpette.

SERPENT. Amphiptère, anaconda, aspic, basilic, boa, bungare, caducée, céraste, cobra, corail, coronelle, couleuvre, crotale, devin, élaps, eunecte, haje, hydre, mamba, mocassin, naja, ophidien, orvet, python, reptile, sonnette, trigonocéphale, typhlops, uraeus, vipère.

SERPILLÈRE. Panosse, wassingue.

SERRÉ. Avare, ébéniste, dru, entassé, gêné, rapproché, rat, tassé.

SERRER. Cacher, comprimer, corseter, écraser, enfermer, enlacer, enserrer, entasser, esquisser, étreindre, ferler, lacer, ménager, mordre, pincer, placer, plier, presser, ranger, sangler, tasser, visser.

SERRURE. Bénarde, cadenas, clé, clef, crochet, écusson, encoche, fermoir, gâche, huis, loquet, pêne, pompe, rouet, targette, verrou.

SERT. Domestique, employé, ostéogène, servi, service, use, utile.

SERTIR. Assembler, bijou, chatonner, emboîter, encadrer, encastrer, enchâsser, enchatonner, fixer, insérer, intercaler, monter.

SÉRUM. Agglutinine, inoculation, olasma, penthotal, vaccin.

SÉRUM-ALBUMINE. Sérine.

SERVANTE. Boniche, bonne, domestique, employée, maid, ménagère, nurse, serveuse, sigisbée, soubrette, tendrillon.

SERVEUR. Barman, garçon, maritorne.

SERVI. Abîmé, neuf, inusité, inutile, usagé, usé.

SERVIABLE. Aimable, attentionné, bienveillant, bon, brave, charitable, civil, complaisant, déférent, empressé, galant, obligeant, officieux, poli.

SERVICE. Célébration, culte, desserte, extra, fonction, identité, garde, judiciaire, messe, obit, quart, régiment, surveillance, trésor, utilité.

SERVIETTE. Débarbouillette, guenille, linge, sac, torchon, valise.

SERVILE. Abject, avilissant, bas, complaisant, honteux, humilité, indigne, infamant, laquais, plat, rampant, serf, soumis, souple, vil.

SERVIR. Aider, appuyer, donner, favoriser, fournir, honorer, motiver, obéir, piloter, punir, remplacer, suivre, tenir, utiliser.

SERVITEUR. Bedeau, domestique, laquais, larbin, maître, page, valet.

SERVITEUR (n. p.). Éliézer.

SERVITUDE. Alleu, contrainte, dépendance, esclavage, joug, obligation, servage, soumission, subordination, sujétion, vassalité.

SESSION. Assise, audience, congrès, débat, délibération, symposium.

SET. Jeu, manche, plateau.

SEUIL. Alpha, aube, bord, commencement, début, entrée, pas, porte.

SEUL. A cappella, as, délaissé, dernier, ermite, esseulé, exclusif, isolé, premier, reclus, retiré, seulement, seulet, solitaire, solo, un, unique.

SÈVE. Activité, dynamisme, énergie, fermeté, force, puissance, sang.

SÉVÈRE. Acerbe, austère, autoritaire, difficile, doux, draconien, dur, exigeant, humain, impitoyable, implacable, indulgent, inexorable, insensible, mordant, raide, rigide, rigoureux, rude, strict, vachard.

SÉVÉRITÉ. Austérité, autorité, draconien, dureté, étroit, insensibilité, intransigeance, rigidité, rigorisme, rigueur, rudesse, sérieux.

SÉVIR. Battre, châtier, consigner, corriger, endémique, punir, régner, réprimer, sanctionner.

SEVRER. Appauvrir, démunir, déposséder, enlever, frustrer, ôter, priver, ravir, retirer, séparer, sevrage, supprimer.

SEX-APPEAL. Attrait, charme, chien, piquant.

SEXE. Amant, androgène, androgyne, cul, entrecuisse, escargot, fellation, frigidité, genre, homosexuel, ithyphalle, libido, lingam, phallus, priape, saphisme, sensualité, sexologie, vénérien, virilité.

SEXE (n. p.). Amphigame, Androgyne, Éon, Épicène, Hermaphrodite.

SEXUEL. Charnel, érotique, génital, intime, physique, vénérien.

SHAKESPEARE (n. p.). Ariel, Hamlet, Iago, Ophélie, Othello.

SHORT. Bermuda, cuissettes.

SHRAPNELL. Balles, obus.

SI. Oui, prometteur, tant, tel, tellement.

SIAMOIS. Chat, jumeaux, siam, thaï.

SIBYLLE. Alcine, Armide, Circé, magicienne, prophétesse, pythie.

SICAIRE. Tueur.

SIDATIQUE. Sidéen.

SIDÉRAL. Astral, ciel, comète, étoile, galaxie, lune, planète, soleil.

SIDÉRÉ. Déprimé, ébahi, éberlué, effaré, foudroyé, stupéfait, surpris.

SIÈCLE. Âge, ans, cycle, durée, époque, ère, étape, jours, moment.

SIÈGE. Balancelle, banc, banquette, blocus, centre, chaise, escabeau, escabelle, escarpolette, est, être, fauteuil, lieu, pape, rotin, séant, sein, selle, sis, stalle, strapontin, tabouret, tara, tare, trépied, trône.

SIÉGER. Assiéger, demeurer, diriger, être, gésir, gîter, occuper, présider, résider, selle, situer, tenir, trépied, trôner, trouver.

SIESTE. Assoupissement, dodo, méridienne, repos, somme, sommeil.

SIEUR. Sr.

SIFFLEMENT. Acouphène, larsen, psitt, pst, sibilation, sss.

SIFFLER. Appeler, bruit, chanter, chien, chuinter, conspuer, contester, corner, hêler, honnir, huer, respirer, seriner, siffloter.

SIFFLET. Appeau, huchet, pipeau, serinette, signal, sirène.

SIGLE. Abrégé, abréviation, acronyme, emblème, initiale, lettre, logo, monogramme, trigramme.

SIGNAL. Alerte, annonce, appel, avertissement, bip, carré, chamade, code, feux, fusée, geste, gong, indice, mire, signe, sirène, SOS, top.

SIGNALER. Accuser, alerter, annoncer, appeler, avertir, citer, déceler, décrire, dénoncer, désigner, indiquer, marquer, montrer.

SIGNATURE. Aval, contreseing, émargement, endos, endossement, estampille, griffe, paraphe, sceau, scel, seing, souscription, visa.

SIGNE. Accent, annonce, appel, attribut, augure, auspice, bécarre, bémol, caractère, caractéristique, cédille, clé, clef, couleur, dièse, galon, geste, indice, label, miracle, neume, nique, note, pause, pi, pianissimo, plus, point, présage, promesse, silence, trait, zéro.

SIGNE AZTÈQUE. Aigle, ane, caïman, chevreuil, chien, crocodile, eau, fleur, jaguar, lapin, lézard, maison, mort, ocelot, pluie, roseau, serpent, silex, singe, tremblement de terre, vautour, vent.

SIGNE CHINOIS. Bœuf, buffle, chat, cheval, chèvre, chien, cochon, coq, dragon, poule, rat, serpent, singe, tigre.

SIGNE ÉGYPTIEN. Amon-ra, anubis, bastet, geb, horus, isis, nil, mout, osiris, sekhmett, seshat, seth, toth.

SIGNE ISLAMISTE. Cèdre, chameau, cimeterre, dague, est, etcheveria, étoile, fennec, lune, nord, olivier, ouest, sable, serpent, soleil, sud.

SIGNE OCCIDENDAL. Balance, bélier, cancer, capricorne, gémeaux, lion, poissons, sagittaire, scorpion, taureau, verseau, vierge.

SIGNE TIBÉTAIN. Bracelet, buffle, cerf-volant, cobra, cristalline, gardien, gong, lune, moine, soleil, stèle, tortue.

SIGNER. Avaliser, capituler, émarger, endosser, parapher, viser.

SIGNIFICATION. Acceptation, clef, contenu, définition, esprit, expression, extension, métaphore, portée, sémantique, sens, terme.

SIGNIFIER. Déclarer, dénoter, désigner, dire, donner, intimer, rimer.

SIL. Argile.

SILENCE. Arrêt, bâillon, calme, celé, chut, coi, motus, mutisme, mystère, omis, paix, pause, réticence, secret, tacet, taire, temps, tu.

SILENCIEUX. Aphone, calme, coi, court, discret, insonore, morne, muet, placide, posé, réservé, réticent, taciturne, taire, tranquille.

SILEX. Caillou, chien, éolithe, fusil, microlithe, solutreen.

SILHOUETTE. Allure, aspect, contour, croquis, dessin, forme, galbe, ligne, ombre, port, profil, tracé.

SILICATE. Actinote, aegyrine, albite, amiante, béryl, calamite, cérite, cordiériste, disthène, écume, émeraude, épidote, garniérite, grenat, jade, lapis, leucite, péridot, pyroxène, serpentine, sidérolite, stéatite, talc, thorite, trémolite, yttrialite, zéolite, zéolithe, zircon.

SILICE. Calcédoine, crisbalite, cristobalite, quartz, silicule.

SILICIUM. Agate, émail, jaspe, mica, opale, quartz, silex, si, verre.

SILLAGE. Eau, houache, passage, sillon, strioscopie, trace, vestige.

SILLON. Creux, enrue, javelle, raie, rayon, ride, strie, striure, trace.

SIMAGRÉE. Chichi, façon, grimace, manière, minauderie, mine.

SIMILITUDE. Accord, affinité, analogie, concordance, conformité, connexe, harmonie, même, parenté, pareil, ressemblance, semblable.

SIMPLE. Aisé, droit, élémentaire, facile, familier, fou, franc, honnête, humble, ingénu, modeste, naïf, naturel, niais, obscur, ordinaire, pauvre, pur, seul, simplet, sophistiqué, sot, spartiate, un, une.

SIMPLEMENT. Aisément, bêtement, bonnement, facilement, naturellement, nuement, nûment, seulement, uniquement.

SIMPLET. Candide, crédule, niais, niaiseux.

SIMPLICITÉ. Aisance, bonhomie, candeur, crédulité, droiture, franchise, humilité, modestie, naïveté, naturel, rondeur, rusticité.

SIMPLIFIER. Démotique, daciliter, normaliser, réduire, schématiser, standardiser, styliser.

SIMULACRE. Air, apparence, apparition, aspect, évocation, feinte, frime, idole, image, imitation, fantôme, feinte, mensonge, semblant.

SIMULATION. Chiqué, cinéma, cirque, comédie, dissimulation, faux, feinte, frime, image, imitation, pathomimie, ruse, tromperie.

SIMULER. Affecter, faire, feindre, imiter, jouer, peindre, semblant.

SINCÈRE. Authentique, carré, clair, cordial, direct, droit, entier, exact, faux, fidèle, franc, honnête, hypocrite, loyal, menteur, net, ouvert, réel, sérieux, simple, spontané, véridique, véritable, vrai.

SINCÉRITÉ. Authenticité, cordialité, contrition, droiture, fidélité, foi, franchise, hypocrisie, justesse, loyauté, naturel, netteté, vérité.

SINÉCURE. Emploi, filon, fonction, fromage, pantoufle, situation.

SINGE. Aï, alouate, aotus, apelle, araignée, atèle, babouin, bradype, cacajao, callicèbe, capucin, chimpanzé, colobe, douc, drill, entelle, éroïde, fagotin, gelada, gibbon, gorille, guenon, guéréza, hocheur, hoolock, hurleur, laineux, lagotriche, lion, macaque, magot, mandrill, mangabey, moustac, nasique, orang-outan, ouakaris, ouistiti, papion, patas, rhésus, saï, saïmiri, sajou, saki, sapajou, siamang, talapoin, tamarin, titis, vert.

SINGER. Affecter, calquer, caricaturer, contrefaire, copier, grimacer, imiter, jouer, même, mimer, moquer, parodier, pasticher, simuler.

SINGULIER. Bizarre, caractéristique, curieux, drôle, épatant, étrange, extraordinaire, particulier, rare, remarquable, seul, unique, un.

SINISTRE. Dommage, funeste, incendie, macabre, naufrage, perte.

SINON. Autrement, défaut, excepté, faute, ou, sauf, sans.

SINUEUX. Courbe, détour, détourné, flexueux, méandre, onde, ondoyant, ondulant, ondulé, replié, serpentin, spirale, tortueux.

SINUOSITÉ. Anfractuosité, courbe, détour, méandre, onde, pli, repli.

SINUS. Angle, cavité, cercle, concavité, cosécante, cosinus, courbure, pli, sinuosité, sinusal, sinusoïde.

SIPHOMYCÈTE. Péronosporacée, phycomycète, zygomycète.

SIRE. Roi, seigneur, triste.

SIRÈNE. Alarme, ambulance, corne, dugong, police, pompier, sifflet.

SIROP. Béthique, café, capillaire, cocktail, dépuratif, diacode, érable, fortifiant, grenadine, julep, limon, looch, mélasse, orgéat, pectoral.

SIROTER. Absorber, avaler, boire, buvoter, déguster, gobelotter, goûter, humer, ingurgiter, lamper, laper, licher, lipper, picoler, pinter, prendre, régalade, sabler, savourer, toast, trait, trinquer, vider.

SIS. Situé.

SISYMBRE. Rouquette, vélar.

SITE. Canton, coin, emplacement, endroit, lieu, localité, panorama, paysage, perspective, place, position, situation, spectacle, vue.

SITUATION. Abcès, aboi, aisance, cas, circonstance, dans, déroute, détresse, dilemme, disposition, emplacement, endroit, état, exposition, filon, galère, gêne, impasse, juxtaposition, lieu, litispendance, oasis, position, rang, sous, stage, sujet, sur, tendon.

SITUÉ. Assis, campé, condition, état, latéral, lieu, sis, unilatéral.

SITUER. Aviser, dénicher, figurer, juger, lieu, penser, placer, trouver.

SIX. Guitare, hexaèdre, hexagone, juin, sixième, six-huit, VI.

SKETCH. Comédie, numéro, pantomime, saynète, scène.

SLAVE. Boyard, bulgare, russe, slovaque, tchèque, ukrainien.

SMALAH. Famille, serviteurs, tentes.

SNOB. Affecté, apprêté, distant, emprunté, faiseur, snobinard.

SOBRE. Abstème, abstinent, austère, classique, continent, court, dépouillé, discret, économe, frugal, mesuré, modéré, modeste, nu, pondéré, réglé, restreint, retenu, simple, sommaire, tempérant.

SOBRIÉTÉ. Discrétion, frugalité, modération, simplicité, tempérance.

SOBRIQUET. Nom, pseudonyme, qualificatif, surnom.

SOCIABLE. Accommodant, affable, agréable, aimable, apprivoisé, civil, civilisé, facile, indulgent, liant, poli, singe, social, traitable.

SOCIAL. Clanisme, condition, empathie, firme, paria, position, titre.

SOCIALISTE. Communiste, marxiste, progressiste, social-démocrate.

SOCIÉTAIRE. Associé, collègue, compagnon, confrère, membre.

SOCIÉTÉ. Académie, civilisation, collectivité, communauté, communion, compagnie, culture, église, hétérie, ordre, monde, salon.

SOCIÉTÉ ANONYME. S.A.

SOCIÉTÉ PROTECTRICE DES ANIMAUX. SPA.

SOCIOLOGUE ALLEMAND (n. p.). Elias, Habermas, Horkheimer.

SOCIOLOGUE AMÉRICAIN (n. p.). Addams, DuBois, Kinsey, Lasswell, Lazarsfeld, Lewis, Merton, Parsons, Sorokin.

SOCIOLOGUE ANGLAIS (n. p.). Ruskin.

SOCIOLOGUE FRANÇAIS (n. p.). Baudrillard, Bourdieu, Bouthoul, Durkheim, Ellul, Fourastié, Friedmann, Gurvitch, Halbwachs, Lefebvre, Mauss, Morin, Naville, Rodinson, Siegfried, Touraine, Villermé.

SOCIOLOGUE ITALIEN (n. p.). Pareto.

SOCLE. Acrotère, appui, base, buste, fond, fondation, fondement, gaine, pied, piédestal, scabellon, soubassement, statif, support, tee.

SODIUM. Na, sel.

SŒUR. Béguine, converse, elle, fille, frère, frangine, laie, lait, mère, moniale, nonne, religieuse, siamoise, sœurette, sr, tante.

SŒURETTE. Frangine.

SOFA. Canapé, divan, lit, méridienne, ottomane, siège.

SOI. Accaparer, ego, individualiste, inné, foncier, lui, maîtrise, modestie, posséder.

SOI-DISANT. Apparent, censé, faux, présumé, prétendu, supposé.

SOIE. Aspe, bombasin, bombyx, cocon, fibre, foulard, grège, magnan, marceline, nylon, organsin, schappe, sériculture, rayonne, tussah.

SOIF. Altération, ambition, assoiffé, avidité, besoin, boire, convoitise, cupidité, curiosité, désaltérer, désir, dipsomanie, envie, or, passion.

SOIGNÉ. Coquet, cure, étudié, léché, mis, pansé, poli, recherché, tenu.

SOIGNER. Bichonner, câliner, chouchouter, choyer, cultiver, dorloter, entretenir, fignoler, gâter, occuper, panser, peigner, polir, traiter.

SOIGNEUSEMENT. Consciencieusement, curieusement, méticuleusement, minutieusement, précieusement, scrupuleusement, soigneux.

SOIN. Attention, cure, minutie, scrupule, thérapeutique, traitement.

SOIR. Agape, brune, crépuscule, dîner, nuit, sérénade, soirée, souper.

SOIXANTE-DIX. Septante, septuagénaire.

SOL. Arbre, carrelage, dallage, do, fa, glèbe, herse, houe, la, mi, noue, ocre, parquet, patrie, pied, pieu, plancher, puits, ré, si, tapis, terre.

SOLANACÉE. Belladone, morelle, pétunia, piment, tabac, tomate.

SOLDAT. Archer, argoulet, armée, capitaine, cipaye, colonel, conscrit, combattant, cuirassier, dragon, éclaireur, estradiot, général, guerrier, GI, homme, lancier, mercenaire, militaire, officier, papal, poilu, pompier, ranger, recrue, réserviste, sapeur, sentinelle, sergent, tirailleur, triaire, troufion, vélite, vétéran, zouave.

SOLDAT ALLEMAND. SS.

SOLDAT AMÉRIVAIN. GI, ranger.

SOLDAT COLONIAL. Goumier, marsouin, méhariste, spahi, tabor.

SOLDAT ÉTRANGER. Bachibousouk, cipaye, harki, heiduque, janissaire, mamelouk, mameluk, palikare, pandour, papalin, tommy.

SOLDAT GREC. Evzone, fustanelle, hoplite.

SOLDAT PONTIFICAL. Paladin, zouave.

SOLDAT ROMAIN. Centurion, décurion, prétorien, vélite.

SOLDE. Aubaine, émolument, paie, paye, prêt, reliquat, reste, salaire.

SOLDER. Apurer, acquitter, bonifier, brader, démarquer, différencier, écouler, escompter, liquider, payer, pilonner, purer, régler, vendre.

SOLEIL. Astre, étoile, galarneau, hélianthe, helianthus, midi, occident, ouest, Rhébus, Râ, solstice, tithonia, tournesol, zénith.

SOLENNEL. Acte, auguste, authentique, cérémonie, éclatant, fastueux, fête, grave, gravité, imposant, officiel, pompeux, public.

SOLENNITÉ. Ampleur, célébrité, emphase, exaltation, fête, pompe.

SOLIDAIRE. Associé, dépendant, engagé, joint, lié, responsable, uni.

SOLIDARITÉ. Aide, camaraderie, entraide, fraternité, mutualité.

SOLIDE. Certain, corps, dense, dur, épais, ferme, fixe, fort, géométrie, massif, matière, objet, octaèdre, positif, réel, robuste, roc, stable, sûr.

SOLIDEMENT. Densément, durement, fermement, fortement.

SOLIDIFIER. Coaguler, concréter, congeler, cristalliser, durcir, glacer.

SOLIDITÉ. Aplomb, assiette, consistance, densité, dureté, fermeté, force, netteté, résistance, rigidité, robustesse, stabilité, sûreté.

SOLILOQUER. Monologuer.

SOLIPÈDE. Âne, cheval, zèbre.

SOLITAIRE. Bijou, diamant, écarté, ermite, porc, sanglier, seul, ver.

SOLITUDE. Délaissement, désert, isolement, retraite, thébaïde, vide.

SOLLICITER. Appeler, attirer, briguer, demander, entraîner, exciter, implorer, importuner, mendier, postuler, quémander, quêter, tenter.

SOLLICITUDE. Attention, bienveillance, intérêt, soin, souci.

SOLO. Individu, sans, seul, soli, soliste, un.

SOLUTION. Aérosol, clé, clef, conclusion, dissolution, éventration, fin, formule, halte, hiarus, issue, javel, lacune, lessive, moyen, pause, rémission, répit, réponse, résultat, rupture, sol, soluté, terminaison.

SOLUTIONNER. Conclure, répondre, résoudre, simplifier.

SOMBRE. Brumeux, chagrin, coulé, couvert, foncé, funèbre, funeste, inquiétant, maussade, morne, noir, noirâtre, nuageux, nuit, obscur, ombreux, opaque, orageux, sinistre, taciturne, ténébreux, voilé.

SOMBRER. Abîmer, chavirer, couler, malheur, renverser, tomber.

SOMMAIRE. Abrégé, court, esquisse, note, résumé, simplifié.

SOMMATION. Avenir, citation, interpellation, intimation, ordre.

SOMME. Argent, budget, chiffre, compendium, dette, débit, dormir, dû, enjeu, ensemble, fonds, jeton, mise, monnaie, montant, obole, pécule, pot-de-vin, prêt, prime, quantité, redevance, résultat, revenu, sieste, sommier, sou, soulte, surestarie, surloyer, total, tout.

SOMMEIL. Anesthésie, assoupissement, dodo, dormir, hypnose, inaction, léthargie, méridienne, mort, narcose, repos, roupillon, sieste, somme, somnanbulisme, somnolence, stupéfiant, torpeur.

SOMMEILLER. Bouteille, dormir, endormir, reposer, roupiller, sieste.

SOMMELIER. Caviste, échanson, œnologue, sommellerie, vin.

SOMMER. Assigner, avertir, citer, commander, contraindre, décréter, demander, enjoindre, exiger, forcer, imposer, interpeller, intimer.

SOMMET. Aiguille, alpinisme, arête, ballon, calotte, cime, crâne, crête, dent, extrémité, faîte, front, haut, hauteur, maximum, montagne, paroxysme, pic, pinacle, pointe, tête, top niveau, zénith.

SOMNIFÈRE. Anesthésique, calmant, diacode, endormant, hypnotique, narcotique, œillette, opium, rasant, soporifique.

SOMNOLENT. Assoupi, endormi, hypnagogique, reposé, torpeur.

SOMPTUEUX. Beau, éblouissant, éclatant, fastueux, luxueux, magnifique, opolent, princier, riche, royal, splendide, superbe.

SOMPTUOSITÉ. Apparat, brillé, luxe, pompeux, princier, splendide.

SON. Accent, accord, acoustique, blé, bran, bruit, chant, décibel, écho, émission, glume, inflexion, intonation, modulation, mur, musique, note, onde, résonance, sonorité, tache, test, timbre, ton, tonalité.

SONATE. Composition, concerto, final, partita, pièce, symphonie.

SONATE (n. p.). Beethoven, Brahms, Haydn, Mozart, Paganini, Schubert, Schumann.

SONDAGE. Aérosondage, élection, enquête, examen, forage, résultat.

SONDAGE (n. p.). Gallup, Léger et Léger.

SONDE. Analyse, ballon, bougie, cathéter, cathétérisme, drain, étude, explore, île, inspection, lance, puits, tarière, trépan, tube.

SONDER. Analyser, apprécier, ausculter, chercher, creuser, descendre, étudier, examiner, explorer, forer, fouiller, mesurer, percer, pressentir, questionner, reconnaître, scruter, tâter.

SONGE. Cauchemar, chimère, gîte, illusion, oniromancie, rêve, vision.

SONGER. Aviser, mesurer, penser, peser, projeter, réfléchir, rêver.

SONGEUR. Absent, absorbé, aviseur, contemplatif, distrait, léger, occupé, penseur, pensif, préoccupé, rêveur, soucieux, visionnaire.

SONNANT. Juste, liquide, pétant, pile, précis, sonore, tapant.

SONNE. Carillon, cloche, réveil, révolu, sonnant, tapant, téléphone.

SONNER. Annoncer, appeler, bourdonner, carillonner, claironner, corner, proclamer, résonner, retentir, tinter, vanter, vibrer.

SONNERIE. Angélus, appel, ban, carillon, cloche, diane, glas, quête, rappel, rassemblement, réveil, son, sonnette, tintement, tocsin.

SONNETTE. Appel, bélière, campane, carillon, clarine, cloche, clochette, crotale, drelin, grelot, serpent, sonnaille, sonnerie, timbre.

SONORE. Bruyant, éclatant, musical, phonétique, retentissant, top.

SOPHISTIQUÉ. Captieux, erroné, faux, frelaté, paralogique, spécieux.

SOPRANO, CHANTEUSE (n. p.). Alarie, Allison, Amos, Arpin, Arsenault, Baillargeon, Banini-Giroux, Barrette, Bastien, Beauchamp, Beaumier, Bédard, Bélanger, Bellavance, Bellégo, Bernard, Berthiaume, Bilodeau, Blier, Boky, Boucher, Burla, Cadbury, Camirand, Caron, Carrier, Chalfoun, Charbonneau, Cimon, Claude, Côté, Cousineau, Couture, Crépeau, Dansereau, Daviault, D'Éon, De Repentigny, Desmarais, Desrosiers, Dion, Drolet, Duchemin, Dugal, Duguay, Dulude, Dumontier, Dussault, Duval, Edwards, Fabien, Figiel, Findlay, Forget,

Fortin, Frenette, Gagné, Gagnier, Gates, Gauthier, Gendron, Gingras, Grenier, Guay, Guérard, Guérin, Hurley, Husaruk, Jolin-Laurencelle, Karam, Katazian, Kinslow, Kutz, Laberge, Lachance, Lafontaine, Lalonde, Lambert, Lamoureux, Lapointe, Laterreur, Lebœuf, Lebrun, Legault, Lemay, Lemieux, Le Myre, Lespérance, Lessard, Longpré, Lord, Marchand, Marcotte, Marquette, Martel, Martin, Masella, McGuire, Mercier, Murray, Nadeau, Ohlmann, Pagé, Parent, Paulin, Pelletier, Phaneuf, Picard, Pilon, Plante, Postill, Poulin-Parizeau, Poulyo, Robert, Robert, Saint-Denis, Savoie, Séguin, Selkirk, Simard, Sperano, Tiernan, Tremblay, Trudeau, Vachon, Vaillancourt, Vallée-Jalbert, Van Der Hoeven, Verret.

SORBET. Crème, dessert, fruit, glace, rafraîchissement, sorbetière.

SORBIER. Alisier, alizier, cormier, sorbe, sorbitol.

SORCELLERIE. Alchimie, cabale, charme, conjuration, diablerie, divination, enchantement, ensorcellement, hermétisme, horoscope, incantation, magie, maléfice, occultisme, philtre, rite, sort, sortilège.

SORCIER. Alchimiste, adroit, astrologue, devin, enchanteur, ensorceleur, envoûteur, féticheur, grimoire, griot, habile, mage, magicien, magie, malin, nécromancien, sabbat, thaumaturge.

SORCIÈRE. Alcine, Armide, Circé, diseuse, fée, harpie, magicienne, mégère, péri, sirène.

SORDIDE. Abject, bas, cochon, ignoble, impur, ladre, malpropre, sale.

SORNETTE. Baliverne, bêtise, chanson, fadaise, faribole, malédiction.

SORT. Aléa, chance, charme, destin, destinée, enchantement, ensorcellement, fatal, hasard, loterie, magie, maléfice, sortir.

SORTE. Caractère, caste, catégorie, clan, classe, condition, division, espèce, état, façon, famille, forme, genre, groupe, manière, nature, ordre, race, rang, sortir, trempe, type, variété.

SORTIE. Algarade, attaque, balade, césarienne, colère, congé, débouché, départ, éclat, éclore, émoulue, éruption, évasion, exode, hernie, issue, orée, originaire, porte, promenade, sortir, tour.

SORTILÈGE. Bénéfice, charme, évocation, maléfice, miracle, sort.

SORTIR. Absenter, amen, débusquer, décamper, éclore, émané, émerger, émis, émoulu, exsuder, issu, jaillir, gagner, lever, naître, né, partir, paru, pousser, saillir sortie, sourd, transplanter, vider.

SOSIE. Jumeau, ménechme, pendant, réplique, semblable.

SOT. Âne, béjaune, benêt, bêta, bête, borné, buse, con, crétin, dadais, dinde, étourdi, fada, fat, grue, idiot, ignorance, imbécile, naïf, navet, niais, niaiseux, nigaud, oie, poire, ridicule, simple, stupide, valeur.

SOTTE. Autruche, grue, dinde, oie.

SOTTIE. Farce, sotie.

SOTTISE. Absurdité, ânerie, baliverne, balourdise, bêtise, bévue, crétinerie, ineptie, ignorance, injure, insanité, niaiserie, nigauderie.

SOU. Argent, atome, brin, cent, centime, grain, gramme, kopeck, liard, noir, ombre, once, pièce, radis, rond.

**SOUBASSEMENT.** Assise, base, cave, étambrai, fond, fondation, fondement, podium, socle, sous-sol, stéréobate, tambour.

**SOUBRESAUT.** Cahot, convulsion, saccade, secousse, spasme, sursaut.

**SOUBRETTE.** Confidente, demoiselle, lisette, servante, suivante.

**SOUCHE.** Arbre, aristrocrate, bête, branche, descendance, estoc, famille, origine, né, noble, race, racine, talon, tige, titré, tronc.

**SOU-CHONG.** Thé.

**SOUCI.** Agitation, alarme, angoisse, anxiété, appréhension, aria, bile, chagrin, crainte, crin, cure, émoi, emmerde, ennui, incertitude, inquiétude, peine, pensée, perplexité, préoccupation, soin, tracas.

**SOUCIEUX.** Absorbé, agité, alarmé, angoissé, anxieux, contrarié, craintif, indifférent, inquiet, obsédé, préoccupé, sombre, tracassé.

**SOUCOUPE.** Assiette, ovni, sébile, sous-tasse, tasse.

**SOUDAIN.** Agression, apoplexie, aussitôt, brusque, brutal, coup, éclat, explosion, fortuit, foudroyant, fulgurant, immédiatement, imprévu, inattendu, inopiné, instantané, irruption, prompt, rapide, subit.

**SOUDAINEMENT.** Brusquement, brutalement, inopinément, subitement.

**SOUDAINETÉ.** Brusquerie, rapidité.

**SOUDARD.** Drille, goujat, plumet, reître, sabreur, soldat, spadassin.

**SOUDER.** Aciérer, adhérer, assembler, braser, coller, corroyer, emboîter, greffer, joindre, ressouder, réunir, river, unir.

**SOUDOYER.** Acheter, arroser, corrompre, graisser, payer, stipendier.

**SOUDURE.** Adhérence, brasure, ignitron, soudage, suture, synostose.

**SOUE.** Cochon, étable, porcherie.

**SOUFFERT.** Pâti.

**SOUFFLE.** Air, âme, bombé, bouclé, bouffée, bouffi, boursouflé, bruit, courant, effluve, essoufler, éteint, étésien, exhalation, haleine, halètement, inspiration, insuffler, respiration, soupir, vent, vie.

**SOUFFLER.** Alchimie, aspirer, détruire, ébrouer, essouffler, éteindre, exhaler, expirer, haleter, mémoire, reposer, respirer, venter.

**SOUFFLET.** Baffe, beigne, beignet, calotte, claque, coup, emplâtre, gifle, giroflée, mandale, mornifle, pain, taloche, tape, tarte, torgnole.

**SOUFFLETER.** Battre, calotter, claquer, confirmer, gifler, injurier.

**SOUFFRANCE.** Arrêté, chagrin, dam, douleur, élancement, expiation, jour, mal, maladie, malaise, misère, peine, rage, suspendu, tracas.

**SOUFFRANT.** Dolent, faible, fatigué, incommodé, indisposé, malade.

**SOUFFRE-DOULEUR.** Bouc émissaire, mal-aimé, martyr, victime.

**SOUFFRIR.** Douleur, éprouver, essuyer, mal, pâtir, peiner, supplice.

**SOUFRE.** S.

**SOUHAIT.** Ambition, appétit, aspiration, attente, demande, désir, envie, espérance, gré, imprécation, réciproque, rêve, vœu.

**SOUHAITER.** Demander, désirer, donner, espérer, rêver, vouloir.

**SOUILLER.** Baver, entacher, laver, salir, tacher, tarer, teinter, ternir.

**SOUILLON.** Cochon, crasseux, dégoûtant, grossier, malpropre.

**SOUILLURE.** Bavure, crasse, crotte, immondice, impureté, intact, maculature, net, ordure, pâté, pur, saleté, sali, salissure, tache, vomi.

**SOÛL.** Assouvi, biberon, boire, bourré, ivre, paf, rassasié, rond, saoul.

**SOULAGER.** Adoucir, aider, apaiser, alléger, calmer, consoler, débarrasser, décharger, délivrer, guérir, ôter, réconforter, remède.

**SOÛLERIE.** Arsouillement, avinement, beuverie, cuite.

**SOULÈVEMENT.** Affleurement, émeute, excitation, exhaussement, levée, redressement, répulsion, révolte, révolution, saut.

**SOULEVER.** Ameuter, attrouper, élever, enlever, exciter, hausser, hisser, lever, louver, monter, redresser, relever, révolter, susciter.

**SOULIER.** Astic, chausson, chaussure, clou, escarpin, godasse, godillot, lacet, richelieu, savate, semelle, talon, tatane.

**SOULIGNER.** Accentuer, écrire, insister, noter, relever, scander.

**SOÛLOGRAPHIE.** Ivrognerie.

**SOUMETTRE.** Asservir, astreindre, assujettir, céder, conquérir, déposer, faisander, fixer, grever, laminoir, livrer, maîtriser, méditer, obéir, offrir, opérer, plier, réduire, réglementer, subir, tester, visser.

**SOUMIS.** Assujetti, conquis, déférent, discipliné, docile, humble, imposé, obéissant, rampant, résigné, souple, testé, usiné.

**SOUMISSION.** Adjudication, devis, inférieur, offre, ordre, résignation.

**SOUPAPE.** Clapet, dérivatif, exutoire, laie, papillon, valve, venteau.

**SOUPÇON.** Crainte, défiance, doute, jalousie, méfiance, suspicion.

**SOUPÇONNER.** Craindre, douter, flairer, méfier, présumer, suspecter.

**SOUPÇONNEUX.** Craintif, défiant, inquiet, jaloux, méfiant, ombrageux, suspicieux.

**SOUPE.** Bouillon, consommé, crème, garbure, gombo, gratinée, lavasse, minestrone, panade, potage, soupière.

**SOUPESER.** Apprécier, calculer, compter, estimer, évaluer, juger, nombrer, peser.

**SOUPIRAIL.** Abat-jour, châssis, fenêtre, saut-de-loup.

**SOUPIRER.** Aimer, aspirer, convoiter, respirer.

**SOUPLE.** Agile, aisé, décontracté, dégagé, élastique, félin, flexible, gracieux, lâche, léger, leste, liant, malléable, maniable, mou, pliant.

**SOUPLESSE.** Agilité, aisance, diplomatie, élasticité, flexibilité, légèreté, liant, malléabilité, maniabilité, sveltesse.

**SOURCE.** Cause, commencement, ferment, filon, fontaine, geyser, jaillissement, laser, mère, naissance, origine, puits, résurgence, vent.

**SOURCIER.** Baguettisant.

**SOURCIL.** Cil, front, glabelle, sourcilier, taroupe, tique.

**SOURD.** Amorti, assourdi, caché, caverneux, creux, doux, enroué, étouffé, jaillis, mat, mou, secret, silence, sortir, sourdingue, voilé.

**SOURDEMENT.** Maronner, sourdine, secrètement.

**SOURICIÈRE.** Piège, traquenard.

**SOURIRE.** Convenir, enchanter, favoriser, plaire, rictus, rire, risette.

**SOURIS.** Chauve-souris, chicoter, gigot, hibou, musaraigne, ordinateur, oreille, rat, rongeur, souriceau, souricier, souricière.

SOURNOIS. Affecté, dissimulé, doucereux, faux, fourbe, malin, rusé.

SOUS. Dessous, immergé, inférieur, soutien, subaquatique, temps.

SOUSCRIRE. Abonner, accéder, approuver, consentir, contribuer, cotiser, engager, fournir, oc, oïl, or, oui, payer, signer, verser.

SOUSTRACTION. Âge, diminution, ôter, enlever, esquiver, retrancher.

SOUSTRAIRE. Affranchir, déduire, dérober, détourner, échapper, éluder, enlever, esquiver, évader, éviter, fuir, ôter, receler, voler.

SOUS-VÊTEMENT. Caleçon, camisole, dessous, gilet, lingerie, slip.

SOUTENEUR. Estafier, jules, mac, maquereau, pim, proxénète.

SOUTENIR. Adosser, affirmer, aider, approuver, appuyer, assurer, consolider, écrire, élever, étançonner, étayer, maintenir, porter, prétendre, rentoiler, résister, secourir, subir, supporter, tenir, voler.

SOUTENU. Accepté, aidé, appuyé, assidu, consécutif, constant, continu, défendu, épaulé, obstiné, opiniâtre, persistant, plausible, prétendre, protégé, ptôse, thèse.

SOUTERRAIN. Antre, bulbe, câble, caché, catacombe, cave, caveau, caverne, crypte, drain, égout, excavation, galerie, grotte, mine, nappe, obscur, prison, secret, sombre, taupe, té, tige, voûte.

SOUTIEN. Accore, adossement, aide, appui, armature, base, ber, carcasse, ceinture, charpente, colonne, défense, entretoise, étai, mât, os, pied, pieu, pilier, pivot, réconfort, support, tin, tréteau, tuteur.

SOUTIEN-GORGE. Balconnet, brassière, pigeonnant, pigeonnier.

SOUTIRER. Arracher, carotter, clarifier, élier, escroquer, estamper, extorquer, obtenir, ôter, prendre, tirer, transvaser, vider.

SOUVENIR. Cadeau, commémoration, évocation, idée, mémoire, pensée, rappeler, réminiscence, ressentiment, souvenance.

SOUVENT. Beaucoup, courant, fréquent, habituel, maintes.

SOUVERAIN. Absolu, autorité, chah, chef, despote, duc, empereur, maître, monarque, monnaie, négus, pape, pharaon, potentat, pouvoir, reine, roi, sultan, suprême, suzerain, tétrarque, tsar.

SOUVERAINETÉ. Couronne, dictature, oppression, suprématie.

SOYEUX. Agneline, agréable, brillant, bysse, cocon, coton, doux, duveteux, fin, foin, lisse, moelleux, satiné, velouté, velouteux.

SPACIEUX. Ample, considérable, étendu, étroit, grand, gros, haut, large, long, petit, resserré, vaste.

SPADASSIN. Assassin, bravi, bretteur, estafier, garde, meurtrier.

SPARTE. Grecque, magistrat, spart.

SPÉCIALISTE. Actuaire, agronome, anthropologiste, anthropologue, as, biologiste, botaniste, criminologue, cybernéticien, diététicien, entomologiste, exégète, expert, gréeur, gynécologue, marbier, navigateur, neurologue, océanographe, panel, pédiatre, pédologue, politologue, psychanalyste, sexologue, spéléologue, technicien, visagiste.

SPÉCIFIER. Désigner, fixer, normaliser, préciser, propre, stipuler.

SPÉCIMEN. Échantillon, exemplaire, exemple, gracieuseté, individu, modèle, phénomène, prototype, représentant, type.

SPECTACLE. Aspect, attraction, ballet, danse, exhibition, féérie, matinée, naumachie, numéro, pièce, représentation, revue, scène, vue.

SPECTATEUR. Auditeur, auditoire, public, téléspectateur, témoin.

SPECTRE. Apparence, apparition, arc-en-ciel, cauchemar, chimère, crainte, double, couleurs, ectoplasme, esprit, fantôme, illusion, lémure, ombre, prisme, revenant, simulacre, vampire, vision.

SPÉCULER. Agio, agioter, boursicoter, combiner, entreprendre, intelligence, méditer, penser, raisonner, rechercher, science.

SPERGULE. Espargoute, spargoute.

SPERME. Épididyme, flagellum, graine, laitance, laité, semence.

SPHÉNOÏDE. Os, ptérygoïde, sphénoïdal, turcique.

SPHÈRE. Anneau, bathysphère, balle, bille, boule, cercle, domaine, dôme, étendue, géosphère, globe, limite, matière, nife, pôle, rayon.

SPIRALE. Arc, boucle, bouclette, boudin, cercle, circiné, cirrhe, courbe, filet, fileter, frison, liseron, spire, tarauder, tors, vrille.

SPIRÉE. Aruncus, filipendula, filipendule, reine-des-prés, ulmaire.

SPIRITISME. Astrologie, magie, numérologie, télékinésie, typtologie.

SPIRITUEL. Abstrait, allégorique, âme, délicat, déluré, esprit, figuré, fin, humoriste, immatériel, impalpable, intellectuel, joyeux, malin, mental, moral, mordant, plaisant, psychique, salé, sel, souple.

SPIRITUEUX. Alcool, allylique, amylique, cognac, flegme, gin, liqueur, menthe, kirsch, rhum, rye, scotch, vodka, whisky.

SPIRULINE. Algue, bleue.

SPLEEN. Cafard, chagrin, ennui, hypocondrie, mélancolie, nostalgie.

SPLENDEUR. Apparat, brillant, éclat, faste, gloire, lustre, luxe, magnificence, pompe, prestige, rayonnement, somptuosité.

SPLENDIDE. Admirable, beau, beauté, bel, belle, brillant, clair, éblouissant, éclatant, étincelant, fastueux, magnifique, merveilleux, ravissant, rayonnant, riche, somptueux, sublime, superbe.

SPOLIER. Capter, déposséder, dol, éviction, frauder, léser, ôter, voler.

SPONGIEUX. Flasque, parenchyme, porophore, poreux.

SPONTANÉ. Cordial, direct, franc, impulsif, inconscient, inné, libre, naturel, primesautier, propre, rapide, sincère, volontaire.

SPONTANÉMENT. Instinctivement, librement, naturellement.

SPORADIQUE. Clairsemé, constellé, dispersé, dissocié, divisé, épars, épisodique, irrégulier, isolé, local, occasionnel, restreint.

SPORANGE. Indusie, macrosporange, spore, urne, zoosporange.

SPORE. Apothécie, ascospore, asque, champignon, conidie, élément, hyménium, prothalle, spermatie, thèque, unicellulaire, urédospore.

SPOROPHYTE. Gamétophyte, haploïde, sporogone.

SPORT. Alpinisme, amusement, athlétisme, baseball, basket, boxe, canoéisme, culture, cyclisme, équitation, escrime, exercice, exploit, golf, gymnastique, hockey, jeu, judo, luge, lutte, monoski, motonautisme, nage, natation, parachutisme, patinage, polo, raquette, rugby, ski, tennis, tir, trial, turf, voile, yachting.

SPORTIF. Actif, antisportif, athlète, joueur, sélectionné, senior, vétéran.

SPRAT. Clupéiforme, haranguet, hareng, harenguet.

SPUMEUX. Baveux, bouillonnant, écumeux, mousseux, spumescent.

SQUALE. Aiguillat, ange de mer, baleine, blanc, dormeur, émissole, galuchat, griset, lamie, léopard, lézard, lutin, maillet, marteau, orque, pèlerin, remorqueur, renard de mer, requin, rochier, roussette, scie, squale, tapis, taupe, tigre, touille.

SQUELETTE. Canevas, carcasse, charpente, hyoïde, mort, os, ossature.

SRI-LANKAIS (n. p.). Ceylanais.

STABILITÉ. Aplomb, assiette, assise, certitude, consistance, constance, continuité, durabilité, équilibre, fermeté, permanence.

STABLE. Assis, constant, continu, durable, équilibré, ferme, fidèle, fixe, habituel, image, immobile, larve, leste, neurula, solide, tenace.

STADE. Degré, échelon, étape, état, forum, germe, imago, larve, mûrir, niveau, palier, période, phase, piste, progrès, société, transition.

STAGE. Alumnat, arrêt, moment, passage, période, séjour, station.

STAGNANT. Dormant, immobile, inactif, lent, marécageux, mort.

STAGNATION. Engourdissement, inertie, langueur, marasme, paralysie, stase.

STAGNER. Croupir, languir, piétiner, plafonner, séjourner, végéter.

STALLE. Banquette, box, église, gradin, loge, miséricorde, place, siège.

STANCE. Chant, couplet, épode, poème, poésie, strophe, tercet.

STANDARD. Central, commun, courant, étalon, modèle, normalisé, norme, ordinaire, usuel.

STANDARDISER. Aligner, homogénéiser, inter, niveler, normaliser, uniformiser, standardisation.

STAR. Acteur, étoile, vedette.

STARIE. Estarie.

STATION. Arrêt, attente, attitude, autel, centrale, cérémonie, gare, halte, office, pause, place, poste, posture, spa, stage, thermes.

STATION BALNÉAIRE (n. p.). Audence, Pesaro, Eilat, Eze, Morgat, Ostie, Pesaro, Varna.

STATION MÉTÉOROLOGIQUE (n. p.). Alert.

STATION, SPORTS D'HIVER (n. p.). Arosa, Avorias, Grisons, Igls, Ischgl, Orres, Mongie.

STATION THERMALE (n. p.). Arosa, Dax, Neris, Spa, Uriage.

STATIONNER. Arrêter, camper, garer, immobiliser, placer, ranger.

STATUE. Atlante, bronze, buste, cariatide, colosse, corniche, idole, figure, figurine, galbe, idole, image, kore, marbre, niche, orant, oscar, sculpture, sel, soutien, statuaire, statuette, télamon, terme.

STATUETTE. Bilboquet, biscuit, chine, figurine, godenot, magot, marionnette, marmot, marmouset, pagode, poupée, poussah, santon.

STATURE. Carrure, charpente, colosse, dimension, géant, grandeur, hauteur, importance, mesure, personnalité, port, pycnique, taille.

STATUT. Arrêté, canon, capacité, charte, code, concordat, consigne, constitution, décret, discipline, disposition, édit, état, institution, loi, mandement, ordonnance, position, règle, situation, terme.

STEAK. Cannibale, tartare.

STÈLE. Cippe, colonne, monument, pierre, tombe.

STELLAIRE. Astral, étoilé, mouron, sidéral.

STÉNOGRAPHE. Sténo, sténotype, sténotypiste.

STEPPE. Brousse, lande, pampa, plaine, prairie, toundra, veld.

STÉRADIAN. Sr.

STERCORAIRE. Coprophage, labbe, mouette, scatophile, skua.

STÈRE. Corde, cube, st.

STÉRILE. Aride, axène, bréhaigne, désert, désertique, désolé, desséché, épuisé, improductif, inculte, infécond, infertile, ingrat, intérêt, inutile, maigre, nul, oiseux, pauvre, sec, upérisé, vain.

STÉRILISATION. Aseptisation, autoclave, castration, désinfection, émasculation, étuve, ozonisation, pasteurisation, upérisation.

STÉRILISER. Appauvrir, aseptiser, assainir, assécher, caster, châtrer, désinfecter, dessécher, émasculer, épuiser, étuver, javelliser, mutiler, pasteuriser, purifier, tarir, upériser.

STÉROL. Cholestérol, cyclopentane, ergostérol, sitostérol.

STIGMATISER. Blâmer, condamner, critiquer, dénoncer, flétrir, fustiger, pardonner, réprouver.

STILICON. Rufian.

STIMULANT. Aiguillon, analeptique, cordial, dopant, énergisant, entraînant, excitant, fortifiant, incitation, motivation, ranimant, réconfortant, reconstituant, remontant, stimulus, tonique.

STIMULER. Accélérer, activer, aiguiser, animer, doper, émouvoir, encourager, éperonner, exciter, fortifier, intermotiver, motiver, piquer, pousser, ranimer, relever, remuer, toucher.

STOCKHOLM (n. p.). Suède.

STOÏCISME. Austérité, caractère, courage, dureté, fermeté, portique.

STOLON. Bourgeon, coulant, stolonifère, tige.

STOPPER. Arrêter, bloquer, freiner, immobiliser, mouiller, réparer.

STORE. Horizontal, rideau, vertical.

STRAMOINE. Datura.

STRATAGÈME. Artifice, astuce, calcul, manège, piège, ruse, tactique.

STRATÉGIE. Clé, clef, conduite, diplomatie, manœuvre, obstruction, plan, ruse, stratège, subtilité, tactique, tour, wargame.

STREPTOCOQUE. Chair, érisipèle, impétigo, streptococcie.

STRICT. Astreignant, autoritaire, correct, dur, épuré, exact, étroit, exigeant, littéral, minutieux, mitigé, rigide, rigoureux, sévère, vrai.

STRICTEMENT. Absolument, complètement, entièrement, étroitesse, exactement, parfaitement, rigoureusement, sévèrement, totalement.

STRIE. Cannelure, encoche, entaille, fibrille, rainure, ride, sillon.

STRIPTEASEUSE. Effeuilleuse.

STRONTIUM. Sr.

STROPHANTUS. Liane, ouabaïne.

STROPHE. Chant, clausule, couplet, dizain, épode, hymne, laisse, ode, onzain, poème, quatrain, septain, sixtain, stance, tercet, verset.

STRUCTURE. Agencement, armature, arrangement, artefact, canevas, composition, constitution, forme, ordre, schème, squelette, système.

STUDIEUX. Accrocheur, appliqué, chercheur, fouilleur, laborieux, sérieux, travailleur, zélé.

STUDIO. Appartement, atelier, chambre, décor, flat, garçonnière, loft, pied-à-terre, plateau, stulette, vidéo.

STUPÉFACTION. Abasourdissement, ahurissement, ébahissement, effarement, engourdissement, immobilité, saisissement, stupeur.

STUPÉFAIT. Abasourdi, ahuri, baba, consterné, ébahi, éberlué, effaré, étonné, inouï, interdit, pantois, renversé, sidéré, surpris.

STUPÉFIANT. Crack, dormir, drogue, effarant, étonnant, haschich, héroïne, inouï, morphine, narcose, narcotique, opium, piqué, renversant, seringue, sidérant, surdose, surprenant, troublant.

STUPÉFIER. Abasourdir, ahurir, atterrer, confondre, ébahir, effarer, époustoufler, étonner, méduser, pétrifier, sidérer, surprendre.

STUPIDE. Abruti, balourd, bête, borné, butor, con, crétin, débile, engourdi, idiot, imbécile, lourdaud, nase, patate, sot, tarte.

STUPIDEMENT. Absurdement, bêtement, idiotement, sottement.

STUPIDITÉ. Bêtise, connerie, crétinisme, hébétude, idiotie, imbécileté, ineptie, lourdeur, maladresse, niaiserie, sottise.

STUPRE. Concupiscence, corruption, débauche, dépravation, immodestie, impudicité, impureté, indécence, lascivité, libertinage, licence, lubricité, luxure, salacité, vice.

STYLE. Allure, art, attitude, design, écriture, élocution, expression, façon, facture, langage, langue, manière, pistil, plume, ton, tour.

STYLO. Bic.

STYRAX. Aliboufier, benjoin, liquidambar, styracacée.

SU. Escient, insu, savoir.

SUAIRE. Drap, linceul, voile.

SUAVE. Agréable, délectable, délicat, doux, fragrance, pénible, rude.

SUBALTERNE. Bas, employé, inférieur, sans-grade, subordonné.

SUBDIVISER. Désunir, définir, diviser, échelonner, fractionner, lotir, morceler, partager, répartir, ramifier, sectionner, séparer, tabler.

SUBDIVISION. Canton, chambre, curie, étage, lobule, partie, race, rameau, ramification, secteur, tableau, titre, tranche, tribu.

SUBIR. Accepter, écraser, endurer, éprouver, essuyer, examen, expérimenter, obéir, punir, recevoir, réprimander, résigner, ressentir, sentir, souffrir, soumettre, soutenir, supporter, tolérer.

SUBIT. Brusque, hâtif, imprévu, inattendu, inopiné, soudain, subito.

SUBJUGUER. Amadouer, apprivoiser, attirer, capter, captiver, charmer, conquérir, enchanter, envoûter, fasciner, gagner, opprimer, persuader, réduire, séduire, soumettre.

SUBLIME. Beau, céleste, divin, élevé, grand, haut, noble, pompeux.

SUBMERGER. Arroser, couvrir, déborder, dépasser, enfoncer, engloutir, ensevelir, envahir, inonder, mouiller, noyer, occuper, plonger, recouvrir, transgresser, tremper.

SUBORDONNÉ. Conjonction, dépendant, domestique, esclave, humble, inférieur, serveur, sans-grade, relatif, soumis, subalterne, vassal.

SUBREPTICE. Clandestin, furtif, illicite, secret, sournois, souterrain.

SUBSISTANCE. Aliment, denrée, entretien, intendance, lait, matière, mœlle, nourriture, pain, pitance, quintessence, sang, sève, suc.

SUBSISTER. Continuer, couver, durer, être, exister, rester, surnager.

SUBSTANCE. Abrasif, amadou, cérumen, cire, cristal, curare, cutine, émail, épice, essence, gel, gluten, gomme, graisse, héparine, humeur, ionone, ivoire, kinase, légumine, levain, matte, miel, musc, nacre, nourriture, pitance, poison, qat, remède, résine, sel, suc, urée.

SUBSTANTIF. Annexe, nom, supin, terme.

SUBSTITUER. Biaiser, blesser, commuer, enlever, remplacer.

SUBTERFUGE. Artifice, dérobade, finasserie, fuite, pirouette, ruse.

SUBTIL. Adroit, avisé, délicat, délié, fin, habile, intelligent, léger, pénétrant, perspicace, quintessence, raffiné, sagace, spirituel.

SUBTILISER. Dérober, escamoter, quintessencier, soustraire, voler.

SUBTILITÉ. Délicatesse, finesse, intelligence, minutie, raffinement.

SUBVENTION. Aide, contribution, don, impôt, prêt, secours, subside.

SUBVERSION. Bouleversement, contestation, indiscipline, mutinerie, renversement, révolution, sédition.

SUC. Aloès, chicotin, coulis, eau, gastrique, gelée, intestinal, jus, kino, larme, latex, moût, opium, rob, sapa, sève, substance, verjus.

SUCCÉDANÉ. Compensation, ersatz, remplacement, substitut.

SUCCÉDANT. Embrasé, ultérieur.

SUCCÉDER. Alterner, continuer, dérouler, enchaîner, hériter, relayer, relever, remplacer, substituer, suivre, supplanter, suppler, venir.

SUCCÈS. Avantage, bonheur, exploit, gain, gloire, performance, prospérité, prouesse, réussite, triomphe, trophée, victoire, vogue.

SUCCESSEUR. Continuateur, épigone, héritier, remplaçant, suivant.

SUCCESSION. Acquisition, biens, dévolution, échelle, escalier, évolution, gamme, hérédité, héritage, hoirie, legs, mortaille, patrimoine, rafale, rotation, roulement, train, série, suite.

SUCCINCT. Abrégé, accourci, anecdote, bref, compentieux, concis, condensé, contracté, court, dense, diffus, laconique, notice, prolixe, ramassé, rapide, schématique, serré, sommaire, verbeux.

SUCCINCTEMENT. Brièvement, rapidement, schématiquement, sommairement.

SUCCOMBER. Abandonner, abattement, affaisser, céder, choir, décéder, expirer, faillir, fléchir, malheur, mourir, périr, tomber.

SUCCURSALE. Agence, annexe, branche, division, filiale, tremplin.

SUCE. Sangsue, lèvre, pou, pieuvre, tentaculifère, vampire, ventouse.

SUCER. Absorber, aspirer, avaler, baiser, boire, buvoter, déguster, exprimer, extraire, humer, lipper, pomper, saliver, suçoter, téter.

SUCRE. Agave, api, candi, caramel, cassonade, chocolat, doux, fructose, galactose, glace, gelée, hexase, lactose, maltose, mélasse, melon, miel, nectar, punch, saccharol, sirop, tréhalose, vergeoise.

SUCRER. Adoucir, édulcorer, embellir, lochage, mieller, toucher.

SUCRERIE. Bonbon, chatterie, confiserie, douceur, friandise, nanan.

SUD. Antarctique, austral, méridional, midi, pôle.

SUD-EST. SE, suet.

SUD-OUEST. Libeccio, SO.

SUER. Couler, excréter, exsuder, moitir, nage, suinter, transpirer.

SUEUR. Chaleur, écume, excrétion, fatigue, fièvre, transpiration.

SUFFIRE. Autarcie, borner, combler, contenter, saturer, subvenir.

SUFFISAMMENT. Abondant, assez, bien, capable, gloire, mûr, satiété.

SUFFISANT. Assez, bien, congru, convenable, correct, satisfaisant.

SUFFIXE. Algie, andrie, crate, gramme, graphe, ien, ise, ite, logie, mètre, phagie, phone, préfixe, sphère, tomie.

SUFFOCANT. Accablant, agaçant, asphyxiant, chaud, crispant, énervant, étonnant, étouffant, horripilant, indignant, torride.

SUFFOQUER. Abasourdir, asphyxier, éberluer, effarer, époustoufler, estomaquer, étouffer, interloquer, méduser, oppresser, sidérer.

SUFFRAGE. Approbation, choix, élection, scrutin, voix, vote, urne.

SUGGÉRER. Dicter, indiquer, inspirer, persuader, recommander.

SUGGESTION. Avertissement, inspiration, instigation, pithiatisme.

SUICIDER. Assassiner, hara-kiri, immoler, saborder, supprimer, tuer.

SUINTEMENT. Écoulement, exsude, infiltration, transpiration.

SUINTER. Couler, dégouliner, dégoutter, échapper, écouler, exsuder, filtrer, fuir, perler, pleurer, ruisseler, suer, transpirer, transsuder.

SUISSE. Alémanique, appenzell, helvète, helvétique.

SUITE. Air, appartement, après, avent, ballet, bride, chant, continuation, cortège, danse, épopée, escalier, etc., fil, filon, fur, haie, liste, mélodie, mots, note, numéros, pagination, pétarade, premier, prolongement, queue, rangée, séquelle, série, succession, variété.

SUIVANT. Acolyte, aide, après, avant, autre, ci, confident, disciple, et, filé, futur, pisté, postérieur, prochain, prochaine, selon, subséquent, succession, suite, ultérieur, us.

SUIVI. Assidu, constant, continu, durable, éternel, incessant, infini.

SUIVRE. Accompagner, aller, côtoyer, écouter, épier, escorter, ester, filer, longer, obéir, parcourir, pister, remonter, serrer, talonner.

SUJET. Astreint, blague, cause, dépendant, désagrément, enclin, être, étude, fable, leude, lieu, maladif, matière, moi, mortel, motif, objet, obligé, on, rageur, ridicule, scène, suspect, texte, thème, titre.

SUJÉTION. Attache, carcan, chaîne, condition, dépendance, esclavage, joug, obédience, soumission, subordination, vassalité.

SULFATE. Alun, amide, anhydrite, argyrose, barytine, epsomite, galène, gypse, kiesérite, lithopone, réalgar, selkénite, vitriol.

SULFURE. Blende, chalcopyrite, chalcosine, cinabre, galène, ichtyol, orpiment, plomb, pyrite, réalgar, stibine, vermillon, zinc.

SULTAN. Hautesse, musulman, pacha, seigneur, sérail, sultanat, roi.

SULTAN ALAOUITE (n. p.). Hafiz, Saladin.

SULTAN ÉGYPTIEN (n. p.). Fouad, Saladin.

SULTAN MAROCAIN (n. p.). Haliz, Idris.

SULTAN OTTOMAN (n. p.). Abdulaziz, Abdulhamid, Abdülmecid, Ahmad, Ahmet, Bajazet, BBayazid, Ibrahim, Mehmet, Mourad, Murat, Mustafa, Orhan, Osman, Salim, Selim, Selimou, Soliman, Süleyman.

SULTAN TURC (n. p.). Mourat, Murat, Soliman.

SULTANAT (n. p.). Katr, Oman, Qatar.

SUMAC. Corroyère, laque, térébenthine, vernis.

SUMMUM. Apogée, comble, degrés, excès, faîte, fort, limite, maximum, sommet, top, zénith.

SUOMI. Finlande.

SUPERFICIE. Aire, apparence, dimension, espace, étendue, surface.

SUPERFLU. Attirail, exagéré, inutile, redondant, surabondant, trop.

SUPÉRIEUR. Abbé, accompli, as, chef, directeur, dominant, doyen, élevé, émérite, éminent, excellent, extra, général, génial, haut, maître, mère, patron, positif, prééminent, premier, prieur, unique.

SUPÉRIORITÉ. Avantage, maîtrise, pouvoir, prédominance, prééminence, qualité, suprématie, talent, transcendance.

SUPERLATIF. Degré, excessif, extraordinaire, fort, parfait, très.

SUPERNOVA. Étoile.

SUPERPOSER. Coïncider, étager, imbriquer, interférer, liter, mettre.

SUPERSTITION. Abraxas, amulette, crédulité, croyance, fétichisme, hasard, illuminisme, magie, naïveté, peur, soin, vampire.

SUPERSTRUCTURE. Château, dunette, kiosque, passerelle, roof.

SUPPLANTER. Déposséder, détrôner, éclipser, évincer, remplacer.

SUPPLÉMENT. Accessoire, addenda, additif, addition, ajout, appendice, appoint, cahier, complément, excédent, extra, net, plus, rab, rallonge, remplacement, renfort, surcroît, surplus.

SUPPLICATION. Appel, demande, ferveur, oraison, prière, requête.

SUPPLICE. Affliction, bûcher, croix, crucifiement, dam, douleur, écartèlement, enfer, estrapade, flammes, géhenne, knout, lapidation, pal, peine, potence, question, roue, souffrance, torture, tourment.

SUPPLIER. Adjurer, appeler, conjurer, convier, demander, implorer, insister, presser, prier, réclamer, recommander, requérir, solliciter.

SUPPLIQUE. Demande, pétition, requête, prière, supplication.

SUPPORT. Affût, aide, atalante, bougeoir, bras, cariatide, chevalet, cintre, colonne, épontille, essieu, faucre, gaine, if, isolateur, lampadaire, mât, patère, patin, piédestal, pilier, pivot, pylône, servante, socle, soutien, stencil, télamon, tin, tréteau, vau.

SUPPORTABLE. Admissible, soutenable, tenable, tolérable, vivable.

SUPPORTER. Appuyer, avaler, blairer, digérer, endurer, épauler, éprouver, porter, prêter, résister, soutenir, subir, tenir, tolérer.

SUPPOSÉ. Admis, apocryphe, attribué, censé, conjectural, cru, douteux, emprunt, espérer, factice, faux, imaginaire, incertain, point, présage, présumé, prétendu, pseudo, putatif, si, soi-disant.

SUPPOSER. Admettre, conjecturer, croire, dénoter, extrapoler, imaginer, inventer, penser, poser, présumer, présupposer, si.

SUPPOSITION. Conjonction, hypothèse, opinion, présomption, si, soit.

SUPPRESSION. Abandon, abolition, anesthésie, anurie, aphérèse, coupure, diète, élision, ellipse, éradication, privation, régime.

SUPPRIMÉ. Aboli, détruit, enlevé, étouffé, ôté, retranché, tu, tué.

SUPPRIMER. Abolir, abroger, annuler, déplafonner, ébourgeonner, élider, enlever, épiler, ôter, ragréer, raser, rayer, tuer.

SUPRÉMATIE. Domination, hégémonie, majesté, omnipotence, pouvoir, prééminence, primauté, souverain, supériorité.

SUPRÊME. Dernier, divin, final, grand, parfait, puissant, ultime.

SUR. Acide, aigre, aigrelet, amer, assurance, assuré, avéré, bon, certain, clair, confiant, convaincu, dessus, douteux, éprouvé, évident, exact, ferme, fermenté, fiable, fidèle, haut, incertain, persuadé, réel, sinécure, solide, supériorité, suret, suri, tourné, véritable, vrai.

SURANNÉ. Ancien, antique, archaïque, arriéré, attardé, caduc, démodé, dépassé, désuet, fini, fossile, inactuel, obsolète, passé, périmé, rétrograde, rococo, usé, vieilli, vieillot.

SURCHARGE. Embonpoint, excédent, excès, surcroît, surplus.

SURCHARGER. Abrutir, accabler, alourdir, bourrer, charger, corriger, écraser, encombrer, excéder, farcir, grever, imposer, net, travailler.

SURDOSE. Overdose.

SUREAU. Corymbe, hermaphrodite, hièble, yèble.

SURÉLÉVATION. Adjudication, augmentation, exhaussement, mascaret, surhaussement.

SÛREMENT. Absolument, assurément, certainement, certes, évidemment, fatalement, forcément, obligatoirement.

SURET. Acide, sur.

SÛRETÉ. Asile, assurance, caution, certitude, fermeté, gage, garant, garantie, pompe, précaution, précision, sécurité, siège, verrou.

SUREAU. Hièble, sambéquier, sambu, sambucus, yèble.

SUREXCITER. Admirer, délirer, emballer, énerver, rêver, songer.

SURFACE. Acre, aire, aplat, are, bande, base, champ, cône, disque, extérieur, façade, face, géoïde, glacis, intrados, lieu, nappe, orbe, parement, photosphère, pi, plan, sol, superficie, tamis, tranche, zone.

SURGIR. Apparaître, élancer, élever, émerger, jaillir, manifester, montrer, naître, paraître, ressurgir, sortir, survenir, venir.

SURHAUSSER. Surélever.

SURJET. Surfil, suture.

SUR-LE-CHAMP. Aussitôt, illico, immédiatement, incontinent.

SURMENER. Accabler, claquer, crever, épuiser, éreinter, excéder, exténuer, fatiguer, forcer, harasser, peiner, vider, suer, trimer, user.

SURMONTER. Dompter, franchir, mater, sommer, surpasser, vaincre.

SURMULOT. Rat.

SURNAGER. Flotter, maintenir, soutenir, subsister, survivre.

SURNATUREL. Divin, inexplicable, magique, miraculeux, surhumain.

SURNOM. Appel, chtonien, épiphane, plume, pseudonyme, sobriquet.

SURNOMMÉ. Alias, appelé, baptisé, dit, ladite, ledit.

SURNOMMER. Appeler, caser, dénommer, désigner, dire, renommer.

SURPASSER. Battre, dépasser, devancer, distancer, dominer, éclipser, emporter, laisser, outrepasser, prédominer, primer, surclasser.

SURPLIS. Rochet.

SURPLOMBER. Avancer, couronner, couvrir, culminer, déborder, dépasser, devancer, dominer, planer, régner, saillir.

SURPRENANT. Anormal, bizarre, brusque, curieux, drôle, épatant, étonnant, étrange, formidable, imprévu, magique, nouveau, rapide.

SURPRENDRE. Confondre, époustoufler, étonner, intercepter, intriguer, pincer, prendre, renverser, saisir, stupéfier, tromper, voir.

SURPRIS. Abasourdi, consterné, déconcerté, ébahi, ébaubi, étonné, frappé, interloqué, renversé, saisi, stupéfait, stupéfié.

SURPRISE. Cadeau, commotion, confusion, consternation, don, ébahissement, embarras, étonnement, inattendu, partie, party, piège, saisissement, stupéfaction, stupeur, surboum.

SURSAUT. Effort, saut, tentative, tressaillement.

SURSAUTER. Bondir, exploser, exulter, sauter, tressaillir, tressauter.

SURSIS. Arrêt, attente, délai, pause, remise, répit, surséance, trêve.

SURTOUT. Bleu, caban, casaque, cotte, éminemment, notamment, par-dessus, particulièrement, sarrau, souquenille, tablier.

SURVEILLANCE. Aguet, attention, conduite, contrôle, épiement, espionnage, faction, filature, filtrage, garde, guet, inspection, mirador, observation, patrouille, protection, soin, tutelle, vigilance.

SURVEILLANT. Argousin, argus, garde, geôlier, maître, pion, préfet.

SURVEILLER. Contrôler, épier, espionner, examiner, garder, guetter, inspecter, moucharder, noter, observer, regarder, suivre, veiller.

SURVENIR. Advenir, apparaître, arriver, produire, surgir, venir.

SURVIVANT. Indemne, miraculé, naufragé, rescapé, vivace, vivant.

SUS. Accessoire, addenda, additif, addition, ajout, appendice, cahier, extra, haro, net, plus, rab, rallonge, remplacement, surcroît, surplus.

SUSCEPTIBLE. Apte, capable, chatouilleux, délicat, érectile, irascible, irritable, ombrageux, prompt, rachetable, sensible, sujet, vibratile.

SUSCITER. Amener, apporter, attirer, bondir, causer, créer, déchaîner, déclencher, déterminer, élever, éveiller, exciter, fomenter, fournir, inspirer, occasionner, porter, produire, provoquer, soulever.

SUSIANE (n. p.). Élam, Perse, Suse.

SUSPECT. Apocryphe, douteux, équivoque, guilledou, interlope, louche, malfamé, soupçonné, suspicion, véreux.

SUSPENDRE. Accrocher, ajourner, appendre, arrêter, cesser, différer, enrayer, geler, fixer, inhiber, interrompre, pendre, soutenir.

SUSPENDU. Arrêté, censuré, fermé, interdit, révoqué, saisi, stoppé.

SUSPENSION. Abandon, ajournement, apnée, arrêt, cessation, crise, délai, gel, grève, lustre, pause, plafonnier, relâche, repos, trêve.

SUSURREMENT. Bruissement, chuchotement, murmure, soufflement.

SUTRA. Morale, recueil, rituel, soutra.

SUTURE. Couture, jonçture, raccord, réunion, scissure, surjet.

SUTURER. Coudre, joindre, recoudre, réunir, sati, transiter.

SUZERAIN. Ban, maître, patron, prince, seigneur, vassal.

SVELTE. Allongé, dégagé, délicat, délié, effilé, élancé, élégant, étroit, filiforme, fin, fluet, fragile, fuselé, gracile, grêle, léger, longiligne, maigre, menu, mince, souple, ténu.

SYBARITE. Délicat, épicurien, profiteur, raffiné, sensuel, sybaritique, viveur, voluptueux.

SYCOMORE. Érable.

SYLLOGISME. Argument, logique, or, prémisse, raisonnement, terme.

SYLPHE. Air, elfe, génie.

SYLPHIDE. Femme, gracieuse.

SYMBOLE. Algorithme, allégorie, apparence, attribut, chiffre, comparaison, cv, devise, emblème, épaulette, figure, image, insigne, logo, lys, marque, métaphore, notation, représentation, signe.

SYMBOLE CHIMIQUE. Actinium (Ac), aluminium (Al), américium (Am), antimoine (Sb), argent (Ag), argon (Ar), arsenic (As), astate (At), azote (N), baryum (Ba), berkélium (Bk), béryllium (Be), bismuth (Bi), bore (B), brome (Br), cadmium (Cd), calcium (Ca), californium (Cf), carbone (C), cérium (Ce), césium (Cs), chlore (Cl), chrome (Cr), cobalt (Co), cuivre (Cu), curium (Cm), dysprosium (Dy), einsteinium (Es), erbium (Er), étain (Sn), europium (Eu), fer (Fe), fermium (Fm), fluor (F), francium (Fr), gadolinium (Gd), gallium (Ga), germanium (Ge), hafnium (Hf), hahnium (Ha), hélium (He), holmium (Ho), hydrogène (H), indium (In), iode (I), iridium (Ir), kourchatovium (Ku), krypton (Kr), lanthane (La), lawrencium (Lr), lithium (Li), lutécium (Lu), magnésium (Mg), manganèse (Mn), mendélévium (Md), mercure (Hg), molybdène (Mo), néodyme (Nd), néon (Ne), neptunium (Np), nickel (Nl), niobium (Nb), nobélium (No), or (Au), osmium (Os), oxygène (O), palladium (Pd), phosphore (P), platine (Pt), plomb (Pb), plutonium (Pu), polonium (Po), potassium (K), praséodyme (Pr), prométhium (Pm), protactinium (Pa), radium (Ra), radon (Rn), rhénium (Re), rhodium (Rh), rubidium (Rb), ruthénium (Ru), samarium (Sm), scandium (Sc), sélénium (Se), silicium (Si), sodium (Na), soufre (S), strontium (Sr), tantale (Ta), technétium (Tc), tellure (Te), terbium (Tb), thallium (Tl), thorium (Th), thulium (Tm), titane (Ti), tungstène (W), uranium (U), vanadium (V), xénon (Xe), ytterbium (Yb), yttrium (Y), zinc (Zn), zirconium (Zr).

SYMPATHIE. Affection, affinité, amitié, attirance, bienveillance, communion, cordialité, entente, estime, intérêt, xénophilie.

SYMPATHIQUE. Accueillant, agréable, amical, avenant, chaleureux, charmant, chic, chouette, cordial, engageant, intéressant, plaisant.

SYMPATHISER. Accorder, compatir, comprendre, entendre, fraterniser.

SYMPHONIE. Chœur, concert, entente, harmonie, musique, union.

SYMPTÔME. Indice, marque, présage, prodrome, signe, syndrome.

SYNARCHIE. Énarchie, oligarchie, ploutocratie, technocratie.

SYNDICAT. Association, compagnonnage, confédération, coopération, corporation, fédération, mutuelle, société, travail, trust, union.

SYNDROME. Athétose, chorée, symptôme, tétanie, toxicose.

SYNONYME. Adéquat, approchant, équivalence, équivalent, expression, même, pareil, remplaçant, similitude, substitut.

SYNTHÈSE. Abrégé, assimilation, association, combinaison, composition, compromis, déduction, fusion, réciproque, réunion.

SYNTHÉTASE. Ligase.

SYPHILIS. Chancre, luétine, roséole, tréponème, vérole.

SYSTÉMATIQUE. Logique, méthodique, ordonné, organisé, rationnel.

SYSTÈME. Absolutisme, atonalité, bertillonnage, combinaison, conscription, déisme, doctrine, élitisme, ensemble, esclavagisme, fiscalité, homéopathie, idéologie, macadam, martingale, métrique, moyen, rappel, solaire, théorie, troc, utopie, vocalisme, yoga.

SYSTOLE. Cœur, contraction, diastole, oreillette, périsystole.

SYZYGIE. Conjonction, lune, marée, opposition, soleil.

# T

TABAC. Chique, cigare, cigarette, fumer, gris, havane, manoque, nicotine, passage, perlot, peton, pétun, priseur, rôle, tabagie.

TABAGIE. Débit, dépanneur, épicerie, pharmacie, tabac, variété.

TABASSER. Battre, boxer, cogner, fesser, gifler, punir, rouer, taper.

TABERNACLE. Conopé, église, naos, néos, parvis, pavillon.

TABLE. Abaque, autel, aveux, barème, bureau, carte, comptoir, console, couvert, établi, étal, faste, guéridon, hachoir, index, jan, joue, maie, nie, pot-de-vin, pupitre, répertoire, soulte.

TABLEAU. Affiche, aquarelle, bilan, cadre, calendrier, cote, craie, croquis, croûte, dessin, écran, état, damier, embu, état, figure, flou, gouache, liste, paysage, peintre, peinture, plan, rôle, tarif, toile, vue.

TABLETTE. Abaque, dalle, diptyque, étagère, planche, planchette, plaque, plaquette, rayon, selle, style, tasseau, tessère, tirette, volet.

TABLIER. Avant, bavette, blouse, pont, salopette, serpillière, surtout.

TABOU. Interdit, intouchable, inviolable, sacré, sacro-saint.

TABOURET. Escabeau, escabelle, pouf, sellette, siège.

TACHE. Accroc, albugo, bavure, bleu, crasse, envie, éphélide, lentigo, lunule, macule, meurtrissure, naevus, ocelle, ordure, pâte, pétéchie, pige, sale, saleté, salissure, son, souillure, spot, taie, travail, vibice.

TACHER. Barbouiller, essayer, maculer, marchander, salir, souiller.

TACHETER. Barioler, bigarrer, daim, griveler, jasper, maculer, marqueter, moucheter, oceller, ocelot, pommeler, piquer, piqueter, rayer, tacher, taveler, tiqueter, truiter.

TACITURNE. Amer, assombri, cachotier, morne, silencieux, sombre.

TACT. Acquis, attouchement, contact, délicatesse, diplomatie, doigté, finesse, habile, habileté, savoir-vivre, tactile, tentacule, toucher.

TACTIQUE. Conduite, façon, manière, manœuvre, menée, stratégie.

TAFFETAS. Pongé, pout-de-soie, surah, tissu, trentain, zénana.

TAILLADE. Écorchure, entaille, éraflure, griffade, morsure.

TAILLE. Calibre, cambrure, carrure, ceinture, charpente, coupe, crayon, dimension, élagage, émondement, envergure, format, grandeur, gravure, guêpe, hauteur, importance, longueur, mesure, port, ravalement, serpe, stature, svelte, taillis, tournure.

TAILLER. Biseauter, cliver, couper, découper, diminuer, échancrer, écharper, écimer, émonder, étêter, rafraîchir, retailler, tondre.

TAILLEUR. Coupeur, couturier, culottier, essayeur, faiseur, giletier, habilleur, jupier, laie, marquoir, pompier, ripe, talc.

TAILLIS. Bois, brout, buisson, cépée, gaulis, maquis, recru, taille.

TAIRE. Arrêter, avaler, boucler, cacher, celer, chut, déguiser, dissimuler, dit, enfouir, étouffer, garder, mentir, mimer, motus, omis, retenir, sauter, secret, silence, souffler, tenir, tu, voiler.

TAIWANAIS. Formosan.

TALC. Silicate, stéatite, tailleur, talqueux.

TALENT. Aisance, aptitude, art, bosse, brio, capable, capacité, chic, compétence, disposition, distinction, don, esprit, étoffe, faculté, force, génie, habile, habileté, intelligence, mérite, qualité, virtuose.

TALISMAN. Abraxas, amulette, brevet, charme, fétiche, grigri, mascotte, or, phylactère, porte-bonheur, porte-chance, totem.

TALOCHE. Baffe, beigne, beignet, calotte, claque, coup, gifle, soufflet, tape, talmouse.

TALON. Achille, glome, mule, rai, rouge, souche, surlonge, talaire.

TALONNER. Harceler, poursuivre, presser, suivre, tourmenter.

TALUS. Ados, berge, butte, côté, escarpe, falaise, parapet, remblai.

TAMARINIER. Césalpiniacée, tamarin.

TAMARIS. Hapalidé, tamarin.

TAMBOUR. Baguette, ban, batterie, bongo, breloque, broderie, caisse, chamade, fla, pigeon, rataplan, ta, tam-tam, timbale, tom, trompette.

TAMIA. Écureuil.

TAMIS. Blutoir, chinois, crible, filtre, passoire, sas, sasser, vanne.

TAMISER. Adoucir, atténuer, bluter, cribler, épurer, estomper, filtrer, heurter, pâlir, passer, purifier, sasser, trier, vanner, vérifier.

TAMPON. Balle, dalle, gong, lance, ouate, tapette, tapon, vadrouille.

TAMPONNER. Calfater, choquer, cogner, emboutir, essuyer, étendre, fermer, frapper, frotter, heurter, oindre, percuter, télescosper.

TANCER. Admonester, attraper, blâmer, chapitrer, chicaner, condamner, disputer, engueuler, enguirlander, gourmander, gronder, houspiller, morigéner, réprimander, semoncer, sermonner.

TANGENTE. Approchant, approximatif, cotangente, rayon, tg, voisin.

TANGIBLE. Actuel, admis, assuré, authentique, certain, clair, concret, effectif, établi, évident, exact, fondé, juste, manifeste, matériel, palpable, perceptible, positif, réel, sensible, toucher, visible, vrai.

TANIÈRE. Abri, aire, antre, asile, bauge, breuil, cachette, caverne, gîte, nid, refuge, repaire, renardière, retraite, solitude, terrier.

TANNER. Agacer, basaner, battre, boucaner, bronzer, brunir, ennuyer, fatiguer, gonfler, hâler, importuner, lasser, tourmenter.

TANNERIE. Peausserie.

TANNEUR. Empailleur, mégissier, naturaliste, taxidermiste.

TANT. Aussi, mesure, probable, quote-part, si, tantième, tellement.

TANTALE. Ta.

TANTE. Oncle, homo, homosexuel, sœur, tantine, tata, tatie.

TANTINE. Tata, tante, tatie.

TANTÔT. Alternance, après, bientôt, parfois.

TAO. Yang, ying.

TAON. Abeille, guêpe, mouche.

TAPAGE. Boucan, brouhaha, bruit, chahut, charivari, éclat, fracas, potin, raffut, ramdam, sabbat, sérénade, tintamarre, train, vacarme.

TAPE. Baffe, beigne, beignet, bourrade, calotte, caresse, claque, coup, gifle, soufflet, tape, talmouse, taloche.

TAPER. Battre, emprunter, frapper, nerfs, plaire, quémander, rosser.

TAPIS. Carpette, chemin, convoyeur, couche, descente, jeu, mise, moquette, natte, paillasson, roulant, surface, tatami, tenture.

TAPISSER. Appliquer, cacher, coiffer, coller, enduire, garnir, tendre.

TAPISSERIE. Canevas, draperie, gobelin, point, tapis, tenture, tors.

TAPOTER. Frapper, pianoter, tambouriner.

TAQUINER. Agacer, asticoter, blaguer, braver, canuler, chicaner, lutiner, mystifier, persifler, tanner, tarabuster, tourmenter.

TARABUSTER. Angoisser, assiéger, chiffonner, contrarier, fatiguer, harceler, importuner, inquiéter, malmener, obséder, persécuter, poursuivre, talonner, tourmenter, tracasser, turlupiner.

TARD. Avant, délai, parachronisme, retard, ultérieur.

TARDER. Atermoyer, attarder, décaler, différer, éloigner, lambiner, lanterner, pétouiller, ralentir, reculer, remettre, retarder, traîner.

TARÉ. Défaut, défectuosité, dégénéré, idiot, malfaçon, pesé, vice, vil.

TARER. Avarier, gâter, vicier.

TARENTULE. Araignée, lycose.

TARI. Asséché, consumé, disparu, épuisé, éteint, sec, séché, vidé.

TARIÈRE. Foreuse, oviposteur, oviscapte, quillier, sonde, vrille.

TARIN. Nez.

TARTE. Cipaille, clafoutis, entarteur, flamiche, flan, gâteau, gifle, pizza, tartelette, tourtière.

TARTELETTE. Amandine, dariole, talmouse.

TARTINER. Beurrer, composer, étaler, étendre, graisser, huiler, rédiger.

TARTEMPION. Quelconque, untel.

TARTUFE. Bigot, cagot, dissimulateur, fourbe, hypocrite, sournois.

TAS. Abondance, accumulation, agrégat, amas, amoncellement, attirail, beaucoup, bloc, camelle, concentration, corde, dépôt, enclume, ensemble, fatras, masse, meule, monceau, mulon, multitude, nombre, paille, pile, quantité, stère.

TASSE. Bol, chope, coupe, cyathe, gobelet, godet, patère, quart, soucoupe, taste-vin, tâte-vin.

TASSEAU. Liteau.

TASSEMENT. Affaissement, faix.

TASSER. Compacter, damer, entasser, pilonner, prendre, presser.

TATAMI. Tapis.

TÂTER. Balancer, essayer, hésiter, palper, savourer, sonder, toucher.

TÂTONNEMENT. Aveuglette, balbutiement, désarroi, doute, essai, hésitation.

TATOU. Priodonte, tatouage.

TAUDIS. Bidonville, bauge, cambuse, gatelas, maison, réduit, trou.

TAURE. Génisse, vache.

TAUREAU. Api, beugle, bœuf, corrida, force, Jupiter, puissance, robustesse, taurillon, toréador, toril, vache, vigueur, zodiaque.

TAUREAU (n. p.). Apis.

TAUX. Conversion, cours, évaluation, intérêt, loyer, pourcent, usure.

TAVERNE. Auberge, bar, brasserie, brassette, buvette, cabaret, café, estaminet, gargote, restaurant, tavernier.

TAXATION. Imposition, taxe.

TAXE. Charge, contribution, dégrèvement, droit, excise, impôt, redevance, surtaxe, tarif, taxation, TPS, tribut, TVA, TVQ.

TAXIDERMISTE. Animal, empaillage, empailleur, naturaliste.

TCHADOR. Chiite, voile.

TECHNÉTIUM. Tc.

TECHNIQUE. Art, irrigation, manière, méthode, métier, moyen.

TECK. Tek.

TECKEL. Basset.

TÉGUMENT. Arille, carapace, cuticule, peau, pilosité, tegmen, test.

TÉHÉRAN (n. p.). Iran.

TEIGNE. Calvitie, favus, galerie, gerce, mégère, mite, rogne, tille.

TEILLER. Chanvre, lin, tiller.

TEINDRE. Azurer, brillanter, bruir, chiner, ciseler, friser, gaufrer, glacer, gommer, lustrer, moirer, ocrer, racinette, rocouer, satiner.

TEINT. Artificiel, basané, blême, bronzé, coloré, colorié, fard, fardé, hâle, grillé, mat, mine, paré, peint, rose, teinté, terne, vernissé.

TEINTE. Apparence, aspect, carnation, coloris, couleur, dose, fondu, fraîcheur, lividité, matité, nuance, opalence, pâleur, ton, tonalité.

TEINTER. Bistrer, bleuter, colorer, nuancer.

TEL. Identique, inouï, nu, pareil, proverbe, semblable, téléphone, sic.

TÉLAMON. Atlante.

TÉLÉGRAMME. Bleu, câble, dépêche, message, pli, pneu, stop, télex.

TÉLÉPHONE. Allô, appel, code, interphone, interurbain, régional, sonnerie, taxiphone, tel, vidéophone, watt.

TÉLÉVISION. Caméra, écran, émission, magnétoscope, poste, télé, téléfilm, téléspectateur, téléviseur, tv.

TELLEMENT. Si, tant, toutefois.

TELLURE. Te.

TÉMÉRAIRE. Audacieux, aventureux, brave, courageux, dangereux, entreprenant, hardi, hasardeux, imprudent, intrépide, risqué.

TÉMÉRITÉ. Audace, culot, hardiesse, imprudence, intrépidité.

TÉMOIGNAGE. Affirmation, amitié, attestation, aveu, condoléance, déclaration, gage, hommage, indice, preuve, rapport, signe, test.

TÉMOIGNER. Aduler, appuyer, attester, avérer, certifier, communiquer, déclarer, dénoncer, déposer, dire, établir, jurer, lever, marquer, mépriser, montrer, prouver, rechigner, siffler, trahir.

TÉMOIN. Accusateur, assistant, auditeur, caution, citation, débris, déposant, fossile, garant, jurer, observateur, parrain, preuve, recors, reste, second, souvenir, spectateur, vagulation, visu, voir.

TEMPE. Accroche-cœur, larmier, rouflaquette.

TEMPÉRAMENT. Caractère, comptant, disposition, équilibre, froid, humeur, mesure, milieu, organisation, prédisposition, versement.

TEMPÉRANCE. Abstinence, chasteté, continence, discrétion, économie, frugalité, modération, retenue, sage, sobriété.

TEMPÉRATURE. Canicule, chaleur, climat, fièvre, froid, temps.

TEMPÉRER. Adoucir, affaiblir, amortir, apaiser, arrêter, assagir, assouplir, atténuer, attiédir, borner, calmer, corriger, diminuer, dulcifier, mesurer, modérer, raisonner, régler, simplifier.

TEMPÊTE. Blizzard, bourrasque, colère, cyclone, grain, intempérie, mistral, orage, ouragan, perturbation, poudrerie, rafale, simoun, sirocco, tornade, tourbillon, tourmente, trompe, typhon, vent.

**TEMPÊTER.** Crier, éclater, emporter, enrager, exploser, fulminer, gronder, gueuler, invectiver, pester, rager, tonner, tourmenter.

**TEMPLE.** Basilique, capitole, cathédrale, chapelle, église, fanum, loge, mosquée, pagode, panthéon, spéos, synagogue, tholos, ziggourat.

**TEMPORAIRE.** Bref, constant, court, discontinu, durable, éphémère, fragile, fugace, fugitif, éphémère, incertain, intérimaire, momentané, occasionnel, passager, permanent, précaire, provisoire.

**TEMPOREL.** Charnel, civil, laïc, mortel, séculier, sensuel, terrestre.

**TEMPORISATION.** Ajournement, attentisme, opportunisme, retard.

**TEMPORISER.** Ajourner, arrêter, arriérer, atermoyer, attendre, biaiser, décaler, différer, éloigner, hésiter, prolonger, promener, ralentir, reculer, remettre, renvoyer, reporter, retarder, surseoir.

**TEMPS.** Âge, aoriste, an, année, automne, avenir, avent, carême, carnaval, date, délai, demain, durée, été, fort, frai, gel, heure, hier, hiver, intermède, jour, loisir, matinée, minute, mois, mue, nuit, passé, période, prévention, printemps, rabiot, récréation, rut, saison, séance, seconde, session, soirée, somme, stage, temporalité, tenue.

**TENACE.** Coriace, entêté, intrépide, persévérant, résistant, têtu.

**TÉNACITÉ.** Acharnement, assiduité, cramponnement, entêtement, fermeté, obstination, opiniâtreté, persévérance, pertinacité, volonté.

**TENAILLÉ.** Étreint, griffé, pince, préoccupé, tourmenté, tracassé.

**TENDANCE.** Affinité, attirance, direction, disposition, effort, élan, impulsion, penchant, prédisposition, propension, pulsion, tendre.

**TENDON.** Achille, ligament, muscle, nerf, tendinite, ténotomie, tirant.

**TENDRE.** Aboutir, agneau, amolli, bander, but, caressant, délicat, déployer, doux, enjoué, faible, flexible, fondant, fragile, mendier, mœlleux, mou, oiseler, penchant, porter, pousser, prédisposition, propension, raidir, retendre, sensible, tendance, viande.

**TENDREMENT.** Affectueusement, cher, chéri, pieusement, sollicitude.

**TENDRESSE.** Adoration, affection, amitié, amour, attachement, bonté, caresse, cœur, complaisance, dévotion, dévouement, dilection, douceur, effusion, égards, flamme, gentillesse, humanité, inclination, passion, prédilection, sensibilité, sentiment, sympathie, zèle.

**TENDU.** Desséché, dur, explosif, gênant, grave, hérissé, inflexible, lâche, main, plein, raide, raidi, rigide, roide, ruade, sec.

**TÉNÈBRES.** Enfer, érèbe, noirceur, nuit, obscurité, ombre, voile.

**TENEUR.** Composition, concentration, contenu, contexte, degré, écriture, libellé, objet, salinité, texte, titrage, titre.

**TÉNIA.** Cénure, cœnure, échinocoque, hydatide, scolex, ténifuge.

**TENIR.** Adhérer, ai, as, avoir, badiner, conserver, considérer, croire, détenir, dresser, écarter, écouter, embrasser, entretenir, estimer, éteindre, eu, garder, joindre, lever, médire, occuper, parer, porter, radoter, représenter, réputer, résister, serrer, siéger, soutenir, tenu.

TENNIS. As, avantange, balle, coup, court, droit, égalité, espadrille, filet, lob, manche, match, partie, out, raquette, revers, set, smash.

TÉNOR. Célébrité, chanteur, figure, gloire, personnalité, sommité, star, ténorino, vedette, voix.

TÉNOR ESPAGNOL (n. p.). Domingo.

TÉNOR FRANÇAIS (n. p.). Fay, Nourrit, Trial.

TÉNOR ITALIEN (n. p.). Caruso, Rubini.

TÉNOR QUÉBÉCOIS, (n. p.). Aubry, Barrette, Bélanger, Bernier, Bilodeau, Bisson, Bizier, Blanchette, Blouin, Boisvert, Boutet, Cantin, Champoux, Charette, Comeau, Corbeil, Côté, Coulombe, De Hêtre, Denys, Desbiens, Desmeules, Dionne, Doane, Dubord, Duguay, Duval, Fortin, Fournier, Gagnon, Gauvin, Glogowski, Gosselin, Gray, Guérin, Guillemette, Guinard, Guindon, Hargreaves, Joanness, Jodry, Lacourse, Laflamme, Landry, Langelier, Lanouette, Laperrière, Latour, Leclerc, Legault, Léonard, Lessard, Lortie, McAuley, McLean, Morin, Nolet, Ouellette, Panneton, Pellerin, Pelletier, Perras, Perreault, Perron, Peters, Philipp, Piché, Pilon, Robitaille, Rompré, Saint-Gelais, Schrey, Simard, Smith, Tardif, Tremblay, Trépanier, Turcotte, Vallée, Verreau, Webber.

TENSION. Brouille, cœur, contraction, crise, désaccord, désunion, discorde, dispute, dissidence, division, effort, extension, froid, pression, raideur, résistance, tendre, ténesme, stress, volt.

TENTATIVE. Attentat, avance, coup, démarche, ébauche, effort, entreprise, esquisse, essai, impasse, oser, recherche.

TENTE. Abri, banne, campement, chapiteau, essai, hutte, iourte, képi, ose, pavillon, risque, taud, toile, velarium, yourte, wigwam.

TENTER. Affrioler, aguicher, allécher, attacher, attirer, captiver, charmer, entreprendre, essayer, oser, risquer, séduire, solliciter.

TENU. Astreint, contraint, entretenu, eu, mince, obligé, petite, tenir.

TENUE. Débraillé, délicat, esseulé, menu, nu, petit, posture, siégé.

TÉRASPIC. Ibéris, thlaspi.

TERBIUM. Tb.

TÉRÉBENTHINE. Arcanson, cire, galipot, mélèze, sapin, terpine.

TERGIVERSER. Atermoyer, biaiser, changer, feinter, hésiter, indécis.

TERME. Adieu, borne, bout, but, congé, crédit, délai, échéance, fin, final, limite, loyer, mesure, mot, mythologie, pôle, signe, texte, thèse.

TERMINAISON. Apothéose, cas, désinence, fin, résultat, suffixe, us.

TERMINÉ. Acéré, acuminé, aigu, capité.

TERMINER. Accomplir, achever, arranger, arrêter, capiter, cesser, clore, clôturer, conclure, consommer, couronner, dénouer, épuiser, fermer, finir, lever, liquider, mener, mourir, onguler, polir, rimer.

TERNE. Amorti, blafard, blême, brillant, couleur, décoloré, délavé, déteint, éclatant, effacé, embu, éteint, fade, falot, fané, flétri, grisâtre, incolore, livide, mat, morne, pâle, poli, sombre, usé.

TERNIR. Altérer, amatir, assombrir, décolorer, défraîchir, éclipser, effacer, emboire, éteindre, faner, flétrir, gâter, polir, salir, tacher.

TERRAIN. Abatis, aérodrome, aire, champ, clos, court, culture, emplacement, esplanade, fond, friche, golf, grève, lice, lieu, lopin, marais, marécage, pelouse, pinède, piste, prairie, propriété, relief, rocaille, roseraie, savane, semis, sol, talus, terre, terroir, turf.

TERRASSE. Balcon, bar, belvédère, devanture, digue, esplanade, galerie, plate-forme, promenade, replat, tertre, toit, trottoir, vire.

TERRASSEMENT. Dragline, parados, remblai, sape, talus.

TERRASSER. Abattre, battre, démolir, dompter, renverser, vaincre.

TERRE. Ados, boue, champ, continent, contrée, duché, humus, gadoue, glaise, glèbe, globe, guéret, île, labour, monde, ocre, pays, planète, poussière, région, sol, seigneurie, tenure, terrain, turf.

TERRE-PLEIN. Risban.

TERREUR. Affolement, affres, alarme, angoisse, appréhension, consternation, crainte, effroi, épouvante, frayeur, horreur, mite, panique, peur, révolution, stupéfaction, stupeur, terrible.

TERREUX. Blafard, livide, malpropre, pâle, paysan, sale, souillé.

TERRIBLE. Abominable, affreux, dantesque, drame, dur, effrayant, effroyable, énorme, épouvantable, excessif, redoutable, tragique.

TERRIER. Airedale, abri, antre, asile, cachette, gîte, refuge, tanière.

TERRITOIRE. Arrondissement, canton, circonspection, commune, contrée, diocèse, enclave, finage, paroisse, province, région, zone.

TERROIR. Ancien, cru, folklore, pays, région, terre.

TERRORISER. Affoler, alarmer, apeurer, atterrer, consterner, effarer, effaroucher, effrayer, épouvanter, intimider, paniquer, terrifier.

TERTRE. Amas, butte, élévation, éminence, hauteur, monticule.

TESSON. Brique, fragment, morceau, ostracon, têt, test.

TEST. Analyse, enquête, épreuve, essai, examen, expérience, TAT.

TESTAMENT. Avantage, biens, codicille, disposant, don, exécuteur, héritage, hoir, intestat, legs, nuncupatif, olographe, testateur.

TESTICULE. Albuginée, couille, scrotum, séminome, testostérone.

TÊTE. Avant, caboche, cap, cerveau, chef, chevet, cîme, cou, crâne, début, épi, esprit, file, froc, guillotine, hauteur, hure, mental, mine, occiput, premier, roi, sinciput, sommet, supérieur, test, têt, turc.

TÊTER. Allaiter, attirer, nourrir, presser, sucer, suçoter, tétée.

TÉTINE. Mamelle, pie, pis, sein, sucette, tétin, tette.

TÉTRARQUE. Chef, gouverneur.

TÊTU. Absolu, accrocheur, acharné, âne, buté, docile, entêté, entier, hutin, insoumis, intraitable, mulet, na, obéissant, obstiné, opiniâtre, persévérant, récalcitrant, rétif, soumis, tenace, volontaire.

TEUTON. Allemand.

TEXTE. Alinéa, contenu, copie, discours, document, écrit, énoncé, extrait, formule, leçon, libellé, livre, livret, morceau, note, œuvre, original, parole, partie, passage, préface, rédaction, sacré, teneur.

TEXTILE. Agave, chanvre, corde, coton, dacron, étoffe, fibre, filature, géotextile, jute, laine, lin, nylon, orlon, raphia, sisal, teiller, tex, tissu.

TEXTUEL. Authentique, conforme, exact, littéral, mot à mot, sic.

TEXTURE. Agencement, constitution, structure, substance, tissu.

THAÏLANDAIS. Siamois.

THAÏLANDE. Baht, siam.

THALLIUM. Tl.

THAUMATURGIQUE. Religieux, sacré, sorcier, spirituel, surnaturel.

THÉ. Collation, infusion, mat, maté, noir, théier, théière, vert.

THÉÂTRE. Acte, brigadier, cantonade, comédie, couturière, création, dramatique, drame, générale, inattendu, opéra, pièce, planches, plateau, première, rôle, scène, spectacle, subit, tréteaux.

THÈME. Dire, idée, leitmotiv, matière, motif, sujet, traduction, visuel.

THÉOLOGIE. Apologétique, gnose, origène, religion, scolâtre, vertu.

THÉOLOGIEN. Casuiste, consulteur, docteur, gnostique, ouléma, scolastique, soufi, uléma.

THÉOLOGIEN ALLEMAND (n. p.). Baur, Riemann, Eck, Gotescalc, Gottscalk, Luther, Schleiermacher.

THÉOLOGIEN ALSACIEN (n. p.). Bucer, Butzer.

THÉOLOGIEN AMÉRICAIN (n. p.). Channing, Tillich.

THÉOLOGIEN ANGLAIS (n. p.). Bacon, Clarke, Langton, Latimer, Priestley, Pusey, Wesley, Wyclif, Wycliffe.

THÉOLOGIEN ANGLO-SAXON (n. p.). Alcuin.

THÉOLOGIEN ARMÉNIEN (n. p.). Méchithar, Mékhithar.

THÉOLOGIEN CATALAN (n. p.). Sabunde.

THÉOLOGIEN ÉCOSSAIS (n. p.). Knox.

THÉOLOGIEN ESPAGNOL (n. p.). Molina, Suarez.

THÉOLOGIEN FRANÇAIS (n. p.). Abélard, Ailly, Casaubon, Castellion, Chenu, Farel, Fichet, Fontaine, Gerson, Jurieu, Lagrange, Quesnel, Sabatier, Sorbon.

THÉOLOGIEN GREC (n. p.). Origène.

THÉOLOGIEN HOLLANDAIS (n. p.). Jansénius.

THÉOLOGIEN ITALIEN (n. p.). Cajetan, Gratien.

THÉOLOGIEN NÉERLANDAIS (n. p.). Gomar.

THÉOLOGIEN SUISSE (n. p.). Barth, Lavater, Viret, Zwingli.

THÉOLOGIEN TCHÈQUE (n. p.). Comenius, Hus.

THÉORICIEN. Doctrinaire, idéologue, penseur, philosophe, scientifique, spéculateur, tactitien.

THÉORIE. Axiologie, axiome, base, convention, doctrine, dogme, donnée, élément, formule, idée, loi, maxime, opinion, pensée, philosophie, réflexion, règle, spéculation, système, utopie.

THÉORIQUE. Abstrait, conceptuel, doctrinal, hypothétique, idéal, imaginaire, rationnel, scientifique, spéculatif, systématique, vaseux.

THÉRAPEUTE. Homéopathe, naturopathe.

THÉRAPEUTIQUE. Curatif, cure, drogage, ergothérapie, intervention, médical, médication, médicinal, régime, soins, traitement.

THERMIE. Th.

THERMOMÈTRE. Baromètre, Celcius, degré, Fahrenheit, thermoscope.

THÉSAURISER. Accumuler, amasser, avarice, capitaliser, économiser, empiler, entasser, épargner, ménager, placer, planquer, trésor.

THÈSE. Affirmation, argument, idée, opinion, soutenance, système.

THIAMINE. Aneurine, B.

THLASPI. Crucifère, ibéride, téraspic.

THON. Bonite, germon, madrague, pélamide, pélamyde, thonine.

THOR (n. p.). Jord, Odin, Pluie, Tonnerre, Tor.

THORAX. Buste, cœur, corselet, écu, pectoraux, poitrine, torse, tronc.

THORIUM. Th.

THROMBUS. Caillot, thrombose.

THULIUM. Tm.

THURIFÉRAIRE. Courtisan, encenseur, flagorneur, flatteur, laudateur.

THYM. Barigoule, farigoule, frigoule, mignotise, pote, pouilleux, serpolet.

THYMIE. Affectivité, cœur, humeur.

THYMUS. Fagoue, ovoïde, ris, thymique.

TIBIA. Anatomie, astragale, cheville, jambe, malléole, os.

TIC. Caprice, convulsion, dada, fantaisie, fièvre, frénésie, fureur, goût, grimace, habitude, hobby, manie, manière, nerf, rictus, stéréotype.

TIÈDE. Apathique, attiédi, calme, doux, indifférent, mitigé, modéré, moite, mou, neutre, nonchalant, tempéré, tépide.

TIÉDEUR. Chaleur, flegme, indifférence, mou, nonchalance, refroidi.

TIERCE. Carte, équipolé, équipollé, flanc, tiercelet.

TIERCER. Tercer, terser.

TIERS. Arbitre, chef, délégation, étranger, inconnu, intermédiaire, intrus, médiateur, négociateur, surarbitre, témoin, troisième, tronc.

TIGE. Acaule, arbre, axe, barre, bras, canisse, caulescent, cep, cépée, clou, éperon, fane, gourmand, jonc, liane, paille, pétiole, plesse, queue, rhizome, sonde, stipe, talle, tronc, turion, tuyau, verge, vis.

TIGRE. Chaton, fauve, feuler, kouffa, miaule, rauquer, tiglon, tigron.

TIMBALE. Gobelet, moule, tambour, timbalier.

TIMBRE. Album, cachet, cloche, empreinte, enveloppe, estampille, gond, marque, philatélie, sceau, son, tampon, vignette, voix.

TIMIDE. Audacieux, complexé, craintif, farouche, gauche, gêné, hésitant, honteux, humilité, indécis, maladroit, peureux, réservé.

TIMON. Armon, attelloir, flèche, gouvernail, volée.

TIMORÉ. Apeuré, craintif, délicat, intimidé, peureux, poltron, timide.

TINTAMARRE. Bacchanale, barouf, baroufle, bastringue, bordel, boucan, brouhaha, bruit, cacophonie, carillon, chahut, charivari, cri, désordre, éclat, esclandre, foin, fracas, potin, raffut, ramdam, sabbat, scandale, sérénade, tapage, tohu-bohu, tumulte, vacarme.

TINTEMENT. Bruit, carillon, cloche, ding, glas, son, tintinnabulement.

TINTER. Bruit, clocheter, corner, résonner, sonner, tintamarre.

TIQUE. Acarien, arbovirus, borréliose, ixode, piroplasmose.

TIR. Couplet, enfilade, feu, fourchette, fusiller, lancement, volée.

TIRADE. Couplet, discours, explication, monologie, paraphrase, suite.

TIRAGE. Accroc, anicroche, aria, bec, cahot, chardon, danger, désignation, difficulté, édition, épine, étirage, gravure, hasard, hic, imprimerie, journal, livre, loterie, magazine, train, tréfilage.

TIRAILLEMENT. Conflit, contraction, crampe, dispute, dissension.

TIRAILLER. Écarteler, secouer, solliciter, souffrir, tirer, tourmenter.

TIRAILLEUR. Chéchia, nouba, soldat, turco.

TIRANT. Charpente, courant, eau, flottaison, viande.

TIRELIRE. Cagnotte, caisse, cochon, crapaud, crousille, grenouille, tontine, tronc, voleur.

TIRER. Agoniser, allonger, amener, attirer, créer, dégainer, déterrer, distendre, écosser, éfaufiler, émaner, enlever, éveiller, flinguer, haler, imprimer, jouer, jouir, naître, ôter, retirer, rétracter, saigner, sauver, sonner, tirailler, tracer, traire, utiliser, venger, viser.

TIREUR. Archer, astrologue, cartomancien, diseur, épinglette, fusil, haleur, tracteur, voyant.

TISANE. Apozème, bouillon, décoction, gruau, hydrolé, infusette, infusion, liquide, macération, menthe, remède, solution, tilleul, tisanerie, tisanière, verveine.

TISSAGE. Chaîne, filé, lice, lirette, lisse, ourdir, ros, tisserand, tissu.

TISSER. Aménager, arranger, brocher, broder, combiner, entretisser, fabriquer, natter, ourdir, rapprocher, retisser, tramer, tresser.

TISSERAND. Licier, métier, peigne, séran, tisseur, tissu, trame.

TISSERIN. Africain, herbe, passériforme, républicain.

TISSEUSE. Araignée, étaminière, parques.

TISSU. Adipeux, albène, albumen, basin, claie, coton, coutil, crêpé, crépon, dentelle, derme, drap, étamine, étoffe, filet, finette, greffon, indienne, jersey, lacerie, lard, liber, liège, lin, linge, madapolam, moire, nansouk, natte, nodal, peau, pilou, popeline, pulpe, rabane, ratine, réseau, ruban, serge, soie, soierie, suédine, suite, tergal, tissure, toile, tresse, tricot, tulle, tussor, tweed, velours, zénana.

TISSU DE COTON. Finette, madapolam, nansouk, pilou, suédine.

TITAN. Colosse, cyclope, géant, Goliath, Hercule, malabar, monstre.

TITANE. Ti.

TITANESQUE. Babylonien, colossal, considérable, cyclopéen, démesuré, éléphantesque, énorme, étonnant, excessif, extraordinaire, fantastique, formidable, géant, gigantesque, grand, grandiose, immense, monstrueux, prodigieux, surhumain.

TITANIC (n. p.). Terre-Neuve, White Star.

TITRE. Abbé, altesse, appellation, baron, chah, charge, comte, dignité, distinction, droit, duc, éminence, émir, essai, frontispice, grade, iman, lord, maestro, maître, marquis, médaille, messire, nom, père, prince, révérend, revue, sainteté, sir, sire, sultan, titulaire.

TITRE ANGLAIS. Esquire, lady, lord, milady, milord, sir, sirdar.

TITRE DE NOBLESSE. Altesse, baron, comte, duc, marquis, prince, sire.

TITUBANT. Balançant, basculant, branlant, chancelant, faible, flageolant, glissant, hésitant, incertain, oscillant, trébuchant, vacillant.

TITUBER. Chanceler, tanguer, trébucher, vaciller, zigzaguer.

TITULAIRE. Attitré, créancier, gradué, palme, propriétaire, titre.

TOAST. Discours, rôtie.

TOC. Camelote, factice, faux, imitation, pacotille, verroterie.

TOCARD. Laid, mauvais.

TOILE. Alèse, arantèle, bâche, bande, batiste, calicot, canevas, chintz, coton, cretonne, décor, écran, étoffe, étui, filet, fond, indienne, jute, lin, linceul, linge, linon, peinture, percaline, perse, piège, rideau, rosconne, tableau, taffetas, tenture, tissu, treillis, voile, zéphyr.

TOILETTE. Atour, costume, habit, linge, parure, tenue, vêtement.

TOISON. Cheveux, lainage, laine, lama, or, poil, riflard, suitine.

TOIT. Abri, auvent, couverture, dais, gîte, parapluie, toiture, tortue.

TOITURE. Couverture, faîte, habitation, pergola, terrasse, toit, vélum.

TÔLARD. Détenu.

TÔLE. Étain, fer-blanc, palastre, prison, tôlerie, volet.

TOLÉRER. Accepter, accorder, acquiescer, admettre, agréer, approuver, autoriser, avaler, concéder, consentir, endurer, excuser, justifier, pardonner, passer, permettre, souffrir, subir, supporter.

TOLLÉ. Blâme, bruit, chahut, charivari, clameur, cri, haro, huée, protestation, sifflet.

TOLUÈNE. Benzol, benzylique, crésol, saccharine, toluol.

TOMAHAWK. Arme, hache, massue.

TOMATE. Ketchup, marmande, moussaka, olivette, pomme d'amour.

TOMBE. Funéraire, hypogée, mastaba, mausolée, tombeau, tumulus.

TOMBEAU. Caveau, cénoraire, cénotaphe, cercueil, cinéraire, cippe, columbarium, corbillard, fosse, koubba, mastaba, mausolée, monument, pierre, sarcophage, sépulcre, sépulture, spéos, stèle.

TOMBER. Abattre, acopper, affaisser, allonger, basculer, choir, chuter, culbuter, débouler, déchoir, ébouler, écrouler, étaler, glisser, neiger, périr, pleuvoir, soir, souscrire, succomber, valdinguer.

TOMBOLA. Arlequin, bingo, hasard, fête, loterie, loto, tirage.

TON. Accent, accord, air, bruit, clé, clef, corde, couleur, diapason, do, écho, façon, gamme, genre, grave, hauteur, intonation, la, mode, note, nuance, parole, sol, son, tien, timbre, tonique, verbe, voix.

TONALITÉ. Coloration, coloris, couleur, facture, inflexsion, intonation, nuance, son, style, teinte, timbre, ton, tonal, touche, transposition.

TONDAISON. Coupage, épluchage, grattage, rasage, taillage, tonte.

TONDRE. Brouter, couper, dénuder, déposséder, dépouiller, ébarber, égaliser, élaguer, exploiter, raser, retondre, tailler, tonsurer, voler.

TONDU. Ras.

TONIQUE. Caféine, coricide, ginseng, glycérophosphate, stimulant.

TONITRUER. Crier, ébruiter, éclater, foudroyer, fulminer, invectiver.

TONNE. Masse, poids, tep, tonneau.

TONNEAU. Baril, barrique, benne, bonde, botte, boucaud, caque, charge, cuve, douve, foudre, fût, futaille, gonne, jable, louve, mèche, muid, pipe, quart, râpe, récipient, seau, tin, tine, tonne, tune, vase.

TONNELLE. Abri, berceau, charmille, gloriette, kiosque, pergola.

TONNER. Crier, détoner, éclater, fulminer, gronder, rouler, tomber.

TONNERRE. Éclair, foudre, fulguration, orage, tempête, terrible.

TONTON. Oncle.

TONUS. Énergie, ressort, tonicité, vigueur.

TOP. Signal.

TOPINAMBOUR. Artichaut, citrouille, poire, soleil vivace, tertifle.

TOPIQUE. Adapté, caractéristique, convenable, épithème, particulier, propre, spécifique, typique, vésicatoire.

TOPONYME. Nom.

TOQUANTE. Montre.

TOQUÉ. Aliéné, bizarre, dément, fou, maniaque, névrosé, timbré.

TORCHE. Brandon, flambeau, flamme, lampe, luminaire, tison.

TORDANT. Amusant, bidonnant, bouffon, cacasse, comique, crevant, désopilant, drôle, farce, hilarant, impayable, plaisant, ridicule, risible.

TORDRE. Bistourner, boudiner, cintrer, contourner, cordeler, corder, courber, croiser, déformer, distordre, entortiller, essorer, fausser, gauchir, organsiner, rouler, tirebouchonner, tortiller, tourner, vriller.

TORDU. Bancal, bancroche, cagneux, circonflexe, contourné, contracté, courbé, déjeté, difforme, entortillé, gauche, hart, recroquevillé, ronce, sinueux, tors, tortillé, tortis, tortueux, vrillée.

TORNADE. Bourrasque, cyclone, orage, ouragan, tempête, typhon.

TORPEUR. Abattement, assoupissement, atonie, dépression, engourdissement, langueur, léthargie, sommeil, somnolence.

TORPILLE. Gymnote, sous-marin, torpilleur.

TORPILLER. Anéantir, arrêter, briser, couler, enterrer, escamoter, étouffer, neutraliser, ruiner, saboter.

TORRENT. Arve, drac, eau, gave, gardon, lavande, ravine, rivière.

TORRIDE. Brûlant, chaud, cuisant, desséchant, étouffant, froid, rouge.

TORSE. Buste, poitrine, taille, thorax, tordu, tors, tronc.

TORT. Absent, affront, atteinte, avanie, blessure, brèche, casse, coup, dam, défaut, démérite, détriment, dommage, erreur, faiblesse, faute, grief, injure, injustice, léser, lésion, mal, nuire, outrage, préjudice.

TORTILLARD. Train.

TORTILLER. Allure, balancer, cordonner, détourner, embarrasser, friser, hésiter, manger, onduler, remuer, subtiliser, tordre, tourner.

TORTUE. Alligator, batagur, boîte, bouclier, boueuse, caret, casque, céraste, chélonien, cistude, caouane, couane, diamanté, émyde, frange, kinixys, luth, musquée, pyxide, reptile, toit, trionyx, vorace.

TORTUEUX. Courbe, détour, droit, flexueux, serpentueux, sinueux.

TORTURE. Affliction, calvaire, douleur, gêne, martyre, question, souffrance, supplice, tenaillement, tourmente, tortionnaire, victime.

TORTURER. Dévorer, harceler, martyriser, obséder, persécuter, questionner, ravager, ronger, tarauder, tenailler, tourmenter.

TORY. Conservateur.

TÔT. Précoce, prématuré, promptement, rapide, temps, vite.

TOTAL. Absolu, complet, entier, exhaustif, franc, général, global, intact, intégral, parfait, plein, plénier, radical, somme, tout.

TOTALITÉ. Ensemble, entier, entièrement, entièreté, généralité, intégralité, intégrité, masse, plénitude, somme, tout, universalité.

TOTEM. Ancêtre, aulique, bande, clan, érié, emblème, ethnie, famille, figure, gad, genre, horde, peuplade, signe, symbole, tribal.

TOTO. Pou.

TOUCHANT. Attendrissant, désarmant, émouvant, frappant, vibrant.

TOUCHÉ. Ému, entamé, note, nuance, palpé, peiné, peu, teinte.

TOUCHER. Aboutir, adjacent, approcher, atteindre, attraper, blesser, caresser, chatouiller, contigu, coudoyer, dû, effleurer, émerger, émouvoir, frapper, froisser, frôler, gagner, heurter, impressionner, jouxter, manier, palper, percevoir, près, relâcher, tâter, tâtonner.

TOUFFE. Aigrette, amas, barbiche, bouquet, buisson, cépée, chignon, crêpe, crête, crinière, épi, fanon, favoris, femme, grappe, houppe, huppe, mèche, pinceau, pompon, roncier, sertule, têtard, toupet.

TOUFFU. Abondant, chargé, dense, dru, épais, feuillu, fourni, fourré, garni, hérisse, hirsute, huppé, impénétrable, massif, pressé, serré.

TOUILLER. Agiter, mêler, remuer.

TOULADI. Truite.

TOUJOURS. Assidu, assidûment, constant, continuellement, éternel, généralement, invariablement, perennité, perpétuité, uniforme.

TOUPET. Calvitie, confiance, hardiesse, moumoute, perruque, touffe.

TOUPIE. Clé, jouet, mégère, moine, pirouette, sabot, taille, toton, trochophore, turbine.

TOUR. Beffroi, campanile, ceinture, clocher, donjon, échec, façon, guet, minaret, passe, pièce, plaisanterie, spire, taille, tr, truc, virée.

TOUR (n. p.). Babel, CN, Eiffel, Pise.

TOURBILLON. Agitation, bourrasque, grain, maelström, rafale, remous, tohu-bohu, trombe, turbulence, valse, vortex.

TOURBILLONNER. Pirouetter, pivoter, tourner, tournoyer, virevolter.

TOURELLE. Chambre, coupole, hile, tir, tour.

TOURILLON. Tolet, volée.

TOURISTE. Estivant, étranger, excursionniste, explorateur, promeneur, vacancier, visiteur, voyageur.

TOURMALINE. Rubellite.

TOURMENT. Affres, angoisse, chagrin, déboire, embarras, émotion, gêne, ennui, malaise, peine, remords, supplice, tracas, trouble.

TOURMENTÉ. Agité, angoissé, anxieux, inquiet, possédé, torturé.

TOURMENTER. Agacer, agiter, assaillir, bourreler, brutaliser, déchirer, envier, gêner, harceler, infester, lanciner, maltraiter, moquer, mouvementer, ronger, tanner, tenailler, torturer, vexer.

TOURNAGE. Filmage, prêt, prise.

TOURNAILLER. Errer, rôder, tourner, tournicoter, tourniquer.

TOURNANT. Angle, circulaire, coude, courbe, courbure, giratoire, méandre, pivotant, retour, rotatif, rotatoire, rotor, tour, virage.

TOURNÉ. Acide, aigre, altéré, caillé, détérioré, exposé, gâté, sur.

TOURNÉE. Promenade, torgnole, tour, virée, visite, volée, voyage.

TOURNER. Anordir, berner, braquer, cinéma, contourner, détourner, dévier, faner, finir, girer, nordir, persifler, pirouetter, railler, rôder, rouler, ruminer, sur, suri, tordre, tour, tournoyer, virer, virevolter.

TOURNIQUET. Aspérité, banc, bourriquet, moulinet.

TOURNURE. Air, allure, angle, aspect, bouffant, cachet, chic, côté, couleur, grammaticale, expression, face, forme, manière, style, tour.

TOURTEAU. Dormeur, maton, pain, poupart, résidu.

TOUSELLE. Blé.

TOUSSER. Cracher, éternuer, époumoner, graillonner, respirer, spasme, toussoter.

TOUSSERIE. Toux.

TOUT. Amas, bloc, chaque, comble, complet, ensemble, entier, fatras, global, imbu, intact, intégralité, masse, monceau, multitude, panacée, pile, plénier, pléthore, ramassis, quiconque, sauf, somme, tas, total.

TOUTEFOIS. Cependant, mais, néanmoins, nonobstant, pourtant, seulement.

TOUT-PETIT. Bébé.

TOUT-PUISSANT. Créateur, dieu, omnipotent, souverain, suprématie.

TOUX. Enrouement, expectoration, rhume, tousserie, toussotement.

TOXICOMANE. Camé, drogué, éthéromane, héroïnomane, morphinomane, opiomane, pharmacodépendant.

TOXINE. Anatoxine, endotoxine, exotoxine, poison, typhotoxine, vaccin.

TOXIQUE. Arsenic, asphyxiant, dangereux, délétère, empoisonnant, maligne, malsain, mortel, nocif, poison, toxine, venin, virus.

TRACAS. Agacerie, alarme, aria, brimade, chicane, contrariété, difficulté, ennui, obsession, souci, souffrance, tourmente, vexation.

TRACASSER. Assaillir, brutaliser, déchirer, ennuyer, inquiéter, préoccuper, tarabuster, torturer, tourmenter, travailler, turlupiner.

TRACASSERIE. Chicane, chinoiserie, ennui, mesquinerie, querelle.

TRACE. Bavure, cicatrice, empreinte, erre, foulée, impression, indice, itinéraire, linéament, marque, note, ornière, pas, passée, piste, plan, relent, reste, signe, sillage, sillon, stigmate, tache, vermoulure, voie.

TRACER. Circonscrire, crayonner, décrire, dessiner, disposer, ébaucher, écrire, esquiver, établir, former, formuler, frayer, marquer, ouvrir, règle, représenter, retracer, té, tirer, tracelet.

TRAÇOIR. Tracelet.

TRACT. Affiche, affichette, feuille, libelle, pamphlet, papier, vignette.

TRACTÉ. Remorqué, tiré.

TRADITION. Ancestral, errement, habitude, histoire, rite, rituel, us.

TRADITIONALISTE. Classique, conformiste, conventionnel, sage.

TRADUCTEUR. Exégète, interprète, paraphraseur, scoliaste.

TRADUCTEUR (n. p.). Amyot, Caro, Dacier, Ficin, Méthode, Tyndale.

TRADUCTION. Adaptation, déchiffrement, explication, interprétation, paraphrase, thème, translation, transposition, version.

TRADUIRE. Appeler, assigner, changer, citer, comprendre, convoquer, déchiffrer, déférer, éclaircir, expliquer, exprimer, gloser, indiquer, interpréter, justice, porter, rendre, traîner, transposer.

TRAFIC. Agio, agiotage, billonnage, circulation, commerce, débit, encan, fricotage, gain, magouillage, malversation, manigance, maquignonnage, négoce, simonie, traite, transport, tripotage.

TRAFIQUER. Acheter, agioter, boursicoter, brader, bricoler, brocanter, colporter, combiner, débiter, échanger, falsifier, fourger, fricoter, magouiller, maquignonner, négocier, spéculer, tripoter.

TRAGÉDIE. Acteur, comédie, drame, film, malheur, muses, théâtre.

TRAGÉDIE D'EURIPIDE (n. p.). Alceste, Andromaque, Électre, Hécube, Hélène, Hippolyte, Iphigénie, Médée, Oreste.

TRAGÉDIE DE CORNEILLE (n. p.). Agésilas, Attila, Cinna, Clitandre, Horace, Le Cid, Médée, Nicomède, Polyeucte, Pulchérie, Rodogune, Suréna.

TRAGÉDIE DE RACINE (n. p.). Andromaque, Athalie, Bajazet, Bérénice, Britannicus, Esther, Iphigénie, Mithridate, Phèdre.

TRAGÉDIE DE SHAKESPEARE (n. p.). Cymbeline, Hamlet, Macbeth, Othello, Périclès, Roi Lear, Roméo et Juliette.

TRAGÉDIE DE VOLTAIRE (n. p.). Brutus, Irène, Mérope, Œdipe, Tancrède, Zaïre.

TRAHIR. Abandonner, décevoir, découvrir, défection, dénaturer, dénoncer, déserter, desservir, divulguer, duper, indiquer, lâcher, livrer, manquer, raguser, renier, révéler, tromper, vendre.

TRAHISON. Abandon, défection, délation, dénonciation, désertion, félonie, forfaiture, inconstance, infidélité, perfidie, tromperie.

TRAIN. Allure, arroi, bagage, convoi, cours, équipage, erre, express, locomotive, luxe, marche, mouvement, omnibus, progression, rail, rame, rapide, ruade, suite, tortillard, transport, vie, vitesse, voie.

TRAÎNARD. Lambin, languissant, lent, monotone, mou, tardif.

TRAÎNEAU. Briska, luge, sleigh, toboggan, traîne, troïka.

TRAÎNE-BÛCHES. Pêche, phrygane.

TRAÎNER. Amener, attirer, charrier, conduire, déplacer, emmener, emporter, entraîner, errer, flâner, guérir, haler, lambiner, marcher, mener, pétouiller, ramper, remorquer, tarder, tirer, touer, vautrer.

TRAIT. Adresse, angon, attelle, barre, boire, corde, courroie, flèche, framée, glyphe, hast, javeline, jet, lanière, liaison, ligne, mine, projectile, rature, rayure, soulignement, tiret, tracer, union, visage.

TRAITÉ. Accord, argument, convention, cours, discours, dissertation, essai, entente, étude, livre, loi, manuel, marché, mémoire, merisme, notions, ordre, ouvrage, pacte, réciprocité, règle, thèse, union.

TRAITEMENT. Avanie, comportement, cure, élixir, émolument, ergothérapie, gain, héliothérapie, médication, photothérapie, phytothérapie, régime, salaire, soin, solde, thalassothérapie.

TRAITER. Agir, appeler, brasser, cajoler, conduire, dorloter, gâter, jouer, malmener, manier, ménager, mener, négocier, purger, rabrouer, révérer, rudoyer, saler, snober, soigner, vexer, visser.

TRAÎTRE. Délateur, déserteur, espion, félon, Judas, parjure, renégat.

TRAJECTOIRE. Courbe, gerbe, itinéraire, montée, orbite, rayon, tracé.

TRAJET. Aller, chemin, cheminement, circuit, course, direction, distance, espace, itinéraire, marche, parcours, route, tour, voyage.

TRAME. Chaîne, intrigue, menée, suite, tisserand, tissu, usure.

TRAMER. Aménager, arranger, brasser, combiner, comploter, conjurer, conspirer, fabriquer, fricoter, machiner, manigancer, monter, nouer, ourdir, préparer, rétisser, tisser, tresser.

TRAMWAY. Impériale, rail, tram, vicinal.

TRANCHANT. Acéré, affilé, affirmation, affûté, aigu, aiguisé, coupant, dos, émorfilé, émoulu, émoussé, fil, hache, net, repassé, sec, taillant.

TRANCHE. Barde, bord, canapé, côté, coupe, darne, division, écu, émincé, escalope, fil, fraction, lamelle, lèche, morceau, part, partie, portion, quartier, rond, rondelle, rôtie, tartine, tête, toast.

TRANCHÉE. Abri, canal, cavité, creux, fossé, rigole, sape, sillon, trou.

TRANCHER. Arbitrer, arrêter, choisir, conclure, contraster, convenir, couper, décréter, définir, délibérer, déterminer, détonner, disposer, diviser, émincer, finir, hacher, juger, ordonner, prononcer, régler, résoudre, rogner, sectionner, séparer, solutionner, statuer, vider.

TRANCHOIR. Zancle.

TRANQUILLE. Béat, calme, coi, confiant, dormant, impassible, lent, paisible, peinard, quiet, rasséréné, rassuré, serein, silencieux, sûr.

TRANQUILLISER. Adoucir, alarmer, apaiser, apprivoiser, assurer, calmer, rasséréner, rasseoir, rassurer, reprendre, sécuriser, troubler.

TRANQUILLITÉ. Accalmie, apaisement, ataraxie, bonace, calme, certitude, confiance, paix, quiétude, sécurité, sérénité, silence.

TRANSACTION. Accord, affaire, cession, compromis, crise, négoce.

**TRANSCRIPTION.** Copie, double, duplicata, enregistrement, ichtus, minute, notation, original, polycopie, relevé, report, reproduction.

**TRANSCRIRE.** Calquer, écrire, enregistrer, expédier, inscrire, noter.

**TRANSE.** Crise, délire, émotion, exaltation, extase, peur, souci.

**TRANSFÉRER.** Céder, déplacer, fonctionner, muter, transporter, virer.

**TRANSFORMATION.** Adaptation, altération, amélioration, aménagement, avatar, changement, correction, digestion, forme, métamorphose, mue, ozonisation, réalisation, refonte, vaporisation.

**TRANSFORMER.** Aménager, changer, corriger, former, innover, mêler, muer, mûrir, réduire, refaire, rénover, retaper, tanner, virer.

**TRANSFUGE.** Apostat, déloyal, déserteur, dissident, faux, félon, fourbe, insoumis, Judas, perfide, renégat, traître, trompeur.

**TRANSGRESSER.** Contrevenir, déroger, désobéir, enfreindre, outrepasser, pécher, rompre, sortir, tourner, violer.

**TRANSI.** Cloué, engourdi, figé, frissonnant, gelé, glacé, grelottant, morfondu, paralysé, pénétré, pétrifié, tétanisé.

**TRANSIGER.** Accéder, accepter, accommoder, accorder, arranger, céder, composer, convenir, entendre, faiblir, pactiser, prêter, traiter.

**TRANSISTOR.** Mos, NPN, PNP.

**TRANSITION.** Changement, degré, évolution, fondu, glissement, intermédiaire, liaison, passage, pont, raccord, stade, variante.

**TRANSLUCIDE.** Clair, cristallin, dépoli, diaphane, hyalin, limpide, mica, perméable, porcelaine, scarieux, transparent, vaseline.

**TRANSMETTRE.** Céder, concéder, confier, déléguer, dire, donner, envoyer, fournir, inoculer, laisser, léguer, négocier, passer, téléviser.

**TRANSMIGRATION.** Métempsychose, métempsycose, réincarnation.

**TRANSMIS.** Cédé, communiqué, donné, héréditaire, légué, transféré.

**TRANSMISSION.** Aliénation, cession, contagion, contamination, dévolution, diffusion, donation, émission, épidémie, étendre, expansion, extension, hérédité, héritage, progrès, télépathie, vente.

**TRANPARAÎTRE.** Apparaître, dévoiler, éclaircir, manifester, montrer, nettoyer, paraître, poindre, révéler, suinter, trahir, voir.

**TRANSPARENCE.** Clarté, cristallin, diaphane, eau, évidence, épair, filigrane, hyaloïde, légèreté, limpidité, mirer, perméabilité.

**TRANSPARENT.** Clair, cristallin, diaphane, limpide, pur, translucide.

**TRANSPERCER.** Atteindre, crever, cribler, embrocher, empaler, fendre, pénétrer, percer, perforer, transverbérer, traverser, trouer.

**TRANSPIRATION.** Anhidrose, anidrose, antisudoral, antisudorifique, diaphorèse, étuve, évaporation, perspiration, sudation, suée, sueur.

**TRANSPIRE.** Bruit, respire, rumeur.

**TRANSPIRER.** Cacher, couler, dégouliner, dire, percer, rumeur, suer.

**TRANSPLANTER.** Greffer, repiquer, transférer, transporter.

**TRANSPORT.** Autobus, aviation, avion, bateau, brouettage, camionnage, car, cargo, cession, charroi, circulation, délégation, déplacement, expédition, extase, factage, fret, héliportage, importation, ire, ligne, locomotive, manutention, messagerie, métro, passage, roulage, route, train, transfert, véhicule, via, voie, voiture.

TRANSPORTÉ. Ardent, brûlant, chaud, dévot, emballé, ivre, mû, ravi.

TRANSPORTER. Aller, charrier, déplacer, mener, porter, véhiculer.

TRANSPOSER. Alterner, changer, convertir, déplacer, extrapoler, intervertir, inverser, modifier, permuter, renverser, traduire.

TRANSPOSITION. Adaptation, anagramme, calque, déplacement, inversion, métathèse, permutation, renversement, traduction.

TRANSVASER. Décanter, dépoter, déverser, entonnoir, frelater, siphonner, soutirer, transférer, transvider, verser.

TRAPPE. Oubliette, piège.

TRAPPER. Chasser, piéger.

TRAPPEUR. Chasseur, piégeur.

TRAPU. Carré, costaud, court, courtaud, dru, ferme, fort, grand, gros, herculéen, massif, mastoc, musclé, nabot, nain, résistant, solide.

TRAQUENARD. Appât, embûche, piège, poursuite, tromperie.

TRAVAIL. Acte, action, besogne, corvée, ébénisterie, ergomanie, étude, fonte, job, journée, labeur, lad, maçonnerie, mal, œuvre, ouvrage, peine, pige, poncif, rédaction, sueur, tri, trime, turbin.

TRAVAILLER. Agir, besogner, bosser, bricoler, bûcher, chiner, cultiver, écosser, élaborer, fabriquer, façonner, occuper, œuvrer, manœuvrer, piocher, rendre, produire, soigner, suer, tracer, trimer.

TRAVAILLEUR. Acharné, actif, aide, appliqué, apprenti, artisan, bosseur, bûcheur, commis, compagnon, employé, ergomaniaque, journalier, manœuvre, marin, ouvrier, prolétaire, salarié, studieux.

TRAVERS. Biais, côté, défaut, faible, flanc, lacune, malfaçon, vice.

TRAVERSE. Barrage, croisillon, jet, obstacle, passage, rail, traversine.

TRAVERSER. Brocher, croiser, empaler, franchir, larder, parcourir, passer, pénétrer, percer, perforer, piquer, sillonner, transpercer.

TRAVERSIER. Bac, barque, bateau, flûte, passeur.

TRAVERSIN. Chevet, coussin, oreiller, polochon.

TRAVESTI. Déguisement, domino, gai, mascarade, masque, uranien.

TRAVESTIR. Arranger, changer, contrefaire, costumer, défigurer, déformer, déguiser, masquer, recouvrir, transformer, voiler.

TRÉBUCHER. Achopper, broncher, buter, céder, chanceler, chavirer, chopper, faiblir, faillir, osciller, tituber, tomber, vaciller.

TRÈFLE. Baste, carte, chance, lotier, lotier, luzerne, menyanthe.

TREILLAGE. Berceau, claie, clôture, espalier, jardin, palissade, taille.

TREILLIS. Barrière, caillebotis, claie, clôture, grillage, jardin.

TREMBLANT. Alarmé, apeuré, affrayé, ému, transi, vacillant.

TREMBLEMENT. Agitation, convulsion, épicentre, frémissement, frisson, saccade, secousses, séisme, sismique, soubresaut, spasme, trémolo, trémuler, trépidation, tressaut, trille, vibration, vibrato.

TREMBLER. Agiter, chanceler, chevroter, craindre, danser, ébranler, effrayer, flageoler, frémir, frissonner, grelotter, palpiter, redouter, remuer, tituber, trembloter, trémuler, trépider, vaciller, vibrer.

TREMBLOTER. Agiter, chanceler, chevroter, craindre, danser, ébranler, effrayer, flageoler, frémir, frissonner, grelotter, palpiter, redouter, remuer, trembler, trémuler, trépider, vaciller, vibrer.

TRÉMOUSSER. Agiter, déhancher, frétiller, gigoter, remuer, tortiller.

TREMPÉ. Acier, correction, dégelé, imbibé, inondé, lime, marinade, plongé, raclée, recuit, revenu, sauce, tempérament, volée.

TREMPER. Arroser, baigner, couper, détremper, essaimer, essanger, humecter, imbiber, immerger, mariner, mouiller, rincer, saucer.

TREMPLIN. Batoude, gymnastique, plongeoir.

TRÉMULATION. Fibrillation.

TRÉPAN. Couronne, drille, foret, mèche, tricône.

TRÉPAS. Décès, décédé, défunt, disparu, éteint, fin, mort, tombe.

TRÉPIGNER. Agiter, piaffer, piétiner, secouer, trembler, vibrer.

TRÈS. Absolument, affreusement, assai, assez, bien, bigrement, diablement, drôlement, excessivement, extra, extrêmement, fort, fortement, foutrement, furieusement, grand, hyper, infiniment, invraisemblable, joliment, moult, parfaitement, particulièrement, prodigieusement, remarquablement, rudement, super, sur, tantinet, terriblement, vachement, vraiment.

TRESCHEUR. Orle.

TRÉSOR. Argent, eldorado, fortune, magot, pactole, paragon, pirate.

TRÉSORIER. Argentier, avare, caissier, chevalier, comptable, payeur.

TRÉSORIER (n. p.). Éloi.

TRESSAGE. Nattage.

TRESSAUTER. Bondir, broncher, énerver, étonner, frémir, frissonner, sauter, sursauter, tiquer, trembler, tressaillir, vibrer.

TRESSE. Baderne, bourdalou, cordelière, cadenette, cordon, couette, galon, macaron, natte, soutache.

TRESSER. Arranger, assembler, enrubanner, natter, osier.

TRÉTEAUX. Bateleur, baudet, histrion, théâtre.

TREUIL. Cabestan, caliorne, chèvre, giron, manivelle, nille, palan, pouliot, tambour, tirefort, tourillon, treuil, vindas, winch.

TRÊVE. Armistice, interruption, moratoire, répit, repos, suspension.

TRI. Choix, classement, criblage, élimination, enlevé, tamiser, volet.

TRIAGE. Assortiment, choix, crème, gratin, option, préférence, tri.

TRIALCOOL. Glycérine, glycérol.

TRIALLE. Donace, donax.

TRIBADE. Gouine, lesbienne, sapho, vrille.

TRIBU. Aulique, bande, clan, érié, ethnie, famille, gad, genre, groupe, horde, peuplade, peuple, phratrie, race, totem, tribal.

TRIBU, AMÉRIQUE( n. p.). Abénakis, Agniers, Algonquins, Andastes, Apaches, Araucans, Arawaks, Assiniboins, Atticamègues, Attikameks, Aztèques, Chactas,

Cherokees, Cheyennes, Chichimèques, Chimu, Chipaouais, Chiquitos, Corrois, Cris, Guarani, Haïda, Hopi, Hurons, Incas, Inuit, Iroquois, Jivaro, Kwakiutl, Malécites, Mayas, Micmacs, Mixtèques, Mohawks, Mohicans, Montagnais, Mosquito, Naskapis, Navaho, Olmèques, Pueblos, Quichés, Shawnee, Sioux, Susquehannas, Toltèques, Totonaques, Tupi, Yanomanis, Zapotèques.

TRIBU, AFRIQUE (n. p.). Baga, Bakongo, Bakota, Bakouba, Bambara, Bamiléké, Bamum, Bantous, Baoulé, Batéké, Bédouin, Berbères, Bobo, Boschiman, Cafres, Chleuhs, Dan, Dogons, Douala, Éwé, Falashas, Fang, Fons, Hamites, Haoussa, Hilaliens, Hottentots, Hovas, Hutu, Ibo, Issa, Kabyles, Kikuyu, Kru, Malinké, Mandingues, Massaï, Maures, Mossi, Nilotiques, Oromos, Peuls, Pygmées, Sarakholés, Sénoufo, Sérères, Touareg, Toubou, Toucouleur, Tutsi, Wolof, Yorouba, Zénètes, Zoulous.

TRIBU, ÉCOSSE (n. p.). Clan.

TRIBU, ISRAËL (n. p.). Aser.

TRIBU, OCÉANIE (n. p.). Canaques, Maoris, Mélanésiens, Négritos, Papous.

TRIBU, PALESTINE (n. p.). Nephtali.

TRIBUN. Cicéron, débatteur, entraîneur, orateur, parleur, rhéteur.

TRIBUNAL. Accusé, agréé, appel, aréopage, assises, avoué, aulique, barre, bâtonnier, chambre, comité, conseil, cour, curie, daterie, droit, estrade, héliaste, instance, juge, jugement, juridiction, justice, palais, parquet, plaidoyer, prétoire, procédure, rote, sanhédrin, siège.

TRIBUNE. Ambon, balcon, chaire, console, estrade, galerie, jubé.

TRIBUTAIRE. Affluent, assujetti, débiteur, dépendant, imposable, obligé, redevable, rivière, soumis, sujet, vassal.

TRICHER. Berner, biseauter, duper, filouter, jeu, piper, tromper.

TRICHERIE. Duperie, malversation, pont, poussette, tromperie.

TRICHEUR. Bonneteur, dupeur, espion, déserteur, filou, fraudeur, fripon, joueur, Judas, maquignon, mauvais, pipeur, trompeur, voleur.

TRICOT. Aiguille, chandail, gilet, lainage, macramé, maillot, veste.

TRIDACNE. Bénitier.

TRIER. Assembler, assortir, choisir, classer, démêler, dintinguer, favoriser, élire, isoler, préférer, réviser, sélectionner, séparer.

TRIESTER. Oléine.

TRILOGIE MYTHOLOGIQUE (n. p.) Oreste.

TRILOGIE D'ESCHYLE (n. p.) Orestie.

TRIMARAN. Voilier.

TRIMER. Marcher, peiner, surmener, travailler, turbiner.

TRINGLE. Aileron, barre, broche, lisse, porte-serviettes, râtelier, tige, trace, verge.

TRINITÉ. Fils, IHS, I.N.R.I., J.-C., Jésus-Christ, Messie, NS, NSJC, Verbe.

TRINITROTOLUÈNE. T.N.T., tolite.

TRIOMPHE. Acclamation, arc, avantage, briller, capitole, coupe, enthousiasme, gloire, honneur, ovation, pavois, réussite, succès.

TRIOMPHER. Dominer, emporter, gagner, imposer, pavoiser, vaincre.

TRISTE. Abattu, accablé, affecté, affligé, aigri, altéré, amer, angoissé, assombri, atrabilaire, attristé, chagrin, deuil, découragé, désolé, douloureux, ennui, mélancolique, morose, noir, pensif, plaintif.

TRISTESSE. Abandon, abattement, accablement, affliction, amertume, atrabile, austérité, cafard, chagrin, dégoût, dépression, deuil, mélancolie, morosité, nostalgie, renfrognement, vague.

TRIVIALITÉ. Banalité, évidence, platitude, truisme, vulgarité.

TRIUMVIR (n. p.). Couthon, Crassus, Lépide, Robespière, Saint-Just.

TROC. Banal, change, échange, ers, lentilles, marché, permutation.

TROIE. Cheval.

TROIE (n. p.). Achille, Ajax, Énée, Épéos, Hector, Hélène, Ilion, Ménélas, Mentor, Myrmidon, Nestor, Pergame, Stentor, Ulysse.

TROIS. Brelan, épode, III, mages, mousquetaires, oculi, rois, ter, tiare, tierce, tiers, tertio, tri, triade, trigone, trio, triple.

TROMPE. Cor, corne, cornet, éléphant, eu, fourmilier, oreille, proboscidien, salpingite, trompette, trompillon.

TROMPER. Abuser, berner, décevoir, dol, duper, égarer, enjôler, errer, flouer, frauder, gourer, gruger, induire, léser, leurrer, mentir, méprendre, piper, posséder, refaire, rouler, trahir, tricher, truc.

TROMPERIE. Arnaque, artifice, attrape, chiqué, dol, duperie, escroquerie, fausseté, feinte, fourberie, fraude, imposture, leurre, manège, mensonge, mystification, perfidie, ruse, tricherie.

TROMPETTE. Buccin, champignon, clairon, cornet, sonnerie, tambour.

TROMPETTE-DE-LA-MORT. Craterelle.

TROMPEUR. Abuseur, captieux, décevant, déloyal, dupeur, exploiteur, fallacieux, fraudeur, illusoire, menteur, perfide, tricheur.

TRONC. Anatomie, arbre, ars, billot, branche, chott, colonne, corps, écot, fût, grume, lignée, pied, stipe, tige, tirelire, torse, stipe, zona.

TRONCHE. Tête, visage.

TRONÇON. Bille, fraction, morceau, part, portion, segment, tranche.

TRONÇONNER. Couper, débiter, scier, tailler.

TRONÇONNEUSE. Scie.

TRÔNE. Autorité, couronne, dynastie, empire, monarchie, puissance, régner, royauté, sceptre, siège, souveraineté, succession.

TRÔNER. Siéger.

TRONQUER. Amputer, couper, écourter, estropier, mutiler, rogner.

TROP. Beaucoup, cru, démesuré, excès, excessif, inexorable, obèse, plus, surcharge, superflu, surfaire, surplus, toqué, très, trop-plein.

TROPHÉE. Butin, coupe, laurier, médaille, oscar, panoplie, prix, scalp.

TROPIQUE. Cancer, Capricorne, subtropique, zone.

TROTTEUR. Aubin, cheval.

TROTTOIR. Fossé, pavé, plateforme, prostitution, quai, terrasse.

TROU. Abîme, antre, bled, boire, brèche, caverne, cavité, clapier, coupure, creux, crevasse, dalot, entonnoir, excavation, fente, fosse, narine, normand, œil, œillet, ope, orifice, ouverture, passage, patelin, pénétrer, perforation, piqûre, puits, terrier, trouée, vide.

TROUBADOUR. Barde, félibre, jongleur, ménestrel, poète, trouvère.

TROUBLE. Agnosie, amaurose, brouillé, brumeux, confusion, délire, dérangement, désordre, diplopie, dyslexie, égaré, émeute, émoi, émotion, ému, équivoque, fangeux, ivre, flou, hébéphrénie, opaque, orage, perturbation, révolution, sombre, terne, caseux, vésanie.

TROUBLÉ. Agité, bouleversé, déconcerté, dérangé, désorienté, égaré, embarrassé, embrouillé, ému, ensorcelé, excité, hagard, inquiet, ivre.

TROUBLER. Agiter, ahurir, brouiller, déranger, dérégler, désorganiser, effarer, interdire, obscurcir, perturber, retourner.

TROUÉE. Brèche, clairière, échappée, faille, ouverture, percée, quille.

TROUER. Crever, défoncer, forer, miter, ouvrir, percer, perforer.

TROUFION. Cadet, carabin, garde, recrue, soldat, vétéran, zouave.

TROUILLE. Peur, suée.

TROUPE. Armée, association, bande, escorte, garde, harde, harpail, harpaille, mascarade, meute, régiment, soldatesque, soldats.

TROUPEAU. Cheptel, grégaire, harde, harpail, manade, meute, ranz.

TROUPIER. Militaire, soldat.

TROUSSE. Botte, étui, faisceau, gerbe, plumier, poche, sac, sacoche.

TROUSSEAU. Affaires, clé, clef, dot, effets, habits, layette, linge, lingerie, nécessaire, parures, porte-clefs, trousse, vêtements.

TROUVAILLE. Astuce, création, découverte, idée, invention, nouveauté, rencontre.

TROUVER. Admirer, citer, considérer, découvrir, dégoter, dénicher, dépister, désigner, deviner, éprouver, figurer, indiquer, inventer, pêcher, relever, rencontrer, résoudre, sentir, surprendre, voir.

TROUVÈRE. Jongleur, poète, troubadour.

TROUVÈRE (n. p.). Adenet, Verdi.

TROYEN (n. p.). Cassandre, Didon, Énée, Mercure, Nisus.

TRUANDER. Mendier, tricher.

TRUC. Art, astuce, bidule, chose, combinaison, moyen, stratagème.

TRUCIDER. Tuer.

TRUISME. Banalité, évidence, lapalissade, tautologie, vérité.

TRUQUAGE. Bidonnage, effets, fraude, maquillage.

TRUQUER. Abuser, berner, décevoir, dol, duper, égarer, enjôler, errer, flouer, frauder, gourer, gruger, induire, léser, leurrer, mentir, méprendre, piper, posséder, refaire, rouler, trahir, tricher, truc.

TRUSTER. Accaparer, associer, concentrer, monopoliser.

TSAR. Lion, monarque, pair, pharaon, prince, royal, sire, souverain.

TSAR (n.p.). Alexis, Chouiski, Fédor, Ivan, Michel, Nicolas, Pierre le Grand.

TSIGANE. Bohémien, nomade, romanichel, sanskrit, tzigane, zingaro.

TU. As, es, taire, tué, vous.

TUBE. Ampoule, canal, canon, chanson, conduit, conduite, cylindre, diode, éprouvette, estomac, gibus, iconoscope, macaroni, néon, périscope, queusot, schnorchel, siphon, tétrode, triode, tuyau.

TUBERCULE. Racine, salep, sclérote, topinambour.

TUBERCULEUX. Bacillaire, phtisique, poitrinaire, tubéreux.

TUBERCULOSE. Bacillose, coxalgie, granulie, lupus, phtisie, pott, poumon, sanatorium, silicose, topinambour.

TUE-DIABLE. Appât, leurre.

TUE-MOUCHES. Amanite, tapette.

TUER. Abattre, achever, assassiner, assommer, décimer, descendre, égorger, éliminer, étouffer, étrangler, étriper, immoler, lapider, massacrer, nettoyer, occire, saigner, servir, trucider, zigouiller.

TUEUR. Assassin, bourreau, criminel, égorgeur, espada, étrangleur, éventreur, massacreur, meurtrier, nervi, sabreur, sicaire, spadassin.

TUILE. Accident, aretière, argile, biscuit, brique, égout, embêtement, enfaîteau, ennui, faîtière, imbriqué, mésaventure, toit, toiture.

TUMÉFACTION. Boursouflure, bubon, enflure, gonflement, hernie, intumescence, œdème, tumescence, turgescence.

TUMESCENT. Boursoufle, enfle, turgescent.

TUMEUR (5 lettres). Abcès, kyste, loupe, myome, suros, tanne.

TUMEUR (6 lettres). Cancer, épulie, épulis, gliome, goitre, jardon, javart, lipome, naevus, œdème, polype, ranule, ulcère, verrue.

TUMEUR (7 lettres). Adénite, adénome, angiome, anthrax, capelet, chalaze, chancre, enflure, éparvin, épervin, épulide, fibrome, léprome, myélome, osselet, saillie, sarcome, squirre.

TUMEUR (8 lettres). Apostème, chéloïde, éminence, énostose, exostose, furoncle, mélanome, mycétome, vessigon, xanthome.

TUMEUR (9 lettres). Anévrisme, néoplasme, neurinome, papillome.

TUMEUR (10 lettres). Gonflement, granulomie, méningiome.

TUMEUR (12 lettres). Excroissance, intumescence, ostéosarcome.

TUMULTE. Bagarre, bruit, chahut, cohue, foire, orage, tapage, train.

TUNGSTÈNE. Métal, platine, stellite, w.

TUNIQUE. Angusticlave, bliaud, bliaut, broigne, chiton, cotte, dalmatique, dolman, éphod, kimono, laticlave, peau, redingote, robe, tissu, uvée, veste.

TUQUE. Bonnet.

TURBINE. Ailette, aube, peltron, rotor, turboréacteur.

TURBINER. Essorer, travailler, trimer.

TURBULENT. Agité, dissipé, excité, nerveux, pétulant, remuant, vif.

TURC. Émir, hanneton, mahomet, musulman, ottoman, raïa, rivetage.

TURGESCENT. Bouffi, boursouflé, enflé, gonflé, gros, tumescent.

TURKU (n. p.). Abo, Finlande.

TURLUPINER. Assaillir, brutaliser, contrarier, déchirer, embêter, ennuyer, molester, préoccuper, tourmenter, tracasser, travailler.

TURNEP. Navet.

TURPITUDE. Abjection, abomination, bassesse, horreur, infâme.

TURQUIE. Chibouk, divan, moquette, porte, tapis.

TUSSOR. Étoffe, soie, tussah, tussau.

TUTELLE. Aide, appui, assistance, auspice, autorité, bénédiction, couverture, défense, égide, garantie, patronage, protection, support.

TUTEUR. Ascendant, comptable, garantie, parrain, patron, soutien.

TUYAU. Boyau, buse, canal, canalisation, conduit, durit, gaine, gargouille, indication, information, orgue, pipe, renseignement, tube.

TUYAUTER. Cisailler, indiquer, informer, renseigner.

TUYAUTERIE. Plomberie.

TYMPAN. Fronton, gable, oreille, pignon, voûte.

TYPE. Archétype, canon, échantillon, étalon, gabarit, gars, gus, homme, imprimerie, lettre, modèle, moule, sorte, zig, zigue.

TYPHON. Bourrasque, cyclone, orage, ouragan, rafale, tempête, tornade.

TYPIQUE. Caractéristique, distinctif, dominant, idéal, pittoresque.

TYPOGRAPHE. Composeur, imposeur, imprimeur, minerviste, prote.

TYPOGRAPHIQUE. Astérisque, cadratin, caractère, casse, édition, fonte, format, frappe, imprimé, œil, miroir, police, tiret, veuve.

TYRAN. Autocrate, cruel, despote, dictateur, dominateur, draconien, maître, oiseau, oppresseur, persécuteur, roi, roitelet, souverain.

TYRAN (n. p.). Agathocle, Archias, Arkhias, Gélon, Hipparque, Hippias, Nabis, Néron, Ugolin.

TZIGANE. Bohémien, nomade, romanichel, sanskrit, tsigane, zingaro.

## U

U. Cavalier, crampillon, hyoïde.

UBAC. Adret, montagne, ombre, ombrée, versant.

UBIQUITÉ. Dieu, partout.

UKULÉLÉ. Guitare, Hawaii, musique.

ULCÉRATION. Abcès, aphte, cancer, cautère, chancre, exulcération, exutoire, ladre, syphilide, tumeur, ulcère.

ULCÈRE. Abcès, cancer, chancre, exutoire, gangrène, ladre, malandre, ozène, panaris, phagédénisme, phyme, pustule, sanie, tumeur.

ULCÉRER. Blesser, brûler, choquer, crever, énerver, envenimer, extirper, fermer, froisser, mûrir, offenser, offusquer, pourrir, vexer.

ULTÉRIEUR. Antérieur, après, futur, postérieur, proroger, suivant.

ULTIME. Dernier, extrême, final, terminal, suprême.

ULTRAVIOLET. U.V.

ULVE. Algue.

ULYSSE (n. p.). Argus, Calypso, Circé, Cyclope, Elpénor, Eumée, Ithaque, Laërte, Mentor, Pénélope, Télémaque, Troie.

UN. As, aucun, autre, certain, maint, nul, quelque, quelqu'un, seul.

UNANIME. Absolu, chœur, collectif, commun, complet, entier, général, identique, opinion, total, tous, universel.

UNI. Adjacent, ami, aplani, attaché, cohérent, confondu, couleur, égal, femme, fondu, homogène, intime, joint, latéral, lié, lisse, mari, net, nivelé, noué, plan, plat, poli, ras, relié, réuni, rivé, voisin.

UNIFORME. Accidenté, changeant, continu, costume, divers, droit, égal, homogène, identique, invariable, même, monotone, nuancé, pareil, plat, régulier, semblable, simple, tenue, uni, varié.

UNIFORMISER. Aligner, homogénéiser, normaliser, standardiser, unifier.

UNIFORMITÉ. Égalité, identité, monotonie, régularité, ressemblance.

UNIMENT. Également, franchement, régulièrement, net, simplement.

UNION. Ars, assemblage, bloc, cohérence, communion, fusion, liaison, jonction, ligue, mariage, rapprochement, réunion, syndicat, unité.

UNIQUE. As, incomparable, isolé, premier, rare, seul, supérieur, un.

UNIQUEMENT. Exclusivement, purement, seulement, simplement, strictement.

UNIR. Accoler, accoupler, agencer, agglutiner, agréger, allier, annexer, apparier, assembler, associer, assortir, attacher, attribution, coaliser, communier, confondre, conjoindre, coupler, cumuler, et, fondre, fusionner, grouper, harmoniser, joindre, jumeler, lier, liguer, maire, marier, mélanger, rassembler, relier.

UNITÉ. Accord, ampère, are, as, bar, bel, bit, btu, carat, cicéro, curie, cv, erg, farad, gal, hectare, joule, kilomètre, litre, lumen, lux, métamètre, mètre, micron, nite, ohm, parsec, phot, pièce, pied, pouce, radian, régiment, rem, rhé, stère, tex, ton, var, union, watt.

UNIVERS. Ciel, cosmos, création, microcosme, monde, nature, tout.

UNIVERSEL. Adage, astral, céleste, commun, complet, cosmique, cosmopolite, encyclopédique, étendu, entier, général, mondial, œcuménique, omniscient, mondial, panacée, polyvalent, tout.

UNIVERSITÉ. Académie, collège, école, enseignement, fac, faculté, recteur, supérieur, universitaire.

UNIVERSITÉ AMÉRICAINE (n. p.). Brown, Columbia, Harvard, Princeton, Yale.

UNIVERSITÉ BRITANNIQUE (n. p.). Cambridge, Oxford.

UNIVERSITÉ FRANÇAISE (n. p.). Sorbonne.

UR. Our.

URAÈTE. Aigle.

URANIEN. Homosexuel, pédéraste, pédophile, travesti.

URANIUM. U.

URBAIN. Citadin, cité, communal, courtois, municipal, poli, ville.

URE. Auroch, bison, bœuf, urus.

URÉE. Aminoplaste, azotémie, cathéter, engrais, urémie, urine.

URFA (n. p.). Édesse, Turquie.

URGENT. Imminent, important, instant, nécessaire, pressant, pressé.

URINE. Anurie, eau, pipi, pissat, pisse, prostate, purin, rein, urée.

URINER. Compisser, évacuer, miction, pisser, pissoter, pissouiller.

URINOIR. Édicule, latrines, pissoir, pissotière, vespasienne.

URNE. Amphore, bouteille, canope, pot, potiche, récipient, vase, vote.

URTICACÉE. Mûrier, ortie, pariétaire, ramie.

URTICAIRE. Échauboulure, quincke.

URUS. Aurochs, ure.

USAGE. Abus, activité, application, consommation, coutume, dégradation, destination, destruction, disposition, emploi, exercice, fabrication, fonction, fonctionnement, habitude, hétérométrie, jouissance, maniement, marche, mœurs, recours, us, utilisation.

USAGÉ. Abîmé, amorti, acachi, classique, consommé, coutume, culotté, déchiré, déformé, défraîchi, délavé, épuisé, estropié, jetable, obsolète, suranné, thèse, vieil, vieux, us, usé.

USÉ. Avachi, banal, déformé, défraîchi, délabré, détérioré, éculé, élimé, éraillé, fané, fatigué, fini, gâté, las, mûr, vétuste, vieux.

USER. Abîmer, abraser, abuser, amoindrir, araser, biaiser, consommer, corroder, dépenser, disposer, effacer, effriter, élimer, émeri, émousser, entamer, épointer, épuiser, érafler, éroder, fatiguer, finasser, gâter, laminer, limer, meuler, miner, mordre, raguer, râper, rayer, roder, ronger, ruser, saper, servir, vider.

USINE. Aciérie, atelier, centrale, entreprise, fabrique, fonderie, forge, industrie, maïserie, manufacture, raffinerie, scierie, verrerie.

USINER. Aléser, charioter, façonner, fraiser.

USITÉ. Accoutumé, commun, consacré, constant, courant, fréquent.

USNÉE. Lichen.

USTENSILE. Bassine, brûloir, casserole, chope, cuiller, cuillère, entonnoir, gril, hachoir, instrument, lanterne, lèchefrite, objet, outil, panier, pincette, poêle, poêlon, râpe, rôtissoire, turlutte, videlle.

USUEL. Admis, banal, commun, courant, coutumier, habituel, reçu.

USURE. Affaiblissement, corrosion, effilochage, effritement, émoussement, érosion, exploitation, gain, intérêt, prêt, profil, vol.

USURIER. Agioteur, avare, juif, lombard, prêteur, séraphin, vautour.

USURPER. Abuser, accaparer, adjuger, anticiper, appliquer, emparer, empiéter, emprunter, occuper, prendre, rafler, ravir, souffler, voler.

UT. Do.

UTILE. Bon, charge, dé, efficace, expédient, important, indispensable, inutile, intérêt, nécessaire, profitable, rôle, salutaire, théâtre.

UTILISATEUR. Client, habitué, jouisseur, profiteur, usager, usufruitier.

UTILISER. Employer, étrenner, exploiter, profiter, servir, tirer, user.

UTOPIQUE. Chimérique, idéal, illusion, imagination, impossible, rêve.

UTOPISTE. Idéaliste, rêveur.

UVULE. Luette, prononciation, vibration.

# V

VA. Aller, déplacer, encouragement, voltampère.

VACANCE. Arrêt, congé, coupure, dignité, fonction, pause, période, permission, pont, relâche, répit, repos, séjour, temps, villégiature.

VACANCIER. Estivant, touriste, visiteur, voyageur.

VACANT. Disponible, inoccupé, intérim, libre, ouvert, vague, vide.

VACARME. Boucan, brouhaha, bruit, chahut, charivari, clameur, désordre, émeute, fracas, raffut, tapage, tintamarre, tintouin.

VACCIN. Autovaccin, B.C.G., entérovaccin, épidémie, guérir, injection, inoculation, lipovaccin, rage, santé, sérum.

VACCINATION. Antiamaril, immunisation, inoculation.

VACCINELLE. Vaccinoïde.

VACCINER. Immuniser, inoculer, piquer, prémunir, préserver.

VACHE. Beugler, bœuf, bouse, dugong, génisse, grasse, io, maigre, meugler, mugir, pis, sirène, tarine, taure, taureau, vachette, veau.

VACHEMENT. Drôlement, hyper, rudement, super, terriblement, très.

VACHERIE. Coup, désagréable, fâcheux, méchant, rosserie, tuile.

VACILLER. Blancer, branler, chanceler, chavirer, cligner, clignoter, faiblir, fléchir, osciller, remuer, tanguer, tituber, tourner, trembler.

VACUITÉ. Néant, vacances, vide.

VADROUILLE. Flâneur, musard, promenade.

VAGABOND. Bohème, bohémien, chemineau, clochard, cloche, dépravé, errant, flâneur, itinérant, mendiant, nomade, robineux, rôdeur, romanichel, tzigane, trimardeur, trôleur, truand, voyageur.

VAGABONDAGE. Errance, flânerie, galvaudage, rôdage.

VAGABONDER. Errer, galvauder, promener, rôder, traînasser.

VAGISSEMENT. Cri, gémissement.

VAGUE. Abstrait, agitation, barre, confus, douteux, eau, erre, flot, général, houle, incertain, indécis, lame, masse, mouton, mouvement, nappe, onde, ondulation, raz, ressac, risette, tendance.

VAGUER. Déferler, divaguer, errer, flotter, friser, généraliser, traînasser, troubler, vagabonder.

VAILLANCE. Audace, bravoure, chèrement, courage, hardiesse.

VAILLANT. Audacieux, brave, courageux, héros, généreux, intrépide, lâche, peureux, poltron, preux, résolu, sou, valeureux.

VAIN. Absurde, calembredaine, creux, effet, fat, faux, fier, fugace, illusoire, imaginaire, inconséquent, inconsistant, inefficace, intérêt, inutile, nul, orgueilleux, prétentieux, stérile, superflu, vanité, zéro.

VAINCRE. Abattre, accabler, anéantir, annihiler, balayer, battre, bousculer, chasser, conquérir, débander, décimer, défaire, disperser, écraser, enfoncer, exténuer, forcer, repousser, terrasser, triompher.

VAINCU. Battu, conquis, culbuté, défait, défaitiste, écrasé, enfoncé, eu, fuyard, invincible, lâche, perdant, rendu, subjugué, terrassé.

VAINEMENT. Inutilement.

VAINQUEUR. Champion, conquérant, dessus, dominateur, dompteur, gagnant, lauréat, suffisant, triomphant, triomphateur, victorieux.

VAISSEAU. Artère, bateau, bâtiment, birème, bol, conduit, corsaire, corvette, gréer, flotte, frégate, marin, mât, matelot, navire, nef, noliser, paquebot, trière, trimère, tube, vase, veine, voile.

VAISSEAU SANGUIN. Aorte, artère, vasculaire, veine.

VAISSELLE. Argenterie, assiette, dressoir, légumier, plat, plateau, poterie, saladier, salière, saucière, soucoupe, soupière, sucrier, tasse.

VALET. Carte, crispin, domestique, estafier, flatterie, lad, laquais, larbin, pasquin, scapin, serviteur, sosie, varlet.

VALET (n. p.). Marot.

VALÉTUDINAIRE. Cacochyme, chétif, frêle, maladif, malingre, pâle.

VALEUR. Capacité, classe, cote, distinction, envergure, estime, force, grandeur, important, mérite, note, nul, prix, qualité, rareté, titre.

VALEUREUX. Audacieux, brave, courageux, intrépide, preux.

VALIDATION. Homologation, périmé, ratification, sain, visa.

VALIDE. Admis, bien, bon, dru, fort, gaillard, robuste, sain, valable.

VALISE. Bagage, cantine, coffre, malle, mallette, sac, serviette, valoche.

VALLÉE. Aber, auge, bassin, canyon, col, combe, couloir, gorge, prairie, ravin, ria, ruz, val, vallon.

VALLÉE (n. p.). Abe, Aran, Douro, Némée, Ossau.

VALOIR. Atteindre, coûter, égaler, équivaloir, faire, mériter, vanter.

VALSE. Boston, changement, danse, instabilité, java, quatre-temps.

VALSEUR. Charmeur, danseur, débrouillard, testicule.

VALVE. Charnière, écaille, endocardite, fermer, cœur, nacre, valvule.

VAMPIRE. Dracula, goule, ogre, sangsue, strige, stryge, suceur.

VANADIUM. V.

VANDOISE. Chevesne, cyprinidé, dard.

VANITÉ. Affectation, complaisance, crânerie, défaut, enflure, fat, fatuité, fier, gloriole, importance, infatuation, jactance, orgueil, ostentation, présomption, prétention, snobisme, suffisance, vain.

VANITEUX. Crâneur, fat, glorieux, infatué, outrecuidant, poseur, présomptueux, prétentieux, puant, ramenard, suffisant, vain.

VANNE. Allusion, barrage, blague, bonde, déversoir, empellement, las, pâle, plaisanterie, raillerie, rosserie, sarcasme, secouer.

VANNELLE. Conduite, écluse, ouverture, porte.

VANTER. Acclamer, applaudir, approuver, bluffer, célébrer, chanter, encenser, enorgueillir, exagérer, exalter, flatter, glorifier, grossir, louanger, louer, mousser, pavoiser, prévaloir, prôner, targuer.

VA-NU-PIEDS. Clochard, gueux, mendiant, misérable, vagabond.

VAPEUR. Air, brouillard, bruir, brume, buée, émanation, éolipyle, exhalaison, fumée, gaz, nuage, nuée, pyroscaphe, rosée, suée.

VAPOREUX. Aérien, ému, éthéré, flou, indécis, ivre, léger, vague.

VAPORISATEUR. Atomisateur, fixateur, pulvérisateur, sublimateur.

VAPORISER. Goutte, mouiller, pulvériser, rebouilleur, volatiser.

VARECH. Algue, fucus, goémon, iode.

VARIABLE. Changeant, différent, flottant, incertain, inconsistant, inconstant, indécis, irrésolu, ondoyant, phase, relatif, verbe, us.

VARIATION. Alternance, alternative, amplitude, changement, chant, différence, écart, eustatisme, évolution, fluctuation, nuance, type.

VARICE. Hamamélis, hémorroïde, stripping.

VARIÉ. Bariolé, bigarré, changeant, complexe, différent, disparate, divers, hétéroclite, marbré, mélangé, mêlé, modifié, nuancé, tigré.

VARIER. Accorder, alterner, assoler, bigarrer, changer, commuer, différencier, différer, discorder, diverger, diversifier, échelonner, mélanger, modifier, moirer, nuancer, osciller, panacher.

VARIÉTÉ. Beaucoup, bigarrure, classification, dialecte, différence, disparité, diversité, espèce, mélange, multiplicité, race, riche, uni.

VARIOLE. Alastrim, bouton, éruption, fièvre, peau, picotte, pustule.

VARLOPE. Rabot.

VASE. Aiguière, amphore, ballon, bol, boue, bouteille, buire, calice, canette, canope, carafe, cérame, ciboire, cornue, cruche, fange, hanap, hydrie, jarre, jatte, limon, matras, navette, patène, pot, potiche, récipient, seau, soliflore, tasse, thomas, urinal, urne, verre.

VASEUX. Abruti, boueux, bourbeux, fangeux, limoneux, vasouillard.

VASOUILLER. Balancer, flotter, hésiter, osciller, tergiverser.

VASSAL. Fief, forfaiture, lige.

VASSALISER. Asservir, assujettir, soumettre.

VASTE. Abondant, ample, considérable, énorme, étendu, fécond, grand, immense, important, large, mer, océan, panorama, spacieux.

VATICINER. Annoncer, deviner, prédire, présager, prophétiser.

VAUDEVILLE. Comédie.

VAURIEN. Bandit, canaille, chenapan, coquin, crapule, fripon, fripouille, galapiat, garnement, gouape, gredin, sacripant, voyou.

VAUTOUR. Condor, épervier, faucon, griffon, percnoptère, urubu.

VEAU. Amourette, bœuf, fagoue, gouet, mou, noix, phoque, ris.

VEDETTE. Acteur, artiste, bateau, chanteur, étoile, gloire, idole, star.

VÉGÉTAL. Algue, arbre, fleur, flore, fruit, légumineuse, plante.

VÉGÉTARIEN. Frugivore, herbivore, io, macrobiotique, végétalien.

VÉGÉTATION. Broussaille, flore, oasis, sous-bois.

VÉGÉTER. Croupir, durer, étioler, exister, subsister, vivoter, vivre.

VÉHÉMENCE. Animosité, éloquence, énergumène, enthousiasme, exaltation, feu, fougue, impétuosité, passion, violence, virulence.

VÉHICULE. Aérotrain, astronef, auto, automobile, autopompe, avion, bateau, bicyclette, blindé, bolide, bus, camion, charrette, éfourceau, fourgonnette, jeep, navette, tacot, tracteur, traîneau, voiture, wagon.

VEILLÉE. Party, quart, reception, soirée, surboum, tutélaire, vigile.

VEILLER. Aider, bichonner, cajoler, chouchouter, choyer, couver, défendre, dorloter, garder, monter, occuper, pourvoir, préserver, protéger, rester, secourir, soigner, songer, surveiller.

VEILLEUR. Épieur, factionnaire, garde, gardien, guet, guetteur, vigie.

VEINE. Airure, azygos, canal, cave, chance, délit, filon, gisement, hasard, inspiration, porte, ronce, sang, saphène, sillage, vaisseau.

VÉLO. Bécane, biclou, bicycle, bicyclette, clou, tandem, tricycle, triporteur, vélo, vélocipède, vélocross, vélomoteur, vélopousse.

VÉLOCE. Agile, alerte, léger, preste, prompt, rapide, vif, vivacité.

VÉLOCIPÈDE. Bicycle, bicyclette, cycle, mobylette, monocycle.

VÉLOCITÉ. Agilité, prestesse, promptitude, rapide, vitesse.

VELOURS. Cuir, floche, corduroi, facile, panne, peluche, velvet.

VELU. Barbu, chevelu, hirsute, moussu, poilu, velouté, villeux.

VÉNAL. Corrompu, fonction, intéressé, mercenaire, prix, véreux.

VENDANGE. Cagnotte, connaissance, cueillette, démaillonner, grappiller, hec, jeunesse, récolte, vigne, vigneron, vin.

VENDEUR. Agent, commerçant, commis, dépositaire, détaillant, employé, étalagiste, marchand, négociant, représentant, voyageur.

VENDRE. Adjuger, aliéner, bazarder, brader, brocanter, cameloter, casser, céder, coller, débiter, défaire, démarcher, dénoncer, détailler, discuter, échanger, écouler, épuiser, exporter, fourguer, marchander, mévendre, monnayer, négocier, placer, réaliser, refiler, rétrocéder, revendre, sacrifier, servir, solder, trafiquer, trahir, troquer.

VENDU. Corrompu, marron, trahi.

VENELLE. Rue, ruelle.

VÉNÉNEUX. Bolet, champignon, empoisonné, mandragore, morelle.

VÉNÉRABLE. Ancien, apprécié, auguste, avancé, canonique, digne, estimable, honorable, patriarcal, respectable, sacré, saint.

VÉNÉRATION. Culte, fétichisme, hommage, respect, révérence, sacré.

VÉNÉRER. Admirer, aimer, apprécier, considérer estimer, respecter.

VENGEANCE. Animosité, compensation, réclamation, réparation, représailles, rétorsion, revanche, riposte, talion, vendetta, vindicte.

VENGEANCE (n. p.). Némésis.

VENGER. Châtier, corriger, frapper, laver, punir, redresser, sévir.

VENIN. Aconitine, aglyphe, anavenin, arsenic, bouillon, curare, fiel, gobbe, narcotique, poison, venimeux.

VENIR. Aborder, aboutir, accourir, aller, amener, apparaître, appel, approcher, arriver, avancer, découler, échoir, entrer, futur, naître, parvenir, rapprocher, rendre, revenir, succéder, suivre, vaincre.

VENT. Air, alizé, amure, aquilon, auster, autan, bise, blizzard, bora, borée, bourrasque, brise, cers, chinook, cyclone, étésien, foehn, grain, haleine, harmattan, joran, mistral, noroît, orage, orgue, rafale, simoun, sirocco, souffle, suroît, tornade, tourbillon, voile, zéphyr.

VENTE. Bazar, broquante, cession, commerce, comptoir, contrebande, criée, débit, débouché, directe, échange, écoulement, encan, enchère, gros, licitation, liquidation, marché, mévente, rabais, solde.

VENTILATION. Aération, air, climatisation, répartition, soufflerie.

VENTILER. Aérer, dispatcher, distribuer, partager, répartir.

VENTRE. Abdomen, basset, bedaine, bedon, bide, brioche, buffet, coffre, hara-kiri, hypogastre, panse, rampe, sac, ventral.

VENTRU. Bedonnant, bombé, gras, gros, pansu, renflé, ventripotent.

VENU. Allé, éclos, issu, né, reçu.

VENUE. Accession, approche, arrivée, avènement, entrée, survenue.

VÉNUS (n. p.). Adonis, Anadyomène, Dioné, Énée, Éros, Éryx, Priape.

VER. Annélidé, apode, arénicole, ascaride, ascaris, asticot, bilharzie, cestode, chenille, ciron, cirre, distome, douve, filaire, flat, helminthe, iule, larve, lombric, magnan, némathelminthe, nématode, némerte, néréide, néréis, nu, oxyure, palot, planaire, sabelle, sangsue, serbule, solitaire, spirorbe, strongle, strongyle, taenia, taret, ténébrion, ténia, térébelle, trichine, vermicide, vermicule, vermidien, vermifuge.

VÉRACITÉ. Authenticité, fidélité, franchise, véridicité, vérité, vrai.

VÉRANDA. Auvent, balcon, gloriette, kiosque, varangue, verrière.

VERBAL. Idiolecte, oral, parlé, verbe, vocal.

VERBALEMENT. Oralement.

VERBE. Actif, auxiliaire, attributif, conditionnel, conjugaison, contracté, déclaratif, défectif, déponent, factitif, futur, imparfait, impératif, impersonnel, indicatif, infinitif, intensif, irrégulier, mode, moyen, oral, parfait, parole, participe, passé, passif, plus-que-parfait, présent, pronominal, réciproque, réfléchi, régulier, subjonctif, transitif, trinité.

VERBEUX. Bavard, causant, délayé, diffus, discoureur, jacasseur, loquace, paraphrase, phraseur, prolixe, redondant, succinct, volubile.

VERDÂTRE. Glauque, jade, melon, oasis, olivâtre, olive, persillé, vert.

VERDIR. Blanchir, blêmir, colorer, pâlir, peindre, pousser, verdoyer.

VERDOYANT. Bleu, céladon, cru, glauque, jade, jaune, leste, nil, pers, olivâtre, osé, pré, sinople, tapis, turquoise, verdoyant, vert, vert-de-gris.

VERDURE. Arbre, feuillage, feuille, gazon, herbage, herbe, parterre.

VERGE. Anatomie, fléau, fouet, gland, jalon, pénis, prépuce, tringle.

VERGER. Jardin, ouche, plantation, pomme, verdier.

VERGNE. Aulne, aune, verne.

VERGUE. Agrès, antenne, capelage, corne, gui, mât, orientation, voile.

VÉRIDIQUE. Authentique, avéré, exact, fidèle, franc, vérité, vrai.

VÉRIFICATION. Analyse, apurement, confirmation, considération, contrôle, critique, démonstration, enquête, épluchage, épreuve, essai, étude, évaluation, examen, expérience, expertise, filtrage, inspection, justification, observation, pointage, recensement, récolement, reconnaissance, révision, surveillance, revue, test.

VÉRIFICATEUR. Contrôleur, inspecteur.

VÉRIFIER. Analyser, apurer, assurer, confirmer, confronter, considérer, constater, contrôler, critiquer, démontrer, enquêter, éplucher, éprouver, essayer, étudier, évaluer, examiner, expérimenter, expertiser, filtrer, inspecter, juger, justifier, observer, pointer, prouver, récoler, repasser, réviser, revoir, surveiller, tester.

VÉRITABLE. Authentique, certain, efficace, exact, naturel, réel, vrai.

VÉRITABLEMENT. Assurément, certainement, certes, effectivement, évidemment, formellement, réellement, sûrement, vraiment.

VÉRITÉ. Absolu, authenticité, axiome, certitude, dogme, doxologie, évidence, exactitude, foi, juste, justesse, oracle, orthodoxie, postulat, principe, preuve, réalité, science, sûreté, théorème, valeur, vrai.

VERMINE. Canaille, parasite, pou, puce, punaise, saleté, racaille.

VERMOUTH. Martini.

VERNIR. Cirer, émailler, encaustiquer, enduire, glacer, laquer.

VERNIS. Ailante, apparence, brillant, ciré, éclat, émail, enduit, fixé, glacé, gomme, laque, lustre, mordant, résine, superficiel, teinte.

VÉROLE. Grêlé, syphilis, variole.

VÉRONIQUE. Thé.

VERRAT. Poec.

VERRE. Azur, ballon, bocal, bock, calcin, canon, carreau, chope, coupe, cristal, demi, fic, fiole, flûte, glace, gobelet, godet, loupe, lunette, pot, pyrex, smalt, soyer, strass, suin, tournée, vitre, vitreux.

VERRERIE. Cristallerie, tremperie.

VERROTERIE. Camelote, clinquant, pacotille, simili, toc.

VERROU. Boucle, crémone, serrure.

VERRUE. Chélidoine, fic, naevus, papillome, peau, poireau.

VERS. Alexandrin, écho, mètre, poésie, rimes, rythme, sur, verset.

VERSANT. Adret, brisis, contrepente, côte, coteau, déclin, déclivité, descente, face, inclinaison, parapente, pente, raillère, ubac.

VERSATILE. Capricieux, changeant, fantaisiste, fantasque, incertain, inconstant, inégal, instable, irrégulier, lunatique, mobile, variable.

VERSEMENT. Abondement, dépôt, paiement, redevance, royalties.

VERSER. Arroser, basculer, capoter, chavirer, coucher, couler, déverser, distiller, entonner, épancher, épandre, infuser, instiller, larmoyer, mettre, payer, pleurer, répandre, servir, soudoyer, soutirer, transfuser, transvaser, transverser, transvider, vider.

VERSET. Antienne, gloria, graduel, poésie, satanique, surate, vers.

VERSIFIER. Dire, expliquer, poésie, rimailler, rimer, ronsardiser.

VERSO. Derrière, dos, opisthographe, opposition, recto, revers, rôle.

VERSUS. Vs.

VERT. Bleu, céladon, cru, glauque, jade, jaune, leste, nil, pers, olivâtre, osé, pré, sinople, tapis, turquoise, verdoyant, vert-de-gris.

VERT PÂLE. Céladon.

VERTÈBRE. Animal, atlas, axis, colonne, oiseau, poisson, reptile, spondyle, spondylus.

VERTICAL. Aplomb, debout, droit, hampe, levé, perpendiculaire.

VERTIGE. Auriculaire, désarroi, déséquilibre, éblouissement, égarement, étourdissement, évanouissement, folie, frisson, griserie, ivresse, oreille, saisissement, tournis, trouble.

VERTU. Charité, clémence, décence, efficacité, énergie, espérance, foi, miséricorde, parénèse, prudence, pudeur, qualité, tempérance.

VERTUEUX. Auguste, chaste, digne, divin, juste, moral, prude, saint.

VERVE. Bagou, brio, éloquence, inspiration, sagesse, souffle, veine.

VERVEINE. Tisane.

VÉSICULE. Cholécystite, cystique, liposome, otocyste, phlyctène.

VESPASIENNE. Pissoir, pissotière, urinoir.

VESSE-DE-LOUP. Lycoperdon, vesce-de-loup.

VESTE. Anorak, blazer, blouson, boléro, caban, cabi, canadienne, cardigan, carmagnole, défaite, dolman, doudoune, échec, hoqueton, jaquette, moumoute, pourpoint, saharienne, spencer, tunique, vareuse, veston, vêtement.

VESTIBULE. Antichambre, aqueduc, entrée, hall, narthex, oreille.

VESTIGE. Apparence, débris, décombres, marque, reste, ruine, trace.

VÊTEMENT. Accoutrement, affaire, anorak, barboteuse, bas, blouson, bore, bure, canadienne, chemise, ciré, complet, cotte, coule, effet, gilet, guenille, haillon, imperméable, jupe, lainage, mante, nippe, paletot, pantalon, peignoir, pèlerine, nippe, robe, saie, salopette, saye, surcot, surplis, tenue, treillis, tutu, vareuse, veste, veston.

VÉTÉRINAIRE. Hippiatre.

VÉTILLE. Bagatelle, dérisoire, détail, frivolité, futilité, infime, insignifiance, mineur, minime, minutie, négligeable, puérilité, rien.

VÊTIR. Accoutrer, affubler, ajuster, arranger, attifer, costumer, couvrir, culotter, endosser, enfiler, mettre, nipper, prendre, revêtir.

VÉTO. Non, opposition, refus, rejet.

VÉTUSTE. Ancien, branlant, chancelant, délabré, périmé, usé, vieux.

VEUF. Célibataire, douaire, seul, viduité.

VEULE. Capon, couard, craintif, dégonflé, lâche, lope, mou, peureux.

VEUVAGE. Viduité.

VEUVE. Douaire, douairière, guillotine, feu, mari, masturbation.

VEXER. Blesser, chagriner, choquer, contrarier, déplaire, désobliger, froisser, heurter, humilier, indisposer, mépriser, peiner, tourmenter.

VIADUC. Pont.

VIANDE. Aspic, boucan, boucherie, bouilli, broche, casher, carpaccio, chair, daube, farce, fumet, gril, grillade, haché, lunch, macreuse, pâté, paupiette, pemmican, pita, rillettes, rôt, rôti, terrine.

VIATIQUE. Aide, argent, atout, eucharistie, secours, soutien.

VIBRATION. Balancement, gong, onde, son, ultrason, tremblement.

VIBRATOIRE. Onde, oscillatoire.

VIBRER. Frémir, palpiter, résonner, retentir, sonner, tinter, trembler, trépider, tressaillir, vibrato.

VIBRISSE. Moustache, plume, poil.

VICE. Adultère, cochon, défaut, érotique, famille, horreur, hypocrisie, lascif, lubrique, luxurieux, mal, malformation, passion, remplace, sadique, salace, sensuel, tare, titre, vertu, vicieux, voluptueux, vrille.

VICHY. Eau, vichyste.

VICIER. Abâtir, altérer, annuler, avarier, corrompre, dégrader, dénaturer, détériorer, détraquer, empester, empoisonner, esquinter, gangrener, gâter, meurtrir, perdre, polluer, pourrir, souiller, tarer.

VICIEUX. Corrompu, débauché, dépravé, gâté, obscène, roué, taré.

VICISSITUDE. Agitation, aléas, changement, événement, hasard, imprévu, instabilité, retour, revirement, tribulation, variation.

VICTIME. Émissaire, hostie, jouet, martyr, proie, souffre-douleur.

VICTOIRE. Avantage, conquête, palme, réussite, succès, triomphe.

VICTORIEUX. Conquérant, gagnant, premier, triomphant, vainqueur.

VIDANGE. Ballastage, changement, dépotoir, éboueur, fosse.

VIDANGER. Purger, vider.

VIDE. Abandonné, âme, auge, cavité, creux, débarrassé, dénudé, dépeuplé, désert, disponible, futile, inhabité, inoccupé, inutile, léger, libre, manque, néant, nu, perte, stérile, trou, vacant, vain, veuf.

VIDER. Débarrasser, déblayer, dégager, dégarnir, délester, écoper, enlever, évacuer, nettoyer, ôter, priver, soulager, verser, vidanger.

VIE. Air, âme, biographie, curriculum, destin, destinée, éternité, existence, germe, intimité, odyssée, rangée, soleil, survie, vit, vivre.

VIEILLARD. Ancien, âgé, baderne, barbe, birbe, chenu, croulant, géronte, Nestor, patriarche, pépé, schnock, sénile, vieux, viocard.

VIEILLARD (n. p.). Nestor.

VIEILLESSE. Âgé, ans, archaïsme, sénilité, vétusté.

VIEILLISSEMENT. Désuétude, obsolescence, sénilisme, sénescence.

VIERGE. Blanc, brut, hymen, icône, innocent, intact, madone, neuf, nouveau, puceau, pucelle, pur, rosière, vestale, vigne, zodiaque.

VIERGE (n. p.). Lucie, Marie, N.D.

VIEUX. Âgé, amorti, ancien, antique, archaïque, arriéré, autrefois, baderne, caduc, cassé, décrépit, déjà, démodé, dépassé, désuet, hier, nouveau, reculé, ridé, rouillé, suranné, vétéran, usé, vétuste, vieil.

VIF. Actif, agile, aigu, alerte, allègre, animé, âpre, ardent, chaud, déluré, dru, éclair, émerillonné, espiègle, fringant, guilleret, impétueux, intense, léger, leste, pétulant, preste, rapide, vivant.

VIGILANCE. Attention, garde, guet, obtusion, protéger, soin, zèle.

VIGILANT. Actif, agile, alerte, animé, déluré, garde, maigre, soin.

VIGNE. Ampélopsis, arçon, cep, cépage, clos, cochylis, cru, cuvée, érinose, hautin, lambruche, lambrusque, mélanose, mildiou, muscadine, oïdium, pampre, phylloxéra, phytopte, plant, provin, raisin, rot, sarment, terroir, treille, uval, vignoble, vin, vinée.

VIGNE (n. p.). Bacchus, Noé.

VIGNETTE. Collant, cul-de-lampe, dessin, estampille, étiquette, gravure, historié, image, talon, timbre.

VIGNOBLE. Clos, cru, encépagement, erbue, herbue, œnologue, parchet, vendange, vigne, vigneron, vin.

VIGOUREUX. Costaud, dru, énergique, fort, gaillard, jeune, nerveux, puissant, résistant, robuste, sain, solide, valide, vert, vif, vivace.

VIGUEUR. Ardeur, atone, chaleur, dru, énergie, fermeté, force, hardiesse, mièvre, nerf, netteté, robustesse, sève, ton, verdeur.

VIL. Abject, bas, fumier, galeux, grossier, honteux, indigne, infâme, ignoble, lâche, laid, lécheur, lie, méprisable, mesquin, taré.

VILAIN. Affreux, hideux, laid, méchant, moche, odieux, ord, ort, toc.

VILIPENDER. Attaquer, bafouer, décrier, dénigrer, dénoncer, salir.

VILLA. Bungalow, chalet, chartreuse, cottage, maison, pavillon.

VILLAGE. Bled, bourg, bourgade, douar, hameau, localité, patelin, synoecisme, villageois, ville.

VILLE. Agglomération, bourg, bourgade, bourgmestre, centre, cité, citoyen, hameau, hanse, lieu-dit, localité, township, urbain, village.

VILLE, AFGHANISTAN (n. p.). Bamiyan, Farah, Harat, Herat, Kaboul.

VILLE, AFRIQUE DU SUD (n. p.). Benoni, Bloemfontein.

VILLE, ALASKA (n. p.). Anchorage.

VILLE, ALBANIE (n. p.). Berat, Fier, Korce, Kukes, Tirana, Vlore.

VILLE, ALGÉRIE (n. p.). Alger, Annaba, Arris, Arziw, Batna, Béchar, Bejaia, Beskra, Blida, Bône, Boufarik, Boujie, Collo, Dellys, Frenda, Kerrata, Marnia, Medea, Mila, Msila, Oran, Saida, Sétif, Stif, Tablat, Tbessa, Ténès, Tipasa, Tlemcen, Vialar.

VILLE, ALLEMAGNE (n. p.). Aachen, Aalan, Aschaffenburg, Augsbourg, Baden-Baden, Bamberg, Bautzen, Bayreuth, Berchtesgaden, Berlin, Bielefeld, Bochum, Bonn, Brême, Celle, Cologne, Dachau, Duren, Dusseldorf, Eisenach, Ems, Erfurt, Essen, Frankort, Freiberg, Fulda, Gera, Giessen, Gutersloh, Hagen, Halle, Hambour, Hanau, Hanovre, Herford, Herne, Hildesheim, Hof, Iena, Lindau, Lunen, Lutzen, Marl, Munich, Munster, Neuss, Nordhausen, Nuremberg, Oranienburg, Ratisbonne, Siegen, Spire, Stuttgart, Ulm, Wiesbaden, Witten, Worms, Zeitz.

VILLE, ANGLETERRE (n. p.). Bath, Bedford, Bolton, Bristol, Bury, Cambridge, Carlisle, Chatham, Chelsea, Chester, Deal, Derby, Durham, Epsom, Eton, Gloucester, Greewich, Hove, Lancaster, Liberpool, London, Londre, Manchester, Norwich, Nottingham, Oxford, Preston, Richmond, Salford, Salisbury, Sheffield, Stafford, Taunton, Wakefield, Wells, Wimbledon, Winchester, Worcester, York.

VILLE, ANGOLA (n. p.). Benguela, Luanda.

VILLE, ARABIE SAOUDITE (n. p.). Médine.

VILLE, ARGENTINE (n. p.). Azul, Goya, Junin, Salta, Ushuaia, Viedma.

VILLE, AUSTRALIE (n. p.). Adelaide, Ayr, Dalby, Dubbo, Perth, Unley.

VILLE, AUTRICHE (n. p.). Badgastein, Enns, Graz, Innsbruck, Klagenfurt, Lienz, Linz, Salsbourg, Steyr, Traun, Vienne, Wels.

VILLE, BANGLADESH (n. p.). Bapisal, Bogra, Khulna, Pabna.

VILLE, BELGIQUE (n. p.). Aalst, Aarschot, Alost, Andenne, Anvers, Arlon, Ath, Bastogne, Binche, Bruges, Bruxelles, Charleroi, Diest, Dinan, Dison, Eeklo, Gand,

Geel, Huy, Ieper, Léau, Lessines, Liège, Louvain, Menen, Mons, Namur, Nieuport, Ninove, Olen, Roeselare, Spa, Thuin, Tielt, Ypres, Wavre.

VILLE, BIÉLORUSSIE (n. p.). Bobrouisk, Brest, Grodno, Minsk.

VILLE, BOLIVIE (n. p.). Oruro, Sucre, La Paz.

VILLE, BRÉSIL (n. p.). Belem, Blumenau, Brasilia, Campos, Goiania, Natal, Niteroi, Olinda, Pelotas, Recife, Rio, Santos, Teresina.

VILLE, BULGARIE (n. p.). Lom, Ruse, Sofia, Sliven, Sumen, Vraca.

VILLE, CAMEROUN (n. p.). Bafoussam, Bamenda, Edéa, Kribi, Lomie.

VILLE, CANADA (n. p.). Anjou, Brandon, Calgary, Chatham, Cornwall, Dathmouth, Edmonton, Edmunston, Fredericton, Guelph, Halifax, Hamilton, Kingston, Kitchener, London, Moncton, Oshawa, Regina, Sarnia, Saskatoon, Saint-Jean, Stratford, Sudbury, Timmins, Toronto, Trenton, Vancouver, Victoria, Welland, Winnipeg, Windsor.

VILLE, CHILI (n. p.). Arica, Osorno, Lota, Santiago, Serena, Talca.

VILLE, CHINE (n. p.). Amoy, Anshan, Anyang, Baoding, Baotou, Beijing, Bengbu, Benqi, Benxi, Benzi, Caton, Hefei, Jian, Jilin, Jinan, Lhasa, Luan, Pékin, Qinan, Shanghai, Tsi-nan, Yaan, Yarkand, Xian.

VILLE, CHYPRE (n. p.). Larnaka.

VILLE, CISJORDANIE (n. p.). Bethleem.

VILLE, COLOMBIE (n. p.). Armenia, Barrancabermeja, Barranquilla, Bello, Bogota, Buga, Cali, Eger, Ibagué, Medellin, Mocoa, Neiva, Pasto.

VILLE, CORÉE DU SUD (n. p.). Anyang, Pousan, Seoul, Taegu.

VILLE, CROATIE (n. p.). Dubrovnik, Pula, Rijeka, Sisak, Zadar, Zagreb.

VILLE, CUBA (n. p.). Banes, Bauta, Camaguey, Holguin, Marianao.

VILLE, DANEMARK (n. p.). Arhus, Copenhague, Elseneur, Skive, Vejle.

VILLE, ÉCOSSE (n. p.). Ayr, Glasgow, Nairn, Perth.

VILLE, ÉGYPTE (n. p.). Alexandrie, Assiout, Assouan, Asyut, Edfou, Esneh, Isna, Le Caire, Louqsor, Louxor, Tanis, Tantah.

VILLE, ÉQUATEUR (n. p.). Ambato, Canar, Cuenca, Daule, Loja, Quito.

VILLE, ESPAGNE (n. p.). Albacete, Alcantara, Alcoy, Almaden, Antequera, Aranjuez, Astorga, Avila, Badajoz, Badalona, Bailen, Baracaldo, Barcelone, Bilbao, Cadix, Cuenca, Elche, Grenade, Irun, Jaca, Jaen, Len, Lérida, Linares, Lorca, Lugo, Madrid, Mieres, Orense, Oviedo, Palencia, Reus, Séville, Soria, Teruel, Tolèdes, Valence, Vich, Vigo.

VILLE, ESTONIE (n. p.) Parnou, Tartou.

VILLE, ÉTATS-UNIS (n. p.). Akron, Albany, Albuquerque, Allentown, Amarillo, Anaheim, Arlington, Atlanta, Austin, Baltimore, Beaumont, Bellingham, Berkeley, Bethlehem, Birmingham, Boston, Buffalo, Cambridge, Cheyenne, Chicago, Cincinnati, Cleveland, Concord, Dallas, Denver, Détroit, Erie, Fresno, Hartford, Houston, Manchester, Memphis, Miami, Mobile, Montpelier, New York, Oakland, Omaha, Pasadena, Peoria, Phoenix, Pittsburgh, Portland, Providence, Reno, Sacramento, Salem, Seattle, Tampa, Toledo, Troy, Tucson, Tulsa, Washington, Wichita.

VILLE, ÉTHIOPIE (n. p.). Aksoum, Asmara, Axoum, Harar.

VILLE, FINLANDE (n. p.). Esbo, Espoo, Helsinki, Kemi, Lahti, Vantaa.

VILLE, FRANCE (n. p.) Albertville, Allos, Arcachon, Barcelonnette, Barrême, Bordeaux, Boulogne, Brest, Briançon, Caen, Cannes, Carcassonne, Castellane, Chamonix, Châtel, Clermont, Cluse, Colmar, Courchevel, Coutances, Dax, Dieppe, Dijon, Dinan, Draguignan, Elne, Épinal, Evreux, Fréjus, Gap, Guillestre, Guingamp, Isola, La Rochelle, Lacanau, Laragne, Le Mans, Lille, Lyon, Malijai, Marseille, Mimizan, Modane, Montpellier, Morlaix, Nancy, Nantes, Nice, Nimes, Oraison, Paris, Perpignan, Reims, Renne, Rouen, Royan, Saint-Étienne, Saint-Malo, Saint-Nazaire, Saint-Tropez, Sisteron, Termignon, Tignes, Toulon, Toulouse, Tour, Val d'Isère, Valence, Valmorel.

VILLE, GALILÉE (n. p.) Cana.

VILLE, GAULE (n. p.). Avaricum, Bibracte, Lutèce, Tolbiac.

VILLE, GHANA (n. p.). Accra, Axim, Keta, Lawra, Tamale, Tema, Wa.

VILLE, GRANDE-BRETAGNE (n. p.). Basildon, Bath, Bedford, Birkenhead, Birmingham, Blackpool, Bolton, Dudley, Ely, Epsom, Eton, Leeds, Londres, Luton, Stirling, Wells, York.

VILLE, GRÈCE (n. p.). Argos, Arta, Athènes, Corinthe, Drama, Lamia, Larissa, Lépante, Patras, Thèbes, Tripolis, Volo, Xante, Xanthi.

VILLE, HOLLANDE (n. p.). Amsterdam.

VILLE, HONGRIE (n. p.). Abony, Baja, Bekes, Budapest, Debrecen, Eger, Györ, Miskolc, Ozd, Pecs, Sopron, Szeged, Vac.

VILLE, INDE (n. p.). Agra, Ahmadabac, Ahmadnagar, Ahmedabad, Ajmer, Akola, Aligarh, Allahabad, Amravati, Amritsar, Asansol, Aurangabad, Bangalore, Barddhaman, Bareilly, Belgaum, Bellary, Benares, Bhadravati, Bhagalpur, Bhatpara, Bhavnagar, Bhilainagar, Bhopal, Bhubaneswar, Bijapur, Bikaner, Bilaspur, Calcutta, Delhi, Dhulia, Ellore, Eluru, Gaya, Guntur, Ilahabad, Indore, Mahé, Madras, Meerut, Patna, Pune, Salem, Simla, Srinagar, Udaipur, Varanasi.

VILLE, INDONÉSIE (n. p.). Balikpapan, Bandoeng, Bandung, Banjermassin, Bogor, Garout, Madiun, Medan, Pati, Tegal, Turen.

VILLE, IRAK (n. p.). Amara, Ana, Arbil, Bagdad, Erbil, Hilla, Kut.

VILLE, IRAN (n. p.). Ahvaz, Arak, Arbil, Ardabil, Bagdad, Bassora, Basra, Erbil, Ispahan, Kum, Ourmia, Qom, Qum, Téhéran.

VILLE, IRLANDE (n. p.). Armagh, Belfast, Tipperary.

VILLE, ISRAËL (n. p.). Beersheba, Lod, Jaffa, Jérusalem, Tel-Aviv.

VILLE, ITALIE (n. p.). Agrigente, Alexandrie, Anagni, Andria, Aoste, Aquila, Aquilee, Arezzo, Ascoli, Assise, Asti, Avellino, Bardonneche, Bari, Barletta, Benevent, Bergame, Biella, Bobbio, Bologne, Cagliari, Cesena, Côme, Cosenza, Ele, Enna, Erice, Este, Faenza, Florence, Foligno, Forli, Gela, Gênes, Gorizia, Imola, Ivrée, Lecce, Lodi, Milan, Monza, Naples, Otrante, Padoue, Paestum, Palerme, Parme, Pesaro, Pise, Ravenne, Rome, Salerne, Sienne, Sorrente, Suse, Tivoli, Torre, Turin, Udine, Urbino, Varese, Venise, Vérone.

VILLE, JAPON (n. p.). Ageo, Akashi, Akita, Amagasaki, Asahigawa, Asahikaga, Asahikawa, Beppu, Fugi, Gifu, Hagi, Hiroshima, Ina, Ise, Itami, Ito, Iwaki, Kobe, Kofu, Kure, Kyoto, Maebashi, Mito, Nagano, Nagasaki, Nagoya, Nara, Oita,

Omiya, Omuta, Osaka, Ota, Otaru, Otsu, Saga, Sakai, Saku, Sapporo, Suita, Tokyo, Toyama, Tsu, Ube, Uji, Yao.

VILLE, JORDANIE (n. p.) Irbid.

VILLE, KENYA (n. p.). Embu, Mombasa, Nairobi, Nyeri.

VILLE, KIRGHIZSTAN (n. p.). Bichkek, Och.

VILLE, LETTONIE (n. p.). Ielgava.

VILLE, LIBAN (n. p.). Baalbeck, Balbek, Beyrouth, Saida, Tyr.

VILLE, LIBYE (n. p.). Benghazi, El-Beida.

VILLE, LUXEMBOURG (n. p.). Bettembourg, Petange, Sanem.

VILLE, MACÉDOINE (n. p.). Amphypolis, Bitola, Bitolj, Debar, Monastir, Ohrid, Skopje, Stip.

VILLE, MADAGASCAR (n. p.). Antsirabe, Fianarantsoa, Tamatave.

VILLE, MALI (n. p.). Bamako, Gao, Kayes, Mopti, Ségou, Sikasso.

VILLE, MAROC (n. p.). Berkane, Casablanca, Fès, Nador, Taza.

VILLE, MÉSOPOTAMIE (n. p.) Ninive.

VILLE, MEXIQUE (n. p.). Acapulco, Ameca, Choix, Len, Leon, Mérida, Mexico, Oaxaca, Puebla, Queretaro, Tepic, Tijuana, Toluca, Veracruz.

VILLE, NIGÉRIA (n. p.). Aba, Abeokuta, Agueusie, Ede, Enugu, Ibadan, Ife, Ila, Ilesha, Ilorin, Kaduna, Kano, Onitsha, Os, Zaria.

VILLE, NORVÈGE (n. p.). Bergen, Mo, Oslo.

VILLE, PAKISTAN (n. p.). Bannu, Bhera, Karachi, Kasur, Kohat.

VILLE, PALESTINE (n. p.). Endor, Gaza, Jérusalem, Silo.

VILLE, PAYS-BAS (n. p.). Alkmaar, Amersfoort, Amsterdam, Apeldoorn, Arnhem, Assen, Bergen, Breda, Delf, Edam, Ede, Emmen, Gouda, Haarlem, La Haye, Leyde, Nimegue, Utrecht, Velsen, Venlo, Zeist.

VILLE, PÉROU (n. p.). Ancon, Arequipa, Ayacucho, Cuzco, Ica, Ilo, Iquitos, Jauja, Junin, Lima, Nisibis, Pisco, Piura, Sidon, Tacna.

VILLE, PHILIPPINES (n. p.). Angeles, Bago, Baquio, Batangas, Iba.

VILLE, POLOGNE (n. p.). Auschwitz, Belxec, Bialystok, Brzeg, Bytom, Chelm, Cracovie, Gdansk, Gubin, Itawa, Jaslo, Lodz, Nysa, Opole, Pila, Plock, Prague, Radom, Sopot, Torun, Varsovie, Wloclawek, Zary.

VILLE, PORTUGAL (n. p.). Aveiro, Barreiro, Batalha, Béja, Braga, Evora, Faro, Fatima, Lisbonne, Oporto, Porto, Tomar.

VILLE, QUÉBEC (n. p.). Acton Vale, Alma, Amos, Ancienne-Lorette, Anjou, Arthabaska, Arvida, Asbestos, Amqui, Ascot, Aylmer, Bagotville, Baie-Comeau, Batiscan, Beaconsfield, Beauceville, Beauharnois, Beauport, Bécancour, Bellefeuille, Belœil, Bernières, Berthierville, Blainville, Boisbriand, Bois-des-Filions, Boucherville, Brossard, Buckingham, Candiac, Cap-de-la-Madeleine, Cap-Rouge, Carignan, Cartierville, Causapscal, Coaticook, Chambly, Charlemagne, Charlesbourg, Charny, Châteauguay, Chelsea, Chibougamau, Chicoutimi, Coaticook, Contrecœur, Côte-Saint-Luc, Cowansville, Daveluyville, Delson, Deux-Montagnes, Dolbeau, Dollard-des-Ormeaux, Donnacona, Dorion, Dorval, Drummondville, East Angus, Farnham, Fleurimont, Gaspé, Gatineau, Granby, Grand-Mère, Greenfield Park, Hampstead, Hemmingford, Hull,

Huntingdon, Iberville, Île-Perrot, Joliette, Jonquière, Kahnawake, Kénogami, Kirkland, La Baie, L'Acadie, Lachenaie, Lachine, Lachute, Lac-Mégantic, Lac-Noir, Lac-Saint-Charles, Lafontaine, La Pêche, La Plaine, La Prairie, La Sarre, LaSalle, L'Assomption, La Tuque, Lauzon, Laval-des-Rapides, Laval, Le Gardeur, LeMoyne, Lennoxville, Lévis, L'Islet, Longueuil, Loretteville, Lorraine, Louiseville, Macamic, Magog, Marieville, Mascouche, Masson-Angers, Matane, Mégantic, Mercier, Mirabel, Mistassini, Montebello, Mont-Joli, Mont-Laurier, Montmagny, Mont-Royal, Mont-Saint-Hilaire, Montréal, Montréal-Nord, Neuville, New-Carlisle, Nicolet, Noranda, Notre-Dame-de-l'Île-Perrot, Notre-Dame-des-Prairies, Otterburn Park, Outremont, Papineauville, Pierreville, Pincourt, Pintendre, Plessisville, Pointe-Claire, Pointe-aux-Trembles, Pointe-du-Lac, Port-Alfred, Port-Cartier, Portneuf, Prévost, Princeville, Québec, Rawdon, Repentigny, Richmond, Rigaud, Rimouski, Rivière-du-Loup, Roberval, Rock Forest, Roquemaure, Rosemère, Rouyn, Roxboro, Saint-Amable, Saint-Antoine, Saint-Athanase, Saint-Augustin-Desmaures, Saint-Basile-le-Grand, Saint-Césaire, Saint-Charles-Borromée, Saint-Bruno-de-Montarville, Saint-Chrysostôme, Saint-Constant, Saint-Émile, Saint-Étienne-de-Lauzon, Saint-Eustache, Saint-Félicien, Saint-François-du-Lac, Saint-Georges, Saint-Hubert, Saint-Hyacinthe, Saint-Jean-sur-Richelieu, Saint-Jean-Deschaillons, Saint-Jérôme, Saint-Joseph-d'Alma, Saint-Joseph, Saint-Joseph-de-Sorel, Saint-Jovite, Saint-Lambert, Saint-Lazare, Saint-Léonard, Saint-Lin, Saint-Louis-de-France, Saint-Luc, Saint-Nicéphore, Saint-Nicolas, Saint-Ours, Saint-Pierre-aux-Liens, Saint-Raphaël-de-l'Île-Bizard, Saint-Rédempteur, Saint-Rémi, Saint-Romuald, Saint-Timothée, Saint-Tite, Saint-Vincent-de-Paul, Sainte-Agathe-des-Monts, Sainte-Anne-de-Beaupré, Sainte-Anne-de-Bellevue, Sainte-Anne-de-la-Pérade, Sainte-Anne-de-la-Pocatière, Sainte-Anne-des-Monts, Sainte-Anne-des-Plaines, Sainte-Catherine, Sainte-des-Plaines, Sainte-Julie, Sainte-Julienne, Sainte-Foy, Sainte-Marie, Sainte-Marthe-sur-le-Lac, Sainte-Marthe-du-Cap, Sainte-Rose, Sainte-Sophie, Sainte-Thérèse, Salaberry-de-Valleyfield, Senneterre, Sept-Îles, Shawinigan, Sherbrooke, Sillery, Sorel, Stanstead, Sweetsburg, Témiscamingue, Terrebonne, Thetford-Mines, Tracy, Trois-Pistoles, Trois-Rivières, Val-Bélair, Val-des-Monts, Val-d'Or, Valleyfield, Vanier, Varennes, Vaudreuil, Verchères, Verdun, Victoriaville, Waterloo, Westmount, Windsor.

VILLE, ROUMANIE (n. p.). Aiud, Alba, Anina, Arad, Bacau, Braila, Brashov, Bucarest, Buzau, Carei, Cluj, Craiova, Dej, Deva, Galati, Husi, Iasi, Iassy, Jassi, Orades, Resita, Sibiu, Timisoara, Turda.

VILLE, RUSSIE (n. p.). Abakan, Angarsk, Arademgodorok, Armavir, Atchinsk, Balakovo, Barnaoul, Belgorod, Belovo, Berezniki, Bielgorod, Bielovo, Biisk, Birobidjan, Blagovechtchensk, Inta, Ivanovo, Kem, Kovrov, Luga, Moscou, Okha, Omsk, Orel, Orsk, Oufa, Oulan-Oude, Oussourisk, Penza, Perm, Stalingrad, Toula, Toura, Ufa, Vladivostok, Vyborg, Zima.

VILLE, SAHARA (n. p.). Bechard, El Aiun.

VILLE, SERBIE (n. p.). Becej, Bor, Cacak, Nis, Pec, Pirot, Ruma, Sabac.

VILLE, SIBÉRIE (n. p.). Abakan, Irkoutsk.

VILLE, SICILE (n. p.) Enna, Himère.

VILLE, SLOVAQUIE (n. p.). Bratislava, Nitra, Kosice, Tioumen.

VILLE, SUÈDE (n. p.). Boden, Boras, Calmar, Eskilsiuna, Falun, Gavie, Goteborg, Lulea, Lund, Motala, Orebro, Stockholm, Umea, Upsal.

VILLE, SUISSE (n. p.). Aarau, Aigle, Altdorf, Arbon, Arosa, Bale, Baden, Bâle, Bellinzona, Berne, Bienne, Einsiedeln, Fribourg, Genève, Kloten, Lausanne, Lucerne, Lugano, Montreux, Mora, Morges, Olten, Orbe, Renens, Sion, Wil, Zoug, Zurich.

VILLE, SYRIE (n. p.). Alep, Emèse, Hama, homs.

VILLE, TCHÉCOSLOVAQUIE (n. p.). Brno, Most, Opara, Prague, Usti.

VILLE, THAÏLANDE (n. p.). Ayuthia, Bangkok, Nan, Phrae, Surin, Tak.

VILLE, TUNISIE (n. p.). Béja, Bizerte, Gabes, Gafsa, Kef, Nabeul, Sousse, Stax, Tunis.

VILLE, TURQUIE (n. p.). Adana, Adapazari, Ankara, Antioche, Balikesir, Bursa, Diyarbakir, Edirne, Erzurm, Eskisehir, Kars, Istanbul, Izmir, Izmit, Konya, Nicée, Samsun, Sivas, Urfa, Van.

VILLE, UKRAINE (n. p.). Ialta, Kherson, Kiev, Nikopol, Poltava, Rovno, Torez, Yalta.

VILLE, URUGUAY (n. p.). Montevideo, Paysandu, Salto.

VILLE, VENeZUELA (n. p.). Anaco, Barquisimeto, Cabinas, Cagua, Caracas, Coro, Guaira, Maracay, Maturin, Merida, Valencia.

VILLE, VIETNAM (n. p.). Dalat, Hanoï, Hue, Saïgon, Vinh.

VILLE, YOUGOSLAVIE (n. p.). Bor, Belgrade, Ohrid, Maribor, Mostar, Nis, Pula, Raguse, Sarajevo, Senta, Split, Zadar, Zagreb.

VILLE, ZAÏRE (n. p.). Bandudu, Boma, Bukawu, Kananga, Likasi.

VIN. Aligoté, alsace, anjou, asti, ay, ayse, bardolino, beaujolais, blanc, blanquette, bordeau, brouilly, cellier, chablis, chais, champagne, château, chianti, clairet, crémant, cru, déci, dive, falerne, fruité, ginguet, ivre, larme, mâcon, madère, malaga, médoc, moselle, moût, muscadet, muscat, nectar, picrate, pinard, pineau, pinot, piquette, pomerol, pommard, porto, pouilly, retsina, rioja, robe, rond, rosé, rouge, rouquin, sancerre, sauterne, sève, sherry, tocane, vendange, vermouth, vigne, vinaigre, vinasse, xérès.

VINAIGRE. Acétol, acide, mère, oxycrat, oxymel, piquant, rosat, sur.

VINDICATIF. Acharné, haineux, punitif, rancunier, vengeur.

VIOLACÉE. Livedo, pensée, violette, zinzolin.

VIOLATION. Crime, délit, impétuosité, infraction, manquement.

VIOLENCE. Agressivité, animosité, brusquerie, brutalité, colère, contrainte, dureté, force, fougue, furie, rudesse, virulence.

VIOLENT. Agressif, aigu, amer, âpre, ardent, brusque, brutal, cassant, cru, cruel, emporté, enragé, fougueux, impétueux, virulent.

VIOLENTER. Forcer, molester, obliger, outrager, ravir, sévir, violer.

VIOLER. Démesurer, forcer, obliger, opprimer, profaner, violenter.

VIOLET. Aubergine, framboise, indigo, lilas, mauve, pourpre, prune.

VIOLON. Alto, basse, contrebasse, ingres, prison, viole, violoncelle.

VIOLON (n. p.). Stradivarius.

VIOLONISTE. Ménétrier, premier, soliste, violoneux, virtuose.

VIOLONISTE (n. p.). Casals, Enesco, Leclair, Stern, Vivaldi.

VIORNE. Alisier, laurier-tin, obier, pimbina.

VIPÈRE. Ammodyte, aspic, céraste, guivre, heurtante, méchant, ophidien, péliade, pyramide, reptile, serpent, venin, vipereau, vive.

VIRAGE. Changement, stem, stemon, survirer, télémark, tournant.

VIRAGO. Carne, carogne, charogne, dragon, gendarme, grenadier, harpie, largue, maritorne, mégère, rompière, tricoteuse.

VIRER. Amure, changer, pirouetter, pivoter, renvoyer, tourner.

VIRGINITÉ. Chasteté, continence, déflorer, pucelage.

VIRTUEL. Éventuel, possible, potentiel, pouvoir, presque, probable.

VIRTUOSITÉ. Acrobatie, art, as, brio, capacité, maestria, possibilité.

VIRUS. Adénovirus, arbovirus, lentivirus, microbe, myxovirus, papillomavirus, phage, poison, provirus, rétrovirus, viral, virose.

VIS. Écrou, filet, pas, vérin, vissé, puni, rivet, tournevis, vrille.

VISA. Approbation, attestation, ita, licence, lu, mira, passeport, vu.

VISAGE. Binette, bobine, bouille, couperose, face, faciès, figure, frimousse, masque, minette, minois, portrait, tête, traits, trombine.

VISCÈRE. Abdomen, cœliaque, corps, entrailles, estomac, étriper, foie, intestin, matrice, organe, poumon, rate, rein, tête, viscéral.

VISÉE. But, collimateur, dessein, prétention, théodolite, vues.

VISER. Ajuster, bornoyer, désirer, lorgner, mirer, pointer, regarder.

VISIBLE. Apparent, clair, distinct, net, ostensible, percevable, précis.

VISIÈRE. Abat-jour, casquette, garde-vue, képi, mézail, ventail, vue.

VISION. Apparition, épiphanie, extase, idée, illusion, intuition, mirage, obsession, perception, rêve, révélation, spectre, utopie, vue.

VISITE. Audience, contact, démarche, entrevue, examen, excursion, expertise, fouille, inspection, perquisition, réception, rencontre, rendez-vous, ronde, salon, tour, tourisme, tournée, voir, voyage.

VISITER. Fouiller, fréquenter, hanter, rencontrer, voir, voyager.

VISQUEUX. Adhérent, collant, épais, gluant, gras, morve, sirupeux.

VISSER. Assujettir, attacher, fixer, immobiliser, joindre, revisser, river, serrer.

VIT. Cryptique, endogé, est, existe, mort, tubicole, vie, vivre.

VITALITÉ. Allant, ardeur, dynamisme, efficacité, endurance, énergie, entrain, pep, pétulance, punch, tonus, vie, vigueur, vivacité.

VITAMINE. Adermine, aneurine, ascorbique, axérophtol, biotine, calciférol, carotène, esculine, folique, lactoplavine, thiamine.

VITE. Abrégé, agile, alerte, aussitôt, bientôt, dare-dare, intelligent, leste, presto, prompt, rapide, subitement, subito, tôt, trait, véloce.

VITELLUS. Œuf, télolécithe.

VITESSE. Agilité, allure, anémomètre, célérité, diligence, erre, force, hâte, mach, nœud, précipitation, presse, prestesse, promptitude, rapidité, régime, tachymètre, temps, train, vélocité, vite, vivacité.

VITREUX. Blafard, blême, brumeux, cadavérique, cireux, décoloré, éteint, hâve, hyalin, livide, noyé, plombé, terreux, verdâtre, vitré.

VIVACE. Animé, dur, durable, fort, persistant, solide, tenace, vif.

VIVACE, PLANTE (3 lettres). Lin, lis, lys, mil.

VIVACE, PLANTE (4 lettres). Ixia, jonc, meum, orge.

VIVACE, PLANTE (5 lettres). Achée, aneth, douve, gesse, lilas, lupin, mauve, ortie, panax, pavot, phlox, sauge, serve, stipa, tabac.

VIVACE, PLANTE (6 lettres). Berlue, bleuet, bouton, coucou, crocus, gremil, kochia, laîche, lamier, linnée, lotier, luzula, luzule, millet, mimule, muguet, nepeta, nérine, ononis, orvale, oxalis, pensée, plumet, pyrole, scille, silène, spirée, trèfle, trille, trolle, tulipe.

VIVACE, PLANTE (7 lettres). Bugrane, cataire, éplaire, faux-lis, fenouil, fougère, fuschia, gerbera, ginseng, girarde, jarosse, lantana, liatris, linaire, liriope, lobelia, lopezia, lunaire, luzerne, lychnis, lycoris, lythrum, marrube, mélisse, molinia, muflier, muscari, nemesia, némésie, nivéole, œillet, ononide, osmonde, ourisia, pétunia, pigamon, pivoine, renouée, sanicle, sclarée, sénécon, solanum, statice, violier, voilier.

VIVACE, PLANTE (8 lettres). Agrostis, ansérine, auricule, cerisier, chirette, cinéaire, éllébore, faux-buis, gessette, jacinthe, jeannette, julienne, laiteron, lanterne, lathyrus, leucosum, libertia, lycopode, marabout, martagon, myosotis, naegelia, narcisse, orchidée, passerose, porillon, pourpier, sidalcée, verveine, violette, wulfenia.

VIVACE, PLANTE (9 lettres). Agrostide, amaryllis, galantine, grassette, hydrastis, jonquille, limaguère, lysimaque, monnayère, pervenche, primevère, rudbeckia, salicaire, valériane, véronique.

VIVACE, PLANTE (10 lettres). Aspergette, cassolette, coquelicot, dentelaire, maianthème, marguerite, matricaire, mignardise, nummulaire, perce-neige, persicaire, phytolaque, potentille, primerolle, pulsatille.

VIVACE, PLANTE (11 lettres). Clandestine, pâquerrette, pédiculaire.

VIVACE, PLANTE (12 lettres). Chrysanthème, gueule-de-loup.

VIVACE, PLANTE (13 lettres). Herbe-aux-chats, monnaie-du-pape.

VIVACITÉ. Activité, agilité, alacrité, animation, ardeur, brio, chaleur, colère, éclat, entrain, exubérance, force, mouvement, pétulance.

VIVANT. Animé, debout, fort, organisé, ressuscité, sauvé, viable, vif.

VIVE. Ardent, beaucoup, fort, intense, œuvre, navire, vif, vit.

VIVEMENT. Allegro, ardemment, beaucoup, brusquement, brutalement, chauffer, durement, embraser, fortement, fulgurant, intensément, précipitamment, pressant, prestement, profondément, promptement, rapidement, riposter, séchement, vite.

VIVIER. Anguillère, homarderie.

VIVIFIER. Activer, agir, animer, créer, exister, revivifier, vivre.

VIVOTER. Subsister, survivre, végéter.

VIVRE. Camper, conserver, continuer, croupir, denrée, durer, être, exister, habiter, mener, nourriture, passer, rabiot, respirer, rester, revivre, subsister, traverser, végéter, viabilité, victuailles, vivoter.

VIVRES. Aliments, denrées, nourriture, rabiot, restes, victuailles.

VOCABLE. Lapsus, locution, nom, monème, mot, parole, terme.

VOCABULAIRE. Argot, concordance, dictionnaire, index, langage, langue, lexique, nomenclature, mot, prégnance, terminologie.

VOCIFÉRER. Clamer, crier, gueuler, hurler, parler, tonitruer.

VŒU. Affirmer, avis, désir, désirer, engagement, intention, jurer, promesse, résolution, serment, souhaiter, soupirer, volonté.

VOGUE. Coqueluche, faveur, fête, flotte, fureur, mode, réputé.

VOICI. Voilà.

VOIE. Aiguille, artère, assentir, avenue, boulevard, canal, chemin, conduit, direction, eau, impasse, indice, opposition, passage, quai, rail, rameau, rocade, route, rue, stère, trace, vaisseau, venelle.

VOILE. Amure, artimon, cape, cargue, clinfoc, conopée, étrangloir, foc, fun, fuste, gui, hunier, litham, misaine, nuée, panne, perroquet, ris, spi, taled, taleth, tapecul, tchador, tréou, velet, vélum, voilette.

VOILER. Abriter, affaiblir, atténuer, cacher, camoufler, couvrir, déguiser, dissimuler, envelopper, estomper, masquer, travestir.

VOILIER. Bateau, catamaran, cotre, finn, génois, goélette, ketch, lougre, roulier, schooner, senau, sloop, tartane, trimaran.

VOILURE. Agrès, câble, étai, hauban, hune, mât, palan, toile, voile.

VOIR. Analyser, apercevoir, apprécier, aviser, constater, consulter, croiser, découvrir, démêler, discerner, distinguer, dominer, entrevoir, épier, éprouver, étaler, étudier, envisager, fixer, fréquenter, goût, jauger, juger, mirer, naître, noter, observer, percevoir, planer, regarder, repérer, savoir, supporter, vu, vue.

VOISIN. Adjacent, avoisinant, avoisiner, confiner, lieu, maison, près, prochain, proche, proximité, semi, vicinal, voisinage, voisiner.

VOITURE. Auto, automobile, autorail, bagnole, baladeuse, berline, bolide, break, buggy, cab, cabriolet, car, char, coach, coche, coupé, duc, fiacre, fardier, fourgonnette, guimbarde, jardinière, jeep, landau, limousine, tacot, taxi, torpédo, tram, van, véhicule, victoria.

VOITURIER. Camionneur, charretier, cocher, routier, transporteur.

VOIX. Alto, appel, baryton, basse, castrat, chant, contralto, cri, dessus, élu, haute-contre, impulsion, mezzo-soprano, parole, soprano, sopraniste, suffrage, taille, ténor, ténorino, urne, vote.

VOL. Appropriation, brigandage, cambriolage, décollage, détournement, envol, escroquerie, essor, extorsion, larcin, pillage, raid, racket, rapine, rase-mottes, spoliation, survol, tire, volée.

VOLAGE. Capricieux, changeant, inconstant, infidèle, léger, papillon.

VOLAILLE. Basse-cour, canard, cane, canette, caneton, chapon, civet, coq, dinde, dindon, dindonneau, jars, œuf, oie, oison, mue, pâton, pintade, pintadeau, poulailler, poule, poulet, poussin, volatile.

VOLANT. Badminton, copie, jabot, marge, moineau, roue, sambuque.

VOLATIL. Changeant, éther, fleur, fluctuant, oiseau, mouvant.

VOLCAN. Cheminée, coulée, cratère, éruption, fumerolle, lave, montagne, orle, péléen, pic, salse, scorie, soufrière, zéolithe.

VOLCAN. (n. p.). Aconcagua, Apo, Aso, Erebus, Etna, Hékla, Krakatoa, Misti, Niragongo, Popocatepetl, Soufrière, Stromboli, Vésuve.

VOLE. Estampe, voletant.

VOLÉE. Battre, coup, dégelée, essor, fessée, flopée, pile, raclée, rincée, rossée, roulée, saucée, tabassée, tannée, tripotée, vol.

VOLER. Aile, aviateur, avion, chiper, choper, dérober, détrousser, dévaliser, entôler, essor, estamper, filouter, flotter, hélicoptère, gruger, monter, planer, prendre, rafler, rapiner, rincer, rosser, sauter, soustraire, spolier, subtiliser, tanner, usurper, voltiger.

VOLET. Aileron, battant, contrevent, déflecteur, jalousie, mantelet, pan, partie, persienne, rideau, spoiler, store, tourniquet, trié, vent.

VOLEUR. Aiglefin, bandit, brigand, cambrioleur, canaille, chenapan, cleptomane, détrousseur, entoleur, escroc, filou, fraudeur, fripon, larron, malandrin, malfaiteur, pillard, receleur, tire-laine, truand.

VOLONTAIRE. Assentiment, engagé, hardi, partisan, viril, voulu.

VOLONTÉ. Aboulie, aise, bienveillance, caprice, caractère, courage, cran, décision, décret, désir, dessein, détermination, énergie, exigence, gré, intention, opiniâtreté, oracle, projet, résolution, ressort, souhait, testament, tester, velléité, volition, vouloir, vue.

VOLTAIRE (n. p.). Arouet, François Marie.

VOLTAIRIEN. Anticlérical, athée, caustique, jacobin, sceptique.

VOLTAMPÈRE. Va, var.

VOLTE-FACE. Changement, contremarche, conversion, demi-tour, évolution, palinodie, pirouette, retournement, revirement.

VOLTIGER. Flotter, ondoyer, onduler, tournoyer, voler, voleter.

VOLUBILIS. Ipomée, liseron.

VOLUME. Ampleur, bouquin, calibre, capacité, cône, contenance, cubage, densité, dimension, espace, géométrie, grandeur, grosseur, livre, masse, menu, mesure, ouvrage, roman, solide, stère, tome.

VOLUMINEUX. Charnu, énorme, épais, fort, gros, lourd, rond, trapu.

VOLUPTÉ. Débauche, délectation, délice, enivrement, épectase, érotisme, ivresse, jouissance, orgasme, plaisir, strape, sybaritisme.

VOMIR. Chasser, cracher, déboter, dégobiller, dégorger, dégueuler, détester, évacuer, exécrer, expectorer, expulser, honnir, injurier, lancer, proférer, projeter, régurgiter, rejeter, rendre, restituer, tir.

VOMISSEMENT. Émétique, hématémèse, pituite, vomissure.

VOMISSURE. Dégobillage, vomi.

VORACE. Avide, faim, glouton, goulu, gourmand, ogre, uranoscope.

VOTANT. Électeur, suffragette.

VOTE. Adoption, avis, bulletin, consultation, élection, opinion, plébiscite, référendum, scrutin, suffrage, urne, votation, voix.

VOUÉ. Consacré, dédié, donné, juré, prédestiné, promis, sacrifié.

VOULOIR. Aimer, ambitionner, appéter, arrêter, aspirer, briguer, chercher, commander, convoiter, daigner, décider, défendre, désirer, déterminer, efforcer, entendre, envier, exiger, guigner, interdire, lorgner, ordonner, permettre, pouvoir, soudre, souhaiter, volonté.

VOUS. Elle, elles, eux, êtes, il, ils, lui, tu, vôtre, vouvoyer.

VOÛTE. Arc, arcade, arceau, arche, berceau, ciel, cintre, coupole, dais, dôme, firmament, galerie, hypogée, intrados, palais, voussure.

VOÛTÉ. Arc, arche, bossu, cintré, convexe, courbé, dôme, rein, rond.

VOYAGE. Balade, circuit, croisière, déplacement, excursion, exil, expédition, exploration, incursion, itinéraire, navigation, odyssée, parcours, passage, pèlerinage, pérégrination, périple, promenade, raid, randonnée, route, tourisme, tournée, traversée, virée, visite.

VOYAGER. Aller, bourlinguer, circuler, déplacer, incognito, naviguer.

VOYAGEUR. Étranger, excursionniste, explorateur, globe-trotter, nomade, passager, pèlerin, pinto, promeneur, ravenala, représentant, routard, touriste, vacancier, vendeur, visiteur.

VOYAGEUR (n. p.). Énée, Œdipe, Ulysse.

VOYANT. Astrologue, augure, cartomancien, clairvoyant, devin, devinateur, diseur, illuminé, inspiré, magicien, prophète, sibylle.

VOYELLE. Apophonie, brève, diphtongue, synérèse, tréma.

VOYOU. Ardouille, canaille, chenapan, crapule, frappe, galopin, garnement, gouape, gredin, loubard, loulou, vaurien, vermine.

VRAI. Ami, assuré, authenticité, avéré, certain, confirmé, conforme, connu, droit, exact, faux, formel, franc, juste, loyal, réel, sûr, vérité.

VRAIMENT. Plausible, probable, réellement, voire, vraisemblable.

VRAISEMBLABLE. Crédible, plausible, probable, vraiment.

VRILLE. Cirre, cirrhe, drille, filament, foret, hélice, lesbienne, liseron, mèche, nervé, perceuse, spirale, taraud, tarière, tordu.

VUE. Aperçu, aspect, avis, belvédère, but, cécité, étendue, eu, idée, intention, invisible, lunette, myopie, observatoire, œil, ouverture, panorama, paysage, point, regard, sens, site, tableau, vision, yeux.

VULGAIRE. Bas, brut, commun, épais, grossier, populaire, trivial, vil.

VULVE. Clitoris, femme, féminité, hymen, mammifère, vagin.

# W

WAGON. Benne, bogie, conduit, fourgon, impériale, lorry, plateau, rame, tombereau, train, véhicule, voiture, wagonnet.

WAGONNET. Benne, berline, decauville, draisine, lorry, mine.

WAPITI. Bois, cerf, cervus.

WARRANT. Avance, caution, dépôt, ducroire, gage, garantie, prêt.

WATER-CLOSET. W.C.

WATER-POLO. Ballon, eau, handball, nageur.

WASHINGTON (n. p.). Potomac.

WATT. Ampoule, W.

WATT-HEURE. Wh.

WATTMAN. Tramway.
WEBER. Wb.
WEEK-END. Congé, dimanche, samedi, vacances.
WESTERN. Cowboy, film, indien.
WHARF. Appontement, débarcadère, embarcadère, jetée, ponton, quai.
WHIG. Libéral.
WHISKY. Avoine, Bailey, bourbon, eau-de-vie, orge, rye, scotch, seigle.
WHIST. Carte, chelem, rob, tri, trick.
WIGWAM. Cabane, case, chaumière, hutte, tente, village.
WILLIAMS. Poire.
WISIGOTH. Alaric, arianisme, Espagne, germanique, Goth, Thrace.
WOLFRAM. Tungstène.
WON. Corée, monnaie.
WU. Chinois, dialecte, sShanghai.
WYANDOTTE. Coq, poule.

## X

X. Axe, dix, inconnu, rayon.
XANTHIUM. Grapelle, gratteron, lampourde.
XÉNON. Xe.
XYLÈNE. Xylol.
XÉNOPHILIE. Affectation, générosité, maniérisme, ouverture.
XÉNOPHOBE. Chauvin, chauviniste, colon, étranger, immigrant, nationaliste, raciste, séparatiste, voyageur.
XÉRÈS. Amontillado, jerez, manzanilla, sherry, vin.
XÉRUS. Écureuil.
XYLÈNE. Xylidine, xylol.
XYLOCOPE. Abeille, charpentière, menuisière.
XYLOGRAPHIE. Gravure.
XYLOPHONE. Clavier, cymbalum, mailloche, marimba, percussion.
XYSTE. Galerie, gymnaste, jardin, piste.

## ϒ

Y. Axe, chromose, être, inconnue, pairle, yttrium.
YACHT. Bateau, cruiser, navire, ponton, régate, vaisseau, yole.
YAK. Bœuf, yack.
YACK. Bœuf, yak.
YANG. Yin.
YANKEE. Américain, Amerloque, gringo, nordiste, ricain.
YASS. Chibre, jeu.
YATAGAN. Sabre.
YETTERBIUM. Yb.

YEUX. Albinos, borgne, cerne, éborgner, larme, lu, lunette, oculiste, œil, ophtalmologiste, regard, sourcil, taupe, vision, vue.

YIN. Yang.

YOGA. Asana, hindou, méditation, nadeau, relaxation, yogi.

YOGI. Asana, ascète, contemplatif, fakir, sage.

YOGOURT. Glacophile, yaourt, yoghourt.

YO-YO. Descendre, disque, ficelle, monter.

YTTERBIUM. Yb.

YTTRIUM. Y.

YUAN. Chine, monnaie.

YUCCA. Agave, baïonnette espagnole, cordyline, dague espagnol.

## Z

ZAGAIE. Abeille, aiguille.

ZAGREB. Agram.

ZAIN. Cheval, chien, étalon, pelage.

ZAPPER. Changer, chercher, déplacer, passer, pitonner, sonder, tourr er, varier.

ZÈBRE. Âne, cheval, daw, dauw, dozeb, individu, okapi, poulin, type.

ZÉBRURE. Hachure, marque, raie, rayure, strie.

ZÉBU. Asie, bœuf, bosse.

ZÉLATEUR. Adepte, apôtre, disciple, partisan, prosélyte, zélé.

ZÉLÉ. Actif, agissant, appliqué, ardent, ardeur, assidu, dévoué, diligent, élan, empressé, enthousiasme, fanatique, fervent, fièvre.

ZEN. Bouddhiste, cha-no-yu, ikebana, satori.

ZÉNITH. Apogée, astrologie, comble, haut, méridien, nadir, point.

ZÉNOBIE (n. p.). Odenath, Palmyre.

ZÉPHYR. Air, coton, toile, vent, zéphir.

ZÉRO. Absence, anéantir, asymptote, aucun, bagatelle, effacer, éteindre, néant, nier, non, nul, ras, rayer, rien, sans, valeur, vide.

ZESTE. Écorce, faible, peau, petit, peu, zest.

ZEUS (n. p.). Io.

ZÉZAYER. Bléser, dire, parler, zozoter.

ZIBELINE. Martre, mustélidé, sable, toque.

ZIEUTER. Bigler, flirter, regarder, zyeuter.

ZIG. Individu, malin, type, zigoto, zigue, zinzin.

ZIGOUILLER. Assassiner, liquider, tuer.

ZIGZAG. Chicane, crochet, détour, entrechat, lacet, tournant.

ZIGZAGUER. Biaiser, chanceler, finasser, louvoyer, serpenter, sinuer, slalomer, tergiverser, vaciller.

ZINC. Avion, galvanisation, zn.

ZINGARO. Bohémien, tsigane.

ZINGIBÉRACÉE. Amone, cardamome, curcuma, gingembre.

ZINZIN. Bizarre, machin, toqué.

ZIRCONIUM. Zr.

ZIZANIE. Désunion, discorde, ivraie, mésintelligence, plante, riz.

ZIZI. Bruant, pénis, sexe.

ZODIAQUE. Balance, Bélier, Cancer, Capricorne, décan, Gémeaux, Lion, Poissons, Sagittaire, Scorpion, sextil, Taureau, trine, Verseau, Vierge.

ZONAL. Régional.

ZONE. Aire, bande, bled, classe, domaine, endroit, espace, halo, lieu, patelin, pays, quartier, région, secteur, sphère, surface, territoire.

ZOOPHYTE. Phytozoaire.

ZOUAVE. Bête, chacal, chéchia, fantassin, soldat.

ZOZO. Naïf, niais.

ZOZOTER. Bléser, zézayer.

ZUT. Exclamation, impatience, mécontentement.

ZYGOTE. Cellule, champignon, œuf, zygomycètes.

ZYRIANES (n. p.). Komis.

ZYZOMYS. Rat.

IMPRIMÉ AU CANADA